U0856199

2020

河北统计年鉴

HEBEI STATISTICAL YEARBOOK

河 北 省 统 计 局
国家统计局河北调查总队
编

（首卷）

中国统计出版社
China Statistics Press

图书在版编目（CIP）数据

河北统计年鉴．2020 = Hebei Statistical Yearbook 2020 : 汉英对照 / 河北省统计局，国家统计局河北调查总队编．-- 北京 : 中国统计出版社，2021.1
ISBN 978-7-5037-9450-6

Ⅰ．①河… Ⅱ．①河… ②国… Ⅲ．①统计资料－河北－2020－年鉴－汉、英 Ⅳ．①C832.22-54

中国版本图书馆 CIP 数据核字（2021）第 014450 号

河北统计年鉴 2020

作　　者 / 河北省统计局　国家统计局河北调查总队
责任编辑 / 李　冲
执行编辑 / 张　洁
封面设计 / 郝　巍
出版发行 / 中国统计出版社有限公司
通信地址 / 北京市丰台区西三环南路甲 6 号　邮政编码 /100073
电　　话 / 邮购（010）63376909　书店（010）68783171
网　　址 / http://www.zgtjcbs.com/
印　　刷 / 河北鑫兆源印刷有限公司
经　　销 / 新华书店
开　　本 / 890mm×1240mm　1/16
字　　数 / 990 千字
印　　张 / 40.25　1 彩页
版　　别 / 2021 年 1 月第 1 版
版　　次 / 2021 年 1 月第 1 次印刷
定　　价 / 380.00 元

本书附同版本 CD-ROM 一张，光盘内容以书面文字为准。
如有印装差错，由本社发行部调换。

经济总量
Economic Aggregate

地区生产总值（亿元）
Gross Domestic Product (100 million yuan)

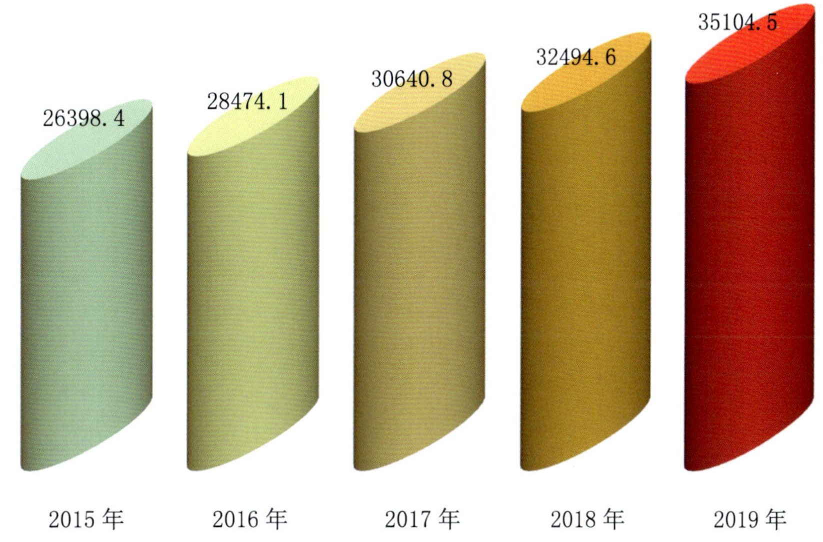

地区生产总值构成（%）
Composition of Gross Domestic Product (%)

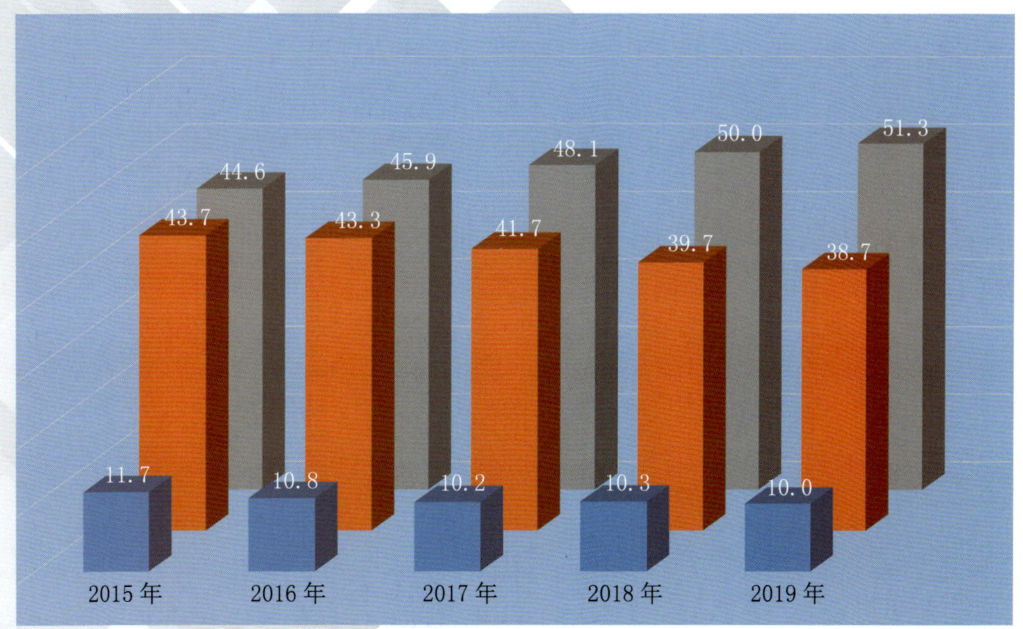

财 政
Public Finance

一般公共预算收支总额（亿元）
General Public Budget Revenue and Expenditure (100 million yuan)

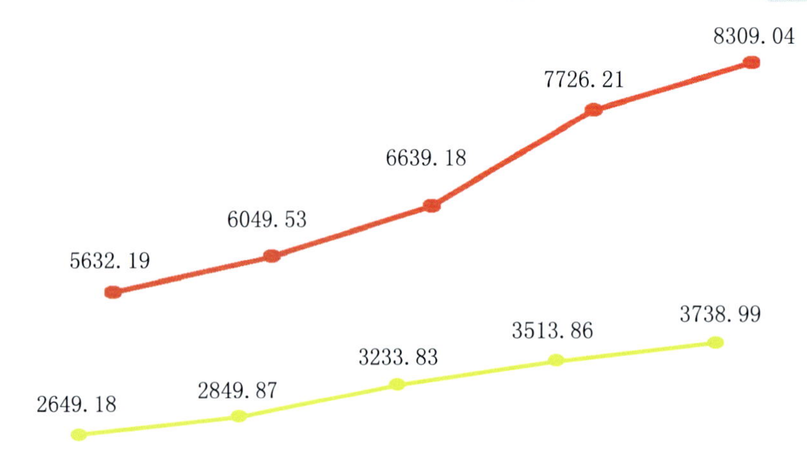

2015 年 2016 年 2017 年 2018 年 2019 年

一般公共预算收入 General Public Budget Revenue

一般公共预算支出 General Public Budget Expenditure

人民生活

People's Livelihood

城镇居民人均收支情况（元）

Per Capita Income and Consumption Expenditure of Urban Households (yuan)

2015 年　2016 年　2017 年　2018 年　2019 年

— 城镇居民人均可支配收入　— 城镇居民人均消费支出

农村居民人均收支情况（元）

Per Capita Income and Consumption Expenditure of Rural Households (yuan)

2015 年　2016 年　2017 年　2018 年　2019 年

— 农村居民人均可支配收入　— 农村居民人均消费支出

城镇化·旅游

Urbanization Proportion and Tourism

城镇化率（%）

Urbanization Proportion (%)

	2015年	2016年	2017年	2018年	2019年
城镇化率（%）	51.33	53.32	55.01	56.43	57.62
总人口（万人）	7424.92	7470.05	7519.52	7556.30	7591.97
城镇人口（万人）	3811.21	3983.03	4136.49	4264.02	4374.49

入境游客（万人次）

Number of Overseas Visitor Arrivals (10000 person-times)

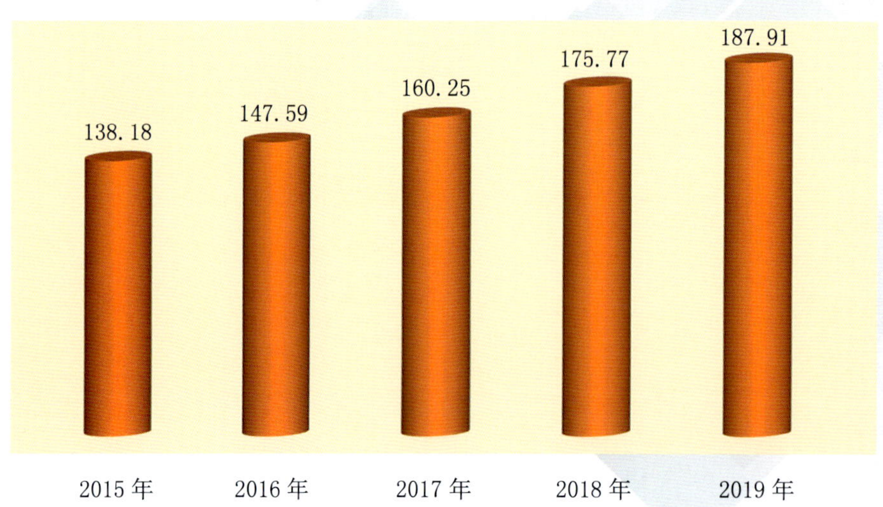

2015年 2016年 2017年 2018年 2019年

建 筑 业

Construction

建筑业设备年末总台数（台）

Number of Machinery and Equipment (set)

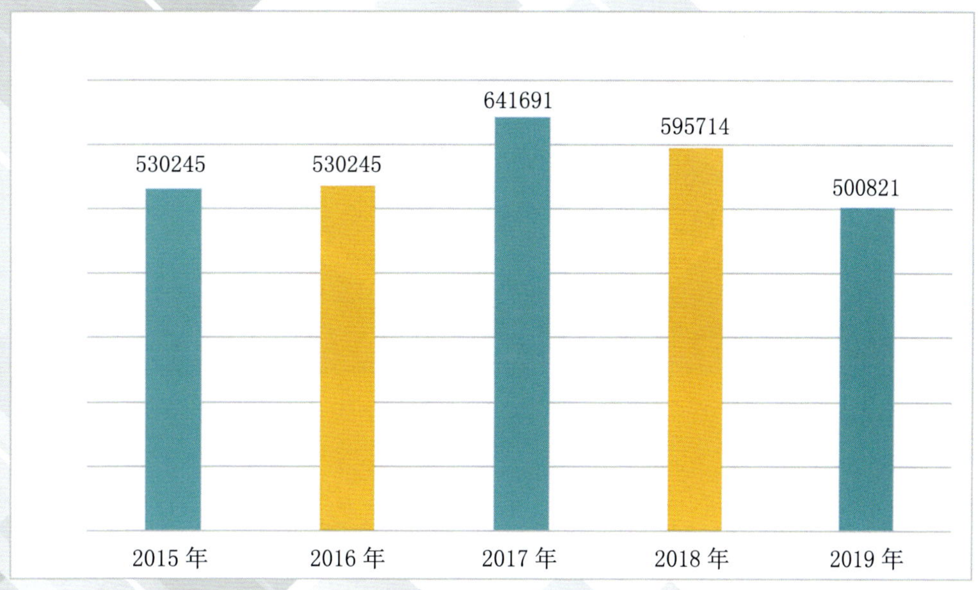

建筑业设备年末总功率（万千瓦）

Total Power of Machinery and Equipment (10000 kW)

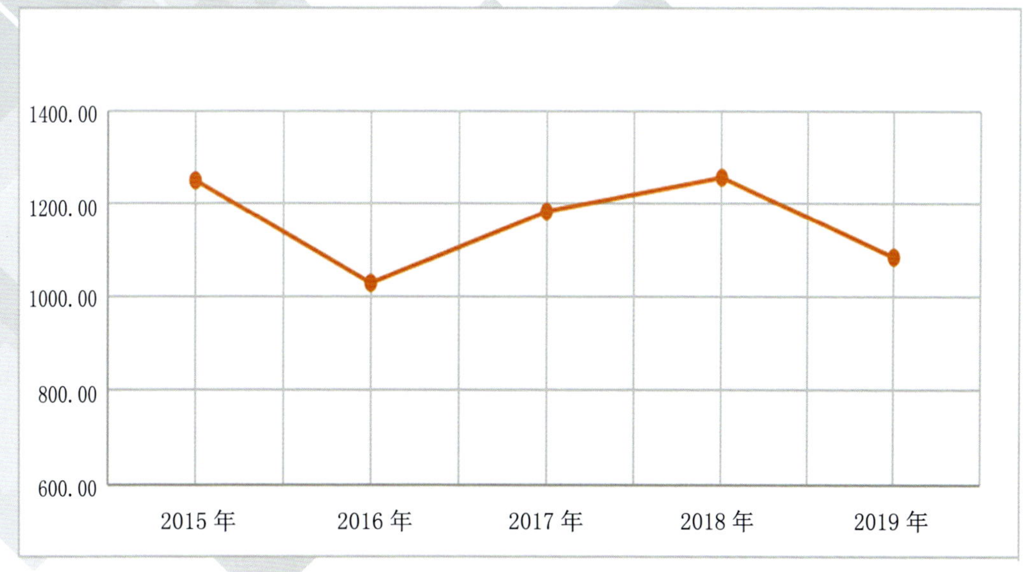

房地产

Real Estate

商品房销售面积（万平方米）

Floor Space of Commercialized Buildings Sold (10000 sq.m)

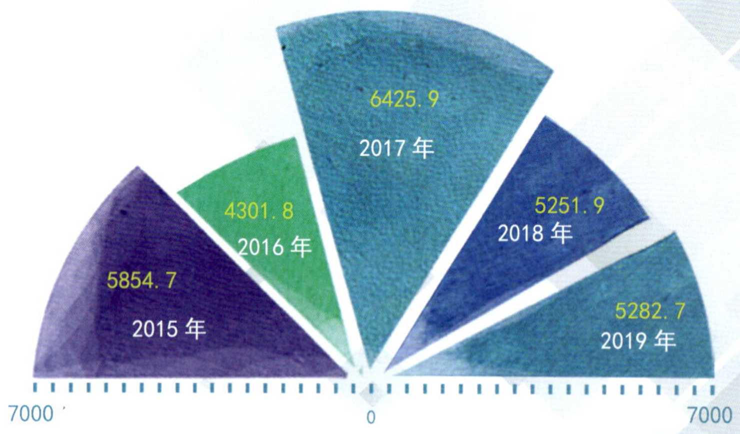

商品房销售额（亿元）

Total Sales of Commercialized Buildings (100 million yuan)

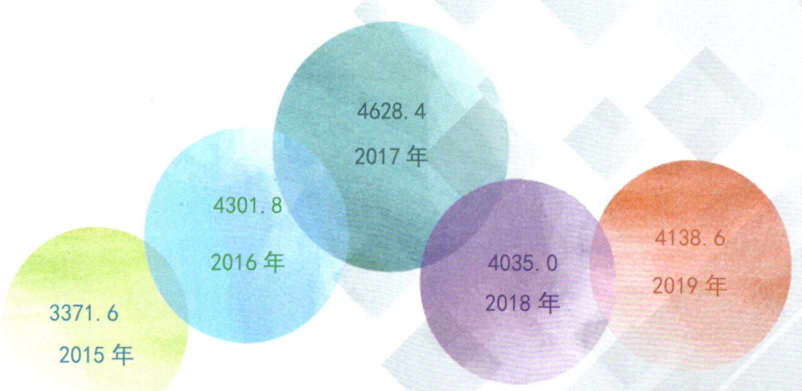

交 通
Transportation

公路通车里程（公里）
Total Length of Highways (km)

高速公路通车里程（公里）
Length of Expressway (km)

贸 易

Trade

社会消费品零售总额（亿元）

Total Retail Sales of Consumer Goods (100 million yuan)

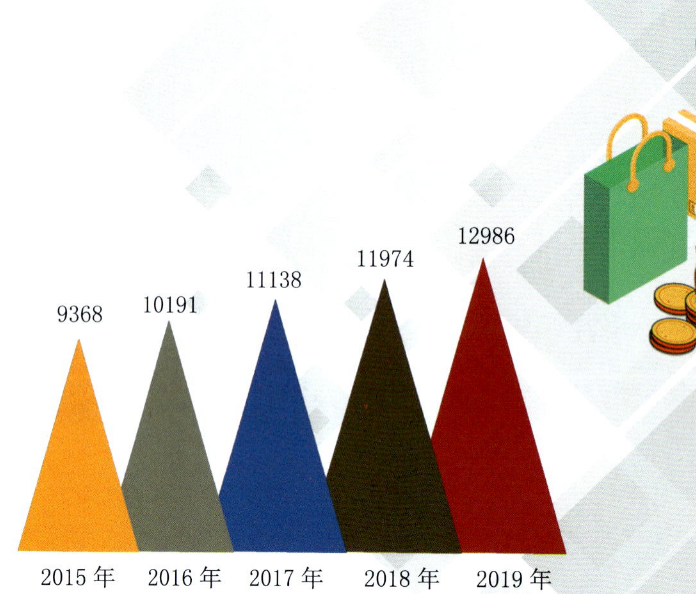

进出口贸易总额（万美元）

Total Volume of Imports and Exports (USD 10000)

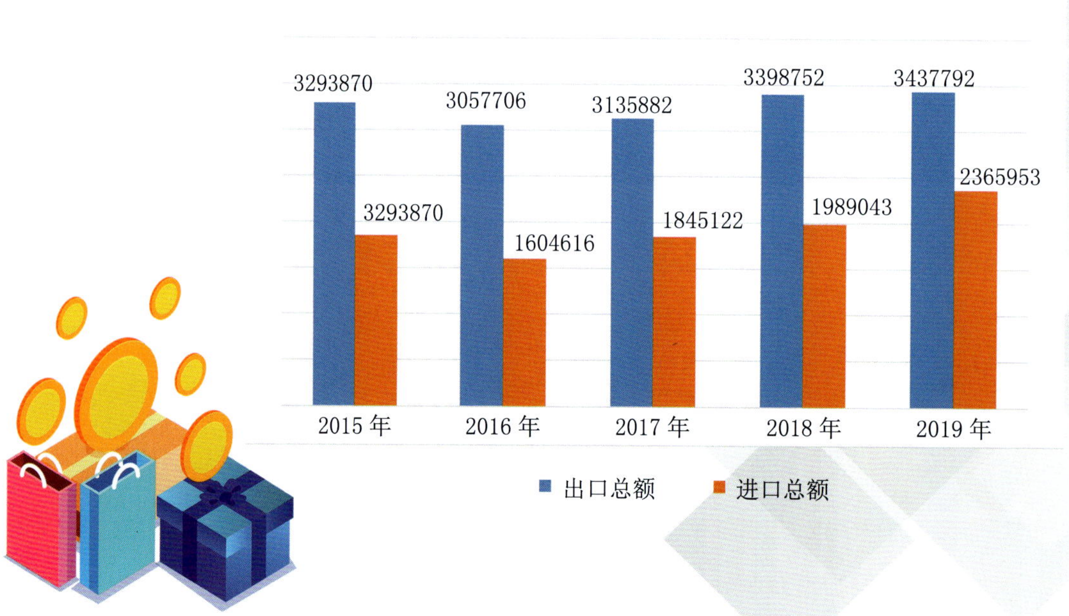

教 育

Education

2019 年各级各类学校在校学生情况（万人）

2019 Number of Enrolments of Formal Education by Type and Level (10000 persons)

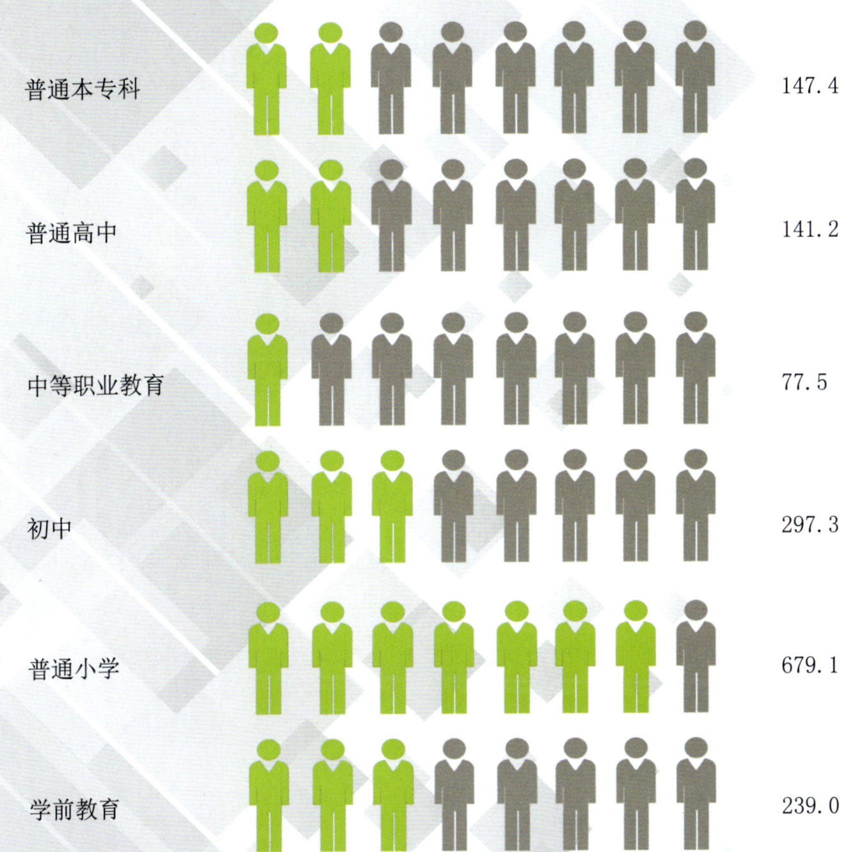

医疗卫生
Public Health

卫生机构数（个）
Number of Health Institutions (unit)

卫生机构床位数（万张）
Beds in Health Care Institutions (10000 beds)

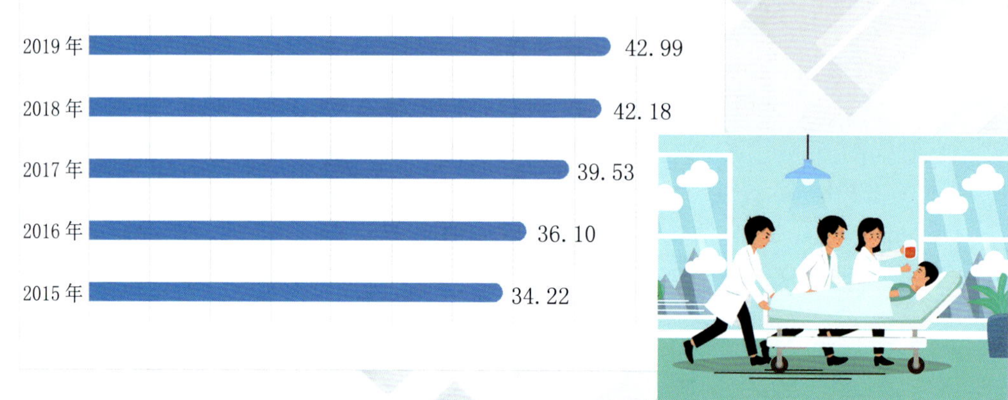

卫生技术人员数（万人）
Medical Technical Personnel (10000 persons)

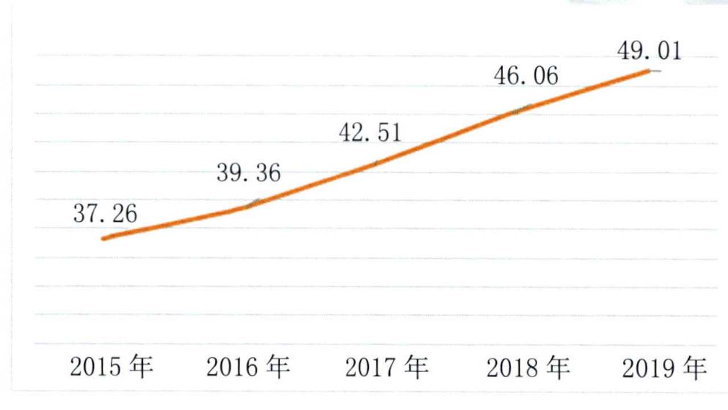

京津冀财政收支

General Public Budget Revenue and Expenditure of Jing-Jin-Ji Region

一般公共预算收入（亿元）

General Public Budget Revenue (100 million yuan)

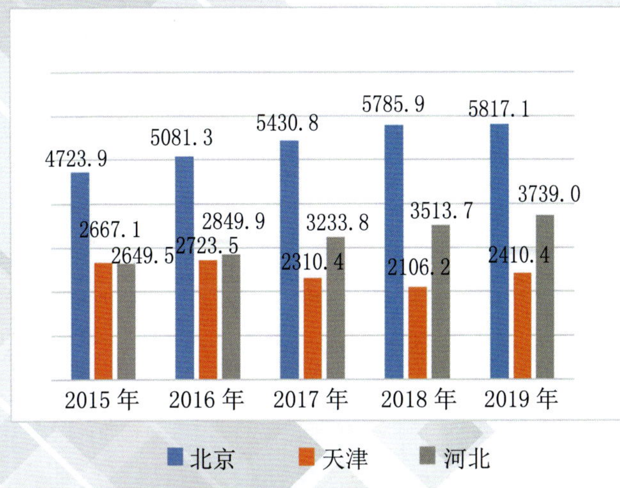

预算支出（亿元）

General Public Budget Expenditure (100 million yuan)

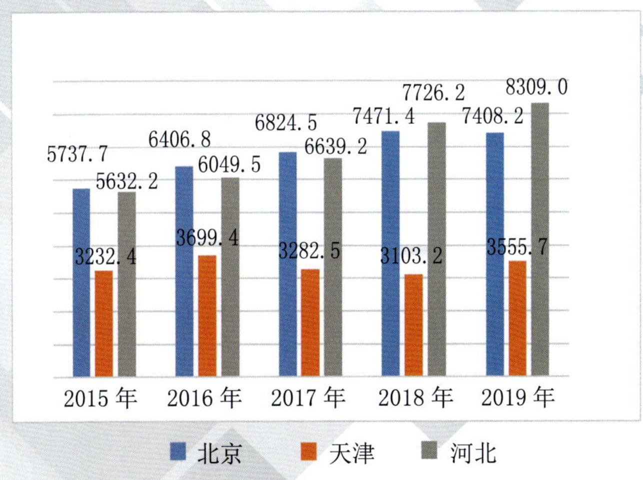

京津冀居民收支

Income and Consumption Expenditure of Households in Jing-Jin-Ji Region

城镇居民人均可支配收入（元）

Per Capita Annual Disposable Income of Urban Housholds (yuan)

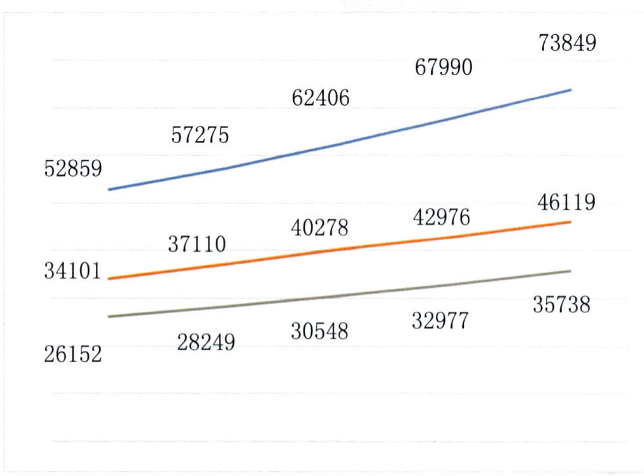

农村居民人均可支配收入（元）

Per Capita Annual Disposable Income of Rural Households (yuan)

《河北统计年鉴—2020》

编委会和编辑出版人员

Hebei Statistical Yearbook-2020

EDITORIAL BOARD AND EDITORIAL STAFF

编 者 说 明

一、《河北统计年鉴》是一部全面、系统反映河北省国民经济和社会发展情况的资料性年刊，是认识和研究河北省情、制定政策、指导国民经济发展的重要资料和历史性工具书，2020年为开卷之年。

二、《河北统计年鉴-2020》(以下简称《年鉴》)包括特载、统计数据、附录三大部分。

特载包括河北省2019年国民经济和社会发展统计公报。

统计数据主要收录河北省及各市、县2019年及历史重要年份经济和社会各方面的大量统计数据，共24篇：第一篇，综合；第二篇，人口；第三篇，国民经济核算；第四篇，就业和工资；第五篇，价格；第六篇，人民生活；第七篇，财政、金融、保险；第八篇，能源和环境；第九篇，固定资产投资；第十篇，对外经济贸易；第十一篇，农业；第十二篇，工业；第十三篇，建筑业；第十四篇，批发和零售业；第十五篇，运输和邮电；第十六篇，住宿、餐饮业和旅游；第十七篇，房地产；第十八篇，科学技术；第十九篇，教育；第二十篇，卫生和社会服务；第二十一篇，文化和体育；第二十二篇，公共管理和社会保障；第二十三篇，城市概况；第二十四篇，县（市、区）主要指标。为方便读者使用，各篇章前设有《简要说明》，对本篇章的主要内容、资料来源、统计范围、统计方法以及历史变动情况予以简要概述。篇末附有《主要统计指标解释》。

附录包括京津冀主要指标、各省（区、市）主要指标、旅游景区信息、统计大事记。

三、《年鉴》涉及的各项指标，除《统计公报》使用的数字为快报数或初步统计数据外，大部分来自年度统计报表，一部分来自抽样调查等。全国分省资料来自《中国统计年鉴-2020》。

四、《年鉴》中所使用的度量衡单位均采用国际统一标准计量单位。

五、《年鉴》中国民经济行业分类按国家标准《国民经济行业分类》(GB/T4754-2017) 执行。

六、《年鉴》总量指标计算所采用的价格均为当年价格。

七、《年鉴》部分数据合计数或相对数由于单位取舍不同产生的计算误差未作机械调整。

八、《年鉴》统计数据表中“空格”表示该项统计指标数据不详或无该项数据；“#”表示其中的主要项；“①”表示本表下有注解。

《河北统计年鉴》将以务实的态度，努力向社会提供具有权威性、规范性、实用性、连续性的数据产品，欢迎国内外广大读者对《年鉴》编辑出版工作提出宝贵意见，使《年鉴》形式和内容更趋完善。

Editor’s Notes

I.*Hebei Statistical Yearbook* is an informative annual publication that comprehensively and systematically reflects the national economic and social development of Hebei Province. It is an important material and historical reference book for understanding and studying the situation of Hebei Province, formulating policies and guiding the national economic development. The year 2020 will be the year of its opening.

II.*Hebei Statistical Yearbook-2020* (hereinafter referred to as the *Yearbook*) includes feature articles, statistical data and appendix.

Feature articles include *Statistical Communique of National Economic and Social Development of Hebei Province in 2019.*

The statistical data mainly include a large number of economic and social statistical data of Hebei Province, cities and counties in 2019 and important years in history, a total of 24 articles. Chapter 1. General Survey; Chapter 2. Population; Chapter 3. National Economic Accounts; Chapter 4. Employment and Wages; Chapter 5. Price; Chapter 6. People's Livelihoods; Chapter 7. Government Finance, Banking and Insurance; Chapter 8. Energy and Environment; Chapter 9. Investment in Fixed Assets; Chapter 10. Foreign Economic Relations and Trade; Chapter 11. Agriculture; Chapter 12. Industry; Chapter 13. Construction; Chapter 14. Wholesale and Retail; Chapter 15. Transport, Post and Telecommunications; Chapter 16. Hotels, Catering Services and Tourism; Chapter 17. Real Estate; Chapter 18. Science and Technology; Chapter 19. Education; Chapter 20. Health and Social Services; Chapter 21. Culture and Sports; Chapter 22. Public Management and Social Security; Chapter 23. City Profiles; Chapter 24. Main Indicators of Counties (Cities and Districts at County Level) . For the convenience of readers, a brief description is provided before each chapter, which gives an overview of the main contents, data sources, statistical scope, statistical methods and historical changes of this chapter. At the end of the article, there is an explanation of the main statistical indicators.

The appendix includes the major indicators of Jing-Jin-Ji region, and the main indicators of all provinces (autonomous regions, cities), and tourist attractions information, and chronicle of events of statistical.

III.The indicators involved in the *Yearbook* are mostly from annual statistical statements and partly from sample surveys, except that the figures used in the Statistical Bulletin are express numbers or preliminary statistical data. The national provincial data are from *China Statistical Yearbook -2020.*

IV.The units of weights and measures used in the *Yearbook* adopt international uniform standard units of measurement.

V. The classification of national economic industries in the *Yearbook* is implemented according to the National standard "Classification of National Economic Industries" (GB/T4754-2017).

VI.The prices used in the total index calculation of the *Yearbook* are the current year prices.

VII.There is no mechanical adjustment for the calculation error caused by different units in the total count or relative number of some data in the *Yearbook.*

VIII. "Blank space" in the statistical data table of the *Yearbook* means that the data of this statistical indicator is unknown or not available; "#" represents the main item; "①" indicates notes under this table.

Hebei Statistical Yearbook will strive to provide authoritative, normative, practical and continuous data products to the society with a pragmatic attitude. Readers at home and abroad are welcome to put forward valuable suggestions on the editing and publishing work of the *Yearbook*, so as to make the form and content of the *Yearbook* more perfect.

目　　录

CONTENTS

特载
Feature Articles

第一篇　综合
General Survey

第二篇　人口
Population

第三篇　国民经济核算
National Economic Accounts

第四篇 就业和工资

Employment and Wages

第五篇 价格
Price

第六篇 人民生活
People's Livelihoods

第七篇 财政、金融、保险

Government Finance, Banking and Insurance

第八篇 能源和环境
Energy and Environment

第九篇 固定资产投资

Investment in Fixed Assets

第十篇 对外经济贸易
Foreign Economic Relations and Trade

第十一篇 农业
Agriculture

第十二篇 工业

Industry

第十三篇 建筑业

Construction

第十四篇 批发和零售业

Wholesale and Retail

第十五篇 运输和邮电

Transport, Post and Telecommunications

第十六篇　住宿、餐饮业和旅游
Hotels, Catering Services and Tourism

第十七篇　房地产
Real Estate

第十八篇　科学技术
Science and Technology

第十九篇 教育

Education

第二十篇 卫生和社会服务
Health and Social Services

第二十一篇 文化和体育
Culture and Sports

第二十二篇 公共管理和社会保障

Public Management and Social Security

第二十三篇 城市概况
City Profiles

第二十四篇 县（市、区）主要指标
Main Indicators of Counties (Cities and Districts at County Level)

附录一 京津冀主要指标
Major Indicators of Jing-Jin-Ji Region

附录二　各省（区、市）主要指标

Main Indicators of all Provinces (Autonomous Regions, Cities)

附录三　旅游景区信息

Tourist Attractions Information

附录四　统计大事记

Chronicle of Events of Statistical

特 载
Feature Articles

河北省2019年国民经济和社会发展统计公报

（2020年2月24日）

河 北 省 统 计 局

国家统计局河北调查总队

2019年，在省委、省政府正确领导下，全省各地各部门坚持以习近平新时代中国特色社会主义思想为指导，坚决贯彻习近平总书记对河北工作重要指示批示，全面落实党中央、国务院决策部署，坚持稳中求进工作总基调，践行新发展理念，坚持以供给侧结构性改革为主线，推动高质量发展，深入落实“三六八九”工作思路，统筹推进稳增长、促改革、调结构、惠民生、防风险、保稳定，经济运行稳中有进、稳中向好，转型升级加快推进，发展质量稳步提高，社会事业全面进步，为全面建成小康社会奠定了坚实基础。

一、综　　合

初步核算，全省生产总值实现35104.5亿元，比上年增长6.8%。其中，第一产业增加值3518.4亿元，增长1.6%；第二产业增加值13597.3亿元，增长4.9%；第三产业增加值17988.8亿元，增长9.4%。三次产业比例由上年的10.3∶39.7∶50.0，调整为10.0∶38.7∶51.3。全省人均生产总值为46348元，比上年增长6.2%。

年末全省常住总人口7591.97万人，比上年末增加35.67万人。其中，城镇常住人口4374.49万人，比上年末增加110.47万人；占总人口比重（常住人口城镇化率）为57.62%，比上年末提高1.19个百分点。户籍人口城镇化率为43.45%，比上年末提高2.05个百分点。出生人口82.03万人，人口出生率为10.83‰；死亡人口46.36万人，人口死亡率为6.12‰；人口自然增长率为4.71‰，比上年回落0.17个千分点。16至59周岁的劳动力年龄人口4542.28万人，占总人口的比重为59.83%，比上年下降0.81个百分点；60周岁及以上老年人口1518.39万人，占总人口的比重为20.00%，比上年上升0.20个百分点，其中65周岁及以上人口1017.32万人，占总人口的比重为13.40%，上升0.63个百分点。

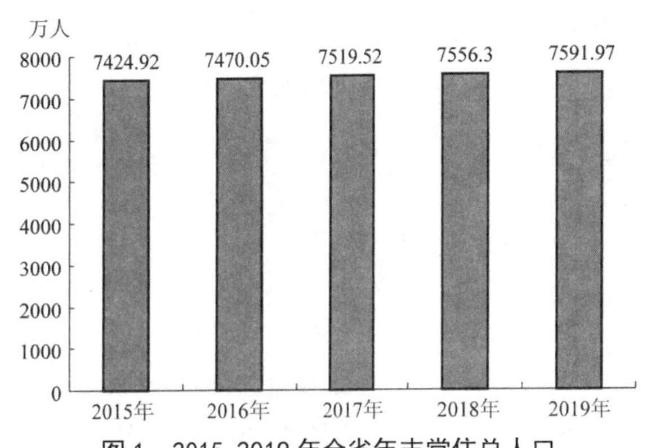

图1　2015-2019年全省年末常住总人口

全年全省城镇新增就业89.62万人，比上年增加2.62万人。失业人员再就业27.7万人，比上年增加1.2万人。困难人员实现再就业11.7万人，比上年增加6905人。年末城镇登记失业率为3.12%，控制在4.5%的预期目标以内。

全年居民消费价格比上年上涨3.0%。其中，城市上涨2.8%，农村上涨3.2%。分类别看，食品烟酒价格上涨5.9%，衣着上涨1.2%，居住上涨1.6%，生活用品及服务上涨1.2%，交通和通信下降2.1%，教育文化和娱乐上涨3.4%，医疗保健上涨4.4%，其他用品和服务上涨4.6%。工业生产者出厂价格上涨0.2%，工业生产者购进价格上涨2.1%；农产品生产者价格上涨7.05%，农业生产资料价格上涨3.1%。

供给侧结构性改革持续深化。去产能任务超额完成。压减退出炼钢产能1402.55万吨、煤炭1006万吨、水泥334.3万吨、平板玻璃660万重量箱、焦炭319.8万吨、火电50.6万千瓦。补短板力度加大，生态保护和环境治理业、水利管理业、市政设施管理业完成投资分别增长 8.5%、94.8%和 40.9%；教育业、娱乐业、社会保障业等社会领域投资合计增长 55.1%。

新动能加快成长。规模以上工业中，战略性新兴产业增加值比上年增长 10.3%，快于规模以上工业 4.7 个百分点。高新技术产业增加值增长 9.9%，占规模以上工业增加值的比重为 19.5%，其中，环保领域增长 26.6%，新能源领域增长 16.5%，新材料领域增长 12.8%，生物领域增长 11.2%。规模以上服务业中，战略性新兴服务业营业收入比上年增长 7.4%，高技术服务业营业收入增长 9.2%。新产品产量快速增长。集成电路产量增长 2.0 倍，新能源汽车增长 74.5%，液晶显示屏增长 22.7%，工业自动调节仪表与控制系统增长 30.4%。

民营经济增加值 24105.4 亿元，比上年增长 7.0%；占全省生产总值的比重为 68.7%，比上年提高 0.7 个百分点。

二、农　　业

全年粮食播种面积 646.9 万公顷，比上年下降 1.1%。粮食总产量 3739.2 万吨，增长 1.0%。其中，夏粮产量 1476.6 万吨，增长 0.7%；秋粮产量 2262.7 万吨，增长 1.3%。

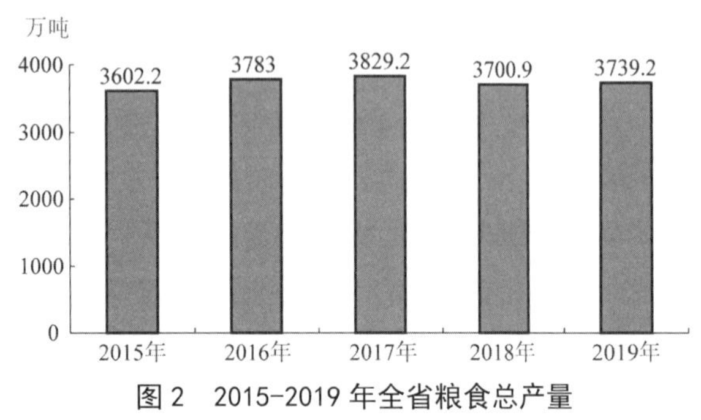

图 2　2015-2019 年全省粮食总产量

豆类播种面积 12.5 万公顷，比上年增长 7.9%；豆类产量 30.1 万吨，增长 6.9%。薯类播种面积 22.2 万公顷，下降 1.7%；薯（鲜薯）产量 711.3 万吨，下降 3.8%。

棉花播种面积 20.4 万公顷，比上年下降 3.1%；棉花总产量 22.7 万吨，下降 5.0%。

油料播种面积 36.4 万公顷，比上年下降 0.9%；油料总产量 119.5 万吨，下降 1.5%。

中草药播种面积9.9万公顷，比上年增长15.6%；中草药产量 62.6 万吨，增长 19.4%。

蔬菜播种面积 79.5 万公顷，比上年增长 0.9%；蔬菜总产量 5093.1 万吨，下降 1.2%。其中，食用菌（干鲜混合）产量 145.1 万吨，增长 3.0%。

园林水果产量 1004.4 万吨，比上年增长 5.0%。食用坚果产量 53.2 万吨，下降 5.3%。

猪牛羊禽肉产量 429.6 万吨，比上年下降 7.0%。其中，猪肉产量 241.9 万吨，下降 15.5%；牛肉产量 57.2 万吨，增长 1.3%；羊肉产量 31 万吨，增长 1.5%；禽肉产量 99.5 万吨，增长 11.9%。禽蛋产量 385.9 万吨，增长 2.1%。牛奶产量 428.7 万吨，增长 11.4%。

水产品产量 93.4 万吨，比上年下降 9.4%。其中，养殖水产品产量 70.8 万吨，下降 8.8%；捕捞水产品产量 22.6 万吨，下降 11.4%。

农业机械总动力 7733.5 万千瓦（不包括农业运输车），比上年增长 0.4%。

三、工业和建筑业

全部工业增加值 11503.0 亿元，比上年增长 5.2%，其中规模以上工业增加值增长 5.6%。在规模以上工业中，分经济类型看，国有控股企业增加值增长 6.0%，集体企业增长 4.2%，股份制企业增长 6.4%，外商及港澳台企业增长 0.8%。分门类看，采矿业增加值增长 13.7%，制造业增长 5.0%，电力、热力、燃气及水生产和供应业增长 5.8%。

规模以上工业中，农副食品加工业增加值增长 6.5%，食品制造业增长 7.9%，石油、煤炭及其他燃料加工业增长 7.7%，非金属矿物制品业增长 10.7%，黑色金属冶炼和压延加工业增长 5.3%，医药制造业增长 10.4%，专用设备制造业增长 6.1%，汽车制造业增长 3.4%，计算机、通信和其他电子设备制造业增长 5.2%。

规模以上工业企业实现利润总额 2013.1 亿元，比上年下降 8.0%。分经济类型看，国有控股企业实现利润总额 276.7 亿元，下降 15.5%；股份制企业实现利润总额 1596.8 亿元，下降 8.6%；外商及港澳台商投资企业实现利润总额 389.8 亿元，下降 8.0%；私营企业实现利润总额 976.4 亿元，下降 7.6%。分门类看，采矿业实现利润总额 86.1 亿元，上年为亏损 1.8 亿元；制造业实现利润总额 1764.3 亿元，下降 13.4%；电力、热力、燃气及水生产和供应业实现利润总额 162.7 亿元，增长 6.2%。

表 1　2019 年主要工业产品产量及增长速度

产品名称	单 位	产 量	比上年增 长（%）
纱	万吨	83.8	-20.4
布	亿米	14.4	-14.1
化学纤维	万吨	99.8	34.5
精制食用植物油	万吨	321.7	5.6
乳制品	万吨	356.8	5.8
饮料	万吨	577	-0.8
饮料酒	万升	199.4	7.1
卷烟	亿支	758.4	-0.5
水泥	万吨	10231.5	4.1
平板玻璃	万重量箱	14812.2	19.1
生铁	万吨	21774.4	3.4
粗钢	万吨	24157.7	4
钢材	万吨	28409.6	7.4
原煤	万吨	5075.2	-8.6
原油	万吨	550	2.4
发电量	亿千瓦小时	3117.7	-0.2
烧碱（折 100%）	万吨	115.4	-14.7
农用氮、磷、钾化学肥料（折纯）	万吨	186.7	-0.2
单晶硅	万千克	593.7	41.6
化学药品原药	万吨	55.7	19.5
中成药	吨	29448.8	-3.9
变压器	万千伏安	8214.1	23.2
金属切削机床	台	2739	7.6
工业机器人	套	2911	1.9
汽车	万辆	105.1	-13.9
其中：运动型多用途乘用车（SUV）	万辆	58	-24.5
其中：新能源汽车	万辆	4.5	74.5
动车组	辆	368	-36.6
电力电缆	千米	2349789	-8.1
锂离子电池	万只	3448.4	25.6
太阳能电池	万千瓦	562.4	25.9
房间空气调节器	万台	1311.3	13.6
程控交换机	万线	38.4	52.7
集成电路	万块	435.5	195.3

规模以上工业制造业质量竞争力指数 2018 年为 84.18，比上年提高 0.81。

全社会建筑业增加值 2129.9 亿元，比上年增长 2.9%。资质等级以上建筑业企业房屋施工面积 34994.7 万平方米，下降 1.9%；房屋竣工面积 8945.6 万平方米，下降 1.2%。具有资质等级的总承包和专业承包建筑业企业利润 175.5 亿元，比上年增长 26%，其中国有控股企业 26.2 亿元，增长 27.8%。

四、服务业

全年批发和零售业增加值 2947.5 亿元，比上年增长 8.1%；交通运输、仓储和邮政业增加值 2916.0 亿元，增长 13.0%；住宿和餐饮业增加值 389.0 亿元，增长 7.2%；金融业增加值 2416.1 亿元，增长 7.5%；房地产业增加值 2310.0 亿元，增长 4.8%。全年规模以上服务业企业营业收入比上年增长 7.9%，营业利润增长 55.6%。

全年货物运输总量 25.8 亿吨，比上年增长 3.4%；货物周转量 14179.5 亿吨公里，增长 2.2%。旅客运输总量 4.6 亿人，下降 5.4%；旅客运输周转量 1311.1 亿人公里，增长 1.7%。机场旅客吞吐量 1463.4 万人，增长 5.2%。沿海港口货物吞吐量 11.6 亿吨，增长 0.6%；沿海港口集装箱吞吐量 412.7 万标准箱，下降 3.1%。全省公路通车里程 19.7 万公里（包括村路），比上年增长 1.9%。其中，新增高速公路 196 公里，高速公路通车里程达到 7475.7 公里；农村公路总里程达 17.0 万公里（包括专用公路）。

全省年末民用汽车保有量 1666.7 万辆（包括三轮汽车和低速货车），比上年末增长 7.4%，其中私人汽车保有量 1536.8 万辆，增长 7.2%。民用轿车保有量 1004.5 万辆，增长 7.5%，其中私人轿车 970.7 万辆，增长 7.4%。

表 2　2019 年货物和旅客运输量及增长速度

指　　标	单位	绝对值	比上年增 长（%）
货物运输总量	亿吨	25.8	3.4
其中：铁路	亿吨	2.7	37
公路	亿吨	22.7	0.2
货物运输周转量	亿吨公里	14179.55	2.2
其中：铁路	亿吨公里	4937.2	2.2
公路	亿吨公里	8639.2	1
旅客运输总量	亿人	4.6	-5.4
其中：铁路	亿人	1.3	6.6
公路	亿人	3.2	-9.7
旅客运输周转量	亿人公里	1311.1	1.7
其中：铁路	亿人公里	1089.5	2.7
公路	亿人公里	221.5	-2.7
机场旅客吞吐量	万人	1463.4	5.2
沿海港口货物吞吐量	亿吨	11.6	0.6

全年邮政行业业务总量 557.4 亿元，比上年增长 46.6%。邮政函件业务 4153.7 万件，下降 15.5%；

包裹业务 141.8 万件，增长 10.6%。快递业务量 23.0 亿件，增长 32.3%；快递业务收入 242.4 亿元，增长 34.1%。全年完成电信业务总量 4742.8 亿元，增长 70.3%。

年末电话用户总数 9020.8 万户，其中移动电话用户 8315.6 万户。移动电话普及率上升至 110.0 部/百人。固定电话用户 705.2 万户。固定互联网宽带接入用户 2359.7 万户，比上年末净增 199.9 万户，其中固定互联网光纤宽带接入用户 2242.9 万户，比上年末净增 195.2 万户。移动互联网用户数是 6915.6 万户，比上年末净增 410.3 万户。移动互联网接入流量 54.8 亿 G，比上年增长 77.2%。手机上网用户 6898.8 万人，比上年末净增 599.7 万人。

五、国内贸易

社会消费品零售总额实现 17934.2 亿元，比上年增长 8.4%。按经营单位所在地统计，城镇消费品零售额完成 13611.8 亿元，增长 8.1%；乡村消费品零售额完成 4322.4 亿元，增长 9.5%。

在限额以上批发和零售单位商品零售额中，粮油食品类增长 13.8%，饮料类增长 4.0%，烟酒类增长 8.5%，服装鞋帽针纺织品类增长 7.0%，化妆品类增长 22.1%，体育娱乐用品类增长 96.2%，文化办公用品增长 19.3%，通讯器材类增长 53.2%，家用电器和音像器材类下降 6.5%，金银珠宝类增长 3.5%，日用品类增长 9.6%，书报杂志类增长 5.1%，中西药品类增长 10.4%，家具类增长 7.0%，建筑及装潢材料类下降 13.2%，石油及制品类下降 3.9%，汽车类下降 4.0%。

全年实物商品网上零售额 2108.4 亿元，比上年增长 25.5%。

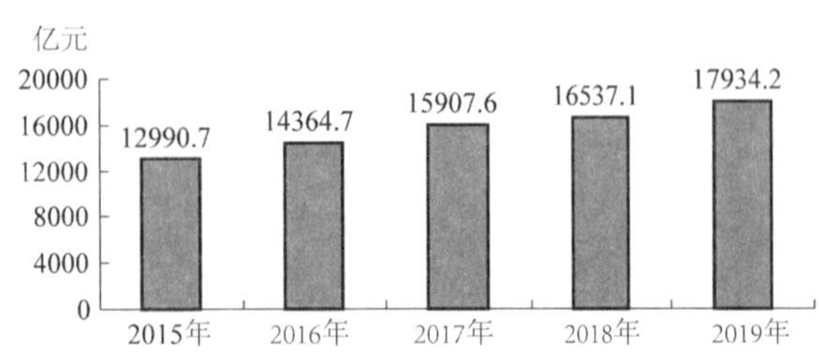

图 3　2015—2019 年社会消费品零售总额

六、固定资产投资

全社会固定资产投资比上年增长 5.8%。其中，固定资产投资（不含农户）增长 6.1%。

表 3　2019 年分行业固定资产投资增长速度

行　　业	比上年增长(%)
总　　计	**6.1**
农、林、牧、渔业	-5.2
采矿业	8
制造业	1.6
电力、热力、燃气及水的生产和供应业	3.3
建筑业	257.5
批发和零售业	-9.1
交通运输、仓储和邮政业	2.5
住宿和餐饮业	35.8
信息传输、软件和信息技术服务业	85.2
金融业	-55
房地产业	0.8
租赁和商务服务业	45.7
科学研究和技术服务业	2.2
水利、环境和公共设施管理业	28.7
居民服务、修理和其他服务业	-8.7
教育	58.4
卫生和社会工作	-1.6
文化、体育和娱乐业	16.2
公共管理、社会保障和社会组织	82.8

在固定资产投资（不含农户）中，第一产业投资比上年下降 3.9%；第二产业投资增长 2.0%；第三产业投资增长 10.4%。工业技改投资增长 7.2%，占工业投资的比重为 61.6%。基础设施投资增长 15.6%，占固定资产投资（不含农户）的比重为 26.8%，比上年提高 2.2 个百分点。民间固定资产投资增长 2.1%，占固定资产投资（不含农户）的比重为 72.8%。

房地产开发投资比上年下降 2.9%。其中，住宅投资下降 0.4%，办公楼投资下降 17.9%，商业营业用房投资下降 28.4%。

七、对外经济

进出口总值完成 4001.6 亿元，比上年增长 12.6%。其中，出口总值 2370.3 亿元，增长 5.7%；进口总值 1631.3 亿元，增长 24.4%。在出口中，纺织纱线、织物及制品出口 140.6 亿元，增长 8.9%；服装及衣着附件出口 279.5 亿元，下降 1.3%；钢材出口 319.4 亿元，下降 3.6%；农产品出口 110.6 亿元，增长 4.5%；机电产品出口 847.3 亿元，增长 12.0%；高新技术产品出口 210.1 亿元，增长 11.0%。对“一带一路”沿线国家进出口总额 1277.2 亿元，比上年增长 18.1%。其中，出口 958.6 亿元，增长 8.8%；进口 318.6 亿元，增长 59.5%。

表 4 2019 年进出口总值及增长速度

指 标	金额（亿元）	比上年增长（%）
进出口总值	4001.6	12.6
其中：进口总值	1631.3	24.4
出口总值	2370.3	5.7
其中：一般贸易	2020.1	2.6
加工贸易	175.6	0.6
其中：国有企业	324.9	0.1
外商投资企业	321.6	-13
集体私营及其他企业	1723.9	11.4
其中：亚洲	1064.9	13.5
香港	71	56.8
日本	103	-6.4
韩国	153.6	15.9
非洲	165.6	2.6
拉丁美洲	167.7	-0.4
欧洲	584.4	5.9
欧盟	375.2	12.1
北美洲	335.4	-10.1
美国	300.1	-11.3
大洋洲	52.3	7.6

实际利用外资 102.8 亿美元，比上年增长 5.9%。其中外商直接投资 98.5 亿美元，增长 8.4%。全省新设立外商投资企业（项目）298 个，增长 21.1%；合同外资额 59.1 亿美元，增长 6.0%。

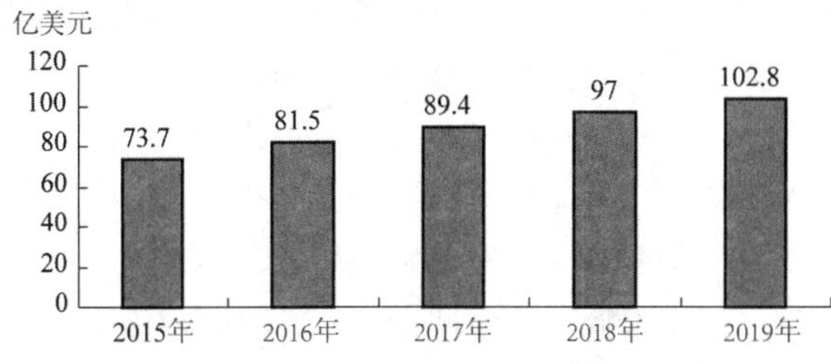

图 4 2015-2019 年实际利用外资额

备案（核准）对外投资企业 102 家，比上年增长 1.0%；对外投资总额 56.2 亿美元，增长 18.9%；中方对外投资额 48.2 亿美元，增长 10.4%。

对外承包工程完成营业额 30.7 亿美元，比上年增长 10.8%；对外劳务合作派出各类劳务人员 1592 人，增长 4.5%。

八、财政金融

全部财政收入 5850.5 亿元，比上年增长 4.7%。其中，一般公共预算收入 3742.7 亿元，增长 6.5%。税收收入 2630.4 亿元，增长 2.9%。一般公共预算支出 8313.7 亿元，增长 7.7%。

年末全部金融机构人民币各项存款余额 72884.5 亿元，比年初增加 6950.1 亿元，其中住户存款余额 46558.5 亿元，比年初增加 6176.8 亿元。全部金融机构人民币各项贷款余额 53448.1 亿元，比年初增加 5356.1 亿元。

保险公司原保险保费收入 1989.2 亿元，比上年增长 11.1%。其中，财产险业务原保险保费收入 572.7 亿元，增长 8.1%；寿险业务原保险保费收入 1061.7 亿元，增长 8.4%；健康和意外伤害险业务原保险保费收入 354.8 亿元，增长 26.2%。原保险赔付支出 549.8 亿元，增长 1.6%。其中，财产险业务赔款 282.2 亿元，增长 13.4%；寿险业务给付 159.1 亿元，下降 22.5%；健康和意外伤害险赔款及给付 108.5 亿元，增长 24.7%。

九、居民收入消费和社会保障

全年全省居民人均可支配收入 25665 元，比上年增长 9.5%。按常住地分，城镇居民人均可支配收入 35738 元，比上年增长 8.4%；农村居民人均可支配收入 15373 元，增长 9.6%。全省居民人均消费支出 17987 元，增长 7.6%。按常住地分，城镇居民人均消费支出 23483 元，增长 6.1%；农村居民人均消费支出 12372 元，增长 8.7%。全省居民恩格尔系数为 26.0%，比上年上涨 0.5 个百分点，其中城镇为 25.7%，农村为 26.7%。

年末全省城镇参加基本养老保险人数 1661.48 万人，比上年末增加 110.98 万人，其中在岗职工参保人数为 1187.84 万人，离退休人员参保人数为 473.63 万人。参加失业保险的人数 554.10 万人，增加 8.10 万人。参加工伤保险的人数 951.44 万人，增加 71.10 万人，其中参加工伤保险农民工 326.90 万人。

十、科学技术和教育

全省省级及以上企业技术中心 678 家、技术创新中心（工程技术研究中心）570 家、重点实验室 194 家。组织实施的国家和省高新技术产业化项目

612 项，其中在建国家重大专项和示范工程项目 35 项。专利申请受理量 101274 件，授权量 57808 件，分别比上年增长 20.87%和 11.4%。截至年底，有效发明专利 28868 件，增长 15.75%。全年共签订技术合同 7270 项，技术合同成交金额 382.46 亿元，比上年增长 36.69%。

年末全省共有产品检测实验室 2127 个，省级及以上检测中心 13 个。产品、体系和服务认证机构 10 个，全年完成强制性产品认证企业 3342 个。法定计量技术机构 176 个，全年强制检定计量器具 827.78 万台(件)。制定、修订省级地方标准 273 项。全省有地震台站 26 个，地震遥测台网 4 个，遥测台站 71 个，海洋观测站 8 个，省级地质环境监测站 1 个，天气雷达观测站点 6 个，卫星云图接收站点 7 个。

全年研究生教育招生 2.01 万人，比上年增长 9.73%；在学研究生 5.52 万人，增长 10.58%；毕业生 1.39 万人，增长 1.50%。普通高等学校 122 所，招生 49.96 万人，增长 18.44%；在校生 147.4 万人，增长 9.79%；毕业生 35.78 万人，增长 5.61%。中等职业学校在校生 77.46 万人，普通中学在校生 438.51 万人，小学在校生 679.11 万人，幼儿园在园幼儿 239.04 万人。九年义务教育巩固率为 97.6%，高中阶段毛入学率为 93.15%。

表 5　2019 年各类学校招生、在校生和毕业生情况

指　标	学校数（个）	招生数（万人）	在校生数（万人）	毕业生数（万人）
普通高等学校	122	49.96	147.4	35.78
中等职业学校	601	31.56	77.46	24.5
普通中学	3084	149.91	438.51	128.8
小学	11604	118.98	679.11	100.35

十一、文化旅游、卫生健康和体育

年末全省有博物馆 122 个，公共图书馆 173 个；文化馆 180 个，档案馆 187 个。有线电视用户 732.97 万户，有线数字电视用户 682.74 万户。年末广播节目综合人口覆盖率 99.55%，电视节目综合人口覆盖率 99.61%。全年生产故事影片 25 部。出版各类报纸 105811 万份，各类期刊 4280.38 万册，图书 30733 万册（张）。

接待国际游客 187.9 万人次，旅游外汇收入 9.4 亿美元，分别比上年增长 6.9%和 10.2%；接待国内游客 7.8 亿人次，创收 9248.7 亿元，分别增长 15.5%和 22.0%。旅游总收入 9313.4 亿元，增长 22.0%。

年末全省共有医疗卫生机构 84655 个，其中医院 2120 个，乡镇卫生院 1998 个，社区卫生服务中心(站) 1425 个，妇幼保健院(所、站) 187 个，疾病预防控制中心 187 个。卫生技术人员 48.60 万人，其中，执业医师及执业助理医师 22.35 万人，注册护士 18.50 万人。医疗卫生机构床位 43.0 万张，其中医院 32.85 万张，乡镇卫生院 7.16 万张。

年末全省各类提供住宿的收留抚养类机构 1524 个，床位 20.6 万张。其中，农村特困人员救助供养机构 298 个。各类社区服务机构 38337 个，其中，社区服务中心 427 个，社区服务站 4749 个。

全年全省运动员在国际比赛中获金牌 12 枚，银牌 2 枚，铜牌 5 枚。

十二、资源、环境和安全生产

全年完成营造林 68.4 万公顷。截至年底，自然保护区达 44 个，其中国家级自然保护区 13 个，省级自然保护区 25 个。

全省规模以上工业新能源发电量 391.8 亿千瓦时，比上年增长 7.2%。其中，风力发电量 277.3 亿千瓦时，增长 5.5%；太阳能发电量 79.4 亿千瓦时，增长 16.7%；生物质发电量 23.9 亿千瓦时，下降 0.3%；垃圾焚烧发电量 11.2 亿千瓦时，增长 4.5%。

全年各类生产安全事故死亡 1034 人。

注释：

1.本公报 2019 年部分数据为快报数。

2.部分数据合计数或相对数由于单位取舍不同而产生的计算误差，均未作机械调整。

3.全省生产总值、各产业增加值绝对值按现行价格计算，增长速度按不变价格计算。

4.农产品生产价格是指农产品生产者直接出售其产品时的价格。

5.工业战略新兴产业包括节能环保产业、新一代信息技术产业、生物产业、高端装备制造业产业、新能源产业、新材料产业、新能源汽车产业等七大产业中的工业相关行业。

6.水产品产量中不包含远洋捕捞产品。

7.基础设施投资是指建造或购置为社会生产和生活提供基础性、大众性服务的工程和设施的支出。基础设施投资包括电力热力燃气及水生产和供应、交通运输、邮政业，电信、广播电视和卫星传输服务业，互联网和相关服务业，水利、环境和公共设施管理业、教育、卫生等投资。

8.民间固定资产投资是指具有集体、私营、个人性质的内资企事业单位以及由其控股（包括绝对控股和相对控股）的企业单位建造或购置固定资产的投资。

9.房地产业投资除房地产开发投资外，还包括建设单位自建房屋以及物业管理、中介服务和其他房地产投资。

10.固定互联网宽带接入用户是指报告期末在电信企业登记注册，通过xDSL、FTTx+LAN、FTTH/0以及其他宽带接入方式和普通专线接入公众互联网的用户。

11.中等职业教育包括普通中专、成人中专、职业高中，不包含技工学校。

12.普通高等学校的招生数、在校生、毕业生均不包含研究生数量。

13.公报中部分数据来源于相关部门。

综 合
General Survey

简 要 说 明

一、本篇资料反映河北省行政区划、国民经济和社会发展综合情况，并收录了基本单位统计资料。

二、综合统计资料是根据河北省统计局相关专业、国家统计局河北调查总队统计年报资料以及国家统计局、河北省有关部门提供的统计资料加工整理而成。

三、基本单位资料中的产业活动单位按“在地”原则，国民经济行业分类标准（GB/T 4754—2017)汇总。

四、本篇资料分别由河北省民政厅，河北省统计局相关专业处、普查中心和国家统计局河北调查总队整理提供。

五、资料整理：陈博　荣素艳　戴利伟　张君朝　张楠　李澍　刘博　师铁峰　蒋晓雷　王宁　周云　张慕子　田朴　孙晥靓　杜玮　董昱含　李岩　龚小红　于正一　李争艳　李树奇　张东　李梦洋　张妍　李飞

Brief Introduction

Ⅰ.The summary data in this chapter reflect the divisions of administrative areas, summary data on the national economy and social development, and related indications on.

Ⅱ.The summary data are processed and prepared on the basis of the annual reports of various specialized fields provided by Statistics Bureau of Hebei Province, the Survey Office of National Bureau of Statistics in Hebei, the statistics provided by the National Bureau of Statistics and some related departments of Hebei Province.

Ⅲ. The data on “Units of Industrial Establishments” of the basic industrial units are prepared on the principle of location and the standard of Industrial Classification of the National Economy (GB/T4754-2017).

Ⅳ.The data are prepared and provided by the Civil Affairs Department of Hebei Province, the Division of Professional Statistics, the Census Center of Statistics Bureau of Hebei Province and the Survey Office of National Bureau of Statistics in Hebei respectively.

Ⅴ. Data collection: Chen Bo, Rong Suyan, Dai Liwei, Zhang Junchao, Zhang Nan, Li Shu, Liu Bo, Shi Tiefeng, Jiang Xiaolei, Wang Ning, Zhou Yun, Zhang Muzi, Tian Pu, Sun Huanjing, Du Wei, Dong Yuhan, Li Yan, Gong Xiaohong, Yu Zhengyi, Li Zhengyan, Li Shuqi, Zhang Dong, Li Mengyang, Zhang Yan, Li Fei.

1-1 行政区划(2019年底)
Divisions of Administrative Areas (End of 2019)

单位：个 (unit)

市	City	地级区划数 Number of Regions at Prefecture Level	县级区划数 Number of Regions at County Level	#市辖区 Districts under the Jurisdiction of Cities	#县级市 Cities at County Level	#县 Counties	#自治县 Autonomous Counties
全　省	**Total**	**11**	**168**	**47**	**21**	**94**	**6**
石家庄市	Shijiazhuang	1	22	8	3	11	
承 德 市	Chengde	1	11	3	1	4	3
张家口市	Zhangjiakou	1	16	6		10	
秦皇岛市	Qinhuangdao	1	7	4		2	1
唐 山 市	Tangshan	1	14	7	3	4	
廊 坊 市	Langfang	1	10	2	2	5	1
保 定 市	Baoding	1	24	5	4	15	
沧 州 市	Cangzhou	1	16	2	4	9	1
衡 水 市	Hengshui	1	11	2	1	8	
邢 台 市	Xingtai	1	19	2	2	15	
邯 郸 市	Handan	1	18	6	1	11	

1-1 续表 continued

单位：个 (unit)

市	City	乡镇级区划数 Number of Regions at Townships Level	#镇 Towns	#乡级 Towns	#民族乡 Ethnic Towns	#街道 Street Communities
全　省	**Total**	**2255**	**1155**	**743**	**46**	**310**
石家庄市	Shijiazhuang	276	127	86	3	60
承 德 市	Chengde	218	109	72	23	14
张家口市	Zhangjiakou	233	99	108	2	23
秦皇岛市	Qinhuangdao	97	50	24		23
唐 山 市	Tangshan	231	132	42	3	54
廊 坊 市	Langfang	108	72	16	2	18
保 定 市	Baoding	340	179	128	2	31
沧 州 市	Cangzhou	194	85	74	9	26
衡 水 市	Hengshui	118	79	35		4
邢 台 市	Xingtai	198	103	68		27
邯 郸 市	Handan	242	120	90	2	30

注：乡镇级区划总数包含一个区公所。
a) Number of regions at townships level include one district office of Hebei and Xinjiang separately.

1-2 国民经济和社会发展总量与速度指标

指　　标	Item	总量指标 1978
人口(万人)	**Population (10000 persons)**	
总人口(年末)	Total Population (year-end)	5057
城镇人口	Urban Population	
乡村人口	Rural Population	
就业(万人)	**Employment (10000 persons)**	
就业人员数	Number of Employed Persons	2109
第一产业	Primary Industry	1622
第二产业	Secondary Industry	293
第三产业	Tertiary Industry	195
城镇登记失业人数	Number of Registered Unemployed Persons in Urban Areas	32.10
国民经济核算	**National Accounts**	
地区生产总值(亿元)	Gross Domestic Product (100 million yuan)	183.1
第一产业	Primary Industry	52.2
第二产业	Secondary Industry	92.4
第三产业	Tertiary Industry	38.5
人均地区生产总值(元)	Per Capita GDP (yuan)	364.0
人民生活	**People's Living Conditions**	
全省居民人均可支配收入(元)	Per Capita Disposable Income of Households (yuan)	
城镇居民人均可支配收入(元)	Per Capita Disposable Income of Urban Households (yuan)	276.2
农村居民人均可支配收入(元)	Per Capita Disposable Income of Rural Households (yuan)	114.1
财政(亿元)	**Government Finance (100 million yuan)**	
一般公共预算收入	General Public Budget Revenue	
一般公共预算支出	General Public Budget Expenditure	32.4
能源(万吨标准煤)	**Energy (10000 tons of SCE)**	
能源生产总量	Total Energy Production	
能源消费总量	Total Energy Consumption	
对外经济贸易	**Foreign Trade**	
货物进出口总额(亿元)	Total Value of Imports and Exports (100 million yuan)	3.0
出口额	Exports	2.8
进口额	Imports	0.2
外商直接投资(亿美元)	Foreign Direct Investment (100 million USD)	
农业	**Agriculture**	
农林牧渔业总产值(亿元)	Gross Output Value of Agriculture, Forestry, Animal Husbandry and Fishery (100 million yuan)	75.9
主要农产品产量(万吨)	Output of Major Farm Products (10000 tons)	
粮　食	Grain	1687.9
棉　花	Cotton	11.7
油　料	Oil-bearing Crops	24.5
肉　类	Meat	
水产品	Aquatic Products	13.9
工业	**Industry**	
主要工业产量	Output of Major Industrial Products	
纱(万吨)	Yarn (10000 tons)	19.1
布(亿米)	Cloth(100 million m)	8.2
化学纤维(万吨)	Chemical Fiber (10000 tons)	1.1
机制纸及纸板(万吨)	Machine-made Paper and Paperboard (10000 tons)	23.1
原　煤(万吨)	Coal (10000 tons)	5742.0
原　油(万吨)	Crude Oil (10000 tons)	1723.0
发电量(亿千瓦小时)	Electricity (100 million kWh)	190.5
粗　钢(万吨)	Crude Steel (10000 tons)	145.5
钢　材(万吨)	Rolled Steel (10000 tons)	94.2
生　铁(万吨)	Pig Iron (10000 tons)	222.52
水　泥(万吨)	Cement (10000 tons)	463.50
平板玻璃(万重量箱)	Plate Glass (10000 weight cases)	330.96
农用化肥(折纯量)(万吨)	Chemical Fertilizer (10000 tons)	80.11
规模以上工业企业主要指标(亿元)	Principal Indicators of Industrial Enterprises above Designated Size (100 million yuan)	
资产总计	Total Assets	
营业收入	Business Revenue	
利润总额	Total Profits	
建筑业	**Construction**	
建筑业总产值(亿元)	Gross Output Value of Construction (100 million yuan)	

注：本表速度指标中，地区生产总值及三次产业增加值、农林牧渔业总产值均按可比价格计算。

Principal Aggregate Indicators on National Economic and Social Development and Growth Rates

Aggregate Data			指数(%) Index (%) (2019为以下各年) (2019 as Percentage of the Following Years)			平均增长速度(%) Average Annual Growth Rate (%)	
2000	2018	2019	1978	2000	2018	1979–2019	2001–2019
6674.3	7556.3	7592.0	150.1	113.7	100.5	1.0	0.7
1741	4264.0	4374.5		251.3	102.6		5.0
4933	3292.3	3217.5		65.2	97.7		-2.2
3386	4196.1	4182.5	198.3	123.5	99.7	1.7	1.1
1678	1360.1	1331.2	82.1	79.3	97.9	-0.5	-1.2
887	1367.7	1390.8	475.0	156.8	101.7	3.9	2.4
821	1468.4	1460.5	749.2	178.0	99.5	5.0	3.1
17.40	38.04	36.00	112.1	206.9	94.6	0.3	3.9
4628.2	32494.6	35104.5	4080.7	460.6	106.8	9.5	8.4
824.7	3338.6	3518.4	665.9	217.1	101.6	4.7	4.2
2146.7	12904.1	13597.3	4593.8	421.1	104.9	9.8	7.9
1656.8	16252.0	17988.8	9484.8	637.7	109.4	11.7	10.2
6965.9	43108.2	46347.9	2705.9	403.1	106.2	8.4	7.6
3315.5	23445.7	25664.7		774.1	109.5		11.4
5641.5	32977.2	35737.7	12937.2	633.5	108.4	12.6	10.2
2484.0	14030.9	15373.1	13478.1	618.9	109.6	12.7	10.1
248.8	3513.9	3739.0		11.4	8.7		15.3
415.5	7726.2	8309.0	2.9	18.5	16.4	14.5	17.1
5639.26	6487.25	6334.39		112.3	97.6		0.6
11195.71	32185.24	32545.43		290.7	101.1		5.8
52.4	538.8	580.4	19441.7	1108.6	107.7	13.7	13.5
37.1	339.9	343.8	12439.5	927.4	101.1	12.5	12.4
15.3	198.9	236.6	106766.9	1548.4	118.9	18.5	15.5
13.9	97.0	98.5		706.6	101.5		10.8
1544.7	5707.0	6061.5	895.5	221.4	101.9	5.5	4.3
2551.1	3700.9	3739.2	221.5	146.6	101.0	2.0	2.0
30.0	23.9	22.7	194.2	75.8	95.0	1.6	-1.4
147.0	121.4	119.5	487.9	81.3	98.5	3.9	-1.1
342.4	466.7	433.4		126.6	92.9		1.2
81.0	109.6	99.0	712.3	122.3	90.3	4.9	1.1
43.7	98.0	83.8	438.1	191.8	85.5	3.7	3.5
15.6	21.1	14.4	175.5	92.4	68.2	1.4	-0.4
10.2	73.0	99.8	9068.5	974.2	136.7	11.6	12.7
216.3	282.1	322.7	1397.1	149.2	114.4	6.6	2.1
5781.0	5559.4	5075.3	88.4	87.8	91.3	-0.3	-0.7
518.3	537.2	550.0	31.9	106.1	102.4	-2.7	0.3
844.4	3195.5	3350.9	1758.9	396.8	104.9	7.2	7.5
1230.1	23729.9	24157.7	16604.4	1963.9	101.8	13.3	17.0
1306.5	26908.7	28409.6	30162.0	2174.5	105.6	14.9	17.6
1709.23	21387.65	21774.4	9785.4	1273.9	101.8	11.8	14.3
4694.59	8936.03	10231.5	2207.4	217.9	114.5	7.8	4.2
2083	12156	14812.2	4475.5	711.0	121.9	9.7	10.9
195	188	186.7	233.0	95.6	99.5	2.1	-0.2
5199.74	43957.87	47267.72		909.0	107.5		12.3
3425.08	39167.84	41095.06		1199.8	104.9		14.0
184.94	2163.96	2140.10		1157.2	98.9		13.8
852.09	5740.25	5847.97		686.3	101.9		10.7

a) The indices and growth rates of the follow indicators are calculated at constant prices: gross domestic product, gross output value of agriculture, forestry, animal husbandry and fishery.

1-2 续表

指　标	Item	总量指标 1978
房地产业	**Real Estate**	
房地产企业房屋施工面积(万平方米)	Floor Space of Buildings under Construction (10000 sq.m)	
房地产企业房屋竣工面积(万平方米)	Floor Space of Buildings Completed (10000 sq.m)	
房地产企业商品房销售面积(万平方米)	Floor Space of Commercialized Buildings Sold (10000 sq.m)	
#住宅	Residential Buildings	
房地产企业商品房销售额(亿元)	Total Sale of Commercialized Buildings (100 million yuan)	
#住宅	Residential Buildings	
批发、零售和旅游业	**Wholesale, Retail Sales and Tourism**	
社会消费品零售总额(亿元)	Total Retail Sales of Consumer Goods (100 million yuan)	60.3
入境旅客(万人次)	Number of Tourists (Oversea Visitors) (10000 person-times)	
#外国人(万人次)	Foreigners (10000 person-times)	
国际旅游收入(亿美元)	Foreign Exchange Earnings from International Tourism (USD 100 million)	
国内旅客(百万人次)	Number of Tourists (Domestic Visitors) (million person-times)	
国内旅游总花费(亿元)	Earnings from Domestic Tourism (100 million yuan)	
交通运输业	**Transport**	
客运量(万人)	Passenger Traffic (10000 persons)	9563
铁　路	Railways	3842
公　路	Highways	5713
水　运	Waterways	8
民　航	Civil Aviation	
货运量(万吨)	Freight Traffic (10000 tons)	26961
铁　路	Railways	11829
公　路	Highways	14832
水　运	Waterways	300
民　航	Civil Aviation	
管　道	Pipelines	
沿海规模以上港口货物吞吐量(万吨)	Volume of Freight Handled at Coastal Ports above Designated Size (10000 tons)	2219
民用汽车拥有量(万辆)	Possession of Civil Motor Vehicles (10000 sets)	6.9
#私人汽车	Private Vehicles	
邮政、电信和信息软件业	**Postal, Telecommunication & Information Services**	
邮政业务总量(亿元)	Business Volume of Postal Services (100 million yuan)	0.6
电信业务总量(亿元)	Business Volume of Telecommunication Services (100 million yuan)	
移动电话年末用户(万户)	Number of Mobile Telephone Subscribers at Year-end (10000 accounts)	
固定电话年末用户(万户)	Number of Fixed Telephone Subscribers at Year-end (10000 accounts)	8.0
互联网宽带接入用户(万户)	Broadband Subscribers of Internet (10000 accounts)	
金融业	**Financial Intermediation**	
金融机构人民币各项存款余额(亿元)	Deposits of National Banking System (100 million yuan)	77.23
金融机构人民币各项贷款余额(亿元)	Loans of National Banking System (100 million yuan)	91.51
科学技术	**Expenditure for Science and Technology**	
研究与试验发展经费支出(亿元)	Expenditure on R&D (100 million yuan)	
发明专利申请授权数(件)	Number of Patent Applications Granted (piece)	
教育	**Education**	
专任教师数(万人)	Full-time Teachers (10000 persons)	
#普通高等学校	Regular Institutions of Higher Education	0.78
普通高中	Regular Senior Secondary Schools	5.73
初中	Junior Secondary Schools	14.31
普通小学	Regular Primary Schools	24.96
在校学生数(万人)	Total Enrollment (10000 persons)	
#普通本专科	Regular Undergraduates and College Students	2.96
普通高中	Regular Senior Secondary Schools	121.31
初中	Regular Junior Secondary Schools	263.64
普通小学	Regular Primary Schools	746.32
教育经费支出(亿元)	Government Expenditures on Education (100 million yuan)	
卫生	**Public Health**	
医院(个)	Hospitals (unit)	4336
执业(助理)医师(万人)	Licensed (Assistant) Doctors (10000 persons)	5.46
医院床位数(万张)	Number of Beds of Hospitals (10000 units)	8.16
卫生总费用(亿元)	Total Expenditure for Public Health (100 million yuan)	
文化体育	**Culture**	
图书出版总印数(万册、万张)	Number of Books Published (10000 copies)	
社会保险	**Welfare and Social Insurance**	
参加基本养老保险人数(万人)	Contributors in Basic Pension Insurance (10000 persons)	
参加失业保险人数(万人)	Number of Employees Joining Unemployment Insurance (10000 persons)	
参加基本医疗保险人数(万人)	Contributors in Basic Medical Care Insurance (10000 persons)	

continued

Aggregate Data			指数(%) Index (%) (2019为以下各年) (2019 as Percentage of the Following Years)			平均增长速度(%) Average Annual Growth Rate (%)	
2000	2018	2019	1978	2000	2018	1979–2019	2001–2019
1670.0	28172.1	29853.0		1787.6	106.0		16.4
771.3	2390.4	2680.0		347.5	112.1		6.8
489.4	5251.9	5282.7		1079.3	100.6		13.3
443.5	4714.4	4770.4		1075.6	101.2		13.3
70.9	4035.0	4138.6		5838.9	102.6		23.9
59.9	3567.3	3714.6		6204.4	104.1		24.3
1440.1	11973.9	12985.5	21534.9	901.7	108.4	14.0	12.3
40.0	175.77	187.91		469.2	106.9		8.5
34.5	131.65	140.75		407.4	106.9		7.7
1.3	8.49	9.36		717.9	110.2		10.9
48.6	606.1	780.8		1607.0	128.8		15.7
201.6	7580.2	9248.7		4586.9	122.0		22.3
65255	48105	45524	476.0	69.8	94.6	3.9	-1.9
4902	12211	13013	338.7	265.5	106.6	3.0	5.3
60341	35133	31719	555.2	52.6	90.3	4.3	-3.3
	2.50	1.19	14.9		47.6	-4.5	
12.0	759.8	790.3		6585.8	104.0		24.7
74214	249650	258186	957.6	347.9	103.4	5.7	6.8
12106	19580	26823	226.8	221.6	137.0	2.0	4.3
59860	226334	226809	1529.2	378.9	100.2	6.9	7.3
404	3352	4160	1386.7	1029.7	124.1	6.6	13.1
…	2.19	2.58			117.8		
1844	382	392		21.2	102.5		-7.8
10771	115599	116315	5241.8	1079.9	100.6	10.1	13.3
104.1	1552.5	1666.7	24155.1	1600.6	107.4	14.3	15.7
51.7	1433.0	1536.8		2970.2	107.2		19.5
191.0	380.1	557.4	94407.2	291.8	146.6	18.2	5.8
	2785.3	4742.8			170.3		
279.4	8195.6	8315.6		2976.2	101.5		19.6
667.3	669.9	705.2	8770.8	105.7	105.3	11.5	0.3
	2159.8	2359.7			109.3		
3780.74	66245.21	73216.32	94802.9	1936.6	110.5	18.2	16.9
2933.19	48115.34	53788.52	58778.8	1833.8	111.8	16.8	16.5
26.3	499.7	566.7		2157.0	113.4		17.5
	5126.0	5130.0			100.1		
1.94	7.55	7.91	1014.1	407.7	104.8	5.8	7.7
4.37	13.15	14.23	248.3	325.6	108.2	2.2	6.4
21.00	19.48	20.54	143.5	97.8	105.4	0.9	-0.1
32.95	35.37	36.53	146.4	110.9	103.3	0.9	0.5
25.26	134.26	147.40	4979.7	583.5	109.8	10.0	9.7
70.04	133.49	141.20	116.4	201.6	105.8	0.4	3.8
411.71	283.15	297.31	112.8	72.2	105.0	0.3	-1.7
813.73	658.85	679.11	91.0	83.5	103.1	-0.2	-0.9
779	2105	2115	48.8	271.5	100.5	-1.7	5.4
9.17	21.10	22.87	418.8	249.3	108.3	3.6	4.9
10.78	32.07	32.83	402.4	304.6	102.4	3.5	6.0
160.34	2690.84						
31021.9	31674.1	33300.0		107.3	105.1		0.4
	5062.1	5178.6			102.3		
	546.00	554.10			101.5		
	6914.3	6937.7			100.3		

1–3 国民经济和社会发展结构指标
Composition Indicators on National Economic and Social Development

单位：% (%)

指　　标	Item	1978	1990	2000	2018	2019
人口	**Population**					
性别	Sexual Composition					
男	Male	51.3	51.1	50.9	50.7	50.6
女	Female	48.7	48.9	49.1	49.4	49.4
年龄	Age					
0–14岁	Aged 0-14		29.0	22.8	18.7	19.0
15–64岁	Aged 15-64		65.2	70.3	68.6	67.6
65岁及以上	Aged 65 and Over		5.8	6.9	12.8	13.4
城乡	Urban and Rural Composition					
城镇	Urban Areas		19.2	26.3	56.4	57.6
乡村	Rural Area		80.8	73.7	43.6	42.4
国民经济核算	**National Accounts**					
地区生产总值(生产法)	Gross Domestic Product	28.5	25.4	17.8	10.3	10.0
第一产业	Primary Industry	50.5	43.2	46.4	39.7	38.7
第二产业	Secondary Industry	21.0	31.4	35.8	50.0	51.3
第三产业	Tertiary Industry					
地区生产总值(支出法)	Gross Domestic Product	51.0	57.9	44.4	47.1	
消费支出	Expenses on Consumption	35.1	37.3	44.5	55.9	
固定资本形成	Fixed Capital Formation	13.9	4.8	11.0	-3.0	
净出口	Net Exports					
就业	**Employment**					
第一产业	Primary Industry	76.9	61.6	49.6	32.4	31.8
第二产业	Secondary Industry	13.9	23.0	26.2	32.6	33.3
第三产业	Tertiary Industry	9.2	15.4	24.24	34.99	34.9
人民生活	**People's Living Conditions**					
城镇居民人均消费支出	Per Capita Consumption Expenditure of Urban Households					
食品烟酒	Food, Tobacco and Liquor			34.4	25.1	25.7
衣　着	Clothing			12.1	8.1	7.7
居　住	Residence			10.7	25.2	25.0
生活用品及服务	Household Facilities, Articles and Services			10.2	6.8	6.5
交通通信	Transport and Communications			7.6	13.5	12.7
教育文化娱乐	Education, Cultural and Recreation			12.1	10.4	11.0
医疗保健	Health Care and Medical Services			8.7	8.5	8.8
其他用品及服务	Miscellaneous Goods and Services			4.2	2.4	2.6
农村居民人均消费支出	Per Capita Consumption Expenditure of Rural Households					
食品烟酒	Food, Tobacco and Liquor			39.1	26.4	26.7
衣　着	Clothing			7.6	6.3	6.4
居　住	Residence			23.9	22.3	21.7
生活用品及服务	Household Facilities, Articles and Services			4.8	6.8	6.4
交通通信	Transport and Communications			6.2	15.3	14.8
教育文化娱乐	Education, Cultural and Recreation			9.9	10.3	11.0
医疗保健	Health Care and Medical Services			5.7	10.6	10.8
其他用品及服务	Miscellaneous Goods and Services			2.9	2.0	2.2
财政	**Government Finance**					
税收收入占一般公共预算收入比重	Tax Revenue Percentage to General Public				72.7	70.4
一般公共预算支出结构	Composition of General Public Budget Revenue					
#教　育	Education			17.7	17.9	18.5
能源	**Energy**					
能源生产	Total Energy Production					
原煤	Coal		83.4	85.5	64.9	57.3
原油	Crude Oil		15.3	13.1	11.8	12.4
天然气	Natural Gas		0.7	1.1	1.3	1.2
一次电力及其他能源	Primary Electricity and Other Energy		0.5	0.3	22.0	29.1

1-3 续表 continued

单位：% (%)

指 标	Item	1978	1990	2000	2018	2019
能源消费	Total Energy Consumption					
煤炭	Coal		90.3	90.9	83.6	82.0
石油	Petroleum		7.9	8.2	6.5	5.9
天然气	Natural Gas		1.3	0.8	5.5	6.6
一次电力及其他能源	Primary Electricity and Other Energy		0.4	0.1	4.4	5.6
农业	**Agriculture**					
农林牧渔业总产值	Composition of Gross Output Value of Agriculture					
#农业	Farming	84.4	71.2	54.8	54.1	51.8
林业	Forestry	3.2	2.7	1.6	3.3	3.8
牧业	Animal Husbandry	11.7	23.3	39.7	31.8	33.8
渔业	Fishery	0.7	2.8	3.8	3.6	3.5
工业(规模以上)	**Industry (above designated size)**					
工业企业资产	Composition of Assets of Industrial Enterprises					
采矿业	Mining					7.1
制造业	Manufacturing					79.0
电力、热力、燃气及水生产和供应业	Production and Supply of Electricity, Heat Gas and Water					13.9
工业企业资产	Composition of Assets of Industrial Enterprises					
大型企业	Large Enterprises					48.8
中型企业	Medium-sized Enterprises					19.1
小型企业	Small Enterprises					32.1
交通运输业	**Transport**					
货运量	Freight Traffic					
铁 路	Railways	43.9	19.8	16.3	7.8	10.4
公 路	Highways	55.0	76.0	80.7	90.7	87.8
水 运	Waterways	1.1	0.6	0.5	1.3	1.6
民 航	Civil Aviation		0.0	0.0	0.0	0.0
管 道	Pipelines		3.6	2.5	0.2	0.2
科技	**Science and Technology**					
研究与试验发展经费支出	Expenditure on R&D					
#基础研究	Basic Research			5.8	2.6	2.6
应用研究	Applied Research			26.6	12.0	10.2
试验发展	Experimental Development			67.7	85.4	87.1
#政府资金	Government Funds			28.2	13.6	12.0
企业资金	Enterprises Funds			57.4	84.1	86.0
教育	**Education**					
教育经费	Composition of Education Funds					
国家财政性教育经费	Government Appropriation for Education			68.3	83.0	82.3
#公共财政教育经费	Public Expenditure on Education			55.4	77.9	76.1
卫生	**Public Health**					
卫生技术人员	Medical Technical Personnel					
#执业(助理)医师	Licensed (Assistant) Doctors				45.8	46.7
注册护士	Registered Nurses				37.5	37.7
药师(士)	Pharmacist				4.1	3.9
卫生费用	Total Health Expenditure					
政府卫生支出	Government Health Expenditure			14.4	28.0	26.3
社会卫生支出	Social Expenditure for Public Health			22.6	37.9	39.8
个人现金卫生支出	Individual Cash Expenditure for Public Health			63.0	34.1	34.0

1-4 国民经济和社会发展比例和效益指标
Indicators on National Economic and Social Development

指　　标	Item	1978	2000	2017	2018	2019
人口与就业	**Population and Employment**					
出生率(‰)	Birth Rate (‰)	20.88	11.30	13.20	11.26	10.83
死亡率(‰)	Death Rate (‰)	6.49	6.21	6.60	6.38	6.12
自然增长率(‰)	Natural Growth Rate (‰)	14.39	5.09	6.60	4.88	4.71
总抚养比(%)	Gross Dependency Ratio (%)		42.5	42.7	45.8	48.0
少儿抚养比(%)	Children Dependency Ratio (%)		32.5	26.6	27.2	28.2
老年抚养比(%)	Old Dependency Ratio (%)		10.0	16.1	18.6	19.8
城镇登记失业率(%)	Registered Unemployment Rate in Urban Areas (%)	32.10	17.40	39.92	38.04	35.98
国民经济核算	**National Accounts**					
人均地区生产总值(元)	Per Capita GDP (yuan)	364	6966	40883	43108	46348
人民生活	**People's Living Conditions**					
城乡收入比(农村居民收入为1)	Urban and Rural Income Ratio (Rural Income as 1)	2.42	2.27	2.37	2.35	2.32
财政	**Government Finance**					
一般公共预算收入与地区生产总值之比(%)	Proportion of Government Revenue to GDP (%)		5.4	10.6	10.8	10.7
一般公共预算支出与地区生产总值之比(%)	Proportion of Government Expenditure to GDP (%)	17.7	9.0	21.7	23.8	23.7
能源	**Energy**					
能源生产弹性系数	Elasticity Ratio of Energy Production		-0.23	0.07	-0.66	-0.35
电力生产弹性系数	Elasticity Ratio of Electricity Production			1.02	2.12	0.72
能源消费弹性系数	Elasticity Ratio of Energy Consumption		2.04	0.30	0.05	0.16
电力消费弹性系数	Elasticity Ratio of Electricity Consumption			0.82	1.00	0.76
万元地区生产总值能源消费量(吨标准煤/万元)	Energy Consumption per 10000 Yuan GDP (ton of SCE/10000 yuan)			1.07	1.01	0.95
能源加工转换总效率(%)	Total Efficiency of Energy Conversion (%)			74.45	74.90	72.99
农业	**Agriculture**					
每公顷播种面积农产品产量(公斤)	Output of Farm Crops per Hectare of Sown Area (kg)					
小麦	Wheat	2212	4509	6338	6155	6297
玉米	Corn	2310	4012	5743	5647	5829
棉花	Cotton	203	976	1088	1137	1115
工业	**Industry**					
资产负债率(%)	Assets-Liability Ratio (%)			57.74	60.76	60.59
流动资产周转次数(次/年)	Turnover of Working Capital (time/year)			2.30	1.96	1.88
成本费用利润率(%)	Ratio of Profits to Industrial Cost (%)			6.75	5.97	5.60
交通运输业	**Transport**					
公路网密度(公里/万平方公里)	Highway Density (km/10000 sq.km)	2132.4	3133.1	10153.2	10235.8	10433.4
邮电通信业	**Postal and Telecommunication Services**					
电话普及率(含移动电话)(部/百人)	Popularization Rate of Telephone (Include Mobile Telephone) (set/100 persons)	0.2	14.2	111.0	117.3	118.8
移动电话普及率(部/百人)	Popularization Rate of Mobile Telephone (set/100 persons)		4.2	100.8	108.5	109.5
金融业	**Financial Intermediation**					
金融机构存款与地区生产总值之比(%)	Proportion of Deposits of Financial Institutions to GDP (%)	42.18	81.69	197.29	203.87	208.57
金融机构贷款与地区生产总值之比(%)	Proportion of Loans of Financial Institutions to GDP (%)	50.0	63.4	141.4	148.1	153.2
科技	**Science and Technology**					
研究与试验发展经费内部支出与地区生产总值之比(%)	Proportion of R&D Expenditure to GDP (%)		0.57	1.48	1.54	1.61
教育	**Education**					
小学学龄儿童净入学率(%)	Net Enrollment Ratio of Primary Schools (%)		99.9	99.5	100.0	99.8
小学升学率(%)	Promotion Rate from Primary Schools to Junior Secondary Schools (%)		98.7	98.8	98.4	98.9
初中升学率(%)	Promotion Rate from Junior Secondary Schools to Senior Secondary Schools (%)		40.9	92.1	99.5	96.6
卫生	**Public Health**					
每万人口执业(助理)医师数(人)	Number of Licensed (Assistant) Doctors per 10000 Population (person)	10.8	13.7	25.5	27.9	30.1
每万人口医疗卫生机构床位数(张)	Number of Beds of Hospitals and Health Centers per 10000 Population (bed)	17.6	25.4	52.6	55.8	56.6
医院病床使用率(%)	Beds Utilization Rate of Hospital (%)			83.8	82.7	81.4

1-5 河北国民经济和社会发展主要指标占全国的比重(2019年)
Percentage of Hebei's National Economy and Social Development in the Country (2019)

指 标	Indicator	全 国 Country	河 北 Hebei	河北占全国的比重(%) Percentage to the Country of Hebei(%)
年末总人口(万人)	Year-end Total Population (10000 persons)	140005	7591.97	5.42
地区生产总值(亿元)	Gross Domestic Product (100 million yuan)	990865.1	35104.52	3.54
第一产业	Primary Industry	70466.7	3518.44	4.99
第二产业	Secondary Industry	386165.3	13597.26	3.52
第三产业	Tertiary Industry	534233.1	17988.82	3.37
人均生产总值(元)	Per Capita GDP (yuan)	70892	46347.89	
一般公共预算收入(亿元)	General Public Budget Revenue (100 million yuan)	190382.23	3738.99	1.96
金融机构年末存款余额(亿元)	Year-end Deposit Balance of Financial Institutions (100 million yuan)	1981642.58	73216.32	3.69
金融机构年末贷款余额(亿元)	Year-end Loan Balance of Financial Institutions (100 million yuan)	1586020.56	53788.52	3.39
能源消费总量(亿吨标准煤)	Total Energy Consumption (100 million tons of SCE)	48.6	3.25	6.70
社会消费品零售总额(亿元)	Total Retail Sales of Consumer Goods (100 million yuan)	408017.2	12985.53	3.18
进出口总额(亿元)	Total Imports and Exports (100 million yuan)	315504.7544	4001.61	1.27
出口总额	Gross Export Value	172342.3422	2370.33	1.38
进口总额	Gross Import Value	143162.4122	1631.28	1.14
普通高等学校本专科在校生(万人)	Students Enrollment in Institutions of Higher Education (10000 persons)	3031.5	147.40	4.86
R&D经费支出(亿元)	Expenditure on R&D (100 million yuan)	22143.6	566.70	2.56
卫生机构床位数(万张)	Number of Beds of Health Care Institutions (10000 units)	880.7	42.99	4.88
卫生技术人员(万人)	Medical Technical Personnel (10000 persons)	1015.4	49.01	4.83
#执业(助理)医师	Practitioner (Assistant) Doctors	386.6916	22.87	5.91
居民人均可支配收入(元)	Per Capita Disposable Income of Residents (yuan)	30732.8	25664.71	83.51
城镇居民人均可支配收入(元)	Per Capita Annual Disposable Income of Urban Permanent Residents (yuan)	42358.8	35737.68	84.37
农村居民人均可支配收入(元)	Per Capita Annual Disposable Income of Rural Permanent Residents (yuan)	16020.7	15373.08	95.96
工农业主要产品产量(万吨)	Output of Major Industrial and Agricultural Products (10000 tons)			
粮食	Grain	66384.3	3739.24	5.63
棉花	Cotton	588.9	22.70	3.85
油料	Oil-bearing Crops	3493	119.50	3.42
粗钢	Rough Steel	99541.89	24157.70	24.27
钢材	Rolled Steel	120456.94	28409.63	23.58
发电量(亿千瓦时)	Electricity (100 million kWh)	75034.28	3117.74	4.16
水泥	Cement	234430.62	10231.49	4.36
平板玻璃(万重量箱)	Plain Glass (10000 weight cases)	94461.22	14812.24	15.68
农用化肥(折100%)	Chemical Fertilizers (convert into 100%)	5731.18	186.67	3.26
化学药品原药	Chemical Medicines	276.85	55.67	20.11
化学纤维	Chemical Fibers	5883.37	99.75	1.70
布(亿米)	Cloth (100 million m)	555.19	14.41	2.60
汽车(万辆)	Moter Vehicles (10000 units)	2567.67	105.08	4.09

1-6 按主要行业分法人单位数
Number of Legal Entities by Sector

单位：个 (unit)

年份 市	Year City	合计 Total	农、林、牧、渔业 Agriculture, Forestry, Animal Husbandry and Fishery	采矿业 Mining	制造业 Manufacturing	电力、热力、燃气及水生产和供应业 Production and Supply of Electricity, Heat, Gas and Water	建筑业 Construction	批发和零售业 Wholesale and Retail Trades
	2005	227105	1766	7061	64459	691	3863	29354
	2006	244450	2276	7705	71343	794	4566	34883
	2007	255875	2759	8102	74277	868	4968	38820
	2008	285586	7017	7794	78240	977	5163	46879
	2009	323869	9116	8415	86824	1205	6690	63166
	2010	345822	11797	8616	89208	1343	7954	72731
	2011	361028	13822	8318	89874	1463	9380	81073
	2012	387093	17972	8200	94883	1591	10562	91157
	2013	463436	36934	6588	93579	1839	14024	111227
	2014	530949	44777	7081	110020	2140	17487	131451
	2015	630396	58872	6529	126673	2739	23224	165655
	2016	785258	73766	6332	151620	3601	37800	219537
	2017	1147414	105376	6864	211185	5496	68466	337783
	2018	1257161	116092	4842	218111	5484	89523	358174
	2019	1318302	114610	4944	226925	5699	98620	374537
石家庄市	Shijiazhuang	272425	13705	349	29552	742	22256	87730
#辛集市	Xinji	9978	1682	7	2630	66	520	2576
承德市	Chengde	56299	11922	1259	3496	461	5426	12619
张家口市	Zhangjiakou	65036	10388	572	4526	1052	6466	14344
秦皇岛市	Qinhuangdao	62130	5999	334	5191	183	4799	17524
唐山市	Tangshan	112639	8864	1182	15064	434	4727	36845
廊坊市	Langfang	108922	6918	14	23887	269	10961	24351
保定市	Baoding	169857	15055	377	29399	580	14120	48087
#定州市	Dingzhou	13744	1216		2730	29	1616	3158
沧州市	Cangzhou	120510	9160	78	39077	381	6528	28917
衡水市	Hengshui	86943	10984	4	26220	278	5477	21166
邢台市	Xingtai	112365	10443	245	27967	669	7353	33593
邯郸市	Handan	132846	10007	527	17757	612	10168	44360
雄安新区	Xiongan New Area	18330	1165	3	4789	38	339	5001

1-6 续表 1 continued

单位：个 (unit)

年 份 市	Year City	交通运输、仓储和邮政业 Transport, Storage and Post	住宿和餐饮业 Hotels and Catering Services	信息传输、软件和信息技术服务业 Information Transmission, Software and Information Technology	金 融 业 Financial Intermediation	房地产业 Real Estate	租赁和商务服 务 业 Leasing and Business Services	科学研究和技术服务业 Scientific Research and Technical Services
	2005	2799	3047	1660	1344	3207	4753	2860
	2006	3237	3315	2064	1402	3997	5659	3165
	2007	3658	3507	2397	1367	4677	6203	3359
	2008	4967	3947	3993	880	5523	7816	4140
	2009	5950	4216	4692	1425	7073	9756	4971
	2010	6529	4184	4876	1671	9084	11440	5434
	2011	7234	4069	4699	2230	10546	13359	5877
	2012	7754	4233	5106	2597	11472	15638	6478
	2013	9592	4458	4211	1238	13782	24379	13650
	2014	11511	5101	5233	4580	15593	29344	15365
	2015	14274	6003	8143	4691	18420	40024	19371
	2016	18660	8228	13945	4847	25580	56215	26096
	2017	27649	12922	30164	5793	40640	94383	44418
	2018	31074	15538	39141	3680	45063	99299	51677
	2019	32940	15906	42291	4098	46772	109461	59330
石家庄市	Shijiazhuang	6891	2813	14625	1264	11720	32331	19477
#辛集市	Xinji	198	41	144	22	255	354	346
承 德 市	Chengde	1181	838	1140	196	2026	4494	1807
张家口市	Zhangjiakou	1520	1022	1554	261	2781	5703	2492
秦皇岛市	Qinhuangdao	1644	1142	2760	200	2524	7060	2897
唐 山 市	Tangshan	4499	999	4831	414	3511	8973	4704
廊 坊 市	Langfang	1866	1934	3048	266	6329	9990	5529
保 定 市	Baoding	3475	2516	4558	446	6136	13482	7026
#定州市	Dingzhou	183	68	183	19	311	1388	839
沧 州 市	Cangzhou	3239	822	2049	268	3104	7222	3713
衡 水 市	Hengshui	1445	672	1513	163	1808	4063	2159
邢 台 市	Xingtai	2094	924	1719	231	2745	4887	3300
邯 郸 市	Handan	4828	1538	3818	341	3768	9898	5325
雄安新区	Xiongan New Area	258	686	676	48	320	1358	901

1-6 续表 2 continued

单位：个 (unit)

年 份 市	Year City	水利、环境和公共设施管理业 Management of Water Conservancy, Environment and Public Facilities	居民服务、修理和其他服务业 Service to Households, Repair and Other Services	教育 Education	卫生和社会工作 Health and Social Service	文化、体育和娱乐业 Culture, Sports and Entertainment	公共管理、社会保障和社会组织 Public Management, Social Security and Social Organization
	2005	1058	1606	17620	6770	1670	71517
	2006	1129	1935	17487	6748	1763	70982
	2007	1203	2205	17463	6611	1838	71593
	2008	1514	2814	18885	7105	1982	75950
	2009	1758	3766	19029	7226	2184	76407
	2010	1877	4335	19005	7170	2272	76296
	2011	2018	4732	18168	6654	2322	75190
	2012	2315	5088	17885	6554	2675	74933
	2013	3243	6292	19794	9432	7388	81786
	2014	3707	7695	20277	9762	7901	81924
	2015	4271	10432	20760	9913	8599	81803
	2016	5537	14020	21537	7049	10845	80043
	2017	9604	19771	22583	7912	16824	79581
	2018	7420	22280	28623	10764	23852	86524
	2019	9419	22727	28723	10868	24152	86280
石家庄市	Shijiazhuang	1536	4264	4876	1865	5744	10685
#辛集市	Xinji	43	98	236	56	134	570
承德市	Chengde	725	973	1062	706	1234	4734
张家口市	Zhangjiakou	850	1130	1211	730	1408	7026
秦皇岛市	Qinhuangdao	581	1423	1539	772	1721	3837
唐山市	Tangshan	907	1838	3144	1141	1715	8847
廊坊市	Langfang	746	2257	2102	606	2644	5205
保定市	Baoding	1413	3796	4380	1708	3236	10067
#定州市	Dingzhou	39	559	352	98	168	788
沧州市	Cangzhou	570	1457	2448	772	1650	9055
衡水市	Hengshui	388	936	1391	544	875	6857
邢台市	Xingtai	673	1290	2858	914	1547	8913
邯郸市	Handan	886	2828	3087	996	2128	9974
雄安新区	Xiongan New Area	144	535	625	114	250	1080

1-7 分市按三次产业和机构类型分法人单位数(2019年)
Number of Legal Entities by Three Strata of Industry and Type of Institutions and City (2019)

单位：个 (unit)

市	City	法人单位数 Number of Legal Entities	按三次产业分 Grouped by Three Strata of Industry			按机构类型分 By Type of Institutions				
			第一产业 Primary Industry	第二产业 Secondary Industry	第三产业 Tertiary Industry	企业法人 Business Entity	事业法人 Institution Entity	机关法人 Government Entity	社会团体 Social Organization	其他 Others
全　省	**Total**	**1318302**	**104010**	**334204**	**880088**	**1108125**	**34718**	**11755**	**8877**	**154827**
石家庄市	Shijiazhuang	272425	12076	52563	207786	245374	5894	1585	1911	17661
#辛集市	Xinji	9978	1258	3215	5505	7650	320	74	51	1883
承 德 市	Chengde	56299	11221	10580	34498	39923	2360	840	489	12687
张家口市	Zhangjiakou	65036	9942	12517	42577	47984	2653	1113	581	12705
秦皇岛市	Qinhuangdao	62130	5746	10250	46134	51573	1594	536	434	7993
唐 山 市	Tangshan	112639	7748	20943	83948	91940	3195	1057	916	15531
廊 坊 市	Langfang	108922	6331	35011	67580	96473	1764	699	476	9510
保 定 市	Baoding	169857	14157	44283	111417	143572	4689	1461	1268	18867
#定州市	Dingzhou	13744	1107	4374	8263	10985	391	82	89	2197
沧 州 市	Cangzhou	120510	8146	45903	66461	100578	3253	1066	707	14906
衡 水 市	Hengshui	86943	9397	31922	45624	67478	1773	699	489	16504
邢 台 市	Xingtai	112365	9576	36163	66626	91912	3316	1287	789	15061
邯 郸 市	Handan	132846	8571	28905	95370	115816	3583	1220	691	11536
雄安新区	Xiongan New Area	18330	1099	5164	12067	15502	644	192	126	1866

1-8 分市按控股情况分企业法人单位数(2019年)
Numbers of Corporate Enterprises by City and Status of Holdings (2019)

单位：个 (unit)

市	City	企业单位数 Numbers of Enterprises	国有控股 State-holding	集体控股 Collective-holding	私人控股 Private-holding	港、澳、台商控股 Hong Kong, Macao and Taiwan-holding	外商控股 Foreign-holding	其 他 Others
全　省	**Total**	**1108125**	**12236**	**7178**	**1076094**	**820**	**1459**	**10338**
石家庄市	Shijiazhuang	245374	2160	1155	239250	165	261	2383
#辛集市	Xinji	7650	54	43	7492	1	10	50
承 德 市	Chengde	39923	846	303	38150	29	27	568
张家口市	Zhangjiakou	47984	1297	633	44935	44	99	976
秦皇岛市	Qinhuangdao	51573	801	310	49788	54	126	494
唐 山 市	Tangshan	91940	1808	948	87838	105	193	1048
廊 坊 市	Langfang	96473	639	356	94435	123	290	630
保 定 市	Baoding	143572	1032	867	140246	61	127	1239
#定州市	Dingzhou	10985	69	38	10770	3	6	99
沧 州 市	Cangzhou	100578	894	483	98155	78	155	813
衡 水 市	Hengshui	67478	520	353	65989	26	50	540
邢 台 市	Xingtai	91912	749	458	89946	55	62	642
邯 郸 市	Handan	115816	1375	1234	112373	70	62	702
雄安新区	Xiongan New Area	15502	115	78	14989	10	7	303

1–9 分市按登记注册类型分企业法人单位数(2019年)
Number of Business Entities by Status and City (2019)

单位：个 (unit)

市	City	企业单位数 Number of Enterprises	内资企业 Domestic Funded Enterprises	#国有企业 State-owned Enterprises	#集体企业 Collective-owned Enterprises	#股份合作企业 Cooperative Enterprises	#联营 Joint Ownership
全　省	**Total**	**1108125**	**1105303**	**3231**	**5644**	**906**	**84**
石家庄市	Shijiazhuang	245374	244889	576	906	85	11
#辛集市	Xinji	7650	7632	14	42	4	
承 德 市	Chengde	39923	39847	211	250	12	4
张家口市	Zhangjiakou	47984	47826	299	486	83	4
秦皇岛市	Qinhuangdao	51573	51335	262	266	12	7
唐 山 市	Tangshan	91940	91574	415	806	136	23
廊 坊 市	Langfang	96473	96027	145	237	12	1
保 定 市	Baoding	143572	143309	299	712	330	5
#定州市	Dingzhou	10985	10969	11	19	33	
沧 州 市	Cangzhou	100578	100266	236	398	72	7
衡 水 市	Hengshui	67478	67359	158	290	9	3
邢 台 市	Xingtai	91912	91763	176	335	92	5
邯 郸 市	Handan	115816	115640	435	889	57	14
雄安新区	Xiongan New Area	15502	15468	19	69	6	

1–9 续表 continued

单位：个 (unit)

市	City	#有限责任公司 Limited Liability Corporations	#股份有限公司 Share-holding Corporations Ltd.	#私营 Private	港、澳、台商投资企业 Enterprises with Funds from Hong Kong, Macao and Taiwan	外商投资企业 Enterprises with Foreign Investment
全　省	**Total**	**48267**	**2667**	**1041969**	**957**	**1865**
石家庄市	Shijiazhuang	10972	615	231500	180	305
#辛集市	Xinji	222	2	7310	8	10
承 德 市	Chengde	2504	127	36660	32	44
张家口市	Zhangjiakou	3721	152	42990	41	117
秦皇岛市	Qinhuangdao	2302	116	48195	72	166
唐 山 市	Tangshan	5370	231	84235	123	243
廊 坊 市	Langfang	4365	169	90729	128	318
保 定 市	Baoding	5511	309	135740	76	187
#定州市	Dingzhou	366	27	10456	4	12
沧 州 市	Cangzhou	2609	208	96490	100	212
衡 水 市	Hengshui	1888	189	64740	44	75
邢 台 市	Xingtai	3078	173	87612	64	85
邯 郸 市	Handan	5309	355	108434	85	91
雄安新区	Xiongan New Area	638	23	14644	12	22

主要统计指标解释

行政区划 指国家对行政区域的划分。根据有关法规规定，我国的行政区域划分如下：(1)全国分为省、自治区、直辖市;(2)省、自治区分为自治州、县、自治县、市;(3)自治州分为县、自治县、市;(4)县、自治县分为乡、民族乡、镇;(5)直辖市和较大的市分为区、县;(6)国家在必要时设立的特别行政区。

发展速度 用以反映社会经济发展程度的相对指标，根据两个不同时期发展水平的对比而得。由于比较的标准时期不同，发展速度可分为定期发展速度和环比发展速度两种。

增长速度 发展速度－1（或100%）就是增长速度。即增长速度＝发展速度－1（或100%）。

平均每年增长速度 我国计算平均增长速度有两种方法，一种是习惯上经常使用的"水平法"，又称几何平均法，是以间隔最后一年的水平同基期水平对比来计算平均每年增长（或下降）的速度；另一种是"累计法"又称代数平均法或方程法，是以间隔年内各年水平的总和同基期水平对比来计算平均每年增长（或下降）的速度。具体计算方法，可参照中国财经出版社出版的《平均增长速度查对表》。

在一般正常情况下，两种方法计算的平均每年增长速度比较接近，但在经济发展不平衡出现大起大落时，两种方法计算的结果差别较大。

本《年鉴》内所列的平均每年增长速度都是用水平法计算的。从某年到某年平均增长速度的年份，均不包基期年在内。如1981－2010年平均每年增长速度，是以1980年为基期，2010年为报告期，年份从1981年算起，共30年。

当年价格 是报告期的实际价格，如工厂的出厂价格、农产品的收购价格、商品的零售价格等。按当年价格计算，是指一些以货币表现的物量指标，如工业总产值、国内生产总值等，按照当年的实际价格来计算总量。按当年价格计算的价值指标，在不同年份之间进行对比时，因为包含有各年间价格变动的因素，不能确切地反映实物量的增减变动。因此，在计算增长速度时都使用按可比价格计算的数字。

国民经济行业分类 自2017年统计年报和2018年定期统计报表开始使用新的《国民经济行业分类》（GB/T 4754-2017）。该分类是由国家统计局组织修订，国家质量监督检验检疫总局和中国国家标准化管理委员会于2017年6月30日发布。这次修订是在2011年分类标准的基础上，参照联合国《所有经济活动的国际标准产业分类》（2006年，修订第四版，简称ISIC/Rev.4）进行的。修订后的《国民经济行业分类》（GB/T 4754-2017）共有门类20个，大类97个，中类473个，小类1382个。

企业(单位)登记注册类型 是以在工商行政管理机关登记注册的各类企业为划分对象，以工商行政管理部门对企业登记注册的类型为依据，将企业登记注册类型分为内资企业、港澳台商投资企业和外商投资企业三大类。内资企业包括国有企业、集体企业、股份合作企业、联营企业、有限责任公司、股份有限公司、私营企业和其他企业；港澳台商投资企业和外商投资企业分别包括合资经营企业、合作经营企业、独资经营企业和股份有限公司等。对不在工商行政管理部门进行登记注册的行政机关、事业单位和社会团体，主要按其经费来源和管理方式进行划分。

国有企业 指企业全部资产归国家所有，并按《中华人民共和国企业法人登记管理条例》规定登记注册的非公司制的经济组织。不包括有限责任公司中的国有独资公司。

集体企业 指企业资产归集体所有，并按《中华人民共和国企业法人登记管理条例》规定登记注册的经济组织。

股份合作企业 指以合作制为基础，由企业职工共同出资入股，吸收一定比例的社会资产投资组建，实行自主经营，自负盈亏，共同劳动，民主管理，按劳分配与按股分红相结合的一种集体经济组织。

联营企业 指两个及两个以上相同或不同所有制性质的企业法人或事业单位法人，按自愿、平等、互利的原则，共同投资组成的经济组织。联营企业包括国有联营企业、集体联营企业、国有与集体联营企业和其他联营企业。

有限责任公司 指根据《中华人民共和国公司登记管理条例》规定登记注册，由两个以上、五十个以下的股东共同出资，每个股东以其所认缴的出资额对公司承担有限责任，公司以其全部资产对其债务承担责任的经济组织。有限责任公司包括国有独资公司以及其他有限责任公司。

股份有限公司 指根据《中华人民共和国公司登记管理条例》规定登记注册，其全部注册资本由等额股份构成并通过发行股票筹集资本，股东以其认购的股份对公司承担有限责任，公司以其全部资产对其债务承担责任的经济组织。

私营企业 指由自然人投资设立或由自然人控股，以雇佣劳动为基础的营利性经济组织。包括按照《公司法》《合伙企业法》《私营企业暂行条例》规定登记注册的私营有限责任公司、私营股份有限公司、私营合伙企业和私营独资企业。

其他企业 指上述企业之外的其他内资经济组织。

合资经营企业（港或澳、台资） 指港澳台地区投资者与内地企业依照《中华人民共和国中外合资经营企业法》及有关法律的规定，按合同规定的比例投资设立、分享利润和分担风险的企业。

合作经营企业（港或澳、台资） 指港澳台地区投资者与内地企业依照《中华人民共和国中外合作经营企业法》及有关法律的规定，依照合作合同的约定进行投资或提供条件设立、分配利润和分担风险的企业。

港澳台商独资经营企业 指依照《中华人民共和国外资

企业法》及有关法律的规定，在内地由港澳台地区投资者全额投资设立的企业。

港澳台商投资股份有限公司　指根据国家有关规定，经原外经贸部依法批准设立，其中港、澳、台商的股本占公司注册资本的比例达25%以上的股份有限公司。凡其中港、澳、台商的股本占公司注册资本的比例小于25%的，属于内资企业中的股份有限公司。

其他港澳台商投资企业　指在中国境内参照《外国企业或个人在中国境内设立合伙企业管理办法》和《外商投资合伙企业登记管理规定》，依法设立的港、澳、台商投资合伙企业等。

中外合资经营企业　指外国企业或外国人与中国内地企业依照《中华人民共和国中外合资经营企业法》及有关法律的规定，按合同规定的比例投资设立、分享利润和分担风险的企业。

中外合作经营企业　指外国企业或外国人与中国内地企业依照《中华人民共和国中外合作经营企业法》及有关法律的规定，依照合作合同的约定进行投资或提供条件设立、分配利润和分担风险的企业。

外资企业　指依照《中华人民共和国外资企业法》及有关法律的规定，在中国内地由外国投资者全额投资设立的企业。

外商投资股份有限公司　指根据国家有关规定，经原外经贸部依法批准设立，其中外资的股本占公司注册资本的比例达 25% 以上的股份有限公司。凡其中外资股本占公司注册资本的比例小于25%的，属于内资企业中的股份有限公司。

其他外商投资企业　指在中国境内依照《外国企业或个人在中国境内设立合伙企业管理办法》和《外商投资合伙企业登记管理规定》，依法设立的外商投资合伙企业等。

行政机关、事业单位和社会团体　参照企业登记注册类型，主要按其经费来源和管理方式划分。具体规定如下：

⑴行政机关：包括国家机关和政党机关，原则上均列为“国有”。但有特殊规定的，如供销社等，则列为“集体”。

⑵事业单位：包括经国家机构编制部门和有关业务主管部门批准成立的各类事业单位，不包括实行企业化管理的事业单位。事业单位的划分办法如下：

①由国家财政预算拨款或列入财政预算外资金管理以及经费主要来源于国有主管部门或国有上级单位的事业单位，列为“国有”。

②经费主要来源于集体单位的事业单位，列为“集体”。

③公民个人(或个人合伙)开办的事业单位，列为“私营”。

④上述以外的其他事业单位，如果其经费来源不明确，按管理方式进行归类。

⑶社会团体：包括经民政部门批准成立以及未纳入社会团体管理条例范围的工会、妇联等各类社会团体。社会团体的划分办法如下：

①未纳入民政部社会团体管理条例范围的工会、妇联、共青团、青联、工商联、科协、侨联等社会团体，国家拨款设立的基金会或基金管理组织以及经费主要来源于国有业务主管部门或国有上级单位的社会团体，列为“国有”。

②经费主要来源于集体单位的社会团体，列为“集体”。

③公民个人(或个人合伙)开办的社会团体，划为“私营”。

④上述以外的其他社会团体，如果其经费来源不明确，改按管理方式进行归类。

Explanatory Notes on Main Statistical Indicators

Divisions of Administrative Areas refer to the divisions of administrative areas by the state. Relevant laws of the People's Republic of China stipulate the following principles for the divisions of administrative areas: 1)The whole country is divided into provinces, autonomous regions and municipalities directly under the central government; 2) Provinces and autonomous regions are divided into autonomous prefectures, counties, autonomous counties and cities; 3) Autonomous prefectures are divided into counties, autonomous counties and cities; 4) Counties and autonomous counties are divided into townships, ethnic townships and towns, 5) Municipalities under the central government and large cities are divided into districts and counties; 6) The state will, when necessary, establish special administrative regions.

Development Rate is a relative indicator of the degree of social and economic development calculated through the comparison of two different periods in the degree of development. Development rate can take the form of either fixed-base development rate or chain base development rate.

Growth Rate is equal to development rate minus one (or 100%), i.e. growth rate = development rate-1 (or 100%)

Average Annual Growth Rate Two methods for calculating average annual growth rate are applied in China, one is the more commonly-used "level approach" or the method of calculating geometric average, which is derived by comparing the level of the last year of the interval to that of the base year; the other is called "accumulative approach" or algebraic average or equation method, which is derived by comparing the summation of the actual figure of each year in the interval to the figure in the base year. The detailed calculating methods can be found by reference to the Check Table of Average Growth Rate published by China Financial Publishing House.

Under normal conditions the results calculated by the two methods are fairly close, but they differed sharply when uneven economic development occurred with striking fluctuations in growth.

The average annual growth rates listed in this statistical yearbook are calculated by level approach. The base years are not included when the years are listed for average annual growth rates. For instance, the average annual growth rate of 30 years since 1981 is listed as average annual growth rate of 1981-2010, among which 1980 is the base year and 2010 is the reference year.

Current Price refers to the actual price in the reference period, such as ex-factory price, purchasing price of agricultural products, retail price of commodities, etc. Total values of some quantum indicators in value terms at current prices, such as gross industrial output value and gross domestic product, are calculated in accordance with actual prices of the current year. When comparing indicators of value over time at current prices, they cannot accurately reflect the changes in real term due to price fluctuations of each year. That is why growth rates are calculated at constant prices.

Industrial Classification of the National Economy The new Industrial Classification of the National Economy (GB/T 4754-2017) is introduced starting from the compilation of 2017 annual statistics and 2018 regular statistics. The revision, based on the 2011 classification, was organized by the National Bureau of Statistics taking into consideration of the International Standards of the Industrial Classification of All Economic Activities (2006, Revised Fourth Edition, ISIC/Rev.4) of the United Nations. The new Classification was promulgated by the National Administration of Quality Supervision, Inspection and Quarantine and the Standardization Administration of the People's Republic of China on June 30, 2017. The revised version of the Industrial Classification of the National Economy (GB/T 4754-2017) is composed of 20 sections, 97divisions, 473 groups and 1382 classes.

Registration Status of Enterprises (Units) Enterprises are classified into 3 categories, namely domestic-funded enterprises, enterprises with investment from Hong Kong, Macao and Taiwan, and enterprises with foreign investment, according to the registration status of an enterprise in industrial and commercial administration agencies. Domestic-funded enterprises include State-owned enterprises, collective-owned enterprises, cooperative enterprises, joint ownership enterprises, limited liability corporations, share-holding corporations Ltd., private enterprises and other enterprises. Included in the enterprises with investment from Hong Kong, Macao and Taiwan and enterprises with foreign investment are joint-venture enterprises, cooperative enterprises, sole investment enterprises and share-holding corporations Ltd. For government agencies, institutions and social organizations which are not registered in industrial and commercial administration agencies, they are classified mainly by their sources of funding and manner of management.

State-owned Enterprises refer to non-corporation economic units where the entire assets are owned by the State and which have been registered in accordance with the Regulation of the People's Republic of China on the Management of Registration of Corporate Enterprises. Not included from this category are solely State-funded corporations in the limited liability corporations.

Collective-owned Enterprises refer to economic units where the assets are owned collectively and which have been registered in accordance with the Regulation of the People's Republic of China on the Management of Registration of

Corporate Enterprises.

Cooperative Enterprises refer to a form of collective economic units (enterprises) where capitals come mainly from employees as their shares, with certain proportion of capital from the outside, where production is organized on the basis of independent operation, independent accounting for profits and losses, joint work, democratic management, and a distribution system that integrates remuneration according to work with dividend according to capital share.

Joint Ownership Enterprises refer to economic units established by two or more corporate enterprises or corporate institutions of the same or different ownership, through joint investment on the basis of voluntary participation, equality, and mutual benefits. They include State joint ownership enterprises; collective joint ownership enterprises; joint State-collective enterprises; and other joint ownership enterprises.

Limited Liability Corporations refer to economic units established with investment from 2-50 investors and registered in accordance with the Regulation of the People's Republic of China on the Management of Registration of Corporations, each investor bearing limited liability to the corporation depending on its share of investment, and the corporation bearing liability to its debt to the maximum of its total assets. Limited liability corporations include solely State-funded limited liability corporations and other limited liability corporations.

Share-holding Corporations Ltd. refer to economic units registered in accordance with the Regulation of the People's Republic of China on the Management of Registration of Corporations, with total registered capital divided into equal shares and raised through issuing stocks. Each investor bears limited liability to the corporation depending on the holding of shares, and the corporation bears liability to its debt to the maximum of its total assets.

Private Enterprises refer to profit-making economic units invested and established by natural persons, or controlled by natural persons using employed labour. Included in this category are private limited liability corporations, private share-holding corporations Ltd., private partnership enterprises and private-funded enterprises registered in accordance with the Company Law, the Law on Partnership Business and Interim Regulations on Private Enterprises.

Other Domestic-funded Enterprises refer to domestic-funded economic units other than those mentioned above.

Joint Venture Enterprises(Funds are from Hong Kong, Macao or Taiwan.) are enterprises established by investors from Hong Kong, Macao and Taiwan with enterprises in the mainland of China in accordance with the Law of the People's Republic of China on Sino-foreign Equity Joint Ventures and other relevant laws, where the establishment of the investment and the sharing of profits and risks are stipulated under joint venture contracts.

Cooperative Enterprises(Funds are from Hong Kong, Macao or Taiwan.) established by investors from Hong Kong, Macao and Taiwan with enterprises in the mainland of China in accordance with the Law of the People's Republic of China on Sino-foreign Contractual Joint Venture and other relevant laws, where the investment or provision of facilities and the sharing of profits and risks are stipulated under cooperative contracts.

Enterprises with Sole (exclusive) Investment from Hong Kong, Macao and Taiwan refer to enterprises established in the mainland of China with exclusive investment from investors from Hong Kong, Macao and Taiwan in accordance with the Law of the People's Republic of China on Wholly Foreign-owned Enterprises and other relevant laws.

Share-holding Corporations Ltd. with Investment from Hong Kong, Macao and Taiwan refer to share-holding corporations Ltd. established with the approval from the former Ministry of Foreign Trade and Economic Relations in line with relevant State regulations, where the share of investment from Hong Kong, Macao or Taiwan businessmen exceeds 25% of the total registered capital of the corporation. In case the share of investment from Hong Kong, Macao or Taiwan is less than 25% of the total registered capital, the enterprise is to be classified as domestic-funded share-holding corporation Ltd.

Other Enterprises with Funds from Hong Kong, Macao and Taiwan refer to partnership enterprises with investments from Hong Kong, Macao and Taiwan established within the territory of China in accordance with Administrative Measures on the Establishment of Partnership Enterprises in China by Foreign Enterprises or Foreign Individuals and Regulations for the Administration of the Registration of Foreign-invested Partnership Enterprises.

Joint Venture Enterprises with Foreign Investment refer to enterprises jointly established by foreign enterprises or foreigners with enterprises in the mainland of China in accordance with the Law of the People's Republic of China on Sino-foreign Equity Joint Ventures and other relevant laws, where the sharing of investment, profits and risks is stipulated under contract.

Cooperative Enterprises with Foreign Investment refer to enterprises jointly established by foreign enterprises or foreigners with enterprises in the mainland of China in accordance with the Law of the People's Republic of China on Sino-foreign Contractual Joint Venture and other relevant laws, where the investment or provision of facilities and the sharing of profits and risks are stipulated under cooperative contracts.

Enterprises with Sole (exclusive) Foreign Investment refer to enterprises established in the mainland of China with exclusive investment from foreign investors in accordance with the Law of the People's Republic of China on Wholly Foreign-owned Enterprises and other relevant laws.

Share-holding Corporations Ltd. with Foreign Investment refer to share-holding corporations Ltd. established with the approval from the former Ministry of Foreign Trade and Economic Relations in line with relevant State regulations, where the share of investment from foreign investors exceeds

25% of the total registered capital of the corporation. In case the share of foreign investment is less than 25% of the total registered capital, the enterprise is to be classified as domestic-funded share-holding corporation Ltd.

Other Enterprises with Foreign Funds refer to partnership enterprises established within the territory of China in accordance with Administrative Measures on the Establishment of Partnership Enterprises in China by Foreign Enterprises or Foreign Individuals and Regulations for the Administration of the Registration of Foreign-invested Partnership Enterprises.

Government Agencies, Institutions and Social Organizations are classified into the following categories by source of funds and manner of management taking reference of the registration status of enterprises:

(1) Government agencies: include State and party agencies, classified in principle as State-owned. There are exceptions, such as supply and marketing cooperatives which are classified as collective-owned.

(2) Institutions: include institutions of various types established with the approval by organization and staffing departments of the government, but exclude institutions where enterprise management system is introduced. Institutions are further classified as follows:

(a) Institutions for which their main budgets are from government budget appropriations or extra-budget funds, or allocated from the budget of their competent government agencies. Such institutions are classified as state-owned.

(b) Institutions for which their budget mainly come from collective units. Such institutions are classified as collective-owned.

(c) Social institutions established by individual or a group of citizens, which are classified as private.

(d) Institutions other than those mentioned above for which their sources of budget are not clear. Such institutions are classified by the manner of management.

(3) Social organizations: include social organizations established with the approval from the Ministry of Civil Affairs, and organizations that are not covered by social organization management regulations such as trade unions, women's federations etc.. Social organizations are further classified as follows:

(a) Social organizations that are not covered by social organization management regulations of the Ministry of Civil Affairs such as trade unions, women federations, communist youth leagues, youth associations, industrial and commerce associations, scientist associations, overseas Chinese associations, etc., foundations and fund management organizations established with funds from the state, and social organizations whose funds mainly come from the budget of their competent government agencies. Such institutions are classified as State-owned.

(b) Social organizations for which their budget mainly come from collective units. Such institutions are classified as collective-owned.

(c) Social organizations established by individual or a group of citizens, which are classified as private.

(d) Social organizations other than those mentioned above for which their sources of budget are not clear. Such organizations are classified by the manner of management.

人口
Population

简 要 说 明

一、本篇资料反映河北人口发展变化基本情况。

二、年末常住人口、性别比例、年龄比例、城镇人口比例以及人口出生率、人口死亡率和人口自然增长率、人口预期寿命。数据来源于人口普查、1%人口抽样调查或年度人口变动情况抽样调查结果。

三、本资料由河北省统计局人口和就业统计处整理提供。

四、资料整理：荣素艳

Brief Introduction

Ⅰ.The data in this chapter reflects the basic situation of population development and change in Hebei.

Ⅱ.The permanent resident population, sex ratio, age ratio, urban population, birth rate, death rate, natural growth rate and life expectancy at the end of the year. Data are derived from census, 1% population sample survey or annual population change sample survey.

Ⅲ. This information is compiled and provided by the Population and Employment Statistics Division of Hebei Province Statistics Bureau.

Ⅳ.The data in this chapter are prepared: Rong Suyan

2-1 总人口(年底数)

Total Population (Year-end)

单位：万人 (10000 persons)

年 份 Year	常住人口 Resident Population	按性别分 By Sex		性别比 (女=100) Sex Ratio (Female=100)	按城乡分 By Residence Female		城镇化率 (%) Urbanization Proportion (%)	人口密度 (人/平方公里) Population Density (person/sq.km)
		男 Male	女 Female		城 镇 Urban	乡 村 Rural		
1978	5057	2595	2462					270
1979	5105	2620	2485					272
1980	5168	2651	2517	105.31				275
1981	5256	2692	2564	104.81				280
1982	5356	2742	2614	104.90				286
1983	5420	2777	2643	105.07				289
1984	5487	2815	2672	104.41				292
1985	5548	2852	2696	105.75				296
1986	5627	2893	2734	105.82				300
1987	5710	2936	2774	105.84				304
1988	5795	2978	2817	105.72				309
1989	5881	3021	2860	104.45				313
1990	6159	3147	3012	104.48	1183	4976		328
1991	6220	3167	3053	104.64				332
1992	6275	3212	3063	101.46				335
1993	6334	3227	3107	104.45				338
1994	6388	3264	3124	104.95				341
1995	6437	3266	3171	103.00				343
1996	6484	3309	3175	101.00				346
1997	6525	3327	3198	102.59				348
1998	6569	3343	3226	102.53				350
1999	6614	3357	3257	103.04				353
2000	6674	3397	3277	103.63	1757	4917		356
2001	6699	3384	3315					357
2002	6735	3420	3315					359
2003	6769	3454	3315		2268	4501	33.51	361
2004	6809	3480	3329		2440	4369	35.83	363
2005	6851	3441	3410		2582	4269	37.69	365
2006	6898	3486	3412		2674	4224	38.77	368
2007	6943	3529	3414		2795	4148	40.25	370
2008	6989	3562	3427		2928	4061	41.90	373
2009	7034	3582	3452		3077	3957	43.74	375
2010	7193.60	3647.18	3546.42	102.84	3201.15	3992.45	44.50	384
2011	7240.51	3743.00	3497.51		3301.67	3938.84	45.60	386
2012	7287.51	3694.37	3593.14		3410.53	3876.98	46.80	388
2013	7332.61	3723.50	3609.11		3528.45	3804.16	48.12	391
2014	7383.75	3750.64	3633.11		3642.40	3741.35	49.33	394
2015	7424.92	3757.23	3667.69	102.44	3811.21	3613.71	51.33	396
2016	7470.05	3795.17	3674.88	103.27	3983.03	3487.02	53.32	398
2017	7519.52	3817.66	3701.86	103.13	4136.49	3383.03	55.01	401
2018	7556.30	3827.27	3729.03	102.65	4264.02	3292.28	56.43	403
2019	7591.97	3838.50	3753.47	102.27	4374.49	3217.48	57.62	404

2-2 人口自然变动情况

Nature Changes of Population

单位：万人 (10000 persons)

年 份 Year	年平均人口数 Annual Average Population	出 生 人口数 Number of Birth	出生率 (‰) Birth Rate (‰)	死 亡 人口数 Number of Death	死亡率 (‰) Death Rate (‰)	自然增加 人 口 数 Number of Natural Growth	自然增长率 (‰) Natural Growth Rate (‰)
1978	5028	105	20.90	33	6.50	72	14.40
1980	5137	105	20.50	33	6.50	72	14.00
1981	5212	125	24.00	32	6.10	93	17.90
1982	5306	103	19.40	31	5.90	72	13.40
1983	5388	96	17.90	36	6.60	61	11.30
1984	5454	91	16.70	29	5.40	62	11.30
1985	5518	94	17.10	29	5.30	65	11.80
1986	5588	114	20.40	34	6.10	80	14.30
1987	5669	128	22.50	34	6.00	94	16.50
1988	5753	117	20.40	32	5.50	86	14.90
1989	5838	118	20.20	32	5.40	86	14.80
1990	6020	123	20.50	41	6.80	82	13.60
1991	6190	103	16.60	42	6.80	61	9.90
1992	6248	96	15.30	40	6.40	56	8.90
1993	6305	97	15.40	38	6.10	59	9.30
1994	6361	95	14.90	40	6.35	54	8.40
1995	6413	89	13.90	40	6.30	49	7.60
1996	6461	90	13.90	43	6.60	47	7.30
1997	6505	85	13.10	44	6.80	41	6.30
1998	6547	85	13.00	41	6.20	45	6.80
1999	6592	86	13.00	42	6.30	44	6.70
2000	6644	75	11.30	41	6.20	34	5.10
2001	6687	75	11.16	41	6.18	33	4.98
2002	6717	77	11.53	42	6.25	35	5.28
2003	6752	77	11.43	42	6.27	35	5.16
2004	6789	81	11.98	42	6.19	39	5.79
2005	6830	88	12.84	46	6.75	42	6.09
2006	6875	88	12.82	45	6.59	43	6.23
2007	6921	92	13.33	47	6.78	45	6.55
2008	6966	91	13.04	45	6.49	46	6.55
2009	7012	91	12.93	45	6.43	46	6.50
2010	7113.80	94.04	13.22	45.60	6.41	48.44	6.81
2011	7217.06	93.97	13.02	47.06	6.52	46.91	6.50
2012	7264.01	93.56	12.88	46.56	6.41	47.00	6.47
2013	7310.06	95.32	13.04	50.22	6.87	45.10	6.17
2014	7358.18	96.98	13.18	45.84	6.23	51.14	6.95
2015	7404.34	84.04	11.35	42.87	5.79	41.17	5.56
2016	7447.49	92.50	12.42	47.37	6.36	45.13	6.06
2017	7494.79	98.93	13.20	49.47	6.60	49.46	6.60
2018	7537.91	84.88	11.26	48.09	6.38	36.79	4.88
2019	7574.14	82.03	10.83	46.36	6.12	35.67	4.71

2-3 人口预期寿命
Life Expectancy at Birth

单位：岁 (year)

年 龄 Age	1990 合计 Total	1990 男 Male	1990 女 Female	2000 合计 Total	2000 男 Male	2000 女 Female	2010 合计 Total	2010 男 Male	2010 女 Female
0	71.70	70.01	73.60	72.53	70.68	74.54	74.97	72.70	77.47
1				72.88	70.78	75.19	74.72	72.46	77.22
5				69.03	66.94	71.35	70.81	68.55	73.31
10				64.16	62.10	66.45	65.88	63.64	68.36
15				59.27	57.24	61.51	60.97	58.75	63.43
20				54.42	52.43	56.61	56.11	53.94	58.51
25				49.62	47.70	51.75	51.27	49.17	53.59
30				44.84	42.97	46.91	46.44	44.41	48.68
35				40.08	38.26	42.08	41.63	39.66	43.80
40				35.36	33.61	37.28	36.86	34.97	38.95
45				30.70	29.02	32.53	32.19	30.39	34.17
50				26.16	24.57	27.88	27.64	25.97	29.48
55				21.81	20.33	23.40	23.24	21.70	24.92
60				17.71	16.36	19.15	19.04	17.67	20.52
65				13.99	12.76	15.23	15.15	13.96	16.41
70				10.70	9.63	11.72	11.68	10.68	12.69
75				8.06	7.17	8.84	8.82	7.99	9.56
80				5.87	5.11	6.46	6.49	5.82	7.02
85				4.43	3.84	4.82	4.93	4.40	5.29
90				3.13	2.71	3.34	3.71	3.34	3.92
95				2.33	2.33	2.33			
100				1.00	1.00	1.00			

2-4 分市人口的城乡构成和出生率、死亡率、自然增长率(2019年)
Total Population by Urban and Rural Residence and Birth Rate, Death Rate, Natural Growth Rate by City (2019)

市	City	总人口(年末) (万人) Total Population (year-end) (10000 persons)	城镇人口 Urban Population 人口数 Population	城镇人口 Urban Population 比重 (%) Proportion	乡村人口 Rural Population 人口数 Population	乡村人口 Rural Population 比重 (%) Proportion	出生率 (‰) Birth Rate (‰)	死亡率 (‰) Death Rate (‰)	自然增长率 (‰) Natural Growth Rate (‰)
全 省	**Total**	**7591.97**	**4374.49**	**57.62**	**3217.48**	**42.38**	**10.83**	**6.12**	**4.71**
石家庄市	Shijiazhuang	1103.12	710.55	64.41	392.57	35.59	10.47	5.23	5.24
#辛集市	Xinji	63.70	34.40	54.01	29.30	45.99	9.04	6.03	3.01
承 德 市	Chengde	358.27	190.81	53.26	167.46	46.74	10.91	7.18	3.73
张家口市	Zhangjiakou	442.33	258.23	58.38	184.10	41.62	8.30	7.10	1.20
秦皇岛市	Qinhuangdao	314.63	191.04	60.72	123.59	39.28	8.90	6.33	2.57
唐 山 市	Tangshan	796.42	512.26	64.32	284.16	35.68	10.50	7.07	3.43
廊 坊 市	Langfang	492.05	301.58	61.29	190.47	38.71	12.50	5.60	6.90
保 定 市	Baoding	1063.00	581.28	54.68	481.72	45.32	10.18	6.53	3.65
#定州市	Dingzhou	123.09	67.24	54.63	55.85	45.37	9.95	5.00	4.95
沧 州 市	Cangzhou	754.43	414.26	54.91	340.17	45.09	12.20	5.00	7.20
衡 水 市	Hengshui	448.57	238.73	53.22	209.84	46.78	10.01	5.96	4.05
邢 台 市	Xingtai	739.52	401.04	54.23	338.48	45.77	11.50	6.10	5.40
邯 郸 市	Handan	954.97	555.32	58.15	399.65	41.85	11.80	6.24	5.56
雄安新区	Xiongan New Area	124.66	56.60	45.40	68.06	54.60	11.50	4.80	6.70

2–5 按年龄和性别分人口数(2019年)

Population by Age and Sex (2019)

年 龄 Age	人口数（人） Population (person)	男 Male	女 Female	占总人口比重（%） Percentage to Total Population (%)	男 Male	女 Female	性别比 (女=100) Sex Ratio (Female=100)
总计 Total	**44993**	**22748**	**22245**	**100**	**50.56**	**49.44**	**102.26**
0–4	2324	1210	1114	5.17	2.69	2.48	108.58
5–9	3238	1746	1491	7.20	3.88	3.31	117.10
10–14	3026	1632	1395	6.73	3.63	3.10	116.97
15–19	2051	1089	962	4.56	2.42	2.14	113.15
20–24	1570	875	695	3.49	1.94	1.55	125.84
25–29	2905	1522	1383	6.46	3.38	3.07	110.10
30–34	3741	1864	1876	8.31	4.14	4.17	99.36
35–39	3119	1591	1527	6.93	3.54	3.39	104.17
40–44	2616	1314	1302	5.82	2.92	2.89	100.89
45–49	3426	1678	1748	7.61	3.73	3.88	96.03
50–54	4021	1995	2026	8.94	4.43	4.50	98.43
55–59	3318	1588	1730	7.37	3.53	3.84	91.82
60–64	3206	1629	1577	7.13	3.62	3.51	103.29
65–69	2784	1312	1471	6.19	2.92	3.27	89.20
70–74	1683	813	870	3.74	1.81	1.93	93.41
75–79	971	468	503	2.16	1.04	1.12	93.14
80–84	629	283	346	1.40	0.63	0.77	81.62
85–89	275	108	167	0.61	0.24	0.37	64.52
90–94	74	26	48	0.17	0.06	0.11	53.84
95+	16	5	11	0.04	0.01	0.02	44.57

注：本表是2019年全省人口变动情况抽样调查样本数据，抽样比为0.6‰。

a) Data in this table are obtained from the 2019 Provincial Sample Survey on Population Changes. The sampling fraction is 0.6‰.

2–6 分市户数、人口数、性别比和户规模(2019年)

Household, Population, Sex Ratio and Household Size by City (2019)

市	City	户数（户） Number of Households (household)	家庭户 Family Household	集体户 Collective Household	人口数（人） Population (person)	男 Male	女 Female	性别比 (女=100) Sex Ratio (Female=100)
全　省	**Total**	**104067**	**103656**	**411**	**317186**	**159775**	**157411**	**101.50**
石家庄市	Shijiazhuang	12452	12377	75	39785	20197	19588	103.11
#辛集市	Xinji	1451	1449	2	3995	2063	1932	106.78
承 德 市	Chengde	6395	6379	16	18303	9253	9050	102.24
张家口市	Zhangjiakou	8025	8014	11	20149	10182	9967	102.16
秦皇岛市	Qinhuangdao	6575	6523	52	17281	8541	8740	97.72
唐 山 市	Tangshan	10933	10922	11	32108	16216	15892	102.04
廊 坊 市	Langfang	7472	7456	16	23816	12117	11699	103.57
保 定 市	Baoding	14371	14334	37	45631	22757	22874	99.49
#定州市	Dingzhou	1714	1711	3	5855	2943	2912	101.06
沧 州 市	Cangzhou	10619	10598	21	32827	16806	16021	104.9
衡 水 市	Hengshui	7337	7264	73	20990	10312	10678	96.57
邢 台 市	Xingtai	9334	9253	81	30048	15228	14820	102.75
邯 郸 市	Handan	10554	10536	18	36248	18166	18082	100.46

2–6 续表 continued

市	City	家庭户人口数(人) Family Household Population (person)	男 Male	女 Female	集体户人口数(人) Collective Household Population (person)	男 Male	女 Female	平均家庭户规模(人/户) Average Family Size (person/household)
全　省	**Total**	**315528**	**159227**	**156301**	**1658**	**548**	**1110**	**3.04**
石家庄市	Shijiazhuang	39507	20061	19446	278	136	142	3.20
#辛集市	Xinji	3991	2061	1930	4	2	2	2.75
承 德 市	Chengde	18240	9225	9015	63	28	35	2.86
张家口市	Zhangjiakou	20122	10170	9952	27	12	15	2.51
秦皇岛市	Qinhuangdao	16984	8522	8462	297	19	278	2.60
唐 山 市	Tangshan	32076	16197	15879	32	19	13	2.94
廊 坊 市	Langfang	23767	12089	11678	49	28	21	3.19
保 定 市	Baoding	45498	22676	22822	133	81	52	3.18
#定州市	Dingzhou	5845	2939	2906	10	4	6	3.42
沧 州 市	Cangzhou	32765	16768	15997	62	38	24	3.09
衡 水 市	Hengshui	20711	10302	10409	279	10	269	2.85
邢 台 市	Xingtai	29713	15127	14586	335	101	234	3.21
邯 郸 市	Handan	36145	18090	18055	103	76	27	3.43

注：本表是2019年全省人口变动情况抽样调查样本数据，抽样比为4‰。

a) Data in this table are obtained from the 2019 Provincial Sample Survey on Population Changes. The sampling fraction is 4‰.

2-7 分市分性别、户口登记状况的人口(2019年)
Population by Sex, Household Registration Status and City (2019)

单位：人 (person)

市	City	人口数 Population			住本乡、镇、街道，户口在本乡、镇、街道 Residing in the Townships, Towns and Street Communities with Permanent Household Registration There		
		合计 Total	男 Male	女 Female	小计 Sub-total	男 Male	女 Female
全 省	**Total**	**317186**	**159775**	**157411**	**283633**	**143903**	**139730**
石家庄市	Shijiazhuang	39785	20197	19588	34979	17871	17108
#辛集市	Xinji	3995	2063	1932	3683	1908	1775
承 德 市	Chengde	18303	9253	9050	15859	8069	7790
张家口市	Zhangjiakou	20149	10182	9967	15843	8138	7705
秦皇岛市	Qinhuangdao	17281	8541	8740	14059	7082	6977
唐 山 市	Tangshan	32108	16216	15892	28952	14733	14219
廊 坊 市	Langfang	23816	12117	11699	21187	10853	10334
保 定 市	Baoding	45631	22757	22874	42010	21065	20945
#定州市	Dingzhou	5855	2943	2912	5356	2716	2640
沧 州 市	Cangzhou	32827	16806	16021	29738	15238	14500
衡 水 市	Hengshui	20990	10312	10678	18949	9447	9502
邢 台 市	Xingtai	30048	15228	14820	28164	14355	13809
邯 郸 市	Handan	36248	18166	18082	33893	17052	16841

2-7 续表 continued

单位：人 (person)

市	City	住本乡、镇、街道，户口在外乡、镇、街道，离开户口登记地半年以上 Residing in Townships, Towns and Street Communities, with Permanent Household Registration Elsewhere Having Been Away from That Places for More than 6 Months.			住本乡、镇、街道，户口待定 Residing in Townships, Towns and Street Communities, with Place of Permanent Household Registration Unsettled			居住在港澳台或国外，户口在本乡、镇、街道 Residing in Hong Kong, Macao and Taiwan Provinces or abroad, with Permanent Household Registration in Townships,Towns and Street Communities		
		小计 Sub-total	男 Male	女 Female	小计 Sub-total	男 Male	女 Female	小计 Sub-total	男 Male	女 Female
全 省	**Total**	**32975**	**15553**	**17422**	**440**	**217**	**223**	**138**	**102**	**36**
石家庄市	Shijiazhuang	4736	2286	2450	46	27	19	24	13	11
#辛集市	Xinji	308	152	156	2	2		2	1	1
承 德 市	Chengde	2408	1170	1238	29	9	20	7	5	2
张家口市	Zhangjiakou	4273	2029	2244	30	14	16	3	1	2
秦皇岛市	Qinhuangdao	3184	1435	1749	24	16	8	14	8	6
唐 山 市	Tangshan	3119	1463	1656	34	18	16	3	2	1
廊 坊 市	Langfang	2582	1237	1345	39	21	18	8	6	2
保 定 市	Baoding	3536	1635	1901	40	19	21	45	38	7
#定州市	Dingzhou	471	202	269	4	3	1	24	22	2
沧 州 市	Cangzhou	3054	1552	1502	29	12	17	6	4	2
衡 水 市	Hengshui	2011	847	1164	18	7	11	12	11	1
邢 台 市	Xingtai	1824	844	980	60	29	31			
邯 郸 市	Handan	2248	1055	1193	91	45	46	16	14	2

注：本表是2019年全省人口变动情况抽样调查样本数据，抽样比为4‰。

a) Data in this table are obtained from the 2019 Provincial Sample Survey on Population Changes. The sampling fraction is 4‰.

2-8 分市人口年龄构成和抚养比(2019年)

Age Composition and Dependency Ratio of Population by City (2019)

市	City	人口数(人) Population (person)	0-14岁 Aged 0-14	15-64岁 Aged 15-64	65岁及以上 Aged 65 and Over	总抚养比(%) Gross Dependency Ratio (%)	少年儿童抚养比 Children Dependency Ratio	老年人口抚养比 Old Dependency Ratio
全　省	**Total**	**317186**	**64010**	**184840**	**68336**	**71.60**	**34.63**	**36.97**
石家庄市	Shijiazhuang	39785	7602	23981	8202	65.90	31.70	34.20
#辛集市	Xinji	3995	642	2210	1143	80.77	29.05	51.72
承 德 市	Chengde	18303	3352	10661	4290	71.68	31.44	40.24
张家口市	Zhangjiakou	20149	3087	11654	5408	72.89	26.49	46.40
秦皇岛市	Qinhuangdao	17281	2679	10323	4279	67.40	25.95	41.45
唐 山 市	Tangshan	32108	5445	18963	7700	69.32	28.71	40.61
廊 坊 市	Langfang	23816	4714	14220	4882	67.48	33.15	34.33
保 定 市	Baoding	45631	9418	26699	9514	70.90	35.27	35.63
#定州市	Dingzhou	5855	1108	3550	1197	64.93	31.21	33.72
沧 州 市	Cangzhou	32827	7438	18863	6526	74.03	39.43	34.6
衡 水 市	Hengshui	20990	4124	11908	4958	76.27	34.63	41.64
邢 台 市	Xingtai	30048	6888	17421	5739	72.48	39.54	32.94
邯 郸 市	Handan	36248	9263	20147	6838	79.92	45.98	33.94

注：本表是2019年全省人口变动情况抽样调查样本数据，抽样比为4‰。

a) Data in this table are obtained from the 2019 Provincial Sample Survey on Population Changes. The sampling fraction is 4‰.

2-9 分市按家庭户规模分的户数(2019年)

Family Households by Size and City (2019)

单位：户 (household)

市	City	家庭户户数 Number of Family Households	一人户 One Person	二人户 Two Persons	三人户 Three Persons	四人户 Four Persons	五人户 Five Persons	六人户 Six Persons	七人户 Seven Persons	八人户 Eight Persons	九人户 Nine Persons	十人及以上户 Ten Persons and Over
全　省	**Total**	**103656**	**13229**	**32351**	**22045**	**19609**	**8628**	**5672**	**1495**	**393**	**135**	**99**
石家庄市	Shijiazhuang	12377	1538	3361	2644	2461	1199	873	219	51	17	14
#辛集市	Xinji	1449	205	557	311	220	95	46	13	1	1	
承 德 市	Chengde	6379	971	2182	1345	1048	457	274	75	22	3	2
张家口市	Zhangjiakou	8014	1433	3124	1982	1073	252	116	29	4		1
秦皇岛市	Qinhuangdao	6523	979	2556	1737	787	296	136	24	4	2	2
唐 山 市	Tangshan	10922	1372	3598	2577	1950	790	494	90	35	10	6
廊 坊 市	Langfang	7456	804	2156	1671	1472	694	449	139	43	15	13
保 定 市	Baoding	14334	1727	4109	2970	2824	1390	975	225	75	21	18
#定州市	Dingzhou	1711	214	385	297	398	194	169	41	11	1	1
沧 州 市	Cangzhou	10598	1184	3299	2191	2273	857	596	152	28	12	6
衡 水 市	Hengshui	7264	1006	2660	1413	1308	490	289	70	17	6	5
邢 台 市	Xingtai	9253	1074	2685	1618	2093	963	615	138	43	16	8
邯 郸 市	Handan	10536	1141	2621	1897	2320	1240	855	334	71	33	24

注：本表是2019年全省人口变动情况抽样调查样本数据，抽样比为4‰。

a) Data in this table are obtained from the 2019 Provincial Sample Survey on Population Changes. The sampling fraction is 4‰.

2-10 分市按性别和婚姻状况分的人口(2019年)

Population by Sex, Marital Status and City (2019)

单位：人 (person)

市	City	15岁及以上人口 Population Aged 15 and Over	男 Male	女 Female	未婚 Never Married	男 Male	女 Female	有配偶 Married	男 Male	女 Female
全省	**Total**	**256637**	**127458**	**129179**	**34072**	**19638**	**14434**	**202249**	**100195**	**102054**
石家庄市	Shijiazhuang	32555	16317	16238	4723	2737	1986	25312	12676	12636
#辛集市	Xinji	3388	1731	1657	321	212	109	2773	1411	1362
承德市	Chengde	15178	7533	7645	2033	1234	799	11858	5820	6038
张家口市	Zhangjiakou	17286	8695	8591	2319	1377	942	13459	6728	6731
秦皇岛市	Qinhuangdao	14762	7248	7514	1975	1021	954	11516	5730	5786
唐山市	Tangshan	26955	13467	13488	3434	1990	1444	21314	10633	10681
廊坊市	Langfang	19320	9706	9614	2497	1437	1060	15315	7665	7650
保定市	Baoding	36704	18033	18671	4661	2736	1925	29018	14183	14835
#定州市	Dingzhou	4825	2398	2427	815	470	345	3597	1769	1828
沧州市	Cangzhou	25760	12994	12766	3087	1849	1238	20839	10419	10420
衡水市	Hengshui	17085	8284	8801	2098	1091	1007	13658	6730	6928
邢台市	Xingtai	23525	11676	11849	3290	1856	1434	18548	9190	9358
邯郸市	Handan	27507	13505	14002	3955	2310	1645	21412	10421	10991

2-10 续表 continued

单位：人 (person)

市	City	离婚 Divorced	男 Male	女 Female	丧偶 Widowed	男 Male	女 Female
全省	**Total**	**4539**	**2848**	**1691**	**15777**	**4777**	**11000**
石家庄市	Shijiazhuang	538	329	209	1982	575	1407
#辛集市	Xinji	49	37	12	245	71	174
承德市	Chengde	285	168	117	1002	311	691
张家口市	Zhangjiakou	400	270	130	1108	320	788
秦皇岛市	Qinhuangdao	399	208	191	872	289	583
唐山市	Tangshan	584	338	246	1623	506	1117
廊坊市	Langfang	407	271	136	1101	333	768
保定市	Baoding	638	417	221	2387	697	1690
#定州市	Dingzhou	71	49	22	342	110	232
沧州市	Cangzhou	430	278	152	1404	448	956
衡水市	Hengshui	220	137	83	1109	326	783
邢台市	Xingtai	263	193	70	1424	437	987
邯郸市	Handan	375	239	136	1765	535	1230

注：本表是2019年全省人口变动情况抽样调查样本数据，抽样比为4‰。

a) Data in this table are obtained from the 2019 Provincial Sample Survey on Population Changes. The sampling fraction is 4‰.

2-11 分市按性别、受教育程度分的6岁及以上人口(2019年)

Population Aged 6 and Over by Sex, Educational Attainment and City (2019)

单位：人 (person)

市	City	6岁及以上人口 Population Aged 6 and Over			未上过学 No Schooling			学前教育 Pre-school Education			小学 Primary Schools		
		合计 Total	男 Male	女 Female	小计 Subtotal	男 Male	女 Female	小计 Subtotal	男 Male	女 Female	小计 Subtotal	男 Male	女 Female
全　省	**Total**	**296526**	**148959**	**147567**	**8948**	**2123**	**6825**	**2906**	**1465**	**1441**	**79837**	**37308**	**42529**
石家庄市	Shijiazhuang	37163	18802	18361	1049	258	791	384	206	178	8251	3851	4400
#辛集市	Xinji	3791	1954	1837	65	19	46	28	15	13	891	417	474
承 德 市	Chengde	17316	8713	8603	855	221	634	118	65	53	5442	2617	2825
张家口市	Zhangjiakou	19296	9746	9550	768	195	573	100	53	47	5859	2818	3041
秦皇岛市	Qinhuangdao	16451	8112	8339	319	95	224	89	40	49	3808	1777	2031
唐 山 市	Tangshan	30258	15253	15005	699	134	565	160	83	77	7557	3558	3999
廊 坊 市	Langfang	22289	11333	10956	744	183	561	213	111	102	6159	2896	3263
保 定 市	Baoding	42539	21125	21414	950	202	748	310	149	161	11827	5448	6379
#定州市	Dingzhou	5512	2755	2757	227	50	177	48	24	24	1514	724	790
沧 州 市	Cangzhou	30389	15554	14835	945	231	714	466	234	232	8799	4148	4651
衡 水 市	Hengshui	19697	9643	10054	360	87	273	209	92	117	5176	2341	2835
邢 台 市	Xingtai	27673	13951	13722	1143	272	871	323	168	155	7310	3418	3892
邯 郸 市	Handan	33455	16727	16728	1116	245	871	534	264	270	9649	4436	5213

2-11 续表 1 continued

单位：人 (person)

市	City	初中 Junior Secondary Schools			普通高中 Regular Senior Secondary Schools			中职 Secondary Vocational School		
		小计 Subtotal	男 Male	女 Female	小计 Subtotal	男 Male	女 Female	小计 Subtotal	男 Male	女 Female
全　省	**Total**	**129552**	**68863**	**60689**	**35928**	**19611**	**16317**	**10515**	**5442**	**5073**
石家庄市	Shijiazhuang	14431	7726	6705	5742	3117	2625	1632	837	795
#辛集市	Xinji	1894	980	914	572	338	234	100	56	44
承 德 市	Chengde	7056	3780	3276	1709	945	764	581	303	278
张家口市	Zhangjiakou	7865	4209	3656	2138	1141	997	737	411	326
秦皇岛市	Qinhuangdao	6292	3274	3018	2198	1132	1066	779	424	355
唐 山 市	Tangshan	13073	6914	6159	3777	2005	1772	1519	862	657
廊 坊 市	Langfang	10178	5526	4652	2159	1204	955	790	394	396
保 定 市	Baoding	19754	10367	9387	4986	2670	2316	1190	632	558
#定州市	Dingzhou	2415	1283	1132	624	332	292	148	88	60
沧 州 市	Cangzhou	13644	7418	6226	3097	1773	1324	844	439	405
衡 水 市	Hengshui	9897	5160	4737	1805	1018	787	870	290	580
邢 台 市	Xingtai	12624	6758	5866	3771	2068	1703	696	367	329
邯 郸 市	Handan	14738	7731	7007	4546	2538	2008	877	483	394

2-11 续表 2 continued

单位：人 (person)

市	City	大学专科 College Students 小计 Subtotal	男 Male	女 Female	大学本科 Undergraduates 小计 Subtotal	男 Male	女 Female	研究生 Postgraduates 小计 Subtotal	男 Male	女 Female
全　省	**Total**	**16759**	**8400**	**8359**	**11320**	**5400**	**5920**	**761**	**347**	**414**
石家庄市	Shijiazhuang	3323	1663	1660	2118	1036	1082	233	108	125
#辛集市	Xinji	175	96	79	63	33	30	3		3
承 德 市	Chengde	868	457	411	656	311	345	31	14	17
张家口市	Zhangjiakou	1054	545	509	729	356	373	46	18	28
秦皇岛市	Qinhuangdao	1506	771	735	1366	545	821	94	54	40
唐 山 市	Tangshan	2091	1046	1045	1321	620	701	61	31	30
廊 坊 市	Langfang	1219	601	618	796	403	393	31	15	16
保 定 市	Baoding	2080	984	1096	1344	635	709	98	38	60
#定州市	Dingzhou	257	127	130	261	124	137	18	3	15
沧 州 市	Cangzhou	1556	791	765	980	493	487	58	27	31
衡 水 市	Hengshui	685	331	354	668	311	357	27	13	14
邢 台 市	Xingtai	1090	552	538	676	335	341	40	13	27
邯 郸 市	Handan	1287	659	628	666	355	311	42	16	26

注：本表是2019年全省人口变动情况抽样调查样本数据，抽样比为4‰。

a) Data in this table are obtained from the 2019 Provincial Sample Survey on Population Changes. The sampling fraction is 4‰.

2-12 分市按性别分的15岁及以上文盲、半文盲人口(2019年)

Illiterate, Semi-literate Population Aged 15 and Over by Sex and City (2019)

市	City	15岁及以上人口(人) Population Aged 15 and Over (person)	男 Male	女 Female	文盲、半文盲人口(人) Illiterate, Semi-literate Population (person)	男 Male	女 Female	文盲、半文盲人口占15岁及以上人口的比重(%) Percentage of Illiterate, Semi-literate Population to Total Aged 15 and Over(%)	男 Male	女 Female
全　省	**Total**	**256637**	**127458**	**129179**	**8064**	**1812**	**6252**	**3.14**	**1.42**	**4.84**
石家庄市	Shijiazhuang	32555	16317	16238	898	205	693	2.76	1.26	4.27
#辛集市	Xinji	3388	1731	1657	50	13	37	1.48	0.75	2.23
承 德 市	Chengde	15178	7533	7645	782	192	590	5.15	2.55	7.72
张家口市	Zhangjiakou	17286	8695	8591	696	178	518	4.03	2.05	6.03
秦皇岛市	Qinhuangdao	14762	7248	7514	300	86	214	2.03	1.19	2.85
唐 山 市	Tangshan	26955	13467	13488	668	128	540	2.48	0.95	4.00
廊 坊 市	Langfang	19320	9706	9614	667	150	517	3.45	1.55	5.38
保 定 市	Baoding	36704	18033	18671	850	169	681	2.32	0.94	3.65
#定州市	Dingzhou	4825	2398	2427	216	49	167	4.48	2.04	6.88
沧 州 市	Cangzhou	25760	12994	12766	894	206	688	3.47	1.59	5.39
衡 水 市	Hengshui	17085	8284	8801	292	62	230	1.71	0.75	2.61
邢 台 市	Xingtai	23525	11676	11849	1074	252	822	4.57	2.16	6.94
邯 郸 市	Handan	27507	13505	14002	943	184	759	3.43	1.36	5.42

注：1.本表是2019年全省人口变动情况抽样调查样本数据，抽样比为4‰。
　　2.本表“文盲、半文盲人口”指15岁及15岁以上不识字及识字很少人口。

a) Data in this table are obtained from the 2019 Provincial Sample Survey on Population Changes. The sampling fraction is 4‰.

b) Illiterate, semi-literate population in this table refers to the population aged 15 and over who are unable or have difficulty in reading.

主要统计指标解释

人口数 指一定时点、一定地区范围内有生命的个人总和。

年度统计的年末人口数指每年12月31日24时的人口数。年度统计的全国人口总数内未包括香港、澳门特别行政区和台湾省以及海外华侨人数。

城镇人口和乡村人口 城镇人口是指居住在城镇范围内的全部常住人口；乡村人口是除上述人口以外的全部人口。

出生率(又称粗出生率) 指在一定时期内(通常为一年)一定地区的出生人数与同期内平均人数(或期中人数)之比，用千分率表示。本资料中的出生率指年出生率，其计算公式为：

$$\text{出生率}=\frac{\text{年出生人数}}{\text{年平均人数}}\times 1000‰$$

式中：出生人数指活产婴儿，即胎儿脱离母体时(不管怀孕月数)，有过呼吸或其他生命现象。年平均人数指年初、年底人口数的平均数，也可用年中人口数代替。

死亡率(又称粗死亡率) 指在一定时期内(通常为一年)一定地区的死亡人数与同期内平均人数(或期中人数)之比，用千分率表示。本资料中的死亡率指年死亡率，其计算公式为：

$$\text{死亡率}=\frac{\text{年死亡人数}}{\text{年平均人数}}\times 1000‰$$

人口自然增长率 指在一定时期内(通常为一年)人口自然增加数(出生人数减死亡人数)与该时期内平均人数(或期中人数)之比，用千分率表示。计算公式为：

$$\text{人口自然增长率}=\frac{\text{本年出生人数}-\text{本年死亡人数}}{\text{年平均人数}}\times 1000‰$$
$$=\text{人口出生率}-\text{人口死亡率}$$

总抚养比 也称总负担系数。指人口总体中非劳动年龄人口数与劳动年龄人口数之比。通常用百分比表示。说明每100名劳动年龄人口大致要负担多少名非劳动年龄人口。用于从人口角度反映人口与经济发展的基本关系。计算公式为：

$$GDR=\frac{P_{0-14}+P_{65+}}{P_{15-64}}\times 100\%$$

其中：GDR为总抚养比；

$P_{0\sim14}$为0～14岁少年儿童人口数；

P_{65+}为65岁及65岁以上的老年人口数；

$P_{15\sim64}$为15～64岁劳动年龄人口数。

老年人口抚养比 也称老年人口抚养系数。指某一人口中老年人口数与劳动年龄人口数之比。通常用百分比表示。用以表明每100名劳动年龄人口要负担多少名老年人。老年人口抚养比是从经济角度反映人口老化社会后果的指标之一。计算公式为：

$$ODR=\frac{P_{65+}}{P_{15-64}}\times 100\%$$

其中：ODR为老年人口抚养比；

P_{65+}为65岁及65岁以上的老年人口数；

$P_{15\sim64}$为15～64岁的劳动年龄人口数。

少年儿童抚养比 也称少年儿童抚养系数。指某一人口中少年儿童人口数与劳动年龄人口数之比。通常用百分比表示。以反映每100名劳动年龄人口要负担多少名少年儿童。计算公式为：

$$CDR=\frac{P_{0-14}}{P_{15-64}}\times 100\%$$

其中：CDR为少年儿童抚养比；

$P_{0\sim14}$为0～14岁少年儿童人口数；

$P_{15\sim64}$为15～64岁劳动年龄人口数。

人户分离人口 是指居住地与户口登记地所在的乡镇街道不一致且离开户口登记地半年以上的人口。

流动人口 是指人户分离人口中不包括市辖区内人户分离的人口。市辖区内人户分离的人口是指一个直辖市或地级市所辖区内和区与区之间，居住地和户口登记地不在同一乡镇街道的人口。

Explanatory Notes on Main Statistical Indicators

Total Population refers to the total number of people alive at a certain point of time within a given area.

The annual statistics on total population is taken at midnight, the 31st of December, not including residents in Taiwan province, Hong Kong SAR and Macao SAR and Chinese national residing abroad.

Urban Population and Rural Population Urban population refers to all people residing in cities and towns, while rural population refers to population other than urban population.

Birth Rate (or Crude Birth Rate) refers to the ratio of the number of births to the average population (or mid-period population) during a certain period of time (usually a year), expressed in ‰. Birth rate in the chapter refers to annual birth rate. The following formula is used:

$$\text{Birth Rate} = \frac{\text{Number of Births}}{\text{Annual Average Population}} \times 1000‰$$

Number of births in the formula refers to live births, i.e. when a baby has breathed or showed any vital phenomena regardless of the length of pregnancy.

Annual average population is the average of the number of population at the beginning of the year and that at the end of the year. Sometimes it is substituted by the mid-year population.

Death Rate (or Crude Death Rate) refers to the ratio of the number of deaths to the average population (or mid-period population) during a certain period of time (usually a year), expressed in ‰. Death rate in the chapter refers to annual death rate. The following formula is used:

$$\text{Death Rate} = \frac{\text{Number of Deaths}}{\text{Annual Average Population}} \times 1000‰$$

Natural Growth Rate of Population refers to the ratio of natural increase in population (number of births minus number of deaths) in a certain period of time (usually a year) to the average population (or mid-period population) of the same period, expressed in ‰. The following formula is applied:

$$\text{Natural Growth Rate of Population} = \frac{\text{Number of Births - Number of Deaths}}{\text{Annual Average Population}} \times 1000‰$$

Natural Growth Rate of Population = Birth Rate-Death Rate

Gross Dependency Ratio also called gross dependency coefficient, refers to the ratio of non-working-age population to the working-age population, express in %. Describing in general the number of non-working-age population that every 100 people at working ages will take care of, this indicator reflects the basic relation between population and economic development from the demographic perspective. The gross dependency ratio is calculated with the following formula:

$$GDR = \frac{P_{0-14} + P_{65+}}{P_{15-64}} \times 100\%$$

Where: GDR is the gross dependency ratio,

P_{0-14} is the population of children aged 0-14,

P_{65+} is the elderly population aged 65 and over, and

P_{15-64} is the working-age population aged 15-64.

Old Dependency Ratio also called old dependency coefficient, refers to the ratio of the elderly population to the working-age population, express in %. It describes the number of the elderly population that every 100 people at working ages will take care of. Old dependency ratio is one of the indicators reflecting the social implication of population aging from the economic perspective. The old dependency ratio is calculated with the following formula:

$$ODR = \frac{P_{65+}}{P_{15-64}} \times 100\%$$

Where: ODR is the old dependency ratio,

P_{65+} is the elderly population aged 65 and over, and

P_{15-64} is the working-age population aged 15-64.

Children Dependency Ratio also called children dependency coefficient, refers to the ratio of the children population to the working-age population, express in %. It describes the number of children population that every 100 people at working ages will take care of. The children dependency ratio is calculated with the following formula:

$$CDR = \frac{P_{0-14}}{P_{15-64}} \times 100\%$$

Where: CDR is the children dependency ratio,

P_{0-14} is the children population aged 0-14, and

P_{15-64} is the working-age population aged 15-64.

Population of Residence-registration Inconsistency refer to those who have been residing in places other than the registered streets or towns and been away from their registration areas for over half a year.

Floating Population refer to the population of residence-registration inconsistency excluding those intra-city ones. Population of intra-city residence-registration inconsistency refer to those whose residing streets or towns and registered ones are inconsistent but still in the same municipality or prefecture city either the two are in the same district or different ones.

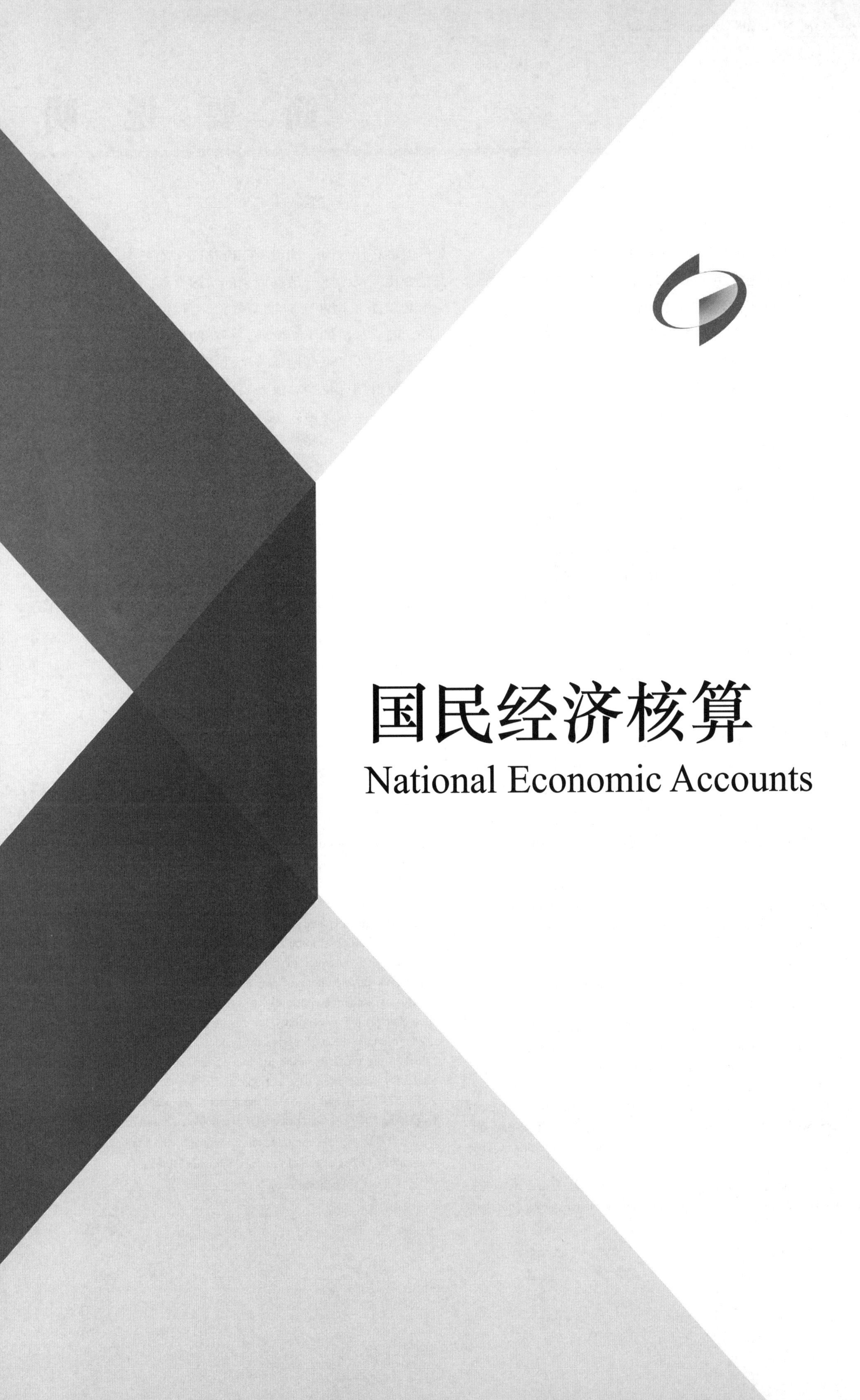

国民经济核算

National Economic Accounts

简 要 说 明

一、本篇资料反映河北国民经济核算情况。

二、省级地区生产总值数据是由国家统计局国民经济核算司根据不同产业部门、不同支出构成的特点和资料来源情况而采用不同方法统一核算的。市级地区生产总值由省统计局核算处统一核算。

三、本年鉴公布的地区生产总值以及与之有关的指标数据，最后一年数据不是最终数，还会在获得更多的财务和行政记录等资料后发生变动。根据地区生产总值核算制度和第四次经济普查结果，国家统计局审定河北1952—2018年地区生产总值历史数据，民营增加值等指标也进行了调整。本年鉴中的数据是修订后的数据。

地区生产总值是一个价值量指标，其价值的变化受价格变化和物量变化两大因素影响。不变价地区生产总值是把按当期价格计算的地区生产总值换算成按某个固定期（基期）价格计算的价值，从而使两个不同时期的价值进行比较时，能够剔除价格变化的影响，以反映物量变化，反映生产活动成果的实际变动。地区生产总值指数就是根据两个时期不变价地区生产总值计算得到的。随着经济的不断发展，行业的价格结构也会不断发生变化，为了更好地反映这种变化对于经济的影响，计算不变价地区生产总值需要每隔若干年调整一次基期。我国自开始核算地区生产总值以来，共有1952年、1957年、1970年、1980年、1990年、2000年、2005年、2010年、2015年9个不变价基期，目前的基期是2015年。也就是说，2019年的不变价地区生产总值是按照2015年价格计算的。

四、本篇资料由河北省统计局国民经济核算处整理提供。

五、资料整理：张楠

Brief Introduction

Ⅰ.The data in this chapter reflects Hebei national economic accounting situation.

Ⅱ.The GDP data of provincial regions are uniformly calculated by the National Economic Accounting Department of the National Bureau of Statistics using different methods according to the characteristics of different industrial sectors, different expenditures and the information sources. The gross domestic product of the municipal district shall be uniformly calculated by Division of National Accounts of Hebei Province Statistics Bureau.

Ⅲ.The gross regional product (GDP) and related indicator data published in this Yearbook are not final and may change as more information, such as financial and administrative records, becomes available. According to the GDP accounting system and the results of the fourth economic census, the National Bureau of Statistics examined and approved the historical data of Hebei's GDP from 1952 to 2018, and adjusted indicators such as the added value of private enterprises. The data in this yearbook are revised.

Gross domestic product (GDP) is a value index, and its value change is affected by price change and quantity change. Gross domestic product (GDP) at constant price is to convert the GDP calculated at current price into the value calculated at a certain fixed period (base period), so that the impact of price changes can be eliminated when comparing the values of two different periods, so as to reflect the change in material quantity and the actual change in the results of production activities. The Gross domestic product index is calculated based on the gross domestic product of two periods at constant prices. With the continuous development of the economy, the price structure of the industry will change constantly. In order to better reflect the impact of such changes on the economy, the calculation of GDP at constant prices needs to adjust the base period every few years. Since China began to calculate the gross domestic product of the region, there have been a total of 9 fixed price base periods in 1952, 1957, 1970, 1980, 1990, 2000, 2005, 2010 and 2015, and the current base period is 2015. In other words, the 2019 constant price GDP is calculated based on 2015 prices.

Ⅳ.This paper is compiled and provided by the National Economic Accounting Office of Hebei Province Statistics Bureau.

Ⅴ.Data collection:Zhang Nan.

3-1 地区生产总值
Gross Domestic Product

单位：亿元 (100 million yuan)

年 份 Year	地区生产总值 Gross Domestic Product	第一产业 Primary Industry	第二产业 Secondary Industry	第三产业 Tertiary Industry	农林牧渔业 Agriculture, Forestry, Animal Husbandry and Fishery Industries	工业 Industry
1978	183.1	52.2	92.4	38.5	52.2	83.2
1979	203.2	61.1	101.8	40.4	61.1	89.7
1980	219.2	68.1	105.9	45.3	68.1	94.1
1981	222.5	71.0	103.2	48.4	71.0	92.3
1982	251.5	85.6	107.8	58.0	85.6	95.3
1983	283.2	102.1	114.9	66.2	102.1	102.0
1984	332.2	111.5	145.8	74.9	111.5	129.8
1985	396.8	120.3	184.3	92.2	120.3	164.3
1986	436.7	123.5	207.3	105.9	123.5	185.5
1987	521.9	137.7	256.0	128.3	137.7	231.4
1988	701.3	162.3	323.4	215.6	162.3	289.2
1989	822.8	196.4	374.9	251.6	196.4	338.8
1990	896.3	227.9	387.5	280.9	227.9	354.3
1991	1072.1	236.9	459.9	375.3	236.9	417.2
1992	1278.5	257.1	573.2	448.3	257.1	517.8
1993	1620.8	301.7	777.9	541.2	301.7	688.1
1994	2114.5	451.9	983.1	679.5	451.9	856.4
1995	2701.2	631.4	1198.1	871.7	631.4	1043.2
1996	3198.0	701.0	1439.5	1057.4	701.0	1258.8
1997	3652.1	761.9	1667.2	1223.0	761.9	1458.7
1998	3924.5	790.7	1791.0	1342.8	790.7	1556.8
1999	4158.9	806.1	1875.1	1477.8	806.1	1613.8
2000	4628.2	824.7	2146.7	1656.8	824.7	1868.4
2001	5062.9	913.9	2293.5	1855.4	913.9	2011.2
2002	5518.9	957.0	2467.7	2094.2	957.0	2175.3
2003	6333.6	1064.2	2922.7	2346.8	1064.2	2563.2
2004	7588.6	1333.6	3467.9	2787.1	1370.6	3047.8
2005	8773.4	1345.2	4123.9	3304.2	1400.2	3638.5
2006	10043.0	1401.8	4771.9	3869.3	1462.0	4239.5
2007	12152.9	1737.1	5849.5	4566.4	1805.0	5267.4
2008	14200.1	1956.8	6981.5	5261.8	2034.9	6296.9
2009	15306.9	2121.8	7164.4	6020.7	2207.7	6337.5
2010	18003.6	2473.1	8470.5	7060.0	2563.2	7495.1
2011	21384.7	2702.8	10275.5	8406.4	2802.9	9132.8
2012	23077.5	2914.0	10919.7	9243.8	3021.8	9665.1
2013	24259.6	3141.9	11178.4	9939.3	3260.8	9847.5
2014	25208.9	3164.7	11476.9	10567.3	3294.3	10056.3
2015	26398.4	3100.5	11519.5	11778.4	3240.3	10026.4
2016	28474.1	3082.5	12332.3	13059.3	3235.1	10755.9
2017	30640.8	3130.0	12778.0	14732.8	3298.3	11015.7
2018	32494.6	3338.6	12904.1	16252.0	3522.3	10930.3
2019	35104.5	3518.4	13597.3	17988.8	3727.5	11503.0

注：1.本表按当年价格计算。2.2019年为初步核算数据。
a) Data in this table are calculated at current prices. b) 2019 in this table are preliminary estimation.

3-1 续表 continued

单位：亿元 (100 million yuan)

年 份 Year	建筑业 Construction	批发和零售业 Wholesale and Retail Trades	交通运输、仓储和邮政业 Transport, Storage and Post	住宿和餐饮业 Hotels and Catering Services	金融业 Financial Intermediation	房地产业 Real Estate	其他 Others	人均地区生产总值(元) Per Capita GDP (yuan)
1978	9.2	7.7	10.0	1.5	7.1	2.0	10.3	364
1979	12.1	7.0	10.9	1.4	7.7	2.1	11.3	400
1980	11.8	8.2	10.7	1.6	8.8	2.5	13.4	427
1981	10.8	9.1	10.9	1.8	11.5	3.0	12.1	427
1982	12.5	10.1	12.5	2.0	12.3	3.4	17.8	474
1983	12.9	12.7	13.7	2.5	13.7	3.8	19.9	526
1984	16.0	15.0	15.0	3.0	17.4	4.3	20.4	609
1985	20.0	18.6	16.9	3.7	26.6	5.4	21.0	719
1986	21.8	21.5	19.3	4.2	31.3	6.2	23.4	782
1987	24.5	24.3	24.0	4.8	38.6	7.6	29.0	921
1988	34.2	45.4	34.1	8.9	54.6	12.9	59.7	1219
1989	36.1	47.4	41.5	9.3	66.2	15.6	71.6	1409
1990	33.3	47.6	46.4	9.4	71.1	18.0	88.5	1465
1991	42.7	91.2	79.4	17.9	76.5	20.9	89.4	1727
1992	55.4	108.9	93.9	21.4	82.1	22.7	119.2	2046
1993	89.8	135.3	115.3	26.6	96.8	26.8	140.5	2571
1994	126.8	171.9	126.9	30.8	128.2	35.5	186.1	3324
1995	155.0	204.1	181.5	34.0	165.8	51.9	234.3	4212
1996	180.7	239.3	228.3	38.5	197.1	62.0	292.2	4950
1997	208.5	276.7	280.0	44.4	202.1	77.4	342.6	5615
1998	234.2	300.4	317.3	48.0	203.3	87.6	386.3	5994
1999	261.3	319.0	364.4	50.7	198.5	97.6	447.6	6310
2000	278.3	355.2	421.2	56.2	182.9	113.7	527.7	6966
2001	282.3	377.5	504.6	59.4	166.5	135.3	612.1	7572
2002	292.4	402.5	560.7	63.1	178.7	161.8	727.5	8216
2003	359.5	429.2	582.5	67.0	198.8	213.2	856.0	9380
2004	430.9	496.1	593.6	77.1	208.0	266.8	1097.7	11178
2005	498.3	640.9	801.5	93.8	212.3	383.1	1104.7	12845
2006	547.3	698.4	952.2	103.9	282.5	461.1	1296.1	14609
2007	600.3	766.4	1172.8	113.4	345.7	544.8	1537.0	17561
2008	706.4	904.2	1357.8	123.0	423.3	619.9	1733.7	20385
2009	849.3	1056.9	1514.9	134.1	522.6	716.9	1966.9	21831
2010	1001.9	1393.8	1773.3	145.6	611.8	819.2	2199.8	25308
2011	1174.8	1620.3	2078.9	185.9	741.5	1080.7	2566.9	29631
2012	1288.8	1839.1	2207.8	219.0	908.1	1159.3	2768.6	31770
2013	1361.6	1938.8	2291.5	228.6	1124.6	1251.7	2954.5	33187
2014	1452.1	2025.1	2333.5	251.1	1327.9	1318.0	3150.6	34260
2015	1524.4	2153.0	2399.3	274.7	1471.4	1563.6	3745.3	35653
2016	1610.1	2290.0	2410.3	297.2	1720.0	1776.6	4379.0	38233
2017	1796.8	2553.3	2541.9	330.5	2039.9	2023.1	5041.4	40883
2018	2007.9	2722.3	2606.5	354.8	2220.9	2103.4	6026.4	43108
2019	2129.9	2947.5	2916.0	389.0	2416.1	2310.0	6765.4	46348

3-2 地区生产总值构成
Composition of Gross Domestic Product

单位：% (%)

年份 Year	地区生产总值 Gross Domestic Product	第一产业 Primary Industry	第二产业 Secondary Industry	第三产业 Tertiary Industry	农林牧渔业 Agriculture, Forestry, Animal Husbandry and Fishery Industries	工业 Industry
1978	100.0	28.5	50.5	21.0	28.5	45.4
1979	100.0	30.1	50.0	19.9	30.1	44.1
1980	100.0	31.1	48.3	20.6	31.1	42.9
1981	100.0	31.9	46.4	21.7	31.9	41.5
1982	100.0	34.0	42.9	23.1	34.0	37.9
1983	100.0	36.1	40.5	23.4	36.1	36.0
1984	100.0	33.6	43.8	22.6	33.6	39.1
1985	100.0	30.3	46.4	23.3	30.3	41.4
1986	100.0	28.3	47.4	24.3	28.3	42.5
1987	100.0	26.4	49.0	24.6	26.4	44.3
1988	100.0	23.1	46.1	30.8	23.1	41.2
1989	100.0	23.9	45.5	30.6	23.9	41.2
1990	100.0	25.4	43.2	31.4	25.4	39.5
1991	100.0	22.1	42.9	35.0	22.1	38.9
1992	100.0	20.1	44.8	35.1	20.1	40.5
1993	100.0	18.6	48.0	33.4	18.6	42.5
1994	100.0	21.4	46.5	32.1	21.4	40.5
1995	100.0	23.4	44.3	32.3	23.4	38.6
1996	100.0	21.9	45.0	33.1	21.9	39.4
1997	100.0	20.9	45.6	33.5	20.9	39.9
1998	100.0	20.1	45.6	34.3	20.1	39.7
1999	100.0	19.4	45.1	35.5	19.4	38.8
2000	100.0	17.8	46.4	35.8	17.8	40.4
2001	100.0	18.1	45.3	36.6	18.1	39.7
2002	100.0	17.3	44.7	38.0	17.3	39.4
2003	100.0	16.8	46.1	37.1	16.8	40.5
2004	100.0	17.6	45.7	36.7	18.1	40.2
2005	100.0	15.3	47.0	37.7	16.0	41.5
2006	100.0	14.0	47.5	38.5	14.6	42.2
2007	100.0	14.3	48.1	37.6	14.9	43.3
2008	100.0	13.8	49.2	37.1	14.3	44.3
2009	100.0	13.9	46.8	39.3	14.4	41.4
2010	100.0	13.7	47.0	39.2	14.2	41.6
2011	100.0	12.6	48.1	39.3	13.1	42.7
2012	100.0	12.6	47.3	40.1	13.1	41.9
2013	100.0	13.0	46.0	41.0	13.4	40.6
2014	100.0	12.6	45.5	41.9	13.1	39.9
2015	100.0	11.7	43.7	44.6	12.3	38.0
2016	100.0	10.8	43.3	45.9	11.4	37.8
2017	100.0	10.2	41.7	48.1	10.8	36.0
2018	100.0	10.3	39.7	50.0	10.8	33.6
2019	100.0	10.0	38.7	51.3	10.6	32.8

注：本表按当年价格计算。
a) Data in this table are calculated at current prices.

3-2 续表 continued

单位：% (%)

年 份 Year	建筑业 Construction	批发和零售业 Wholesale and Retail Trades	交通运输、仓储和邮政业 Transport, Storage and Post	住宿和餐饮业 Hotels and Catering Services	金融业 Financial Intermediation	房地产业 Real Estate	其他 Others
1978	5.0	4.2	5.5	0.8	3.9	1.1	5.6
1979	5.9	3.4	5.3	0.7	3.8	1.1	5.5
1980	5.4	3.8	4.9	0.7	4.0	1.1	6.1
1981	4.9	4.1	4.9	0.8	5.2	1.3	5.4
1982	5.0	4.0	5.0	0.8	4.9	1.4	7.1
1983	4.6	4.5	4.8	0.9	4.8	1.3	7.0
1984	4.8	4.5	4.5	0.9	5.2	1.3	6.1
1985	5.0	4.7	4.3	0.9	6.7	1.4	5.3
1986	5.0	4.9	4.4	1.0	7.2	1.4	5.4
1987	4.7	4.7	4.6	0.9	7.4	1.5	5.6
1988	4.9	6.5	4.9	1.3	7.8	1.8	8.5
1989	4.4	5.8	5.0	1.1	8.0	1.9	8.7
1990	3.7	5.3	5.2	1.0	7.9	2.0	9.9
1991	4.0	8.5	7.4	1.7	7.1	2.0	8.3
1992	4.3	8.5	7.3	1.7	6.4	1.8	9.3
1993	5.5	8.3	7.1	1.6	6.0	1.7	8.7
1994	6.0	8.1	6.0	1.5	6.1	1.7	8.8
1995	5.7	7.6	6.7	1.3	6.1	1.9	8.7
1996	5.7	7.5	7.1	1.2	6.2	1.9	9.1
1997	5.7	7.6	7.7	1.2	5.5	2.1	9.4
1998	6.0	7.7	8.1	1.2	5.2	2.2	9.8
1999	6.3	7.7	8.8	1.2	4.8	2.3	10.8
2000	6.0	7.7	9.1	1.2	4.0	2.5	11.4
2001	5.6	7.5	10.0	1.2	3.3	2.7	12.1
2002	5.3	7.3	10.2	1.1	3.2	2.9	13.2
2003	5.7	6.8	9.2	1.1	3.1	3.4	13.5
2004	5.7	6.5	7.8	1.0	2.7	3.5	14.5
2005	5.7	7.3	9.1	1.1	2.4	4.4	12.6
2006	5.4	7.0	9.5	1.0	2.8	4.6	12.9
2007	4.9	6.3	9.7	0.9	2.8	4.5	12.6
2008	5.0	6.4	9.6	0.9	3.0	4.4	12.2
2009	5.5	6.9	9.9	0.9	3.4	4.7	12.8
2010	5.6	7.7	9.8	0.8	3.4	4.6	12.2
2011	5.5	7.6	9.7	0.9	3.5	5.1	12.0
2012	5.6	8.0	9.6	0.9	3.9	5.0	12.0
2013	5.6	8.0	9.4	0.9	4.6	5.2	12.2
2014	5.8	8.0	9.3	1.0	5.3	5.2	12.5
2015	5.8	8.2	9.1	1.0	5.6	5.9	14.2
2016	5.7	8.0	8.5	1.0	6.0	6.2	15.4
2017	5.9	8.3	8.3	1.1	6.7	6.6	16.5
2018	6.2	8.4	8.0	1.1	6.8	6.5	18.5
2019	6.1	8.4	8.3	1.1	6.9	6.6	19.3

3-3 地区生产总值指数(上年=100)

Indices of Gross Domestic Product (preceding year=100)

年 份 Year	地区生产总 值 Gross Domestic Product	第一产业 Primary Industry	第二产业 Secondary Industry	第三产业 Tertiary Industry	农林牧渔业 Agriculture, Forestry, Animal Husbandry and Fishery Industries	工业 Industry
1978	114.5	110.4	118.0	112.0	110.4	118.9
1979	106.2	104.2	107.8	104.9	104.2	105.2
1980	103.2	97.4	102.4	112.5	97.4	103.0
1981	101.0	105.3	96.5	105.0	105.3	98.1
1982	111.8	119.5	103.2	118.7	119.5	102.8
1983	111.5	118.7	105.3	112.2	118.7	105.7
1984	114.4	108.0	122.8	110.0	108.0	123.2
1985	112.5	102.2	118.2	117.5	102.2	118.0
1986	105.1	97.4	108.0	109.8	97.4	108.7
1987	111.6	101.6	114.9	117.3	101.6	116.4
1988	113.5	101.1	116.9	120.1	101.1	116.7
1989	106.1	103.7	105.4	109.7	103.7	106.8
1990	105.8	105.7	104.0	109.0	105.7	104.6
1991	111.0	102.5	110.0	120.8	102.5	109.3
1992	115.6	99.4	120.7	121.4	99.4	122.1
1993	117.7	104.4	124.6	116.6	104.4	124.3
1994	114.9	111.8	116.9	113.7	111.8	116.2
1995	113.9	108.6	115.4	114.6	108.6	115.0
1996	113.5	105.5	116.6	113.0	105.5	116.9
1997	112.5	105.4	114.9	112.5	105.4	115.1
1998	110.7	106.2	112.2	110.6	106.2	112.1
1999	109.1	104.3	110.6	109.0	104.3	110.5
2000	109.5	105.1	110.1	110.4	105.1	110.8
2001	108.7	105.3	108.3	111.0	105.3	108.9
2002	109.5	105.4	110.5	110.2	105.4	111.0
2003	108.4	106.1	108.6	109.2	106.1	107.6
2004	110.0	109.7	110.0	110.1	109.7	109.7
2005	110.3	106.2	110.5	111.7	106.2	110.2
2006	110.3	104.8	110.6	112.1	105.0	110.9
2007	109.6	103.7	109.3	112.2	104.0	110.0
2008	108.0	104.8	108.4	108.7	104.9	109.1
2009	108.1	103.2	108.5	109.3	103.3	107.4
2010	109.2	103.4	109.5	110.7	103.5	109.6
2011	110.3	104.1	111.9	110.4	104.2	112.4
2012	108.7	104.0	110.0	108.5	104.0	110.2
2013	108.2	103.3	109.1	108.7	103.5	109.5
2014	106.5	103.7	105.0	109.2	103.8	105.0
2015	106.8	102.6	104.8	110.4	102.7	104.4
2016	106.7	103.5	104.4	109.8	103.7	104.3
2017	106.6	103.9	102.8	110.8	104.0	102.2
2018	106.5	103.0	103.3	110.0	103.2	102.8
2019	106.8	101.6	104.9	109.4	102.1	105.2

注：本表按不变价格计算。

a) Data in this table are calculated at constant prices.

3-3 续表 continued

年 份 Year	建筑业 Construction	批发和零售业 Wholesale and Retail Trades	交通运输、仓储和邮政业 Transport, Storage and Post	住宿和餐饮业 Hotels and Catering Services	金融业 Financial Intermediation	房地产业 Real Estate	其他 Others	人均地区生产总值 Per Capita GDP
1978	111.2	119.5	102.4	112.2	113.4	113.4	113.4	112.9
1979	131.3	90.7	108.7	90.1	110.9	111.0	110.9	105.1
1980	97.7	118.7	98.7	112.9	107.3	115.3	122.0	102.1
1981	84.1	107.6	100.7	110.4	126.6	119.3	88.6	99.5
1982	106.7	110.1	114.1	104.7	89.5	82.9	169.6	109.7
1983	101.0	125.5	105.0	119.1	187.0	127.2	68.5	109.7
1984	119.3	115.6	103.9	117.3	117.7	109.9	98.5	113.0
1985	120.3	120.4	111.7	122.3	117.4	101.8	123.7	111.3
1986	101.9	106.0	112.8	102.7	117.5	130.4	95.8	103.8
1987	100.2	104.2	121.9	104.7	118.0	113.4	129.4	110.0
1988	119.4	125.2	113.1	131.3	110.6	112.4	139.8	111.9
1989	88.2	100.3	114.6	97.7	125.9	117.4	90.5	104.5
1990	95.7	115.0	91.8	113.5	100.1	104.2	139.5	100.9
1991	117.0	149.5	119.4	156.0	127.1	111.8	115.7	109.4
1992	106.9	121.9	119.9	119.9	86.5	101.1	166.7	115.1
1993	128.4	126.1	114.2	119.2	126.4	125.6	103.2	116.7
1994	124.3	109.6	105.8	105.6	119.5	124.8	119.7	113.9
1995	119.5	111.8	118.4	109.2	115.6	110.7	115.4	113.0
1996	113.4	110.2	115.1	109.0	112.0	112.2	115.4	112.6
1997	112.2	113.9	118.3	111.3	100.0	119.0	114.1	111.8
1998	113.3	111.1	112.3	112.9	102.9	112.2	112.7	110.0
1999	111.7	108.8	111.1	108.3	98.3	110.2	113.0	108.4
2000	103.3	111.9	111.3	110.3	100.2	112.1	112.9	108.6
2001	104.0	109.1	116.8	111.9	102.4	103.5	112.1	108.0
2002	107.1	110.1	108.8	108.2	108.2	105.5	113.2	109.0
2003	115.6	108.2	107.5	110.7	108.4	116.3	110.0	107.8
2004	112.2	104.5	100.5	104.9	106.5	104.1	124.0	109.4
2005	112.8	109.8	115.6	105.0	102.1	105.2	114.7	109.6
2006	108.4	106.6	112.9	103.9	124.7	115.3	112.2	109.6
2007	104.3	109.0	111.2	104.5	115.3	109.1	115.7	108.9
2008	102.7	112.1	106.3	105.6	109.6	104.1	110.2	107.3
2009	118.0	108.4	104.9	105.6	122.9	108.0	110.6	107.4
2010	109.1	116.5	118.8	101.6	107.5	104.3	106.1	107.6
2011	108.0	110.2	114.2	108.2	110.0	109.1	108.6	108.7
2012	108.8	111.2	107.5	109.1	118.7	105.5	106.0	108.0
2013	105.2	109.6	102.0	102.5	137.1	104.3	107.1	107.5
2014	105.3	108.2	102.4	112.3	119.1	104.8	113.1	105.8
2015	108.2	105.5	104.7	112.8	110.3	110.5	117.9	106.1
2016	105.5	106.4	100.4	108.1	115.4	109.6	115.9	106.1
2017	106.8	109.8	105.7	110.9	113.6	105.2	115.4	105.9
2018	106.5	105.5	102.2	106.1	110.8	106.4	117.7	105.9
2019	102.9	108.1	113.0	107.2	107.5	104.8	110.7	106.2

3-4 地区生产总值指数(1978年=100)

Indices of Gross Domestic Product (year of 1978=100)

年 份 Year	地区生产总值 Gross Domestic Product	第一产业 Primary Industry	第二产业 Secondary Industry	第三产业 Tertiary Industry	农林牧渔业 Agriculture, Forestry, Animal Husbandry and Fishery Industries	工业 Industry
1978	100.0	100.0	100.0	100.0	100.0	100.0
1979	106.2	104.2	107.8	104.9	104.2	105.2
1980	109.6	101.5	110.4	118.0	101.5	108.4
1981	110.7	106.9	106.5	123.9	106.9	106.3
1982	123.8	127.7	109.9	147.1	127.7	109.3
1983	138.0	151.6	115.7	165.0	151.6	115.5
1984	157.9	163.7	142.1	181.5	163.7	142.3
1985	177.6	167.3	168.0	213.3	167.3	167.9
1986	186.7	163.0	181.4	234.2	163.0	182.5
1987	208.4	165.6	208.4	274.7	165.6	212.4
1988	236.5	167.4	243.6	329.9	167.4	247.9
1989	250.9	173.6	256.8	361.9	173.6	264.8
1990	265.5	183.5	267.1	394.5	183.5	277.0
1991	294.7	188.1	293.8	476.6	188.1	302.8
1992	340.7	187.0	354.6	578.6	187.0	369.7
1993	401.0	195.2	441.8	674.6	195.2	459.5
1994	460.7	218.2	516.5	767.0	218.2	533.9
1995	524.7	237.0	596.0	879.0	237.0	614.0
1996	595.5	250.0	694.9	993.3	250.0	717.8
1997	669.9	263.5	798.4	1117.5	263.5	826.2
1998	741.6	279.8	895.8	1236.0	279.8	926.2
1999	809.1	291.8	990.8	1347.2	291.8	1023.5
2000	886.0	306.7	1090.9	1487.3	306.7	1134.0
2001	963.1	323.0	1181.4	1650.9	323.0	1234.9
2002	1054.6	340.4	1305.4	1819.3	340.4	1370.7
2003	1143.2	361.2	1417.7	1986.7	361.2	1474.9
2004	1257.5	396.2	1559.5	2187.4	396.2	1618.0
2005	1387.0	420.8	1723.2	2443.3	420.8	1783.0
2006	1529.9	441.0	1905.9	2738.9	441.8	1977.3
2007	1676.8	457.3	2083.1	3073.0	459.5	2175.0
2008	1810.9	479.3	2258.1	3340.4	482.0	2372.9
2009	1957.6	494.6	2450.0	3651.1	497.9	2548.5
2010	2137.7	511.4	2682.8	4041.8	515.3	2793.2
2011	2357.9	532.4	3002.1	4462.1	536.9	3139.6
2012	2563.0	553.7	3302.3	4841.4	558.4	3459.8
2013	2773.2	572.0	3602.8	5262.6	577.9	3788.5
2014	2953.5	593.2	3782.9	5746.8	599.9	3977.9
2015	3154.3	608.6	3964.5	6344.5	616.1	4152.9
2016	3365.6	629.9	4138.9	6966.3	638.9	4331.5
2017	3587.7	654.5	4254.8	7718.7	664.5	4426.8
2018	3820.9	674.1	4395.2	8490.6	685.8	4550.8
2019	4080.7	684.9	4610.6	9288.7	700.2	4787.4

注：本表按不变价格计算。
a) Data in this table are calculated at constant prices.

3-4 续表 continued

年 份 Year	建筑业 Construction	批发和零售业 Wholesale and Retail Trades	交通运输、仓储和邮政业 Transport, Storage and Post	住宿和餐饮业 Hotels and Catering Services	金融业 Financial Intermediation	房地产业 Real Estate	其他 Others	人均地区生产总值 Per Capita GDP
1978	100.0	100.0	100.0	100.0	100.0	100.0	100.0	100.0
1979	131.3	90.7	108.7	90.1	110.9	111.0	110.9	105.1
1980	128.3	107.7	107.3	101.7	119.0	128.0	135.3	107.3
1981	107.9	115.8	108.0	112.3	150.6	152.7	119.9	106.8
1982	115.1	127.5	123.3	117.6	134.8	126.6	203.3	117.1
1983	116.3	160.1	129.4	140.0	252.1	161.0	139.3	128.5
1984	138.7	185.0	134.5	164.3	296.8	176.9	137.2	145.2
1985	166.9	222.8	150.2	200.9	348.4	180.1	169.7	161.6
1986	170.0	236.2	169.4	206.3	409.4	234.9	162.6	167.7
1987	170.4	246.1	206.6	216.0	483.1	266.4	210.4	184.5
1988	203.4	308.1	233.6	283.6	534.3	299.4	294.1	206.5
1989	179.4	309.0	267.7	277.1	672.6	351.5	266.1	215.8
1990	171.7	355.4	245.8	314.5	673.3	366.2	371.3	217.7
1991	200.9	531.3	293.4	490.6	855.8	409.5	429.5	238.2
1992	214.8	647.6	351.8	588.3	740.2	414.0	716.1	274.1
1993	275.7	816.6	401.8	701.2	935.7	519.9	739.0	319.9
1994	342.7	895.0	425.1	740.5	1118.1	648.9	884.5	364.4
1995	409.6	1000.6	503.3	808.6	1292.5	718.3	1020.8	411.7
1996	464.5	1102.7	579.3	881.4	1447.6	806.0	1178.0	463.6
1997	521.1	1256.0	685.3	981.0	1447.6	959.1	1344.1	518.3
1998	590.4	1395.4	769.6	1107.6	1489.6	1076.1	1514.8	570.2
1999	659.5	1518.2	855.1	1199.5	1464.3	1185.9	1711.7	618.1
2000	681.3	1698.8	951.7	1323.0	1467.2	1329.3	1932.5	671.2
2001	708.5	1853.4	1111.6	1480.5	1502.4	1375.9	2166.3	724.9
2002	758.8	2040.6	1209.4	1601.9	1625.6	1451.5	2452.3	790.2
2003	877.2	2208.0	1300.1	1773.3	1762.2	1688.1	2697.5	851.8
2004	984.2	2307.3	1306.6	1860.2	1876.7	1757.4	3344.9	931.9
2005	1110.2	2533.4	1510.4	1953.2	1916.2	1848.7	3836.6	1021.3
2006	1203.5	2700.6	1705.3	2029.3	2389.4	2131.6	4304.6	1119.4
2007	1255.2	2943.7	1896.3	2120.7	2755.0	2325.6	4980.5	1219.0
2008	1289.1	3299.9	2015.7	2239.4	3019.5	2420.9	5488.5	1308.0
2009	1521.2	3577.1	2114.5	2364.8	3711.0	2614.6	6070.2	1404.8
2010	1659.6	4167.3	2512.0	2402.7	3989.3	2727.0	6440.5	1511.5
2011	1792.4	4592.4	2868.7	2599.7	4388.2	2975.2	6994.4	1643.0
2012	1950.1	5106.7	3083.9	2836.2	5208.8	3138.8	7414.1	1774.5
2013	2051.5	5597.0	3145.6	2907.2	7141.3	3273.8	7940.5	1907.6
2014	2160.2	6055.9	3221.1	3264.7	8505.3	3430.9	8980.7	2018.2
2015	2337.4	6389.0	3372.5	3682.6	9381.3	3791.2	10588.2	2141.3
2016	2465.9	6797.9	3386.0	3980.9	10826.1	4155.1	12271.8	2271.9
2017	2633.6	7464.1	3579.0	4414.8	12298.4	4371.2	14161.6	2406.0
2018	2804.8	7874.6	3657.7	4684.1	13626.6	4651.0	16668.2	2547.9
2019	2886.1	8512.4	4133.2	5021.4	14648.6	4874.2	18451.7	2705.9

3-5 分行业增加值

Value-added by Sector

单位：亿元 (100 million yuan)

行业	Sector	2015	2016	2017	2018	2019
地区生产总值	**Gross Domestic Product**	**26398.4**	**28474.1**	**30640.8**	**32494.6**	**35104.5**
农林牧渔业	Agriculture, Forestry, Animal Husbandry and Fishery	3240.3	3235.1	3298.3	3522.3	3727.5
采矿业	Mining	601.7	592.9	657.3	654.7	689.0
制造业	Manufacturing	8537.0	9213.0	9358.1	9279.3	9765.5
电力、热力、燃气及水生产和供应业	Production and Supply of Electricity, Heat, Gas and Water	887.7	950.0	1000.3	996.3	1048.5
建筑业	Construction	1524.4	1610.1	1796.8	2007.9	2129.9
批发和零售业	Wholesale and Retail Trades	2153.0	2290.0	2553.3	2722.3	2947.5
交通运输、仓储和邮政业	Transport, Storage and Post	2399.3	2410.3	2541.9	2606.5	2916.0
住宿和餐饮业	Hotels and Catering Services	274.7	297.2	330.5	354.8	389.0
信息传输、软件和信息技术服务业	Information Transmission, Software and Information Technology	206.1	280.2	340.9	552.9	634.1
金融业	Financial Intermediation	1471.4	1720.0	2039.9	2220.9	2416.1
房地产业	Real Estate	1563.6	1776.6	2023.1	2103.4	2310.0
租赁和商务服务业	Leasing and Business Services	233.3	346.8	496.8	637.0	707.8
科学研究和技术服务业	Scientific Research and Technical Services	362.8	395.7	454.7	533.0	586.5
水利、环境和公共设施管理业	Management of Water Conservancy, Environment and Public Facilities	61.7	72.5	91.1	114.8	131.9
居民服务、修理和其他服务业	Service to Households, Repair and Other Services	234.7	336.9	383.7	437.3	481.7
教育	Education	768.6	849.5	980.5	1104.2	1248.4
卫生和社会工作	Health and Social Service	471.5	525.6	581.1	677.7	759.9
文化、体育和娱乐业	Culture, Sports and Entertainment	98.3	130.0	142.9	164.5	175.4
公共管理、社会保障和社会组织	Public Management, Social Security and Social Organization	1308.3	1442.0	1569.8	1804.9	2039.8

注：本表按当年价格计算。

a) Data in this table are calculated at current prices.

3-6 三次产业和主要行业贡献率

Share of the Contributions of the Three Strata of Industry and Main Sectors to the Increase of the GDP

单位：%　　(%)

年份 Year	地区生产总值 Gross Domestic Product	第一产业 Primary Industry	第二产业 Secondary Industry	第三产业 Tertiary Industry	#工业 Industry	#批发和零售业 Wholesale and Retail Trades	#金融业 Financial Intermediation
1978	100.0	20.8	60.5	18.7	56.4	6.4	3.9
1979	100.0	19.1	63.3	17.6	37.8	-7.5	7.3
1980	100.0	-22.5	37.6	84.9	42.1	25.0	10.0
1981	100.0	164.9	-168.3	103.4	-82.6	28.7	109.9
1982	100.0	53.5	12.5	34.0	10.0	3.4	-4.6
1983	100.0	56.4	19.5	24.1	19.1	8.7	31.4
1984	100.0	20.4	63.7	15.9	58.5	4.8	8.5
1985	100.0	6.1	63.0	30.9	56.4	7.3	10.0
1986	100.0	-15.9	71.5	44.4	69.9	5.7	25.6
1987	100.0	4.1	60.1	35.8	60.0	1.8	13.0
1988	100.0	2.1	60.2	37.7	54.8	8.4	6.9
1989	100.0	14.2	43.4	42.4	51.1	0.3	36.5
1990	100.0	22.9	34.1	43.0	36.5	12.2	0.2
1991	100.0	6.2	40.8	53.0	34.7	23.9	15.1
1992	100.0	-1.0	59.1	41.9	57.2	10.0	-6.1
1993	100.0	5.3	64.6	30.1	58.6	11.1	7.8
1994	100.0	15.1	55.8	29.1	49.0	5.2	7.4
1995	100.0	11.5	55.5	33.0	49.2	6.5	6.6
1996	100.0	7.2	62.3	30.5	57.6	5.7	5.3
1997	100.0	7.1	61.6	31.3	57.1	8.1	
1998	100.0	8.9	60.2	30.9	54.4	7.6	1.4
1999	100.0	7.0	62.3	30.7	56.2	7.2	-0.9
2000	100.0	7.5	58.2	34.3	56.5	9.3	0.1
2001	100.0	10.8	44.0	45.2	41.3	8.0	1.1
2002	100.0	9.8	51.1	39.1	46.8	8.1	3.2
2003	100.0	12.1	47.6	40.3	37.2	7.6	3.7
2004	100.0	15.5	46.5	38.0	39.3	3.5	2.4
2005	100.0	9.5	47.5	43.0	40.1	7.0	0.7
2006	100.0	7.2	48.5	44.3	43.9	4.7	5.8
2007	100.0	5.6	45.9	48.5	43.5	6.6	4.4
2008	100.0	8.2	49.2	42.6	47.6	10.6	3.4
2009	100.0	5.3	49.6	45.1	38.5	7.6	8.3
2010	100.0	4.7	48.9	46.3	43.6	13.1	2.7
2011	100.0	5.5	54.7	39.8	50.4	7.7	3.3
2012	100.0	5.9	55.4	38.6	50.0	10.0	7.3
2013	100.0	5.1	53.4	41.5	49.9	9.3	16.8
2014	100.0	6.7	37.6	55.7	33.3	10.1	13.8
2015	100.0	4.3	34.0	61.7	27.8	6.5	8.0
2016	100.0	6.1	28.7	65.2	24.1	7.7	12.8
2017	100.0	6.7	18.3	75.0	12.5	12.1	12.4
2018	100.0	5.1	21.1	73.8	15.4	7.1	10.7
2019	100.0	2.5	28.9	68.6	26.5	9.9	7.4

注：1.本表按不变价格计算。2.贡献率指三次产业或主要行业增加值增量与GDP增量之比。

a) Data in this table are calculated at constant prices. b) Share of the contributions of the three strata of industry or main sectors to the increase of the GDP refers to the proportion of the increment of the value-added of each industry to the increment of GDP.

3-7 三次产业和主要行业对地区生产总值增长的拉动
Contribution of the Three Strata of Industry and Main Sectors to GDP Growth

单位：百分点 (percentage points)

年份 Year	地区生产总值 Gross Domestic Product	第一产业 Primary Industry	第二产业 Secondary Industry	第三产业 Tertiary Industry	#工业 Industry	#批发和零售业 Wholesale and Retail Trades	#金融业 Financial Intermediation
1978	14.5	3.0	8.8	2.7	8.2	0.9	0.6
1979	6.2	1.2	3.9	1.1	2.3	-0.5	0.5
1980	3.2	-0.7	1.2	2.7	1.3	0.8	0.3
1981	1.0	1.7	-1.7	1.0	-0.8	0.3	1.1
1982	11.8	6.3	1.5	4.0	1.2	0.4	-0.5
1983	11.5	6.5	2.2	2.8	2.2	1.0	3.6
1984	14.4	2.9	9.2	2.3	8.4	0.7	1.2
1985	12.5	0.8	7.9	3.8	7.0	0.9	1.2
1986	5.1	-0.8	3.6	2.3	3.6	0.3	1.3
1987	11.6	0.5	7.0	4.1	7.0	0.2	1.5
1988	13.5	0.3	8.1	5.1	7.4	1.1	0.9
1989	6.1	0.9	2.6	2.6	3.1		2.2
1990	5.8	1.3	2.0	2.5	2.1	0.7	
1991	11.0	0.7	4.5	5.8	3.8	2.6	1.7
1992	15.6	-0.1	9.2	6.5	8.9	1.6	-0.9
1993	17.7	0.9	11.5	5.3	10.4	2.0	1.4
1994	14.9	2.3	8.3	4.3	7.3	0.8	1.1
1995	13.9	1.6	7.7	4.6	6.8	0.9	0.9
1996	13.5	1.0	8.4	4.1	7.8	0.8	0.7
1997	12.5	0.9	7.7	3.9	7.2	1.0	
1998	10.7	1.0	6.4	3.3	5.8	0.8	0.1
1999	9.1	0.6	5.7	2.8	5.1	0.7	-0.1
2000	9.5	0.7	5.5	3.3	5.3	0.9	
2001	8.7	1.0	3.8	3.9	3.6	0.7	0.1
2002	9.5	0.9	4.9	3.7	4.4	0.8	0.3
2003	8.4	1.0	4.0	3.4	3.1	0.6	0.3
2004	10.0	1.5	4.6	3.8	3.9	0.3	0.2
2005	10.3	1.0	4.9	4.4	4.1	0.7	0.1
2006	10.3	0.7	5.0	4.6	4.5	0.5	0.6
2007	9.6	0.5	4.4	4.7	4.2	0.6	0.4
2008	8.0	0.7	3.9	3.4	3.8	0.8	0.3
2009	8.1	0.4	4.0	3.7	3.1	0.6	0.7
2010	9.2	0.4	4.5	4.3	4.0	1.2	0.2
2011	10.3	0.6	5.6	4.1	5.2	0.8	0.3
2012	8.7	0.5	4.8	3.3	4.3	0.9	0.6
2013	8.2	0.4	4.4	3.4	4.1	0.8	1.4
2014	6.5	0.4	2.4	3.6	2.2	0.7	0.9
2015	6.8	0.3	2.3	4.2	1.9	0.4	0.5
2016	6.7	0.4	1.9	4.4	1.6	0.5	0.9
2017	6.6	0.5	1.2	4.9	0.8	0.8	0.8
2018	6.5	0.3	1.4	4.8	1.0	0.5	0.7
2019	6.8	0.2	2.0	4.6	1.8	0.7	0.5

注：1.本表按不变价格计算。2.拉动指GDP增长速度与三次产业或主要行业贡献率之乘积。

a) Data in this table are calculated at constant prices. b) Contribution of the three strata of industry or main sectors to GDP growth refers to the growth rate of GDP multiplied by the contribution share of every industry.

3-8 分市地区生产总值(2019年)
Gross Domestic Product (2019)

单位：亿元 (100 million yuan)

市	City	地区生产总值 Gross Domestic Product	三次产业增加值 Value-Added by Three Strata of Industry 第一产业 Primary Industry	第二产业 Secondary Industry	第三产业 Tertiary Industry	人均地区生产总值(元) Per Capita Gross Domestic Product (yuan)
石家庄市	Shijiazhuang	5809.9	449.5	1831.7	3528.7	52859
#辛集市	Xinji	417.0	51.8	270.0	95.3	65477
承 德 市	Chengde	1471.0	298.0	488.5	684.5	41080
张家口市	Zhangjiakou	1551.1	243.8	445.4	861.9	35025
秦皇岛市	Qinhuangdao	1612.0	206.3	530.1	875.6	51334
唐 山 市	Tangshan	6890.0	531.2	3613.3	2745.5	86667
廊 坊 市	Langfang	3196.0	212.4	1052.0	1931.6	65512
保 定 市	Baoding	3772.2	443.3	1318.3	2010.6	31856
#定州市	Dingzhou	333.0	69.8	127.1	136.1	27101
沧 州 市	Cangzhou	3588.0	292.6	1430.3	1865.0	47663
衡 水 市	Hengshui	1504.9	216.7	492.1	796.2	33599
邢 台 市	Xingtai	2120.0	283.5	833.1	1003.3	28707
邯 郸 市	Handan	3486.0	342.4	1554.6	1589.1	36546
雄安新区	Xiongan New Area	215.2	23.7	83.6	107.8	17448

注：1.本表绝对数按当年价格计算，指数按不变价格计算。2.保定市包含雄安新区。
a) Level data in this table are calculated at current prices while indices at constant prices. b) Baoding in this table include Xiongan New Area.

3-8 续表 continued

市	City	构成(地区生产总值=100) Composition (GDP=100) 第一产业 Primary Industry	第二产业 Secondary Industry	第三产业 Tertiary Industry	指数(上年=100) Indices (preceding year=100) 地区生产总值 Gross Domestic Product	第一产业 Primary Industry	第二产业 Secondary Industry	第三产业 Tertiary Industry	人均地区生产总值 Per Capita Gross Domestic Product
石家庄市	Shijiazhuang	7.7	31.5	60.8	106.7	101.6	102.1	109.8	105.9
#辛集市	Xinji	12.4	64.7	22.9	106.8	102.1	104.8	115.0	106.7
承 德 市	Chengde	20.3	33.2	46.5	106.5	104.5	101.3	111.7	106.2
张家口市	Zhangjiakou	15.7	28.7	55.6	106.9	98.7	106.3	109.7	107.0
秦皇岛市	Qinhuangdao	12.8	32.9	54.3	106.7	99.4	106.7	108.5	106.1
唐 山 市	Tangshan	7.7	52.4	39.9	107.3	102.1	108.0	107.3	106.8
廊 坊 市	Langfang	6.7	32.9	60.4	106.7	101.1	101.4	110.6	104.7
保 定 市	Baoding	11.8	34.9	53.3	106.7	100.7	102.7	111.0	106.1
#定州市	Dingzhou	20.9	38.2	40.9	107.1	103.1	105.1	111.1	106.6
沧 州 市	Cangzhou	8.2	39.9	51.9	106.9	102.2	106.2	108.2	106.4
衡 水 市	Hengshui	14.4	32.7	52.9	106.8	102.1	104.1	109.9	106.5
邢 台 市	Xingtai	13.4	39.3	47.3	107.0	103.2	105.9	109.1	106.6
邯 郸 市	Handan	9.8	44.6	45.6	107.2	101.7	105.8	109.9	106.9
雄安新区	Xiongan New Area	11.0	38.9	50.1	106.0	82.7	90.4	127.5	104.2

3-9 支出法地区生产总值
Gross Domestic Product by Expenditure Approach

年 份 Year	支出法地区生产总值(亿元) Gross Domestic Product by Expenditure Approach (100 million yuan)	最终消费支出 Final Consumption Expenditures	资本形成总额 Gross Capital Formation	货物和服务净出口 Net Exports of Goods and Services	最终消费率(消费率)(%) Final Consumption Rate (%)	资本形成率(投资率)(%) Capital Formation Rate (%)
1978	183.1	93.3	64.3	25.5	51.0	35.1
1979	203.2	104.4	69.0	29.8	51.4	33.9
1980	219.2	114.7	63.8	40.7	52.3	29.1
1981	222.5	129.1	50.7	42.8	58.0	22.8
1982	251.5	140.2	74.0	37.3	55.8	29.4
1983	283.2	156.3	90.1	36.8	55.2	31.8
1984	332.2	186.6	114.7	31.0	56.2	34.5
1985	396.8	229.7	156.9	10.1	57.9	39.5
1986	436.7	262.3	162.8	11.5	60.1	37.3
1987	521.9	318.3	176.6	27.1	61.0	33.8
1988	701.3	434.3	242.4	24.7	61.9	34.6
1989	822.8	481.0	295.3	46.6	58.5	35.9
1990	896.3	518.9	334.7	42.8	57.9	37.3
1991	1072.1	634.7	384.8	52.5	59.2	35.9
1992	1278.5	712.2	475.2	91.1	55.7	37.2
1993	1620.8	834.4	651.0	135.4	51.5	40.2
1994	2114.5	1023.9	854.9	235.6	48.4	40.4
1995	2701.2	1278.5	1162.2	260.4	47.3	43.0
1996	3198.0	1439.0	1433.5	325.4	45.0	44.8
1997	3652.1	1607.4	1698.2	346.4	44.0	46.5
1998	3924.5	1704.2	1872.0	348.2	43.4	47.7
1999	4158.9	1822.6	1982.7	353.7	43.8	47.7
2000	4628.2	2056.0	2061.5	510.7	44.4	44.5
2001	5062.9	2285.5	2134.3	643.1	45.1	42.2
2002	5518.9	2602.9	2228.3	687.7	47.2	40.4
2003	6333.6	2772.0	2617.8	943.7	43.8	41.3
2004	7588.6	3281.1	3289.7	1017.8	43.2	43.4
2005	8773.4	3731.4	4159.3	882.7	42.5	47.4
2006	10043.0	4331.4	4823.6	888.0	43.1	48.0
2007	12152.9	5221.6	6019.3	912.1	43.0	49.5
2008	14200.1	5910.6	7371.7	917.7	41.6	51.9
2009	15306.9	6379.1	8265.0	662.7	41.7	54.0
2010	18003.6	7311.6	9786.5	905.6	40.6	54.4
2011	21384.7	8355.4	12169.0	860.3	39.1	56.9
2012	23077.5	9559.8	13302.5	215.2	41.4	57.6
2013	24259.6	10116.3	14119.0	24.3	41.7	58.2
2014	25208.9	10665.5	14952.0	-408.6	42.3	59.3
2015	26398.4	11513.9	15380.0	-495.5	43.6	58.3
2016	28474.1	12735.2	16375.8	-636.9	44.7	57.5
2017	30640.8	14033.5	17373.1	-765.8	45.8	56.7
2018	32494.6	15305.0	18164.5	-974.8	47.1	55.9

注：1.本表按当年价格计算。2.最终消费率指最终消费支出占支出法国内生产总值的比重；资本形成率指资本形成总额占支出法国内生产总值的比重。

a) Data in value terms in this table are calculated at current prices. b) Final consumption rate refers to final consumption expenditures as percentage of gross domestic product by expenditure approach, capital formation rate refers to gross capital formation as percentage of gross domestic product by expenditure approach.

3-10 支出法地区生产总值构成
Components of Gross Domestic Product by Expenditure Approach

单位：亿元 (100 million yuan)

年份 Year	最终消费支出 Final Consumption Expenditures				资本形成总额 Gross Capital Formation		货物和服务净出口=100 Net Exports of Goods and Services=100	
	居民消费支出 Household Consumption Expenditures	城镇居民 Urban Household	农村居民 Rural Household	政府消费支出 Government Consumption Expenditures	固定资本形成总额 Gross Fixed Capital Formation	存货变动 Change in Inventories	出口 Exports	进口 Imports
1978	83.0	21.7	61.4	10.3	51.4	12.9		
1979	92.9	24.2	68.8	11.5	58.4	10.6		
1980	102.1	27.7	74.4	12.6	51.9	12.0		
1981	116.1	30.1	86.0	13.0	45.4	5.3		
1982	125.0	33.1	91.9	15.2	65.1	8.8		
1983	139.1	34.9	104.2	17.2	71.4	18.8		
1984	164.2	40.4	123.8	22.4	82.1	32.5		
1985	202.2	49.9	152.2	27.6	116.4	40.5		
1986	230.9	59.6	171.3	31.5	127.6	35.2		
1987	280.1	74.5	205.6	38.2	137.6	39.0		
1988	382.1	107.4	274.8	52.1	195.2	47.2		
1989	421.8	130.5	291.3	59.2	180.9	114.4		
1990	456.8	138.0	318.8	62.0	204.0	130.6		
1991	525.7	168.3	357.4	109.0	254.3	130.6		
1992	595.4	208.0	387.5	116.8	390.0	85.2		
1993	658.1	233.5	424.6	176.3	508.4	142.6		
1994	811.9	294.4	517.6	212.0	681.3	173.6		
1995	1024.8	375.5	649.3	253.7	905.5	256.8		
1996	1151.5	399.5	751.9	287.6	1149.0	284.5		
1997	1292.3	484.5	807.8	315.1	1372.7	325.6		
1998	1332.2	524.2	808.1	372.0	1508.7	363.4		
1999	1412.9	578.6	834.3	409.6	1649.5	333.2		
2000	1544.0	705.8	838.3	511.9	1694.1	367.4		
2001	1686.9	832.5	854.4	598.5	1787.4	346.9		
2002	1897.9	1027.5	870.4	705.0	1887.3	341.0		
2003	2021.2	1145.4	875.8	750.9	2299.1	318.7		
2004	2276.9	1387.8	889.1	1004.2	2950.5	339.2		
2005	2546.3	1591.2	955.1	1185.1	3812.0	347.3		
2006	2952.7	1900.4	1052.3	1378.7	4466.2	357.4		
2007	3488.4	2305.4	1183.0	1733.2	5534.3	485.0		
2008	3997.6	2716.7	1280.9	1913.1	7386.8	-15.1		
2009	4457.3	3155.7	1301.6	1921.8	8375.9	-110.8	7317.3	6654.6
2010	5034.9	3656.6	1378.3	2276.6	9570.5	215.9	9797.9	8892.3
2011	5980.3	4283.7	1696.6	2375.0	11994.1	174.9	12413.9	11553.6
2012	6740.4	4795.0	1945.4	2819.4	13167.3	135.3	12860.8	12645.6
2013	7192.2	5080.0	2112.2	2924.2	13932.2	186.8	13452.4	13428.2
2014	7621.1	5366.4	2254.7	3044.4	14698.6	253.3	14004.0	14412.6
2015	8351.7	5872.9	2478.8	3162.2	15326.7	53.2	13033.3	13528.8
2016	9417.2	6629.5	2787.7	3318.0	16335.5	40.3	12824.5	13461.4
2017	10411.1	7364.0	3047.1	3622.4	17325.4	47.7	13202.9	13968.7
2018	11446.8	8116.4	3330.4	3858.2	17878.4	286.1	13809.0	14783.9

注：本表按当年价格计算。

a) Data in value terms in this table are calculated at current prices.

3-10 续表 continued

年 份 Year	最终消费支出=100 Final Consumption Expenditures=100		居民消费支出=100 Household Consumption Expenditures=100		资本形成总额=100 Gross Capital Formation=100		货物和服务净出口=100 Net Exports of Goods and Services=100	
	居民消费支出 Household Consumption Expenditures	政府消费支出 Government Consumption Expenditures	城镇居民 Urban House-hold	农村居民 Rural House-hold	固定资本形成总额 Gross Fixed Capital Formation	存货变动 Change in Inventories	出口 Exports	进口 Imports
1978	89.0	11.0	26.1	73.9	80.0	20.0		
1979	89.0	11.0	26.0	74.0	84.7	15.3		
1980	89.0	11.0	27.1	72.9	81.2	18.8		
1981	89.9	10.1	25.9	74.1	89.6	10.4		
1982	89.2	10.8	26.5	73.5	88.0	12.0		
1983	89.0	11.0	25.1	74.9	79.2	20.8		
1984	88.0	12.0	24.6	75.4	71.6	28.4		
1985	88.0	12.0	24.7	75.3	74.2	25.8		
1986	88.0	12.0	25.8	74.2	78.4	21.6		
1987	88.0	12.0	26.6	73.4	77.9	22.1		
1988	88.0	12.0	28.1	71.9	80.5	19.5		
1989	87.7	12.3	30.9	69.1	61.3	38.7		
1990	88.0	12.0	30.2	69.8	61.0	39.0		
1991	82.8	17.2	32.0	68.0	66.1	33.9		
1992	83.6	16.4	34.9	65.1	82.1	17.9		
1993	78.9	21.1	35.5	64.5	78.1	21.9		
1994	79.3	20.7	36.3	63.7	79.7	20.3		
1995	80.2	19.8	36.6	63.4	77.9	22.1		
1996	80.0	20.0	34.7	65.3	80.2	19.8		
1997	80.4	19.6	37.5	62.5	80.8	19.2		
1998	78.2	21.8	39.3	60.7	80.6	19.4		
1999	77.5	22.5	41.0	59.0	83.2	16.8		
2000	75.1	24.9	45.7	54.3	82.2	17.8		
2001	73.8	26.2	49.4	50.6	83.7	16.3		
2002	72.9	27.1	54.1	45.9	84.7	15.3		
2003	72.9	27.1	56.7	43.3	87.8	12.2		
2004	69.4	30.6	61.0	39.0	89.7	10.3		
2005	68.2	31.8	62.5	37.5	91.7	8.3		
2006	68.2	31.8	64.4	35.6	92.6	7.4		
2007	66.8	33.2	66.1	33.9	91.9	8.1		
2008	67.6	32.4	68.0	32.0	100.2	-0.2		
2009	69.9	30.1	70.8	29.2	101.3	-1.3	1104.1	-1004.1
2010	68.9	31.1	72.6	27.4	97.8	2.2	1081.9	-981.9
2011	71.6	28.4	71.6	28.4	98.6	1.4	1442.9	-1342.9
2012	70.5	29.5	71.1	28.9	99.0	1.0	5976.8	-5876.8
2013	71.1	28.9	70.6	29.4	98.7	1.3	55473.9	-55373.9
2014	71.5	28.5	70.4	29.6	98.3	1.7	-3427.1	3527.1
2015	72.5	27.5	70.3	29.7	99.7	0.3	-2630.3	2730.3
2016	73.9	26.1	70.4	29.6	99.8	0.2	-2013.6	2113.6
2017	74.2	25.8	70.7	29.3	99.7	0.3	-1724.1	1824.1
2018	74.8	25.2	70.9	29.1	98.4	1.6	-1416.5	1516.5

3-11 居民消费水平
Household Consumption Expenditure

年份 Year	绝对数(元) Level (yuan)			城乡消费水平对比(农村居民=1) Urban/Rural Consumption Ratio (Rural Household=1)	指数（上年=100) Index (Preceding Year=100)			指数(1978=100) Index (1978=100)		
	全体居民 All Households	城镇居民 Urban Household	农村居民 Rural Household		全体居民 All Households	城镇居民 Urban Household	农村居民 Rural Household	全体居民 All Households	城镇居民 Urban Household	农村居民 Rural Household
1978	165	402	137	2.9	103.7	90.9	104.9	100.0	100.0	100.0
1980	199	460	164	2.8	119.9	119.5	120.6	119.2	111.6	128.2
1985	366	672	319	2.1	117.1	112.8	118.1	209.7	151.5	240.0
1990	783	1592	605	2.6	103.9	107.0	102.6	256.8	207.3	279.3
1995	1598	3220	1238	2.6	110.2	97.2	112.8	404.7	310.3	420.1
2000	2324	4150	1696	2.4	106.6	100.8	109.0	577.3	380.9	580.3
2001	2523	4581	1755	2.6	107.4	108.3	103.2	619.8	412.5	598.6
2002	2826	5296	1822	2.9	107.8	109.3	102.2	668.1	450.8	611.6
2003	2993	5548	1868	3.0	104.7	101.3	104.4	699.6	456.4	638.7
2004	3354	5896	2005	2.9	109.0	101.7	108.0	762.6	464.0	689.9
2005	3728	6337	2212	2.9	107.5	103.2	108.4	820.0	479.0	748.0
2006	4295	7231	2478	2.9	110.2	108.1	109.1	903.9	517.8	816.4
2007	5041	8431	2826	3.0	108.6	107.8	105.7	981.5	558.4	863.1
2008	5739	9493	3121	3.0	109.2	107.0	108.3	1072.1	597.4	934.6
2009	6357	10510	3247	3.2	109.2	106.7	108.5	1171.2	637.4	1014.2
2010	7077	11649	3467	3.4	107.2	105.3	107.0	1255.5	670.9	1084.9
2011	8286	13175	4278	3.1	112.4	109.0	117.3	1411.2	731.3	1272.7
2012	9279	14287	4978	2.9	107.2	104.3	110.3	1513.3	762.5	1403.9
2013	9839	14642	5500	2.7	110.8	107.0	115.7	1676.4	815.7	1624.8
2014	10357	14967	5976	2.5	109.4	106.1	113.2	1833.8	865.6	1839.1
2015	11280	15759	6740	2.3	109.7	105.9	113.9	2010.8	916.4	2095.6
2016	12645	17011	7852	2.2	109.2	105.4	112.9	2195.4	965.5	2365.5
2017	13891	18139	8871	2.0	108.8	105.6	112.1	2389.5	1019.3	2652.0
2018	15186	19324	9978	1.9	109.0	106.3	112.0	2604.9	1083.4	2970.8

注：本表绝对数按当年价格计算，指数按不变价格计算。

a) Level in this table are calculated at current prices, while indices are calculated at constant prices.

3-12 三大需求对国内生产总值增长的贡献率和拉动
Contribution Share and Contribution of the Three Components of GDP to the Growth of GDP

年 份 Year	最终消费支出 Final Consumption Expenditure		资本形成总额 Gross Capital Formation		货物和服务净出口 Net Exports of Goods and Services	
	贡献率 (%) Contribution Share (%)	拉 动 (百分点) Contribution (percentage points)	贡献率 (%) Contribution Share (%)	拉 动 (百分点) Contribution (percentage points)	贡献率 (%) Contribution Share (%)	拉 动 (百分点) Contribution (percentage points)
1978	89.7	13.0	26.6	3.9	-16.3	-2.4
1980	69.0	2.2	-79.4	-2.5	110.4	3.5
1985	83.4	10.4	67.4	8.4	-50.8	-6.4
1990	81.3	4.7	32.6	1.9	-13.9	-0.8
1995	38.5	5.3	57.7	8.0	3.9	0.5
2000	43.8	4.1	28.5	2.7	27.7	2.6
2001	51.9	4.5	17.1	1.5	31.0	2.7
2002	51.0	4.9	19.9	1.9	29.1	2.8
2003	32.9	2.8	40.6	3.4	26.5	2.2
2004	42.8	4.3	45.3	4.5	11.8	1.2
2005	41.2	4.2	58.5	6.0	0.2	0.0
2006	46.5	4.8	53.1	5.5	0.4	0.0
2007	47.1	4.5	52.7	5.1	0.2	0.0
2008	49.8	4.0	49.7	4.0	0.4	0.0
2009	47.1	3.8	54.9	4.5	-2.0	-0.2
2010	41.5	3.8	60.4	5.6	-1.9	-0.2
2011	42.5	4.4	60.3	6.2	-2.8	-0.3
2012	45.6	3.9	60.4	5.2	-6.0	-0.5
2013	45.9	3.8	59.8	4.9	-5.6	-0.5
2014	48.3	3.1	57.1	3.7	-5.4	-0.4
2015	48.8	3.3	55.0	3.7	-3.9	-0.3
2016	53.5	3.6	50.9	3.4	-4.4	-0.3
2017	57.7	3.8	48.3	3.2	-6.0	-0.4
2018	61.1	4.0	47.6	3.1	-8.7	-0.6

注：1.本表按不变价格计算。
2.三大需求指支出法国内生产总值的三大构成项目，即最终消费支出、资本形成总额、货物和服务净出口。
3.贡献率指三大需求增量与支出法国内生产总值增量之比。
4.拉动指国内生产总值增长速度与三大需求贡献率的乘积。

a) Data in this table are calculated at constant prices.
b) Three components of GDP by expenditure approach are final consumption expenditure,gross capital formation and net exports of goods and services.
c) Contribution share of the three components to the increase of the GDP refers to the proportion of the increment of the each component of GDP by expenditure approach to the increment of GDP.
d) Contribution of the three components to GDP growth refers to the growth rate of GDP multiplied by the contribution share of the three components.

主要统计指标解释

国内生产总值(GDP) 指一个国家所有常住单位在一定时期内生产活动的最终成果。国内生产总值有三种表现形态，即价值形态、收入形态和产品形态。从价值形态看，它是所有常住单位在一定时期内生产的全部货物和服务价值与同期投入的全部非固定资产货物和服务价值的差额，即所有常住单位的增加值之和；从收入形态看，它是所有常住单位在一定时期内创造的各项收入之和，包括劳动者报酬、生产税净额、固定资产折旧和营业盈余；从产品形态看，它是所有常住单位在一定时期内最终使用的货物和服务价值与货物和服务净出口价值之和。在实际核算中，国内生产总值有三种计算方法，即生产法、收入法和支出法。三种方法分别从不同的方面反映国内生产总值及其构成。

对于一个地区来说，称为地区生产总值或地区 GDP。

三次产业 三次产业的划分是世界上较为常用的产业结构分类，但各国的划分不尽一致。根据《国民经济行业分类》（GB/T 4754—2017）和《三次产业划分规定》，我国的三次产业划分是：

第一产业是指农、林、牧、渔业（不含农、林、牧、渔专业及辅助性活动）。

第二产业是指采矿业（不含开采及辅助性活动），制造业（不含金属制品、机械和设备修理业），电力、热力、燃气及水生产和供应业，建筑业。

第三产业即服务业，是指除第一产业、第二产业以外的其他行业。

劳动者报酬 指劳动者从事生产活动应获得的全部报酬，既包括货币形式的报酬，也包括实物形式的报酬。主要包括工资、奖金、津贴和补贴，单位为其员工交纳的社会保险费、补充社会保险费和住房公积金、行政事业单位职工的离退休金、单位为其员工提供的其他各种形式的福利和报酬等。

生产税净额 指生产税减生产补贴后的差额。其中，生产税指政府对生产单位从事生产、销售和经营活动，以及因从事生产活动使用某些生产要素（如固定资产和土地等）所征收的各种税收、附加费和其他规费。生产税分为产品税和其他生产税，产品税主要有：增值税、消费税、进口关税、出口税等；其他生产税主要有：房产税、车船使用税、城镇土地使用税等。生产补贴则相反，它是政府为影响生产单位的生产、销售及定价等生产活动而对其提供的无偿支付，包括农业生产补贴、政策亏损补贴、进口补贴等。生产补贴作为负生产税处理。

固定资产折旧 指由于自然退化、正常淘汰或损耗而导致的固定资产价值下降，用以代表固定资产通过生产过程被转移到其产出中的价值。原则上，固定资产折旧应按照固定资产的重置价值计算。

营业盈余 指常住单位创造的增加值扣除劳动者报酬、生产税净额和固定资产折旧后的余额。

支出法国内生产总值 是从最终使用的角度反映一个国家(或地区)一定时期内生产活动最终成果的一种方法，包括最终消费支出、资本形成总额及货物和服务净出口三部分。计算公式为：

支出法国内生产总值=最终消费支出+资本形成总额+货物和服务净出口

最终消费支出 指常住单位为满足物质、文化和精神生活的需要，从本国经济领土和国外购买的货物和服务的支出。它不包括非常住单位在本国经济领土内的消费支出。最终消费支出分为居民消费支出和政府消费支出。

居民消费支出 指常住住户在一定时期内对于货物和服务的全部最终消费支出。居民消费支出除了直接以货币形式购买的货物和服务的消费支出外，还包括以其他方式获得的货物和服务的消费支出，后者称为虚拟消费支出。居民虚拟消费支出主要包括：单位以实物报酬及实物转移的形式提供给劳动者的货物和服务；住户生产用于自身消费的货物（如自产自用的农产品），以及纳入生产核算范围并用于自身消费的服务（如住户的自有住房服务）；银行和保险机构提供的间接计算的金融服务。

政府消费支出 指政府部门为全社会提供的公共服务的消费支出和免费或以较低的价格向居民住户提供的货物和服务的净支出，前者等于政府服务的产出价值减去政府单位所获得的经营收入的价值，后者等于政府部门免费或以较低价格向居民住户提供的货物和服务的市场价值减去向住户收取的价值。

资本形成总额 指常住单位在一定时期内获得减去处置的固定资产和存货的净额，包括固定资本形成总额和存货变动两部分。

固定资本形成总额 指常住单位在一定时期内获得的固定资产减处置的固定资产的价值总额。固定资产是通过生产活动生产出来的，且其使用年限在一年以上、单位价值在规定标准以上的资产，不包括自然资产、耐用消费品、小型工器具。固定资本形成总额包括住宅、其他建筑和构筑物、机器和设备、培育性生物资源、知识产权产品（研发支出、矿藏的勘探、计算机软件）的价值获得减处置。

存货变动 指常住单位在一定时期内存货实物量变动的市场价值，即期末价值减期初价值的差额，再扣除当期由于价格变动而产生的持有收益。存货变动可以是正值，也可以是负值，正值表示存货上升，负值表示存货下降。存货包括生产单位购进的原材料、燃料和储备物资等存货，以及生产单位生产的产成品、在制品和半成品等存货。

货物和服务净出口 指货物和服务出口减货物和服务进口的差额。出口包括常住单位向非常住单位出售或无偿转让的各种货物和服务的价值；进口包括常住单位从非常住单位购买或无偿得到的各种货物和服务的价值。货物的出口和进口都按离岸价格计算。

Explanatory Notes on Main Statistical Indicators

Gross Domestic Product (GDP) refers to the final products produced by all resident units in a country during a certain period of time. Gross domestic product is expressed in three different perspectives, namely value, income, and products respectively. GDP in its value perspective refers to the balance of total value of all goods and services produced by all resident units during a certain period of time, minus the total value of input of goods and services of the nature of non-fixed assets; in other words, it is the sum of the value-added of all resident units. GDP from the perspective of income refers to the sum of all kinds of revenue, including Compensation of Employees, Net Taxes on Production, Depreciation of Fixed Assets, and Operating Surplus. GDP from the perspective of products refers to the value of all goods and services for final demand by all resident units plus the net exports of goods and services during a given period of time. In the practice of national accounting, gross domestic product is calculated from three approaches, namely production approach, income approach and expenditure approach, which reflect gross domestic product and its composition from different angles.

For a region, it is called as Gross Regional Product(GRP) or regional GDP.

Three Strata of Industry Classification of economic activities into three strata of industry is a common practice in the world, although the grouping varies to some extent from country to country. In China, according to *Industrial classification for National Economic Activities* (GB/T 4754—2011) and *Dividing Basis of Three Industries*, economic activities are categorized into the following three strata of industry:

Primary industry refers to agriculture, forestry, animal husbandry and fishery industries (not including services in support of agriculture, forestry, animal husbandry and fishery industries).

Secondary industry refers to mining and quarrying(not including support activities for mining), manufacturing(not including repair service of metal products, machinery and equipment), production and supply of electricity, heat, gas and water, and construction.

Tertiary industry refers to all other economic activities not included in the primary or secondary industries.

Compensation of Employees refers to the total payment of various forms to employees for the productive activities they are engaged in. It includes the employees earn in cash or in kind. It mainly include: wages, bonuses and allowances, subsidies, social insurance paid by company or unit for its staff, supplementary social insurance, housing fund, the pension for the employees of the administrative institution, other forms of welfare and remuneration provide by the units for its employees.

Net Taxes on Production refers to taxes on production less subsidies on production. The taxes on production refers to the various taxes, extra charges and fees levied on the production units on their production, sale and business activities as well as on the use of some factors of production, such as fixed assets, land etc. in the production activities they are engaged in. Taxes on production are divided into product tax and other kinds of taxes on production, product tax mainly includes: value-added tax, consumption tax, import duty, export duty; other taxes on production mainly include: House Property Tax, Tax on Vehicles and Boat Operation, Urban Land Use Tax, etc. In contrast to taxes on production, subsidies on production refer to the payment by the government for free to the production units to influence production activities of production units such as production, sales and pricing, which include agricultural production subsidies, subsidies for policy losses, import subsidies, etc. Subsidies on production are therefore regarded as negative taxes on production.

Depreciation of Fixed Assets Refers to the decline of the value of fixed assets due to natural deterioration, normal elimination or loss, it reflects the value of transfer of the fixed assets in the production of the current period. In principle, the depreciation of fixed assets should be calculated on the basis of the re-purchased value of the fixed assets.

Operating Surplus refers to the balance of the value added created by the resident units after deducting the labourers remuneration, net taxes on production and the depreciation of fixed assets.

GDP by Expenditure Approach refers to the method of measuring the final results of production activities of a country (region) during a given period from the perspective of final uses. It includes final consumption expenditure, gross capital formation and net export of goods and services. The formula for computation is.:

GDP by expenditure approach = final consumption expenditure + gross capital formation + net export of goods and services

Final Consumption Expenditure refers to the total expenditure of resident units for purchases of goods and services from both the domestic economic territory and abroad to meet the needs of material, cultural and spiritual life. It does not include the expenditure of non-resident units on consumption in the economic territory of the country. The final consumption expenditure is broken down into household consumption expenditure and government consumption expenditure.

Household Consumption Expenditure refers to the total expenditure of resident households on the final consumption of goods and services. In addition to the consumption of goods and services bought by the households directly with money, the household consumption expenditure also includes expenditure on goods and services obtained by the households in other ways, i.e. the latter so-called imputed consumption expenditure, which mainly includes: (a) the goods and services provided to households by employers in the form of payment in kind and transfer in kind; (b) goods and services produced and consumed by the households themselves (such as self produced agricultural products); (c) financial intermediate services provided by banking and insurance institutions.

Government Consumption Expenditure refers to the consumption expenditure spent for the provision of public services provided by the government to the whole country and the net expenditure on the goods and services provided by the government to households free of charge or at reduced prices. The former equals to the output value of the government services minus the value of operating income obtained by the government departments. The latter equals to the market value of the goods and services provided by the government free of charge or at reduced prices to the households minus the value received by the government from the households.

Gross Capital Formation refers to the fixed assets acquired less disposals and the net value of inventory, thus including gross fixed capital formation and changes in inventories.

Gross Fixed Capital Formation refers to the value of acquisitions less those disposals of fixed assets during a given period. Fixed assets are the assets produced through production activities with unit value above a specified amount and which could be used for over one year. Natural assets, consumer durables, small instruments are not included. Gross Fixed Capital Formation includes the value of housing, other buildings and structure, equipment and machinery, breeding biological resources, intellectual property right product (expenditure for R&D, the prospecting of minerals and the acquisition of computer software) minus the disposal of them.

Changes in Inventories refers to the market value of the change in the physical volume of inventory of resident units during a given period, i.e. the difference between the values at the beginning and at the end of the period minus the gains due to the change in prices. The changes in inventories can have a positive or a negative value. A positive value indicates an increase in inventory while a negative value indicates a decrease in inventory. The inventory includes raw materials, fuels and reserve materials purchased by the production units as well as the inventory of finished products, semi-finished products and work-in-progress.

Net Export of Goods and Services refers to the exports of goods and services subtracting the imports of goods and services. Exports include the value of various goods and services sold or gratuitously transferred by resident units to non-resident units. Imports include the value of various goods and services purchased or gratuitously acquired resident units from non-resident units. Because the provision of services and the use of them happen simultaneously, the acquisition of services by resident units from abroad is usually treated as import while the acquisition of services by non-resident units in this country is usually treated as export. The exports and imports of goods are calculated at FOB.

就业和工资
Employment and Wages

简 要 说 明

一、本篇资料反映河北省劳动经济方面的基本情况，包括就业人员数，城镇登记失业人数，就业人员工资总额，平均工资及指数变化情况等。

二、本篇的资料来源

1.就业基本情况及分组资料、工资总额等资料，是河北省统计局人口和就业统计处根据国家统计局相关统计报表制度搜集资料，加工整理。

2.城镇登记失业人数，是河北省人力资源和社会保障厅整理提供。

3.私营企业及个体工商户就业人员数，由河北省市场监督管理局提供。

三、资料整理：戴利伟 张君朝

Brief Introduction

Ⅰ.The data in this chapter reflects the basic situation of the labor economy in Hebei Province, including the number of employed people, the number of registered unemployed in cities and towns, the total wages of employed people, average wages and index changes.

Ⅱ.Sources of this paper

1. Basic information of employment, grouping data, total wages and other data are collected, processed and sorted out by the Population and Employment Statistics Division of Hebei Province Statistics Bureau according to the relevant statistical statement system of the National Bureau of Statistics.

2. Urban registered unemployment number is provided by The Human Resources and Social Security Department of Hebei Province.

3. The number of employees in private enterprises and self-employed businesses shall be provided by The Market Supervision Administration of Hebei Province.

Ⅲ. Data collection: Dai Liwei, Zhang Junchao.

4-1 就业基本情况
Employment

项　目	Item	2014	2015	2016	2017	2018	2019
就业人员(万人)	**Total Number of Employed Persons (10000 persons)**	**4202.66**	**4212.50**	**4223.95**	**4206.66**	**4196.09**	**4182.46**
第一产业	Primary Industry	1398.88	1387.83	1380.33	1366.90	1360.05	1331.15
第二产业	Secondary Industry	1437.79	1437.43	1439.74	1396.58	1367.67	1390.79
第三产业	Tertiary Industry	1365.99	1387.24	1403.88	1443.18	1468.37	1460.52
按城乡分就业人员(万人)	**Number of Employed Persons by Urban and Rural Areas (10000 persons)**						
城镇就业人员	Urban Employed Persons	1311.86	1307.29	1309.22	1294.00	1323.97	1320.82
乡村就业人员	Rural Employed Persons	2890.80	2905.21	2914.73	2912.66	2872.12	2861.64
按登记注册类型分城镇非私营单位就业人员(万人)	**Number of Employed Person in Urban Non-private Units by Status of Registration (10000 persons)**	**656.18**	**643.65**	**639.62**	**535.32**	**550.34**	**576.03**
国有单位	State-owned Units	293.49	288.22	286.36	282.69	273.96	262.66
城镇集体单位	Urban Collective-owned Units	15.58	14.39	13.96	13.75	11.33	12.10
股份合作单位	Cooperative Units	3.91	3.72	3.63	3.73	2.92	2.92
联营单位	Joint Ownership Units	3.46	3.48	3.58	0.16	0.10	0.61
有限责任公司	Limited Liability Corporations	221.85	219.53	220.10	125.88	160.26	187.06
股份有限公司	Share-holding Corporations Ltd.	65.97	68.62	69.04	56.31	66.22	63.33
港澳台商投资单位	Units with Funds from Hong Kong, Macao & Taiwan	19.41	18.49	16.82	22.20	14.18	12.74
外商投资单位	Foreign Funded Units	29.61	24.21	22.87	28.30	18.35	19.10
工商登记注册的私营个体就业人员(万人)	**Number of Employed Person in Private Enterprises and Self-employed Individuals by Status of Industrial and Commercial Registration (10000 persons)**						
城镇私营企业	Private Enterprises in Urban Areas	1086.01	32910.25	551.81	8228.60	546.75	556.12
城镇个体	Self-employed Individuals in Urban Areas	236.27	281.39	330.73	369.88	412.06	458.82
乡村私营企业	Private Enterprises in Rural Areas	186.89	204.39	263.91	262.71	260.93	268.70
乡村个体	Self-employed Individuals in Rural Areas	1041.03	1091.46	1160.47	1215.88	460.49	523.80
城镇登记失业人数(万人)	**Number of Registered Unemployed Persons in Urban Areas (10000 persons)**	**38.30**	**39.41**	**39.73**	**39.92**	**38.04**	**36.00**
城镇登记失业率(%)	**Registered Unemployment Rate in Urban Areas (%)**	**3.59**	**3.60**	**3.68**	**3.68**	**3.30**	**3.12**

4-2 按三次产业分就业人员数(年底数)
Number of Employed Persons at Year-end by Three Strata of Industry

年 份 Year	就业人员(万人) Total Employed Persons (10000 persons)				构成(合计=100) Composition in Percentage		
		第一产业 Primary Industry	第二产业 Secondary Industry	第三产业 Tertiary Industry	第一产业 Primary Industry	第二产业 Secondary Industry	第三产业 Tertiary Industry
1978	2109.39	1621.61	292.83	194.95	76.88	13.88	9.24
1979	2141.50	1614.32	315.89	211.29	75.38	14.75	9.87
1980	2182.80	1637.42	321.01	224.37	75.01	14.71	10.28
1981	2264.23	1699.67	325.26	239.3	75.07	14.36	10.57
1982	2346.57	1741.5	345.68	259.39	74.22	14.73	11.05
1983	2489.26	1835.05	351.74	302.47	73.72	14.13	12.15
1984	2533.57	1762.57	425.77	345.23	69.6	16.8	13.63
1985	2555.43	1603.36	557.49	394.58	62.74	21.82	15.44
1986	2626.41	1602.21	607.42	416.78	61.00	23.13	15.87
1987	2725.75	1615.62	653.23	456.90	59.27	23.97	16.76
1988	2808.33	1659.62	690.33	458.38	59.10	24.58	16.32
1989	2857.92	1739.11	674.31	444.50	60.85	23.60	15.55
1990	2955.47	1820.51	680.14	454.82	61.60	23.01	15.39
1991	3040.30	1905.27	690.04	444.99	62.67	22.70	14.63
1992	3106.28	1874.64	722.61	509.03	60.35	23.26	16.39
1993	3171.37	1857.14	778.68	535.55	58.56	24.55	16.89
1994	3210.37	1780.48	832.60	597.29	55.46	25.93	18.61
1995	3252.01	1729.29	879.08	643.64	53.18	27.03	19.79
1996	3300.16	1635.17	942.08	722.91	49.55	28.55	21.90
1997	3324.23	1634.03	940.24	749.96	49.16	28.28	22.56
1998	3367.18	1650.22	932.60	784.36	49.01	27.70	23.29
1999	3322.30	1653.25	879.69	789.36	49.76	26.48	23.76
2000	3385.71	1678.12	886.99	820.60	49.56	26.20	24.24
2001	3409.16	1676.34	899.68	833.14	49.17	26.39	24.44
2002	3435.00	1662.59	929.12	843.29	48.40	27.05	24.55
2003	3470.23	1672.26	942.84	855.13	48.19	27.17	24.64
2004	3516.71	1612.85	992.74	911.12	45.86	28.23	25.91
2005	3568.97	1564.72	1043.56	960.69	43.84	29.24	26.92
2006	3609.99	1524.89	1082.66	1002.44	42.24	29.99	27.77
2007	3664.97	1481.52	1134.51	1048.94	40.42	30.96	28.62
2008	3725.66	1481.37	1170.06	1074.23	39.76	31.41	28.83
2009	3792.49	1479.22	1203.36	1109.91	39.00	31.73	29.27
2010	3865.14	1464.21	1250.85	1150.08	37.88	32.36	29.76
2011	3962.42	1439.63	1319.83	1202.96	36.33	33.31	30.36
2012	4085.74	1426.27	1400.79	1258.68	34.91	34.28	30.81
2013	4183.93	1404.49	1438.07	1341.37	33.57	34.37	32.06
2014	4202.66	1398.88	1437.79	1365.99	33.29	34.21	32.50
2015	4212.50	1387.83	1437.43	1387.24	32.95	34.12	32.93
2016	4223.95	1380.33	1439.74	1403.88	32.68	34.08	33.24
2017	4206.66	1366.90	1396.58	1443.18	32.49	33.20	34.31
2018	4196.09	1360.05	1367.67	1468.37	32.41	32.59	34.99
2019	4182.46	1331.15	1390.79	1460.52	31.83	33.25	34.92

注：1999年起资料不包括离开本单位仍保留劳动关系职工人数。

a) Since 1999, the data exclude those staff and workers who still keep their relation with their units, but have left their working post at there.

4-3 按登记注册类型分城镇非私营单位就业人员数(年底数)
Number of Employed Person in Urban Non-Private Units at Year-end by Status of Registration

单位：万人 (10000 persons)

年份 Year	就业人员数 Number of Employed Persons	国有单位 State-owned Units	城镇集体单位 Urban Collective-owned Units	股份合作单位 Cooperative Units	联营单位 Joint Ownership Units	有限责任公司 Limited Liability Corporations	股份有限公司 Share Holding Corporations Ltd.	港澳台商投资单位 Units with Funds from Hong Kong, Macao and Taiwan	外商投资单位 Foreign Funded Units
1995	698.02	535.14	132.79	12.64	1.25			8.82	7.08
2000	548.81	426.05	60.10	5.82	0.53	26.23	17.93	4.95	6.86
2005	495.55	347.52	37.72	6.69	0.59	53.42	24.65	8.46	12.12
2006	501.22	344.90	35.96	6.86	0.63	56.24	27.91	9.52	14.00
2007	498.50	339.44	32.68	7.74	0.77	57.88	29.39	9.86	15.01
2008	501.02	334.80	28.31	7.82	1.31	61.32	36.23	9.16	15.94
2009	503.06	328.84	27.24	6.39	1.60	66.34	39.12	11.08	16.52
2010	519.58	330.00	25.91	6.09	1.59	70.99	47.59	9.21	22.06
2011	555.42	322.49	22.21	5.68	2.76	108.29	54.19	10.98	25.93
2012	619.95	332.41	21.14	5.67	3.72	153.68	58.39	14.20	28.80
2013	653.36	298.94	18.00	4.36	3.44	215.24	62.14	19.64	29.39
2014	656.18	293.49	15.58	3.91	3.46	221.85	65.97	19.41	29.61
2015	643.65	288.22	14.39	3.72	3.48	219.53	68.62	18.49	24.21
2016	639.62	286.36	13.96	3.63	3.58	220.10	69.04	16.82	22.87
2017	535.32	282.69	13.75	3.73	0.16	125.88	56.31	22.20	28.30
2018	550.34	273.96	11.33	2.92	0.10	160.26	66.22	14.18	18.35
2019	576.03	262.66	12.10	2.92	0.61	187.06	63.33	12.74	19.10

注：1995年就业人员数为职工年末人数。

a) Employed Person in 1995 was staff and workers at year-end.

4-4 按登记注册类型和行业分城镇非私营单位就业人员数(2019年底)
Number of Employed Persons in Urban Non-Private Units at Year-end by Status of Registration and Sector in Detail (2019)

单位：万人 (10000 persons)

项　目	Item	就业人员 Employed Persons	国有单位 State-owned Units	城镇集体单位 Urban Collective-owned Units	其他单位 Units of Other Types of Ownership
总　计	**Total**	**576.03**	**262.66**	**12.10**	**301.27**
农、林、牧、渔业	Agriculture, Forestry, Animal Husbandry and Fishery	2.65	0.71	1.24	0.70
采矿业	Mining	16.48	0.09	0.05	16.34
制造业	Manufacturing	95.07	1.36	1.66	92.05
电力、热力、燃气及水生产和供应业	Production and Supply of Electricity, Heat, Gas and Water	18.72	7.61	0.02	11.09
建筑业	Construction	43.21	3.18	1.36	38.67
批发和零售业	Wholesale and Retail Trades	20.57	1.53	0.84	18.20
交通运输、仓储和邮政业	Transport, Storage and Post	27.47	8.88	0.33	18.26
住宿和餐饮业	Hotels and Catering Services	4.49	1.16	0.12	3.21
信息传输、软件和信息技术服务业	Information Transmission, Software and Information Technology	10.12	0.82	0.02	9.28
金融业	Financial Intermediation	37.05	0.86	0.22	35.97
房地产业	Real Estate	10.42	0.43	0.28	9.71
租赁和商务服务业	Leasing and Business Services	16.11	2.77	1.03	12.30
科学研究和技术服务业	Scientific Research and Technical Services	16.38	4.32	0.09	11.96
水利、环境和公共设施管理业	Management of Water Conservancy, Environment	9.05	5.47	0.18	3.41
居民服务、修理和其他服务业	Services to Households, Repair and Other Services	2.51	0.35	0.07	2.09
教　育	Education	95.99	83.44	1.70	10.85
卫生和社会工作	Health and Social Service	45.33	37.31	2.58	5.44
文化、体育和娱乐业	Culture, Sports and Entertainment	5.18	3.62	0.20	1.36
公共管理、社会保障和社会组织	Public Management, Social Security and Social Organization	99.24	98.75	0.11	0.38

4-5 按行业分城镇非私营单位就业人员数(年底数)

Number of Employed Persons in Urban Non-Private Units at Year-end by Sector

单位：人 (person)

年份 市	Year City	就业人员 Employed Persons	农、林、牧、渔业 Agriculture, Forestry, Animal Husbandry and Fishery	采矿业 Mining	制造业 Manufacturing	电力、热力、燃气及水生产和供应业 Production and Supply of Electricity, Heat, Gas and Water	建筑业 Construction	批发和零售业 Wholesale and Retail Trades
	2005	4955531	85056	275921	1203315	174403	339374	270288
	2006	5012171	82405	276510	1213562	181156	358075	252680
	2007	4984975	78925	266949	1222293	184323	338382	236891
	2008	5010177	74899	280926	1163827	195040	345598	231690
	2009	5030626	70711	270216	1169822	198460	339425	221463
	2010	5195833	66360	277623	1196714	199376	365283	225492
	2011	5554236	57072	284170	1305766	202074	506197	234736
	2012	6199464	55239	287978	1453747	212466	814008	263272
	2013	6533580	52407	282686	1503358	196189	906173	288563
	2014	6561790	45579	272604	1477010	192078	890488	282444
	2015	6436468	41712	246381	1408507	187123	843639	271404
	2016	6396210	38868	227719	1363240	187943	818486	268764
	2017	5353159	34586	198094	1025542	178587	382765	177737
	2018	5503377	25427	180508	983734	178383	481235	189728
	2019	5760277	26534	164847	950671	187187	432055	205701
石家庄市	Shijiazhuang	1030634	1042	50	167474	22406	70903	60508
承德市	Chengde	270923	2979	5266	33196	8382	21029	6617
张家口市	Zhangjiakou	353951	2958	4136	41439	13931	11934	11307
秦皇岛市	Qinhuangdao	275565	360	284	60463	10978	15545	7259
唐山市	Tangshan	779209	13586	78781	176441	26307	36583	29756
廊坊市	Langfang	390771	157		79527	13579	47936	9237
保定市	Baoding	737444	1491	286	122231	17963	87112	22554
沧州市	Cangzhou	475612	524	18052	60742	13945	38248	13726
衡水市	Hengshui	229766	202		26455	12844	13782	13258
邢台市	Xingtai	398845	660	20855	59809	19446	20350	9641
邯郸市	Handan	621340	2142	37137	93022	25860	66178	17832
定州市	Dingzhou	41262	424		10774	288	112	2758
辛集市	Xinji	38747	9		16615	1206	1628	1176
雄安新区	Xiongan New Area	38865			2483	52	715	72

4-5 续表 1 continued

单位：人 (person)

年份 市	Year City	交通运输、仓储和邮政业 Transport, Storage and Post	住宿和餐饮业 Hotels and Catering Services	信息传输、软件和信息技术服务业 Information Transmission, Software and Information Technology	金融业 Financial Intermediation	房地产业 Real Estate	租赁和商务服务业 Leasing and Business Services
	2005	255651	50559	46612	181202	29160	47333
	2006	257107	50138	52728	190608	28707	54441
	2007	250928	48853	55957	196160	29264	50068
	2008	256907	47748	55823	221543	32133	47630
	2009	254790	45261	60454	234191	32804	51344
	2010	251018	45294	62510	242448	41637	49195
	2011	243789	52683	58589	238344	48988	51101
	2012	243019	67824	65019	246544	68395	51580
	2013	275895	69333	86275	256396	91472	114896
	2014	289603	62678	85587	276627	105257	137689
	2015	291791	58072	88465	299102	109780	134382
	2016	286719	54220	84213	321685	121285	126147
	2017	242689	33612	75299	346430	63482	97656
	2018	245802	41049	83758	361434	83213	107371
	2019	274703	44919	101197	370462	104200	161055
石家庄市	Shijiazhuang	54469	15528	46184	81098	34279	56629
承德市	Chengde	8814	2139	6456	15459	4538	6007
张家口市	Zhangjiakou	12942	3333	6524	25274	10507	9197
秦皇岛市	Qinhuangdao	15416	3080	4685	22489	4229	4238
唐山市	Tangshan	29616	5031	6932	50636	9761	17868
廊坊市	Langfang	8988	1840	4649	14454	15791	6278
保定市	Baoding	15778	4587	9524	57212	8824	21621
沧州市	Cangzhou	15118	1891	4037	42370	3739	13340
衡水市	Hengshui	3784	1785	3241	9384	1590	3091
邢台市	Xingtai	9266	1604	3346	23826	4746	5131
邯郸市	Handan	21624	3911	5073	25664	5707	15020
定州市	Dingzhou	500	16	235	483	332	1441
辛集市	Xinji	543		90	431	100	915
雄安新区	Xiongan New Area	502	174	221	1682	57	279

4-5 续表 2 continued

单位：人 (person)

年份 市	Year City	科学研究和技术服务业 Scientific Research and Technical Services	水利、环境和公共设施管理业 Management of Water Conservancy, Environment and Public Facilities	居民服务、修理和其他服务业 Services to Households, Repair and Other Services	教育 Education	卫生和社会工作 Health and Social Service	文化、体育和娱乐业 Culture, Sports and Entertainment	公共管理、社会保障和社会组织 Public Management, Social Security and Social Organization
	2005	75571	85813	20935	839606	228385	48679	697668
	2006	74749	88870	20723	839490	233178	47400	709644
	2007	74111	91068	21386	828680	237553	46873	726311
	2008	81732	88532	21773	826673	245897	46746	745060
	2009	84096	92543	19455	824768	257818	47165	755840
	2010	88780	101110	20344	863053	278163	49843	771590
	2011	99997	101307	20561	887923	300116	50859	809964
	2012	125263	112545	21569	898513	322273	52299	837911
	2013	139734	114872	14368	897280	336961	52785	853937
	2014	144762	114396	15216	899082	354472	52686	863532
	2015	148112	117606	17013	890717	364528	54861	863273
	2016	163514	118743	25277	881037	377419	55019	875912
	2017	141062	122466	22496	881687	392093	49960	886916
	2018	159294	122128	19646	879400	396097	51349	913821
	2019	163756	90527	25084	959900	453302	51821	992356
石家庄市	Shijiazhuang	34423	15017	3927	146559	69923	15324	134891
承德市	Chengde	6728	3920	321	50406	25777	3809	59080
张家口市	Zhangjiakou	6789	10463	3383	53724	27012	3862	95236
秦皇岛市	Qinhuangdao	5870	5347	888	44343	22430	3220	44441
唐山市	Tangshan	7967	15650	747	105691	56504	5527	105825
廊坊市	Langfang	9776	3819	858	67753	31765	1829	72535
保定市	Baoding	60073	4107	9115	123336	54687	3662	113281
沧州市	Cangzhou	16060	3745	2888	88354	41011	4405	93417
衡水市	Hengshui	2531	6060	1981	50218	23924	1921	53715
邢台市	Xingtai	4572	8372	293	82150	36172	2451	86155
邯郸市	Handan	8294	12529	541	116408	52757	5218	106423
定州市	Dingzhou	177	18	94	10384	5531	129	7566
辛集市	Xinji	260	1104	34	7585	2398	348	4305
雄安新区	Xiongan New Area	236	376	14	12989	3411	116	15486

4-6 分市按行业分工商登记注册的私营企业和个体就业人数(2019年底)

Number of Industrial and Commercial Registered Employed Persons in Private Enterprises and Self-employed Individuals at Year-end by Sector and City (2019)

单位：万人 (10000 persons)

市	City	私营企业和个体就业人数 Employed Persons	#制造业 Manufacturing	#建筑业 Construction	#批发和零售业 Wholesale and Retail Trades	#交通运输、仓储和邮政业 Transport, Storage and Post	#住宿和餐饮业 Hotels and Catering Services	#租赁和商务服务业 Leasing and Business Services	#居民服务、修理和其他服务业 Services to Household, Repair and Other Services
全省总计	**Total**	**1811.48**	**405.38**	**119.08**	**639.30**	**75.22**	**136.92**	**83.25**	**108.28**
石家庄市	Shijiazhuang	319.53	48.14	21.80	115.01	19.23	23.23	19.26	19.46
承德市	Chengde	72.54	7.49	6.56	24.63	4.27	8.19	3.39	5.07
张家口市	Zhangjiakou	87.57	8.07	8.44	31.72	3.52	9.39	5.22	7.19
秦皇岛市	Qinhuangdao	76.25	10.96	5.44	24.80	4.47	7.01	6.30	4.88
唐山市	Tangshan	186.60	38.15	9.59	66.67	15.25	12.28	9.51	11.67
廊坊市	Langfang	148.54	45.89	12.14	40.06	2.65	10.24	9.06	8.88
保定市	Baoding	196.91	41.48	14.13	73.32	4.64	17.78	7.76	11.52
沧州市	Cangzhou	172.63	62.96	11.32	50.72	4.40	10.92	7.03	8.73
衡水市	Hengshui	102.83	35.90	6.82	29.29	3.31	6.89	2.41	5.22
邢台市	Xingtai	178.74	52.20	10.11	67.07	3.77	11.43	4.55	9.19
邯郸市	Handan	210.09	31.69	10.33	97.51	7.99	15.44	7.17	13.56
定州市	Dingzhou	18.23	4.23	1.40	6.38	0.94	1.42	0.54	0.88
辛集市	Xinji	15.90	6.01	0.71	5.07	0.52	0.87	0.41	0.81
雄安新区	Xiongan New Area	25.13	12.21	0.29	7.04	0.25	1.82	0.66	1.22

4-7 分市按行业分工商登记注册的城镇私营企业和个体就业人数(2019年底)

Number of Industrial and Commercial Registered Employed Persons in Urban Private Enterprises and Self-employed Individuals at Year-end by Sector and City (2019)

单位：万人 (10000 persons)

市	City	私营企业和个体就业人数 Employed Persons	#制造业 Manufacturing	#建筑业 Construction	#批发和零售业 Wholesale and Retail Trades	#交通运输、仓储和邮政业 Transport, Storage and Post	#住宿和餐饮业 Hotels and Catering Services	#租赁和商务服务业 Leasing and Business Services	#居民服务、修理和其他服务业 Services to Household, Repair and Other Services
全省总计	**Total**	**1014.83**	**149.76**	**85.51**	**365.69**	**34.69**	**92.24**	**67.35**	**69.45**
石家庄市	Shijiazhuang	202.21	15.19	17.26	75.02	7.20	16.86	17.10	13.45
承德市	Chengde	42.04	3.00	4.21	14.95	2.42	4.91	2.68	3.41
张家口市	Zhangjiakou	63.45	4.74	6.43	23.49	2.24	7.28	4.43	5.36
秦皇岛市	Qinhuangdao	53.04	5.57	4.33	17.70	2.45	5.32	5.43	3.66
唐山市	Tangshan	107.48	20.61	7.13	36.45	6.99	8.06	6.98	6.63
廊坊市	Langfang	86.14	16.29	8.05	25.85	1.47	6.89	7.40	6.12
保定市	Baoding	105.47	12.53	9.79	41.75	2.47	11.02	5.83	7.05
沧州市	Cangzhou	90.30	21.74	7.66	29.82	2.38	7.79	5.17	6.17
衡水市	Hengshui	59.56	17.57	5.16	18.47	1.30	4.89	1.95	3.62
邢台市	Xingtai	70.80	13.85	6.18	25.08	1.30	6.66	3.27	4.31
邯郸市	Handan	109.44	11.79	7.67	48.48	4.03	10.15	5.97	8.10
定州市	Dingzhou	7.53	1.28	0.95	2.62	0.15	0.89	0.40	0.49
辛集市	Xinji	9.61	3.14	0.54	3.40	0.20	0.71	0.37	0.54
雄安新区	Xiongan New Area	7.76	2.46	0.16	2.62	0.10	0.82	0.37	0.53

4–8 分市工商登记注册的私营企业就业人数(2019年底)

Number of Industrial and Commercial Registered Persons in Private Enterprises at Year-end by City (2019)

单位：户、人 (household, person)

市	City	户数 Number of Households	私营企业就业人数 Number of Engaged Persons	城镇 Urban Area	乡村 Rural Area
全省总计	**Total**	**1567174**	**8280746**	**5560980**	**2690433**
石家庄市	Shijiazhuang	331061	1508544	1148629	357930
承德市	Chengde	56347	317180	207974	108997
张家口市	Zhangjiakou	69814	387627	295064	91408
秦皇岛市	Qinhuangdao	68986	398363	305336	91523
唐山市	Tangshan	120471	932330	645019	286545
廊坊市	Langfang	131660	775325	519778	254902
保定市	Baoding	189713	865930	530692	332802
沧州市	Cangzhou	133862	831953	512089	318810
衡水市	Hengshui	93391	460105	333585	125660
邢台市	Xingtai	146425	756770	400526	338775
邯郸市	Handan	180307	825850	548626	276753
定州市	Dingzhou	15762	67104	37559	29502
辛集市	Xinji	9926	67987	42833	24925
雄安新区	Xiongan New Area	19441	85176	32768	51901

4–9 分市工商登记注册的个体就业人数(2019年底)

Number of Industrial and Commercial Registered Persons in Self-employed Individuals at Year-end by City (2019)

单位：户、人 (household, person)

市	City	个体户数 Number of Households	个体就业人数 Number of Engaged Persons	城镇 Urban Area	乡村 Rural Area
全省总计	**Total**	**4369674**	**9834496**	**4587810**	**5237866**
石家庄市	Shijiazhuang	725896	1686800	873424	813305
承德市	Chengde	184193	408187	212447	195719
张家口市	Zhangjiakou	213135	488044	339423	148502
秦皇岛市	Qinhuangdao	187802	364130	225078	139034
唐山市	Tangshan	524726	933682	429821	498874
廊坊市	Langfang	262498	710090	341593	367931
保定市	Baoding	497514	1103128	524032	578627
沧州市	Cangzhou	341666	894276	390882	503323
衡水市	Hengshui	237127	568158	262045	305533
邢台市	Xingtai	431295	1030619	307458	722225
邯郸市	Handan	626733	1275046	545770	728942
定州市	Dingzhou	49381	115178	37761	77417
辛集市	Xinji	36397	91043	53221	37822
雄安新区	Xiongan New Area	51311	166115	44855	120612

4-10 城镇非私营单位就业人员工资总额和指数
Total Wage Bill of Employed Persons in Urban Non-Private Units and Related Indices

年份 Year 市 City		工资总额（万元）Total Wage Bill (10000 yuan)	国有单位 State-owned Units	城镇集体单位 Urban Collective-owned Units	其他单位 Units of Other Types of Ownership	指数（上年=100）Indices (preceding year=100)	国有单位 State-owned Units	城镇集体单位 Urban Collective-owned Units	其他单位 Units of Other Types of Ownership
	1995	3360002	2767436	441368	151198	116.0	115.7	113.9	129.6
	2000	4333810	3496900	330956	505954	107.3	107.0	96.4	118.3
	2005	7292085	5302184	350579	1639322	114.1	108.3	108.3	140.1
	2010	16295601	10544356	578163	5173082	116.6	111.1	116.7	129.4
	2011	19752516	11529150	561032	7662334	121.2	109.3	97.0	148.1
	2012	23983034	12954720	613616	10414698	121.4	112.4	101.1	154.3
	2013	27241454	11810500	606164	14824790	113.6	91.2	98.8	142.3
	2014	29654617	12684854	591250	16378513	108.9	107.4	97.5	110.5
	2015	32894839	15167871	603437	17123531	110.9	119.6	102.1	104.6
	2016	35187502	16741647	625841	17820014	107.0	110.4	103.7	104.1
	2017	33562526	18137994	673522	14751010	95.4	108.3	107.6	82.8
	2018	37723030	19421823	617805	17683402	112.4	107.1	91.7	119.9
	2019	41875408	19538825	616628	21719955	111.0	100.6	99.8	122.8
石家庄市	Shijiazhuang	7861426	3242470	67686	4551269	115.56	92.23	67.67	142.78
承德市	Chengde	1811862	1042345	14994	754523	109.71	107.27	53.85	115.72
张家口市	Zhangjiakou	2417230	1366412	74667	976151	112.98	106.65	110.38	123.44
秦皇岛市	Qinhuangdao	2127289	1054745	26962	1045581	103.29	100.09	208.18	105.32
唐山市	Tangshan	5870765	2305908	60750	3504108	103.74	100.40	105.20	106.05
廊坊市	Langfang	3576720	1428325	31244	2117152	104.72	95.99	81.92	112.06
保定市	Baoding	4969204	2180932	109024	2679248	103.77	96.70	242.90	107.66
沧州市	Cangzhou	3563351	1917519	22989	1622843	111.57	113.41	66.55	110.50
衡水市	Hengshui	1462136	904676	27693	529767	104.43	97.32	46.27	129.03
邢台市	Xingtai	2587512	1477229	40437	1069847	113.27	105.36	54.09	132.50
邯郸市	Handan	3908114	2098225	133101	1676788	106.51	101.46	139.34	111.37
定州市	Dingzhou	264250	161790	3321	99139	103.87	92.61	382.60	125.77
辛集市	Xinji	242014	146089	1456	94470	113.93	115.90	89.43	111.14
雄安新区	Xiongan New Area	261619	212161	2304	47154				

注：1995年工资总额为职工工资总额。

a) Total wage bill in 1995 refer to wages of staff and workers.

4-11 按行业分城镇非私营单位就业人员工资总额
Total Wage Bill of Employed Persons in Urban Non-Private Units by Sector

单位：万元 (10000 yuan)

年份 市	Year City	工资总额 Total Wage Bill	农、林、牧、渔业 Agriculture, Forestry, Animal Husbandry and Fishery	采矿业 Mining	制造业 Manufacturing	电力、热力、燃气及水生产和供应业 Production and Supply of Electricity, Heat, Gas and Water	建筑业 Construction	批发和零售业 Wholesale and Retail Trades
	2005	7292085	50917	604470	1580418	385999	437460	237622
	2006	8255426	55108	709357	1811382	472500	501175	244876
	2007	9912150	61263	819186	2107260	592344	564297	257708
	2008	12248069	72763	1049182	2489610	707464	665853	315917
	2009	13981981	80688	1148084	2794237	784688	716383	372886
	2010	16295601	82931	1343037	3304287	904256	895861	449422
	2011	19752516	74169	1629769	4280573	1039036	1552627	573830
	2012	23983034	75867	1798220	5351519	1234991	2627997	734004
	2013	27241454	72787	1755475	6080746	1252861	3276361	910805
	2014	29654617	76194	1655151	6489585	1341106	3417198	991020
	2015	32894839	82522	1395844	6826416	1425521	3335285	1035426
	2016	35187502	85387	1293743	6974713	1370650	3504546	1067724
	2017	33562526	81058	1233938	5978908	1510132	2000643	828401
	2018	37723030	59678	1390696	6464185	1633800	2676495	969908
	2019	41875408	72627	1419727	6572951	1881312	2671657	1158721
石家庄市	Shijiazhuang	7861426	4359	227	1125759	253487	456219	356280
承德市	Chengde	1811862	17168	30778	195048	90717	132981	39373
张家口市	Zhangjiakou	2417230	15295	20366	264933	146720	93280	50337
秦皇岛市	Qinhuangdao	2127289	2189	1868	446049	136500	90660	49124
唐山市	Tangshan	5870765	10978	689280	1326307	316105	251804	160087
廊坊市	Langfang	3576720	965		676629	190354	538691	66264
保定市	Baoding	4969204	4222	1571	918732	138064	439881	119412
沧州市	Cangzhou	3563351	2842	236673	402698	94433	182889	78852
衡水市	Hengshui	1462136	646		142409	98050	61287	70479
邢台市	Xingtai	2587512	2382	168071	340069	156144	91806	57188
邯郸市	Handan	3908114	9475	270892	584967	249706	320801	97190
定州市	Dingzhou	264250	2057		68628	2335	351	9386
辛集市	Xinji	242014	50		71341	8367	6379	4430
雄安新区	Xiongan New Area	261619			9381	331	4630	320

4-11 续表 1 continued

单位：万元 (10000 yuan)

年份 市	Year City	交通运输、仓储和邮政业 Transport, Storage and Post	住宿和餐饮业 Hotels and Catering Services	信息传输、软件和信息技术服务业 Information Transmission, Software and Information Technology	金融业 Financial Intermediation	房地产业 Real Estate	租赁和商务服务业 Leasing and Business Services
	2005	413311	47513	116694	359253	41830	55430
	2006	447825	52557	138153	429972	44478	66908
	2007	547668	56831	156948	528091	53326	71081
	2008	665467	65969	179337	709865	69708	80802
	2009	752167	70706	220856	856203	80551	95797
	2010	831459	79964	241485	1071814	113237	102438
	2011	932657	115575	273158	1250601	145845	120741
	2012	1106651	174222	328542	1468556	239178	139207
	2013	1287248	194912	604410	1672076	346224	432206
	2014	1522889	184241	710961	1966568	413561	521710
	2015	1703797	194353	837687	2161394	466879	532669
	2016	1704190	188556	929105	2321434	562600	485016
	2017	1639337	129684	634157	2575833	365411	447216
	2018	1851538	182961	728419	2682171	498129	567627
	2019	2387914	212648	928317	3063961	648746	837622
石家庄市	Shijiazhuang	405278	76463	441589	863476	190165	334104
承德市	Chengde	58200	10564	49248	112458	24429	28240
张家口市	Zhangjiakou	79362	14028	51773	176287	51521	37431
秦皇岛市	Qinhuangdao	133073	21375	38852	144474	30794	28392
唐山市	Tangshan	246378	28793	59685	370420	66321	92411
廊坊市	Langfang	67104	10704	52216	215817	119402	54836
保定市	Baoding	90484	18644	77452	328092	66684	90526
沧州市	Cangzhou	126528	7028	40214	313588	24491	75098
衡水市	Hengshui	17427	6273	29217	120582	11054	11490
邢台市	Xingtai	48220	5068	35348	203549	24637	22453
邯郸市	Handan	155649	12862	45595	186993	36342	53483
定州市	Dingzhou	2246	91	1242	5530	1341	4998
辛集市	Xinji	3565		659	4404	361	2526
雄安新区	Xiongan New Area	2481	757	5229	18292	1205	1637

4-11 续表 2 continued

单位：万元 (10000 yuan)

年份 市	Year City	科学研究和技术服务业 Scientific Research and Technical Services	水利、环境和公共设施管理业 Management of Water Conservancy, Environment and Public Facilities	居民服务、修理和其他服务业 Services to Households, Repair and Other Services	教育 Education	卫生和社会工作 Health and Social Service	文化、体育和娱乐业 Culture, Sports and Entertainment	公共管理、社会保障和社会组织 Public Management, Social Security and Social Organization
	2005	169272	103487	38634	1209363	347078	71292	1022043
	2006	191857	113875	46463	1345071	391935	72659	1119275
	2007	217560	133154	50730	1678771	471937	83737	1460259
	2008	295294	160527	64881	2117718	581603	100984	1855128
	2009	357795	187093	65713	2440257	706498	117603	2133778
	2010	431315	220109	69060	2885111	844231	132282	2293306
	2011	589353	241257	80587	3194162	987293	154636	2516646
	2012	697123	294998	89881	3460095	1193356	175464	2793163
	2013	839668	320135	40055	3664906	1312093	192286	2986200
	2014	913827	354581	47321	3991241	1540781	209002	3307680
	2015	1005375	425473	57603	5085252	1871490	252093	4199761
	2016	1191386	472730	89638	5605804	2179847	282580	4877852
	2017	1123448	514707	82571	6186385	2496896	293978	5439824
	2018	1414453	531223	77250	6802486	2815790	341738	6034483
	2019	1452149	408022	102821	7555587	3346543	372898	6781185
石家庄市	Shijiazhuang	319257	80426	18046	1184517	602343	151481	997950
承德市	Chengde	41187	20176	1331	372302	195566	22850	369247
张家口市	Zhangjiakou	51634	45039	15648	446013	187958	22053	647553
秦皇岛市	Qinhuangdao	46887	32230	3274	380567	199179	21398	320405
唐山市	Tangshan	60465	67729	3453	888862	439006	34294	758386
廊坊市	Langfang	88389	13997	4179	593310	275872	13566	594428
保定市	Baoding	586874	26641	41845	916708	389342	20436	693595
沧州市	Cangzhou	140211	19592	6240	757041	331440	26618	696875
衡水市	Hengshui	18725	20460	4751	357291	141020	10987	339989
邢台市	Xingtai	35016	22540	1229	590647	226873	13100	543173
邯郸市	Handan	56469	52414	2243	822189	293313	32249	625284
定州市	Dingzhou	1066	101	310	82553	31895	676	49445
辛集市	Xinji	2469	4556	208	75660	12411	2449	42180
雄安新区	Xiongan New Area	3501	2121	64	87929	20326	740	102676

4-12 城镇非私营单位就业人员平均工资和指数
Average Wage of Employed Persons in Urban Non-Private Units and Related Indices

年份 市	Year City	平均工资(元) Average Wage (yuan)				
		合计 Total	#在岗职工 Staff and Workers	国有单位 State-owned Units	城镇集体单位 Urban Collective-owned Units	其他单位 Units of Other Types of Ownership
	1995	4782	4839	5208	3303	5158
	2000	7738	7781	8093	5198	7870
	2005	14583	14707	15196	9009	14612
	2010	31451	32306	31977	21825	31953
	2011	35309	36166	35872	24788	35575
	2012	38658	39542	39177	28597	38822
	2013	41501	42532	39648	33057	43578
	2014	45114	46239	43351	36358	47004
	2015	50921	52409	52686	40637	49885
	2016	55334	56987	58761	43767	52925
	2017	63036	65266	64522	46587	62276
	2018	68717	71633	71164	50994	67000
	2019	72956	75775	74806	47914	72420
石家庄市	Shijiazhuang	76980	79581	81623	46020	74700
承德市	Chengde	66807	69365	70511	40026	63070
张家口市	Zhangjiakou	66657	70937	72793	39596	62547
秦皇岛市	Qinhuangdao	76608	80184	82372	61530	71981
唐山市	Tangshan	75454	77990	77574	25164	76733
廊坊市	Langfang	90852	91534	88305	63324	93265
保定市	Baoding	68470	71725	69901	72345	67203
沧州市	Cangzhou	75505	79779	79083	59899	71926
衡水市	Hengshui	63910	64590	66255	47664	61296
邢台市	Xingtai	65126	67415	68759	57660	60977
邯郸市	Handan	63575	66540	66630	53909	60944
定州市	Dingzhou	64734	65797	71481	45811	56774
辛集市	Xinji	62192	62832	86087	56634	43560
雄安新区	Xiongan New Area	67391	69949	66841	44061	71914

注：2012年起在岗职工平均工资包含劳务派遣人员。

a) Since 2012 average wage of staff and workers on-post include the labor dispatch personnel.

4-12 续表 continued

年份 Year / 市 City		平均货币工资指数(上年=100) Indices of Average Money Wage(preceding year=100)					平均实际工资指数(上年=100) Indices of Average Real Wage(preceding year=100)				
		合计 Total	#在岗职工 Staff and Workers	国有单位 State-owned Units	城镇集体单位 Urban Collective-owned Units	其他单位 Units of Other Types of Ownership	合计 Total	#在岗职工 Staff and Workers	国有单位 State-owned Units	城镇集体单位 Urban Collective-owned Units	其他单位 Units of Other Types of Ownership
	1995	115.7	115.6	114.9	119.6	105.4	98.4	99.6	99.0	103.0	90.7
	2000	111.3	110.8	110.0	107.5	110.7	110.8	110.2	109.5	107.0	110.2
	2005	114.0	113.8	112.6	114.2	118.4	112.4	112.2	110.4	112.2	115.0
	2010	113.2	113.8	108.5	118.2	115.1	110.1	110.7	105.5	115.0	112.0
	2011	112.3	112.0	112.2	113.6	111.3	106.6	106.3	106.5	107.9	105.7
	2012	109.5	109.3	109.2	115.4	109.1	106.6	106.5	106.3	112.3	106.3
	2013	107.4	107.6	101.2	115.6	112.3	104.5	104.7	98.5	112.6	109.3
	2014	108.7	108.7	109.3	110.0	107.9	106.9	106.9	107.5	108.2	106.1
	2015	112.9	113.3	121.5	111.8	106.1	111.6	112.1	120.2	110.6	105.0
	2016	108.7	108.7	111.5	107.7	106.1	107.1	107.1	109.9	106.1	104.5
	2017	113.9	114.5	109.8	106.4	117.7	111.8	112.4	107.8	104.5	115.5
	2018	109.0	109.8	110.3	109.5	107.6	106.4	107.1	107.6	106.8	105.0
	2019	106.2	105.8	105.1	94.0	108.1	103.3	102.9	102.3	91.4	105.2
石家庄市	Shijiazhuang	104.2	104.9	101.8	87.2	108.5	101.5	102.1	99.1	84.9	105.6
承德市	Chengde	108.7	105.8	107.4	71.0	112.0	105.2	102.4	104.0	68.7	108.4
张家口市	Zhangjiakou	104.0	104.6	107.4	100.1	101.0	101.7	102.2	105.0	97.8	98.7
秦皇岛市	Qinhuangdao	107.4	106.7	108.1	153.8	106.8	104.6	103.9	105.3	149.8	104.0
唐山市	Tangshan	105	104.6	107.9	58.3	105.5	101.8	101.5	104.7	56.5	102.3
廊坊市	Langfang	106.2	106.2	102.7	107.2	108.4	103.8	103.8	100.4	104.8	106.0
保定市	Baoding	102.9	101.4	102.9	153.8	100.9	99.8	98.4	99.8	149.2	97.9
沧州市	Cangzhou	107.3	108.1	109.7	103.9	104.5	104.2	105.0	106.5	100.9	101.5
衡水市	Hengshui	104.8	102.7	102.9	89.1	110.4	102.1	100.1	100.3	86.8	107.6
邢台市	Xingtai	105.8	104.9	106.8	88.3	107.3	102.9	102.0	103.9	85.9	104.4
邯郸市	Handan	106.2	106.1	105.1	101.8	108.6	103.5	103.4	102.4	99.2	105.8
定州市	Dingzhou	97.3	98.0	97.3	93.4	102.6					
辛集市	Xinji	109.6	110.2	107.1	100.5	110.2					
雄安新区	Xiongan New Area										

4-13 按登记注册类型城镇非私营单位就业人员平均工资
Average Wage of Employed Persons in Urban Non-Private Units by Status of Registration

单位：元 (yuan)

年 份 市	Year City	平均工资 Average Wage	国有单位 State-owned Units	城镇集体单位 Urban Collective-owned Units	股份合作单位 Coopera-tive Units	联营单位 Joint Ownership Units	有限责任公司 Limited Liability Corpora-tions	股份有限公司 Share-holding Corpora-tions Ltd.	其他内资 Others	港、澳、台商投资单位 Units with Funds from Hong Kong, Macao & Taiwan	外商投资单位 Foreign Funded Units
	1995	4839	5208	3303		4101				4787	4969
	2000	7738	8093	5198	5650	7093	7745	8099	8134	9041	8894
	2005	14583	15196	9009	10664	21742	15904	13248	8815	15582	15234
	2010	31451	31977	21825	33143	48222	33149	31588	21036	30252	31098
	2011	35309	35872	24788	40055	22133	35630	35927	25006	35196	36465
	2012	38658	39177	28597	47555	34556	37630	40865	29259	39093	40319
	2013	41501	39648	33057	56446	38087	41803	48870	32436	45721	43662
	2014	45114	43351	36358	59552	40956	44671	53693	41867	49765	47650
	2015	50921	52686	40637	65105	41137	46840	57907	44280	52939	52066
	2016	55334	58761	43767	62040	41347	50224	60242	47690	56178	55514
	2017	63036	64522	46587	75984	34011	60499	65929	50137	65120	60210
	2018	68717	71164	50994	79559	35550	65447	72114	64955	61212	65478
	2019	72956	74806	47914	76993	83751	70062	84928	52280	72077	70364
石家庄市	Shijiazhuang	76980	81623	46020	105236	43950	69835	92260	54283	74692	73039
承 德 市	Chengde	66807	70511	40026	89094	41229	61421	75468	53367	82468	46155
张家口市	Zhangjiakou	66657	72793	39596	37977	41730	58449	72621	54708	125277	59415
秦皇岛市	Qinhuangdao	76608	82372	61530	92619	43162	67621	78130	51607	63769	80967
唐 山 市	Tangshan	75454	77574	25164	84573	37022	77664	86062	43725	59070	65697
廊 坊 市	Langfang	90852	88305	63324	86518	126351	93772	126375	56263	114284	82163
保 定 市	Baoding	68470	69901	72345	69045	63217	66363	74588	42315	61279	66910
沧 州 市	Cangzhou	75505	79083	59899	51241	101034	62292	93133	59806	62304	57852
衡 水 市	Hengshui	63910	66255	47664	51000		47428	96421	63399	111137	50044
邢 台 市	Xingtai	65126	68759	57660	76293	68485	50836	78045	56097	60750	72163
邯 郸 市	Handan	63575	66630	53909	84889	30901	58390	66748	47692	84557	71764
定 州 市	Dingzhou	64734	71481	45811	35487		58944	78305	53477	57926	47802
辛 集 市	Xinji	62192	86087	56634		45636	40268	83721		42770	55986
雄安新区	Xiongan New Area	67391	66841	44061	93200		64516	86462	65289		66305

4-14 按登记注册类型和行业分城镇非私营单位就业人员平均工资(2019年)
Average Wage of Employed Persons in Urban Non-Private Units by Status of Registration and Sector in Detail (2019)

单位：元 (yuan)

项　目	Item	平均工资 Average Wage	国有单位 State-owned Units	城镇集体单位 Urban Collective-owned Units	其他单位 Units of Other Types of Ownership
总　计	**Total**	**72956**	**74806**	**47914**	**72420**
农、林、牧、渔业	Agriculture, Forestry, Animal Husbandry and Fishery	27537	46217	6522	46012
采矿业	Mining	82243	13516	43518	82714
制造业	Manufacturing	68754	69318	41332	69248
电力、热力、燃气及水生产和供应业	Production and Supply of Electricity, Heat, Gas and Water	100405	84659	40034	111479
建筑业	Construction	60547	47990	43932	62464
批发和零售业	Wholesale and Retail Trades	56341	104345	32224	53376
交通运输、仓储和邮政业	Transport, Storage and Post	87130	72236	35337	95414
住宿和餐饮业	Hotels and Catering Services	46577	43710	32125	48173
信息传输、软件和信息技术服务业	Information Transmission, Software and Information Technology	94052	106407	81360	92954
金融业	Financial Intermediation	86168	116100	116601	85232
房地产业	Real Estate	62631	56871	30644	63806
租赁和商务服务业	Leasing and Business Services	52085	49963	34880	54014
科学研究和技术服务业	Scientific Research and Technical Services	90917	82788	52970	94266
水利、环境和公共设施管理业	Management of Water Conservancy, Environment	44546	51086	27994	35145
居民服务、修理和其他服务业	Services to Households, Repair and Other Services	41923	54884	42118	39723
教　育	Education	79379	82751	85005	51808
卫生和社会工作	Health and Social Service	74784	77908	58143	61071
文化、体育和娱乐业	Culture, Sports and Entertainment	71743	69439	80084	76571
公共管理、社会保障和社会组织	Public Management, Social Security and Social Organization	68850	68889	55805	62326

4-15 按行业分城镇非私营单位就业人员平均工资
Average Wage of Employed Persons in Urban Non-Private Units by Sector

单位：元 (yuan)

年份 市	Year City	平均工资 Average Wage	农、林、牧、渔业 Agriculture, Forestry, Animal Husbandry and Fishery	采矿业 Mining	制造业 Manufacturing	电力、热力、燃气及水生产和供应业 Production and Supply of Electricity, Heat, Gas and Water	建筑业 Construction	批发和零售业 Wholesale and Retail Trades
	2005	14583	5988	21880	13099	22364	11619	8514
	2006	16456	6622	25719	14985	26282	13249	9539
	2007	19742	7677	30703	17195	32358	15112	10724
	2008	24276	9618	37249	21037	36434	18210	13465
	2009	27774	11330	42784	23870	39846	20066	16738
	2010	31451	12423	49514	27894	45478	23159	19780
	2011	35309	12878	57900	32695	51664	27425	24449
	2012	38658	13669	62061	36613	58708	31241	28151
	2013	41501	13859	61544	40169	63938	34670	32091
	2014	45114	15559	59363	43950	69985	37027	35398
	2015	50921	19685	54725	47678	75489	39182	37909
	2016	55334	21876	55184	50970	77162	42662	40256
	2017	63036	23327	60268	58479	84590	51771	46280
	2018	68717	23402	75134	65363	91575	55152	50568
	2019	72956	27537	82243	68754	100405	60547	56341
石家庄市	Shijiazhuang	76980	43720	46347	67875	113712	64797	59854
承德市	Chengde	66807	58021	58392	58387	109008	58945	59873
张家口市	Zhangjiakou	66657	51532	37730	63847	106830	42668	44412
秦皇岛市	Qinhuangdao	76608	57454	64647	74145	124113	57785	67673
唐山市	Tangshan	75454	8057	83156	74968	121973	68079	52234
廊坊市	Langfang	90852	61465		81080	141727	109339	72088
保定市	Baoding	68470	27378	55523	73934	75465	50830	52346
沧州市	Cangzhou	75505	54023	127066	66463	67155	50686	57422
衡水市	Hengshui	63910	37564		53933	75586	44624	53858
邢台市	Xingtai	65126	35925	76850	56807	79779	45325	59140
邯郸市	Handan	63575	48516	71381	62539	95228	49051	54497
定州市	Dingzhou	64734	48971		64457	83393	31348	34279
辛集市	Xinji	62192	45636		42111	68305	39791	37415
雄安新区	Xiongan New Area	67391			37767	63712	61482	43836

4-15 续表 1 continued

单位：元 (yuan)

年 份 Year 市 City		交通运输、仓储和邮政业 Transport, Storage and Post	住宿和餐饮业 Hotels and Catering Services	信息传输、软件和信息技术服务业 Information Transmission, Software and Information Technology	金融业 Financial Intermediation	房地产业 Real Estate	租赁和商务服务业 Leasing and Business Services
	2005	16034	9334	25436	19748	14072	11948
	2006	17510	10398	26628	22699	15593	12474
	2007	21953	11433	28605	27390	18304	14131
	2008	25666	13780	32113	32649	21868	17300
	2009	29787	15441	36830	36989	24945	18750
	2010	33141	17314	38840	45176	27894	21159
	2011	38548	21791	46842	53190	30640	23881
	2012	45696	25645	50628	60304	35670	26686
	2013	46599	27464	69718	65547	38716	37884
	2014	52425	28971	83469	73130	39631	38724
	2015	57090	32836	93983	74795	42697	40070
	2016	59527	34357	109196	75708	46867	39232
	2017	67700	38465	84317	77845	57196	45988
	2018	75091	42478	86861	77491	59580	51738
	2019	87130	46577	94052	86168	62631	52085
石家庄市	Shijiazhuang	77311	50938	97044	104989	56983	58776
承 德 市	Chengde	64912	49550	79406	73106	55483	48093
张家口市	Zhangjiakou	59955	41233	80206	70220	50956	41074
秦皇岛市	Qinhuangdao	85937	60689	81931	65411	70922	63631
唐 山 市	Tangshan	83626	47624	85706	80638	67868	52021
廊 坊 市	Langfang	73919	58556	111548	150228	72691	86546
保 定 市	Baoding	56010	42606	98289	64942	74632	41251
沧 州 市	Cangzhou	84408	37886	99910	75836	64417	58229
衡 水 市	Hengshui	47038	34809	90175	130148	68616	36862
邢 台 市	Xingtai	53182	31695	105233	86429	52835	44523
邯 郸 市	Handan	71675	33054	89192	80542	63836	35358
定 州 市	Dingzhou	44834	69692	52384	112396	42309	39826
辛 集 市	Xinji	66022		73167	104123	36837	31145
雄安新区	Xiongan New Area	49330	42506	246670	111469	325541	70552

4-15 续表 2 continued

单位：元 (yuan)

年份 市	Year City	科学研究和技术服务业 Scientific Research and Technical Services	水利、环境和公共设施管理业 Management of Water Conservancy, Environment and Public Facilities	居民服务、修理和其他服务业 Services to Households, Repair and Other Services	教育 Education	卫生和社会工作 Health and Social Service	文化、体育和娱乐业 Culture, Sports and Entertainment	公共管理、社会保障和社会组织 Public Management, Social Security and Social Organization
	2005	22310	11914	18600	14442	15210	14603	14732
	2006	25895	12929	22506	16060	16829	15290	15908
	2007	29277	14698	23838	20214	19920	17689	20147
	2008	36825	18069	29992	25592	23770	21340	25035
	2009	42809	20093	34617	29605	27678	24762	28395
	2010	49179	21663	34932	33588	30645	26208	29923
	2011	59318	23982	40374	36128	33150	30311	31284
	2012	58892	27314	41946	38701	37427	33453	33498
	2013	61114	27926	28024	41021	39382	36423	35150
	2014	63937	30674	31614	44646	43843	39789	38656
	2015	69744	36264	33368	57273	51967	45994	48923
	2016	74020	40292	35634	63967	58566	51507	56101
	2017	81947	42366	36813	70456	64190	58934	61994
	2018	93052	43298	39223	77715	71854	66123	66433
	2019	90917	44546	41923	79379	74784	71743	68850
石家庄市	Shijiazhuang	94783	54006	47190	81421	87098	97447	74406
承德市	Chengde	61008	51469	41597	74324	76537	60835	62835
张家口市	Zhangjiakou	77031	41963	46255	83244	71998	61878	68630
秦皇岛市	Qinhuangdao	78564	54981	36667	85628	85422	63122	72168
唐山市	Tangshan	76987	43369	46290	85143	79082	60676	71987
廊坊市	Langfang	91575	41781	51718	89682	87737	73210	82322
保定市	Baoding	103881	65025	45797	74754	72370	55775	61719
沧州市	Cangzhou	83768	51209	25305	85891	81831	60087	74697
衡水市	Hengshui	73983	29271	23994	72165	60602	58253	63542
邢台市	Xingtai	76471	26878	41810	72491	63477	53319	63756
邯郸市	Handan	69715	42641	41845	71503	56537	62233	60066
定州市	Dingzhou	59553	59588	33000	79157	58825	50081	65638
辛集市	Xinji	93886	40180	66968	100318	51818	70576	98644
雄安新区	Xiongan New Area	154216	44179	45786	67789	59798	63810	66461

4-16 年末城镇登记失业人员及登记失业率
Registered Unemployed Persons and Unemployment Rate in Urban Area at End of Year

年份 Year	登记失业人员（万人） Registered Unemployed Persons (10000 persons)	登记失业率（%） Registered Unemployment Rate (%)	年份 Year	登记失业人员（万人） Registered Unemployed Persons (10000 persons)	登记失业率（%） Registered Unemployment Rate (%)
1978	32.10	6.70	1999	16.20	2.50
1979	9.80	2.10	2000	17.40	2.80
1980	8.10	1.70	2001	19.54	3.20
1981	7.44	1.50	2002	22.16	3.60
1982	6.33	1.20	2003	25.69	3.90
1983	6.70	1.30	2004	28.01	4.00
1984	5.19	1.00	2005	27.82	3.93
1985	3.60	0.60	2006	28.69	3.84
1986	3.23	0.50	2007	29.29	3.83
1987	3.21	0.50	2008	32.24	3.96
1988	4.13	0.60	2009	34.50	3.93
1989	7.28	1.10	2010	35.14	3.86
1990	7.67	1.10	2011	35.99	3.75
1991	6.05	0.90	2012	36.83	3.69
1992	18.38	2.50	2013	37.17	3.68
1993	14.71	2.00	2014	38.30	3.59
1994	16.45	2.30	2015	39.41	3.60
1995	17.48	2.50	2016	39.73	3.68
1996	15.64	2.40	2017	39.92	3.68
1997	15.53	2.30	2018	38.04	3.30
1998	15.86	2.30	2019	36.00	3.12

4-17 分行业城镇私营单位就业人员平均工资

单位：元

行 业	Sector	2009	2010
全省总计	**Total**	**15111**	**17914**
农、林、牧、渔业	Agriculture, Forestry, Animal Husbandry and Fishery	13259	14324
采矿业	Mining	17408	18554
制造业	Manufacturing	14913	17782
电力、热力、燃气及水生产和供应业	Production and Distribution of Electricity, Thermal, Gas and Water	13661	18972
建筑业	Construction	16456	19591
批发和零售业	Wholesale and Retail Trades	13173	16415
交通运输、仓储和邮政业	Traffic, Transport, Storage and Post	18218	23119
住宿和餐饮业	Hotels and Catering Services	13089	15708
信息传输、软件和信息技术服务业	Information Transmission, Software and Information Technology Services	15696	17894
金融业	Financial Intermediation	17960	19627
房地产业	Real Estate	16839	18990
租赁和商务服务业	Leasing and Business Services	17949	18664
科学研究和技术服务业	Scientific Research and Technical Service	19553	20230
水利、环境和公共设施管理业	Management of Water Conservancy, Environment and Public Facilities	13746	17054
居民服务、修理和其他服务业	Services to Households, Repair and Other Services	15827	18446
教 育	Education	15906	17561
卫生和社会工作	Health and Social Work	14983	17047
文化、体育和娱乐业	Culture, Sports and Entertainment	12351	15855
公共管理、社会保障和社会组织	Public Management, Social Security and Social Organization		

Average Wage of Employed Persons in Urban Private Units by Sector

(yuan)

2011	2012	2013	2014	2015	2016	2017	2018	2019
21729	**25158**	**28135**	**31459**	**34084**	**36507**	**38136**	**39512**	**42919**
20351	22213	24198	27473	29148	31330	34654	33259	33246
23898	25338	27096	31140	34986	35316	36664	37159	43948
22159	25677	28983	32692	35035	37333	39040	40363	45474
22424	24391	27760	30409	33009	35800	42490	47883	44582
22670	26586	28852	31565	33813	36976	38191	41751	42582
19731	23100	24783	27518	29791	33168	33224	34196	37630
26010	23034	25345	28033	31529	33440	34412	37121	38172
18856	25719	27827	32033	34832	37335	42182	44156	50955
18638	28904	30108	34049	36950	39190	42479	43724	48391
21833	25611	29054	32544	34564	37756	41474	45684	45750
21833	25891	29993	33914	36766	40386	41264	40842	42319
20673	23894	27953	31491	32821	34692	37370	37395	41078
22348	28733	31978	34841	37431	42141	42280	42860	45951
18668	21438	23851	27122	32871	36001	36961	37634	35802
20621	21601	24149	27185	30928	33889	36534	35881	36345
20867	22185	25815	29306	32964	35583	37817	42262	40860
20810	25230	29717	30915	35435	40226	42559	41185	46078
18438	21939	23901	26507	30657	33065	34564	36965	41382

主要统计指标解释

就业人员 指在一定年龄以上，有劳动能力，为取得劳动报酬或经营收入而从事一定社会劳动的人员。具体指年满16周岁，为取得报酬或经营利润，在调查周内从事了1小时（含1小时）以上劳动的人员；或由于学习、休假等原因在调查周内暂时处于未工作状态，但有工作单位或场所的人员；或由于临时停工放假、单位不景气放假等原因在调查周内暂时处于未工作状态，但不满三个月的人员。

单位就业人员 指报告期末最后一日在本单位工作，并取得工资或其他形式劳动报酬的人员数。该指标为时点指标，不包括最后一日当天及以前已经与单位解除劳动合同关系的人员，是在岗职工、劳务派遣人员及其他就业人员之和。就业人员不包括：

(1)离开本单位仍保留劳动关系，并定期领取生活费的人员；

(2)在本单位实习的各类在校学生；

(3)本单位以劳务外包形式使用的人员，如：建筑业整建制使用的人员。

城镇私营和个体就业人员 城镇私营就业人员指在工商管理部门注册登记，其经营地址设在县城关镇(含县城关镇)以上的私营企业就业人员，包括私营企业投资者和雇工。城镇个体就业人员指在工商管理部门注册登记，并持有城镇户口或在城镇长期居住，经批准从事个体工商经营的就业人员，包括个体经营者和在个体工商户劳动的家庭帮工和雇工。

在岗职工 指在本单位工作且与本单位签订劳动合同，并由单位支付各项工资和社会保险、住房公积金的人员，以及上述人员中由于学习、病伤、产假等原因暂未工作仍由单位支付工资的人员。在岗职工还包括：

(1)应订立劳动合同而未订立劳动合同人员(如使用的农村户籍人员)；

(2)处于试用期人员；

(3)编制外招用的人员，如临时人员；

(4)派往外单位工作，但工资仍由本单位发放的人员(如挂职锻炼、外派工作等情况)。

工资总额 指根据《关于工资总额组成的规定》(1990年1月1日国家统计局发布的一号令)进行修订，本单位在报告期内(季度或年度)直接支付给本单位全部就业人员的劳动报酬总额。包括计时工资、计件工资、奖金、津贴和补贴、加班加点工资、特殊情况下支付的工资，是在岗职工工资总额、劳务派遣人员工资总额和其他就业人员工资总额之和。

工资总额是税前工资，包括单位从个人工资中直接为其代扣或代缴的房费、水费、电费、住房公积金和社会保险基金个人缴纳部分等。

工资总额不论是计入成本的还是不计入成本的，不论是以货币形式支付的还是以实物形式支付的，均应列入工资总额的计算范围。

平均工资 指单位就业人员在一定时期内平均每人所得的工资额。它表明一定时期工资收入的高低程度，是反映就业人员工资水平的主要指标。计算公式为：

$$\text{平均工资}=\frac{\text{报告期就业人员工资总额}}{\text{报告期就业人员平均人数}}$$

平均货币工资指数 指报告期就业人员平均工资与基期就业人员平均工资的比率，是反映不同时期就业人员货币工资水平变动情况的相对数。计算公式为：

$$\text{平均货币工资指数}=\frac{\text{报告期就业人员平均工资}}{\text{基期就业人员平均工资}}\times 100\%$$

平均实际工资指数 就业人员平均实际工资指扣除物价变动因素后的就业人员平均工资。就业人员平均实际工资指数是反映实际工资变动情况的相对数，表明就业人员实际工资水平提高或降低的程度。计算公式为:

$$\text{平均实际工资指数}=\frac{\text{报告期就业人员平均工资指数}}{\text{报告期城镇居民消费价格指数}}\times 100\%$$

城镇登记失业人员 指有非农业户口，在一定的劳动年龄内(16周岁至退休年龄)，有劳动能力，无业而要求就业，并在当地劳动保障部门进行失业登记的人员。

城镇登记失业率 城镇登记失业人员与城镇单位就业人员(扣除使用的农村劳动力、聘用的离退休人员、港澳台及外方人员)、城镇单位中的不在岗职工、城镇私营业主、个体户主、城镇私营企业和个体就业人员、城镇登记失业人员之和的比。

Explanatory Notes on Main Statistical Indicators

Employed Persons refers to persons above a specified age who had labour capacity and performed some social work for compensation or business gains. Specifically, it refers to persons, aged 16 and over, who performed some work for compensation or business gains for one hour or more during the reference period; or persons who do not work for the reasons of study or on holiday, but had work units or sites during the reference period; or persons temporary absence from a job for disorganization or suspension of work, recession, etc, but not exceeding three months during the reference period.

Persons Employed in Various Units refer to the total number of employees who work at his unit and obtain wages or other forms of payment at the end of the reporting period. This indicator is a kind of time point index and it equals to the sum of the number of employed staff and workers, labor dispatch personnel and other employed persons. Employed persons do not include:

1)persons who have left their working units while keeping their labour contract (employment relation) unchanged and receiving regular alimony;

2)all kinds of enrolled students who do internship in various units;

3)persons employed due to labor outsourcing, for example, persons employed in the organizational system of construction industry.

Persons Employed in Private Enterprises and Self-Employed Individuals in Urban Areas Persons employed in private enterprises refer to the persons employed in the private enterprises which have been registered at the departments of industrial and commercial administration for which the business operation are situated at a county town (i.e. a town where the county government is located), or at urban areas with administrative hierarchy higher than a county town. The self-employed individuals in urban areas refer to persons who hold the certificates of residence in urban areas or have resided in the urban areas for a long time and have been registered at the departments of industrial and commercial administration and approved to be engaged in individual industrial or commercial business, including self-employed persons as well as helpers and hired laborers who work in individual households.

Employed Staff and Workers refer to persons who signed labor contracts with working units and working units would pay wages, social insurance and housing funds for them. Persons who have their work posts but are temporarily absent from work for reasons of study or on sick, injury or maternal leave and still receive wages from their working units are also included. Employed staff and workers also include:

1)Persons who should have signed the labor contracts but not (like people with rural household registration);

2)Employees on probation;

3)Employees beyond the staffing quota, for example, temporary employees;

4)Employees who are sent to other working units but still obtain wages from their original units (situations like on-the-job placement, expatriated assignment, etc.)

Total Wage Bill It is revised according to the "Provision of Composition of Total Wages" (Order No.1 by National Bureau of Statistics on January, 1st,1990), total wage bill refers to the total remuneration payment to all employed persons in various units during the reporting period (by quarter or by year), including hourly-paid wages, piece-rate wages, bonuses, allowance and subsidies, overtime wages and wages paid under special circumstances. It equals to the sum of total wages of employed staff and workers, dispatch labors and other employed persons.

Total wage bill is pre-tax wages, including the room charges, utility bills, housing funds and social insurance paid or withheld by employee's units.

Total wage bill, whether or not included in cost, whether or not paid in money or in kind, shall be included in the calculation of total wage.

Average Wage refers to the average per capita wage during a certain period of time for employed persons. It shows the general level of wage income during a certain period of time, one major indicator to reflect the wage level. It is calculated as follows:

$$\text{Average Wage} = \frac{\text{Total Wage Bill of Employed Persons at Reference Time}}{\text{Average Number of Persons Employed at Reference Time}}$$

Average Money Wage Indices refers to the ratio of average wage of employed persons the reporting period to that at the base period, which reflects the change of money wage of employed persons at the different period. It is calculated as follows:

$$\text{Average Money Wage Indices} = \frac{\text{Average Wage of Employed Persons at Reference Time}}{\text{Average Wage of Persons Employed at Base Period}} \times 100\%$$

Average Real Wage Indices average real wage of employed persons refers to the average wage of employed persons after removing the effects of the price changes and average real wage indices of employed persons refers to the change of real wage, which reflects the relative increasing or decreasing level of real wage of employed persons ,which is calculated as follows:

$$\text{Average Real Wage Indices} = \frac{\text{Average Wage Indices of Employed Persons at the Reference Time}}{\text{Average Wage of Persons Employed at Base Period}} \times 100\%$$

Registered Unemployed Persons in Urban Areas refer to the persons with non-agricultural household registration at certain working ages (16 years old to retirement age), who are capable of working, unemployed and willing to work, and have been registered at the local employment service agencies to apply for a job.

Registered Unemployment Rate in Urban Areas refers to the ratio of the number of the registered unemployed persons to the sum of the number of persons employed in various units (minus the employed rural labour force, re-employed retirees, and Hong Kong, Macao, Taiwan or foreign employees), laid-off staff and workers in urban units, owners of private enterprises in urban areas, owners of self-employed individuals in urban areas, employees of private enterprises in urban areas, employee of self-employed individuals in urban areas, and the registered unemployed persons in urban areas.

价 格

Price

简 要 说 明

一、本篇资料反映生产、流通、消费与投资等环节的价格变动情况。主要包括居民消费价格指数、商品零售价格指数、农业生产资料价格指数、工业生产者出厂价格指数、工业生产者购进价格指数、农产品生产者价格指数和固定资产投资价格指数。

二、居民消费价格指数、商品零售价格指数采用抽样调查和重点调查相结合的方法进行统计。

三、农业生产资料价格指数采用抽样调查和重点调查相结合的方法进行统计。

四、工业生产者出厂价格指数和工业生产者购进价格指数均采用重点调查与典型调查相结合的方法统计。

五、农产品生产者价格指数采用抽样调查和重点调查相结合的调查方法进行统计。

六、固定资产投资价格指数采用重点调查与典型调查相结合的方法统计。

七、本篇资料由国家统计局河北调查总队消费价格调查处、生产价格调查处和农业调查处整理提供。

八、资料整理：郄兰霞　崔荣伟　李彩芳

Brief Introduction

Ⅰ.The data in this chapter reflects the price changes of production, circulation, consumption and investment. They include the consumer price index, the retail price index, the price index for the means of agricultural production, the producer price index, the purchasing price index for industrial producers, the producer price index for agricultural products and the fixed asset investment price index.

Ⅱ. Consumer price Index (CPI) and retail price Index (RPI) shall be collected by means of sampling survey and key survey.

Ⅲ.The price index of means of agricultural production shall be counted by means of sampling survey and key survey.

Ⅳ.The producer Price Index (PPI) and the purchasing price index (PPI) of industrial producers are calculated by combining key surveys with typical surveys.

Ⅴ.Producer price index of agricultural products shall be calculated by means of sampling survey and key survey.

Ⅵ.The fixed asset investment price index shall be calculated by combining key survey with typical survey.

Ⅶ.This information is provided by the Consumer Price Survey Office, the Production and Investment Price Survey Office and Agriculture Survey Office of the Hebei Survey Team of the National Bureau of Statistics.

Ⅷ.Data collection:Qie Lanxia, Cui Rongwei, Li Caifang.

5-1 各种价格指数(上年=100)
Price Indices (preceding year=100)

年 份 Year	居民消费价格指数 Consumer Price Index	城市居民消费价格指数 Urban Household	农村居民消费价格指数 Rural Household	商品零售价格指数 Retail Price Index	工业生产者出厂价格指数 Producer Price Index for Industrial Products	工业生产者购进价格指数 Purchasing Price Index for Industrial Producers	固定资产投资价格指数 Price Index for Investment in Fixed Assets
1978		100.2		99.8			
1980		107.2		105.3			
1985	106.8	108.9	105.7	106.8			
1990	100.6	101.2	99.9	99.9			
1995	115.2	116.1	114.8	115.8	111.4	110.9	106.9
1996	107.1	107.6	106.8	106.2	102.9	106.3	103.9
1997	103.5	103.7	103.4	102.1	98.8	102.1	101.5
1998	98.4	98.7	98.1	97.7	94.4	96.2	97.8
1999	98.1	98.7	97.6	97.8	95.9	95.4	99.4
2000	99.7	100.5	99.1	99.1	105.3	103.3	101.1
2001	100.5	100.4	100.6	99.8	99.8	101.0	99.9
2002	99.0	98.6	99.5	99.2	99.4	97.2	99.5
2003	102.2	102.3	102.0	100.2	107.1	109.4	102.3
2004	104.3	103.7	104.8	103.2	111.6	118.4	107.0
2005	101.8	101.4	102.2	101.1	104.4	107.0	101.9
2006	101.7	101.7	101.7	101.5	100.8	105.0	101.7
2007	104.7	104.3	105.1	104.1	106.9	107.8	103.8
2008	106.2	105.2	108.1	106.7	116.7	115.9	109.6
2009	99.3	98.8	100.3	99.0	89.1	93.5	96.5
2010	103.1	102.8	103.6	103.1	109.0	110.9	103.7
2011	105.7	105.3	106.5	105.0	107.7	110.9	105.5
2012	102.6	102.7	102.5	102.2	94.7	96.2	100.3
2013	103.0	102.7	103.5	102.2	96.6	97.6	99.9
2014	101.7	101.7	101.8	101.0	95.2	95.6	100.2
2015	100.9	101.1	100.5	100.2	89.1	90.3	98.0
2016	101.5	101.5	101.5	101.2	99.9	98.3	99.4
2017	101.7	101.9	101.4	101.4	115.0	114.5	106.7
2018	102.4	102.5	102.4	102.2	106.2	104.0	105.0
2019	103.0	102.8	103.2	101.8	100.2	102.1	103.0

注：从2011年起工业品出厂价格指数改为工业生产者出厂价格指数，原材料、燃料、动力购进价格指数改为工业生产者购进价格指数（以下相关表同）。

a) From 2011, the producer price index for manufactured goods and the purchasing price index for raw materials, fuel and power changed to the producer price index for industrial products and the purchasing price index for industrial producers. The same applies to the tables following.

5-2 各种价格定基指数

Fixed-base Price Indices

年 份 Year	居民消费价格指数 Consumer Price Index (1983=100)	城市居民消费价格指数 Urban Household (1978=100)	农村居民消费价格指数 Rural Household (1983=100)	商品零售价格指数 Retail Price Index (1978=100)	工业生产者出厂价格指数 Producer Price Index for Industrial Products (1991=100)	工业生产者购进价格指数 Purchasing Price Index for Industrial Producers (1991=100)	固定资产投资价格指数 Price Index for Investment in Fixed Assets (1990=100)
1980		109.0		106.8			
1985	109.5	130.0	107.9	123.8			
1990	175.6	206.9	175.5	196.9			
1995	309.8	400.9	285.7	330.8	186.2	200.0	202.5
1996	331.8	431.4	305.1	351.3	191.6	212.6	210.4
1997	343.4	447.4	315.5	358.7	189.3	217.1	213.5
1998	337.9	441.6	309.5	350.4	178.8	208.8	208.8
1999	331.5	435.9	302.1	342.7	171.5	199.1	207.6
2000	330.5	438.1	299.4	339.6	180.5	205.6	209.9
2001	332.2	439.9	301.2	338.9	180.3	207.7	209.6
2002	328.9	433.7	299.7	336.2	179.2	202.0	208.6
2003	336.1	443.7	305.7	336.9	192.0	221.0	213.4
2004	350.6	460.1	320.4	347.7	214.1	261.6	228.3
2005	356.9	466.5	327.4	351.5	223.5	280.0	232.7
2006	363.0	474.4	333.0	356.8	225.3	293.9	236.6
2007	380.0	495.0	349.9	371.3	240.9	316.7	245.6
2008	403.5	520.7	378.4	396.3	281.0	367.1	269.2
2009	400.8	514.6	379.7	392.3	250.3	343.2	259.8
2010	413.1	529.1	393.4	404.5	272.8	380.6	269.4
2011	436.7	557.2	418.9	424.7	293.8	422.1	284.2
2012	448.1	572.2	429.4	434.0	278.2	406.1	285.1
2013	461.4	587.7	444.3	443.5	268.8	396.3	284.8
2014	469.3	597.8	452.1	448.0	255.9	378.9	285.4
2015	473.6	604.3	454.3	448.9	228.0	342.1	279.7
2016	480.8	613.4	461.1	454.1	227.8	336.3	278.0
2017	489.1	625.0	467.8	460.5	261.9	385.1	296.6
2018	501.1	640.3	479.2	470.6	278.3	400.4	311.5
2019	515.8	658.5	494.3	479.1	278.9	409.0	320.8

5－3 居民消费价格分类指数(2019年)(上年=100)

Consumer Price Indices by Category (2019) (preceding year=100)

项目名称	Item	全省 Province Indices	城市 Urban Indices	农村 Rural Indices
居民消费价格总指数	**Consumer Price Index**	**103.0**	**102.8**	**103.2**
食品烟酒	**Food, Tobacco and Liquor**	**105.9**	**105.9**	**105.9**
食品	Food	107.6	107.6	107.6
粮食	Grain	100.9	100.7	101.0
薯类	Tubers	97.7	100.4	92.2
豆类	Beans	100.5	100.6	100.2
食用油	Edible Oil and Fats	99.1	99.8	98.2
菜	Vegetables	102.2	103.0	100.5
#鲜菜	Fresh Vegetables	102.2	103.1	100.4
畜肉类	Meat of Livestock	129.1	127.5	131.8
#猪肉	Pork	149.8	148.8	151.2
牛肉	Beef	111.8	111.5	113.1
羊肉	Mutton	113.1	113.6	112.2
禽肉类	Meat of Poultry	113.1	112.6	114.4
水产品	Aquatic Products	96.5	95.8	98.9
蛋类	Eggs	104.1	104.8	103.1
奶类	Milk	100.4	100.4	100.4
干鲜瓜果类	Dried and Fresh Melons and Fruits	106.6	106.7	106.2
#鲜瓜果	Fresh Melons and Fruits	108.6	108.7	108.2
糖果糕点类	Candy and Cake	99.8	99.5	100.2
调味品	Flavoring	101.5	101.8	100.9
其他食品类	Other Foods	101.3	101.4	101.2
茶及饮料	Tea and Beverages	102.2	101.8	103.1
烟酒	Tobacco and Liquor	100.5	100.4	100.7
在外餐饮	Dining Out	102.6	102.8	102.3
衣着	**Clothing**	**101.2**	**101.4**	**100.9**
服装	Garments	101.7	101.9	101.1
服装材料	Garments Material	100.3	100.4	100.1
其他衣着及配件	Other Clothing and Parts	100.3	100.0	101.3
衣着加工服务费	Clothing Manufacturing Services	101.3	101.5	100.7
鞋类	Footwear	100.1	99.9	100.6
居住	**Residence**	**101.6**	**101.1**	**102.7**
租赁房房租	Rent of Rental Housing	100.7	100.5	102.3
住房保养维修及管理	Housing Maintenance and Management	101.3	101.4	101.3
水电燃料	Water, Electricity and Fuels	102.5	101.9	103.5
自有住房	Private Housing	101.3	100.8	102.7

5–3 续表 continued

项目名称	Item	全省 Province Indices	城市 Urban Indices	农村 Rural Indices
生活用品及服务	**Articles for Daily Use and Services**	**101.2**	**101.2**	**101.3**
家具及室内装饰品	Furniture and Interior Decorations	101.8	101.8	101.9
家用器具	Home Appliances	100.7	101.0	100.0
家用纺织品	Home Textiles	100.4	100.3	100.6
家庭日用杂品	Daily Use Household Articles	100.5	99.9	101.6
个人护理用品	Personal-care Supplies	102.1	102.3	101.2
家庭服务	Household Services	104.7	104.6	104.8
交通和通信	**Transport and Communications**	**97.9**	**97.7**	**98.2**
交通	Transport	97.6	97.5	97.8
交通工具	Transport Facility	97.7	97.5	98.1
交通工具用燃料	Fuels for Transport Facility	93.7	93.6	93.8
交通工具使用和维修	Use and Maintenance of Transport Facility	102.5	103.7	100.6
交通费	Traffic Fee	100.7	100.5	101.1
通信	Communications	98.3	98.0	98.9
教育文化和娱乐	**Education, Culture and Recreation**	**103.4**	**103.4**	**103.4**
教育	Education	104.6	104.9	104.3
教育用品	Education Articles	103.2	102.1	105.9
教育服务	Education Services	104.7	105.1	104.2
文化娱乐	Culture and Recreation	101.1	101.3	100.6
文娱耐用消费品	Durable Consumer Goods for Culture and Recreation	98.4	98.1	98.9
其他文娱用品	Other Articles	101.5	101.4	101.9
文化娱乐服务	Services for Culture and Recreation	100.2	100.2	100.4
旅游	Touring and Outing	103.6	103.7	102.4
医疗保健	**Health Care**	**104.4**	**104.5**	**104.3**
药品及医疗器具	Medicine and Medical Instrument	107.5	106.2	110.1
医疗服务	Medical Services	102.3	103.2	100.9
其他用品和服务	**Other Articles and Services**	**104.6**	**104.6**	**104.7**
其他用品类	Other Articles	103.1	103.9	101.6
其他服务类	Other Services	105.7	105.0	107.0

5-4 商品零售价格分类指数(2019年)(上年=100)

Retail Price Indices by Category (2019) (preceding year=100)

项目名称	Item	全省 Province Indices	城市 Urban Indices	农村 Rural Indices
商品零售价格指数	**Retail Price Index**	**101.8**	**101.7**	**102.2**
食品	**Food**	**106.7**	**106.7**	**106.9**
粮食	Grain	100.9	100.7	101.2
食用油	Edible Oil and Fats	98.9	99.4	97.9
菜	Vegetables	102.0	102.5	100.5
畜肉类	Meat of Livestock	129.2	128.5	131.1
禽肉类	Meat of Poultry	113.6	113.6	113.4
水产品	Aquatic Products	95.9	95.3	99.1
蛋类	Eggs	104.4	105.1	102.7
奶类	Milk	100.3	100.2	100.9
干鲜瓜果类	Dried and Fresh Melons and Fruits	105.4	105.5	105.3
糖果糕点类	Candy and Cake	99.6	99.5	100.4
调味品	Flavoring	101.3	101.4	100.9
其他食品类	Other Foods	101.2	101.3	100.8
在外餐饮	Dining Out	102.9	102.8	103.0
饮料、烟酒	**Beverages, Tobacco and Liquor**	**100.8**	**100.7**	**101.4**
茶及饮料	Tea and Beverages	102.8	102.6	103.8
酒类	Liquor	100.1	99.9	100.6
服装、鞋帽	**Garments, Shoes and Hats**	**101.1**	**101.2**	**101.0**
服装	Garments	101.5	101.7	101.2
鞋帽袜	Footgear and Hat	100.1	100.0	100.5
纺织品	**Textiles**	**100.7**	**100.9**	**100.3**
服装材料	Clothing	100.2	100.3	100.0
床上用品	Bedding	100.8	101.0	100.4
家用电器及音像器材	**Household Appliances, Music and Video Equipment**	**99.8**	**99.9**	**99.5**
文化办公用品	**Cultural and Office Appliances**	**100.0**	**99.8**	**101.0**
日用品	**Articles for Daily Use**	**100.6**	**100.5**	**100.9**
日用百货	General Merchandise for Daily Use	99.8	99.7	100.3
体育娱乐用品	**Sports and Recreation Articles**	**100.6**	**100.6**	**100.6**
交通、通信用品	**Transportation and Communication Appliances**	**96.6**	**96.8**	**95.7**
家具	**Furniture**	**101.9**	**101.9**	**102.1**
化妆品	**Cosmetics**	**102.8**	**103.2**	**101.1**
金银饰品	**Gold and Silver Ornaments**	**106.6**	**107.3**	**104.1**
中西药品及医疗保健用品	**Traditional Chinese and Western Medicines and Health Care Articles**	**108.2**	**107.3**	**110.7**
医疗卫生器具	Medical Instrument	100.5	100.5	100.4
中药	Traditional Chinese Medicines	106.1	105.7	106.9
西药	Western Medicines	110.6	109.6	113.0
书报杂志及电子出版物	**Books, Newspapers, Magazines and Electronic Publications**	**103.0**	**102.8**	**103.8**
燃料	**Fuels**	**97.6**	**97.0**	**99.1**
建筑材料及五金电料	**Building Materials and Hardware**	**100.2**	**100.1**	**100.3**
建筑装潢材料	Building Decoration Materials	100.0	100.1	99.8
五金水暖	Hardware	100.8	100.3	102.0

5-5 分市居民消费价格分类指数(2019年)(上年=100)

项目名称	Item	石家庄市 Shijiazhuang Indices	承 德 市 Chengde Indices	张家口市 Zhangjiakou Indices
居民消费价格总指数	**Consumer Price Index**	**102.7**	**103.3**	**102.3**
食品烟酒	**Food, Tobacco and Liquor**	**105.8**	**105.6**	**106.0**
食品	Food	107.3	107.8	108.2
粮食	Grain	100.8	98.6	100.9
薯类	Tubers	98.0	85.4	108.2
豆类	Beans	100.4	101.5	100.0
食用油	Edible Oil and Fats	100.8	100.0	101.1
菜	Vegetables	103.8	97.3	102.9
#鲜菜	Fresh Vegetables	104.1	96.8	101.8
畜肉类	Meat of Livestock	126.0	133.4	129.5
禽肉类	Meat of Poultry	116.8	116.2	114.9
水产品	Aquatic Products	93.2	90.4	95.7
蛋类	Eggs	106.1	101.6	105.0
奶类	Milk	99.4	102.7	100.7
干鲜瓜果类	Dried and Fresh Melons and Fruits	106.2	105.9	104.1
#鲜瓜果	Fresh Melons and Fruits	109.0	110.9	105.6
糖果糕点类	Candy and Cake	98.0	102.1	101.3
调味品	Flavoring	101.2	101.1	105.9
其他食品类	Other Foods	101.9	100.6	104.4
茶及饮料	Tea and Beverages	101.4	101.8	100.3
烟酒	Tobacco and Liquor	99.9	99.9	100.7
在外餐饮	Dining Out	103.5	102.4	102.0
衣着	**Clothing**	**103.1**	**101.0**	**99.4**
服装	Garments	104.1	101.4	101.5
服装材料	Garments Material	98.9	98.6	100.0
其他衣着及配件	Other Clothing and Parts	101.1	102.5	100.3
衣着加工服务费	Clothing Manufacturing Services	100.0	100.0	104.5
鞋类	Footwear	100.4	100.0	91.5
居住	**Residence**	**101.0**	**99.6**	**101.6**
租赁房房租	Rent of Rental Housing	100.8	97.5	100.0
住房保养维修及管理	Housing Maintenance and Management	103.6	100.1	99.9
水电燃料	Water, Electricity and Fuels	101.6	101.8	102.3
自有住房	Private Housing	100.5	98.6	101.7

Consumer Price Indices by Category and City (2019) (preceding year=100)

秦皇岛市 Qinhuangdao Indices	唐山市 Tangshan Indices	廊坊市 Langfang Indices	保定市 Baoding Indices	沧州市 Cangzhou Indices	衡水市 Hengshui Indices	邢台市 Xingtai Indices	邯郸市 Handan Indices	定州市 Dingzhou Indices	辛集市 Xinji Indices
102.7	**103.1**	**102.3**	**103.1**	**103.0**	**102.6**	**102.8**	**102.6**	**102.8**	**102.9**
105.7	**105.4**	**107.2**	**105.7**	**105.6**	**107.4**	**105.4**	**105.3**	**105.0**	**105.6**
106.9	106.8	109.6	108.0	107.3	108.7	106.4	107.1	107.0	106.4
100.4	100.9	103.3	99.5	101.8	101.1	101.0	100.2	101.3	101.3
105.6	97.8	97.6	88.9	92.1	106.7	106.2	117.2	90.5	85.2
101.5	100.0	101.3	99.6	103.5	100.8	100.3	100.6	103.3	101.4
96.7	98.2	102.7	102.1	100.3	94.4	100.1	99.9	93.7	101.2
101.3	100.2	104.5	102.9	97.9	102.8	106.0	107.0	100.2	100.5
100.6	100.4	105.0	102.9	98.0	103.0	106.5	107.6	100.3	100.9
124.1	133.7	124.3	130.6	125.9	129.6	123.2	128.3	130.1	129.3
114.8	115.1	110.5	109.9	107.7	111.5	111.6	99.2	118.4	109.4
100.8	90.2	100.4	103.1	101.8	96.5	96.7	98.1	96.1	93.2
106.5	105.5	101.8	105.3	103.7	104.8	102.8	104.6	103.4	101.7
96.4	100.7	105.0	102.8	101.4	102.7	97.5	98.0	97.0	101.8
104.9	101.5	117.0	108.1	111.2	109.9	104.6	104.7	108.0	101.1
107.7	100.1	120.5	109.6	114.4	114.6	104.8	106.6	110.3	103.7
101.1	99.3	101.2	99.8	99.5	100.9	100.1	98.7	98.9	101.0
105.4	99.2	103.5	100.5	103.6	104.2	105.1	99.2	101.6	101.7
103.9	100.5	103.5	100.4	101.7	103.4	100.2	98.2	101.2	100.0
102.6	105.2	102.4	98.9	102.5	100.7	97.7	101.2	100.1	104.3
103.9	98.7	100.8	99.0	100.5	102.1	101.1	100.6	97.6	102.1
102.5	102.9	102.4	101.1	102.3	105.9	104.5	101.6	101.4	104.8
100.2	**100.0**	**102.1**	**100.1**	**102.6**	**99.0**	**101.4**	**100.6**	**100.3**	**100.7**
99.5	100.1	102.8	99.8	103.6	99.1	101.1	101.4	100.3	101.2
101.0	100.0	105.7	100.0	102.5	100.5	100.0	102.5	100.0	100.0
96.2	99.5	99.7	100.5	100.1	97.6	100.2	98.7	99.3	102.6
105.7	104.2	100.0	100.6	99.5	101.2	101.0	100.0	100.0	100.0
102.5	99.3	100.8	100.8	100.1	98.8	102.6	98.5	100.8	99.2
100.6	**101.6**	**101.1**	**103.9**	**100.6**	**99.7**	**101.9**	**100.1**	**100.6**	**102.8**
98.5	101.6	101.0	108.3	100.1	98.8	100.1	95.9	97.5	100.9
101.0	100.1	101.8	100.2	100.7	103.9	100.7	100.0	99.6	107.8
103.1	102.7	102.1	102.7	103.2	101.2	102.7	101.7	105.3	100.7
99.6	101.6	100.7	104.9	99.6	98.3	101.8	99.8	98.0	101.5

5-5 续表

项目名称	Item	石家庄市 Shijiazhuang Indices	承德市 Chengde Indices	张家口市 Zhangjiakou Indices
生活用品及服务	**Articles for Daily Use and Services**	**100.6**	**100.2**	**96.9**
家具及室内装饰品	Furniture and Interior Decorations	101.8	102.9	98.7
家用器具	Home Appliances	101.8	96.2	103.7
家用纺织品	Home Textiles	100.1	98.1	90.4
家庭日用杂品	Daily Use Household Articles	97.1	101.7	93.0
个人护理用品	Personal-care Supplies	104.1	100.3	98.3
家庭服务	Household Services	100.2	106.9	100.0
交通和通信	**Transport and Communications**	**97.5**	**98.7**	**98.4**
交通	Transport	97.2	98.6	98.1
交通工具	Transport Facility	96.9	98.5	98.5
交通工具用燃料	Fuels for Transport Facility	93.4	93.2	93.3
交通工具使用和维修	Use and Maintenance of Transport Facility	101.8	103.1	109.6
交通费	Traffic Fee	100.3	107.7	99.6
通信	Communications	98.0	98.9	98.9
教育文化和娱乐	**Education, Culture and Recreation**	**104.3**	**104.3**	**100.5**
教育	Education	105.9	106.1	100.0
教育用品	Education Articles	99.6	115.6	100.1
教育服务	Education Services	106.1	105.6	100.0
文化娱乐	Culture and Recreation	102.3	101.4	101.3
文娱耐用消费品	Durable Consumer Goods for Culture and Recreation	95.8	99.5	99.1
其他文娱用品	Other Articles	102.4	100.4	100.5
文化娱乐服务	Services for Culture and Recreation	101.9	99.8	99.9
旅游	Touring and Outing	106.1	104.7	104.7
医疗保健	**Health Care**	**103.2**	**110.2**	**104.9**
药品及医疗器具	Medicine and Medical Instrument	103.8	122.4	102.6
医疗服务	Medical Services	102.6	100.1	106.7
其他用品和服务	**Other Articles and Services**	**102.1**	**105.0**	**102.3**
其他用品类	Other Articles	104.0	104.7	104.2
其他服务类	Other Services	100.2	105.4	100.9

continued

秦皇岛市 Qinhuangdao Indices	唐山市 Tangshan Indices	廊坊市 Langfang Indices	保定市 Baoding Indices	沧州市 Cangzhou Indices	衡水市 Hengshui Indices	邢台市 Xingtai Indices	邯郸市 Handan Indices	定州市 Dingzhou Indices	辛集市 Xinji Indices
102.0	**102.4**	**100.0**	**101.4**	**101.0**	**102.4**	**102.2**	**102.3**	**101.9**	**101.9**
103.1	101.9	102.9	101.9	98.8	101.9	101.9	101.9	102.0	103.0
100.2	101.0	94.8	102.2	102.4	101.0	101.9	102.2	99.0	100.5
100.5	102.1	100.1	101.0	100.9	102.4	100.4	102.0	101.4	100.5
102.2	100.7	98.4	101.0	101.0	104.6	104.8	101.8	102.4	102.1
103.0	102.8	102.4	101.1	101.2	101.9	99.6	102.9	103.2	101.4
105.7	112.9	109.4	100.0	99.9	101.8	101.7	104.5	110.2	111.7
97.8	**97.7**	**97.3**	**97.4**	**97.6**	**97.1**	**97.9**	**98.6**	**98.4**	**97.7**
97.2	97.9	96.8	97.3	96.9	96.8	97.9	98.6	98.7	97.6
98.6	98.6	94.1	98.8	94.7	94.1	99.0	98.9	99.8	97.5
93.6	93.4	94.1	93.2	94.0	94.0	94.0	94.3	93.4	94.4
96.7	106.6	106.5	99.0	105.0	109.4	99.2	106.7	101.8	101.4
100.5	99.6	101.1	99.5	101.9	99.4	100.5	100.3	101.7	100.0
98.7	97.1	98.5	97.5	98.7	97.9	98.0	98.7	97.7	97.8
106.6	**105.8**	**100.0**	**102.2**	**103.4**	**105.5**	**101.0**	**102.1**	**103.6**	**102.7**
109.0	108.0	100.1	104.1	105.3	107.9	101.7	103.8	104.7	103.1
100.5	104.5	102.1	101.2	100.9	102.7	102.2	100.0	120.6	100.0
109.5	108.3	100.0	104.3	105.5	108.1	101.7	104.0	104.1	103.2
103.2	102.4	99.9	100.1	100.6	101.6	99.7	99.8	99.7	101.4
98.9	101.1	96.9	98.5	98.8	97.4	96.9	100.2	98.9	99.0
105.2	99.5	101.4	100.4	101.8	101.8	100.9	99.8	100.0	103.0
99.7	99.6	100.0	100.0	101.4	98.5	100.0	97.7	100.0	102.2
106.1	106.1	100.7	100.7	100.7	106.0	100.7	100.7	100.7	103.3
102.7	**106.3**	**101.3**	**102.3**	**106.9**	**101.3**	**104.6**	**108.5**	**102.3**	**102.4**
106.1	112.5	103.7	104.9	101.7	102.6	105.4	104.7	104.9	105.6
100.0	100.1	100.0	100.0	110.2	100.0	104.0	111.7	100.0	100.1
105.0	**105.2**	**102.4**	**109.9**	**106.1**	**104.2**	**108.7**	**102.0**	**109.9**	**107.6**
102.9	103.5	104.7	102.8	104.1	105.2	105.1	104.2	102.8	104.1
106.0	105.8	100.0	113.2	107.5	103.4	110.7	100.3	113.2	109.7

5-6 分市商品零售价格分类指数(2019年)(上年=100)

项目名称	Item	石家庄市 Shijiazhuang Indices	承德市 Chengde Indices	张家口市 Zhangjiakou Indices
商品零售价格指数	**Retail Price Index**	**101.6**	**103.1**	**101.2**
食品	Food	106.9	106.5	106.8
粮食	Grain	100.8	98.4	100.8
菜	Vegetables	103.8	97.5	102.4
畜肉类	Meat of Livestock	126.0	133.6	128.0
禽肉类	Meat of Poultry	116.8	116.2	114.9
水产品	Aquatic Products	93.2	91.2	95.3
蛋类	Eggs	106.1	101.6	105.0
干鲜瓜果类	Dried and Fresh Melons and Fruits	106.2	105.9	104.1
饮料、烟酒	Beverages, Tobacco and Liquor	100.4	100.3	101.0
服装、鞋帽	Garments, Shoes and Hats	103.1	101.0	99.2
纺织品	Textiles	100.1	96.8	90.7
家用电器及音像器材	Household Appliances, Music and Video Equipment	99.5	96.9	104.3
文化办公用品	Cultural and Office Appliances	99.3	99.7	99.1
日用品	Articles for Daily Use	98.5	101.0	96.5
体育娱乐用品	Sports and Recreation Articles	101.2	100.1	100.2
交通、通信用品	Transportation and Communication Appliances	96.4	97.8	98.3
家具	Furniture	102.0	103.1	98.8
化妆品	Cosmetics	105.4	100.5	98.6
金银饰品	Gold and Silver Ornaments	107.6	109.6	108.7
中西药品及医疗保健用品	Traditional Chinese and Western Medicines and Health Care Articles	104.0	123.4	103.2
书报杂志及电子出版物	Books, Newspapers, Magazines and Electronic Publications	102.5	110.0	102.6
燃料	Fuels	96.6	95.7	96.1
建筑材料及五金电料	Building Materials and Hardware	100.2	100.4	99.9

Retail Price Indices by Category of Commodities by City (2019) (preceding year=100)

秦皇岛市 Qinhuangdao Indices	唐山市 Tangshan Indices	廊坊市 Langfang Indices	保定市 Baoding Indices	沧州市 Cangzhou Indices	衡水市 Hengshui Indices	邢台市 Xingtai Indices	邯郸市 Handan Indices	定州市 Dingzhou Indices	辛集市 Xinji Indices
102.1	**102.1**	**101.0**	**101.5**	**101.3**	**100.9**	**102.0**	**101.9**	**103.1**	**101.8**
106.0	106.4	108.0	106.9	106.5	107.8	106.3	106.4	106.3	105.8
100.4	100.9	103.3	99.5	101.9	101.1	101.0	100.2	101.3	101.3
101.3	100.2	104.5	102.9	97.9	102.8	106.0	107.0	100.2	100.5
124.1	133.8	123.5	130.5	126.0	129.6	123.2	128.4	129.9	128.7
114.8	115.6	110.5	109.9	107.5	111.5	111.6	99.2	120.3	109.3
100.8	91.5	100.4	102.1	102.0	96.5	96.7	98.1	98.1	95.3
106.5	105.5	101.8	105.3	103.7	104.8	102.8	104.6	103.4	101.8
104.9	101.5	117.0	108.1	110.9	109.9	104.6	104.7	108.0	100.8
103.2	100.2	101.6	99.5	100.5	101.5	100.1	100.6	98.0	102.7
100.1	100.0	102.0	100.2	102.6	98.9	101.6	100.7	100.5	100.8
101.0	102.2	100.6	100.8	102.1	102.5	100.5	103.0	101.5	100.6
99.4	101.0	94.7	100.6	101.2	99.7	99.8	101.2	98.6	99.5
100.9	100.2	100.6	99.4	99.6	101.0	99.0	99.0	99.8	102.8
101.0	101.4	99.3	100.9	101.0	101.7	103.9	102.4	100.6	101.9
100.6	99.5	100.2	100.3	100.7	99.9	99.8	102.6	100.2	100.2
98.4	97.1	95.3	96.5	95.4	93.8	97.2	98.2	96.3	95.1
103.0	101.9	103.1	101.9	98.8	101.9	101.9	101.9	102.0	103.1
103.1	103.6	102.5	101.2	101.2	101.3	98.9	103.8	104.3	101.4
108.1	105.8	109.0	106.2	108.0	110.6	108.6	106.7	102.2	107.5
106.8	112.0	103.6	105.4	101.8	102.7	105.6	105.1	120.8	105.9
110.9	102.0	103.5	100.4	103.0	101.1	103.9	100.0	112.1	102.9
96.3	95.7	96.6	97.4	97.8	96.4	100.8	99.0	98.8	97.6
100.4	100.4	100.5	100.3	99.2	100.5	99.1	99.3	101.5	100.4

5-7 农业生产资料价格分类指数(上年=100)

Price Indices for Means of Agricultural Production by Category (preceding year=100)

年份 Year	总指数 General Index	农用手工工具 Farm Handtools	饲料 Forage	仔畜幼禽及产品畜 Newborn Animals & Poultry, and Commodity Animals	半机械化农具 Semi-mechanized Farm Tools	机械化农具 Mechanized Farm Machinery
2003	99.8	99.8	101.6	101.3	94.8	97.8
2004	106.7	99.6	110.7	124.4	99.7	99.1
2005	106.8	100.5	99.2	106.2	99.9	101.3
2006	101.6	100.8	100.0	83.2	99.9	100.5
2007	106.9	100.1	107.6	140.6	100.4	101.0
2008	118.6	112.2	120.7	135.6	106.2	107.2
2009	100.6	104.9	100.5	89.1	100.8	102.2
2010	104.4	105.0	108.2	105.0	99.9	101.8
2011	112.6	105.1	108.4	153.6	108.2	111.1
2012	108.2	105.4	106.5	110.9	107.3	106.7
2013	101.1	100.2	104.0	102.1	101.0	101.0
2014	99.1	99.6	104.3	95.0	98.6	100.8
2015	99.8	100.0	99.3	104.4	100.0	100.4
2016	100.0	99.9	96.0	133.5	100.3	100.6
2017	101.0	100.7	99.6	101.0	102.0	100.2
2018	103.2	100.8	103.6	89.6	101.7	100.7
2019	103.1	100.6	100.0	137.4	101.0	100.2

注：2016年前仔畜幼禽及产品畜为产品畜。
a) Before 2016 newborn animals and poultry, and commodity animals was commodity animals.

5-7 续表 continued

年份 Year	化学肥料 Chemical Fertilizer	农药及农药器械 Pesticide and Its Appliances	农机用油 Oil for Farm Machinery	其他农用生产资料 Other Means of Agricultural Production	农业生产服务 Service for Agricultural Production
2003	100.8	98.5	109.7	85.9	
2004	106.4	102.9	110.8	106.6	
2005	112.0	101.2	116.6	108.6	
2006	101.0	100.4	115.1	107.7	110.4
2007	101.6	100.6	105.1	104.5	108.2
2008	121.2	104.3	116.9	110.9	115.7
2009	101.2	100.7	90.2	100.0	111.2
2010	100.2	97.6	115.2	108.0	103.1
2011	111.8	105.0	113.4	113.0	107.4
2012	108.5	107.3	106.2	111.1	110.0
2013	95.3	103.2	100.8	102.8	104.8
2014	91.6	101.7	98.6	102.8	101.2
2015	101.4	99.6	86.4	99.1	100.5
2016	98.3	98.6	98.4	99.4	100.3
2017	102.4	100.9	107.8	100.5	100.1
2018	108.4	105.2	111.2	101.8	100.2
2019	101.8	103.8	94.7	100.3	102.8

5-8 农产品生产者价格指数(上年＝100)
Producer Price Indices for Farm Products (preceding year=100)

指 标	Item	2014	2015	2016	2017	2018	2019
农产品生产者价格指数	**Producer Price Indices for Farm Products**	**100.2**	**97.5**	**96.4**	**96.2**	**104.7**	**107.1**
种植业产品	**Planting Products**	**97.2**	**97.3**	**93.2**	**98.8**	**104.5**	**101.0**
谷物	Cereal	102.9	97.3	88.4	101.8	103.1	99.1
#小麦	Wheat	102.1	100.0	98.2	103.4	97.9	97.0
稻谷	Rice	101.3					
玉米	Corn	103.4	95.2	81.2	100.6	106.9	100.6
大豆	Beans	103.5	98.6	104.0	104.1	93.4	105.3
油料	Oil-bearing Crops	97.3	109.8	101.7	88.3	85.5	106.8
棉花	Cotton	89.4	90.1	92.9	97.8	97.4	99.1
蔬菜	Vegetable	88.8	107.5	105.8	92.0	106.7	102.8
水果	Fruit	103.5	85.9	82.2	102.9	114.9	102.5
林业产品	**Forestry Products**		**94.5**	**95.9**	**109.5**	**100.5**	**90.6**
畜牧业产品	**Animal Husbandry Products**	**103.6**	**97.3**	**101.5**	**90.6**	**104.6**	**118.8**
生猪	Live Pig	92.7	111.7	120.9	83.1	84.0	148.9
活牛	Live Cattle and Buffaloes	105.3	93.0	95.5	106.5	103.3	110.1
活羊	Live Sheep and Goats	100.0	79.1	91.0	120.9	109.7	115.7
活家禽	Live Poultry	107.0	94.2	100.0	87.4	111.0	114.7
禽蛋	Eggs	115.4	90.2	86.9	82.2	125.1	95.0
生奶	Raw Milk	103.4	94.8	96.0	100.2	102.6	103.6
渔业产品	**Fishery Products**	**101.7**	**105.7**	**100.0**	**103.2**	**109.9**	**100.7**
淡水养殖产品	Freshwater Artificially Cultured Products	101.7	105.7	100.0	103.2	109.9	100.7

5-9 按工业行业分工业生产者出厂价格指数(上年＝100)
Producer Price Indices for Industrial Products by Sector (preceding year=100)

行业	Sector	2015	2016	2017	2018	2019
总指数	**Producer Price Indices for Industrial Products**	**89.1**	**99.9**	**115.0**	**106.2**	**100.2**
煤炭开采和洗选业	Mining and Washing of Coal	89.3	99.7	133.9	107.2	97.1
石油和天然气开采业	Extraction of Petroleum and Natural Gas	54.7	79.8	136.1	130.3	94.7
黑色金属矿采选业	Mining and Processing of Ferrous Metal Ores	71.9	94.5	114.7	101.8	117.7
有色金属矿采选业	Mining and Processing of Non-Ferrous Metal Ores	87.1	91.3	114.4	114.4	98.5
非金属矿采选业	Mining and Processing of Non-metal Ores	89.9	93.2	108.5	114.7	108.0
开采辅助活动	Support Activities for Mining					
其他采矿业	Mining of Other Ores					
农副食品加工业	Processing of Food from Agricultural Products	97.8	98.2	100.8	100.4	103.1
食品制造业	Manufacture of Foods	97.9	98.6	100.7	101.0	100.1
酒、饮料和精制茶制造业	Manufacture of Liquor, Beverages and Refined Tea	100.6	98.0	99.3	102.1	104.9
烟草制品业	Manufacture of Tobacco	100.3	99.9	100.0	100.2	101.4
纺织业	Manufacture of Textile	97.5	98.3	102.2	101.9	101.4
纺织服装、服饰业	Manufacture of Textile, Wearing Apparel and Accessories	101.1	99.9	100.3	101.0	100.4
皮革、毛皮、羽毛及其制品和制鞋业	Manufacture of Leather, Fur, Feather and Related Products and Footware	97.2	96.4	98.6	100.9	99.5
木材加工和木、竹、藤、棕、草制品业	Processing of Timber, Manufacture of Wood, Bamboo, Rattan, Palm and Straw Products	99.7	99.5	101.0	102.3	101.8
家具制造业	Manufacture of Furniture	103.8	102.4	101.6	102.5	102.3
造纸和纸制品业	Manufacture of Paper and Paper Products	98.3	100.5	107.8	106.9	97.4
印刷和记录媒介复制业	Printing and Reproduction of Recording Media	99.9	98.3	99.8	102.5	100.7
文教、工美、体育和娱乐用品制造业	Manufacture of Articles for Culture, Education, Arts and Crafts, Sport and Entertainment Activities	99.9	98.8	100.9	101.8	101.3
石油加工、炼焦和核燃料加工业	Processing of Petroleum, Coking and Processing of Nuclear Fuel	81.7	99.7	128.0	117.1	98.7
化学原料和化学制品制造业	Manufacture of Raw Chemical Materials and Chemical Products	94.0	96.0	113.3	104.3	94.9
医药制造业	Manufacture of Medicines	101.5	98.5	102.6	104.7	102.5
化学纤维制造业	Manufacture of Chemical Fibres	95.6	98.5	108.5	105.6	96.4
橡胶和塑料制品业	Manufacture of Rubber and Plastics Products		97.5	101.3	101.1	99.4
非金属矿物制品业	Manufacture of Non-metallic Mineral Products	96.4	99.1	115.5	109.1	102.6
黑色金属冶炼和压延加工业	Smelting and Pressing of Ferrous Metals	78.1	107.5	137.9	110.6	98.8
有色金属冶炼和压延加工业	Smelting and Pressing of Non-ferrous Metals	91.7	95.6	113.7	105.7	100.1
金属制品业	Manufacture of Metal Products	95.9	98.1	103.9	105.0	101.7
通用设备制造业	Manufacture of General Purpose Machinery	97.4	98.8	100.8	101.4	100.2
专用设备制造业	Manufacture of Special Purpose Machinery	98.7	97.3	99.9	101.7	100.9
汽车制造业	Manufacture of Automobiles		98.6	98.8	100.5	99.6
铁路、船舶、航空航天和其他运输设备制造业	Manufacture of Railway, Ship, Aerospace and Other Transport Equipments	99.4	99.1	100.2	101.1	99.5
电气机械和器材制造业	Manufacture of Electrical Machinery and Apparatus	98.2	97.4	100.9	99.5	98.3
计算机、通信和其他电子设备制造业	Manufacture of Computers, Communication and Other Electronic Equipment	95.2	99.1	100.6	102.9	99.5
仪器仪表制造业	Manufacture of Measuring Instruments and Machinery	100.4	99.1	102.9	104.9	101.7
其他制造业	Other Manufacture	100.3	101.8	102.2	99.1	100.0
废弃资源综合利用业	Utilization of Waste Resources	99.6	97.0	118.6	104.7	102.3
金属制品、机械和设备修理业	Repair Service of Metal Products, Machinery and Equipment		102.6	100.1	97.5	103.5
电力、热力生产和供应业	Production and Supply of Electric Power and Heat Power	96.7	93.6	100.0	100.2	98.8
燃气生产和供应业	Production and Supply of Gas	102.6	93.2	100.2	102.1	106.6
水的生产和供应业	Production and Supply of Water	100.5	99.6	104.2	111.5	109.2

5-10 工业生产者出厂价格分类指数(上年=100)

Producer Price Indices for Industrial Products by Category (preceding year=100)

类 别	Item	2011	2012	2013	2014	2015	2016	2017	2018	2019
总指数	**Total Price Indices**	**107.7**	**94.7**	**96.6**	**95.2**	**89.1**	**99.9**	**115.0**	**106.2**	**100.2**
生产资料	**Means of Production**	**108.1**	**93.8**	**95.7**	**94.3**	**87.4**	**100.2**	**117.8**	**107.1**	**100.0**
采掘工业	Mining & Quarrying Industry	116.0	90.3	95.8	88.7	71.2	93.0	118.9	106.6	112.0
原材料工业	Raw Materials Industry	108.8	96.0	95.8	95.1	87.8	97.3	119.7	106.6	98.3
加工工业	Processing Industry	106.7	92.8	95.6	94.5	88.9	102.3	116.9	107.3	99.6
生活资料	**Consumer Goods**	**105.2**	**100.6**	**101.5**	**100.4**	**99.2**	**98.8**	**100.9**	**101.3**	**101.6**
食品类	Food	108.3	101.3	102.6	101.1	98.8	99.0	100.5	100.5	103.0
衣着类	Clothing	103.8	103.0	100.7	98.6	97.7	98.8	100.7	102.3	100.5
一般日用品	Articles for Daily Use	101.2	97.6	100.4	100.0	99.8	97.5	101.6	101.4	100.2
耐用消费品	Durable Consumer Goods	102.1	100.8	100.3	100.2	101.3	99.7	101.0	102.4	101.1

5-11 建筑安装工程价格指数(上年=100)

Price Indices of Construction and Installment (preceding year=100)

年 份 Year	建筑安装工程价格指数 Price Indices of Construction and Installment	人工费 Labor Costs	材料费 Material Costs	#钢材 Rolled Steel	#木材 Timber	#水泥 Cement
2007	103.8	110.4	104.5	105.7	104.4	102.6
2008	109.6	113.7	115.3	117.9	114.1	110.0
2009	96.5	106.0	90.2	82.0	101.6	101.7
2010	103.7	109.5	104.0	105.5	105.3	102.5
2011	105.5	113.9	106.8	108.7	106.3	106.2
2012	100.3	110.6	97.0	92.9	101.5	100.1
2013	99.9	109.4	96.3	91.9	100.8	100.1
2014	100.2	105.7	98.1	94.5	105.2	100.3
2015	98.0	103.8	94.3	87.7	98.9	99.3
2016	99.4	102.9	98.0	96.9	100.2	98.8
2017	106.7	103.1	113.2	123.9	105.0	110.5
2018	105.0	104.9	108.2	109.5	103.8	109.1
2019	103.0	103.6	102.9	100.1	105.0	100.9

5-12 工业生产者购进价格指数(上年=100)

Purchasing Price Indices for Industrial Producers (preceding year=100)

年份 Year	总指数 General Index	燃料、动力类 Fuel and Power	黑色金属材料类 Ferrous Metals	有色金属材料及电线类 Nonferrous Metals	化工原料类 Raw Chemical Materials	木材及纸浆类 Timber and Paper Pulp	建筑材料及非金属类 Building Materials	农副产品类 Agricultural Products	纺织原料类 Textile Materials
1992	111.4	111.0	117.2	106.7	97.2	113.4	112.9	111.3	94.8
1993	134.9	127.8	175.1	117.4	109.3	151.5	118.2	119.2	98.6
1994	119.9	120.3	98.6	109.9	109.9	116.0	105.0	147.4	148.5
1995	110.9	105.7	93.4	134.5	122.7	116.8	110.8	132.7	123.6
1996	106.3	111.9	99.5	92.5	103.8	96.5	100.6	124.0	91.0
1997	102.1	109.9	99.4	92.3	95.2	103.5	101.0	95.3	89.4
1998	96.2	97.0	98.3	86.9	90.9	102.9	97.5	97.0	86.4
1999	95.4	99.1	94.3	98.0	97.2	101.7	96.7	85.9	89.1
2000	103.3	107.5	100.1	115.6	104.6	102.6	111.2	94.8	110.0
2001	101.0	103.0	105.1	94.2	98.7	97.5	99.3	102.9	93.8
2002	97.2	105.7	98.6	93.5	98.1	93.4	89.2	94.2	89.4
2003	109.4	110.4	123.0	111.8	107.0	100.5	98.7	114.0	112.2
2004	118.4	116.7	134.0	122.9	111.5	102.3	111.2	121.5	107.3
2005	107.0	115.7	107.3	111.3	106.8	103.4	104.0	98.9	97.2
2006	105.0	111.0	95.2	122.9	101.8	100.3	99.8	103.9	103.9
2007	107.8	105.3	109.5	110.0	109.0	102.9	105.1	114.3	101.5
2008	115.9	129.5	128.6	99.3	112.9	103.8	116.4	112.4	102.0
2009	93.5	97.2	82.5	86.5	91.7	97.0	101.8	94.9	96.8
2010	110.9	113.5	111.1	120.2	113.2	105.6	100.3	111.9	110.0
2011	110.9	113.0	110.2	110.1	110.3	104.4	105.3	119.5	111.8
2012	96.2	98.4	91.2	91.9	97.6	97.0	98.8	98.7	94.6
2013	97.6	94.8	97.0	95.2	97.6	100.3	97.2	103.3	99.8
2014	95.6	94.2	91.9	95.8	98.0	100.0	97.2	97.3	98.9
2015	90.3	87.3	83.5	94.6	91.7	99.0	91.8	97.8	96.5
2016	98.3	99.5	94.4	96.6	98.6	101.2	101.5	104.5	101.1
2017	114.5	123.0	117.5	116.7	107.4	103.9	119.3	101.0	99.5
2018	104.0	108.2	102.4	100.9	101.9	105.8	108.8	97.9	99.9
2019	102.1	98.4	108.5	97.3	94.8	99.0	106.5	105.2	101.1

5-13 固定资产投资价格指数
Price Index for Investment in Fixed Assets

年份 Year	上年=100 Preceding Year=100				1990年=100 Year of 1990=100			
	固定资产投资 Investment in Fixed Assets	建筑安装工程 Construction and Installation	设备工器具购置 Purchase of Equipment and Instruments	其他费用 Other Expenses	固定资产投资 Investment in Fixed Assets	建筑安装工程 Construction and Installation	设备工器具购置 Purchase of Equipment and Instruments	其他费用 Other Expenses
1991	106.8	104.1	110.5	107.2	106.8	104.1	110.5	107.2
1992	129.3	131.2	122.0	148.3	138.0	136.5	134.8	158.9
1993	124.8	133.0	121.0	86.0	172.2	181.6	163.1	136.7
1994	110.0	108.1	110.1	123.2	189.5	196.3	179.6	168.4
1995	106.9	106.0	106.2	115.1	202.5	208.1	190.7	193.8
1996	103.9	106.0	100.0	101.9	210.4	220.6	190.6	197.5
1997	101.5	105.0	95.0	101.2	213.5	231.6	181.1	199.9
1998	97.8	99.4	94.4	98.5	208.8	230.2	171.0	196.9
1999	99.4	100.0	96.4	104.3	207.6	230.2	164.8	205.4
2000	101.1	102.3	98.4	100.9	209.9	235.5	162.2	207.2
2001	99.9	100.6	97.9	100.4	209.6	236.9	158.8	208.1
2002	99.5	100.0	98.0	100.3	208.6	236.9	155.6	208.7
2003	102.3	104.2	98.5	101.4	213.4	246.9	153.2	211.7
2004	107.0	109.6	103.6	102.1	228.3	270.6	158.7	216.1
2005	101.9	101.8	101.9	102.0	232.7	275.5	161.7	220.4
2006	101.7	101.6	101.6	102.0	236.6	279.9	164.3	224.8
2007	103.8	105.4	100.7	102.4	245.6	295.0	165.5	230.2
2008	109.6	113.9	101.6	105.8	269.2	336.0	168.1	243.6
2009	96.5	94.7	97.4	102.3	259.8	318.2	163.8	249.2
2010	103.7	105.0	101.2	102.8	269.4	334.1	165.7	256.2
2011	105.5	107.9	101.6	101.9	284.2	360.5	168.4	261.0
2012	100.3	100.6	99.2	100.7	285.1	362.6	167.0	262.9
2013	99.9	99.9	99.1	101.9	284.8	362.3	165.5	267.9
2014	100.2	100.2	99.5	101.9	285.4	362.8	164.7	272.9
2015	98.0	97.1	99.3	100.4	279.7	352.3	163.5	274.0
2016	99.4	99.4	98.7	100.8	278.0	350.2	161.4	276.2
2017	106.7	109.5	100.5	101.6	296.6	383.4	162.2	280.6
2018	105.0	106.7	101.3	100.6	311.5	409.1	164.3	282.3
2019	103.0	103.1	100.6	107.0	320.8	421.8	165.3	302.1

主要统计指标解释

居民消费价格指数 是反映一定时期内城乡居民所购买的生活消费品和服务项目价格变动趋势和程度的相对数，是对城市居民消费价格指数和农村居民消费价格指数进行综合汇总计算的结果。通过该指数可以观察和分析消费品的零售价格和服务项目价格变动对城乡居民实际生活费支出的影响程度。

城市居民消费价格指数 是反映一定时期内城市居民家庭所购买的生活消费品价格和服务项目价格变动趋势和程度的相对数。通过该指数可以观察和分析消费品的零售价格和服务项目价格变动对城镇居民收入和消费支出的影响。

农村居民消费价格指数 是反映一定时期内农村居民家庭所购买的生活消费品价格和服务项目价格变动趋势和程度的相对数。该指数可以观察农村消费品的零售价格和服务项目价格变动对农村居民收入和生活消费支出的影响。

商品零售价格指数 是反映一定时期内城乡商品零售价格变动趋势和程度的相对数。商品零售价格的变动与国家的财政收入、市场供需的平衡、消费与积累的比例关系有关。因此，该指数可以从一个侧面对上述经济活动进行观察和分析。

农业生产资料价格指数 指反映一定时期内农业生产资料价格变动趋势和程度的相对数。其编制目的是了解农业生产中投入物质资料价格的变动状况，服务于国民经济核算。1994 年以前，农业生产资料价格指数仅仅是商品零售价格指数的一个类别，此后，从商品零售价格指数中分离出来，单独编制。

农产品生产者价格指数 是反映一定时期内，农产品生产者出售农产品价格水平变动趋势及幅度的相对数。该指数可以客观反映全国农产品生产价格水平和结构变动情况，满足农业与国民经济核算需要。其中某代表品生产价格指数是通过对全部有出售该产品行为的调查单位的个体指数进行几何平均求得的，类价格指数是通过对其所属的类（或代表品）的价格指数进行加权平均求得的。季度累计价格指数的计算方法与分季指数的计算方法相同。

工业生产者出厂价格指数 是反映一定时期内工业产品第一次出售时的出厂价格总水平的变动趋势和变动幅度的相对数。

工业生产者购进价格指数 是反映作为中间投入的原材料、燃料、动力购进价格总水平的变动趋势和变动幅度的相对数。

固定资产投资价格指数 是反映一定时期内固定资产投资品及取费项目的价格变动趋势和变动幅度的相对数。该指数可以准确地反映固定资产投资中涉及的各类投资品和取费项目价格变动趋势和变动幅度，消除按现价计算的固定资产投资指标中的价格变动因素，真实地反映固定资产投资的规模、速度、结构和效益。

Explanatory Notes on Main Statistical Indicators

Consumer Price Indices reflect the trend and degree of changes in prices of consumer goods and services purchased by urban and rural households during a given period. They are obtained by combining Consumer Price Indices of Urban Household and Consumer Price Indices of Rural Household. The Indices enable the observation and analysis of the degree of impact of the changes in the prices of retailed goods and services on the actual living expenses of urban and rural residents.

Consumer Price Indices of Urban Household reflect the trend and degree of changes in prices of consumer goods and services purchased by urban households during a given period. It can be used to observe and analyze the impact of price changes in consumer goods and services on urban household income and consumption expenditure.

Consumer Price Indices of Rural Household reflect the trend and degree of changes in prices of consumer goods and services purchased by rural households during a given period. It can be used to observe the impact of change in retail prices of consumer goods and service prices on rural household income and consumption expenditure on living.

Retail Price Indices reflect the trend and degree of change in retail prices of commodities during a given period. The change in retail prices of commodities is related to government revenue, the equilibrium of market supply and demand, and the ratio of consumption to accumulation. Therefore, the retail price indices are useful from an oblique perspective for observing and analyzing the changes of the above economic activities.

Price Indices for Means of Agricultural Production reflect the trend and degree of changes in the prices of the means of agricultural production during a given period. Compilation of these indices helps to understand the price changes of material input in agricultural production and facilitate the compilation of national accounts. Before 1994, price indices for means of agricultural production were a sub-category in the retail price indices for commodities, and it has been compiled separately since 1994.

Producer Prices Indices for Farm Products reflect the trend and degree of changes in producers' prices received by farmers when they sell farm products during a given period. These indices depict the change in the level and structure of producer prices for farm products of the country and meet the needs of agricultural statistics and national accounts statistics. The producer price index for a given product is calculated as the geometrical mean of individual indices for all surveyed units which sell such product, and the indices for a product category is obtained as the weighted mean of price indices for all products in the category. Method for calculating accumulative quarterly indices is the same as for calculating the individual quarterly indices.

Producer Price Indices for Industrial Products reflect the trend and degree of changes in general ex-factory prices of all manufactured goods for first sale during a given period.

Purchasing Price Indices for Industrial Producers reflect changes in the level and degree of purchasing prices such as intermediate input such as raw materials, fuels and power.

Price Indices for Investment in Fixed Assets reflect the trend and degree of changes in prices of investment goods and projects in fixed assets during a given period. Removing the factor of price change in the aggregates of investment at current prices, this indicator shows the changes in the prices of commodities and fees involved in the investment of fixed assets, and can be used to observe the actual size, growth, structure, and efficiency of investment in fixed assets.

人民生活
People's Livelihoods

简要说明

一、本篇资料反映河北居民生活状况，主要内容包括河北全体居民及分城乡居民家庭人口、收入与消费支出结构和主要耐用消费品拥有量等。

二、居民调查资料采用二相抽样和多阶段抽样相结合的调查方法统计。

三、2013年国家统计局实行城乡住户一体化调查改革，将过去城镇与农村分别开展的调查体系，按照统一指标、统一方法、统一标准、统一调查、统一程序的原则，整合为城乡一体化住户调查新体系。由于新旧调查体系在调查范围和对象、城乡划分标准、样本抽选方法、计算和汇总方式、指标名称和口径等都发生了变化，新旧口径指标数据衔接困难。

四、旧调查体系的农村居民纯收入指标在新的调查体系中统一为城乡可比的可支配收入，旧调查体系中的城乡经营性收入、财产性收入与转移性收入在新的调查体系中统一为经营净收入、财产净收入与转移净收入。

五、2013年起为新口径数据， 2013年以前的为旧调查体系的数据。

六、本篇资料由国家统计局河北调查总队居民收支调查处整理提供。

七、资料整理：李澍

Brief Introduction

Ⅰ.The data in this paper reflect the living conditions of Hebei residents, including the total population of Hebei residents and the household population of urban and rural residents, the structure of income and consumption expenditure, and the ownership of major consumer durables.

Ⅱ.The survey data of residents shall be counted by the method of two-phase sampling and multi-phase sampling.

Ⅲ. In 2013, the National Bureau of Statistics implemented the reform of integrated urban and rural household survey, integrating the previously separate urban and rural household survey systems into a new system of integrated urban and rural household survey in accordance with the principles of unified indicators, unified methods, unified standards, unified survey and unified procedures. Due to the changes of the old and new survey systems in the survey scope and objects, urban and rural division standard, sample selection method, calculation and summary method, index name and caliber, it is difficult to connect the old and new survey data.

Ⅳ.The net income index of rural residents in the old survey system is unified as comparable urban and rural disposable income in the new survey system, while the urban and rural operating income, property income and transfer income in the old survey system are unified as net operating income, net property income and transfer income in the new survey system.

Ⅴ.The data starting from 2013 are of the new caliber, and the data before 2013 are of the old survey system.

Ⅵ. This information is provided by the Resident Income and Expenditure Survey Office, Hebei Survey Team, National Bureau of Statistics.

Ⅶ.Data collection: Li Shu

6-1 全省居民人均收支情况
Per Capita Income and Consumption Expenditure Provincewide

单位：元 (yuan)

指　标	Item	2013	2014	2015	2016	2017	2018	2019
全省居民人均可支配收入	**Per Capita Disposable Income of Urban Households**	**15190**	**16647**	**18118**	**19725**	**21484**	**23446**	**25665**
工资性收入	Income of Wages and Salaries	8859	9934	10910	11889	13004	14179	15535
经营净收入	Net Business Income	2462	2681	2817	3020	3211	3531	3912
财产净收入	Net Income from Property	1048	1138	1210	1335	1467	1624	1790
转移净收入	Net Income from Transfer	2820	2894	3181	3481	3803	4112	4428
全省居民人均支出	**Per Capita Consumption Expenditure of Urban Households**	**10872**	**11932**	**13031**	**14247**	**15437**	**16722**	**17987**
食品烟酒	Food, Tobacco and Liquor	3043	3264	3516	3819	3913	4271	4676
衣着	Clothing	906	972	1055	1111	1174	1258	1305
居住	Residence	2583	2728	2996	3295	3679	4050	4302
生活用品及服务	Household Facilities, Articles & Services	697	774	832	958	1066	1139	1170
交通通信	Transport and Communications	1414	1749	1808	2062	2290	2355	2416
教育文化娱乐	Education, Cultural and Recreation	1039	1144	1339	1449	1578	1734	1984
医疗保健	Health Care and Medical Services	956	1028	1192	1225	1396	1541	1699
其他用品及服务	Miscellaneous Goods and Services	234	273	294	328	340	374	436
消费支出构成(%)	**Composition of Consumption Expenditure(%)**	**100.0**	**100.0**	**100.0**	**100.0**	**100.0**	**100.0**	**100.0**
食品烟酒	Food, Tobacco and Liquor	28.0	27.4	27.0	26.8	25.4	25.5	26.0
衣着	Clothing	8.3	8.1	8.1	7.8	7.6	7.5	7.3
居住	Residence	23.8	22.9	23.0	23.1	23.8	24.2	23.9
生活用品及服务	Household Facilities, Articles & Services	6.4	6.5	6.4	6.7	6.9	6.8	6.5
交通通信	Transport and Communications	13.0	14.7	13.9	14.5	14.8	14.1	13.4
教育文化娱乐	Education, Cultural and Recreation	9.6	9.6	10.3	10.2	10.2	10.4	11.0
医疗保健	Health Care and Medical Services	8.8	8.6	9.1	8.6	9.1	9.2	9.5
其他用品及服务	Miscellaneous Goods and Services	2.1	2.3	2.2	2.3	2.2	2.3	2.4

6-2 全省居民人均主要食品消费量
Per Capita Consumption of Major Foods Provincewide

单位：千克 (kg)

指　标	Item	2013	2014	2015	2016	2017	2018	2019
粮食	Grain	149.41	133.94	131.53	130.61	124.78	130.84	143.88
谷物	Cereal	140.78	125.33	122.65	120.83	115.16	119.65	130.49
薯类	Tuber	2.05	2.17	2.27	2.46	2.48	3.09	3.96
豆类	Beans and the Products	6.59	6.45	6.61	7.32	7.14	8.10	9.42
油脂类	Edible Oil	11.62	10.50	10.89	10.13	9.32	7.64	7.61
#植物油	Edible Vegetable Oil	11.46	10.37	10.78	10.01	9.21	7.34	7.35
蔬菜及菜制品	Vegetables and Vegetable Products	86.60	88.91	88.17	94.43	87.41	95.53	97.75
#鲜菜	Fresh Vegetables	84.12	86.52	85.54	91.33	84.55	92.09	93.87
肉类	Products of Meat	21.73	18.50	19.01	19.24	19.38	23.03	20.66
#猪肉	Pork	12.44	12.71	12.38	12.15	12.27	15.83	13.69
牛肉	Beef	0.98	1.05	1.24	1.36	1.42	1.45	1.46
羊肉	Mutton	0.81	0.90	1.33	1.50	1.40	1.45	1.34
禽类	Poultry	2.01	3.77	3.97	4.41	4.15	4.89	5.37
水产品	Aquatic Products	5.23	5.13	5.30	5.96	5.71	5.88	7.42
蛋类及蛋制品	Eggs and Processed Products	11.27	10.85	12.50	13.30	13.99	13.69	15.72
奶及奶制品	Milk and Dairy Products	14.03	14.09	13.93	15.18	14.35	14.45	14.49
干鲜瓜果类	Dried and Fresh Melons and Fruits	47.55	50.60	53.79	59.26	60.82	66.82	74.23
#鲜瓜果	Fresh Melons and Fruits	43.57	45.86	48.64	53.34	54.88	60.61	68.86
坚果类	Nuts and Processed Products	3.98	3.89	4.27	4.83	4.71	4.74	5.36
食糖	Sugar		1.02	1.06	1.20	1.11	1.08	1.16

6-3 全省居民平均每百户年末主要耐用消费品拥有量
Main Durable Goods Owned per 100 Households Provincewide

指　标	Item	2013	2014	2015	2016	2017	2018	2019
家用汽车(辆)	Automobile (unit)	23.05	26.76	30.38	35.25	37.28	44.91	45.93
摩托车(辆)	Motorcycle (unit)	39.63	44.46	39.96	34.73	33.91	28.57	24.56
电动助力车(辆)	Electric Bicycle (unit)	70.05	77.41	82.17	87.34	89.99	95.58	100.55
洗衣机(台)	Washing Machine (set)	94.46	96.25	97.59	98.39	99.18	99.79	101.16
电冰箱(柜)(台)	Refrigerator (set)	89.82	92.26	93.88	97.08	97.58	99.13	99.51
微波炉(台)	Microwave Oven (set)	34.13	35.90	37.45	39.41	40.46	45.44	35.68
彩色电视机(台)	Color TV Set (set)	113.30	115.71	115.87	114.86	115.29	111.49	111.55
空调(台)	Air Conditioner (set)	75.89	81.25	87.12	96.27	100.12	104.98	108.91
热水器(台)	Water Heater (set)	66.83	69.83	72.71	77.63	78.99	80.93	81.33
排油烟机(台)	Exhaust Fan (set)	45.00	47.71	48.23	52.05	53.80	50.38	57.88
移动电话(部)	Mobile Phone (set)	204.07	218.52	223.32	229.51	233.04	236.48	240.53
计算机(台)	Computer (set)	49.56	55.92	57.53	58.56	59.48	63.96	52.49
照相机(台)	Camera (set)	19.03	20.32	19.85	18.34	19.16	15.66	9.58

6-4 城镇居民人均收支情况
Per Capita Income and Consumption Expenditure of Urban Households

单位：元 (yuan)

指 标	Item	2013	2014	2015	2016	2017	2018	2019
城镇居民人均可支配收入	**Per Capita Disposable Income of Urban Households**	**22227**	**24141**	**26152**	**28249**	**30548**	**32977**	**35738**
工资性收入	Income of Wages and Salaries	14025	15276	16705	18032	19496	20988	22793
经营净收入	Net Business Income	1638	1807	1831	1983	2139	2436	2750
财产净收入	Net Income from Property	2082	2222	2320	2513	2724	2966	3225
转移净收入	Net Income from Transfer	4482	4836	5296	5722	6188	6587	6970
城镇居民人均支出	**Per Capita Consumption Expenditure of Urban Households**	**14970**	**16204**	**17587**	**19106**	**20600**	**22127**	**23483**
食品烟酒	Food,Tobacco and Liquor	4024	4241	4581	4992	5067	5555	6024
衣着	Clothing	1357	1424	1544	1614	1689	1799	1806
居住	Residence	3703	3736	4112	4483	5048	5577	5880
生活用品及服务	Household Facilities, Articles & Services	962	1082	1179	1351	1485	1508	1537
交通通信	Transport and Communications	1980	2448	2386	2664	2923	2982	2992
教育文化娱乐	Education, Cultural and Recreation	1497	1592	1871	1991	2173	2305	2588
医疗保健	Health Care and Medical Services	1145	1305	1501	1550	1737	1884	2056
其他用品及服务	Miscellaneous Goods and Services	303	376	413	460	478	517	599
消费支出构成(%)	**Composition of Consumption Expenditure(%)**	**100.0**	**100.0**	**100.0**	**100.0**	**100.0**	**100.0**	**100.0**
食品烟酒	Food,Tobacco and Liquor	26.9	26.2	26.0	26.1	24.6	25.1	25.7
衣着	Clothing	9.1	8.8	8.8	8.4	8.2	8.1	7.7
居住	Residence	24.7	23.1	23.4	23.5	24.5	25.2	25.0
生活用品及服务	Household Facilities, Articles & Services	6.4	6.7	6.7	7.1	7.2	6.8	6.5
交通通信	Transport and Communications	13.2	15.1	13.6	14.0	14.2	13.5	12.7
教育文化娱乐	Education, Cultural and Recreation	10.0	9.8	10.6	10.4	10.6	10.4	11.0
医疗保健	Health Care and Medical Services	7.7	8.0	8.5	8.1	8.4	8.5	8.8
其他用品及服务	Miscellaneous Goods and Services	2.0	2.3	2.4	2.4	2.3	2.4	2.6

6–5 城镇居民人均主要食品消费量
Per Capita Consumption of Major Foods of Urban Households

单位：千克 (kg)

指　标	Item	2013	2014	2015	2016	2017	2018	2019
粮食	Grain	132.12	121.41	115.76	121.95	114.80	122.95	130.49
谷物	Cereal	121.89	111.46	105.67	110.52	103.96	110.67	116.90
薯类	Tuber	2.04	2.22	2.41	2.75	2.67	2.96	3.56
豆类	Beans and the Products	8.20	7.73	7.67	8.68	8.17	9.33	10.03
油脂类	Edible Oil	10.02	9.58	9.78	10.87	9.14	7.64	7.86
#植物油	Edible Vegetable Oil	9.95	9.51	9.69	10.80	9.07	7.31	7.57
蔬菜及菜制品	Vegetables and Vegetable Products	101.25	97.63	94.72	108.29	100.39	107.50	111.84
#鲜菜	Fresh Vegetables	97.76	94.31	91.15	104.12	96.65	102.97	106.99
肉类	Products of Meat	24.39	22.40	22.83	23.41	23.04	27.14	24.48
#猪肉	Pork	14.21	14.12	13.64	13.70	13.66	17.52	15.16
牛肉	Beef	1.79	1.91	2.15	2.36	2.40	2.41	2.39
羊肉	Mutton	1.16	1.30	1.90	2.14	1.88	2.24	1.92
禽类	Poultry	2.63	4.94	5.16	5.55	5.12	5.92	6.47
水产品	Aquatic Products	7.09	7.19	7.45	8.25	7.86	7.61	9.97
蛋类及蛋制品	Eggs and Processed Products	13.09	12.77	13.66	14.94	15.07	15.59	17.14
奶及奶制品	Milk and Dairy Products	21.53	21.61	21.20	23.02	20.77	21.51	20.47
干鲜瓜果类	Dried and Fresh Melons and Fruits	55.49	58.78	63.43	70.14	70.65	78.75	88.59
#鲜瓜果	Fresh Melons and Fruits	50.66	52.69	56.75	62.72	63.34	71.48	80.08
坚果类	Nuts and Processed Products	4.83	4.91	5.44	5.84	5.55	5.42	6.11
食糖	Sugar	7.89	1.01	1.02	1.18	1.04	1.02	1.03

6–6 城镇居民平均每百户年末主要耐用消费品拥有量
Main Durable Goods Owned per 100 Urban Households

指　标	Item	2013	2014	2015	2016	2017	2018	2019
家用汽车(辆)	Automobile (unit)	28.65	33.40	36.91	40.56	42.56	51.40	52.50
摩托车(辆)	Motorcycle (unit)	15.91	18.82	14.38	13.02	13.04	10.53	11.02
电动助力车(辆)	Electric Bicycle (unit)	62.47	68.77	73.53	75.83	78.86	88.33	90.14
洗衣机(台)	Washing Machine (set)	96.22	97.43	98.43	98.91	99.36	100.16	101.94
电冰箱(柜)(台)	Refrigerator (set)	96.49	97.59	97.51	99.13	99.11	99.64	101.55
微波炉(台)	Microwave Oven (set)	53.57	56.26	58.39	59.72	60.24	69.42	52.33
彩色电视机(台)	Color TV Set (set)	109.48	111.28	111.11	109.95	110.18	108.21	111.05
空调(台)	Air Conditioner (set)	107.95	112.40	117.91	123.77	126.18	126.35	131.77
热水器(台)	Water Heater (set)	82.95	85.46	88.50	91.19	91.67	94.84	93.48
排油烟机(台)	Exhaust Fan (set)	76.03	79.22	78.20	79.54	79.92	70.56	80.95
移动电话(部)	Mobile Phone (set)	206.60	218.95	220.51	223.38	226.48	229.32	235.39
计算机(台)	Computer (set)	70.29	76.58	76.57	76.11	76.36	87.55	64.28
照相机(台)	Camera (set)	33.72	35.84	34.65	31.15	31.99	26.07	16.28

6-7 农村居民人均收支情况
Per Capita Income and Consumption Expenditure of Rural Households

单位：元 (yuan)

指 标	Item	2013	2014	2015	2016	2017	2018	2019
农村居民人均可支配收入	**Per Capita Disposable Income of Urban Households**	**9188**	**10186**	**11051**	**11919**	**12881**	**14031**	**15373**
工资性收入	Income of Wages and Salaries	4453	5327	5812	6263	6841	7454	8120
经营净收入	Net Business Income	3166	3435	3685	3970	4228	4612	5099
财产净收入	Net Income from Property	166	204	234	257	274	299	323
转移净收入	Net Income from Transfer	1403	1219	1320	1429	1538	1667	1831
农村居民人均支出	**Per Capita Consumption Expenditure of Urban Households**	**7377**	**8248**	**9023**	**9798**	**10536**	**11383**	**12372**
食品烟酒	Food,Tobacco and Liquor	2205	2421	2578	2745	2817	3003	3298
衣着	Clothing	522	582	625	650	684	722	793
居住	Residence	1628	1858	2014	2207	2381	2542	2689
生活用品及服务	Household Facilities, Articles & Services	470	508	527	597	668	774	796
交通通信	Transport and Communications	932	1147	1298	1511	1689	1737	1827
教育文化娱乐	Education, Cultural and Recreation	649	759	870	953	1014	1171	1367
医疗保健	Health Care and Medical Services	795	789	921	928	1073	1202	1334
其他用品及服务	Miscellaneous Goods and Services	176	185	188	206	209	232	269
消费支出构成(%)	**Composition of Consumption Expenditure(%)**	**100.0**	**100.0**	**100.0**	**100.0**	**100.0**	**100.0**	**100.0**
食品烟酒	Food,Tobacco and Liquor	29.9	29.4	28.6	28.0	26.7	26.4	26.7
衣着	Clothing	7.0	7.1	6.9	6.6	6.5	6.3	6.4
居住	Residence	22.1	22.5	22.3	22.5	22.6	22.3	21.7
生活用品及服务	Household Facilities, Articles & Services	6.4	6.1	5.8	6.1	6.4	6.8	6.4
交通通信	Transport and Communications	12.6	13.9	14.5	15.4	16.0	15.3	14.8
教育文化娱乐	Education, Cultural and Recreation	8.8	9.2	9.6	9.7	9.6	10.3	11.0
医疗保健	Health Care and Medical Services	10.8	9.6	10.2	9.5	10.2	10.6	10.8
其他用品及服务	Miscellaneous Goods and Services	2.4	2.2	2.1	2.1	2.0	2.0	2.2

6-8 农村居民人均主要食品消费量
Per Capita Consumption of Major Foods of Rural Households

单位：千克 (kg)

指　标	Item	2013	2014	2015	2016	2017	2018	2019
粮食	Grain	164.16	144.74	145.41	138.54	134.25	138.63	157.55
谷物	Cereal	156.89	137.28	137.58	130.26	125.79	128.52	144.38
薯类	Tuber	2.05	2.12	2.15	2.19	2.29	3.22	4.37
豆类	Beans and the Products	5.22	5.34	5.68	6.08	6.16	6.90	8.79
油脂类	Edible Oil	12.98	11.30	11.87	9.45	9.50	7.65	7.36
#植物油	Edible Vegetable Oil	12.75	11.11	11.73	9.28	9.34	7.36	7.13
蔬菜及菜制品	Vegetables and Vegetable Products	74.11	81.40	82.41	81.73	75.09	83.69	83.35
#鲜菜	Fresh Vegetables	72.49	79.80	80.61	79.63	73.07	81.35	80.47
肉类	Products of Meat	15.71	15.13	15.65	15.42	15.91	18.97	16.76
#猪肉	Pork	10.93	11.49	11.26	10.72	10.95	14.16	12.18
牛肉	Beef	0.29	0.32	0.44	0.44	0.50	0.50	0.51
羊肉	Mutton	0.51	0.55	0.83	0.90	0.94	0.67	0.75
禽类	Poultry	1.49	2.76	2.93	3.36	3.22	3.87	4.25
水产品	Aquatic Products	3.64	3.36	3.41	3.87	3.66	4.17	4.81
蛋类及蛋制品	Eggs and Processed Products	9.72	9.20	11.49	11.80	12.96	11.81	14.28
奶及奶制品	Milk and Dairy Products	7.64	7.60	7.55	7.99	8.26	7.47	8.39
干鲜瓜果类	Dried and Fresh Melons and Fruits	40.78	43.54	45.31	49.29	51.48	55.04	63.55
#鲜瓜果	Fresh Melons and Fruits	37.52	39.98	41.51	44.75	46.85	49.88	57.41
坚果类	Nuts and Processed Products	3.26	3.00	3.24	3.90	3.90	4.06	4.61
食糖	Sugar		1.03	1.10	1.21	1.18	1.14	1.29

6-9 农村居民年末主要耐用消费品拥有量
Main Durable Goods Owned per 100 Rural Households

指　标	Item	2013	2014	2015	2016	2017	2018	2019
家用汽车(辆)	Automobile (unit)	17.53	20.15	23.61	29.39	31.27	37.62	38.49
摩托车(辆)	Motorcycle (unit)	63.06	70.03	66.43	58.69	57.69	48.83	39.89
电动助力车(辆)	Electric Bicycle (unit)	77.53	86.03	91.11	100.04	102.66	103.73	112.35
洗衣机(台)	Washing Machine (set)	92.72	95.07	96.72	97.83	98.98	99.39	100.29
电冰箱(柜)(台)	Refrigerator (set)	83.24	86.95	90.12	94.83	95.84	98.56	97.21
微波炉(台)	Microwave Oven (set)	14.93	15.59	15.77	17.00	17.93	18.50	16.81
彩色电视机(台)	Color TV Set (set)	117.07	120.12	120.81	120.28	121.11	115.17	112.11
空调(台)	Air Conditioner (set)	44.22	50.18	55.25	65.92	70.43	80.97	83.01
热水器(台)	Water Heater (set)	50.90	54.25	56.37	62.66	64.54	65.29	67.56
排油烟机(台)	Exhaust Fan (set)	14.34	16.29	17.21	21.71	24.05	27.71	31.73
移动电话(部)	Mobile Phone (set)	201.57	218.09	226.22	236.27	240.52	244.54	246.35
计算机(台)	Computer (set)	29.09	35.32	37.82	39.18	40.26	37.46	39.12
照相机(台)	Camera (set)	4.53	4.85	4.54	4.20	4.54	3.95	1.99

6-10 居民人均可支配收入和指数
Per Capita Disposable Income of Households and Index

年 份 Year	全省居民人均可支配收入 Per Capita Disposable Income of Households		城镇居民人均可支配收入 Per Capita Disposable Income of Urban Households		农村居民人均可支配收入 Per Capita Disposable Income of Rural Households	
	绝对数（元） Value (yuan)	指数（1978=100） Index (1978=100)	绝对数（元） Value (yuan)	指数（1978=100） Index (1978=100)	绝对数（元） Value (yuan)	指数（1978=100） Index (1978=100)
1978			276	100.0	114	100.0
1980			401	145.0	176	154.1
1985			631	228.3	385	337.7
1990	771		1397	505.8	622	545.0
1995			3674	1330.1	1669	1463.0
2000	3315		5642	2042.3	2484	2177.8
2001			5957	2156.5	2611	2289.0
2002			6641	2403.9	2695	2362.4
2003			7188	2602.1	2865	2512.1
2004			7886	2854.6	3187	2793.9
2005	5581		9020	3265.4	3501	3069.7
2006	6295		10194	3690.2	3826	3354.5
2007	7233		11550	4181.2	4324	3791.2
2008	8365		13263	4801.2	4833	4237.6
2009	9267		14505	5251.0	5194	4553.9
2010	10428		16009	5795.2	6014	5272.8
2011	12059		18006	6518.2	7187	6300.9
2012	13647		20222	7320.4	8158	7152.0
2013	15190		22227	8046.2	9188	8055.2
2014	16647		24141	8739.3	10186	8930.5
2015	18118		26152	9467.2	11051	9688.3
2016	19725		28249	10226.4	11919	10450.1
2017	21484		30548	11058.4	12881	11293.1
2018	23446		32977	11937.9	14031	12301.3
2019	25665		35738	12937.2	15373	13478.1

6-11 分市居民人均可支配收入

Per Capita Disposable Income of Households by City

单位：元 (yuan)

市	City	2013	2014	2015	2016	2017	2018	2019
全　省	**Total**	**15190**	**16647**	**18118**	**19725**	**21484**	**23446**	**25665**
石家庄市	Shijiazhuang	17437	18984	20762	22652	24651	26839	29335
承 德 市	Chengde	11587	13345	14617	16095	17755	19677	21828
张家口市	Zhangjiakou	12716	14126	15781	17588	19585	21830	24159
秦皇岛市	Qinhuangdao	16000	17457	18966	20600	22473	24555	26916
唐 山 市	Tangshan	19868	21603	23465	25534	27786	30309	33080
廊 坊 市	Langfang	19312	21061	22955	25070	27338	29781	32603
保 定 市	Baoding	13300	14734	16182	17802	19641	21708	23769
沧 州 市	Cangzhou	14614	16099	17764	19521	21349	23272	25421
衡 水 市	Hengshui	11805	13111	14585	16296	18004	19869	22067
邢 台 市	Xingtai	12111	13405	14785	16320	18050	20052	22338
邯 郸 市	Handan	14774	16292	17822	19412	21168	23117	25371
定 州 市	Dingzhou	13607	15113	16882	18781	20846	24516	26846
辛 集 市	Xinji	16107	17658	19339	21142	23350	25727	28184

6-12 分市居民人均消费支出

Per Capita Consumption Expenditure of Households by City

单位：元 (yuan)

市	City	2013	2014	2015	2016	2017	2018	2019
全　省	**Total**	**10872**	**11932**	**13031**	**14247**	**15437**	**16722**	**17987**
石家庄市	Shijiazhuang	11309	12274	13432	14317	15299	16422	17892
承 德 市	Chengde	7488	9328	10607	11641	13454	14280	15938
张家口市	Zhangjiakou	8291	9311	10339	11856	13127	15148	17377
秦皇岛市	Qinhuangdao	11646	12550	13486	14982	16382	17880	19380
唐 山 市	Tangshan	13267	15385	17164	16625	18132	19757	21490
廊 坊 市	Langfang	13709	15080	16656	17441	18772	20364	22029
保 定 市	Baoding	8788	9282	9713	11851	12967	14200	16243
沧 州 市	Cangzhou	9347	10667	11828	13673	14985	16350	17876
衡 水 市	Hengshui	7356	8893	9789	11896	13086	14505	16089
邢 台 市	Xingtai	7779	8118	9237	10662	11630	12950	14114
邯 郸 市	Handan	9402	9775	10991	12402	13736	15884	17123
定 州 市	Dingzhou	9390	9698	11049	12306	14707	17544	17843
辛 集 市	Xinji	10331	9255	10904	10730	11856	12850	14600

6-13 分市居民平均每百户年末主要耐用消费品拥有量(2019年)
Main Durable Goods Owned per 100 Households at Year-end by City (2019)

市	City	家用汽车 (辆) Automobile (unit)	摩托车 (辆) Motorcycle (unit)	电动助力车 (辆) Electric Bicycle (unit)	洗衣机 (台) Washing Machine (set)	电冰箱 (台) Refrigerator (set)	微波炉 (台) Microwave Oven (set)	彩色电视机 (台) Color TV Set (set)
全 省	**Total**	**45.93**	**24.56**	**100.55**	**101.16**	**99.51**	**35.68**	**111.55**
石家庄市	Shijiazhuang	50.11	13.80	94.32	101.76	100.67	55.82	116.45
承 德 市	Chengde	32.88	41.65	36.05	97.84	100.56	41.07	106.02
张家口市	Zhangjiakou	26.12	18.37	52.14	91.71	95.38	33.24	100.79
秦皇岛市	Qinhuangdao	46.30	25.26	82.99	100.41	101.23	37.18	104.53
唐 山 市	Tangshan	58.40	26.80	78.20	105.70	107.00	51.80	112.60
廊 坊 市	Langfang	69.95	15.76	98.57	105.95	105.15	46.31	130.00
保 定 市	Baoding	51.31	15.35	76.31	100.46	99.26	49.26	114.10
沧 州 市	Cangzhou	62.29	24.76	104.48	101.09	101.08	32.82	112.98
衡 水 市	Hengshui	39.00	33.00	102.00	99.00	97.00	44.00	111.00
邢 台 市	Xingtai	41.40	25.32	132.31	100.75	98.13	34.20	112.11
邯 郸 市	Handan	46.10	16.90	146.20	109.70	108.20	40.70	124.10
定 州 市	Dingzhou	52.00	20.00	140.00	112.00	108.00	40.00	128.00
辛 集 市	Xinji	49.49	21.11	161.03	104.71	103.98	52.84	125.04

6-13 续表 continued

市	City	空 调 (台) Air Conditioner (set)	热水器 (台) Water Heater (set)	排油烟机 (台) Exhaust Fan (set)	移动电话 (部) Mobile Phone (set)	计算机 (台) Computer (set)	照相机 (台) Camera (set)
全 省	**Total**	**108.91**	**81.33**	**57.88**	**240.53**	**52.49**	**9.58**
石家庄市	Shijiazhuang	166.80	95.35	76.36	240.27	56.97	17.69
承 德 市	Chengde	30.10	69.07	62.32	238.73	48.18	7.16
张家口市	Zhangjiakou	16.68	51.47	53.30	190.92	33.40	7.94
秦皇岛市	Qinhuangdao	68.36	78.47	56.53	221.13	40.50	13.91
唐 山 市	Tangshan	109.80	99.40	66.70	246.00	65.10	15.10
廊 坊 市	Langfang	175.18	98.37	81.80	269.64	70.07	19.27
保 定 市	Baoding	141.34	86.83	73.86	238.35	49.51	9.92
沧 州 市	Cangzhou	156.60	88.17	74.68	225.86	60.50	15.51
衡 水 市	Hengshui	112.00	91.00	79.00	214.00	56.00	16.00
邢 台 市	Xingtai	146.39	84.04	53.38	228.57	51.26	8.91
邯 郸 市	Handan	149.50	92.60	73.90	277.60	65.40	8.70
定 州 市	Dingzhou	188.00	104.00	88.00	304.00	68.00	12.00
辛 集 市	Xinji	158.32	100.32	64.24	247.59	69.05	17.61

6-14 分市城镇居民人均可支配收入

Per Capita Disposable Income of Urban Households by City

单位：元 (yuan)

市	City	2013	2014	2015	2016	2017	2018	2019
全　省	**Total**	**22227**	**24141**	**26152**	**28249**	**30548**	**32977**	**35738**
石家庄市	Shijiazhuang	23994	25996	28168	30459	32929	35563	38550
承 德 市	Chengde	18896	20983	22885	24856	27042	29557	32365
张家口市	Zhangjiakou	19641	21651	23841	26069	28512	31193	34062
秦皇岛市	Qinhuangdao	24021	26053	28158	30348	32795	35386	38359
唐 山 市	Tangshan	26704	28891	31272	33725	36415	39365	42632
廊 坊 市	Langfang	27090	29416	31925	34633	37474	40435	43912
保 定 市	Baoding	19840	21751	23663	25680	27859	30283	32705
沧 州 市	Cangzhou	22072	24174	26350	28605	31044	33528	36244
衡 水 市	Hengshui	17808	19614	21615	23787	26195	28736	31581
邢 台 市	Xingtai	18195	20007	21895	23913	26179	28640	31533
邯 郸 市	Handan	20662	22699	24630	26603	28774	31133	33904
定 州 市	Dingzhou	19134	21081	23189	25391	27777	33436	36345
辛 集 市	Xinji	22651	24735	26906	29139	31907	34556	37493

6-15 分市城镇居民人均消费支出

Per Capita Consumption Expenditure of Urban Households by City

单位：元 (yuan)

市	City	2013	2014	2015	2016	2017	2018	2019
全　省	**Total**	**14970**	**16204**	**17587**	**19106**	**20600**	**22127**	**23483**
石家庄市	Shijiazhuang	15198	16506	18165	19182	20339	21620	23349
承 德 市	Chengde	11756	14114	15636	17327	19426	20984	23098
张家口市	Zhangjiakou	12517	13932	14594	16737	18043	20479	23244
秦皇岛市	Qinhuangdao	16718	17710	18959	20912	22700	24506	26161
唐 山 市	Tangshan	16472	19427	21973	21014	22758	24601	26569
廊 坊 市	Langfang	19019	19876	22152	22944	24389	26161	27937
保 定 市	Baoding	12394	12479	13759	16450	17437	19078	21578
沧 州 市	Cangzhou	13544	14951	16615	18621	21642	23373	25290
衡 水 市	Hengshui	11100	12143	13346	16342	17894	19576	21387
邢 台 市	Xingtai	11010	11465	12984	15236	16419	17864	19187
邯 郸 市	Handan	12539	13048	14387	16224	17568	20231	21529
定 州 市	Dingzhou	12190	10939	12825	15112	17048	19390	21745
辛 集 市	Xinji	13624	11630	14637	15808	14149	15210	17390

6-16 分市城镇居民平均每百户年末主要耐用消费品拥有量(2019年)

Main Durable Goods Owned per 100 Urban Households at Year-end by City (2019)

市	City	家用汽车(辆) Automobile (unit)	摩托车(辆) Motorcycle (unit)	电动助力车(辆) Electric Bicycle (unit)	洗衣机(台) Washing Machine (set)	电冰箱(台) Refrigerator (set)	微波炉(台) Microwave Oven (set)	彩色电视机(台) Color TV Set (set)
全　省	**Total**	**52.50**	**11.02**	**90.14**	**101.94**	**101.55**	**52.33**	**111.05**
石家庄市	Shijiazhuang	54.68	3.96	78.20	102.97	103.63	70.61	113.03
承 德 市	Chengde	42.90	19.44	32.33	100.13	101.59	64.97	104.32
张家口市	Zhangjiakou	33.77	6.33	48.78	96.29	98.56	55.10	100.36
秦皇岛市	Qinhuangdao	55.80	7.40	84.33	100.92	102.04	58.87	102.44
唐 山 市	Tangshan	63.40	12.40	62.10	106.20	106.70	64.00	111.60
廊 坊 市	Langfang	74.80	6.33	81.67	107.16	105.17	60.67	130.08
保 定 市	Baoding	58.87	5.68	58.29	100.79	100.78	67.54	110.22
沧 州 市	Cangzhou	67.83	8.24	96.24	99.88	100.52	49.16	113.98
衡 水 市	Hengshui	45.00	15.00	103.00	103.00	101.00	57.00	115.24
邢 台 市	Xingtai	49.46	13.91	128.71	102.30	99.89	49.22	109.85
邯 郸 市	Handan	53.60	8.60	127.90	106.40	103.10	53.20	120.50
定 州 市	Dingzhou	59.25	11.10	122.20	107.40	103.70	40.70	125.92
辛 集 市	Xinji	76.23	8.04	158.54	100.00	100.00	57.70	120.57

6-16 续表 continued

市	City	空　调(台) Air Conditioner (set)	热水器(台) Water Heater (set)	排油烟机(台) Exhaust Fan (set)	移动电话(部) Mobile Phone (set)	计算机(台) Computer (set)	照相机(台) Camera (set)
全　省	**Total**	**131.77**	**93.48**	**80.95**	**235.39**	**64.28**	**16.28**
石家庄市	Shijiazhuang	188.53	102.33	91.91	229.88	65.81	25.27
承 德 市	Chengde	49.33	92.13	91.80	234.87	69.53	13.35
张家口市	Zhangjiakou	27.26	81.64	84.79	190.92	52.12	14.34
秦皇岛市	Qinhuangdao	88.87	99.03	92.70	224.55	56.23	26.62
唐 山 市	Tangshan	127.80	102.30	87.70	246.70	73.10	28.10
廊 坊 市	Langfang	198.01	104.29	93.16	265.85	84.97	28.70
保 定 市	Baoding	164.40	97.07	91.19	225.67	63.80	15.04
沧 州 市	Cangzhou	198.74	99.41	93.17	224.87	77.04	24.69
衡 水 市	Hengshui	130.00	101.00	94.00	237.40	72.05	26.25
邢 台 市	Xingtai	173.23	100.18	84.07	232.49	70.49	15.76
邯 郸 市	Handan	155.20	98.00	96.00	252.60	76.30	20.50
定 州 市	Dingzhou	211.10	100.00	100.00	292.60	62.96	18.50
辛 集 市	Xinji	184.28	100.00	87.39	262.83	87.52	24.16

6-17 分市农村居民人均可支配收入

Per Capita Disposable Income of Rural Households by City

单位：元 (yuan)

市	City	2013	2014	2015	2016	2017	2018	2019
全　　省	**Total**	**9188**	**10186**	**11051**	**11919**	**12881**	**14031**	**15373**
石家庄市	Shijiazhuang	9682	10691	11442	12345	13345	14518	15853
承 德 市	Chengde	6031	7163	7923	8736	9682	10804	12101
张家口市	Zhangjiakou	6583	7462	8341	9241	10293	11531	12973
秦皇岛市	Qinhuangdao	9007	9964	10782	11621	12563	13719	15035
唐 山 市	Tangshan	11674	12867	13935	15023	16229	17656	19316
廊 坊 市	Langfang	10985	12115	13159	14286	15487	16865	18467
保 定 市	Baoding	8533	9573	10558	11612	12779	14108	15618
沧 州 市	Cangzhou	8470	9442	10389	11340	12363	13516	14854
衡 水 市	Hengshui	7182	8104	9030	10069	11194	12493	13917
邢 台 市	Xingtai	7446	8342	9152	10006	10999	12287	13798
邯 郸 市	Handan	9307	10343	11247	12153	13151	14307	15695
定 州 市	Dingzhou	9524	10706	11959	13298	14748	16252	17828
辛 集 市	Xinji	11115	12260	13364	14500	15761	17337	19019

6-18 分市农村居民人均消费支出

Per Capita Consumption Expenditure of Rural Households by City

单位：元 (yuan)

市	City	2013	2014	2015	2016	2017	2018	2019
全　　省	**Total**	**7377**	**8248**	**9023**	**9798**	**10536**	**11383**	**12372**
石家庄市	Shijiazhuang	6710	7275	7476	7894	8417	9082	9908
承 德 市	Chengde	4243	5454	6536	6865	8264	8260	9329
张家口市	Zhangjiakou	4549	5213	6411	7052	8010	9284	10751
秦皇岛市	Qinhuangdao	7224	8051	8614	9520	10316	11252	12339
唐 山 市	Tangshan	9424	10561	11522	10992	11938	12989	14171
廊 坊 市	Langfang	8025	9945	10654	11235	12203	13335	14293
保 定 市	Baoding	6155	6929	6671	8238	8667	9876	11377
沧 州 市	Cangzhou	5890	7136	7716	8165	8815	9670	10637
衡 水 市	Hengshui	4474	6390	7059	7864	8698	9672	10731
邢 台 市	Xingtai	5301	5557	6427	7309	7826	8771	10075
邯 郸 市	Handan	6490	6736	7711	8544	9697	11446	12446
定 州 市	Dingzhou	7322	8781	9662	10372	11624	13327	14138
辛 集 市	Xinji	7819	7444	7957	8627	9822	10608	11854

6-19 分市农村居民平均每百户年末主要耐用消费品拥有量(2019年)
Main Durable Goods Owned per 100 Rural Households at Year-end by City (2019)

市	City	家用汽车 (辆) Automobile (unit)	摩托车 (辆) Motorcycle (unit)	电动助力车 (辆) Electric Bicycle (unit)	洗衣机 (台) Washing Machine (set)	电冰箱 (台) Refrigerator (set)	微波炉 (台) Microwave Oven (set)	彩色电视机 (台) Color TV Set (set)
全　省	**Total**	**38.49**	**39.89**	**112.35**	**100.29**	**97.21**	**16.81**	**112.11**
石家庄市	Shijiazhuang	41.50	32.32	124.68	99.49	95.10	27.96	122.90
承 德 市	Chengde	22.84	63.89	39.77	95.55	99.52	17.13	107.73
张家口市	Zhangjiakou	17.67	31.68	55.86	86.64	91.86	9.09	101.26
秦皇岛市	Qinhuangdao	38.70	44.16	81.57	99.87	100.36	14.25	106.75
唐 山 市	Tangshan	51.20	49.20	103.30	105.40	107.40	32.80	116.10
廊 坊 市	Langfang	63.90	28.47	121.33	104.33	105.13	26.97	129.91
保 定 市	Baoding	42.72	26.33	96.78	100.07	97.53	28.48	118.51
沧 州 市	Cangzhou	56.21	42.88	113.52	102.43	101.70	14.91	111.87
衡 水 市	Hengshui	33.24	50.00	101.00	95.00	92.00	30.00	106.25
邢 台 市	Xingtai	32.26	36.81	135.93	99.20	96.36	19.07	114.39
邯 郸 市	Handan	36.30	26.90	168.40	110.50	106.70	25.00	127.60
定 州 市	Dingzhou	45.80	29.16	150.00	108.30	104.16	41.66	124.99
辛 集 市	Xinji	23.18	34.63	163.48	109.34	107.90	48.06	129.44

6-19 续表 continued

市	City	空　调 (台) Air Conditioner (set)	热水器 (台) Water Heater (set)	排油烟机 (台) Exhaust Fan (set)	移动电话 (部) Mobile Phone (set)	计算机 (台) Computer (set)	照相机 (台) Camera (set)
全　省	**Total**	**83.01**	**67.56**	**31.73**	**246.35**	**39.12**	**1.99**
石家庄市	Shijiazhuang	125.87	82.20	47.06	259.84	40.33	3.39
承 德 市	Chengde	10.84	45.98	32.80	242.58	26.79	0.96
张家口市	Zhangjiakou	4.98	18.15	18.52	190.93	12.72	0.87
秦皇岛市	Qinhuangdao	46.67	56.72	18.27	217.52	23.87	0.47
唐 山 市	Tangshan	71.10	99.00	37.90	245.40	48.30	6.80
廊 坊 市	Langfang	146.71	90.41	66.50	274.74	49.99	6.57
保 定 市	Baoding	115.14	75.20	54.18	225.67	33.27	4.11
沧 州 市	Cangzhou	110.37	75.85	54.39	226.94	42.36	5.44
衡 水 市	Hengshui	93.00	80.00	63.00	190.15	40.23	5.52
邢 台 市	Xingtai	108.29	67.79	22.48	225.71	31.91	2.01
邯 郸 市	Handan	125.30	81.60	47.80	283.60	54.00	3.70
定 州 市	Dingzhou	154.16	100.00	70.83	308.30	66.66	4.16
辛 集 市	Xinji	132.77	100.64	41.45	232.59	50.87	11.17

6-20 全省、城镇、农村居民人均可支配收入及生活消费支出
Per Capita Disposable Income and Consumption Expenditure of Households

年 份 Year	人 均 可支配收入 (元) Per Capita Disposable Income (yuan)	指 数 (上年为100) Index (preceding year=100)	人 均 消费支出 (元) Per Capita Consumption Expenditure (yuan)	指 数 (上年为100) Index (preceding year=100)	恩格尔 系 数 (%) Engle Coefficient (%)
全省居民					
Provincial Household					
2013	15190	100.0	10872	100.0	28.0
2014	16647	109.6	11932	109.7	27.4
2015	18118	119.3	13031	119.9	27.0
2016	19725	129.9	14247	131.0	26.8
2017	21484	141.4	15437	142.0	25.3
2018	23446	154.4	16722	153.8	25.5
2019	25665	169.0	17987	165.4	26.0
城镇居民					
Urban Household					
2013	22227	100.0	14970	100.0	26.9
2014	24141	108.6	16204	108.2	26.2
2015	26152	117.7	17587	117.5	26.0
2016	28249	127.1	19106	127.6	26.1
2017	30548	137.4	20600	137.6	24.6
2018	32977	148.4	22127	147.8	25.1
2019	35738	160.8	23483	156.9	25.7
农村居民					
Rural Household					
2013	9188	100.0	7377	100.0	29.9
2014	10186	110.9	8248	111.8	29.4
2015	11051	120.3	9023	122.3	28.6
2016	11919	129.7	9798	132.8	28.0
2017	12881	140.2	10536	142.8	26.7
2018	14031	152.7	11383	154.3	26.4
2019	15373	167.3	12372	167.7	26.7

主要统计指标解释

从 2012 年四季度起，国家统计局对分别进行的城乡住户调查实施了一体化改革，规范了城乡划分范围，统一了城乡居民收入指标名称、分类和统计标准，建立了城乡统一的一体化住户调查，并据此采集全省居民有关数据。1978-2012 年的数据，根据国家统计局城镇住户调查和农村住户调查的历史数据，按照住户收支与生活状况调查可比口径推算得到。

一、居民可支配收入

居民可支配收入指居民可用于最终消费支出和储蓄的总和，即居民可用于自由支配的收入。既包括现金收入，也包括实物收入。按照收入的来源，可支配收入包含四项，分别为：工资性收入、经营净收入、财产净收入和转移净收入。

工资性收入　指就业人员通过各种途径得到的全部劳动报酬和各种福利，包括受雇于单位或个人、从事各种自由职业、兼职和零星劳动得到的全部劳动报酬和福利。

经营净收入　指住户或住户成员从事生产经营活动所获得的净收入，是全部经营收入中扣除经营费用、生产性固定资产折旧和生产税之后得到的净收入。计算公式为：

经营净收入=经营收入-经营费用-生产性固定资产折旧-生产税

财产净收入　指住户或住户成员将其所拥有的金融资产、住房等非金融资产和自然资源交由其他机构单位、住户或个人支配而获得的回报并扣除相关的费用之后得到的净收入。财产净收入包括利息净收入、红利收入、储蓄性保险净收益、转让承包土地经营权租金净收入、出租房屋净收入、出租其他资产净收入和自有住房折算净租金等。财产净收入不包括转让资产所有权的溢价所得。

转移净收入　计算公式为：转移净收入=转移性收入-转移性支出

转移性收入　指国家、单位、社会团体对住户的各种经常性转移支付和住户之间的经常性收入转移。包括养老金或退休金、社会救济和补助、政策性生产补贴、政策性生活补贴、救灾款、经常性捐赠和赔偿、报销医疗费、住户之间的赡养收入，本住户非常住成员寄回带回的收入等。转移性收入不包括住户之间的实物馈赠。

转移性支出　指调查户对国家、单位、住户或个人的经常性或义务性转移支付。包括缴纳的税款、各项社会保障支出、赡养支出、经常性捐赠和赔偿支出以及其他经常转移支出等。

根据住户收支与生活状况调查，分城镇和农村的居民人均可支配收入等数据的覆盖人群主要变化：一是计算城镇居民人均可支配收入时分母包括了在城镇地区常住的农民工，计算农村居民人均可支配收入时分母不包括在城镇地区常住的农民工；二是由本户供养的在外大学生视为常住人口。

二、居民消费支出

居民消费支出是指居民用于满足家庭日常生活消费需要的全部支出，既包括现金消费支出，也包括实物消费支出。消费支出可划分为食品烟酒、衣着、居住、生活用品及服务、交通通信、教育文化娱乐、医疗保健以及其他用品及服务八大类。

食品烟酒　指用于各种食品和烟草、酒类的支出。

衣着　指与居民穿着有关的支出，包括服装、服装材料、鞋类、其他衣类及配件、衣着相关加工服务的支出。

居住　指与居住有关的支出，包括房租、水、电、燃料、物业管理等方面的支出，也包括自有住房折算租金。

生活用品及服务　指家庭及个人的各类生活品及家庭服务。包括家具及室内装饰品、家用器具、家用纺织品、家庭日用杂品、个人用品和家庭服务。

交通通信　指用于交通和通信工具及相关的各种服务费、维修费和车辆保险等支出。

教育文化娱乐　指用于教育、文化和娱乐方面的支出。

医疗保健　指用于医疗和保健的药品、用品和服务的总费用。包括医疗器具及药品，以及医疗服务。

其他用品及服务　指无法直接归入上述各类支出的其他用品与服务支出。

Explanatory Notes on Main Statistical Indicators

Since the fourth quarter of 2012, the NBS has launched its reform on the household survey programme, to form an integrated survey, instead of the two separate urban and rural household surveys. The reform regulates the division of urban and rural areas, integrates the concepts, classifications and standards, conducts the integrated household survey, and collects household data in the whole country thereafter. Data from 1978 to 2012 are estimated based on the historical data of Urban Household Survey and Rural Household Survey according to the definition of main income and consumption indicators of Household Survey on Income and Expenditure and Living Conditions.

I. Disposable Income of Residents

Disposable Income of Households refers to the income of households for purpose of final expenditure and savings. It includes income both in cash and in kind. By sources of income, disposable income includes four categories: income from wages and salaries, net business income, net income from properties and net income from transfer.

Income from Wages and Salaries refers to remuneration of labour and salaries from all kinds of sources, including those employed by other units or individuals, freelance work, part-time jobs, and sporadic labour.

Net Business Income refers to net income earned by households and their members engaged in production and business activities. It refers to the net income of operating revenue minus operating costs, depreciation of productive fixed assets, and production tax. The formula is:

Net Business Income=Operating Revenue-Operating Costs-Depreciation of Productive Fixed Assets-Production Tax

Net Income from Properties refers to the net income received as returns by households or members of financial assets, non-financial assets such as housing, to other institutions, households or individuals, and minus relevant costs. Net income from properties includes net income of interest, bonus income, net income of saving insurance, net income of rents of transferring management right of contract land, income of renting housing, income of renting other assets, net converted rents of self-owned housing. Net income from properties do not include premium of transferring ownership of assets.

Net Income from Transfer The formula is:Net Income from Transfer=Income from Transfers-Expenditure from Transfer

Income from Transfer refers to the regular transfer from country, institutions, social communities to households and between households. It includes old-age and retirement pension, disaster relief funds, regular donation and compensation, applying for medical fees, supporting income between households, income from non-usual-residing members of households, etc. Income from transfer do not include presents in kinds between households.

Expenditure from Transfer refers to regular or deontic transfer from households to country, institutions, households or individuals. It includes taxes paid, expenditure of all kinds of social security, supporting expenditure, regular donation and compensation and other regular transfer expenditure, etc.

According to the household survey, main changes of population covered by data of per capita disposable income of urban and rural households: migrant workers resided in urban areas are included in the denominator when calculating per capita disposable income of urban household, migrant workers are not included in denominator when calculating per capita disposable income of rural households; college students of their households are regarded as permanent residents.

II. Consumption Expenditure of Residents

Consumption Expenditure of Households refers to all expenditure of households for living expenditure to satisfy family daily living. It includes expenditure in cash and in kind. It includes eight categories: food, tobacco and liquor; clothing; residence; household facilities, articles and services; transport and communications; education, cultural and recreational activities; health care and medical services, and miscellaneous goods and services.

Food, Tobacco and Liquor refers to expenditure for food, tobacco and liquor of all kinds.

Clothing refers to expenditure related to clothing, including clothes, clothing materials, footwear, other clothing and accessories, processing services related to clothing.

Residence refers to expenditure related to residence, including housing rents, water, electricity, fuel, property management, and including converted self-owned housing rents.

Household Facilities, Articles and Services refers to expenditure for family and individual articles for living purpose and family services. It includes furniture and interior decoration, home appliances, home textiles, household miscellaneous daily articles, personal articles, and family services.

Transport and Communications refers to expenditure for transport and communication and related services, maintenance and repairs, and vehicle insurance.

Education, Cultural and Recreational Activities refers to expenditure on education, cultural and recreational activities.

Health Care and Medical Services refers to expenditure on drugs, supplies and services of medical and health care. It includes medical appliances and drugs, and medical services.

Miscellaneous Goods and Services refers to expenditure of all kinds of expenditure of other articles and services that can not divided into the category above.

财政、金融、保险

Government Finance, Banking and Insurance

简 要 说 明

一、本篇反映河北省地方公共财政预算收支、银行、保险等方面的基本情况。

二、财政资料根据河北省财政厅提供的有关资料加工整理。银行资料由中国人民银行河北分行提供。保险业务资料由中国银行保险监督管理委员会河北监管局提供。

三、本篇资料由河北省统计局国民经济核算处、省财政厅、中国人民银行河北分行负责整理提供。

四、资料整理：刘博　冯新文　沈群

Brief Introduction

Ⅰ.The data in this chapter reflects the basic situation of Hebei Province's local public finance budget revenue and expenditure, bank, insurance, etc.

Ⅱ.The financial data shall be processed and sorted out according to the relevant data provided by the Finance Department of Hebei Province. Bank information provided by the Hebei Branch of the People's Bank of China. The insurance business data shall be provided by the Hebei Regulatory Bureau of the China Banking and Insurance Regulatory Commission.

Ⅲ. This information is collated and provided by the National Economic Accounting Office of The Statistics Bureau of Hebei Province, the Provincial Finance Department and the Hebei Branch of the People's Bank of China.

Ⅳ.Data collection: Liu Bo, Feng Xinwen, Shen Qun

7-1 一般公共预算收支和增长速度

General Public Budget Revenue and Expenditure and Their Growth Rates

单位：亿元 (100 million yuan)

年 份 Year	一般公共预算收入 General Public Budget Revenue	一般公共预算支出 General Public Budget Expenditure	比上年增长(%) Growth Rate over Preceding Year (%)	
			一般公共预算收入 General Public Budget Revenue	一般公共预算支出 General Public Budget Expenditure
1978		32.44		2.9
1979		34.22		5.5
1980		28.36		-17.1
1981		23.29		-17.9
1982		25.94		11.4
1983		28.27		9.0
1984		35.86		26.9
1985		41.66		16.2
1986		53.82		29.2
1987		53.33		-0.9
1988		67.52		26.6
1989		77.30		14.5
1990		87.28		12.9
1991		91.14		4.4
1992		101.19		11.0
1993		142.26		40.6
1994	95.22	160.84		13.1
1995	119.95	191.18	26.0	18.9
1996	151.78	231.90	26.5	21.3
1997	176.07	270.46	16.0	16.6
1998	206.76	301.55	17.4	11.5
1999	223.28	350.80	8.0	16.3
2000	248.76	415.54	11.4	18.5
2001	283.50	514.18	14.0	23.7
2002	302.31	576.59	6.6	12.1
2003	335.83	646.74	11.1	12.2
2004	407.83	785.56	21.4	21.5
2005	515.70	979.16	26.5	24.6
2006	620.53	1180.36	20.3	20.5
2007	789.12	1506.65	27.2	27.6
2008	947.59	1881.67	20.1	24.9
2009	1067.12	2347.59	12.6	24.8
2010	1331.85	2820.24	24.8	20.1
2011	1737.77	3537.39	30.5	25.4
2012	2084.28	4079.44	19.9	15.3
2013	2295.62	4409.58	10.14	8.1
2014	2446.62	4677.30	6.6	6.1
2015	2649.18	5632.19	8.3	20.4
2016	2849.87	6049.53	7.6	7.4
2017	3233.83	6639.18	13.5	9.7
2018	3513.86	7726.21	8.7	16.4
2019	3738.99	8309.04	6.4	7.5

7-2 分项目一般公共预算收支
Public Financial Budget Revenue and Expenditures by Item

单位：亿元 (100 million yuan)

项目	Item	2015		2018		2019	
		金额 Amount	比重(%) Percentage	金额 Amount	比重(%) Percentage	金额 Amount	比重(%) Percentage
一般公共预算收入	**General Public Budget Revenue**	**2649.18**	**100.00**	**3513.86**	**100.00**	**3738.99**	**100.00**
税收收入	Tax Revenue	1934.29	73.01	2555.82	72.74	2630.73	70.36
增值税	Value-added Tax	315.35	11.90	1009.02	28.72	1013.52	27.11
营业税	Operation Tax	651.54	24.59				
企业所得税	Enterprises' Income Tax	266.94	10.08	406.04	11.56	411.33	11.00
个人所得税	Individual Income Tax	62.86	2.37	105.60	3.01	70.06	1.87
城建税	Tax on City Construction	111.89	4.22	149.92	4.27	148.19	3.96
资源税	Tax on Natural Resources	28.36	1.07	48.03	1.37	56.13	1.50
房产税	Tax on Real Estates	51.34	1.94	71.28	2.03	75.24	2.01
城镇土地使用税	Tax on the Use of Urban Land	106.84	4.03	122.98	3.50	139.06	3.72
耕地占用税	Tax on the Occupancy of Cultivated Land	49.37	1.86	63.40	1.80	80.86	2.16
契　税	Contract Tax	109.20	4.12	220.66	6.28	234.51	6.27
其他税收收入	Other Tax	180.60	6.83	358.89	10.21	401.83	10.75
非税收收入	Non-tax Revenue	714.89	26.99	958.04	27.26	1108.26	29.64
行政事业性收费收入	Income from Administrative Fees	185.80	7.01	155.17	4.42	179.48	4.80
一般公共预算支出	**General Public Budget Expenditure**	**5632.19**	**100.00**	**7726.21**	**100.00**	**8309.04**	**100.00**
一般公共服务	General Public Services	503.32	8.94	712.40	9.22	792.63	9.54
国　防	National Defenses	10.31	0.18	9.42	0.12	12.63	0.15
公共安全	Public Security	287.08	5.10	422.48	5.47	432.48	5.20
教　育	Education	1041.16	18.49	1385.59	17.93	1537.09	18.50
科学技术	Science and Technology	45.50	0.81	77.04	1.00	90.70	1.09
文化体育与传媒	Culture, Sports and Communications	88.34	1.57	115.17	1.49	158.00	1.90
社会保障和就业	Social Security and Employment	763.68	13.56	1137.84	14.73	1227.95	14.78
医疗卫生	Medical Treatment and Health	535.09	9.50	691.33	8.95	695.07	8.37
节能环保	Energy Conservation and Environment Protection	282.72	5.02	433.55	5.61	502.50	6.05
城乡社区事务	Affairs of Urban and Rural Communities	476.59	8.46	668.09	8.65	707.20	8.51
农林水事务	Affairs of Agriculture, Forestry and Water Resources	712.49	12.65	906.27	11.73	978.27	11.77
交通运输	Transport	323.82	5.75	395.33	5.12	382.80	4.61
其他支出	Other Expenditures	562.09	9.97	771.70	9.99	791.70	9.53

7–3 各级一般公共预算收入(2019年)

General Public Budget Revenue by Rating (2019)

单位：万元 (10000 yuan)

指标	Item	全省 Provincial Total	省级 Provincial Level	市级 City Level	县(市、区)级 County (City or District) Level
一般公共预算收入	**General Public Budget Revenue**	**37389897**	**7517703**	**4186992**	**25685202**
税收收入	Tax Revenue	26307304	5969739	1625313	18712252
增值税	Value-added Tax	10135245	3271173	525224	6338848
国内增值税	Domestic Value-added Tax	6039469	1817261	261191	3961017
改征增值税(项)	Reform of Value-added Tax	4095776	1453912	264033	2377831
企业所得税	Corporate Income Tax	4113314	2160774	166544	1785996
个人所得税(款)	Individual Income Tax	700600	175151	62716	462733
资源税	Resource Tax	561293	315647	23291	222355
城市维护建设税	City Maintenance and Construction Tax	1481921	674	145417	1335830
房产税	House Property Tax	752353		18832	733521
印花税	Stamp Tax	484087		10656	473431
城镇土地使用税	Urban Land Use Tax	1390646		6125	1384521
土地增值税	Land Appreciation Tax	2701071		28708	2672363
车船税(款)	Tax on Vehicles and Boat Operation	539563		770	538793
耕地占用税(款)	Farm Land Occupation Tax	808613		47643	760970
契税(款)	Deed Tax	2345107		579207	1765900
烟叶税(款)	Tobacco Leaf Tax	2522			2522
环境保护税(款)	Environment Protection Tax	273145	40971	8630	223544
其他税收收入	Other Tax Revenue	17824	5349	1550	10925
非税收入	**Non-Tax Revenue**	**11082593**	**1547964**	**2561679**	**6972950**
专项收入	Special Program Receipts	3036303	656033	600739	1779531
行政事业性收费收入	Charge of Administrative and Institutional Units	1794782	365570	342875	1086337
罚没收入	Penalty Receipts	1576383	40706	514059	1021618
国有资本经营收入	Operating Income from Government Capital	358366	492	144707	213167
国有资源(资产)有偿使用收入	Income from Use of State-owned Resources (Assets)	3292008	457224	533877	2300907
捐赠收入	Donation Income	38444	23	2652	35769
政府住房基金收入	Government Housing Fund Income	539719	11252	340662	187805
其他收入(款)	Other Revenue	446588	16664	82108	347816

7-4 分市一般公共预算收入(2019年)

单位：万元

指　标	Item	石家庄市 Shijiazhuang	#辛集市 Xinji	承德市 Chengde	张家口市 Zhangjiakou
一般公共预算收入	**General Public Budget Revenue**	**5691283**	**240087**	**1124678**	**1686238**
税收收入	**Tax Revenue**	**3812926**	**160153**	**814463**	**949132**
增值税	Value-added Tax	1373927	61502	321090	358768
国内增值税	Domestic Value-added Tax	794087	45973	198156	167960
改征增值税(项)	Reform of Value-added Tax	579840	15529	122934	190808
企业所得税	Corporate Income Tax	381912	24417	84118	91846
个人所得税(款)	Individual Income Tax	114868	1598	30831	18999
资源税	Resource Tax	12983	458	34018	10334
城市维护建设税	City Maintenance and Construction Tax	319293	9257	57066	104596
房产税	House Property Tax	162724	3542	27284	30806
印花税	Stamp Tax	81774	2714	15660	20365
城镇土地使用税	Urban Land Use Tax	215354	12793	41352	45570
土地增值税	Land Appreciation Tax	398357	13748	55134	82108
车船税(款)	Tax on Vehicles and Boat Operation	112419	2701	16308	19833
耕地占用税(款)	Farm Land Occupation Tax	147558	13331	34148	26315
契税(款)	Deed Tax	473239	12688	89484	128454
烟叶税(款)	Tobacco Leaf Tax	235			2279
环境保护税(款)	Environment Protection Tax	16583	1402	7886	8458
其他税收收入	Other Tax Revenue	1700	2	84	401
非税收入	**Non-Tax Revenue**	**1878357**	**79934**	**310215**	**737106**
专项收入	Special Program Receipts	547120	30702	84751	149166
行政事业性收费收入	Charge of Administrative and Institutional Units	324421	11746	64753	87996
罚没收入	Penalty Receipts	203792	11371	54821	79764
国有资本经营收入	Operating Income from Government Capital	10806		363	21343
国有资源(资产)有偿使用收入	Income from Use of State-owned Resources (Assets)	479213	24292	81570	343709
捐赠收入	Donation Income	1834		1624	10536
政府住房基金收入	Government Housing Fund Income	185687	1412	17853	42021
其他收入(款)	Other Revenue	125484	411	4480	2571

General Public Budget Revenue by City (2019)

(10000 yuan)

秦皇岛市 Qinhuangdao	唐山市 Tangshan	廊坊市 Langfang	保定市 Baoding	#定州市 Dingzhou	沧州市 Cangzhou	衡水市 Hengshui	邢台市 Xingtai	邯郸市 Handan	雄安新区 Xiongan
1441360	**4653484**	**3883388**	**2969552**	**243967**	**2836418**	**1220490**	**1598450**	**2620683**	**146170**
1017449	**3288379**	**2828607**	**1927072**	**143401**	**1900414**	**804908**	**1060970**	**1814655**	**118590**
350265	1171635	620129	692898	48696	626497	296132	404200	615750	32781
228019	876820	292541	415858	29114	413884	179368	252775	382022	20718
122246	294815	327588	277040	19582	212613	116764	151425	233728	12063
124612	407649	227636	168991	15618	144049	59619	83195	171043	7870
33241	70643	110735	44509	1560	35709	18590	20165	23422	3737
6941	76452	3618	10203	778	53389	4485	9887	22950	386
69761	209506	121334	149032	10606	206359	55242	72075	112152	4831
48075	143459	94258	69508	3025	59643	25414	28059	59617	3506
22988	111026	43205	45931	2758	43662	15067	23502	55534	5373
54261	399542	107811	78582	13900	108992	63017	84692	187027	4446
92013	188196	1009216	294687	15320	172192	101323	114874	192936	35
19943	73078	37700	51510	2624	43045	21070	31053	110148	3456
41834	74945	41335	65818	10439	151413	46012	52817	86409	40009
131069	260164	404976	245563	16756	223961	95519	126766	153912	12000
			8						
22236	98304	5118	8092	1321	31161	3124	7740	23312	160
210	3780	1536	1740		342	294	1945	443	
423911	**1365105**	**1054781**	**1042480**	**100566**	**936004**	**415582**	**537480**	**806028**	**27580**
43320	253002	414113	232838	8788	257426	129283	146589	116520	6142
54008	219144	69688	130183	8922	140266	124092	61819	148010	4832
51896	186003	171187	248687	44439	139151	88348	122868	180066	9094
46486	45549	87989	40693	26	65425	2708	400	35875	237
199432	571073	216865	345666	34214	252569	52112	128737	156919	6919
2328	1379	10862	2084		2472	3316	1248	498	240
21477	51602	33541	27759	1912	32292	11121	63666	41393	55
4964	37353	50536	14570	2265	46403	4602	12153	126747	61

7-5 分市一般公共预算支出(2019年)

单位：万元

指　　标	Item	石家庄市 Shijiazhuang	#辛集市 Xinji	承德市 Chengde	张家口市 Zhangjiakou
一般公共预算支出	**General Public Budget Expenditure**	**10513884**	**670690**	**4218239**	**6110403**
一般公共服务支出	Expenditure for General Public Services	1092162	71125	407926	570828
国防支出	Expenditure for National Defense	14024	230	4874	10655
公共安全支出	Expenditure for Public Security	561087	18884	181749	301049
教育支出	Expenditure for Education	2144377	124521	787054	836265
科学技术支出	Expenditure for Science and Technology	123373	4989	18670	23308
文化旅游体育与传媒支出	Expenditure for Culture,Tourism,Sport and Media	197437	9659	86806	249810
社会保障和就业支出	Expenditure for Social Security and Employment	1137257	74017	481189	811009
卫生健康支出	Expenditure for Hygiene and Health	923163	60858	423212	518164
节能环保支出	Expenditure for Energy Conservation and Environment Protection	811643	66562	262533	285371
城乡社区支出	Expenditure for Urban and Rural Community Affairs	979081	60770	148307	300614
农林水支出	Expenditure for Agriculture,Forestry and Water Conservancy	970902	66899	741388	1293417
交通运输支出	Expenditure for Transportation	512531	69504	279046	383230
资源勘探信息等支出	Expenditure for Affairs of Resource Exploration and Information	257413	12018	46866	101895
商业服务业等支出	Expenditure for Affairs of Commerce and Services	36831	2476	10154	19390
金融支出	Expenditure for Financial Affairs	656		870	516
援助其他地区支出	Expenditure for Other Regional Assistance	18		55	135
自然资源海洋气象等支出	Expenditure for Natural Resources,Ocean and Weather	170997	5884	37883	94564
住房保障支出	Expenditure for Housing Security	190350	13325	130386	144927
粮油物资储备支出	Expenditure for Affairs of Management of Grain & Oil Reserves	6793	1408	5863	8280
灾害防治及应急管理支出	Expenditure for Disaster Prevention and Emergency Management	57886	3517	30568	35026
其他支出(类)	Other Expenditure	81926	1019	26358	28325
债务付息支出	Expenditure for Interest Payments on Debts	242988	2990	105943	93010
债务发行费用支出	Expenditure for Issuing Debts	989	35	539	615

General Public Budget Expenditure by City (2019)

(10000 yuan)

秦皇岛市 Qinhuangdao	唐山市 Tangshan	廊坊市 Langfang	保定市 Baoding	#定州市 Dingzhou	沧州市 Cangzhou	衡水市 Hengshui	邢台市 Xingtai	邯郸市 Handan	雄安新区 Xiongan
3179413	**7975076**	**6397682**	**7890700**	**721109**	**6863022**	**3942764**	**5504747**	**6972080**	**3229637**
353865	810386	689768	692335	70731	712983	381195	549765	700588	521347
5523	22969	14095	5177	743	8487	6832	4206	10448	186
190479	417858	386172	356883	22909	356278	186890	281301	378487	42745
607284	1560263	1237214	1656200	126645	1506790	685082	1101023	1358561	204041
31044	98211	74277	56239	15829	49422	55720	30392	66530	607
49063	155789	105899	100568	9932	128895	91723	97835	83096	7119
374896	1072688	638717	1050025	87647	796222	482333	619708	914614	117974
279762	781122	461924	836109	94177	647078	370231	583432	737770	94609
108919	501818	437971	597897	57891	404546	321267	424273	493090	281234
316737	738851	978824	653590	83775	636854	311542	369443	394800	1233213
291405	707682	622903	964150	62234	837303	582564	733781	804380	109905
170728	245818	215547	333691	31481	319283	129819	255578	312645	20454
30281	105849	94915	89707	4451	90082	41403	90688	144660	2759
13733	63216	16460	31978	3228	14339	12840	16576	19918	1118
24	830	14377	23068		582	28427	1398	3379	59
50	397	6250				3			
57759	91443	98413	106402	11424	87825	53972	61259	87537	129310
93124	198168	124005	213624	23645	105469	103192	160275	186310	391363
2990	8191	4515	11358	3178	11458	15345	11409	13472	248
15109	40828	46097	45574	2276	47792	17604	42485	50626	5635
64588	10279	80958	8007	2842	28734	24178	3263	34507	8005
121535	341101	47970	57302	5991	71811	40208	66061	175770	56052
515	1319	411	816	80	789	394	596	892	1654

7-6 各级一般公共预算支出(2019年)
General Public Budget Expenditure (2019)

单位：万元 (10000 yuan)

指　标	Item	全省 Provincial Total	省级 Provincial Level	市级 City Level	县(市、区)级 County (City or District) Level
一般公共预算支出	**General Public Budget Expenditure**	**83090391**	**10292744**	**14661605**	**58136042**
一般公共服务支出	Expenditure for General Public Services	7926288	443140	1544725	5938423
国防支出	Expenditure for National Defense	126344	18868	42510	64966
公共安全支出	Expenditure for Public Security	4324816	683838	1325643	2315335
教育支出	Expenditure for Education	15370851	1686697	1939717	11744437
科学技术支出	Expenditure for Science and Technology	907006	279213	150603	477190
文化旅游体育与传媒支出	Expenditure for Culture,Tourism,Sport and Media	1579951	225911	486727	867313
社会保障和就业支出	Expenditure for Social Security and Employment	12279484	3782852	1363897	7132735
卫生健康支出	Expenditure for Hygiene and Health	6950707	294131	789957	5866619
节能环保支出	Expenditure for Energy Conservation and Environment Protection	5024972	94410	866709	4063853
城乡社区支出	Expenditure for Urban and Rural Community Affairs	7072007	10151	2318499	4743357
农林水支出	Expenditure for Agriculture,Forestry and Water Conservancy	9782658	1122878	560235	8099545
交通运输支出	Expenditure for Transportation	3827991	649621	1164174	2014196
资源勘探信息等支出	Expenditure for Affairs of Resource Exploration and Information	1318890	222372	131423	965095
商业服务业等支出	Expenditure for Affairs of Commerce and Services	273991	17438	64165	192388
金融支出	Expenditure for Financial Affairs	95858	21672	30421	43765
援助其他地区支出	Expenditure for Other Regional Assistance	85588	78680	672	6236
自然资源海洋气象等支出	Expenditure for Natural Resources,Ocean and Weather	1296042	218678	275869	801495
住房保障支出	Expenditure for Housing Security	2092484	51291	744290	1296903
粮油物资储备支出	Expenditure for Affairs of Management of Grain & Oil Reserves	202266	102344	26705	73217
灾害防治及应急管理支出	Expenditure for Disaster Prevention and Emergency Management	468883	33653	102052	333178
其他支出(类)	Other Expenditure	400377	1249	122285	276843
债务付息支出	Expenditure for Interest Payments on Debts	1672465	252714	607038	812713
债务发行费用支出	Expenditure for Issuing Debts	10472	943	3289	6240

7-7 金融机构年末存贷款余额

Deposits and Loans Balances of Financial Institutions at Year-end

单位：亿元 (100 million yuan)

年份 Year	各项存款 Deposits Balances	#单位存款 Deposits of Organizations	#住户存款 Deposits of Households	#活期存款 Demand Deposits	#定期及其他存款 Time and Other Deposits	各项贷款 Loans Balances	#中长期贷款 Medium-and-Long-term Loans	存贷比(%) Loan-to-deposit Ratio (%)
1978	77.23	16.35				91.51		118.5
1980	100.91	23.65	21.06	6.09	14.97	114.13		113.1
1985	195.64	69.99	102.86	26.52	76.33	219.36	22.26	136.1
1990	554.15	135.20	504.59	71.60	432.99	631.31	76.59	113.9
1995	1694.65	465.34	1811.23	274.16	1537.06	1578.21	262.85	93.1
1996	2159.37	612.33	2288.77	345.70	1943.06	1894.66	295.75	87.7
1997	2591.11	780.30	2712.98	428.43	2284.55	2372.15	337.00	91.5
1998	3030.11	822.06	3207.62	514.62	2693.00	2795.20	444.56	92.2
1999	3306.12	818.40	3681.89	659.84	3022.04	3038.32	539.79	91.9
2000	3780.74	1020.15	3957.07	804.71	3152.36	2933.19	784.92	77.6
2001	4053.75	983.52	4364.18	944.70	3419.48	3098.89	1019.51	76.4
2002	4543.39	993.92	4811.30	1131.13	3680.17	3488.18	1207.92	76.8
2003	5273.35	1138.11	5457.00	1392.91	4064.09	3854.72	1442.65	73.1
2004	9249.94	2083.56	6207.48	1690.23	4517.25	6152.24	1949.57	66.5
2005	10764.93	2360.31	7084.03	1987.28	5096.75	6415.23	2474.74	59.6
2006	12551.62	2825.42	8014.16	2407.44	5606.72	7411.88	3033.10	59.1
2007	14355.59	3532.72	8922.41	2827.69	6094.72	8397.82	3883.28	58.5
2008	17709.02	4049.73	11435.60	3461.42	7974.18	9453.30	4684.42	53.4
2009	22361.37	6003.08	13551.06	4412.11	9138.95	13123.80	7143.58	58.7
2010	26099.00	6508.21	15678.43	5550.99	10127.45	15755.74	9073.08	60.4
2011	29563.77	10841.38	17824.33	6114.03	11710.30	18143.99	10505.32	61.4
2012	34257.16	12359.28	20872.37	6728.70	14143.67	21317.96	11453.51	62.2
2013	39444.45	14381.26	23790.19	7794.40	15995.79	24423.22	12846.73	62.2
2014	43764.02	16009.72	25760.08	7874.67	17885.41	28052.29	15117.85	64.1
2015	48927.59	18607.23	29220.28	8724.57	20495.91	32608.47	17903.52	66.6
2016	55928.87	21853.93	32870.97	10148.93	22722.04	37745.85	22218.55	67.5
2017	60451.27	23104.68	35719.15	10806.81	24912.34	43315.28	26492.75	71.7
2018	66245.21	24070.49	40497.87	11708.14	28789.73	48115.34	30281.52	72.6
2019	73216.32	24816.29	46693.14	12830.77	33862.36	53788.52	34311.43	73.4

注：1. 2003年及以前年份为银行存贷款，2004年及以后年份为全部金融机构数据。2. 中长期贷款1993年及以前年份为固定资产贷款。3. 单位存款2010年及以前年份为企业存款。4.住户存款2010年及以前年份为储蓄存款，2011年以后为个人储蓄存款。5.各项存贷款余额2011年及以前年份为人民币口径，2012年及以后年份为本外币口径。

a) Financial institutes refer to banks only prior to 2003. b) Prior to 1993, Medium-and-Long-term loans equal fixed asset loans. c) Prior to 2010, deposits of organizations refer to deposit from enterprises. d) Deposits of households are savings deposits prior to 2010, and personal deposits after 2011. e) Deposits and loans balances is the caliber of RMB prior to 2010, it is the caliber of foreign currency since 2012.

7-8 金融机构年末存贷款余额(2019年)
Deposits and Loans Balances of Financial Institutions at Year-end (2019)

单位：亿元 (100 million yuan)

指　　标	Item	年末余额 Year End Balance	比年初增减额 Increase and Decrease Over the Beginning of the Year
各项存款	**Total Deposits**	**73216.32**	**6946.55**
境内存款	Domestic Deposits	73185.85	6933.06
住户存款	Deposits of Households	46693.14	6168.81
活期存款	Demand Deposits	12830.77	1096.20
定期及其他存款	Time & Other Deposits	33862.36	5072.61
非金融企业存款	Deposits of Non-financial Enterprises	14269.47	381.21
活期存款	Demand Deposits	7125.22	479.91
定期及其他存款	Time & Other Deposits	7144.25	-98.70
政府存款	Deposits of Government	11494.98	524.06
财政性存款	Fiscal Deposits	1676.43	16.54
机关团体存款	Deposits of Government Departments & Organizations	9818.55	507.52
非银行业金融机构存款	Deposits of Non-banking Financial Institutions	728.26	-141.02
境外存款	Overseas Deposits	30.46	13.49
各项贷款	**Total Loans**	**53788.52**	**5324.88**
境内贷款	Domestic Loans	53715.10	5301.42
住户贷款	Loans to Households	19369.06	2400.29
#短期贷款	Short-term Loans	3736.93	469.99
消费贷款	Consumer Loans	1523.46	368.10
经营贷款	Business Loans	2213.47	101.89
中长期贷款	Mid & Long-term Loans	15632.14	1930.30
消费贷款	Consumer Loans	13727.38	1752.90
经营贷款	Business Loans	1904.75	177.40
非金融企业及机关团体贷款	Loans to Non-financial Enterprises and Government Departments & Organizations	34320.68	2909.08
#短期贷款	Short-term Loans	12744.01	571.11
中长期贷款	Mid & Long-term Loans	18679.30	1881.92
非银行业金融机构贷款	Loans to Non-banking Financial Institutions	25.35	-7.95
境外贷款	Overseas Loans	73.42	23.46

7-9 金融机构人民币存贷款余额(2019年)
Deposits and Loans in Renminbi in All Financial Institutions (2019)

单位：亿元 (100 million yuan)

指　标	Item	年末余额 Year End Balance	比年初增减额 Increase and Decrease Over the Beginning of the Year
各项存款	**Total Deposits**	**72884.52**	**5877.13**
境内存款	Domestic Deposits	72871.44	5874.62
住户存款	Deposits of Households	46558.49	4771.41
活期存款	Demand Deposits	12752.54	892.58
定期及其他存款	Time & Other Deposits	33805.95	3878.83
非金融企业存款	Deposits of Non-financial Enterprises	14094.17	-114.55
活期存款	Demand Deposits	6991.43	-119.79
定期及其他存款	Time & Other Deposits	7102.74	5.24
政府存款	Deposits of Government	11491.04	1108.82
财政性存款	Fiscal Deposits	1676.43	69.92
机关团体存款	Deposits of Government Departments & Organizations	9814.61	1038.89
非银行业金融机构存款	Deposits of Non-banking Financial Institutions	727.74	108.95
境外存款	Overseas Deposits	13.08	2.52
各项贷款	**Total Loans**	**53448.06**	**4849.71**
境内贷款	Domestic Loans	53442.12	4847.98
住户贷款	Loans to Households	19367.90	1823.62
#短期贷款	Short-term Loans	3735.84	254.24
消费贷款	Consumer Loans	1522.37	157.83
经营贷款	Business Loans	2213.47	96.41
中长期贷款	Mid & Long-term Loans	15632.06	1569.38
消费贷款	Consumer Loans	13727.31	1345.62
经营贷款	Business Loans	1904.75	223.75
非金融企业及机关团体贷款	Loans to Non-financial Enterprises and Government Departments & Organizations	34048.87	2991.06
#短期贷款	Short-term Loans	12571.63	758.90
中长期贷款	Mid & Long-term Loans	18581.79	2215.31
非银行业金融机构贷款	Loans to Non-banking Financial Institutions	25.35	33.30
境外贷款	Overseas Loans	5.94	1.73

7-10 住户存款年末余额
Savings Deposit of Households at Year-end

单位：亿元 (100 million yuan)

年份 市	Year City	住户存款年末余额 Saving Deposits of Households at Year-end	定期储蓄 Fixed Deposits	活期储蓄 Current Deposits
	2000	3957.07	3152.36	804.71
	2001	4364.18	3419.48	944.70
	2002	4811.30	3680.17	1131.13
	2003	5457.00	4064.09	1392.91
	2004	6207.48	4517.25	1690.23
	2005	7084.03	5096.75	1987.28
	2006	8014.16	5606.72	2407.44
	2007	8922.41	6094.72	2827.69
	2008	11435.60	7974.18	3461.42
	2009	13551.06	9138.95	4412.11
	2010	15678.43	10127.45	5550.99
	2011	17948.32	11834.30	6114.03
	2012	20872.37	14143.67	6728.70
	2013	23790.19	15995.79	7794.40
	2014	26207.43	18264.48	7942.95
	2015	29220.28	20495.71	8724.57
	2016	32870.97	22722.04	10148.93
	2017	35719.15	10806.81	24912.34
	2018	40497.87	28789.73	11708.14
	2019	46693.14	33862.36	12830.77
石家庄市	Shijiazhuang	7671.43	5377.41	2294.01
承德市	Chengde	2087.62	1577.70	509.92
张家口市	Zhangjiakou	2730.98	2040.96	690.02
秦皇岛市	Qinhuangdao	2604.19	2069.65	534.54
唐山市	Tangshan	6721.06	5205.50	1515.56
廊坊市	Langfang	3894.64	2565.96	1328.68
保定市	Baoding	6016.62	4033.60	1983.02
沧州市	Cangzhou	4162.96	2858.44	1304.52
衡水市	Hengshui	2689.90	2105.51	584.38
邢台市	Xingtai	3482.28	2543.24	939.04
邯郸市	Handan	4534.44	3407.57	1126.87

注：1.本表为全部金融机构数。2.住户存款年末余额原为城乡居民储蓄存款年末余额。3.2015年定期储蓄为新口径。
a) Data in this table are statement of financial institutions. b) Savings deposit in urban and rural areas changes to savings deposit of households.
c) In 2015, fixed deposits is based on new standard.

7-11 保险业务经济技术指标

Economic and Technical Indicators of Insurance Business

年　份 市	Year City	保险业务收入 (万元) Premium (10000 yuan)	保险金额 (亿元) Amount Insured (100 million yuan)	已决赔款 (万元) Claim and Payment (10000 yuan)
	1995	187354	2678	104327
	2000	565800	6625	165700
	2001	764100	7376	268500
	2002	1126300	12094	267900
	2003	1671000	10804	283300
	2004	2054031	14450	367911
	2005	2173133	25152	404183
	2006	2533740	30088	523107
	2007	3322513	36473	1024014
	2008	4805928	55400	1476827
	2009	6010900	63244	1429800
	2010	7464000	71933	1453800
	2011	7328900	78738	1834700
	2012	7661782	104297	2239037
	2013	8375900	145226	3157534
	2014	9319000	198078	3950000
	2015	11631156	326847	4619200
	2016	14952700	423356	5482200
	2017	17149263	535252	5475467
	2018	17906802	798472	5412731
	2019	19891849	932103	5498537
石家庄市	Shijiazhuang	4842609	341564	1245742
承 德 市	Chengde	767323	22043	222100
张家口市	Zhangjiakou	820813	30281	238105
秦皇岛市	Qinhuangdao	839502	23843	256435
唐 山 市	Tangshan	2539048	80008	728142
廊 坊 市	Langfang	1452341	51579	359914
保 定 市	Baoding	2695942	119191	729927
沧 州 市	Cangzhou	2109082	60157	568310
衡 水 市	Hengshui	874803	34241	235506
邢 台 市	Xingtai	1191116	72681	351635
邯 郸 市	Handan	1716057	95310	546740

主要统计指标解释

一般公共预算收入 指国家财政参与社会产品分配所取得的收入，是实现国家职能的财力保证。主要包括：（1）各项税收：包括国内增值税、国内消费税、进口货物增值税和消费税、出口货物退增值税和消费税、企业所得税、个人所得税、资源税、城市维护建设税、房产税、印花税、城镇土地使用税、土地增值税、车船税、船舶吨税、车辆购置税、关税、耕地占用税、契税、烟叶税、环境保护税等。（2）非税收入：包括专项收入、行政事业性收费、罚没收入、国有资本经营收入、国有资源（资产）有偿使用收入和其他收入。财政收入按现行分税制财政体制划分为中央本级收入和地方本级收入。

一般公共预算支出 指国家财政将筹集起来的资金进行分配使用，以满足经济建设和各项事业的需要。主要包括：一般公共服务、外交、国防、公共安全、教育、科学技术、文化体育与传媒、社会保障和就业、医疗卫生与计划生育、节能环保、城乡社区、农林水、交通运输、资源勘探信息等、商业服务业等、金融、援助其他地区、国土海洋气象等、住房保障、粮油物资储备、债务付息、债务发行费用等方面的支出。财政支出根据政府在经济和社会活动中的不同职权，划分为中央财政支出和地方财政支出。

中央一般公共预算收入和地方一般公共预算收入 属于中央一般公共预算的收入包括关税，进口货物增值税和消费税，出口货物退增值税和消费税，国内消费税，铁道部门、各银行总行、各保险公司总公司等集中缴纳的城市维护建设税，增值税50%部分，纳入共享范围的企业所得税60%部分，未纳入共享范围的中央企业所得税、中央企业上交的利润，个人所得税60%部分，车辆购置税，船舶吨税，证券交易印花税，海洋石油资源税，中央非税收入等。属于地方一般公共预算的收入包括城市维护建设税（不含铁道部门、各银行总行、各保险公司总公司集中缴纳的部分），房产税，城镇土地使用税，土地增值税，车船税，耕地占用税，契税，烟叶税，印花税（不含证券交易印花税），增值税50%部分，纳入共享范围的企业所得税40%部分，个人所得税40%部分，海洋石油资源税以外的其他资源税，地方非税收入等。

中央一般公共预算支出和地方一般公共预算支出 指根据政府在经济和社会活动中的不同职责，划分中央和地方政府的责权，按照政府的责权划分确定的支出。中央一般公共预算支出包括一般公共服务，外交支出，国防支出，公共安全支出，以及中央政府调整国民经济结构、协调地区发展、实施宏观调控的支出等。地方一般公共预算支出包括一般公共服务，公共安全支出，地方统筹的各项社会事业支出等。

存款 指企业、机关、团体或居民把货币资金存入银行或其他信贷机构保管，可随时或按约定时间支取款项，并取得一定利息的一种信用活动形式。根据存款对象或性质的不同可划分为住户存款、非金融企业存款、政府存款、非银行业金融机构存款等科目。它是银行信贷资金的主要来源。

贷款 指银行或其他信贷机构根据资金必须归还的原则，按一定利率，为企业、个人等提供资金的一种信用活动形式。我国银行贷款分为短期贷款、中长期贷款、融资租赁、票据融资、各项垫款、境外贷款等。

保险公司 在中国境内的、经过保险监督管理部门批准设立，并依法登记注册的各类商业保险公司。

保险金额 指保险人承担赔偿或者给付保险金责任的最高限额。

保费 指投保人为取得保险人在约定范围内所承担赔偿责任而支付给保险人的费用。

赔款 指保险人根据保险合同的规定，向被保险人支付的赔偿保险责任损失的金额。

给付 包括死伤医疗给付和满期给付。死伤医疗给付是指保险人根据人寿保险及长期健康保险合同的规定，因被保险人在保险期内发生保险责任范围内的保险事故支付给被保险人(或受益人)的金额。满期给付是指被保险人生存期满，保险人按人寿保险合同规定支付给被保险人的满期保险金额。

Explanatory Notes on Main Statistical Indicators

General Public Budget Revenue refers to income for the government finance through participating in the distribution of social products. It is the financial guarantee to ensure government functioning. The government revenue includes the following main items: (1) Various tax revenues including domestic value added tax (VAT), domestic consumption tax, VAT and consumption tax from imports, VAT and consumption tax rebate for exports, corporate income tax, individual income tax, resource tax, city maintenance and construction tax, house property tax, stamp tax, urban land use tax, land appreciation tax, tax on vehicles and boat operation, ship tonnage tax, vehicle purchase tax, tariffs, farm land occupation tax, deed tax, and tobacco tax, environment protection tax, etc. (2) Non-tax revenue, including special program receipts, charge of administrative and institutional units, penalty receipts, operating income from government capital, income from use of state-owned resources (assets) and others non-tax receipts.

General Public Budget Expenditure refers to the distribution and use of the funds which the government finance has raised, so as to meet the needs of economic construction and various undertakings. It includes the following main items: expenditure for general public services, expenditure for foreign affairs, expenditure for national defence expenditure for public security, expenditure for education, expenditure for science and technology, expenditure for culture, sport and media, expenditure for social safety net and employment effort, expenditure for medical and health care and family planning, expenditure for energy conservation and environment protection, expenditure for urban and rural community affairs, expenditure for agriculture, forestry and water conservancy, expenditure for transportation, expenditure for resource exploration and information, expenditure for affairs of commerce and services, expenditure for finance, aid to other regions, expenditure for land, ocean and weather, expenditure for housing security, expenditure for grain & oil reserves, interest payment for public debts, expenditure for issuing debts. General public budget expenditure is divided into general public budget expenditure of central government and general public budget expenditure of local government according to the different functions of the governments played in economic and social activities.

General Public Budget Revenue of the Central Government and the Local Governments The general public budget revenue of the Central Government includes tariff, VAT and consumption tax from imports, VAT and consumption tax rebate for exports, domestic consumption tax, city maintenance and construct tax from the Ministry of Railways, head offices of banks, head offices of insurance company, which are handed over to the government in a centralized way, 50% of the value added tax, 60% the share part of the corporate income tax, unshared part of corporate income tax of the central enterprises, profit handed in by the central enterprises, 60% of individual income tax, vehicle purchase tax, ship tonnage tax, stamp tax on securities transactions, resource tax on the offshore petroleum resources. The general public budget revenue of the local governments includes city maintenance and construct tax (excluding the part of the Ministry of Railways, head offices of banks, head offices of insurance company, which are handed over to the government in a centralized way), house property tax, urban land use tax, land appreciation tax, tax on vehicles and boat operation, farm land occupation tax, deed tax, and tobacco leaf tax, stamp tax (not including stamp tax on security exchange), 50% of the value added tax, 40% the share part of the corporate income tax, 40% of individual income tax, resource tax other than the tax on offshore petroleum resources, local non-tax revenue, etc.

General Public Budget Expenditure of the Central Government and Local Governments according to the different functions of the Central Government and local governments in economic and social activities, the rights of administration are demarcated between those of the Central Government and those of local governments; and the classification of the expenditure between the Central Government and local governments are made on the basis of the classification of the rights administration between them. The general public budget expenditure of the Central Government includes the expenditure for general public services, expenditure for foreign affairs, expenditure for public security, and the general public budget expenditure of the Central Government for adjusting the national economic structure; coordinating the development among different regions; and exercising macroeconomic regulation. The general public budget expenditure of the local governments includes mainly the expenditure for general public services, expenditure for public security, and expenditures for social development which are planed by local governments, etc.

Deposit is a form of credit by which enterprises, institutions,organizations or households can put money into banks and other credit institutions for safekeeping and interest earning and can withdraw anytime or at appointed time.l. According to different depositors, deposits are divided into household deposits, non financial enterprise deposits, government deposits, non banking financial institutions deposits. Deposits are major sources of the credit funds of banks.

Loan is a form of credit by which banks and other credit institutions provide funds at certain interest rate to enterprises and individuals in the light of the principle of unconditional repayment. Loans from Chinese banks include short-term loan, medium-term and long-term loans, financial lease, bill financing, various money advanced, foreign loans.

Insurance Companies refer to commercial insurance companies of various forms registered by law and established in China with the approval of insurance regulatory agencies.

Amount Insured refers to the maximum that the insurant will get for the claim of the case insured.

Premium is the fee paid by the insurant to the insurer to obtain the obligation of compensation from the insurance within the agreed terms.

Settled Claim is the compensation paid by the insurer to the insurant in accordance with the insurance contract.

Payment includes payment for death, injury or medical treatment and payment at maturity. Payment for death, injury or medical treatment refers to the money paid to the insurant (or the beneficiary) in accordance with the life or health insurance contract when the insurant encounters accidents within the insured period covered in the contract. Payment at maturity refers to the payment to the insurant in accordance with the life insurance contract at the end of the insured period.

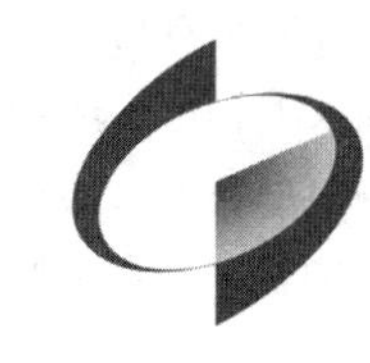

能源和环境

Energy and Environment

简要说明

一、本篇资料反映河北省自然资源状况、能源生产、能源消费、能耗水平和生态环境事业等情况。

二、能源资料取自全省《地区能源平衡表》《工业企业能源购进、消费及库存表》等。地区能源平衡表编制范围为辖区内生产和消费能源的单位；规模以上工业企业的能源消费根据国家统计局制定的报表制度由统计系统搜集资料逐级汇总上报；加工转换消费来源于《工业企业能源购进、消费及库存附表》；其他数据来源于有关厅（局）、公司或企业。气象资料由省气象局提供；环保事业情况由省生态环境厅提供。

三、本篇资料由河北省统计局能源统计处、河北省电力公司、河北省气象局、河北省生态环境厅根据有关资料和调查结果整理提供。

四、资料整理：师铁峰　张昭旭　陈道红　王佳

Brief Introduction

Ⅰ.The data of this paper reflect the status of natural resources, energy production, energy consumption, energy consumption level and ecological and environmental undertakings of Hebei Province.

Ⅱ.The energy information is taken from the provincial *Balance Sheet of Regional Energy* and the *Sheet of Energy Purchase, Consumption and Inventory of Industrial Enterprises*. The compilation scope of the regional energy balance sheet shall be the units producing and consuming energy within the jurisdiction; the energy consumption of industrial enterprises above designated size shall be collected and reported by the statistical system step by step according to the statement system formulated by the National Bureau of Statistics. Processing conversion consumption is derived from the *Schedule of Energy Purchase, Consumption and Inventory of Industrial Enterprises*; other data are derived from the relevant office (bureau), company or enterprise. Meteorological data provided by the provincial meteorological bureau; Environmental protection is provided by the provincial Department of Ecology and Environment.

Ⅲ. This data is collated and provided by The Energy Statistics Division of Hebei Statistics Bureau, Hebei Electric Power Company, Hebei Meteorological Bureau and Hebei Ecological Environment Department according to the relevant data and investigation results.

Ⅳ.Data collection: Shi Tiefeng, Zhang Zhaoxu, Chen Daohong, Wang Jia.

8-1 一次能源生产总量和构成
Primary Energy Production and Composition

年 份 Year	能源消费总量 (万吨标准煤) Total Energy Consumption (10000 tons of SCE)	占能源消费总量的比重 (%) As Percentage of Primary Energy Production (%)			
		煤 炭 Coal	石 油 Petroleum	天然气 Natural Gas	一次电力及其他能源 Primary Electricity and Other Energy
1981	5502.86	67.90	32.00		0.10
1982	5463.31	69.94	29.57	0.36	0.13
1983	5506.73	72.93	26.48	0.31	0.28
1984	5510.29	72.94	26.47	0.39	0.20
1985	5292.72	71.51	27.85	0.51	
1986	5889.07	74.79	24.28	0.61	0.32
1987	5716.06	79.30	19.88	0.55	0.27
1988	5501.38	82.70	16.37	0.54	0.39
1989	5354.45	83.56	15.42	0.56	0.46
1990	5313.08	83.43	15.34	0.74	0.49
1991	5199.85	84.03	14.77	0.74	0.46
1992	5257.18	84.68	14.11	0.82	0.39
1993	5348.20	85.16	13.43	0.72	0.69
1994	5699.77	86.25	12.78	0.71	0.26
1995	6619.56	87.41	11.16	0.64	0.79
1996	6690.35	87.21	11.19	0.66	0.94
1997	6470.60	86.97	11.68	0.70	0.65
1998	5868.17	85.65	13.07	0.77	0.51
1999	5763.48	85.42	13.17	0.88	0.53
2000	5639.26	85.46	13.13	1.11	0.30
2001	5656.12	85.70	12.96	1.12	0.22
2002	5854.03	86.27	12.28	1.23	0.22
2003	5998.00	86.38	12.15	1.28	0.19
2004	7413.94	87.80	10.79	1.19	0.22
2005	7089.90	87.05	11.33	1.29	0.33
2006	6956.72	85.90	12.54	1.25	0.31
2007	7246.47	85.39	13.01	1.31	0.29
2008	6755.66	84.40	13.60	1.72	0.28
2009	6879.85	85.19	12.44	2.11	0.26
2010	8109.66	84.04	10.55	2.08	3.32
2011	8601.60	84.69	9.73	1.89	3.69
2012	9560.46	84.57	8.73	1.82	4.89
2013	6956.42	76.95	12.14	2.98	7.93
2014	6801.01	75.42	12.44	3.42	8.72
2015	7096.14	77.39	11.68	1.95	8.97
2016	6744.22	72.81	11.56	1.53	14.10
2017	6776.50	67.33	11.37	2.98	18.32
2018	6487.25	64.91	11.83	1.26	22.00
2019	6334.39	57.28	12.40	1.23	29.09

注：1.2010年以前的一次电力及其他能源指标仅包括一次电力(以下相关表同)。
2.2015年及以后数据根据第四次全国经济普查结果进行了调整(以下相关表同)。

a) Primary electricity and other energy prior to 2010 include primary electricity only. (The same applies to the tables following.)

b) Since 2015, the data were revised according to the results of the Forth National Economic Census. (The same applies to the tables following.)

8-2 能源消费总量及构成
Primary Energy Consumption and Its Composition

年 份 Year	能源消费总量 (万吨标准煤) Total Energy Consumption (10000 tons of SCE)	占能源消费总量的比重(%) As Percentage of Primary Energy Production (%)			
		煤 炭 Coal	石 油 Petroleum	天然气 Natural Gas	一次电力及其他能源 Primary Electricity and Other Energy
1980	3120.50	85.00	12.90	1.90	0.20
1981	3627.80	90.10	8.20	1.60	0.10
1982	3929.05	87.79	10.24	1.78	0.19
1983	4185.78	89.25	9.19	1.19	0.37
1984	4475.00	86.98	11.51	1.27	0.24
1985	4548.85	89.91	8.36	1.58	0.15
1986	5079.52	89.58	8.46	1.59	0.37
1987	5516.81	90.26	8.12	1.34	0.28
1988	5962.40	90.55	7.90	1.19	0.36
1989	6169.26	90.77	7.74	1.09	0.40
1990	6124.22	90.34	7.91	1.32	0.43
1991	6471.93	90.63	7.67	1.33	0.37
1992	6866.29	90.59	7.77	1.34	0.30
1993	7861.92	90.12	8.44	0.96	0.48
1994	8168.62	90.43	8.31	1.08	0.18
1995	8892.41	90.33	8.54	0.94	0.19
1996	8938.47	90.55	8.25	0.99	0.21
1997	9033.01	90.33	8.66	0.87	0.14
1998	9151.12	89.68	9.33	0.88	0.11
1999	9379.27	90.01	9.00	0.88	0.11
2000	11195.71	90.94	8.17	0.84	0.05
2001	12114.29	91.84	7.42	0.70	0.04
2002	13404.53	91.12	8.15	0.70	0.03
2003	15297.89	92.78	6.49	0.66	0.07
2004	17347.79	91.14	8.01	0.75	0.10
2005	19835.99	91.82	7.45	0.61	0.12
2006	21794.09	91.59	7.64	0.67	0.10
2007	23585.13	92.36	6.87	0.68	0.09
2008	24321.87	92.31	6.67	0.94	0.08
2009	25418.79	92.51	6.21	1.21	0.07
2010	26201.41	89.71	7.75	1.51	1.03
2011	28075.03	89.09	8.12	1.66	1.13
2012	28762.47	88.86	7.48	2.04	1.62
2013	29664.38	88.69	7.22	2.23	1.86
2014	29320.21	88.46	6.98	2.54	2.02
2015	31036.73	88.83	5.99	3.13	2.05
2016	31458.05	87.33	6.23	3.42	3.02
2017	32082.56	86.05	6.14	3.94	3.87
2018	32185.24	83.61	6.47	5.49	4.43
2019	32545.43	81.96	5.86	6.61	5.57

注：1.2010年至2014年数据在第三次经济普查后作了修订，能源消费总量为不包括回收能的商品能源，以下相关表同。
2.一次电力未包含省际间调入调出数据。

a) Adjustment has been done for the data from 2010 to 2014, due to the 3rd. Total energy consumption do not include recycle energy used for commercial purposes. (The same applies to the tables following.)

b) The primary Electricity does not include inter provincial transfer in and transfer out data.

8-3 综合能源平衡表

Overall Energy Balance Sheet

单位：万吨标准煤 (10000 tons of SCE)

项　目	Item	2005	2010	2015	2018	2019
可供消费的能源总量	**Total Energy Available for Consumption**	**19836**	**26201**	**31037**	**32185**	**32545**
一次能源生产量	Primary Energy Output	7090	8110	7096	6487	6334
回收能	Recovery of Energy	819				
进口量	Imports	459	966	2899	659	1198
出口量	Exports (-)	57	62	339	138	100
年初年末库存差额	Stock Changes in the Year	-81	-129	-30	-356	252
能源消费总量	**Total Energy Consumption**	**19836**	**26201**	**31037**	**32185**	**32545**
在总量中	**Consumption by Usage**					
农、林、牧、渔业	Farming, Forestry, Animal Husbandry, Fishery	532	713	497	530	560
工　业	Industry	15852	20563	24324	24110	24026
建筑业	Construction	203	319	276	297	294
交通运输、仓储和邮政业	Transport, Storage and Post	710	971	1049	1263	1377
批发和零售业	Wholesale and Retail Trade	205	304	704	870	862
住宿和餐饮业	Hotel and Restaurants					
其　他	Others	465	716	998	1107	1328
生活消费	Residential Consumption	1870	2615	3188	4009	4098
在总量中	**Consumption by Usage**					
终端消费	Final Consumption	18536	26032	32348	36382	35739
#工　业	Industry	14554	20395	25655	28306	27220
加工转换损失量	Losses in Processing and	896	-428	-1933	-4885	-3895
#炼　焦	Coking	283	259	135	383	627
炼油及煤制油	Petroleum Refining and Coal-to-liquids	30	91	44	208	52
损失量	Other Losses	403	597	622	689	701
平衡差额	**Balance**					

8-4 能源加工转换效率
Efficiency of Energy Transformation

单位：%　　(%)

年 份 Year	总效率 Total Efficiency	火力发电 Thermal Power	供 热 Heating Supply	煤炭洗选 Coal Washing	炼 焦 Coking	炼油及煤制油 Petroleum Refineries and Coal-to-liquids	制 气 Gas Works
2005	66.31	32.36	65.94	81.87	90.98	97.82	54.16
2006	67.01	33.21	66.40	80.86	89.03	95.36	73.37
2007	69.73	33.89	64.85	83.21	93.16	99.78	60.51
2008	71.91	34.95	60.48	85.93	94.44	96.84	65.77
2009	73.01	35.76	57.05	87.07	92.94	96.90	50.98
2010	75.58	37.06	61.66	92.24	95.68	95.50	41.18
2011	76.09	37.17	61.36	90.61	96.63	97.44	51.84
2012	77.26	37.85	67.27	92.23	95.97	96.70	51.57
2013	77.51	38.59	68.75	92.20	96.49	97.22	53.76
2014	77.40	38.60	72.44	92.36	97.41	97.54	63.51
2015	77.48	39.69	73.87	87.58	97.96	98.26	
2016	76.39	39.85	73.82	86.28	97.29	98.07	
2017	74.45	39.98	75.83	90.20	90.61	93.67	
2018	74.90	40.17	77.46	93.06	95.01	92.71	
2019	72.99	39.74	79.91	88.16	91.12	98.48	93.97

8-5 分市主要能耗指标
Major Indicators of Energy Consumption by City

市	City	万元GDP能耗上升或下降(±%) Change of Energy Consumption per 10000 yuan GDP(±%)		能源消费总量增速(%) Growth Rates of Energy Consumption (%)		万元GDP电耗上升或下降(±%) Change of Electricity Power Consumption per 10000 yuan GDP(±%)	
		2018	2019	2018	2019	2018	2019
石家庄市	Shijiazhuang	-5.58	-6.39	1.46	-0.15	-1.40	-4.36
承 德 市	Chengde	-6.56	-4.50	-0.55	1.67	-2.73	4.47
张家口市	Zhangjiakou	-3.60	-7.53	3.77	-1.19	4.69	0.15
秦皇岛市	Qinhuangdao	-5.04	-6.76	1.87	-0.55	-2.32	-8.72
唐 山 市	Tangshan	-8.13	-4.39	-1.43	2.56	-2.61	0.97
廊 坊 市	Langfang	-5.55	-8.06	0.64	-1.92	-1.78	-6.23
保 定 市	Baoding	-5.57	-4.07	0.62	2.32	-0.04	-2.55
沧 州 市	Cangzhou	-4.32	-1.93	1.76	4.81	6.79	-0.10
衡 水 市	Hengshui	-5.02	-4.19	7.50	2.28	3.32	-0.86
邢 台 市	Xingtai	-5.74	-5.97	0.88	0.55	3.01	-0.96
邯 郸 市	Handan	-10.39	-8.34	-4.51	-1.77	-2.89	-1.97
定 州 市	Dingzhou	-10.92	-4.64	-4.39	2.09	0.68	-9.80
辛 集 市	Xinji	-4.88	-5.33	1.79	1.07	0.60	-0.19
雄安新区	Xiongan New Area		-1.91		3.92		2.15

8-6 规模以上工业企业分行业能源消耗情况
Consumption of Main Energy Sources in above Designated Size Industrial Enterprises by Industrial Sector

单位：万吨标准煤 (10000 tons of SCE)

行　　业	Item	2015	2018	2019
规模以上工业综合能源消费量	**Consumption of Energy Sources in above Designated Size Industrial Enterprises**	**20269.64**	**23200.25**	**23181.07**
六大高耗能行业能耗	**Energy Consumption of the top-6 Energy-consuming Industries**			
煤炭开采和洗选业	Mining and Washing of Coal	929.53	737.74	720.39
石油、煤炭及其他燃料加工业	Processing of Petroleum, Coal and Other Fuels	762.78	735.32	805.44
化学原料及化学制品制造业	Manufacture of Raw Chemical Material and Chemical Products	1288.43	1110.47	1076.10
非金属矿物制品业	Manufacture of Non-metallic Mineral Products	1011.22	1208.14	1345.25
黑色金属冶炼及压延加工业	Smelting and Pressing of Ferrous Metals	10686.81	13121.47	12977.89
电力、热力的生产和供应业	Production and Distribution of Electric Power and Heat Power	3871.98	4436.61	4420.12
其他行业能耗	**Energy Sources Consumption of Other Industrial Sectors**			
石油和天然气开采业	Extraction of Petroleum and Natural Gas	53.51	54.93	56.27
黑色金属矿采选业	Mining of Ferrous Metal Ores	211.17	139.73	143.61
有色金属矿采选业	Mining of Non-ferrous Metal Ores	4.05	4.60	4.69
非金属矿采选业	Mining and Processing of Nonmetal Ores	21.92	13.11	10.69
农副食品加工业	Processing of Food from Agricultural Products	180.11	147.20	147.55
食品制造业	Manufacture of Foods	74.69	54.99	58.69
酒、饮料和精制茶制造业	Manufacture of Wine, Soft Drinks and Refined Tea	41.37	32.39	29.08
烟草制品业	Manufacture of Tobacco	2.66	2.27	2.15
纺织业	Manufacture of Textile	113.63	70.65	60.00
纺织服装、服饰业	Manufacture of Textile, Apparel	16.70	13.98	9.40
皮革、毛皮、羽毛及其草制品业	Manufacture of Leather, Fur, Feather and Its Products and Footware	31.17	17.67	12.59
木材加工和木、竹、藤、棕、草制品业	Processing of Timbers, Manufacture of Wood, Bamboo, Rattan, Palm, and Straw Products	40.55	25.78	23.53
家具制造业	Manufacture of Furniture	14.06	5.27	4.23
造纸和纸制品业	Manufacture of Paper and Paper Products	107.00	95.30	107.43
印刷和记录媒介复制业	Printing, Reproduction of Recording Media	12.84	12.99	8.23
文教、工美、体育和娱乐用品制造业	Manufacture of Articles for Culture, Arts and Crafts, Education, Sport Activities and Entertainment Goods	10.26	6.80	7.90
医药制造业	Manufacture of Medicines	92.44	91.93	90.54
化学纤维制造业	Manufacture of Chemical Fiber	19.67	229.47	246.76
橡胶和塑料制品业	Manufacture of Rubber and Plastic	91.33	69.26	68.53
有色金属冶炼和压延加工业	Manufacture & Processing of Non-ferrous Metals	36.61	53.83	67.49
金属制品业	Manufacture of Metal Products	182.59	318.81	325.70
通用设备制造业	Manufacture of General Purpose Machinery	65.47	61.62	43.50
专用设备制造业	Manufacture of Special Purpose Machinery	69.06	60.12	61.70
汽车制造业	Manufacture of Automotive	72.20	93.85	78.15
铁路、船舶、航空航天和其他运输设备制造业	Manufacture of Railroad, Marine, Aerospace and Other Transportation Equipment	26.86	37.30	14.22
电气机械和器材制造业	Manufacture of Electrical Machinery and Equipment	65.72	51.69	47.76
计算机、通信和其他电子设备制造	Manufacture of Computer, Communications and Other Electronic Equipment	17.30	17.81	25.85
仪器仪表制造业	Manufacture of Measuring Instrument	1.79	0.95	1.25
其他制造业	Manufacture of Others	3.10	1.31	0.77
废弃资源综合利用业	Recycling and Disposal of Waste	10.66	36.59	42.80
金属制品、机械和设备修理业	Metal Products, Machinery and Equipment Repair	1.69	0.69	0.70
燃气生产和供应业	Production and Distribution of Gas	20.14	18.55	24.65
水的生产和供应业	Production and Distribution of Water	6.57	9.10	9.48

8-7 分行业规模以上工业企业水消费(取水总量)

Computation of Water in above Designated Size Industrial Enterprises by Sector

单位：万立方米 (10000 cu.m)

行业	Sector	2018	2019
全部工业企业	**Total**	**213210.5**	**210065.6**
按工业行业分	**Grouped by Sector**		
采矿业	**Mining**	**58538.4**	**55190.2**
煤炭开采和洗选业	Mining and Washing of Coal	7085.8	6599.7
石油和天然气开采业	Extraction of Petroleum and Natural Gas	2204.1	2135.0
黑色金属矿采选业	Mining of Ferrous Metal Ores	8609.1	8643.3
有色金属矿采选业	Mining of Non-ferrous Metal Ores	180.6	143.1
非金属矿采选业	Mining and Processing of Nonmetal Ores	40458.8	37669.2
制造业	**Manufacturing**	**114637.5**	**116821.4**
农副食品加工业	Processing of Food from Agricultural Products	2602.7	2613.0
食品制造业	Manufacture of Foods	2281.5	2270.3
酒、饮料和精制茶制造业	Manufacture of Wine, Soft Drinks and Refined Tea	1998.7	1919.1
烟草制品业	Manufacture of Tobacco	60.5	57.1
纺织业	Manufacture of Textile	1586.0	1403.0
纺织服装、服饰业	Manufacture of Textile, Apparel	421.6	323.2
皮革、毛皮、羽毛及其制品和制鞋业	Manufacture of Leather, Fur, Feather and Its Products and Footware	1774.3	1222.2
木材加工和木、竹、藤、棕、草制品业	Processing of Timbers, Manufacture of Wood, Bamboo, Rattan, Palm and Straw Products	157.6	122.1
家具制造业	Manufacture of Furniture	80.9	89.8
造纸和纸制品业	Manufacture of Paper and Paper Products	1982.5	2236.7
印刷和记录媒介复制业	Printing, Reproduction of Recording Media	559.9	148.3
文教、工美、体育和娱乐用品制造业	Manufacture of Articles for Culture, Arts & Crafts, Education, Sport Activities and Entertainment Goods	246.6	108.0
石油加工、炼焦和核燃料加工业	Processing of Petroleum, Coking, Processing of Nuclear Fuel	5417.3	10584.6
化学原料和化学制品制造业	Manufacture of Chemical Raw Material & Chemical Products	9196.1	8364.6
医药制造业	Manufacture of Medicines	2546.2	2602.7
化学纤维制造业	Manufacture of Chemical Fiber	5333.4	6458.5
橡胶和塑料制品业	Manufacture of Rubber and Plastic	644.2	469.4
非金属矿物制品业	Manufacture of Nonmetallic Mineral Products	3749.8	3697.0
黑色金属冶炼和压延加工业	Manufacture & Processing of Ferrous Metals	64445.7	63351.0
有色金属冶炼和压延加工业	Manufacture & Processing of Non-ferrous Metals	1154.4	1327.6
金属制品业	Manufacture of Metal Products	2573.0	2183.2
通用设备制造业	Manufacture of General Purpose Machinery	625.3	415.8
专用设备制造业	Manufacture of Special Purpose Machinery	718.2	586.6
汽车制造业	Manufacture of Automotive	1515.4	1473.9
铁路、船舶、航空航天和其他运输设备制造业	Manufacture of Railroad, Marine, Aerospace and Other Transportation Equipment	289.6	210.1
电气机械和器材制造业	Manufacture of Electrical Machinery and Equipment	1323.4	1149.2
计算机、通信和其他电子设备制造业	Manufacture of Computer, Communications and Other Electronic Equipment	1175.8	1272.3
仪器仪表制造业	Manufacture of Measuring Instrument	41.9	53.7
其他制造业	Manufacture of Others	13.6	9.0
废弃资源综合利用业	Recycling and Disposal of Waste	56.2	61.6
金属制品、机械和设备修理业	Metal Products, Machinery and Equipment Repair	65.3	37.9
电力、热力、燃气及水生产和供应业	**Production and Distribution of Electricity, Thermal, Gas and Water**	**40034.6**	**38054.0**
电力、热力生产和供应业	Production and Supply of Electric Power and Heat Power	36258.7	37712.0
燃气生产和供应业	Production and Distribution of Gas	3775.8	342.0
水的生产和供应业	Production and Distribution of Water		

注：不包括水的生产和供应业行业。

a) The data exclude production and distribution of water.

8-8 主要耗能工业企业单位产品能源消耗情况
Energy Consumption per Unit of Product in Main Enterprises that Consume Energy

指 标 Item	2010	2015	2018	2019
吨原煤综合能耗(千克标准煤/吨) Overall Energy Consumption per ton of Machining Coal (kg SCE/ton)	7.83	6.92	6.13	6.30
吨原煤生产耗电(千瓦时/吨) Electric Power Consumption per ton of Machining Coal (kWh/ton)	27.32	31.34	36.94	38.90
洗煤电力单耗(千瓦时/吨) Electric Power Consumption per ton of Milling Run Coal (kWh/ton)	7.28	5.89	6.77	6.90
单位油气产量综合能耗(千克标准煤/吨) Overall Energy Consumption per unit of Oil and Gas Output (kg SCE/ton)	85.77	74.35		88.70
单位油气产量耗电(千瓦时/吨) Electric Power Consumption per unit of Oil and Gas Output (kWh/ton)	150.24	148.35		186.50
铁矿采矿工序单位能耗(千克标准煤/吨) Energy Consumption per Unit of Mining of Iron Ore (kg SCE/ton)	3.42	2.63	3.07	3.00
铁矿选矿工序单位能耗(千克标准煤/吨) Energy Consumption per Unit of Milling run Iron Ore (kg SCE/ton)	3.84	2.94	4.70	5.30
每吨粘胶纤维综合能耗(短纤)(千克标准煤/吨) Overall Energy Consumption per ton of Pectic-fibre (short fibre)(kg SCE/ton)	1061.76	899.06	843.63	832.20
每吨粘胶纤维用电量(短纤)(千瓦时/吨) Electric Power Consumption per ton of Pectic-fibre (short fibre)(kWh/ton)	1074.97	898.20	904.42	873.00
每吨粘胶纤维综合能耗(长丝)(千克标准煤/吨) Overall Energy Consumption per ton of Pectic-fibre (long silk)(kg SCE/ton)	4687.38	4871.53		
每吨粘胶纤维用电量(长丝)(千瓦时/吨) Electric Power Consumption per ton of Pectic-fibre (long silk)(kWh/ton)	7799.89	7206.26		
每吨纱(线)混合数综合能耗(千克标准煤/吨) Overall Energy Consumption per ton of Mixed Yarn (Cotton)(kg SCE/ton)	349.69	427.34	474.43	629.50
每吨纱(线)混合数生产用电量(千瓦时/吨) Electric Power Consumption per ton of Gauze and Line (kWh/ton)	3103.19	2691.70	2995.72	4027.50
万米布混合数综合能耗(千克标准煤/万米) Overall Energy Consumption per 10km of Mixed Cloth (kg SCE/10km)	1519.90	1072.25	1212.02	1406.20
万米印染布综合能耗(千克标准煤/万米) Overall Energy Consumption per 10km of Printing and Dyeing (kg SCE/10km)	5518.89	3876.78	2905.21	2492.50
机制纸及纸板综合能耗(千克标准煤/吨) Overall Energy Consumption of Machine Made Paper and Paperboard (kg SCE/ton)	295.70	242.73	233.92	236.70
机制纸及纸板耗电(千瓦时/吨) Electric Power Consumption per ton of Machine Made Paper and Paperboard (kWh/ton)	589.52	557.08	574.67	592.20
炼焦工序单位能耗(千克标准煤/吨) Energy Consumption per Unit of Coking Plant (kg SCE/ton)	138.42	117.38	124.66	124.50
原油(原料油)加工单位综合能耗(千克标准油/吨) Overall Energy Consumption of Machining Base Oil (kg toe/ton)	64.38	66.15	73.73	73.20
原油(原料油)加工单位耗电(千瓦时/吨) Electric Power Consumption per ton of Machining Base Oil (kWh/ton)	56.74	70.15	68.67	64.20
单位烧碱生产综合能耗(离子膜法30%)(千克标准煤/吨) Overall Energy Consumption per Unit of Manufacturing Caustic Soda (Ion Film 30%) (kg SCE/ton)	325.04	306.32	296.29	298.50
单位烧碱生产耗交流电(离子膜法30%)(千瓦时/吨) Electric Power Consumption per ton of Manufacturing Caustic Soda (Ion Film 30%)(kWh/ton)	2360.67	2227.47	2214.06	2207.40
单位烧碱生产综合能耗(离子膜法45%)(千克标准煤/吨) Overall Energy Consumption per Unit of Manufacturing Caustic Soda (Ion Film 45%) (kg SCE/ton)	420.12	391.38		
单位烧碱生产耗交流电(离子膜法45%)(千瓦时/吨) Electric Power Consumption per ton of Manufacturing Caustic Soda (Ion Film 45%)(kWh/ton)	2325.93	2162.00		
氨碱法单位纯碱生产综合能耗(千克标准煤/吨)) Overall Energy Consumption per Unit of Sodium Carbonate in Ammonia Soda Process (kg SCE/ton)	387.63	371.76		360.40
氨碱法单位纯碱生产耗电(千瓦时/吨) Electric Power Consumption per Unit of Sodium Carbonate in Ammonia Soda Process (kWh/ton)	57.73	70.74		67.30

8-8 续表 continued

指 标 Item	2010	2015	2018	2019
单位合成氨生产综合能耗(千克标准煤/吨) Overall Energy Consumption per Unit of Manufacturing Compound Ammonia (kg SCE/ton)	1316.94	1242.87	1275.62	1253.60
每吨合成氨耗电(千瓦时/吨) Electric Power Consumption per ton of Manufacturing Compound Ammonia (kWh/ton)	1366.38	1256.23	1231.30	1189.50
每吨合成氨耗原料煤(7000千卡发热)(千克/吨) Raw Coal Consumption per ton of Manufacturing Compound Ammonia (kg/ton)	1046.40	1031.93	1075.57	1054.40
每吨合成氨耗标准燃料煤(7000千卡发热)(千克/吨) Standard Fuel Coal Consumption per ton of Manufacturing Compound Ammonia (kg/ton)	121.12	78.42	98.93	110.20
每吨合成氨消耗天然气(立方米/吨) Natural Gas Consumption per ton of Manufacturing Compound ammonia(m^3/ton)	987.77	998.82		
每吨水泥熟料综合能耗(千克标准煤/吨) Energy Consumption per ton of Cement Ripe-material (kg SCE/ton)	112.14	104.50	105.36	107.70
每吨水泥熟料综合电耗(千瓦时/吨) Overall Electric Power Consumption per ton of Cement Ripe-material (kWh/ton)	78.86	61.57	56.92	57.10
每吨水泥熟料烧成标准煤耗(千克标准煤/吨) SCE Consumption per ton of Cement Ripe-material (kg SCE/ton)	109.83	101.11	101.99	105.70
每吨水泥综合能耗(千克标准煤/吨) Fully Energy Consumption for Cement (kg SCE/ton)	70.40	93.05	78.69	78.50
每吨水泥综合电耗(千瓦时/吨) Overall Electric Power Consumption per ton of Cement (kWh/ton)	78.86	90.49	72.76	73.30
吨水泥标准煤耗(千克/吨) SCE Consumption per ton of Cement (kg/ton)	79.53	78.06	79.55	79.60
每重量箱平板玻璃综合能耗(千克标准煤/重量箱) Energy Consumption per weight case of Plate Glass (kg SCE/weight case)	14.79	13.43	12.28	12.90
每重量箱平板玻璃耗电(千瓦时/重量箱) Electric Power Consumption per ton of Plate Glass (kWh/weight case)	6.79	5.32	5.48	5.80
每重量箱平板玻璃耗燃油(千克/重量箱) Fuel Oil Consumption per ton of Plate Glass (kg/weight case)	6.93	9.30		8.10
吨钢综合能耗(千克标准煤/吨) Energy Consumption per ton of Steel (kg SCE/ton)	562.49	544.41	541.65	555.50
吨钢耗电(千瓦时/吨) Electric Power Consumption per ton of Steel (kWh/ton)	405.07	404.40	398.16	439.70
炼铁工序单位能耗(千克标准煤/吨) Energy Consumption per Unit of Ferrosilicon Processes (kg SCE/ton)	403.48	391.97	402.41	402.00
铁矿烧结工序单位能耗(千克标准煤/吨) Energy Consumption per Unit of Iron Ore Sintering Processes (kg SCE/ton)	48.89	45.75	47.61	47.20
转炉炼钢工序单位能耗(千克标准煤/吨) Energy Consumption per Unit of Converter Steelmaking Processes (kg SCE/ton)	2.36	-10.04	-15.10	-16.00
轧钢工序单位能耗(千克标准煤/吨) Energy Consumption per Unit of Steel Rolling Processes (kg SCE/ton)	52.31	50.86	45.14	47.00
轧钢工序电力消耗(千瓦时/吨) Electric Power Consumption per ton of Steel Rolling (kWh/ton)	78.87	83.30	81.75	83.50
吨钢耗新水(吨/吨) Fresh Water Consumption per ton of Steel (ton/ton)	3.04	2.70	2.22	2.10
吨铝加工材消耗能源量(千克标准煤/吨) Energy Consumption per ton of Machining Aluminum (kg SCE/ton)	433.04	256.95	288.96	259.80
吨铝加工材消耗电量(千瓦时/吨) Electric Power Consumption per ton of Machining Aluminum (kWh/ton)	1534.36	967.82	1064.98	952.30
火力发电标准煤耗(克标准煤/千瓦时) SEC Consumption of Firepower Generate Electricity (g SCE/kWh)	314.48	300.45	292.48	289.90
火力发电供电标准煤耗(克标准煤/千瓦时) Power-supply SEC Consumption of Firepower Generate Electricity (g SCE/kWh)	337.40	320.39	311.54	308.70
发电厂用电率(%) Electro-rate of Power Plant (%)	6.79	6.22	6.12	6.00

注：本表统计范围为年综合能源消费量1万吨标准煤及以上的工业企业。
a) The statistical objects of the sheet are the industrial enterprises each with an annual overall energy consumption of no less than 10000 tons SCE.

8-9 全社会用电情况
Basic Situation of Total Electricity Consumption

单位：万千瓦时 (10000 kWh)

指　　标	Indicator	2018	2019
全社会用电总计	**Total**	**36656607**	**38560581**
三次产业用电	**Electricity Consumption of Three Strata Industry**	**31715936**	**33329699**
第一产业	Primary Industry	522409	553752
第二产业	Secondary Industry	25056839	26032705
第三产业	Tertiary Industry	6136689	6743241
城乡居民生活用电	**Household Electricity Consumption**	**4940671**	**5230882**
城镇居民	Urban Households	2037905	2164806
乡村居民	Rural Households	2902766	3066076
按行业分类	**By Sector**	**31715936**	**33329699**
农、林、牧、渔业	**Agriculture, Forestry, Animal Husbandry and Fishery**	**1164820**	**1286310**
农业	Agriculture	288022	302652
林业	Forestry	8833	8991
畜牧业	Animal Husbandry	179726	193230
渔业	Fishery	45829	48879
农、林、牧、渔专业及辅助性活动	Professional and Support Activities for Agriculture, Forestry, Animal Husbandry and Fishery	642411	732557
#排灌	Irrigation	625530	714297
工业	**Industry**	**24675076**	**25654343**
采矿业	Mining	1862819	1944979
煤炭开采和洗选业	Mining and Washing of Coal	331005	273369
石油和天然气开采业	Extraction of Petroleum and Natural Gas	216908	239539
黑色金属矿采选业	Mining and Processing of Ferrous Metal Ores	980730	1100474
有色金属矿采选业	Mining and Processing of Non-Ferrous Metal Ores	76069	75831
非金属矿采选业	Mining and Processing of Non-metal Ores	82492	84174
其他采矿活动	Mining of Other Ores	175615	171593
制造业	Manufacturing	17938493	18716626
农副食品加工业	Processing of Food from Agricultural Products	380138	416098
食品制造业	Manufacture of Foods	198595	208954
酒、饮料及精制茶制造业	Manufacture of Liquor, Beverages and Refined Tea	62303	68024
烟草制品业	Manufacture of Tobacco	6498	6979
纺织业	Manufacture of Textile	594079	592299
纺织服装、服饰业	Manufacture of Textile, Wearing Apparel and Accessories	66059	71076
皮革、毛皮、羽毛及其制品和制鞋业	Manufacture of Leather, Fur, Feather and Related Products and Footware	125578	121183
木材加工和木、竹、藤、棕、草制品业	Processing of Timber, Manufacture of Wood, Bamboo, Rattan, Palm and Straw Products	231288	238813
家具制造业	Manufacture of Furniture	101378	108871
造纸和纸制品业	Manufacture of Paper and Paper Products	365584	404076
印刷和记录媒介复制业	Printing and Reproduction of Recording Media	56433	59473
文教、工美、体育和娱乐用品制造业	Manufacture of Articles for Culture, Education, Arts and Crafts, Sport and Entertainment Activities	39973	39145
#体育用品制造	Manufacture of Sporting Goods	12830	13777
石油、煤炭及其他燃料加工业	Processing of Petroleum, Coal and Other Fuels	478667	475336
#煤化工	Coal Chemical Industry	227844	206335
化学原料和化学制品制造业	Manufacture of Chemical Raw Material and Chemical Products	1633552	1588873
#氯碱	Chlor-alkali	313315	330673
电石	Calcium Carbide	18	20
黄磷	Yellow Phosphorus	5	14
#肥料制造	Manufacture of Fertilizer	285080	251096

8-9 续表 1 continued

单位：万千瓦时 (10000 kWh)

指　　标	Indicator	2018	2019
医药制造业	Manufacture of Medicines	240192	252904
#中成药生产	Chinese Patent Medicine Production	18692	21856
生物药品制品制造	Manufacture of Biological Pharmaceutical Products	23142	27633
化学纤维制造业	Manufacture of Chemical Fibres	98920	100692
橡胶和塑料制品业	Manufacture of Rubber and Plastics Products	777925	828636
#橡胶制品业	Manufacture of Rubber Products	282686	288804
塑料制品业	Manufacture of Plastics Products	495238	539832
非金属矿物制品业	Manufacture of Nonmetallic Mineral Products	1870066	1907493
#水泥制造	Manufacture of Cement	667605	669133
玻璃制造	Manufacture of Glass	63480	90024
陶瓷制品制造	Manufacture of Ceramics	157617	149001
#碳化硅	Carborundum	95	243
黑色金属冶炼和压延加工业	Manufacture and Processing of Ferrous Metals	6540910	6930799
#钢铁	Steel	6457176	6813158
铁合金冶炼	Ferroalloy Smelting	83734	117641
有色金属冶炼和压延加工业	Smelting and Pressing of Non-ferrous Metals	199021	178147
#铝冶炼	Aluminum Smelting	2128	1739
铅锌冶炼	Lead and Zinc Smelting	1290	1385
稀有稀土金属冶炼	Rare Earth Metal Smelting	368	385
金属制品业	Manufacture of Metal Products	2254504	2381096
#结构性金属制品制造	Manufacture of Structural Metal Products	846148	913719
通用设备制造业	Manufacture of General Purpose Machinery	382436	402947
#风能原动设备制造	Manufacture of Wind Power Prime Equipment	326	738
专用设备制造业	Manufacture of Special Purpose Machinery	152058	197977
#医疗仪器设备及器械制造	Manufacture of Medical Instruments and Equipment	2032	2615
汽车制造业	Manufacture of Automobiles	251260	244291
#新能源车整车制造	Manufacture of New Energy Vehicle	560	397
铁路、船舶、航空航天和其他运输设备制造业	Manufacture of Railway, Ship, Aerospace and Other Transport Equipments	106965	108964
#铁路运输设备制造	Manufacture of Railway Transport Equipment	29811	30060
城市轨道交通设备制造	Manufacture of Urban Rail Transit Equipment	71	83
航空、航天器及设备制造	Manufacture of Aviation,Spacecraft and Equipment	2684	2931
电气机械和器材制造业	Manufacture of Electrical Machinery and Apparatus	214594	235601
#光伏设备及元器件制造	Manufacture of PV Equipment and Components	949	3903
计算机、通信和其他电子设备制造业	Manufacture of Computers, Communication and Other Electronic Equipment	204022	223304
#计算机制造	Manufacture of Computer	259	226
通信设备制造	Manufacture of Communications Equipment	38574	39344
仪器仪表制造业	Manufacture of Measuring Instruments and Machinery	7587	7591
其他制造业	Other Manufacture	169933	194072
废弃资源综合利用业	Utilization of Waste Resources	71050	72593
金属制品、机械和设备修理业	Repair Service of Metal Products, Machinery and Equipment	56925	50319
电力、热力、燃气及水生产和供应业	Production and Distribution of Electricity,Thermal, Gas and Water	4873765	4992738

8-9 续表 2 continued

单位：万千瓦时 (10000 kWh)

指　　标	Indicator	2018	2019
电力、热力生产和供应业	Production and Supply of Electric Power and Heat Power	4592606	4679273
#电厂生产全部耗用电量	Total Electricity Consumption for Electricity Production	2029770	2014050
线路损失电量	Power Loss	2251260	2267949
抽水蓄能抽水耗用电量	Pumped Storage Water Consumption	92539	114426
燃气生产和供应业	Production and Supply of Gas	74554	75274
水的生产和供应业	Production and Supply of Water	206605	238190
建筑业	**Construction**	**438688**	**428682**
房屋建筑业	Construction of Buildings	212215	215968
土木工程建筑业	Civil Engineering	76583	64927
建筑安装业	Building Installation	35776	37902
建筑装饰、装修和其他建筑业	Building Decoration and Other Constructions	114113	109885
交通运输、仓储和邮政业	**Traffic Transport,Storage and Post**	**1169947**	**1240370**
铁路运输业	Railway Transport	774258	799554
#电气化铁路	Electrified Railway	632110	669338
道路运输业	Road Transport	107962	116681
#城市公共交通运输	Urban Public Transport	44594	47763
水上运输业	Water Transport	132858	153927
#港口岸电	Port Shore Electricity	13175	31867
航空运输业	Air Transport	4862	4945
管道运输业	Transport Via Pipelines	30238	33095
多式联运和运输代理业	Intermodality and Forwarding Agency	6510	7488
装卸搬运和仓储业	Loading, Unloading and Storage	104454	115504
邮政业	Post	8805	9178
信息传输、软件和信息技术服务业	**Information Transmission,Software and Information Technology Services**	**444610**	**549346**
电信、广播电视和卫星传输服务	Telecommunication, Radio and Television and Satellite Transmission Service	174162	183089
互联网和相关服务	Internet and Related Service	168934	234931
#互联网数据服务	Internet Data Services	44972	107557
软件和信息技术服务业	Software and Information Technology	101514	131326
批发和零售业	**Wholesale and Retail Trades**	**1349405**	**1471490**
#充换电服务业	Charging and Switching Services	1761	6118
住宿和餐饮业	**Hotels and Catering Services**	**318954**	**352378**
金融业	**Financial Intermediation**	**79037**	**77324**
房地产业	**Real Estate**	**336041**	**379766**
租赁和商务服务业	**Leasing and Business Services**	**125743**	**142525**
#租赁业	Leasing Industry	7270	7813
公共服务及管理组织	**Public Service and Management Organization**	**1613614**	**1747165**
科学研究和技术服务业	**Scientific Research and Technical Services**	**74289**	**71848**
#地质勘查	Geological Exploration	1361	1137
科技推广和应用服务业	Technology Extension and Application Services	17634	15440
水利、环境和公共设施管理业	**Management of Water Conservancy, Environment and Public Facilities**	**308825**	**327586**
#水利管理业	Water Management	82668	82788
公共照明	Public Lighting	136652	147389
居民服务、修理和其他服务业	**Service to Households, Repair and Other Services**	**250498**	**276450**
教育、文化、体育和娱乐业	**Education,Culture, Sports and Entertainment**	**452909**	**505129**
#教育	Education	396963	444532
卫生和社会工作	**Health and Social Service**	**225124**	**243142**
公共管理和社会组织、国际组织	**Public Management, Social Security and Social Organization**	**301971**	**323010**

8-10 分市全社会用电量
Electricity Consumption by City

单位：亿千瓦时 (100 million kWh)

市	City	2015	2018	2019
全　省	**Total**	**3175.66**	**3665.66**	**3856.06**
石家庄市	Shijiazhuang	416.02	497.49	513.42
承 德 市	Chengde	148.20	169.80	188.84
张家口市	Zhangjiakou	127.09	165.48	177.10
秦皇岛市	Qinhuangdao	134.97	154.53	150.45
唐 山 市	Tangshan	768.70	795.53	861.54
廊 坊 市	Langfang	245.73	286.59	286.71
保 定 市	Baoding	300.43	381.72	311.84
沧 州 市	Cangzhou	249.58	338.51	361.37
衡 水 市	Hengshui	129.71	152.76	161.68
邢 台 市	Xingtai	214.04	276.32	292.63
邯 郸 市	Handan	377.62	407.04	427.61
定 州 市	Dingzhou	35.95	21.05	42.18
辛 集 市	Xinji	27.10	29.63	33.58
雄安新区	Xiongan New Area			41.14

8-11 分市工业用电量
Electricity Consumption of Industrial by City

单位：亿千瓦时 (100 million kWh)

市	City	2015	2018	2019
全　省	**Total**	**2300.17**	**2467.51**	**2565.43**
石家庄市	Shijiazhuang	271.75	295.54	294.55
承 德 市	Chengde	117.79	127.62	142.85
张家口市	Zhangjiakou	80.52	96.58	98.30
秦皇岛市	Qinhuangdao	88.85	98.32	92.74
唐 山 市	Tangshan	662.51	657.71	716.10
廊 坊 市	Langfang	173.70	169.05	164.02
保 定 市	Baoding	171.30	195.08	148.97
沧 州 市	Cangzhou	170.40	225.94	242.42
衡 水 市	Hengshui	78.64	89.62	94.51
邢 台 市	Xingtai	139.42	179.82	185.44
邯 郸 市	Handan	289.66	292.32	298.36
定 州 市	Dingzhou	25.33	14.42	27.37
辛 集 市	Xinji	19.18	19.40	22.49
雄安新区	Xiongan New Area			20.27

8-12 分市全社会用电量(2019年)

单位：万千瓦时

指　标	Indicators	石家庄市 Shijiazhuang	#辛集市 Xinji	承德市 Chengde
全社会用电总计	**Total**	**5134187**	**335812**	**1888415**
三次产业用电	**Electricity Consumption of Three Strata Industry**	**4346071**	**291047**	**1716268**
第一产业	Primary Industry	37108	2057	30242
第二产业	Secondary Industry	3013675	226661	1448603
第三产业	Tertiary Industry	1295288	62329	237422
城乡居民生活用电	**Household Electricity Consumption**	**788116**	**44765**	**172148**
城镇居民	Urban Households	326213	8769	77878
乡村居民	Rural Households	461902	35996	94269
按行业分类	**By Sector**	**4346071**	**291047**	**1716268**
农、林、牧、渔业	**Agriculture, Forestry, Animal Husbandry and Fishery**	**147052**	**20426**	**35671**
农业	Agriculture	13803	753	19510
林业	Forestry	842	30	960
畜牧业	Animal Husbandry	22096	1270	9663
渔业	Fishery	367	3	109
农、林、牧、渔专业及辅助性活动	Professional and Support Activities for Agriculture, Forestry, Animal Husbandry and Fishery	109944	18369	5429
#排灌	Irrigation	105261	18041	5349
工业	**Industry**	**2945493**	**224923**	**1428471**
采矿业	Mining	33600	3838	621696
煤炭开采和洗选业	Mining and Washing of Coal	9220	5	2000
石油和天然气开采业	Extraction of Petroleum and Natural Gas	4582	3823	43
黑色金属矿采选业	Mining and Processing of Ferrous Metal Ores	4461		560560
有色金属矿采选业	Mining and Processing of Non-ferrous Metal Ores	2305	2	40172
非金属矿采选业	Mining and Processing of Non-metal Ores	8440	0.02	14428
其他采矿活动	Mining of Other Ores	4592	8	4493
制造业	Manufacturing	2239021	199083	543322
农副食品加工业	Processing of Food from Agricultural Products	63829	16007	9978
食品制造业	Manufacture of Foods	28632	334	8375
酒、饮料及精制茶制造业	Manufacture of Liquor, Beverages and Refined Tea	8717	395	5991
烟草制品业	Manufacture of Tobacco	2754		
纺织业	Manufacture of Textile	210711	11534	93
纺织服装、服饰业	Manufacture of Textile, Wearing Apparel and Accessories	15470	2223	792
皮革、毛皮、羽毛及其制品和制鞋业	Manufacture of Leather, Fur, Feather and Related Products and Footware	34706	12692	58
木材加工和木、竹、藤、棕、草制品业	Processing of Timber, Manufacture of Wood, Bamboo, Rattan, Palm and Straw Products	33574	164	2292
家具制造业	Manufacture of Furniture	12083	145	833
造纸和纸制品业	Manufacture of Paper and Paper Products	51391	5224	191
印刷和记录媒介复制业	Printing and Reproduction of Recording Media	8712	87	1039
文教、工美、体育和娱乐用品制造业	Manufacture of Articles for Culture, Education, Arts and Crafts, Sport and Entertainment Activities	1580	52	1014
#体育用品制造	Manufacture of Sporting Goods	166		0.08
石油、煤炭及其他燃料加工业	Processing of Petroleum, Coal and Other Fuels	86703	1845	731
#煤化工	Coal Chemical Industry	14450	1	4
化学原料和化学制品制造业	Manufacture of Chemical Raw Material and Chemical Products	324869	25536	9664
#氯碱	Chlor-alkali	28926		
电石	Calcium Carbide			
黄磷	Yellow Phosphorus			
#肥料制造	Manufacture of Fertilizer	64457	955	1230

Electricity Consumption by City (2019)

(10000 kWh)

张家口市 Zhangjiakou	秦皇岛市 Qinhuangdao	唐山市 Tangshan	廊坊市 Langfang	保定市 Baoding	#定州市 Dingzhou	沧州市 Cangzhou	衡水市 Hengshui	邢台市 Xingtai	邯郸市 Handan	雄安新区 Xiongan
1770974	**1504480**	**8615362**	**2867113**	**3540208**	**326853**	**3619633**	**1616764**	**2926301**	**4276139**	**411427**
1546660	**1305526**	**8110382**	**2336949**	**2696819**	**236317**	**3122859**	**1354853**	**2427522**	**3677926**	**298286**
40816	37208	142728	52888	45572	668	44758	36176	49573	31379	5304
1024046	946300	7221794	1690441	1795373	180656	2458945	955123	1858272	3025260	205295
481797	322018	745860	593620	855875	54993	619157	363554	519677	621287	87686
224314	**198954**	**504980**	**530164**	**843388**	**90536**	**496774**	**261912**	**498779**	**598213**	**113141**
138211	105293	250042	291645	317549	35450	166796	105360	167242	197582	20995
86103	93661	254938	238519	525840	55086	329977	156551	331537	400631	92147
1546660	**1305526**	**8110382**	**2336949**	**2696819**	**236317**	**3122859**	**1354853**	**2427522**	**3677926**	**298286**
96178	**44730**	**163278**	**75465**	**137714**	**16800**	**131279**	**147667**	**148237**	**143740**	**15298**
15300	18046	85433	38450	23032	316	11567	23284	35646	15392	3190
762	546	751	1332	1329	2	184	130	511	1560	85
24580	7292	30546	12733	20871	350	25354	12649	13376	12317	1754
174	11325	25999	373	341	0.26	7653	113	40	2110	275
55361	7522	20550	22577	92142	16132	86521	111492	98665	112361	9994
55085	7484	19840	22478	89639	16113	79752	110588	97752	111429	9640
982957	**927359**	**7161031**	**1640213**	**1763319**	**178698**	**2430165**	**945054**	**1854359**	**2983634**	**202712**
112414	58855	556858	28174	40626	25	177395	6521	105516	202183	1142
12438	3962	146916	430	1170	0.14	597	2	33499	63128	6
	21	45188	2846	8446		171629	5588	230	5	961
62344	49425	331613	33	18444			2	27019	46573	
16289	1552	10453	39	2446		11	18	2331	57	157
18824	3351	20896	459	4579	19	3027	1	3430	6734	5
2519	544	1791	24368	5540	6	2131	910	39007	85685	14
368822	675634	5767603	1348501	1255139	154933	1871677	763316	1451375	2266586	165630
9797	39123	41976	35464	26282	3172	37491	19906	97819	29644	4792
15969	32020	22266	17101	24510	5575	10415	7330	32882	8332	1122
1991	2490	6400	8266	9341	34	3851	5187	13091	2635	65
3396		9	9	352	1	20	0.2366	34	401	4
357	2402	24992	6718	155983	886	29339	19761	68485	59124	14332
840	789	3220	7870	10590	305	3369	7884	12159	4412	3681
484	198	1217	1405	30803	898	3860	7949	9188	3264	28052
817	1933	17113	132848	23118	621	3768	8711	6548	7871	220
262	999	4633	69407	4705	227	3944	5108	4130	1684	1083
458	28718	52582	14030	180758	200	19868	3443	41215	5390	6033
424	1007	4040	19543	10985	186	6951	2253	2786	982	750
308	356	1620	5038	10992	8345	8305	2577	1762	3960	1633
	52	53	1102	8569	8151	3421	111	2	131	170
543	1450	69742	989	56802	54970	143341	22170	43152	49655	58
1	92	41151	53	54791	54724	5603	101	41904	48185	0.0118
8967	38054	402663	74295	52089	6009	394666	165137	87250	30430	789
96		197706				32804	71141			
							1	20		
									14	
801	142	2022	25	27724	177	145195	4690	3924	884	

8-12 续表 1

单位：万千瓦时

指标	Indicators	石家庄市 Shijiazhuang	#辛集市 Xinji	承德市 Chengde
医药制造业	Manufacture of Medicines	170973	5630	1814
#中成药生产	Chinese Patent Medicine Production	11977	60	110
生物药品制品制造	Manufacture of Biological Pharmaceutical Products	13451	46	78
化学纤维制造业	Manufacture of Chemical Fibres	33008	147	33
橡胶和塑料制品业	Manufacture of Rubber and Plastics Products	88849	9599	1467
#橡胶制品业	Manufacture of Rubber Products	22828	5883	140
塑料制品业	Manufacture of Plastics Products	66022	3717	1327
非金属矿物制品业	Manufacture of Nonmetallic mineral Products	325373	5064	121309
#水泥制造	Manufacture of Cement	108105	743	57660
玻璃制造	Manufacture of Glass	7649	5	341
陶瓷制品制造	Manufacture of Ceramics	64876	0.07	2406
#碳化硅	Carborundum	179		
黑色金属冶炼和压延加工业	Manufacture and Processing of Ferrous Metals	430956	85618	330020
#钢铁	Steel	428843	85618	328275
铁合金冶炼	Ferroalloy Smelting	2113		1745
有色金属冶炼和压延加工业	Smelting and Pressing of Non-ferrous Metals	10699	356	1306
#铝冶炼	Aluminum Smelting	73	5	
铅锌冶炼	Lead and Zinc Smelting	32		
稀有稀土金属冶炼	Rare Earth Metal Smelting	284		
金属制品业	Manufacture of Metal Products	164350	11556	31815
#结构性金属制品制造	Manufacture of Structural Metal Products	36627	3573	30668
通用设备制造业	Manufacture of General Purpose Machinery	34876	2003	7420
#风能原动设备制造	Manufacture of Wind Power Prime Equipment			26
专用设备制造业	Manufacture of Special Purpose Machinery	10099	107	1514
#医疗仪器设备及器械制造	Manufacture of Medical Instruments and Equipment	76	24	3
汽车制造业	Manufacture of Automobiles	3826	76	174
#新能源车整车制造	Manufacture of New Energy Vehicle	0.3157		17
铁路、船舶、航空航天和其他运输设备制造业	Manufacture of Railway, Ship, Aerospace and Other Transport Equipment	5228	193	588
#铁路运输设备制造	Manufacture of Railway Transport Equipment	450	2	333
城市轨道交通设备制造	Manufacture of Urban Rail Transit Equipment	0.4783		
航空、航天器及设备制造	Manufacture of Aviation,Spacecraft and Equipment	1334		132
电气机械和器材制造业	Manufacture of Electrical Machinery and Apparatus	26536	377	558
#光伏设备及元器件制造	Manufacture of PV Equipment and Components			
计算机、通信和其他电子设备制造业	Manufacture of Computers, Communication and Other Electronic Equipment	27119	569	459
#计算机制造	Manufacture of Computer	2		
通信设备制造	Manufacture of Communications Equipment	531	2	339
仪器仪表制造业	Manufacture of Measuring Instruments and Machinery	959	732	49
其他制造业	Other Manufacture	16540	733	799
废弃资源综合利用业	Utilization of Waste Resources	5297	69	2652
金属制品、机械和设备修理业	Repair Service of Metal Products, Machinery and Equipment	601	18	298
电力、热力、燃气及水生产和供应业	Production and Distribution of Electricity,Thermal, Gas and Water	672873	22002	263452
电力、热力生产和供应业	Production and Supply of Electric Power and Heat Power	620953	16278	246925
#电厂生产全部耗用电量	Total Electricity Consumption for Electricity Production	350433		107992
线路损失电量	Power Loss	246406	15119	107416
抽水蓄能抽水耗用电量	Pumped Storage Water Consumption	1948		3952

continued 1

(10000 kWh)

张家口市 Zhangjiakou	秦皇岛市 Qinhuangdao	唐山市 Tangshan	廊坊市 Langfang	保定市 Baoding	#定州市 Dingzhou	沧州市 Cangzhou	衡水市 Hengshui	邢台市 Xingtai	邯郸市 Handan	雄安新区 Xiongan
697	5447	12107	5179	11138	402	16729	9259	10834	8706	22
5	20	3047	171	1826	43	127	8	564	4002	
48	2891	870	225	1250	148	2921	794	4127	978	
299	4965	5006	8585	12395	215	14693	12182	4862	1927	2738
3796	8728	64613	120774	85128	16515	146647	80639	138343	17213	72438
1276	2458	16721	14682	27669	1400	32587	65165	86960	4589	13729
2520	6271	47892	106093	57459	15114	114060	15473	51383	12623	58710
78141	144086	417199	129179	153073	4902	89981	36622	200085	202355	10091
28634	52993	163715	21380	50052	11	9172	6704	61803	108900	13
460	6057	12511	12334	2623	2	2704	1531	43253	563	
1177	1354	35722	1153	11619	180	5574	1734	8266	15069	50
			0.01			8	3	22	30	
177644	148069	4053506	34924	2543	27	161895	36515	147059	1407609	61
177644	148069	3956515	34919	2532	27	155432	36339	144425	1400104	61
		96991	5	11		6463	175	2633	7505	
708	10836	27150	15911	50267	20	2196	4606	15420	36445	2604
				0.2777		2	22	31	1611	
								918	436	
		98					0.0799	3		
22633	42201	331311	392253	126085	31063	529718	237774	211786	282163	9008
5820	21943	129207	266581	39791	11825	216424	32311	20257	111962	2128
10743	34007	46824	40067	36206	6494	55033	22171	75769	38265	1566
243	70		0.26	44		2	300	52		
16779	3173	62400	48039	10249	496	19436	8088	10548	7179	473
49	563	7	982	208	1	236	330	10	148	4
3318	64894	9907	12403	86714	7139	35081	12343	14512	951	169
		62					32	227	57	1
288	14908	16059	10626	6447	3649	27154	2972	22290	2384	22
29	255	10277	90	177	0.09	16489	619	1290	53	
	37			1	1		23	20	1	
1		1	110	1268			5	82		
3655	1555	9546	22147	38661	287	29606	8994	72156	20080	2105
5	43	5	52	724	17	31		3005	15	24
1225	37774	10931	59297	5395	27	10178	1542	65705	3614	65
		3	140	68		3	1		10	
229	2418	413	29868	133	1	4639	713	16	44	
119	125	1123	792	2487	3	1400	279	211	43	4
2742	1073	12048	51203	13305	200	55469	6021	10428	23021	1425
1225	3971	31957	3251	5296	1693	5260	2569	5131	5767	218
196	283	3443	888	12443	373	2016	3326	25735	1084	8
501721	192870	836570	263538	467554	23740	381093	175217	297468	514865	35939
482366	181272	781829	233034	430009	13034	354996	158312	283459	483346	33194
245835	74686	339275	70044	192935	280	154183	68470	123947	286022	230
140330	77631	374845	152183	196730	12752	195426	83564	151876	182589	32639
	0.3	39747		479		2915	257	644	755	466

8-12 续表 2

单位：万千瓦时

指　标	Indicators	石家庄市 Shijiazhuang	#辛集市 Xinji	承德市 Chengde
燃气生产和供应业	Production and Supply of Gas	12002	456	2256
水的生产和供应业	Production and Supply of Water	39918	5269	14271
建筑业	**Construction**	**68783**	**1755**	**20430**
房屋建筑业	Construction of Buildings	26674	694	11313
土木工程建筑业	Civil Engineering	2991	35	3741
建筑安装业	Building Installation	8863	295	191
建筑装饰、装修和其他建筑业	Building Decoration and Other Constructions	30253	732	5184
交通运输、仓储和邮政业	**Traffic Transport,Storage and Post**	**211493**	**2073**	**40954**
铁路运输业	Railway Transport	124728	395	27983
#电气化铁路	Electrified Railway	87078		22436
道路运输业	Road Transport	30580	688	9622
#城市公共交通运输	Urban Public Transport	22231	215	3382
水上运输业	Water Transport	4		
#港口岸电	Port Shore Electricity			
航空运输业	Air Transport	4014	11	147
管道运输业	Transport Via Pipelines	22917	0.09	5
多式联运和运输代理业	Intermodality and Forwarding Agency	1842	77	177
装卸搬运和仓储业	Loading, Unloading and Storage	25426	898	2491
邮政业	Post	1983	3	529
信息传输、软件和信息技术服务业	**Information Transmission,Software and Information Technology Services**	**54818**	**1475**	**16868**
电信、广播电视和卫星传输服务	Telecommunication, Radio and Television and Satellite Transmission Service	45452	1022	9246
互联网和相关服务	Internet and Related Service	7175	422	7201
#互联网数据服务	Internet Data Services	53	0.41	119
软件和信息技术服务业	Software and Information Technology	2191	30	421
批发和零售业	**Wholesale and Retail Trades**	**286309**	**23174**	**42635**
#充换电服务业	Charging and Switching Services	883	1	13
住宿和餐饮业	**Hotels and Catering Services**	**51449**	**956**	**23838**
金融业	**Financial Intermediation**	**14285**	**358**	**4601**
房地产业	**Real Estate**	**149101**	**4853**	**11324**
租赁和商务服务业	**Leasing and Business Services**	**53979**	**868**	**8447**
#租赁业	Leasing Industry	1148	16	662
公共服务及管理组织	**Public Service and Management Organization**	**363308**	**10184**	**83029**
科学研究和技术服务业	**Scientific Research and Technical Services**	**14623**	**271**	**1225**
#地质勘查	Geological Exploration	0.306		163
科技推广和应用服务业	Technology Extension and Application Services	1185	3	46
水利、环境和公共设施管理业	**Management of Water Conservancy, Environment and Public Facilities**	**61408**	**1944**	**15209**
#水利管理业	Water Management	15088	788	2841
公共照明	Public Lighting	14389	427	9692
居民服务、修理和其他服务业	**Service to Households, Repair and Other Services**	**66353**	**1771**	**11110**
教育、文化、体育和娱乐业	**Education,Culture, Sports and Entertainment**	**116463**	**3462**	**23683**
#教育	Education	98010	3307	20591
卫生和社会工作	**Health and Social Service**	**47124**	**1282**	**13202**
公共管理和社会组织、国际组织	**Public Management, Social Security and Social Organization**	**57336**	**1455**	**18599**

continued

(10000 kWh)

张家口市 Zhangjiakou	秦皇岛市 Qinhuangdao	唐山市 Tangshan	廊坊市 Langfang	保定市 Baoding	#定州市 Dingzhou	沧州市 Cangzhou	衡水市 Hengshui	邢台市 Xingtai	邯郸市 Handan	雄安新区 Xiongan
2708	979	19350	2432	12940	9725	3144	2224	2120	14727	392
16647	10619	35391	28073	24604	981	22953	14680	11890	16792	2352
41285	**19224**	**64205**	**51117**	**44496**	**2330**	**30796**	**13394**	**29649**	**42710**	**2592**
19520	14368	45890	33652	15807	1153	10183	6216	16316	15009	1020
19157	3047	10070	7299	7549	160	4329	2325	2226	1883	308
617	541	1795	3727	4830	818	8382	1269	2443	4758	485
1991	1268	6450	6439	16310	199	7902	3584	8664	21060	778
118489	**102559**	**264308**	**39045**	**118296**	**2444**	**173996**	**41620**	**47864**	**75119**	**6627**
95466	58972	144096	23223	89899	151	111533	30732	34896	55311	2715
91093	54400	134172	22460	85924		85447	28752	20135	37165	274
9625	4558	8628	4427	15814	984	10604	4980	5716	10882	1244
1915	1269	1494	315	5305	328	3092	2175	3106	3243	237
	31913	87408	1	17		34310		275	0.0108	
	31867									
163	368	173	4	23		18	14		19	1
1304	250	4632	210	213	1	2093	1195	172	84	21
154	503	333	666	665	30	961	123	1392	561	111
11347	5643	18269	9500	10174	1162	13800	4286	4775	7312	2481
430	352	769	1014	1490	117	677	290	638	951	55
120857	**14100**	**32014**	**168080**	**42288**	**3078**	**29967**	**15729**	**23768**	**26803**	**4054**
14795	9658	21571	12041	20501	1149	17441	4502	7400	17145	3336
105868	3993	9873	35100	17308	1805	12162	11119	15535	8952	646
103017	385	525	2991	227	5	11	5	198	15	11
195	449	569	120939	4478	124	365	108	833	706	72
57555	**54509**	**136098**	**139013**	**238610**	**16975**	**124604**	**73701**	**137252**	**142652**	**38553**
273	113	273	287	1336	209	1255	569	722	289	104
23904	**31304**	**41571**	**36389**	**54301**	**2724**	**25609**	**12722**	**20649**	**25239**	**5401**
10699	**3361**	**8092**	**4699**	**7901**	**526**	**5934**	**4279**	**5418**	**7440**	**614**
8236	**21288**	**30249**	**21309**	**36228**	**546**	**29066**	**13163**	**16891**	**41163**	**1749**
5723	**3944**	**19789**	**11571**	**12997**	**1653**	**8487**	**2010**	**4355**	**10756**	**467**
38	375	3381	910	377	12	591	118	85	125	3
80778	**83148**	**189747**	**150049**	**240669**	**10544**	**132955**	**85513**	**139080**	**178671**	**20219**
1093	**2176**	**4672**	**12175**	**14233**	**278**	**2071**	**1083**	**2998**	**14761**	**738**
41	64	243	611	14						
313	311	141	583	432	38	203	151	155	11910	11
18520	**18740**	**37538**	**44206**	**30680**	**1496**	**28426**	**15496**	**25405**	**25647**	**6311**
1610	5664	8125	9123	8047	194	6920	4420	8157	10552	2243
7468	7216	21124	29351	13238	729	16383	7781	9603	9212	1932
13288	**7382**	**29045**	**15014**	**55247**	**1100**	**16649**	**14191**	**20043**	**25768**	**2360**
17859	**19254**	**45620**	**38139**	**69108**	**2689**	**37381**	**30222**	**44610**	**57679**	**5112**
14921	13645	40111	33367	63596	2494	33262	27041	42457	52908	4623
10477	**10187**	**28895**	**17302**	**33132**	**3566**	**23879**	**11915**	**18229**	**26589**	**2212**
19542	**25410**	**43977**	**23214**	**38269**	**1415**	**24551**	**12606**	**27794**	**28227**	**3485**

8-13 主要城市日照时数(2019年)
Monthly Sunshine Hours of Major Cities (2019)

单位：小时 (hour)

城市	City	1月 Jan.	2月 Feb.	3月 Mar.	4月 Apr.	5月 May	6月 June
石家庄市	Shijiazhuang	125.4	105.3	251.5	209.9	269.6	208.1
承德市	Chengde	184.2	161.6	254.2	237.3	288.5	215.0
张家口市	Zhangjiakou	199.5	159.2	242.3	222.2	299.1	243.5
秦皇岛市	Qinhuangdao	203.6	162.8	237.2	224.8	285.5	220.8
唐山市	Tangshan	201.4	166.0	262.5	241.9	287.2	213.9
廊坊市	Langfang	174.5	133.4	259.4	239.6	264.0	211.5
保定市	Baoding	114.3	89.0	253.5	149.7	294.7	228.2
沧州市	Cangzhou	139.0	103.6	254.6	212.6	310.4	245.2
衡水市	Hengshui	134.5	110.6	271.5	234.9	293.9	248.4
邢台市	Xingtai	113.1	64.7	231.7	174.7	250.0	205.7
邯郸市	Handan	111.0	88.9	255.2	187.4	257.9	216.3
定州市	Dingzhou	129.0	104.3	243.9	178.8	284.9	204.1
辛集市	Xinji	127.6	60.1	250.0	190.6	269.4	205.5
雄安新区	Xiongan New Area	138.6	111.5	255.1	228.7	285.6	225.4

8-13 续表 continued

单位：小时 (hour)

城市	City	7月 July.	8月 Aug.	9月 Sept.	10月 Oct.	11月 Nov.	12月 Dec.	全年累计 Yearly Total
石家庄市	Shijiazhuang	200.2	178.0	229.9	164.1	115.0	168.4	2225.4
承德市	Chengde	191.9	183.8	259.2	223.0	182.0	235.1	2615.8
张家口市	Zhangjiakou	211.8	244.6	260.1	238.1	171.6	205.0	2697.0
秦皇岛市	Qinhuangdao	196.8	178.9	227.7	186.5	168.4	168.4	2461.4
唐山市	Tangshan	166.5	194.2	236.1	189.2	164.4	177.8	2501.1
廊坊市	Langfang	185.3	191.2	221.9	190.4	144.2	176.1	2391.5
保定市	Baoding	201.0	197.6	240.1	178.0	142.3	176.0	2264.4
沧州市	Cangzhou	213.6	189.3	224.6	199.9	148.2	153.5	2394.5
衡水市	Hengshui	207.3	180.1	218.7	183.8	130.9	132.9	2347.5
邢台市	Xingtai	208.0	168.3	219.1	160.1	128.7	161.5	2085.6
邯郸市	Handan	186.2	151.1	199.4	140.9	114.6	137.4	2046.3
定州市	Dingzhou	187.2	194.0	231.6	168.4	127.4	171.3	2224.9
辛集市	Xinji	198.4	163.3	219.6	161.6	121.6	138.8	2106.5
雄安新区	Xiongan New Area	197.6	202.1	239.5	184.3	142.0	164.3	2374.7

8-14 主要城市平均相对湿度(2019年)

Average Relative Humidity of Major Cities (2019)

单位：% (%)

城 市	City	1月 Jan.	2月 Feb.	3月 Mar.	4月 Apr.	5月 May	6月 June
石家庄市	Shijiazhuang	40	52	32	54	42	50
承 德 市	Chengde	33	37	32	35	38	54
张家口市	Zhangjiakou	34	42	33	39	32	49
秦皇岛市	Qinhuangdao	54	53	55	57	58	79
唐 山 市	Tangshan	45	46	43	47	45	59
廊 坊 市	Langfang	34	44	34	47	42	55
保 定 市	Baoding	48	57	39	56	51	54
沧 州 市	Cangzhou	49	59	39	53	41	53
衡 水 市	Hengshui	48	63	39	55	41	48
邢 台 市	Xingtai	38	59	30	56	37	45
邯 郸 市	Handan	47	61	38	56	42	46
定 州 市	Dingzhou	43	53	35	55	45	51
辛 集 市	Xinji	44	57	36	55	41	48
雄安新区	Xiongan New Area	47	53	39	53	46	55

8-14 续表 continued

城 市	City	7月 July	8月 Aug.	9月 Sept.	10月 Oct.	11月 Nov.	12月 Dec.	全年平均 Annual Average
石家庄市	Shijiazhuang	66	68	61	68	58	58	54
承 德 市	Chengde	73	74	59	56	52	57	50
张家口市	Zhangjiakou	62	58	50	46	49	54	45
秦皇岛市	Qinhuangdao	84	83	76	65	60	64	65
唐 山 市	Tangshan	74	75	68	61	57	66	57
廊 坊 市	Langfang	70	67	62	61	56	53	52
保 定 市	Baoding	74	84	81	79	66	70	63
沧 州 市	Cangzhou	69	72	65	63	63	66	57
衡 水 市	Hengshui	66	70	67	62	58	65	56
邢 台 市	Xingtai	62	68	61	64	54	58	52
邯 郸 市	Handan	59	70	65	67	56	65	55
定 州 市	Dingzhou	70	70	69	68	62	62	56
辛 集 市	Xinji	66	68	63	63	58	63	54
雄安新区	Xiongan New Area	70	72	70	69	62	65	58

8-15 主要城市月降水量(2019年)
Monthly Precipitation of Major Cities (2019)

单位：毫米 (mm)

城 市	City	1月 Jan.	2月 Feb.	3月 Mar.	4月 Apr.	5月 May	6月 June
石家庄市	Shijiazhuang		6.9		65.6	0.4	38.5
承 德 市	Chengde		1.2	7.3	13.1	56.0	28.1
张家口市	Zhangjiakou		6.2	6.8	48.8	60.7	70.7
秦皇岛市	Qinhuangdao		0.3	2.7	21.8	50.5	61.8
唐 山 市	Tangshan		0.7	1.5	25.2	47.6	24.6
廊 坊 市	Langfang		2.5	0.6	39.3	121.3	16.8
保 定 市	Baoding		3.9		61.5	6.1	4.6
沧 州 市	Cangzhou		3.0	10.3	35.3	10.6	8.2
衡 水 市	Hengshui		4.6		30.8	10.9	11.7
邢 台 市	Xingtai		6.7		55.1	9.7	29.3
邯 郸 市	Handan	0.4	5.9		54.3	0.3	28.6
定 州 市	Dingzhou		3.0		75.1	0.1	3.8
辛 集 市	Xinji		4.0		38.2	4.7	13.9
雄安新区	Xiongan New Area		2.4	10.5	48.1	8.0	7.5

8-15 续表 continued

单位：毫米 (mm)

城 市	City	7月 July	8月 Aug.	9月 Sept.	10月 Oct.	11月 Nov.	12月 Dec.	全年累计 Yearly Total
石家庄市	Shijiazhuang	193.0	54.0	70.3	37.6	2.5	1.8	470.6
承 德 市	Chengde	151.7	81.6	27.6	29.1	18.8	5.3	419.8
张家口市	Zhangjiakou	97.0	91.4	82.4	11.2	25.1	3.6	503.9
秦皇岛市	Qinhuangdao	169.0	331	19.2	8.9	28.6	9.4	703.2
唐 山 市	Tangshan	124.8	113.4	19.0	3.8	6.2	8.8	375.6
廊 坊 市	Langfang	105.5	150.1	28.7	12.5	18.2	5.1	500.6
保 定 市	Baoding	233.9	65.5	41.2	13.6	7.2	4.5	442.0
沧 州 市	Cangzhou	182.9	167.3	15.9	6.2	9.5	4.6	453.8
衡 水 市	Hengshui	66.1	158.8	30.0	10.5	8.6	3.2	335.2
邢 台 市	Xingtai	81.6	109.6	40.1	41.2	4.1	0.6	378.0
邯 郸 市	Handan	40.8	116.7	36.3	34.5	3.8	6.6	328.2
定 州 市	Dingzhou	203.9	44.4	41.1	14.7	5.9	2.4	394.4
辛 集 市	Xinji	163.4	77.3	21.7	15.1	6.4	1.7	346.4
雄安新区	Xiongan New Area	158.4	51.9	19.2	7.5	7.3	4.8	325.6

8-16 主要城市月平均气温(2019年)
Monthly Average Temperature of Major Cities (2019)

单位：摄氏度 (℃)

城 市	City	1月 Jan.	2月 Feb.	3月 Mar.	4月 Apr.	5月 May.	6月 June
石家庄市	Shijiazhuang	-0.7	0.7	11.4	15.0	23.3	27.7
承 德 市	Chengde	-6.9	-4.8	5.2	12.3	19.1	23.5
张家口市	Zhangjiakou	-7.9	-6.1	3.7	11.5	17.7	22.6
秦皇岛市	Qinhuangdao	-4.2	-3.0	5.6	11.3	18.6	21.4
唐 山 市	Tangshan	-4.3	-2.2	7.7	13.6	21.5	24.8
廊 坊 市	Langfang	-1.6	-0.5	10.2	14.8	22.8	26.3
保 定 市	Baoding	-3.8	-1.3	9.4	14.0	21.1	26.6
沧 州 市	Cangzhou	-2.2	-0.6	10.1	13.9	23.2	27.0
衡 水 市	Hengshui	-1.4	0.3	11.2	14.9	23.4	28.2
邢 台 市	Xingtai	-0.2	0.7	11.9	15.2	23.4	28.0
邯 郸 市	Handan	-0.5	1.4	12.2	15.3	23.4	28.5
定 州 市	Dingzhou	-2.6	-0.8	10.3	14.3	22.4	27.3
辛 集 市	Xinji	-0.9	0.7	11.6	14.9	23.3	28.2
雄安新区	Xiongan New Area	-3.3	-1.3	9.5	14.1	22.3	26.6

8-16 续表 continued

单位：摄氏度 (℃)

城 市	City	7月 July	8月 Aug.	9月 Sept.	10月 Oct.	11月 Nov.	12月 Dec.	全年平均 Annual Average
石家庄市	Shijiazhuang	28.3	26.4	23.4	15.2	7.4	0.6	15.0
承 德 市	Chengde	24.7	22.0	20.2	10.0	1.2	-7.2	10.0
张家口市	Zhangjiakou	23.6	21.8	19.5	10.1	1.0	-7.0	9.3
秦皇岛市	Qinhuangdao	25.3	23.9	21.1	12.7	4.8	-2.4	11.3
唐 山 市	Tangshan	27.1	25.0	22.4	13.1	5.2	-2.8	12.7
廊 坊 市	Langfang	27.8	25.9	23.4	13.9	6.1	-1.0	14.1
保 定 市	Baoding	27.4	24.5	21.2	13.1	5.7	-2.1	13.1
沧 州 市	Cangzhou	28.1	25.5	22.9	14.6	6.7	-0.7	14.1
衡 水 市	Hengshui	28.6	25.9	22.8	14.8	7.7	0.1	14.8
邢 台 市	Xingtai	28.3	25.9	22.8	15.4	8.0	0.9	15.1
邯 郸 市	Handan	29.6	26.3	23.0	15.6	8.8	1.1	15.5
定 州 市	Dingzhou	27.6	25.6	22.2	14.2	5.8	-1.1	13.8
辛 集 市	Xinji	28.6	26.3	23.4	15.0	7.4		14.9
雄安新区	Xiongan New Area	27.8	25.4	22.4	13.6	5.7	-1.9	13.5

8-17 气候异常事件(2019年)
Climate Anomalies (2019)

名 称 Name	事件描述 The Description of the Event
全省平均气温显著偏高，高温日数异常偏多	2019年，全省年平均气温12.9℃，较常年偏高1.1℃，属显著偏高年份，为有气象记录以来第二高年份，冀东和冀南近3成站点年平均气温为历史最高值；全省平均高温(日最高气温≥35℃)日数21.3天，较常年(10.2天)偏多超过1倍，为1998年以来第二多，仅次于2017年(21.7天)，7月21日，滦平日最高气温(38.7℃)突破有气象记录以来历史最高值。
盛汛期降水量偏多超过5成，台风“利奇马”影响持续时间长、携风带雨强度大	全省年平均降水量437.6毫米，较常年偏少13.1%。盛汛期(7月21日-8月10日)降水量偏多超过5成。8月11～13日受冷空气和台风“利奇马”外围暖湿气流的共同影响，河北大部地区出现降雨天气，全省平均降水量26.1毫米。降水主要集中东部，唐山东南部、秦皇岛大部和沧州东部等地过程降水超过100毫米，抚宁最大，为177.7毫米。期间，19个县(市、区)日降水量达到暴雨等级，乐亭、抚宁、秦皇岛达到大暴雨等级。唐山乐亭、秦皇岛抚宁、沧州青县过程单日降水量为近30年以来同期(8月中旬)最大；10个县(市、区)出现大风天气，11日23时渤中13号石油平台出现12级大风(34.9米/秒)。
寒潮日数偏多、强度偏强，11月寒潮异常偏多	2019年，影响河北的冷空气过程共29次，接近常年值，冷空气强度偏强，为1999年以来最强。全省平均寒潮日数8.9天，较常年偏多61.8%，为1972年以来最多，其中强寒潮以上等级3.2天，较常年偏多1倍。11月寒潮日数为有气象记录以来历史最多，较常年同期偏多2.4倍。
干旱日数偏多，阶段性干旱严重，首次发布干旱橙色预警	2019年，河北省气象干旱(轻旱及以上)日数为210.6天，较常年偏多66.8天，为2007年以来最多。年内，气象干旱阶段性多发，其中春季、盛夏旱情重，影响大。1月降水异常偏少，气温偏高，干旱长时段大范围维持，9成以上站点为中度及以上干旱等级；入夏后，降水持续偏少，气温持续偏高，沧州、衡水等地重度气象干旱影响面积不断扩大，7月5日干旱监测显示，中度及以上等级干旱范围覆盖冀东、冀中南大部分地区，沧州和衡水等地的35个县(市、区)达到重旱，12个县(市、区)为特旱，重特旱影响面积达3.6万平方公里，7月2日，河北省气象局首次发布干旱橙色预警。
风雹灾害极端性强，影响损失重	2019年，全省共出现大风1308站次，接近常年，为2006年以来最多，5月大风最多，7月次之，7～8月和11月异常偏多；全省出现冰雹41站次。年内，全省因风雹受灾面积86.06千公顷，成灾面积42.13千公顷，绝收面积3.84千公顷，分别比2018年同期增加0.99千公顷、6.18千公顷和减少1.67千公顷。
大雾日数偏少，局地大雾日数突破历史最多值，秋末冬初大雾过程频发	2019年，河北省平均大雾日21.3天，较常年略偏少，南皮(46天)和海兴(36天)年大雾日数突破历史最多值。12月7～11日，河北115个县(市、区)出现大雾天气，92个县(市、区)大雾日数在3天以上，22个县(市、区)持续5天出现大雾，唐山中部以及冀中南大部地区最小能见度不足200米，93个县(市、区)最小能见度不足100米，饶阳23米为全省最小。

8-18 环境保护基本情况
Basic Information of Environmental Protection

项　目	Item	2018	2019
水环境质量	**Water Environmental Quality**		
国考断面达到或优于Ⅲ类断面比例(%)	Proportion of Water Body Sections in National Assessment is up to or Better than Class Ⅲ	51.4	54.1
国考断面劣Ⅴ类水体(%)	National Assessment of Water Section Inferior to Class Ⅴ	14.9	6.8
空气质量	**Air Quality**		
$PM_{2.5}$平均浓度(微克/立方米)	Annual Average Concentration of $PM_{2.5}$($\mu g/m^3$)	53	50.2
优良天数比率(%)	Good Days Ratio (%)	62.7	61.9
重污染天数比率(%)	Heavy Contamination Days Ratio (%)	4.6	4.7
主要污染物排放总量减少(五年规划期累计)	**Reduction in Total Emissions of Major Pollutants (cumulative over the five-year planning period)**		
化学需氧量(%)	Chemical Oxygen Demand (%)	14.65	18.7
氨氮(%)	Ammonia Nitrogen (%)	13.47	18.6
二氧化硫(%)	SO_2(%)	36.8	41.0
氮氧化物(%)	Nitrogen Oxide (%)	23.0	28.0
二氧化碳减排(五年规划期累计)	**Carbon Dioxide Emission Reduction (cumulative over five-year planning period)**		
单位GDP二氧化碳排放减少(%)	Reduction in Carbon Dioxide Emissions per Unit of GDP (%)	18.4	22.7

8−19 分市环境保护基本情况(2019年)

Basic Information of Environmental Protection by City (2019)

项目 Item	水环境质量(%) Water Environmental Quality (%)		空气质量 Air Quality			主要污染物排放总量减少(五年规划期累计) Reduction in Total Emissions of Major Pollutants (cumulative over the five-year planning period)			
	国考断面达到或优于Ⅲ类断面比例 Proportion of Water Body Sections in National Assessment is up to or Better than Class III	国考断面劣Ⅴ类水体 National Assessment of Water Section Inferior to Class V	$PM_{2.5}$平均浓度(微克/立方米) Annual Average Concentration of $PM_{2.5}$ (μg/m³)	优良天数比率(%) Good Days Ratio (%)	重污染天数比率(%) Heavy Contamination Days Ratio (%)	化学需氧量(%) Chemical Oxygen Demand (%)	氨氮(%) Ammonia Nitrogen (%)	二氧化硫(%) SO_2 (%)	氮氧化物(%) Nitrogen Oxide (%)
石家庄市 Shijiazhuang	66.7	22.2	63	47.7	9.6	25.4	21.1	42.4	27.0
承德市 Chengde	100.0		29	84.4		10.4	12.6	31.2	19.3
张家口市 Zhangjiakou	87.5		25	84.4	0.3	10.1	14.8	29.5	20.3
秦皇岛市 Qinhuangdao	70.0		41	75.1	1.6	13.1	20.9	32.9	25.6
唐山市 Tangshan	77.8		54	60.5	3.0	9.8	12.4	38.6	31.3
廊坊市 Langfang		14.3	46	64.4	2.7	19.3	23.4	61.6	30.3
保定市 Baoding	70.0		58	53.2	6.3	26.2	20.8	62.1	24.8
沧州市 Cangzhou		15.4	50	64.1	3.6	21.1	24.5	41.4	22.1
衡水市 Hengshui	50.0	10.0	56	54.8	5.5	21.1	16.9	52.6	32.0
邢台市 Xingtai		37.5	65	47.9	9.3	22.5	22.5	41.1	34.3
邯郸市 Handan	20.0		66	45.2	9.0	22.0	20.7	38.0	28.7
定州市 Dingzhou	100.0		62	53.2	8.8	22.9	26.1	34.9	36.1
辛集市 Xinji	50.0		64	49.3	9.0	22.0	26.7	39.5	28.5

8-20 主要污染物排放及处理利用情况(2019年)
Main Pollutant Emission and Disposal and Utilization (2019)

指　　标	Item	2019
废水中主要污染物排放情况	**Main Pollutant Emission in Waste Water**	
废水排放总量(万吨)	Total Waste Water Discharged (10000 tons)	104902.91
化学需氧量(吨)	COD (ton)	223794.61
氨氮(吨)	Ammonia Nitrogen (ton)	18262.17
总氮(吨)	Total Nitrogen (ton)	46093.94
总磷(吨)	Total Phosphorus (ton)	1992.80
石油类(吨)	Petroleum (ton)	192.57
挥发酚(千克)	Volatile Phenol (kg)	14059.59
废水中主要污染物排放情况(千克)	**Main Pollutant Emission in Waste Water (kg)**	
铅	Plumbum	217.79
汞	Mercury	8.57
镉	Cadmium	7.43
六价铬	Hexavalent Chromium	2618.51
总铬	Total Chromium	12707.55
砷	Arsenic	777.05
主要城市废水中主要污染物排放情况	**Main Pollutant Emission in Waste Water in Main Cities**	
工业废水排放量(万吨)	Industrial Waste Water Discharged (10000 tons)	31053.31
工业化学需氧量排放量(吨)	Industrial COD Emission (ton)	16541.31
工业氨氮排放量(吨)	Industrial Ammonia Nitrogen (ton)	1033.02
城镇生活污水排放量(万吨)	Urban Living Waste Water Discharged (10000 tons)	73849.59
生活化学需氧量排放量(吨)	Living COD Emission (ton)	200356.12
生活氨氮排放量(吨)	Living Ammonia Nitrogen (ton)	16966.61
废气中主要污染物排放情况(吨)	**Main Pollutant Emission in Waste Gas (ton)**	
二氧化硫	Sulphur Dioxide	286938.06
氮氧化物	Nitrogen Oxides	1016548.31
烟(粉)尘	Smoke and Dust	482191.13
主要城市废气中主要污染物排放情况(吨)	**Main Pollutant Emission in Waste Gas in Main Cities (ton)**	
工业二氧化硫排放量	Volume of Industrial Sulphur Dioxide Emission	230604.91
工业氮氧化物排放量	Volume of Industrial Nitrogen Oxides Emission	418355.11
工业烟(粉)尘排放量	Volume of Industrial Smoke and Dust Emission	341843.49
生活二氧化硫排放量	Volume of Sulphur Dioxide Emission by Consumption	53874.84
生活氮氧化物排放量	Volume of Nitrogen Oxides Emission by Consumption	45599.77
生活烟尘排放量	Volume of Consumption Soot Emission	133222.61
危险废物处理利用情况(吨)	**Disposal and Utilization of Hazardous Wastes (ton)**	
危险废物产生量	Hazardous Wastes Produced	3646704.92
危险废物自行利用处置量	Self-use Disposal of Hazardous Wastes	2642125.59
危险废物委外利用处置量	Disposal of Hazardous Wastes Outside of Commission	967839.36
危险废物贮存量	Stock of Hazardous Wastes	210255.51

8−21 主要城市危险废物处理利用情况(2019年)
Disposal and Utilization of Hazardous Wastes by City (2019)

单位：万吨 (10000 tons)

市	City	危险废物产生量 Hazardous Wastes Produced	危险废物自行利用处置量 Hazardous Wastes (self-use)	危险废物委外利用处置量 Hazardous Wastes (outsourced)	危险废物贮存量 Stock of Hazardous Wastes
全　省	**Total**	**3646704.92**	**2642125.59**	**967839.36**	**210255.51**
石家庄市	Shijiazhuang	151858.56	57075.52	94633.41	6335.35
承 德 市	Chengde	60338.01	15381.52	43955.89	1910.38
张家口市	Zhangjiakou	18876.99	6796.54	12366.17	1615.19
秦皇岛市	Qinhuangdao	45937.35	426.19	46190.74	1073.94
唐 山 市	Tangshan	1649728.39	1131258.65	486599.20	140059.39
廊 坊 市	Langfang	803948.79	746901.19	56089.76	22791.45
保 定 市	Baoding	40687.89	560.53	40922.81	2110.45
沧 州 市	Cangzhou	89571.34	19803.73	71985.78	7197.38
衡 水 市	Hengshui	124094.40	92826.38	30766.56	6035.75
邢 台 市	Xingtai	131510.69	90593.28	38763.23	5432.72
邯 郸 市	Handan	307974.82	286907.04	16823.48	12761.19
定 州 市	Dingzhou	108287.60	93271.08	15593.67	275.72
辛 集 市	Xinji	113658.99	100323.95	12883.29	2556.80
雄安新区	Xiongan New Area	231.09		265.35	99.78

8−22 城市空气质量情况（2019年）
Ambient Air Quality in Cites of Environmental Protection (2019)

市	City	二氧化硫年平均浓度 (μg/m³) Annual Average Concentration of SO_2 (μg/m³)	二氧化氮年平均浓度 (μg/m³) Annual Average Concentration of NO_2 (μg/m³)	可吸入颗粒物(PM_{10})年平均浓度 (μg/m³) Annual Average Concentration of PM_{10} (μg/m³)	一氧化碳日均值第95百分位浓度 (mg/m³) 95th Percentile Daily Maximum Concentration of CO (mg/m³)	臭氧(O_3)日最大8小时第90百分位浓度 (μg/m³) 95th Percentile Daily Maximum 8 Hours Average Concentration of O_3 (μg/m³)	细颗粒物($PM_{2.5}$)年平均浓度 (μg/m³) Annual Average Concentration of $PM_{2.5}$ (μg/m³)	空气质量达到及好于二级的天数（天） Days of Air Quality Equal to or Above Grade Ⅱ (day)
石家庄市	Shijiazhuang	16	46	118	2.4	206	63	174
承 德 市	Chengde	14	32	63	1.8	163	29	308
张家口市	Zhangjiakou	11	22	56	1.1	162	25	308
秦皇岛市	Qinhuangdao	19	42	73	2.6	181	41	274
唐 山 市	Tangshan	22	51	101	2.9	190	54	221
廊 坊 市	Langfang	8	39	85	1.7	196	46	235
保 定 市	Baoding	14	40	100	2.3	203	58	194
沧 州 市	Cangzhou	18	38	89	1.8	185	50	234
衡 水 市	Hengshui	13	33	94	1.8	192	56	200
邢 台 市	Xingtai	19	45	115	2.4	209	65	175
邯 郸 市	Handan	15	38	124	2.6	201	66	165
定 州 市	Dingzhou	19	42	118	3.2	202	62	194
辛 集 市	Xinji	22	37	120	2.4	203	64	180
雄安新区	Xiongan New Area	17	38	101	2.8	210	56	197

8-23 城市道路交通噪声监测情况
Monitoring of Urban Road Traffic Noise in Cities of Environmental Protection

市	City	等效声级dB(A) Average Noise Value dB(A)				
		2015	2016	2017	2018	2019
全　省	**Total**	**66.6**	**66.9**	**66.4**	**62.2**	**66.2**
石家庄市	Shijiazhuang	66.8	66.8	67.3	63.1	66.9
承 德 市	Chengde	66.2	67.2	67.3	65.0	66.4
张家口市	Zhangjiakou	66.0	65.8	65.8	63.5	64.3
秦皇岛市	Qinhuangdao	65.6	66.7	67.1	60.4	64.3
唐 山 市	Tangshan	65.2	65.2	65.3	61.5	69.3
廊 坊 市	Langfang	68.7	69.1	68.7	61.1	66.9
保 定 市	Baoding	70.3	72.3	69.0	66.5	69.3
沧 州 市	Cangzhou	67.3	68.0	65.3	59.9	63.1
衡 水 市	Hengshui	62.7	60.1	60.5	59.4	65.7
邢 台 市	Xingtai	65.2	65.6	66.2	61.7	65.5
邯 郸 市	Handan	68.3	68.6	68.2	62.5	66.8

8-24 城市区域环境噪声监测情况
Monitoring of Urban Environment Noise in Cities of Environmental Protection

市	City	等效声级dB(A) Average Noise Value dB(A)				
		2015	2016	2017	2018	2019
全　省	**Total**	**54.0**	**54.4**	**54.8**	**55.0**	**54.6**
石家庄市	Shijiazhuang	50.8	54.4	54.4	56.0	54.9
承 德 市	Chengde	62.7	60.0	62.3	65.5	55.6
张家口市	Zhangjiakou	51.5	51.8	52.0	52.4	52.9
秦皇岛市	Qinhuangdao	55.5	55.5	53.8	51.5	53.7
唐 山 市	Tangshan	52.2	52.1	51.9	51.7	54.0
廊 坊 市	Langfang	54.1	54.2	54.4	54.5	54.1
保 定 市	Baoding	56.9	58.3	61.9	60.4	59.9
沧 州 市	Cangzhou	48.9	49.9	50.0	49.7	51.9
衡 水 市	Hengshui	54.8	54.8	54.7	54.4	54.9
邢 台 市	Xingtai	53.3	53.7	53.8	54.3	54.3
邯 郸 市	Handan	53.6	53.3	53.1	54.3	54.9

主要统计指标解释

能源生产总量 指一定时期内，全国一次能源生产量的总和。该指标是观察全国能源生产水平、规模、构成和发展速度的总量指标。一次能源生产量包括原煤、原油、天然气、水电、核能及其他动力能(如风能、地热能等)发电量，不包括低热值燃料生产量、太阳热能等的利用和由一次能源加工转换而成的二次能源产量。

能源消费总量 指一定地域内，国民经济各行业和居民家庭在一定时期内消费的各种能源的总和。包括：原煤、原油、天然气、水能、核能、风能、太阳能、地热能、生物质能等一次能源；一次能源通过加工转换产生的洗煤、焦炭、煤气、电力、热力、成品油等二次能源和同时产生的其他产品；其他化石能源、可再生能源和新能源。其中水能、风能、太阳能、地热能、生物质能等可再生能源，是指人们通过一定技术手段获得的，并作为商品能源使用的部分。在核算过程中，一次能源、二次能源消费不能重复计算。能源消费总量分为终端能源消费量、能源加工转换损失量和能源损失量三部分。

(1)终端能源消费量：指一定时期内，全国生产和生活消费的各种能源在扣除了用于加工转换二次能源消费量和损失量以后的数量。

(2)能源加工转换损失量：指一定时期内，全国投入加工转换的各种能源数量之和与产出各种能源产品之和的差额。该指标是观察能源在加工转换过程中损失量变化的指标。

(3)能源损失量：指一定时期内，能源在输送、分配、储存过程中发生的损失和由客观原因造成的各种损失量，不包括各种气体能源放空、放散量。

能源生产弹性系数 是研究能源生产增长速度与国民经济增长速度之间关系的指标。计算公式：

$$\text{能源生产弹性系数}=\frac{\text{能源生产量平均增长速度}}{\text{国民经济年平均增长速度}}$$

国民经济年平均增长速度，可根据不同的目的或需要，用国民生产总值、国内生产总值等指标来计算，本年鉴是采用国内生产总值指标计算的。

电力生产弹性系数 是研究电力生产增长速度与国民经济增长速度之间关系的指标。一般来说，电力的发展应当快于国民经济的发展，也就是说电力应超前发展。计算公式为：

$$\text{电力生产弹性系数}=\frac{\text{电力生产量年平均增长速度}}{\text{国民经济年平均增长速度}}$$

能源消费弹性系数 反映能源消费增长速度与国民经济增长速度之间比例关系的指标。计算公式为：

$$\text{能源消费弹性系数}=\frac{\text{能源消费量年平均增长速度}}{\text{国民经济年平均增长速度}}$$

电力消费弹性系数 反映电力消费增长速度与国民经济增长速度之间比例关系的指标。计算公式为：

$$\text{电力消费弹性系数}=\frac{\text{电力消费量年平均增长速度}}{\text{国民经济年平均增长速度}}$$

能源加工转换效率 指一定时期内，能源经过加工、转换后，产出的各种能源产品的数量与同期内投入加工转换的各种能源数量的比率。该指标是观察能源加工转换装置和生产工艺先进与落后、管理水平高低等的重要指标。计算公式为：

$$\text{能源加工转换效率}=\frac{\text{能源加工转换产出量}}{\text{能源加工转换投入量}}\times 100\%$$

单位国内生产总值能耗 指一定时期内，一个国家或地区每生产一个单位的国内生产总值所消费的能源。计算公式为：

$$\text{单位国内生产总值能耗}=\frac{\text{能源消费总量}}{\text{国内生产总值}}$$

单位国内生产总值电耗 指一定时期内，一个国家或地区每生产一个单位的国内生产总值所消费的电力。计算公式为：

$$\text{单位国内生产总值电耗}=\frac{\text{全社会用电量}}{\text{国内生产总值}}$$

平均气温 气温指空气的温度，我国一般以摄氏度为单位表示。气象观测的温度表是放在离地面约 1.5 米处通风良好的百叶箱里测量的，因此，通常说的气温指的是离地面 1.5 米处百叶箱中的温度。计算方法：月平均气温是将全月各日的平均气温相加，除以该月的天数而得。年平均气温是将 12 个月的月平均气温累加后除以 12 而得。

降水量 指从天空降落到地面的液态或固态(经融化后)水，未经蒸发、渗透、流失而在地面上积聚的深度。计算方法：月降水量是将全月各日的降水量累加而得。年降水量是将 12 个月的月降水量累加而得。

一般工业固体废物产生量 指未被列入《国家危险废物名录》或者根据国家规定的危险废物鉴别标准（GB5085）、固体废物浸出毒性浸出方法（GB5086）及固体废物浸出毒性测定方法（GB／T 15555）鉴别方法判定不具有危险特性的工业固体废物。计算公式是：

一般工业固体废物产生量=（一般工业固体废物综合利用量－其中：综合利用往年贮存量）+一般工业固体废物贮存量+（一般工业固体废物处置量－其中：处置往年贮存量）+一般工业固体废物倾倒丢弃量

一般工业固体废物综合利用量 指报告期内企业通过回收、加工、循环、交换等方式，从固体废物中提取或者使其转化为可以利用的资源、能源和其他原材料的固体废物量

（包括当年利用的往年工业固体废物累计贮存量）。如用作农业肥料、生产建筑材料、筑路等。综合利用量由原产生固体废物的单位统计。

一般工业固体废物处置量 指报告期内企业将工业固体废物焚烧和用其他改变工业固体废物的物理、化学、生物特性的方法，达到减少或者消除其危险成分的活动，或者将工业固体废物最终置于符合环境保护规定要求的填埋场的活动中，所消纳固体废物的量。

一般工业固体废物贮存量 指报告期内企业以综合利用或处置为目的，将固体废物暂时贮存或堆存在专设的贮存设施或专设的集中堆存场所内的量。专设的固体废物贮存场所或贮存设施必须有防扩散、防流失、防渗漏、防止污染大气、水体的措施。

一般工业固体废物倾倒丢弃量 指报告期内企业将所产生的固体废物倾倒或者丢弃到固体废物污染防治设施、场所以外的量。

危险废物产生量 指当年全年调查对象实际产生的危险废物的量。危险废物指列入国家危险废物名录或者根据国家规定的危险废物鉴别标准和鉴别方法认定的，具有爆炸性、易燃性、易氧化性、毒性、腐蚀性、易传染性疾病等危险特性之一的废物。按《国家危险废物名录》（环境保护部、国家发展和改革委员会 2008 部令第 1 号）填报。

危险废物综合利用量 指当年全年调查对象从危险废物中提取物质作为原材料或者燃料的活动中消纳危险废物的量。包括本单位利用或委托、提供给外单位利用的量。

危险废物处置量 指报告期内企业将危险废物焚烧和用其他改变工业固体废物的物理、化学、生物特性的方法，达到减少或者消除其危险成分的活动，或者将危险废物最终置于符合环境保护规定要求的填埋场的活动中，所消纳危险废物的量。处置量包括处置本单位或委托给外单位处置的量。

危险废物贮存量 指将危险废物以一定包装方式暂时存放在专设的贮存设施内的量。专设的贮存设施指对危险废物的包装、选址、设计、安全防护、监测和关闭等符合《危险废物贮存污染控制标准》（GB18597-2001）等相关环保法律法规要求，具有防扩散、防流失、防渗漏、防止污染大气和水体措施的设施。

Explanatory Notes on Main Statistical Indicators

Total Energy Production refers to the total production of primary energy by all energy producing enterprises in the country in a given period of time. It is a comprehensive indicator to show the level, scale, composition and pace of development of energy production of the country. The production of primary energy includes that of coal, crude oil, natural gas, hydro-power and electricity generated by nuclear energy and other means such as wind power and geothermal power. However, it does not include the production of fuels of low calorific value, solar thermal and secondary energy converted from primary energy.

Total Energy Consumption refers to the total consumption of energy of various kinds by the production sectors of the economy and the households in a given period of time. It includes the primary kinds of energy such as coal, crude oil, natural gas, hydro-power, nuclear power, wind power, solar power, geothermal power and bio-energy; the secondary kinds of energy and their products which are transformed from the primary energy such as washed coal, coke, coal gas, electricity, heating, and petroleum products; and other kinds of fossil energy, renewable energy and new energy. The renewable energy, including hydro-power, wind power, solar power, geothermal power and bio-energy, refers to the part attained with some given technical means and used for commercial purposes. Total energy consumption can be divided into three parts: end-use energy consumption; loss during the process of energy conversion; and energy loss.

(1) End-use Energy Consumption: It refers to the total energy consumption by the production sectors and the households in the country (region) in a given period of time. It does not include the consumption during the conversion of primary energy into secondary energy and the loss in the process of energy conversion.

(2) Loss During the Process of Energy Conversion: It refers to the total input of various kinds of energy for conversion, minus the total output of various kinds of energy in the country in a given period of time. It is an indicator to show the loss that occurs during the process of energy conversion.

(3) Energy Loss: It refers to the total of the loss of energy during the course of energy transport, distribution and storage and the loss caused by any objective reason in a given period of time. The loss of various kinds of gas due to gas discharges and stocktaking is not included.

Elasticity Ratio of Energy Production is an indicator to show the relationship between the growth rate of energy production and the growth rate of the national economy. The formula is:

$$\text{Elasticity Ratio of Energy Production} = \frac{\text{Average Annual Growth Rate of Energy Production}}{\text{Average Annual Growth Rate of National Economy}}$$

The average annual growth rate of the national economy can be measured by indicators such as the Gross National Product and the Gross Domestic Product, depending on the purposes or needs. The Gross Domestic Product has been used in the calculation of the ratio in this Yearbook.

Elasticity Ratio of Electricity Production is an indicator to show the relationship between the growth rate of electricity production and the growth rate of the national economy. Generally speaking, the growth rate of electricity production should be higher than that of the national economy.

Its formula is:

$$\text{Elasticity Ratio of Electricity Production} = \frac{\text{Average Annual Growth Rate of Electricity Production}}{\text{Average Annual Growth Rate of National Economy}}$$

Elasticity Ratio of Energy Consumption is an indicator to show the relationship between the growth rate of energy consumption and the growth rate of the national economy. The formula is:

$$\text{Elasticity Ratio of Energy Consumption} = \frac{\text{Average Annual Growth Rate of Energy Consumption}}{\text{Average Annual Growth Rate of National Economy}}$$

Elasticity Ratio of Electricity Consumption is an indicator to show the relationship between the growth rate of electricity consumption and the growth rate of the national economy. The formula is:

$$\text{Elasticity Ratio of Electricity Consumption} = \frac{\text{Average Annual Growth Rate of Electricity Consumption}}{\text{Average Annual Growth Rate of National Economy}}$$

Efficiency of Energy Processing and Conversion refers to the ratio of the total output of energy products of various kinds after processing and conversion to the total input of energy of various kinds for processing and conversion in the same reference period. It is an important indicator to show the current conditions of energy processing and conversion equipment, production technique and management. The formula is:

$$\text{Efficiency of Energy Processing \& Conversion} = \frac{\text{Output of Energy after Processing \& Conversion}}{\text{Input of Energy for Processing \& Conversion}} \times 100\%$$

Energy Consumption per Unit of GDP refers to the energy consumption per unit of Gross Domestic Product in a country or the Gross Regional Product in a region in the same reference period. The formula is:

$$\text{Energy Consumption per Unit of GDP} = \frac{\text{Total Energy Consumption}}{\text{Gross Domestic Product}}$$

Electricity Consumption per Unit of GDP refers to the electricity consumption per unit of Gross Domestic Product in a country or the Gross Regional Product in a region in the same reference period. The formula is:

$$\text{Electricity Consumption per Unit of GDP} = \frac{\text{Total Electricity Consumption}}{\text{Gross Domestic Product}}$$

Average Temperature refers to the air temperature. China uses centigrade as the unit. The thermometry used for weather observation is put in a breezy shutter, which is 1.5 meters high from the ground. Therefore, the commonly used temperature refers to the temperature in the breezy shutter 1.5 meters away from the ground. The calculation method is as follows:

Monthly average temperature is the summation of average daily temperature of one month divided by the actual days of that particular month.

Annual average temperature is the summation of monthly average of a year divided by 12 months.

Volume of Precipitation refers to the deepness of liquid state or solid state (thawed) water falling from the sky to the ground that has not been evaporated, infiltrated or run off. The calculation method is as follows:

Monthly precipitation is the summation of daily precipitation of a month.

Annual precipitation is the summation of 12 months precipitation of a year.

Common Industrial Solid Wastes Produced refers to the industrial solid wastes that are not listed in the *National Catalogue of Hazardous Wastes*, or not regarded as hazardous according to the national hazardous waste identification standards (GB5085), solid waste-Extraction procedure for leaching toxicity (GB5086) and solid waste-Extraction procedure for leaching toxicity (GB/T 15555). The calculation formula is as followed:

Common Industrial Solid Wastes Produced = (common industrial solid wastes utilized – the proportion of utilized stock of previous years) + common industrial solid waste stock + (common industrial solid wastes disposed – the proportion of disposed stock of previous years) + common industrial solid wastes discharged.

Common Industrial Solid Wastes Comprehensively Utilized refers to volume of solid wastes from which useful materials can be extracted or which can be converted into usable resources, energy or other materials by means of reclamation, processing, recycling and exchange (including utilizing in the year the stocks of industrial solid wastes of the previous year) during the report period, e.g. being used as agricultural fertilizers, building materials or as material for paving road. Examples of such utilizations include fertilizers, building materials and road materials. The information shall be collected by the producing units of the wastes.

Common Industrial Solid Wastes Disposed refers to the quantity of industrial solid wastes which are burnt or specially disposed using other methods to alter the physical, chemical and biological properties and thus to reduce or eliminate the hazard, or placed ultimately in the sites meeting the requirements for environmental protection during the report period.

Stock of Common Industrial Solid Wastes refers to the volume of solid wastes placed in special facilities or special sites by enterprises for purposes of utilization or disposal during the report period. The sites or facilities should take measures against dispersion, loss, seepage, and air and water contamination.

Common Industrial Solid Wastes Discharged refers to the volume of industrial solid wastes dumped or discharged by producing enterprises to disposal facilities or to other sites.

Hazardous Wastes Produced refers to the volume of actual hazardous wastes produced by surveyed samples throughout the year of the survey. Hazardous waste refers to those included in the national hazardous wastes catalogue or specified as any one of the following properties in light of the national hazardous wastes identification standards and methods: explosive, ignitable, oxidizable, toxic, corrosive or liable to cause infectious diseases or lead to other dangers. The report of this indicator should follow the *National Catalogue of Hazardous Wastes* (the No.1 Ministry Order in 2008 by the Ministry of Environment Protection and National Development and Reform Commission).

Hazardous Wastes Utilized refers to the volume of hazardous wastes that are used to extract materials for raw materials or fuel throughout the year of the survey, including those utilized by the producing enterprise and those provided to other enterprises for utilization.

Hazardous Wastes Disposed refers to the quantity of hazardous wastes which are burnt or specially disposed using other methods to alter the physical, chemical and biological properties and thus to reduce or eliminate the hazard, or placed ultimately in the sites meeting the requirements for environmental protection during the report period.

Stock of Hazardous Wastes refers to the volume of hazardous wastes specially packaged and placed in special facilities or special sites by enterprises. The special stock facilities should meet the requirements set in relevant environment protection laws and regulations such as “Pollution Control Standards for Hazardous Waste Stock” (GB18597-2001) in regard to package of hazardous waste, location, design, safety, monitoring and shutdown, and take measures against dispersion, loss, seepage, and air and water contamination.

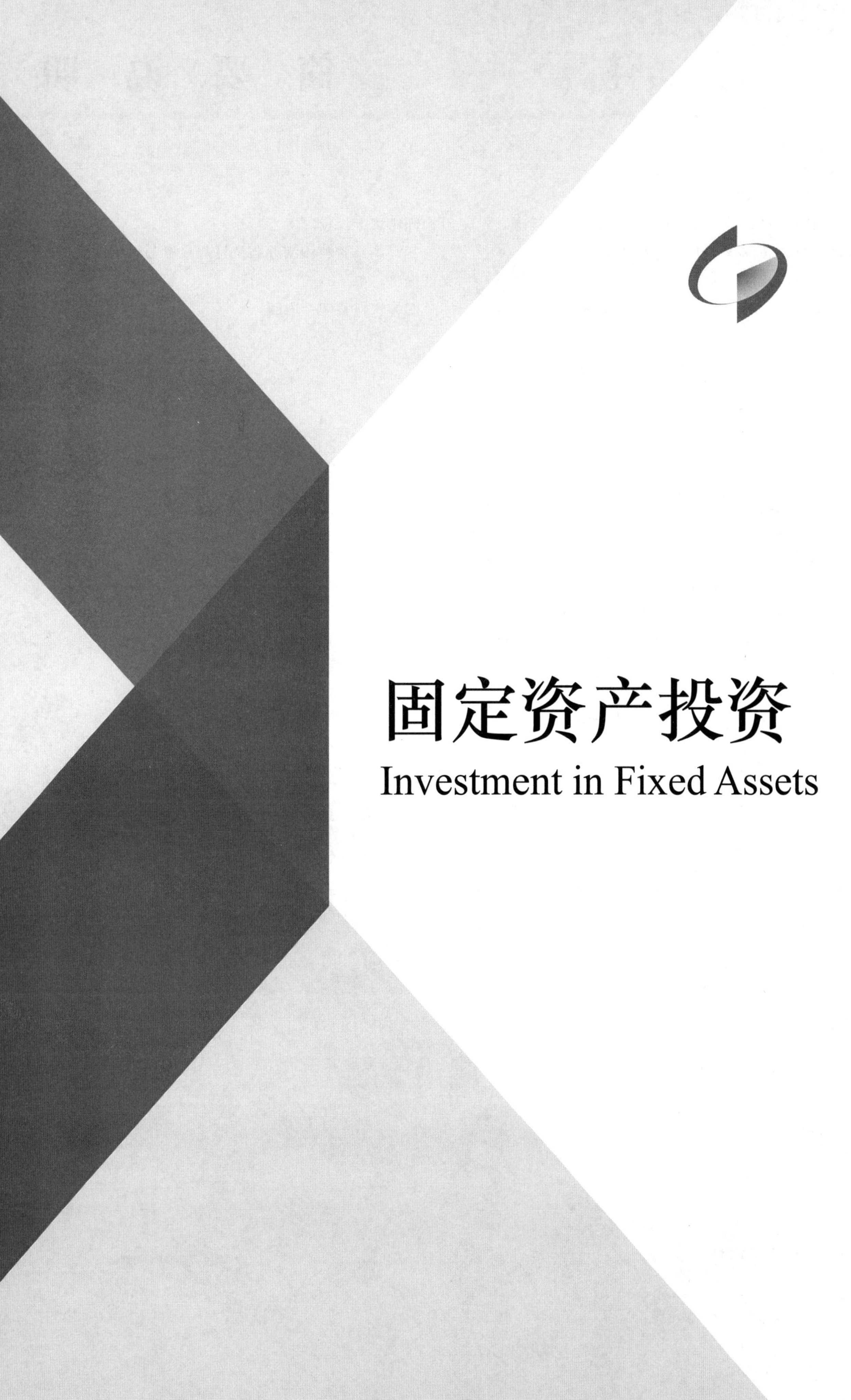

固定资产投资
Investment in Fixed Assets

简 要 说 明

一、本篇资料反映河北省固定资产投资基本情况，通过速度变化反映固定资产投资形势及政策效应。

二、2011年起，固定资产投资项目统计起点由50万元提高到500万元，且不包含农户投资；2010年以前为全社会固定资产投资。

三、本篇资料由河北省统计局投资与建筑业统计处整理提供。

四、资料整理：边丽

Brief Introduction

Ⅰ.The data in this chapter reflects the basic situation of fixed asset investment in Hebei Province, and reflects the situation and policy effect of fixed asset investment through the change of speed.

Ⅱ. Since 2011, the statistical starting point of fixed asset investment projects has been raised from 500,000 yuan to 5 million yuan, excluding the investment of farmers; we will invest in fixed assets for the whole society before 2010.

Ⅲ.This data is collated and provided by Investment and Construction Statistics Division of Hebei Province Statistics Bureau.

Ⅳ.Data collection: Bian Li.

9-1 分市按领域分固定资产投资(不含农户)比上年增长情况(2019年)
Growth Rate of Total Investment (Excluding Rural Households) over Preceding Year by City and Field (2019)

单位：% (%)

市	City	全部投资 Total Investment	#基础设施 Infrastructure	制造业 Manufacturing	房地产开发 Real Estate Development
全　省	**Total**	**6.1**	**14.3**	**1.6**	**-2.9**
石家庄市	Shijiazhuang	6.2	48.7	-8.3	-14.2
#辛集市	Xinji	7.9	-28.0	0.9	68.5
承 德 市	Chengde	6.1	-0.8	12.1	3.5
张家口市	Zhangjiakou	5.8	12.5	-9.5	-13.2
秦皇岛市	Qinhuangdao	7.1	20.3	17.1	1.8
唐 山 市	Tangshan	10.1	21.0	9.3	0.5
廊 坊 市	Langfang	7.3	33.2	-2.1	-16.4
保 定 市	Baoding	7.3	8.1	1.5	8.0
#定州市	Dingzhou	8.0	-49.8	31.4	21.5
沧 州 市	Cangzhou	6.0	-4.7	1.4	26.3
衡 水 市	Hengshui	7.8	28.7	-6.7	-0.2
邢 台 市	Xingtai	7.4	31.5	-2.7	14.9
邯 郸 市	Handan	7.6	23.6	3.0	0.5
雄安新区	Xiongan New Area	384.2	1122.7	40.3	

9-2 分市实际到位资金比上年增长情况(2019年)
Growth Rate of Actual Funds for Investment over Preceding Year by City (2019)

单位：% (%)

市	City	本年实际到位资金 Actual Funds for Investment	国家预算资金 State Budget	国内贷款 Domestic Loans	利用外资 Foreign Investment	自筹资金 Self-raising Funds	其他资金 Other Funds
全　省	**Total**	**5.9**	**21.3**	**1.5**	**5.8**	**1.6**	**28.7**
石家庄市	Shijiazhuang	6.3	80.1	-9.1	202.9	-2.1	67.7
#辛集市	Xinji	6.0	-100.0	-39.0		-15.5	142.0
承 德 市	Chengde	-6.2	37.2	-24.7		-11.5	8.5
张家口市	Zhangjiakou	16.5	26.3	70.1	-79.5	16.2	-13.8
秦皇岛市	Qinhuangdao	9.1	26.1	62.4	-100.0	-2.0	13.4
唐 山 市	Tangshan	9.6	-11.0	24.4	57.9	10.0	2.8
廊 坊 市	Langfang	6.5	-39.1	-12.2	-79.6	13.0	15.2
保 定 市	Baoding	2.2	-3.7	34.5	58.0	-6.7	40.9
#定州市	Dingzhou	8.2	-86.5	108.6		19.8	87.3
沧 州 市	Cangzhou	8.1	-14.3	164.2	141.5	2.5	33.0
衡 水 市	Hengshui	2.0	-48.8	20.7		1.4	9.7
邢 台 市	Xingtai	4.0	62.0	54.4	-49.2	-4.8	32.2
邯 郸 市	Handan	6.9	52.9	3.6	-46.8	-1.2	87.3
雄安新区	Xiongan New Area	2072.2	252.5			1600.0	15375.1

9-3 分市按构成分固定资产投资(不含农户)比上年增长情况(2019年)
Growth Rate of Total Investment in Fixed Assets (Excluding Rural Households) over Preceding Year by City and Composition of Funds (2019)

单位：% (%)

市	City	全部投资 Total Investment	建筑安装工程 Construction and Installation	设备工器具购置 Purchase of Equipment and Instruments	其他费用 Other Expenses
全　省	**Total**	**6.1**	**3.1**	**12.7**	**17.1**
石家庄市	Shijiazhuang	6.2	2.6	22.7	10.4
#辛集市	Xinji	7.9	-5.3	51.4	39.3
承德市	Chengde	6.1	7.8		-1.4
张家口市	Zhangjiakou	5.8	2.2	53.4	-2.2
秦皇岛市	Qinhuangdao	7.1	-0.8	-7.1	64.8
唐山市	Tangshan	10.1	2.3	31.2	32
廊坊市	Langfang	7.3	9.9	-6.4	7.3
保定市	Baoding	7.3	0.1	6.1	49.8
#定州市	Dingzhou	8.0	15.9	-26.0	-5.7
沧州市	Cangzhou	6.0	5.3	-7.1	29
衡水市	Hengshui	7.8	6.7	-5.9	48.2
邢台市	Xingtai	7.4	9.9	2.2	-1.2
邯郸市	Handan	7.6	6.9	13.6	0.2
雄安新区	Xiongan New Area	384.2	318.3	153.4	625.7

9-4 分市按建设性质分固定资产投资(不含农户)比上年增长情况(2019年)
Growth Rate of Fixed Assets (Excluding Rural Households) over Preceding Year by City and Type of Construction (2019)

单位：% (%)

市	City	全部投资 Total Investment	#新建 New Construction	扩建 Expansion	改建和技术改造 Reconstruction and Technical Transformation
全　省	**Total**	**8.9**	**8.2**	**-2.4**	**10.7**
石家庄市	Shijiazhuang	14.9	22.0	9.2	-2.7
#辛集市	Xinji	-3.3	-41.8	8.2	16.5
承德市	Chengde	7.5	15.7	-28.2	17.7
张家口市	Zhangjiakou	14.9	13.8	-14.5	54.6
秦皇岛市	Qinhuangdao	10.4	-0.3	-5.6	36.4
唐山市	Tangshan	11.2	7.7	-12.2	15.8
廊坊市	Langfang	21.9	30.4	-6.5	9.8
保定市	Baoding	6.9	3.6	9.8	17.4
#定州市	Dingzhou	-2.7	-2.3	-16.3	-7.9
沧州市	Cangzhou	3.0	10.4	-18.4	7.6
衡水市	Hengshui	11.2	11.6	27.5	-10.5
邢台市	Xingtai	5.6	-3.8	13.0	18.7
邯郸市	Handan	9.2	7.9	5.6	10.2
雄安新区	Xiongan New Area	384.2	432.5	-100.0	43.5

9-5 分市按隶属关系分固定资产投资(不含农户)比上年增长情况(2019年)

Growth Rate of Fixed Assets (Excluding Rural Households) over Preceding Year by Jurisdiction of Management and City (2019)

单位：% (%)

市	City	全部投资 Total Investment	中央项目 Central Investment	地方项目 Local Investment
全　省	**Total**	**6.1**	**6.6**	**-20.3**
石家庄市	Shijiazhuang	6.2	67.0	-12.7
#辛集市	Xinji	7.9	-82.8	0.1
承 德 市	Chengde	6.1	-2.6	-19.0
张家口市	Zhangjiakou	5.8	106.0	-24.3
秦皇岛市	Qinhuangdao	7.1	-3.2	14.6
唐 山 市	Tangshan	10.1	39.1	-20.5
廊 坊 市	Langfang	7.3	3.5	12.4
保 定 市	Baoding	7.3	108.6	-20.7
#定州市	Dingzhou	8.0	717.1	-63.5
沧 州 市	Cangzhou	6.0	-32.7	-57.8
衡 水 市	Hengshui	7.8	40.8	-36.6
邢 台 市	Xingtai	7.4	176.1	-3.6
邯 郸 市	Handan	7.6	90.7	-10.8
雄安新区	Xiongan New Area	384.2		326.9

9-6 分市按登记注册类型分固定资产投资(不含农户)比上年增长情况(2019年)

Growth Rate of Fixed Assets (Excluding Rural Households) over Preceding Year by Registration Status and City (2019)

单位：% (%)

市	City	全部投资 Total Investment	#内资 Domestic Funded	港澳台商投资 Funds from Hong Kong, Macao and Taiwan	外商投资 Foreign Funded
全　省	**Total**	**6.1**	**6.0**	**24.4**	**2.6**
石家庄市	Shijiazhuang	6.2	5.6	52.3	17.9
#辛集市	Xinji	7.9	7.5		
承 德 市	Chengde	6.1	6.0	-14.6	560.9
张家口市	Zhangjiakou	5.8	5.4	392.9	9.2
秦皇岛市	Qinhuangdao	7.1	9.0	-66.1	10.8
唐 山 市	Tangshan	10.1	8.6	39.8	110.3
廊 坊 市	Langfang	7.3	7.7	63.3	-44.4
保 定 市	Baoding	7.3	8.9	-44.1	-55.2
#定州市	Dingzhou	8.0	8.0	1.2	
沧 州 市	Cangzhou	6.0	5.8	111.2	-26.6
衡 水 市	Hengshui	7.8	7.0	483.6	29.0
邢 台 市	Xingtai	7.4	8.1	-5.0	-37.7
邯 郸 市	Handan	7.6	8.7	16.5	-51.2
雄安新区	Xiongan New Area	384.2	380.5		

9—7 分市按控股情况类型分固定资产投资(不含农户)比上年增长情况(2019年)

Growth Rate of Fixed Assets (Excluding Rural Households) over Preceding Year by Holding Type and City(2019)

单位：% (%)

市	City	全部投资 Total Investment	#国有控股 State-holding	集体控股 Collective-holding	私人控股 Private-holding
全　省	**Total**	**6.1**	**21.1**	**29.4**	**1.6**
石家庄市	Shijiazhuang	6.2	57.7	115.1	-10.5
#辛集市	Xinji	7.9	-8.1	91.0	9.9
承 德 市	Chengde	6.1	11.1	-55.7	-1.9
张家口市	Zhangjiakou	5.8	4.7	338.0	-2.1
秦皇岛市	Qinhuangdao	7.1	22.7	-53.0	3.0
唐 山 市	Tangshan	10.1	42.4	6.0	10.7
廊 坊 市	Langfang	7.3	34.5	-43.1	-4.2
保 定 市	Baoding	7.3	39.1	-47.5	-0.2
#定州市	Dingzhou	8.0	-60.8	61.0	18.5
沧 州 市	Cangzhou	6.0	-13.5	-43.6	12.5
衡 水 市	Hengshui	7.8	36.3	-11.9	-1.2
邢 台 市	Xingtai	7.4	37.1	-43.1	3.4
邯 郸 市	Handan	7.6	25.3	78.5	3.9
雄安新区	Xiongan New Area	384.2	441.1		-81.8

9—8 分市按行业分固定资产投资(不含农户)比上年增长情况(2019年)

Growth Rate of Total Investment in Fixed Assets (Excluding Rural Households) over Preceding Year by City and Sector (2019)

单位：% (%)

市	City	合　计 Total	农、林、牧、渔业 Agriculture, Forestry, Animal Husbandry and Fishery	采 矿 业 Mining	制 造 业 Manufacturing	电力、热力、燃气及水生产和供应业 Production and Supply of Electricity, Heat, Gas and Water	建 筑 业 Construction	批发和零售业 Wholesale and Retail Trades
全　省	**Total**	**6.1**	**-5.2**	**8.0**	**1.6**	**3.3**	**257.5**	**-9.1**
石家庄市	Shijiazhuang	6.2	-17.1	16.5	-8.3	12.3		-31.7
#辛集市	Xinji	7.9	24.7		0.9	-51.7		474.6
承 德 市	Chengde	6.1	-16.6	-7.1	12.1	8.5		-42.6
张家口市	Zhangjiakou	5.8	-7.9		-9.5	19.7		210.4
秦皇岛市	Qinhuangdao	7.1	36.3	307.7	17.1	-7.7		-39.7
唐 山 市	Tangshan	10.1	15.0	15.2	9.3	49.1	-29.2	-10.8
廊 坊 市	Langfang	7.3	113.4		-2.1	-21.4	330.7	27.7
保 定 市	Baoding	7.3	-2.4	-25.8	1.5	3.2		11.0
#定州市	Dingzhou	8.0	-13.3		31.4	230.7		166.0
沧 州 市	Cangzhou	6.0	-22.9		1.4	2.7	310.7	5.6
衡 水 市	Hengshui	7.8	2.0	-100.0	-6.7	55.5		92.0
邢 台 市	Xingtai	7.4	-7.1	126.5	-2.7	23.0		-55.0
邯 郸 市	Handan	7.6	-41.1	-57.7	3.0	42.0		-26.3
雄安新区	Xiongan New Area	384.2	40.2		40.3	8075.7		-100.0

9-8 续表 1 continued

单位：% (%)

市	City	交通运输、仓储和邮政业 Transport, Storage and Post	住宿和餐饮业 Hotels and Catering Services	信息传输、软件和信息技术服务业 Information Transmission, Software and Information Technology	金融业 Financial Intermediation	房地产业 Real Estate	租赁和商务服务业 Leasing and Business Services	科学研究和技术服务业 Scientific Research and Technical Services
全　省	**Total**	**2.5**	**35.8**	**85.2**	**-55.0**	**0.8**	**45.7**	**2.2**
石家庄市	Shijiazhuang	21.4	54.9	138.4	-64.9	-9.5	102.5	-11.9
#辛集市	Xinji	-43.0	0.3			72.2		-100.0
承 德 市	Chengde	46.7	38.2	60.1		1.9	17.9	-48.4
张家口市	Zhangjiakou	-9.9	63.8	99.3	-100.0	-11.7	64.8	-42.1
秦皇岛市	Qinhuangdao	135.4	-1.0	-10.0		4.1	-61.4	-80.9
唐 山 市	Tangshan	12.3	-5.9	-2.7	-100	5.2	27.7	-35
廊 坊 市	Langfang	30.3	35.4	206.9	59.8	-12.7	7.3	22.6
保 定 市	Baoding	27.7	-14.8	79.2		10.4	20.7	-10.6
#定州市	Dingzhou	-100.0				21.0	798.3	-38.4
沧 州 市	Cangzhou	5		-78.3	-97	24.8	118.8	151.3
衡 水 市	Hengshui	-12.5	1705.4	-32.0		-1.2	77.1	47.3
邢 台 市	Dingzhou	-7.0	17.5	-40.3		15.9	-37.2	-8.0
邯 郸 市	Xinji	24.5	235.0	94.7		4.2	97.2	88.8
雄安新区	Xiongan New Area	17463.4						-100.0

9-8 续表 2 continued

单位：% (%)

市	City	水利、环境和公共设施管理业 Management of Water Conservancy, Environment and Public Facilities	居民服务、修理和其他服务业 Service to Households, Repair and Other Services	教育 Education	卫生和社会工作 Health and Social Service	文化、体育和娱乐业 Culture, Sports and Entertainment	公共管理、社会保障和社会组织 Public Management, Social Security and Social Organization	国际组织 International Organizations
全　省	**Total**	**28.2**	**36.2**	**-18.3**	**33.7**	**-6.8**	**64.0**	**25.9**
石家庄市	Shijiazhuang	69.1	-48.4	142.5	28.2	-59.9	60.5	12
#辛集市	Xinji	1.6			77.6	1959.5		
承 德 市	Chengde	-24.7	219.3	112.7	14.8	271.5	19.8	
张家口市	Zhangjiakou	66.2	49.0	1264.2	36.5	-23.1	64.6	
秦皇岛市	Qinhuangdao	-19.4	-100.0	-100.0	31.6	5.5	-0.4	-90
唐 山 市	Tangshan	5.5	109.1	6998.7	58	-18.3	64	
廊 坊 市	Langfang	35.8	3454.0	-100.0	-3.5	138.2	178.7	
保 定 市	Baoding	-1.8	-32.5	-68.3	47.1	-42.7	80.5	
#定州市	Dingzhou	-68.5	-100.0		164.0	-98.5	-70.7	
沧 州 市	Cangzhou	-25.2	-96.8	93.6	-15.6	92.9	115.7	
衡 水 市	Hengshui	22.3			114.7	238.6	2.0	
邢 台 市	Xingtai	55.8	138.7	-17.4	14.9	0.3	-16.8	
邯 郸 市	Handan	16.5	65.1	-100.0	53.3	-37.0	59.6	-100.0
雄安新区	Xiongan New Area	482.0			157.0		583.7	

9-9 各行业按构成分固定资产投资(不含农户)比上年增长情况(2019年)

Growth Rate of Total Investment in Fixed Assets (Excluding Rural Households) over Preceding Year by Sector and Composition of Funds (2019)

单位：% (%)

指标	Item	全部投资 Total Investment	建筑安装工程投资 Construction and Installation	设备工器具购置 Purchase of Equipment and Instruments	其他费用 Other Expenses
全省总计	**Total**	**6.1**	**3.1**	**12.7**	**17.1**
农、林、牧、渔业	**Agriculture, Forestry, Animal Husbandry and Fishery**	**-5.2**	**-7.7**	**0.0**	**1.7**
农业	Farming	3.4	1.2	16.2	4.2
林业	Forestry	-16.8	-17.9	-76.4	2.5
畜牧业	Animal Husbandry	-12.4	-14.1	-11.8	-2.5
渔业	Fishery	-9.0	-22.2	86.0	526.2
农、林、牧、渔专业及辅助性活动	Professional and Support Activities for Agriculture, Forestry, Animal Husbandry and Fishery	-17.4	-23.9	3.1	-13.5
采矿业	**Mining**	**8.0**	**8.0**	**15.9**	**-6.9**
煤炭开采和洗选业	Mining and Washing of Coal	-35.9	-31.4	-28.2	-63.6
石油和天然气开采业	Extraction of Petroleum and Natural Gas	51.5	52.4	63.5	-57.3
黑色金属矿采选业	Mining and Processing of Ferrous Metal Ores	18.4	15.1	37.4	-0.6
有色金属矿采选业	Mining and Processing of Non-Ferrous Metal Ores	116.7	164.1	45.9	71.3
非金属矿采选业	Mining and Processing of Non-metal Ores	-25.2	-42.0	12.6	11.0
开采专业及辅助活动	Professional and Support Activities for Mining	-56.5	-58.8	-100.0	-37.1
其他采矿业	Mining of Other Ores	12.9	107.8	-100.0	
制造业	**Manufacturing**	**1.6**	**-0.1**	**8.1**	**-5.8**
农副食品加工业	Processing of Food from Agricultural Products	-25.1	-24.3	-25.4	-28.6
食品制造业	Manufacture of Food	-15.0	-23.2	-2.4	37.6
酒、饮料和精制茶制造业	Manufacture of Liquor, Beverages and Refined Tea	9.9	-0.2	2.9	124.8
烟草制品业	Manufacture of Tobacco	39.2	16.0		-68.5
纺织业	Manufacture of Textile	-5.4	-0.8	-4.9	-19.4
纺织服装、服饰业	Manufacture of Textile, Wearing Apparel and Accessories	2.8	31.5	-32.3	-21.5
皮革、毛皮、羽毛及其制品和制鞋业	Manufacture of Leather, Fur, Feather and Related Products and Footware	6.4	-6.4	62.5	-35.3
木材加工和木、竹、藤、棕、草制品业	Processing of Timber, Manufacture of Wood, Bamboo, Rattan, Palm and Straw Products	16.5	26.5	12.5	-27.4
家具制造业	Manufacture of Furniture	-16.9	-21.2	-0.5	-0.9
造纸及纸制品业	Manufacture of Paper and Paper Products	8.1	-9.1	39.1	25.7
印刷和记录媒介复制业	Printing and Reproduction of Recording Media	36.8	36.3	30.3	63.6
文教、工美、体育和娱乐用品制造业	Manufacture of Articles for Culture, Education, Arts and Crafts, Sport and Entertainment Activities	-20.2	-29.4	30.0	-56.5
石油、煤炭及其他燃料加工业	Processing of Petroleum, Coal and Other Fuels	-22.7	-35.1	1.6	34.0
化学原料及化学制品制造业	Manufacture of Raw Chemical Materials and Chemical Products	8.3	14.2	3.4	-20.5
医药制造业	Manufacture of Medicines	-2.6	-13.9	64.9	-20.0
化学纤维制造业	Manufacture of Chemical Fibres	-10.6	-31.8	52.5	-40.2
橡胶和塑料制品业	Manufacture of Rubber and Plastics Products	-6.3	-10.6	-18.4	56.1
非金属矿物制品业	Manufacture of Non-metallic Mineral Products	-3.6	-0.4	-4.1	-17.6
黑色金属冶炼和压延加工业	Smelting and Pressing of Ferrous Metals	47.2	18.4	91.1	48.1
有色金属冶炼和压延加工业	Smelting and Pressing of Non-ferrous Metals	4.4	-0.7	35.4	-28.0
金属制品业	Manufacture of Metal Products	-4.0	-2.6	-7.6	-4.3
通用设备制造业	Manufacture of General Purpose Machinery	1.6	5.6	7.2	-29.4
专用设备制造业	Manufacture of Special Purpose Machinery	4.4	9.2	-5.7	-0.1

9-9 续表 1 continued

单位：% (%)

指　　标	Item	全部投资 Total Investment	建筑安装工程投资 Construction and Installation	设备工器具购置 Purchase of Equipment and Instruments	其他费用 Other Expenses
汽车制造业	Manufacture of Automobiles	-9.9	-5.4	-12.9	-24.6
铁路、船舶、航空航天和其他运输设备制造业	Manufacture of Railway, Ship, Aerospace and Other Transport Equipments	10.9	19.7	-4.0	-5.0
电气机械和器材制造业	Manufacture of Electrical Machinery and Apparatus	-4.8	-0.9	-14.0	0.5
计算机、通信和其他电子设备制造业	Manufacture of Computers, Communication and Other Electronic Equipment	-9.1	38.7	-37.4	11.9
仪器仪表制造业	Manufacture of Measuring Instruments and Machinery	73.3	67.7	110.7	104.4
其他制造业	Other Manufacture	62.2	51.9	121.2	-10.3
废弃资源综合利用业	Utilization of Waste Resources	-11.1	-6.1	-16.8	-27.2
金属制品、机械和设备修理业	Repair Service of Metal Products, Machinery and Equipment	412.7	102.6	95670.1	40.6
电力、热力、燃气及水生产和供应业	**Production and Supply of Electricity, Heat, Gas and Water**	**3.3**	**-5.1**	**13.6**	**33.6**
电力、热力生产和供应业	Production and Supply of Electric Power and Heat Power	-3.0	-13.9	10.1	27.2
燃气生产和供应业	Production and Supply of Gas	30.7	31.6	18.8	71.9
水的生产和供应业	Production and Supply of Water	19.6	4.6	107.5	51.3
建筑业	**Construction**	**257.5**	**135.8**	**2792.9**	**343.0**
房屋建筑业	Construction of Buildings	512.6	323.1		
土木工程建筑业	Civil Engineering	286.0	105.1	2783.0	280.3
建筑安装业	Building Installation				
建筑装饰、装修和其他建筑业	Building Decoration and Other Constructions	-100.0	-100.0		-100.0
批发和零售业	**Wholesale and Retail Trades**	**-9.1**	**-10.1**	**-2.7**	**-4.7**
批发业	Wholesale Trade	-10.4	-14.6	12.4	14.9
零售业	Retail Trade	-7.8	-5.6	-19.1	-25.0
交通运输、仓储和邮政业	**Transport, Storage and Post**	**2.5**	**-0.3**	**72.9**	**-6.0**
铁路运输业	Railway Transport	16.7	-11.3	770.9	297.3
道路运输业	Road Transport	0.0	1.5	112.7	-16.0
水上运输业	Water Transport	-9.8	-39.8	610.6	410.2
航空运输业	**Air Transport**	**22.4**	**33.6**	**82.6**	**-28.0**
管道运输业	Transport Via Pipelines	415.0	330.2	1918.3	
多式联运和运输代理业	Intermodality and Forwarding Agency	-24.7	-27.4	-43.4	240.2
装卸搬运和仓储业	Loading, Unloading and Storage	-9.2	-13.9	22.0	-22.3
邮政业	Post	200.1	268.7	-5.3	217.0
住宿和餐饮业	**Hotels and Catering Services**	**35.8**	**37.8**	**78.0**	**-8.2**
住宿业	Hotels	33.5	35.6	94.0	-25.3
餐饮业	Catering Services	46.0	47.9	34.2	43.9
信息传输、软件和信息技术服务业	**Information Transmission, Software and Information Technology**	**85.2**	**80.0**	**97.7**	**80.6**
电信、广播电视和卫星传输服务	Telecommunication, Radio and Television and Satellite Transmission Service	115.3	88.1	128.4	294.7
互联网和相关服务	Internet and Related Service	132.6	123.2	171.7	136.5
软件和信息技术服务业	Software and Information Technology	64.7	58.9	79.0	46.9
金融业	**Financial Intermediation**	**-55.0**	**-58.7**	**-76.4**	**14.3**
货币金融服务	Monetary and Financial Service	5.9	72.3	-86.6	-53.1
资本市场服务	Capital Market Service	-65.8	-73.5	-62.6	29.7

9-9 续表 2 continued

单位：% (%)

指 标	Item	全部投资 Total Investment	建筑安装工程投资 Construction and Installation	设备工器具购置 Purchase of Equipment and Instruments	其他费用 Other Expenses
保险业	Insurance	-100.0	-100.0		
其他金融业	Other Financial Activities	33.8	33.8		
房地产业	**Real Estate**	**0.8**	**-7.3**	**4.3**	**53.9**
租赁和商务服务业	**Leasing and Business Services**	**45.7**	**42.7**	**24.3**	**115.5**
租赁业	Leasing	112.1	269.3	-5.1	-70.4
商务服务业	Business Services	44.3	40.1	27.5	118.7
科学研究和技术服务业	**Scientific Research and Technical Services**	**2.2**	**2.5**	**21.6**	**-18.9**
研究和试验发展	Research and Experimental Development	14.8	21.5	142.1	-65.0
专业技术服务业	Professional Technical Services	-3.2	13.6	-14.3	-26.0
科技推广和应用服务业	Science & Technology Popularization & Application Services	2.3	-3.9	51.3	-0.5
水利、环境和公共设施管理业	**Management of Water Conservancy, Environment and Public Facilities**	**28.7**	**29.0**	**26.3**	**27.0**
水利管理业	Management of Water Conservancy	94.8	100.3	2.2	72.3
生态保护和环境治理业	Ecological Protection and Environmental Treatment	8.5	13.6	5.1	-15.6
公共设施管理业	Management of Public Facilities	25.0	24.3	34.7	26.6
土地管理业	Management of Land	134.4	127.3	-3.4	505.5
居民服务、修理和其他服务业	**Service to Households, Repair and Other Services**	**-8.7**	**-18.2**	**-25.6**	**137.7**
居民服务业	Services to Households	4.4	-21.3	-15.6	300.2
机动车、电子产品和日用产品修理业	Repair of Motor Vehicle, Electronics and Household Products	-5.9	-13.6		18.4
其他服务业	Other Services	-18.3	-17.4	-57.3	15.4
教育	**Education**	**58.4**	**63.3**	**11.0**	**48.9**
卫生和社会工作	**Health and Social Service**	**-1.6**	**4.9**	**-18.4**	**-27.7**
卫生	Health	-0.4	4.6	-18.8	-10.8
社会工作	Social Service	-8.7	7.5	-14.3	-62.8
文化、体育和娱乐业	**Culture, Sports and Entertainment**	**16.2**	**28.0**	**74.8**	**-43.3**
新闻和出版业	Journalism and Publishing Activities	2283.9	2283.9		
广播、电视、电影和影视录音制作业	Radio, Television, Motion Picture and Videotape Programme Production Services	-42.8	-31.0	-42.6	-83.4
文化艺术业	Cultural and Art Activities	2.4	12.8	136.6	-78.8
体育	Sports Activities	2.1	9.9	80.4	-44.7
娱乐业	Entertainment	45.0	59.1	80.0	-14.8
公共管理、社会保障和社会组织	**Public Management, Social Security and Social Organization**	**82.8**	**73.7**	**129.6**	**180.1**
中国共产党机关	Organs of Communist Party of China	-2.8	-39.4		14203.3
国家机构	Government Agencies	83.2	75.2	111.5	179.7
人民政协、民主党派	People's Political Consultative Conference and Democratic Parties				
社会保障	Social Security	2604.2	3202.3		435.7
群众团体、社会团体和其他成员组织	Mass Organizations, Social Organizations and Other Membership Organizations	39.5	19.3		571.2
基层群众自治组织	Grass Roots Self-Governing Organizations	25.9	32.2	320.2	-34.3
国际组织	**International Organizations**				

9-10 各行业按建设性质分建设项目投资比上年增长情况(2019年)

Growth Rate of Construction Project Investment over Preceding Year by Sector and Type of Construction (2019)

单位：% (%)

指标	Item	全部投资 Total Investment	#新建 New Construction	扩建 Expansion	改建和技术改造 Reconstruction and Technical Transformation
全省总计	**Total**	**8.9**	**8.2**	**-2.4**	**10.7**
农、林、牧、渔业	**Agriculture, Forestry, Animal Husbandry and Fishery**	**-5.2**	**-3.4**	**-15.8**	**-19.6**
农业	Farming	3.4	6.5	9.7	-48.5
林业	Forestry	-16.8	-19.0	4.0	
畜牧业	Animal Husbandry	-12.4	-9.1	-45.0	32.0
渔业	Fishery	-9.0	-30.5	276.2	
农、林、牧、渔专业及辅助性活动	Professional and Support Activities for Agriculture, Forestry, Animal Husbandry and Fishery	-17.4	-14.2	-45.5	223.4
采矿业	**Mining**	**8.0**	**4.0**	**-3.4**	**17.7**
煤炭开采和洗选业	Mining and Washing of Coal	-35.9	-60.2	-54.8	-29.1
石油和天然气开采业	Extraction of Petroleum and Natural Gas	51.5	-100.0	55.2	
黑色金属矿采选业	Mining and Processing of Ferrous Metal Ores	18.4	7.3	-15.9	48.6
有色金属矿采选业	Mining and Processing of Non-Ferrous Metal Ores	116.7	152.2		-32.8
非金属矿采选业	Mining and Processing of Non-metal Ores	-25.2	-12.1	-81.5	-19.2
开采专业及辅助性活动	Professional and Support Activities for Mining	-56.5			-56.5
其他采矿业	Mining of Other Ores	12.9	171.8	-46.2	-39.2
制造业	**Manufacturing**	**1.6**	**-6.5**	**-8.4**	**7.4**
农副食品加工业	Processing of Food from Agricultural Products	-25.1	-28.2	-42.7	-10.2
食品制造业	Manufacture of Food	-15.0	-23.2	-27.9	-3.3
酒、饮料和精制茶制造业	Manufacture of Liquor, Beverages and Refined Tea	9.9	62.2	-55.3	24.7
烟草制品业	Manufacture of Tobacco	39.2			22.7
纺织业	Manufacture of Textile	-5.4	-11.6	-11.4	-3.6
纺织服装、服饰业	Manufacture of Textile, Wearing Apparel and Accessories	2.8	-7.5	-19.3	3.7
皮革、毛皮、羽毛及其制品和制鞋业	Manufacture of Leather, Fur, Feather and Related Products and Footware	6.4	-19.8	58.6	-24.1
木材加工和木、竹、藤、棕、草制品业	Processing of Timber, Manufacture of Wood, Bamboo, Rattan, Palm and Straw Products	16.5	9.8	31.6	4.0
家具制造业	Manufacture of Furniture	-16.9	-42.3	28.4	-11.6
造纸及纸制品业	Manufacture of Paper and Paper Products	8.1	-37.0	-6.2	91.4
印刷和记录媒介复制业	Printing and Reproduction of Recording Media	36.8	44.2	24.9	23.8
文教、工美、体育和娱乐用品制造业	Manufacture of Articles for Culture, Education, Arts and Crafts, Sport and Entertainment Activities	-20.2	-42.3	-14.8	-20.8
石油、煤炭及其他燃料加工业	Processing of Petroleum, Coal and Other Fuels	-22.7	-45.2	-22.0	-18.8
化学原料及化学制品制造业	Manufacture of Raw Chemical Materials and Chemical Products	8.3	-2.5	-14.8	25.3
医药制造业	Manufacture of Medicines	-2.6	-28.4	18.7	12.7
化学纤维制造业	Manufacture of Chemical Fibres	-10.6	-14.9	2.4	-23.0
橡胶和塑料制品业	Manufacture of Rubber and Plastics Products	-6.3	19.4	-10.7	-17.7
非金属矿物制品业	Manufacture of Non-metallic Mineral Products	-3.6	-9.1	-15.1	3.4
黑色金属冶炼和压延加工业	Smelting and Pressing of Ferrous Metals	47.2	82.6	55.5	28.6
有色金属冶炼和压延加工业	Smelting and Pressing of Non-ferrous Metals	4.4	-34.8	-13.6	39.0
金属制品业	Manufacture of Metal Products	-4.0	13.2	-17.5	-7.6
通用设备制造业	Manufacture of General Purpose Machinery	1.6	-2.4	-20.2	17.9
专用设备制造业	Manufacture of Special Purpose Machinery	4.4	-17.8	-24.6	50.0

9-10 续表 1 continued

单位：% (%)

指　　标	Item	全部投资 Total Investment	#新建 New Construction	扩建 Expansion	改建和技术改造 Reconstruction and Technical Transformation
汽车制造业	Manufacture of Automobiles	-9.9	-15.6	32.6	-15.6
铁路、船舶、航空航天和其他运输设备制造业	Manufacture of Railway, Ship, Aerospace and Other Transport Equipments	10.9	29.2	-31.5	10.6
电气机械和器材制造业	Manufacture of Electrical Machinery and Apparatus	-4.8	8.6	-7.2	-12.2
计算机、通信和其他电子设备制造业	Manufacture of Computers, Communication and Other Electronic Equipment	-9.1	-10.0	-14.8	-10.7
仪器仪表制造业	Manufacture of Measuring Instruments and Machinery	73.3	280.9	64.3	29.8
其他制造业	Other Manufacture	62.2	11.5	75.5	102.5
废弃资源综合利用业	Utilization of Waste Resources	-11.1	-10.1	4.7	-23.2
金属制品、机械和设备修理业	Repair Service of Metal Products, Machinery and Equipment	412.7	207.4		-68.8
电力、热力、燃气及水生产和供应业	**Production and Supply of Electricity, Heat, Gas and Water**	**3.3**	**0.7**	**-17.7**	**19.3**
电力、热力生产和供应业	Production and Supply of Electric Power and Heat Power	-3.0	-9.3	-17.3	25.7
燃气生产和供应业	Production and Supply of Gas	30.7	48.0	-29.8	5.0
水的生产和供应业	Production and Supply of Water	19.6	38.1	-4.3	7.6
建筑业	**Construction**	**257.5**	**285.6**	**169.1**	**-100.0**
房屋建筑业	Construction of Buildings	512.6	512.6		
土木工程建筑业	Civil Engineering	286.0	123.9	169.1	
建筑安装业	Building Installation				
建筑装饰、装修和其他建筑业	Building Decoration and Other Constructions	-100.0			-100.0
批发和零售业	**Wholesale and Retail Trades**	**-9.1**	**-5.0**	**1.4**	**-23.7**
批发业	Wholesale Trade	-10.4	-5.3	-12.4	-22.0
零售业	Retail Trade	-7.8	-4.7	18.3	-25.7
交通运输、仓储和邮政业	**Transport, Storage and Post**	**2.5**	**-3.2**	**10.7**	**55.0**
铁路运输业	Railway Transport	16.7	19.6	-100.0	259.5
道路运输业	Road Transport		-6.2	2.5	43.2
水上运输业	Water Transport	-9.8	-23.8	113.8	-29.4
航空运输业	Air Transport	22.4	9.3	1548.0	55.2
管道运输业	Transport Via Pipelines	415.0	339.9		
多式联运和运输代理业	Intermodality and Forwarding Agency	-24.7	-21.5		-100.0
装卸搬运和仓储业	Loading, Unloading and Storage	-9.2	-12.5	-26.2	83.5
邮政业	Post	200.1	59.5		161402.4
住宿和餐饮业	**Hotels and Catering Services**	**35.8**	**56.6**	**71.2**	**-40.2**
住宿业	Hotels	33.5	55.2	66.7	-49.9
餐饮业	Catering Services	46.0	62.4		-6.1
信息传输、软件和信息技术服务业	**Information Transmission, Software and Information Technology**	**85.2**	**77.0**	**90.6**	**382.7**
电信、广播电视和卫星传输服务	Telecommunication, Radio and Television and Satellite Transmission Service	115.3	163.2	-100.0	159.7
互联网和相关服务	Internet and Related Service	132.6	70.8	391.3	2947.5
软件和信息技术服务业	Software and Information Technology	64.7	68.9	30.6	66.0
金融业	**Financial Intermediation**	**-55.0**	**-44.6**	**-100.0**	**-19.3**
货币金融服务	Monetary and Financial Service	5.9	46.1		
资本市场服务	Capital Market Service	-65.8	-57.9	-100.0	

9-10 续表 2 continued

单位：% (%)

指标	Item	全部投资 Total Investment	#新建 New Construction	扩建 Expansion	改建和技术改造 Reconstruction and Technical Transformation
保险业	Insurance	-100.0			-100.0
其他金融业	Other Financial Activities	33.8			33.8
房地产业	**Real Estate**	**60.9**	**66.1**	**22.6**	**-32.3**
租赁和商务服务业	**Leasing and Business Services**	**45.7**	**44.3**	**49.3**	**20.1**
租赁业	Leasing	112.1	196.5	489.2	-10.7
商务服务业	Business Services	44.3	42.3	39.7	21.6
科学研究和技术服务业	**Scientific Research and Technical Services**	**2.2**	**1.6**	**-55.0**	**12.3**
研究和试验发展	Research and Experimental Development	14.8	-7.3	-53.4	162.4
专业技术服务业	Professional Technical Services	-3.2	-6.0	-69.8	83.9
科技推广和应用服务业	Science and Technology Popularization and Application Services	2.3	6.7	-53.7	-40.2
水利、环境和公共设施管理业	**Management of Water Conservancy, Environment and Public Facilities**	**28.7**	**23.6**	**69.0**	**27.7**
水利管理业	Management of Water Conservancy	94.8	120.3	-71.6	81.4
生态保护和环境治理业	Ecological Protection and Environmental Treatment	8.5	63.1	-33.1	-46.7
公共设施管理业	Management of Public Facilities	25.0	15.1	97.3	50.1
土地管理业	Management of Land	134.4	173.5		-100.0
居民服务、修理和其他服务业	**Service to Households, Repair and Other Services**	**-8.7**	**7.6**	**-62.4**	**-19.8**
居民服务业	Services to Households	4.4	**107.8**	-53.1	-61.0
机动车、电子产品和日用产品修理业	Repair of Motor Vehicle, Electronics and Household Products	-5.9	-10.2	-100.0	8338.5
其他服务业	Other Services	-18.3	-19.8	-53.4	245.1
教育	**Education**	**58.4**	**67.5**	**-14.3**	**59.9**
卫生和社会工作	**Health and Social Service**	**-1.6**	**-10.9**	**24.8**	**212.0**
卫生	Health	-0.4	-8.5	19.1	212.5
社会工作	Social Service	-8.7	-23.9	342.2	155.0
文化、体育和娱乐业	**Culture, Sports and Entertainment**	**16.2**	**10.4**	**60.4**	**53.7**
新闻和出版业	Journalism and Publishing Activities	2283.9			2201.4
广播、电视、电影和影视录音制作业	Radio, Television, Motion Picture and Videotape Programme Production Services	-42.8	-40.5	-80.1	-100.0
文化艺术业	Cultural and Art Activities	2.4	3.2		-71.1
体育	Sports Activities	2.1	-5.2	146.4	52.9
娱乐业	Entertainment	45.0	39.5	52.4	107.6
公共管理、社会保障和社会组织	**Public Management, Social Security and Social Organization**	**82.8**	**77.9**	**117.8**	**223.8**
中国共产党机关	Organs of Communist Party of China	-2.8	-14.3		
国家机构	Government Agencies	83.2	80.2	125.1	223.8
人民政协、民主党派	People's Political Consultative Conference and Democratic Parties				
社会保障	Social Security	2604.2	1414.2		
群众团体、社会团体和其他成员组织	Mass Organizations, Social Organizations and Other Membership Organizations	39.5	49.9	-47.2	
基层群众自治组织	Grass Roots Self-Governing Organizations	25.9	25.9		
国际组织	**International Organizations**				

9-11 各行业按隶属关系分固定资产投资(不含农户)比上年增长情况(2019年)

Growth Rate of Total Investment in Fixed Assets (Excluding Rural Households) over Preceding Year by Sector and Jurisdiction of Management (2019)

单位：%　　(%)

指标	Item	全部投资 Total Investment	中央 Central Government	地方 Local Governments
全省总计	**Total**	**6.1**	**6.6**	**-20.3**
农、林、牧、渔业	**Agriculture, Forestry, Animal Husbandry and Fishery**	**-5.2**	**-14.3**	**-31.9**
农业	Farming	3.4		-47.1
林业	Forestry	-16.8	-72.3	-19.5
畜牧业	Animal Husbandry	-12.4		-42.9
渔业	Fishery	-9.0		
农、林、牧、渔专业及辅助性活动	Professional and Support Activities for Agriculture, Forestry, Animal Husbandry and Fishery	-17.4		-52.0
采矿业	**Mining**	**8.0**	**55.0**	**-32.4**
煤炭开采和洗选业	Mining and Washing of Coal	-35.9		-39.3
石油和天然气开采业	Extraction of Petroleum and Natural Gas	51.5	55.2	
黑色金属矿采选业	Mining and Processing of Ferrous Metal Ores	18.4	-100.0	-61.0
有色金属矿采选业	Mining and Processing of Non-ferrous Metal Ores	116.7		
非金属矿采选业	Mining and Processing of Non-metal Ores	-25.2		1539.5
开采专业及辅助性活动	Professional and Support Activities for Mining	-56.5		-100.0
其他采矿业	Mining of Other Ores	12.9		-100.0
制造业	**Manufacturing**	**1.6**	**14.9**	**-40.0**
农副食品加工业	Processing of Food from Agricultural Products	-25.1		-83.6
食品制造业	Manufacture of Foods	-15.0		-69.1
酒、饮料和精制茶制造业	Manufacture of Liquor, Beverages and Refined Tea	9.9		-73.8
烟草制品业	Manufacture of Tobacco	39.2	22.7	
纺织业	Manufacture of Textile	-5.4		-43.7
纺织服装、服饰业	Manufacture of Textile, Wearing Apparel and Accessories	2.8		-49.9
皮革、毛皮、羽毛及其制品和制鞋业	Manufacture of Leather, Fur, Feather and Related Products and Footware	6.4		20.5
木材加工和木、竹、藤、棕、草制品业	Processing of Timber, Manufacture of Wood, Bamboo, Rattan, Palm and Straw Products	16.5		-39.2
家具制造业	Manufacture of Furniture	-16.9		-97.2
造纸及纸制品业	Manufacture of Paper and Paper Products	8.1		-42.0
印刷和记录媒介复制业	Printing and Reproduction of Recording Media	36.8	-23.6	-100.0
文教、工美、体育和娱乐用品制造业	Manufacture of Articles for Culture, Education, Arts and Crafts, Sport and Entertainment Activities	-20.2	36.1	-68.8
石油、煤炭及其他燃料加工业	Processing of Petroleum, Coal and Other Fuels	-22.7	-58.2	-92.8
化学原料及化学制品制造业	Manufacture of Raw Chemical Materials and Chemical Products	8.3		-36.1
医药制造业	Manufacture of Medicines	-2.6	-99.4	-3.9
化学纤维制造业	Manufacture of Chemical Fibres	-10.6		-98.2
橡胶和塑料制品业	Manufacture of Rubber and Plastics Products	-6.3		-51.3
非金属矿物制品业	Manufacture of Non-metallic Mineral Products	-3.6	1304.1	-54.3
黑色金属冶炼和压延加工业	Smelting and Pressing of Ferrous Metals	47.2	-98.0	35.3
有色金属冶炼和压延加工业	Smelting and Pressing of Non-ferrous Metals	4.4	-100.0	-8.5
金属制品业	Manufacture of Metal Products	-4.0	66.5	-43.6
通用设备制造业	Manufacture of General Purpose Machinery	1.6	-30.2	-59.1

9-11 续表 1 continued

单位：% (%)

指 标	Item	全部投资 Total Investment	中央 Central Government	地方 Local Governments
专用设备制造业	Manufacture of Special Purpose Machinery	4.4	2151.0	-54.6
汽车制造业	Manufacture of Automobiles	-9.9	-34.7	-69.5
铁路、船舶、航空航天和其他运输设备制造业	Manufacture of Railway, Ship, Aerospace and Other Transport Equipments	10.9	112.2	-95.6
电气机械和器材制造业	Manufacture of Electrical Machinery and Apparatus	-4.8	1529.9	-38.0
计算机、通信和其他电子设备制造业	Manufacture of Computers, Communication and Other Electronic Equipment	-9.1	-68.0	-58.6
仪器仪表制造业	Manufacture of Measuring Instruments and Machinery	73.3		-94.7
其他制造业	Other Manufacture	62.2	-100.0	22.9
废弃资源综合利用业	Utilization of Waste Resources	-11.1		-14.6
金属制品、机械和设备修理业	Repair Service of Metal Products, Machinery and Equipment	412.7		
电力、热力、燃气及水生产和供应业	**Production and Supply of Electricity, Heat, Gas and Water**	**3.3**	**-24.0**	**-14.3**
电力、热力生产和供应业	Production and Supply of Electric Power and Heat Power	-3.0	-25.1	-14.6
燃气生产和供应业	Production and Supply of Gas	30.7		-50.7
水的生产和供应业	Production and Supply of Water	19.6	896.8	8.4
建筑业	**Construction**	**257.5**		**55.0**
房屋建筑业	Construction of Buildings	512.6		100.4
土木工程建筑业	Civil Engineering	286.0		-53.2
建筑安装业	Building Installation			
建筑装饰、装修和其他建筑业	Building Decoration and Other Constructions	-100.0		
批发和零售业	**Wholesale and Retail Trades**	**-9.1**	**51.1**	**-85.0**
批发业	Wholesale Trade	-10.4	42.1	-83.7
零售业	Retail Trade	-7.8	299.8	-85.9
交通运输、仓储和邮政业	**Transport, Storage and Post**	**2.5**	**28.3**	**-48.6**
铁路运输业	Railway Transport	16.7	13.5	-56.2
道路运输业	Road Transport		1861.8	-48.1
水上运输业	Water Transport	-9.8		-89.1
航空运输业	Air Transport	22.4	5.8	-100.0
管道运输业	Transport Via Pipelines	415.0	-100.0	
多式联运和运输代理业	Intermodality and Forwarding Agency	-24.7		
装卸搬运和仓储业	Loading, Unloading and Storage	-9.2	366.9	-71.0
邮政业	Post	200.1		
住宿和餐饮业	**Hotels and Catering Services**	**35.8**		**-57.5**
住宿业	Hotels	33.5		-48.5
餐饮业	Catering Services	46.0		-82.7
信息传输、软件和信息技术服务业	**Information Transmission, Software and Information Technology**	**85.2**	**100.7**	**-20.7**
电信、广播电视和卫星传输服务	Telecommunication, Radio and Television and Satellite Transmission Service	115.3	33.4	48.2
互联网和相关服务	Internet and Related Service	132.6		6.0
软件和信息技术服务业	Software and Information Technology	64.7	106.5	-56.7

9-11 续表 2 continued

单位：% (%)

指 标	Item	全部投资 Total Investment	中央 Central Government	地方 Local Governments
金融业	**Financial Intermediation**	**-55.0**		**-67.3**
货币金融服务	Monetary and Financial Service	5.9		-97.2
资本市场服务	Capital Market Service	-65.8		-44.0
保险业	Insurance	-100.0		
其他金融业	Other Financial Activities	33.8		-100.0
房地产业	**Real Estate**	**0.8**	**32.0**	**25.6**
租赁和商务服务业	**Leasing and Business Services**	**45.7**		**-3.4**
租赁业	Leasing	112.1		-38.7
商务服务业	Business Services	44.3		-3.2
科学研究和技术服务业	**Scientific Research and Technical Services**	**2.2**	**14.8**	**-63.9**
研究和试验发展	Research and Experimental Development	14.8	1714.8	-86.7
专业技术服务业	Professional Technical Services	-3.2	1.9	-58.1
科技推广和应用服务业	Science and Technology Popularization and Application Services	2.3	60.4	-60.9
水利、环境和公共设施管理业	**Management of Water Conservancy, Environment and Public Facilities**	**28.7**	**482.7**	**-16.0**
水利管理业	Management of Water Conservancy	94.8	-32.3	8.1
生态保护和环境治理业	Ecological Protection and Environmental Treatment	8.5	69.8	23.8
公共设施管理业	Management of Public Facilities	25.0	554.1	-20.0
土地管理业	Management of Land	134.4		-62.0
居民服务、修理和其他服务业	**Service to Households, Repair and Other Services**	**-8.7**	**-68.5**	**66.4**
居民服务业	Services to Households	4.4		178.8
机动车、电子产品和日用产品修理业	Repair of Motor Vehicle, Electronics and Household Products	-5.9		
其他服务业	Other Services	-18.3	-68.5	1.4
教育	**Education**	**58.4**	**177.5**	**1.0**
卫生和社会工作	**Health and Social Service**	**-1.6**	**528.2**	**-21.6**
卫生	Health	-0.4	837.3	-23.6
社会工作	Social Service	-8.7	-20.2	65.8
文化、体育和娱乐业	**Culture, Sports and Entertainment**	**16.2**	**2769.6**	**-33.2**
新闻和出版业	Journalism and Publishing Activities	2283.9		
广播、电视、电影和影视录音制作业	Radio, Television, Motion Picture and Videotape Programme Production Services	-42.8		-74.3
文化艺术业	Cultural and Art Activities	2.4		-44.1
体育	Sports Activities	2.1	653.5	-57.0
娱乐业	Entertainment	45.0		68.2
公共管理、社会保障和社会组织	**Public Management, Social Security and Social Organization**	**82.8**	**38.3**	**84.3**
中国共产党机关	Organs of Communist Party of China	-2.8		-69.8
国家机构	Government Agencies	83.2	38.3	88.5
人民政协、民主党派	People's Political Consultative Conference and Democratic Parties			
社会保障	Social Security	2604.2		529.9
群众团体、社会团体和其他成员组织	Mass Organizations, Social Organizations and Other Membership Organizations	39.5		-78.7
基层群众自治组织	Grass Roots Self-Governing Organizations	25.9		84.4
国际组织	**International Organizations**			

9−12 各行业按登记注册类型分固定资产投资(不含农户)比上年增长情况(2019年)

Growth Rate of Total Investment in Fixed Assets (Excluding Rural Households) over Preceding Year by Sector and Registration Status (2019)

单位：% (%)

指 标	Item	全部投资 Total Investment	#内资 Domestic Funds	港澳台商投资 Funds from Hong Kong, Macao and Taiwan	外商投资 Foreign Funded
全省总计	**Total**	**6.1**	**6.0**	**24.4**	**2.6**
农、林、牧、渔业	**Agriculture, Forestry, Animal Husbandry and Fishery**	**-5.2**	**-4.9**	**-97.0**	
农业	Farming	3.4	3.3		
林业	Forestry	-16.8	-16.7		
畜牧业	Animal Husbandry	-12.4	-10.1	-97.0	
渔业	Fishery	-9.0	-9.0		
农、林、牧、渔专业及辅助性活动	Professional and Support Activities for Agriculture, Forestry, Animal Husbandry and Fishery	-17.4	-19.4		
采矿业	**Mining**	**8.0**	**7.2**		
煤炭开采和洗选业	Mining and Washing of Coal	-35.9	-35.2		
石油和天然气开采业	Extraction of Petroleum and Natural Gas	51.5	51.5		
黑色金属矿采选业	Mining and Processing of Ferrous Metal Ores	18.4	16.6		
有色金属矿采选业	Mining and Processing of Non-ferrous Metal Ores	116.7	116.7		
非金属矿采选业	Mining and Processing of Non-metal Ores	-25.2	-24.6		
开采专业及辅助性活动	Professional and Support Activities for Mining	-56.5	-56.5		
其他采矿业	Mining of Other Ores	12.9	12.9		
制造业	**Manufacturing**	**1.6**	**0.8**	**20.3**	**30.5**
农副食品加工业	Processing of Food from Agricultural Products	-25.1	-26.7	215.8	-17.4
食品制造业	Manufacture of Foods	-15.0	-15.0	-12.3	-17.1
酒、饮料和精制茶制造业	Manufacture of Liquor, Beverages and Refined Tea	9.9	8.4	34.2	33.0
烟草制品业	Manufacture of Tobacco	39.2	39.2		
纺织业	Manufacture of Textile	-5.4	-6.7		191.1
纺织服装、服饰业	Manufacture of Textile, Wearing Apparel and Accessories	2.8	1.0		431.9
皮革、毛皮、羽毛及其制品和制鞋业	Manufacture of Leather, Fur, Feather and Related Products and Footware	6.4	5.9	-100.0	
木材加工和木、竹、藤、棕、草制品业	Processing of Timber, Manufacture of Wood, Bamboo, Rattan, Palm and Straw Products	16.5	16.0		
家具制造业	Manufacture of Furniture	-16.9	-16.0	-78.4	
造纸及纸制品业	Manufacture of Paper and Paper Products	8.1	16.9	-43.6	
印刷和记录媒介复制业	Printing and Reproduction of Recording Media	36.8	32.2		55100.0
文教、工美、体育和娱乐用品制造业	Manufacture of Articles for Culture, Education, Arts and Crafts, Sport and Entertainment Activities	-20.2	-18.3		-51.9
石油、煤炭及其他燃料加工业	Processing of Petroleum, Coal and Other Fuels	-22.7	-26.1	49.0	9227.2
化学原料及化学制品制造业	Manufacture of Raw Chemical Materials and Chemical Products	8.3	1.6	185.0	1041.6
医药制造业	Manufacture of Medicines	-2.6	-14.8	120.6	138.2
化学纤维制造业	Manufacture of Chemical Fibres	-10.6	-10.6		
橡胶和塑料制品业	Manufacture of Rubber and Plastics Products	-6.3	-6.4	-18.1	28.3
非金属矿物制品业	Manufacture of Non-metallic Mineral Products	-3.6	-4.0	79.2	910.2
黑色金属冶炼和压延加工业	Smelting and Pressing of Ferrous Metals	47.2	44.3	90.6	71.5
有色金属冶炼和压延加工业	Smelting and Pressing of Non-ferrous Metals	4.4	5.2		-100.0
金属制品业	Manufacture of Metal Products	-4.0	-4.1	3081400.0	-12.2

9-12 续表 1 continued

单位：% (%)

指 标	Item	全部投资 Total Investment	#内资 Domestic Funds	港澳台商投资 Funds from Hong Kong, Macao and Taiwan	外商投资 Foreign Funded
通用设备制造业	Manufacture of General Purpose Machinery	1.6	1.0		47.1
专用设备制造业	Manufacture of Special Purpose Machinery	4.4	8.7	-49.4	-41.5
汽车制造业	Manufacture of Automobiles	-9.9	-2.4	-60.4	-27.5
铁路、船舶、航空航天和其他运输设备制造业	Manufacture of Railway, Ship, Aerospace and Other Transport Equipments	10.9	11.1		
电气机械和器材制造业	Manufacture of Electrical Machinery and Apparatus	-4.8	-4.0	-44.3	-35.6
计算机、通信和其他电子设备制造业	Manufacture of Computers, Communication and Other Electronic Equipment	-9.1	-9.8		8.0
仪器仪表制造业	Manufacture of Measuring Instruments and Machinery	73.3	70.7		
其他制造业	Other Manufacture	62.2	61.9		80.4
废弃资源综合利用业	Utilization of Waste Resources	-11.1	-13.7	344.0	
金属制品、机械和设备修理业	Repair Service of Metal Products, Machinery and Equipment	412.7	412.7		
电力、热力、燃气及水生产和供应业	**Production and Supply of Electricity, Heat, Gas and Water**	**3.3**	**5.8**	**10.2**	**-47.2**
电力、热力生产和供应业	Production and Supply of Electric Power and Heat Power	-3.0	-2.4	27.2	-38.2
燃气生产和供应业	Production and Supply of Gas	30.7	45.3	-95.9	-45.3
水的生产和供应业	Production and Supply of Water	19.6	30.6	195.6	-74.4
建筑业	**Construction**	**257.5**	**257.5**		
房屋建筑业	Construction of Buildings	512.6	512.6		
土木工程建筑业	Civil Engineering	286.0	286.0		
建筑安装业	Building Installation				
建筑装饰、装修和其他建筑业	Building Decoration and Other Constructions	-100.0	-100.0		
批发和零售业	**Wholesale and Retail Trades**	**-9.1**	**-9.7**		
批发业	Wholesale Trade	-10.4	-11.4		
零售业	Retail Trade	-7.8	-7.9		
交通运输、仓储和邮政业	**Transport, Storage and Post**	**2.5**	**2.3**	**1.6**	**307.7**
铁路运输业	Railway Transport	16.7	15.3		
道路运输业	Road Transport	0.0	-0.1	192.0	
水上运输业	Water Transport	-9.8	-9.8		
航空运输业	Air Transport	22.4	22.4		
管道运输业	Transport Via Pipelines	415.0	415.0		
多式联运和运输代理业	Intermodality and Forwarding Agency	-24.7	-26.1		
装卸搬运和仓储业	Loading, Unloading and Storage	-9.2	-9.7	-15.7	
邮政业	Post	200.1	234.4		32.1
住宿和餐饮业	**Hotels and Catering Services**	**35.8**	**38.6**		
住宿业	Hotels	33.5	35.2		
餐饮业	Catering Services	46.0	53.8		
信息传输、软件和信息技术服务业	**Information Transmission, Software and Information Technology**	**85.2**	**85.1**		**73.7**
电信、广播电视和卫星传输服务	Telecommunication, Radio and Television and Satellite Transmission Service	115.3	196.9		11.3
互联网和相关服务	Internet and Related Service	132.6	131.6		
软件和信息技术服务业	Software and Information Technology	64.7	61.0		

9-12 续表 2 continued

单位：% (%)

指 标	Item	全部投资 Total Investment	#内资 Domestic Funds	港澳台商投资 Funds from Hong Kong, Macao and Taiwan	外商投资 Foreign Funded
金融业	**Financial Intermediation**	**-55.0**	**-57.0**		
货币金融服务	Monetary and Financial Service	5.9	5.9		
资本市场服务	Capital Market Service	-65.8	-68.5		
保险业	Insurance	-100.0	-100.0		
其他金融业	Other Financial Activities	33.8	33.8		
房地产业	**Real Estate**	**0.8**	**0.8**	**254.6**	**-27.4**
租赁和商务服务业	**Leasing and Business Services**	**45.7**	**46.3**	**-29.2**	**332.1**
租赁业	Leasing	112.1	112.1		
商务服务业	Business Services	44.3	44.8	-29.2	332.1
科学研究和技术服务业	**Scientific Research and Technical Services**	**2.2**	**1.7**		
研究和试验发展	Research and Experimental Development	14.8	**14.6**		
专业技术服务业	Professional Technical Services	-3.2	-3.2		
科技推广和应用服务业	Science and Technology Popularization and Application Services	2.3	1.5		
水利、环境和公共设施管理业	**Management of Water Conservancy, Environment and Public Facilities**	**28.7**	**28.9**	**-100.0**	
水利管理业	Management of Water Conservancy	94.8	**94.8**		
生态保护和环境治理业	Ecological Protection and Environmental Treatment	8.5	6.4		
公共设施管理业	Management of Public Facilities	25.0	25.3	-100.0	
土地管理业	Management of Land	134.4	134.4		
居民服务、修理和其他服务业	**Service to Households, Repair and Other Services**	**-8.7**	**0.4**	**-89.4**	
居民服务业	Services to Households	4.4	34.8	-89.4	
机动车、电子产品和日用产品修理业	Repair of Motor Vehicle, Electronics and Household Products	-5.9	-5.9		
其他服务业	Other Services	-18.3	-16.3		
教育	**Education**	**58.4**	**58.4**		
卫生和社会工作	**Health and Social Service**	**-1.6**	**-1.5**		
卫生	Health	-0.4	-0.7		
社会工作	Social Service	-8.7	-6.7		
文化、体育和娱乐业	**Culture, Sports and Entertainment**	**16.2**	**13.8**		**159.4**
新闻和出版业	Journalism and Publishing Activities	2283.9	2283.9		
广播、电视、电影和影视录音制作业	Radio, Television, Motion Picture and Videotape Programme Production Services	-42.8	-42.8		
文化艺术业	Cultural and Art Activities	2.4	2.4		
体育	Sports Activities	2.1	-3.3		
娱乐业	Entertainment	45.0	42.4		45.7
公共管理、社会保障和社会组织	**Public Management, Social Security and Social Organization**	**82.8**	**82.5**		
中国共产党机关	Organs of Communist Party of China	-2.8	-2.8		
国家机构	Government Agencies	83.2	83.2		
人民政协、民主党派	People's Political Consultative Conference and Democratic Parties				
社会保障	Social Security	2604.2	2604.2		
群众团体、社会团体和其他成员组织	Mass Organizations, Social Organizations and Other Membership Organizations	39.5	28.7		
基层群众自治组织	Grass Roots Self-Governing Organizations	25.9	25.9		
国际组织	**International Organizations**				

9-13 各行业按控股情况分固定资产投资(不含农户)比上年增长情况(2019年) Growth Rate of Total Investment in Fixed Assets (Excluding Rural Households) over Preceding Year by Sector and Holding Type (2019)

单位：% (%)

指标	Item	全部投资 Total Investment	#国有控股 State-holding	集体控股 Collective-holding	私人控股 Private-holding
全省总计	**Total**	**6.1**	**21.1**	**29.4**	**1.6**
农、林、牧、渔业	**Agriculture, Forestry, Animal Husbandry and Fishery**	**-5.2**	**1.9**	**-16.1**	**3.6**
农业	Farming	3.4	-4.5	32.6	20.5
林业	Forestry	-16.8	-13.3	-97.7	-31.9
畜牧业	Animal Husbandry	-12.4	356.8	143.7	-22.4
渔业	Fishery	-9.0			-5.4
农、林、牧、渔专业及辅助性活动	Professional and Support Activities for Agriculture, Forestry, Animal Husbandry and Fishery	-17.4	11.3	-100.0	0.8
采矿业	**Mining**	**8.0**	**27.3**	**1314.0**	**15.4**
煤炭开采和洗选业	Mining and Washing of Coal	-35.9	-27.7		-75.0
石油和天然气开采业	Extraction of Petroleum and Natural Gas	51.5	55.2		-100.0
黑色金属矿采选业	Mining and Processing of Ferrous Metal Ores	18.4	40.5	1248120.0	67.5
有色金属矿采选业	Mining and Processing of Non-ferrous Metal Ores	116.7			116.7
非金属矿采选业	Mining and Processing of Non-metal Ores	-25.2		565.5	-56.9
开采专业及辅助性活动	Professional and Support Activities for Mining	-56.5	-5.4		-67.7
其他采矿业	Mining of Other Ores	12.9			4.2
制造业	**Manufacturing**	**1.6**	**17.6**	**2.1**	**2.4**
农副食品加工业	Processing of Food from Agricultural Products	-25.1	-19.0	-89.6	-27.1
食品制造业	Manufacture of Foods	-15.0	-9.2		-13.5
酒、饮料和精制茶制造业	Manufacture of Liquor, Beverages and Refined Tea	9.9	-12.5	-100.0	25.3
烟草制品业	Manufacture of Tobacco	39.2	22.7		
纺织业	Manufacture of Textile	-5.4	-78.2	-77.0	1.5
纺织服装、服饰业	Manufacture of Textile, Wearing Apparel and Accessories	2.8			12.8
皮革、毛皮、羽毛及其制品和制鞋业	Manufacture of Leather, Fur, Feather and Related Products and Footware	6.4		-100.0	10.2
木材加工和木、竹、藤、棕、草制品业	Processing of Timber, Manufacture of Wood, Bamboo, Rattan, Palm and Straw Products	16.5	483.7	-100.0	-7.7
家具制造业	Manufacture of Furniture	-16.9	27.8		-11.3
造纸及纸制品业	Manufacture of Paper and Paper Products	8.1		-32.1	21.6
印刷和记录媒介复制业	Printing and Reproduction of Recording Media	36.8	31.7	-67.3	48.5
文教、工美、体育和娱乐用品制造业	Manufacture of Articles for Culture, Education, Arts and Crafts, Sport and Entertainment Activities	-20.2	-68.7		-15.3
石油、煤炭及其他燃料加工业	Processing of Petroleum, Coal and Other Fuels	-22.7	-40.2		-16.2
化学原料及化学制品制造业	Manufacture of Raw Chemical Materials and Chemical Products	8.3	-17.9	30.3	9.9
医药制造业	Manufacture of Medicines	-2.6	-67.2	-6.6	8.7
化学纤维制造业	Manufacture of Chemical Fibres	-10.6	-45.0		52.4
橡胶和塑料制品业	Manufacture of Rubber and Plastics Products	-6.3		858.5	-3.3
非金属矿物制品业	Manufacture of Non-metallic Mineral Products	-3.6	42.5	-55.2	-1.8
黑色金属冶炼和压延加工业	Smelting and Pressing of Ferrous Metals	47.2	39.3	-100.0	75.4
有色金属冶炼和压延加工业	Smelting and Pressing of Non-ferrous Metals	4.4	72.2		-9.6
金属制品业	Manufacture of Metal Products	-4.0	-3.0		-6.3
通用设备制造业	Manufacture of General Purpose Machinery	1.6	27.7	325.1	3.4

9-13 续表 1 continued

单位：% (%)

指　　标	Item	全部投资 Total Investment	#国有控股 State-holding	集体控股 Collective-holding	私人控股 Private-holding
专用设备制造业	Manufacture of Special Purpose Machinery	4.4	220.2	3664.9	-2.5
汽车制造业	Manufacture of Automobiles	-9.9	-33.9	-100.0	-4.7
铁路、船舶、航空航天和其他运输设备制造业	Manufacture of Railway, Ship, Aerospace and Other Transport Equipments	10.9	119.0	-66.1	-4.5
电气机械和器材制造业	Manufacture of Electrical Machinery and Apparatus	-4.8	83.8	39.3	-7.9
计算机、通信和其他电子设备制造业	Manufacture of Computers, Communication and Other Electronic Equipment	-9.1	89.9	-69.8	-21.5
仪器仪表制造业	Manufacture of Measuring Instruments and Machinery	73.3	87.3	-90.2	56.4
其他制造业	Other Manufacture	62.2	158.4		80.7
废弃资源综合利用业	Utilization of Waste Resources	-11.1	35.3	180.1	-13.5
金属制品、机械和设备修理业	Repair Service of Metal Products, Machinery and Equipment	412.7	-12.7		938.3
电力、热力、燃气及水生产和供应业	**Production and Supply of Electricity, Heat, Gas and Water**	**3.3**	**-7.6**	**347.4**	**12.7**
电力、热力生产和供应业	Production and Supply of Electric Power and Heat Power	-3.0	-16.9	7435.2	12.9
燃气生产和供应业	Production and Supply of Gas	30.7	92.7	-100.0	21.9
水的生产和供应业	Production and Supply of Water	19.6	57.4	-77.6	-21.6
建筑业	**Construction**	**257.5**	**973.3**		**182.3**
房屋建筑业	Construction of Buildings	512.6			220.9
土木工程建筑业	Civil Engineering	286.0	946.1		164.4
建筑安装业	Building Installation				
建筑装饰、装修和其他建筑业	Building Decoration and Other Constructions	-100.0			
批发和零售业	**Wholesale and Retail Trades**	**-9.1**	**1.2**	**-36.1**	**-13.6**
批发业	Wholesale Trade	-10.4	70.6	-6.1	-9.6
零售业	Retail Trade	-7.8	-39.2	-56.6	-19.2
交通运输、仓储和邮政业	**Transport, Storage and Post**	**2.5**	**-0.8**	**-70.7**	**17.0**
铁路运输业	Railway Transport	16.7	8.5		483.7
道路运输业	Road Transport	0.0	-5.4	-11.0	56.1
水上运输业	Water Transport	-9.8	23.6		-90.2
航空运输业	Air Transport	22.4	17.1		135.6
管道运输业	Transport Via Pipelines	415.0	1312.4		13.2
多式联运和运输代理业	Intermodality and Forwarding Agency	-24.7			-11.5
装卸搬运和仓储业	Loading, Unloading and Storage	-9.2	-31.6	-100.0	0.8
邮政业	Post	200.1			230.9
住宿和餐饮业	**Hotels and Catering Services**	**35.8**	**-6.9**	**-86.4**	**52.0**
住宿业	Hotels	33.5	32.8	-88.5	42.9
餐饮业	Catering Services	46.0	-76.5	-80.9	94.6
信息传输、软件和信息技术服务业	**Information Transmission, Software and Information Technology**	**85.2**	**-21.6**		**55.7**
电信、广播电视和卫星传输服务	Telecommunication, Radio and Television and Satellite Transmission Service	115.3	108.6		
互联网和相关服务	Internet and Related Service	132.6	-41.1		30.4
软件和信息技术服务业	Software and Information Technology	64.7	-37.2		69.5

9-13 续表 2 continued

单位：% (%)

指 标	Item	全部投资 Total Investment	#国有控股 State-holding	集体控股 Collective-holding	私人控股 Private-holding
金融业	**Financial Intermediation**	**-55.0**	**-52.1**	**63.9**	**-65.5**
货币金融服务	Monetary and Financial Service	5.9	-100.0	46.1	
资本市场服务	Capital Market Service	-65.8	-66.6		-65.5
保险业	Insurance	-100.0			
其他金融业	Other Financial Activities	33.8	33.8		
房地产业	**Real Estate**	**0.8**	**42.5**	**115.0**	**-4.9**
租赁和商务服务业	**Leasing and Business Services**	**45.7**	**42.6**	**101.1**	**39.6**
租赁业	Leasing	112.1	-74.2	29.3	216.2
商务服务业	Business Services	44.3	44.4	154.3	35.1
科学研究和技术服务业	**Scientific Research and Technical Services**	**2.2**	**-6.5**	**4697.7**	**16.6**
研究和试验发展	Research and Experimental Development	14.8	223.8		-52.8
专业技术服务业	Professional Technical Services	-3.2	-33.2	41490.0	39.8
科技推广和应用服务业	Science and Technology Popularization and Application Services	2.3	-2.6	1018.5	28.1
水利、环境和公共设施管理业	**Management of Water Conservancy, Environment and Public Facilities**	**28.7**	**56.3**	**-50.9**	**-6.1**
水利管理业	Management of Water Conservancy	94.8	116.5		-85.0
生态保护和环境治理业	Ecological Protection and Environmental Treatment	8.5	100.8	53.0	-29.8
公共设施管理业	Management of Public Facilities	25.0	47.9	-55.8	
土地管理业	Management of Land	134.4	138.4		-11.1
居民服务、修理和其他服务业	**Service to Households, Repair and Other Services**	**-8.7**	**9.5**	**194.5**	**-7.2**
居民服务业	Services to Households	4.4	160.7		21.7
机动车、电子产品和日用产品修理业	Repair of Motor Vehicle, Electronics and Household Products	-5.9			-11.8
其他服务业	Other Services	-18.3	-21.5	194.5	-45.2
教育	**Education**	**58.4**	**54.1**	**139.5**	**26.0**
卫生和社会工作	**Health and Social Service**	**-1.6**	**27.1**	**-42.8**	**-17.7**
卫生	Health	-0.4	20.7	-40.3	-17.6
社会工作	Social Service	-8.7	308.8	-57.5	-18.0
文化、体育和娱乐业	**Culture, Sports and Entertainment**	**16.2**	**-16.2**	**11.2**	**23.0**
新闻和出版业	Journalism and Publishing Activities	2283.9			936.0
广播、电视、电影和影视录音制作业	Radio, Television, Motion Picture and Videotape Programme Production Services	-42.8	-71.4		-35.7
文化艺术业	Cultural and Art Activities	2.4	-6.4	-100.0	31.0
体育	Sports Activities	2.1	-5.0		-4.6
娱乐业	Entertainment	45.0	-4.5	20.7	39.6
公共管理、社会保障和社会组织	**Public Management, Social Security and Social Organization**	**82.8**	**83.2**		**-83.4**
中国共产党机关	Organs of Communist Party of China	-2.8	-2.8		
国家机构	Government Agencies	83.2	84.6		-100.0
人民政协、民主党派	People's Political Consultative Conference and Democratic Parties				
社会保障	Social Security	2604.2	2604.2		
群众团体、社会团体和其他成员组织	Mass Organizations, Social Organizations and Other Membership Organizations	39.5	3.5		-50.3
基层群众自治组织	Grass Roots Self-Governing Organizations	25.9	-30.2		
国际组织	**International Organizations**				

9-14 各行业实际到位资金比上年增长情况(2019年)

Growth Rate of Actual Funds for Investment over Preceding Year by Sector (2019)

单位：% (%)

指　　标	Item	本年实际到位资金 Actual Funds for Investment	国家预算资金 State Budget	国内贷款 Domestic Loans	利用外资 Foreign Investment	自筹资金 Self-raising Funds	其他资金 Other Funds
全省总计	**Total**	**5.9**	**21.3**	**1.5**	**5.8**	**1.6**	**28.7**
农、林、牧、渔业	**Agriculture, Forestry, Animal Husbandry and Fishery**	**-18.2**	**-70.8**	**-44.7**	**24.4**	**-15.7**	**-16.6**
农业	Farming	-7.8	-100.0	6.4	46.3	-11.6	114.8
林业	Forestry	-52.4	-97.9	-89.8	-100.0	-20.5	-64.1
畜牧业	Animal Husbandry	-23.7		-20.3		-24.0	-32.1
渔业	Fishery	-6.9		-100.0	43718.2	6.4	
农、林、牧、渔专业及辅助性活动	Professional and Support Activities for Agriculture, Forestry, Animal Husbandry and Fishery	-16.2	9.2	-70.6		-20.2	58.2
采矿业	**Mining**	**10.2**		**100.0**		**14.2**	**-74.8**
煤炭开采和洗选业	Mining and Washing of Coal	-45.4				-16.7	-89.5
石油和天然气开采业	Extraction of Petroleum and Natural Gas	51.5				51.5	
黑色金属矿采选业	Mining and Processing of Ferrous Metal Ores	24.0				23.4	430.0
有色金属矿采选业	Mining and Processing of Non-ferrous Metal Ores	12.0				-100.0	
非金属矿采选业	Mining and Processing of Non-metal Ores	-29.3		-100.0		-29.2	
开采专业及辅助性活动	Professional and Support Activities for Mining	-100.0		-100.0		-100.0	-100.0
其他采矿业	Mining of Other Ores	-53.8				-53.8	
制造业	**Manufacturing**	**1.9**	**55.6**	**10.2**	**-11.3**	**2.4**	**-18.2**
农副食品加工业	Processing of Food from Agricultural Products	-24.9		-41.3	-22.3	-23.9	-35.3
食品制造业	Manufacture of Foods	-20.1	50.6	104.5	-100.0	-21.1	-74.1
酒、饮料和精制茶制造业	Manufacture of Liquor, Beverages and Refined Tea	3.7		-73.3	-100.0	3.2	
烟草制品业	Manufacture of Tobacco	14.8				14.8	
纺织业	Manufacture of Textile	3.7		-42.6		7.3	-68.0
纺织服装、服饰业	Manufacture of Textile, Wearing Apparel and Accessories	5.2		-100.0		5.2	
皮革、毛皮、羽毛及其制品和制鞋业	Manufacture of Leather, Fur, Feather and Related Products and Footware	11.4		265.3		-14.4	145.6
木材加工和木、竹、藤、棕、草制品业	Processing of Timber, Manufacture of Wood, Bamboo,Rattan, Palm and Straw Products	6.7		-42.9		7.2	268.2
家具制造业	Manufacture of Furniture	0.1	-100.0	-100.0		0.4	-17.7
造纸及纸制品业	Manufacture of Paper and Paper Products	2.1		369.2		-2.2	-93.8
印刷和记录媒介复制业	Printing and Reproduction of Recording Media	30.3		19.9		31.5	8.7
文教、工美、体育和娱乐用品制造业	Manufacture of Articles for Culture, Education, Arts and Crafts, Sport and Entertainment Activities	-13.8	-23.8	-73.7	-16.3	-16.4	47.0
石油、煤炭及其他燃料加工业	Processing of Petroleum, Coal and Other Fuels	-19.0		-94.0	-100.0	-21.5	70.5
化学原料及化学制品制造业	Manufacture of Raw Chemical Materials and Chemical Products	11.1	-69.4	-46.6		14.1	38.0
医药制造业	Manufacture of Medicines	-4.7		-50.4	-98.1	0.8	-58.2
化学纤维制造业	Manufacture of Chemical Fibres	-13.8	100.0	-83.1		-10.4	-75.0
橡胶和塑料制品业	Manufacture of Rubber and Plastics Products	-9.2		162.9		-11.0	-47.5
非金属矿物制品业	Manufacture of Non-metallic Mineral Products	-3.0		-43.6	11.6	-2.2	-49.0
黑色金属冶炼和压延加工业	Smelting and Pressing of Ferrous Metals	46.4	-35.0	-16.4	-83.2	59.3	-77.9
有色金属冶炼和压延加工业	Smelting and Pressing of Non-ferrous Metals	5.2		1403.8		3.2	
金属制品业	Manufacture of Metal Products	-9.1	1566.7	-34.8	-70.4	-6.5	-44.4
通用设备制造业	Manufacture of General Purpose Machinery	7.2	-50.0	-31.3	-88.8	11.2	-32.0
专用设备制造业	Manufacture of Special Purpose Machinery	-0.5	-93.0	24.5	-63.2	1.6	-46.8

9-14 续表 1 continued

单位：% (%)

指　标	Item	本年实际到位资金 Actual Funds for Investment	国家预算资金 State Budget	国内贷款 Domestic Loans	利用外资 Foreign Investment	自筹资金 Self-raising Funds	其他资金 Other Funds
汽车制造业	Manufacture of Automobiles	-14.8		26.5	93.1	-14.3	-68.6
铁路、船舶、航空航天和其他运输设备制造业	Manufacture of Railway, Ship, Aerospace and Other Transport Equipments	18.0	2304.2	3965.2		-6.7	1045.2
电气机械和器材制造业	Manufacture of Electrical Machinery and Apparatus	-9.9		51.4	3150.0	-12.6	16.9
计算机、通信和其他电子设备制造业	Manufacture of Computers, Communication and Other Electronic Equipment	-9.1				-20.8	1257.6
仪器仪表制造业	Manufacture of Measuring Instruments and Machinery	72.3				74.6	-100.0
其他制造业	Other Manufacture	93.1		38.5	1477.6	84.2	364.9
废弃资源综合利用业	Utilization of Waste Resources	-15.9	28.0	-31.0		-19.2	-11.8
金属制品、机械和设备修理业	Repair Service of Metal Products, Machinery and Equipment	1913.2				929.5	
电力、热力、燃气及水生产和供应业	**Production and Supply of Electricity, Heat, Gas and Water**	**-4.8**	**-10.0**	**-22.0**	**-6.9**	**-0.4**	**7.5**
电力、热力生产和供应业	Production and Supply of Electric Power and Heat Power	-9.8	-14.0	-24.0	-6.9	-5.7	6.1
燃气生产和供应业	Production and Supply of Gas	14.0	-73.9	46.3		19.8	198.0
水的生产和供应业	Production and Supply of Water	21.2	143.3	60.5		13.2	-29.2
建筑业	**Construction**	**279.2**				**258.3**	
房屋建筑业	Construction of Buildings	384.8				322.4	
土木工程建筑业	Civil Engineering	234.0				229.4	
建筑安装业	Building Installation						
建筑装饰、装修和其他建筑业	Building Decoration and Other Constructions						
批发和零售业	**Wholesale and Retail Trades**	**-20.2**		**187.2**	**-100.0**	**-23.9**	**412.8**
批发业	Wholesale Trade	-30.8		543.9	-100.0	-33.1	227.8
零售业	Retail Trade	-8.8		111.3		-14.0	559.9
交通运输、仓储和邮政业	**Transport, Storage and Post**	**-0.1**	**-15.0**	**5.9**	**-14.8**	**-2.6**	**-19.8**
铁路运输业	Railway Transport	55.3	-25.6	493.4		16.8	-80.7
道路运输业	Road Transport	2.8	49.9	-6.5	94.3	-12.3	-10.6
水上运输业	Water Transport	18.6				41.9	-15.3
航空运输业	Air Transport	-61.9	-89.1	-91.4		130.4	
管道运输业	Transport Via Pipelines	385.1	-100.0			560.1	-100.0
多式联运和运输代理业	Intermodality and Forwarding Agency	-30.0				-27.0	-100.0
装卸搬运和仓储业	Loading, Unloading and Storage	-11.2		315.8	-100.0	-13.3	-11.5
邮政业	Post	190.5				190.5	
住宿和餐饮业	**Hotels and Catering Services**	**37.8**	**-100.0**	**-19.2**		**46.3**	**4.8**
住宿业	Hotels	40.3	-100.0	-33.3		60.2	-100.0
餐饮业	Catering Services	27.3				-2.7	
信息传输、软件和信息技术服务业	**Information Transmission, Software and Information Technology**	**62.6**	**14.3**	**79.5**		**67.5**	**-39.9**
电信、广播电视和卫星传输服务	Telecommunication, Radio and Television and Satellite Transmission Service	83.1		-100.0		78.8	
互联网和相关服务	Internet and Related Service	75.1		108.8		79.3	-9.1
软件和信息技术服务业	Software and Information Technology	56.3	14.3	-46.5		64.5	-81.3

9-14 续表 2 continued

单位：% (%)

指　　标	Item	本年实际到位资金 Actual Funds for Investment	国家预算资金 State Budget	国内贷款 Domestic Loans	利用外资 Foreign Investment	自筹资金 Self-raising Funds	其他资金 Other Funds
金融业	**Financial Intermediation**	**-80.2**				**-100.0**	
货币金融服务	Monetary and Financial Service	42.1					
资本市场服务	Capital Market Service	-100.0				-100.0	
保险业	Insurance	-100.0					
其他金融业	Other Financial Activities	33.8					
房地产业	**Real Estate**	**9.5**			**-60.9**	**1.4**	**2779.4**
租赁和商务服务业	**Leasing and Business Services**	**40.3**			**18.9**	**96.9**	**-100.0**
租赁业	Leasing	227.8					
商务服务业	Business Services	37.7			18.9	93.7	-100.0
科学研究和技术服务业	**Scientific Research and Technical Services**	**-8.2**			**-51.6**	**-32.3**	
研究和试验发展	Research and Experimental Development	-9.6				-100.0	
专业技术服务业	Professional Technical Services	-21.3			-34.7	-100.0	
科技推广和应用服务业	Science and Technology Popularization and Application Services	-1.8			-79.5	-23.4	
水利、环境和公共设施管理业	**Management of Water Conservancy, Environment and Public Facilities**	**20.7**			**58.5**	**111.7**	**648.6**
水利管理业	Management of Water Conservancy	121.6			-38.9	996.3	
生态保护和环境治理业	Ecological Protection and Environmental Treatment	0.5			2.0	114.3	-100.0
公共设施管理业	Management of Public Facilities	16.3			78.6	82.2	681.9
土地管理业	Management of Land	215.3			-50.1		
居民服务、修理和其他服务业	**Service to Households, Repair and Other Services**	**-30.8**			**-22.9**		
居民服务业	Services to Households	-38.3			99.3		
机动车、电子产品和日用产品修理业	Repair of Motor Vehicle, Electronics and Household Products	14.2					
其他服务业	Other Services	-32.1			-46.9		
教育	**Education**	**55.7**			**141.0**	**194.0**	**-100.0**
卫生和社会工作	**Health and Social Service**	**-7.2**			**18.0**	**124.5**	
卫生	Health	-5.6			18.5		
社会工作	Social Service	-18.2			-100.0	-63.0	
文化、体育和娱乐业	**Culture, Sports and Entertainment**	**7.1**			**-76.9**	**-42.2**	**-62.5**
新闻和出版业	Journalism and Publishing Activities	936.0					
广播、电视、电影和影视录音制作业	Radio, Television, Motion Picture and Videotape Programme Production Services	-59.9			-95.0	-100.0	
文化艺术业	Cultural and Art Activities	-10.4			-70.9	-100.0	
体育	Sports Activities	1.1			-75.6	43.1	-62.2
娱乐业	Entertainment	40.2				-28.3	-100.0
公共管理、社会保障和社会组织	**Public Management, Social Security and Social Organization**	**85.3**			**83.8**	**-43.2**	
中国共产党机关	Organs of Communist Party of China	-85.7					
国家机构	Government Agencies	84.4			74.3	-43.2	
人民政协、民主党派	People's Political Consultative Conference and Democratic Parties						
社会保障	Social Security						
群众团体、社会团体和其他成员组织	Mass Organizations, Social Organizations and Other Membership Organizations	70.4					
基层群众自治组织	Grass Roots Self-Governing Organizations	75.9					
国际组织	**International Organizations**						

9–15 分市农村农户固定资产投资比上年增长情况

Growth Rate of Investment in Fixed Assets of Rural Households over Preceding Year by City

单位：% (%)

市	City	2015	2016	2017	2018	2019
全 省	**Total**	**3.4**	**-24.4**	**-3.8**	**-8.2**	**-3.8**
石家庄市	Shijiazhuang	13.8	10.5	3.5	-22.8	3.7
#辛集市	Xinji	-1.2	1.1	-6.3	-14.3	-6.3
承 德 市	Chengde	-5.2	-25.4	7.3	-26.3	7.3
张家口市	Zhangjiakou	-3.0	-19.6	3.0	2.8	3.0
秦皇岛市	Qinhuangdao	6.4	-1.5	-4.1	-19.5	-4.1
唐 山 市	Tangshan	13.1	-19.1	-2.1	-3.4	-2.1
廊 坊 市	Langfang	9.8	-2.1	-0.7	1.7	-0.7
保 定 市	Baoding	-6.4	-30.9	-12.3	-1.6	-40.0
#定州市	Dingzhou	-9.4	-28.9	1.1	-4.6	-20.8
沧 州 市	Cangzhou	11.6	-25.4	-1.7	-15.5	-1.7
衡 水 市	Hengshui	4.1	-44.7	-7.9	5.4	-7.9
邢 台 市	Xingtai	-1.4	-32.5	-11.6	-6.2	-11.6
邯 郸 市	Handan	…	-36.2	-3.8	-7.6	-3.8

主要统计指标解释

全社会固定资产投资 是以货币形式表现的在一定时期内全社会建造和购置固定资产的工作量以及与此有关费用的总称。该指标是反映固定资产投资规模、结构和发展速度的综合性指标。全社会固定资产投资按登记注册类型可分为国有、集体、联营、股份制、私营和个体、港澳台商、外商、其他等。

固定资产投资（不含农户） 指城镇和农村各种登记注册类型的企业、事业、行政单位及城镇个体户进行的计划总投资500万元及以上的建设项目投资和房地产开发投资，包括原口径的城镇固定资产投资加上农村企事业组织项目投资，该口径自2011年起开始使用。

民间固定资产投资 指具有集体、私营、个人性质的内资企事业单位以及由其控股（包括绝对控股和相对控股）的企业单位在中华人民共和国境内建造或购置固定资产的投资。

基础设施投资 指为社会生产和生活提供基础性、大众性服务的工程和设施，是社会赖以生存和发展的基本条件。包括以下行业投资：铁路运输业、道路运输业、水上运输业、航空运输业、管道运输业、多式联运和运输代理业、装卸搬运业、邮政业、电信广播电视和卫星传输服务业、互联网和相关服务业、水利管理业、生态保护和环境治理业、公共设施管理业。

实际到位资金 指用于固定资产投资的各种货币资金。包括国家预算资金、国内贷款、利用外资、自筹资金和其他资金。

国家预算资金 国家预算包括一般预算、政府性基金预算、国有资本经营预算和社保基金预算。各类预算中用于固定资产投资的资金全部作为国家预算资金填报，其中一般预算中用于固定资产投资的部分包括基建投资、车购税、灾后恢复重建基金和其他财政投资。各级政府债券也应归入国家预算资金。

国内贷款 指报告期固定资产投资项目单位向银行及非银行金融机构借入用于固定资产投资的各种国内借款，包括银行利用自有资金及吸收存款发放的贷款、上级拨入的国内贷款、国家专项贷款（包括煤代油贷款、劳改煤矿专项贷款等），地方财政专项资金安排的贷款、国内储备贷款、周转贷款等。

利用外资 指报告期收到的境外（包括外国及港澳台地区）资金(包括设备、材料、技术在内)。包括对外借款(外国政府贷款、国际金融组织贷款、出口信贷、外国银行商业贷款、对外发行债券和股票)、外商直接投资、外商其他投资(包括利用外商投资收益在国内进行固定资产再投资活动的资金)。不包括我国自有外汇资金(国家外汇、地方外汇、留成外汇、调剂外汇和国内银行自有资金发放的外汇贷款等)。各类外资按报告期的外汇牌价（中间价）折成人民币计算。

自筹资金 指固定资产投资单位在报告期收到的，由各企、事业单位筹集用于固定资产投资的资金，包括各类企事业单位的自有资金和从其他单位筹集的用于固定资产投资的资金，但不包括各类财政性资金、从各类金融机构借入资金和国外资金。

其他资金来源 指在报告期收到的除以上各种资金之外的用于固定资产投资的资金。包括社会集资、个人资金、无偿捐赠的资金及其他单位拨入的资金等。

固定资产投资按国民经济行业分 指根据其从事的社会经济活动性质对各类单位进行的分类。应根据建设项目建成投产后的主要产品种类或主要用途及社会经济活动种类来划分，不能根据项目单位本身的行业类别来划分。如果项目投产后有几种产品，应根据主要产品来确定行业类别。一般情况下，一个建设项目只能属于一种国民经济行业。

固定资产投资按隶属关系分 是按建设单位或企业、事业、行政单位的主管上级机关确定的。

（1）中央 是指中共中央、人大常委会和国务院各部、委、局、总公司以及直属机构直接领导的建设项目和企业、事业、行政单位。这些单位的固定资产投资计划由国务院各部门直接编制和下达，统一组织或委托下级实施。包括有中央垂直管理的部门（如国家统计局各级调查队）和中央直属企业、事业单位（如工商银行、中国电信、中国石油）等。

（2）地方 是由省（自治区、直辖市）、地（区、市、州、盟）、县（区、市、旗）三级政府及业务主管部门直接领导和管理的建设项目、企业、事业、行政单位。地方项目还包括不隶属以上各级政府及主管部门的建设项目和企业、事业单位，如外商投资企业和无主管部门的企业等。

固定资产投资按建设性质分 按整个建设项目情况来确定。建设项目的性质一般分为新建、扩建、改建和技术改造、单纯建造生活设施、迁建、恢复、单纯购置。农户投资不划分建设性质。

（1）新建 指从无到有“平地起家”开始建设的项目。现有企业、事业、行政单位投资的项目一般不属于新建。但如有的单位原有基础很小，经过建设后新增的固定资产价值超过该企业、事业、行政单位原有固定资产价值（原值）三倍以上的，也应作为新建。

（2）扩建 指在厂内或其他地点，为扩大原有产品的生产能力（或效益）或增加新的产品生产能力，而增建的生产车间（或主要工程）、分厂、独立的生产线等项目。行政、事业单位在原单位增建业务性用房（如学校增建教学用房、医院增建门诊部、病房等）也作为扩建。

现有企、事业单位为扩大原有主要产品生产能力或增加新的产品生产能力，增建一个或几个主要生产车间（或主要工程）、分厂，同时进行一些更新改造工程的，也应作为扩建。

（3）改建和技术改造 指现有企业、事业单位对原有设施进行技术改造或更新（包括相应配套的辅助性生产、生活福利设施）的建设项目。改建项目包括企业、事业单位为适应市场变化的需要，而改变企业的主要产品种类（如军工企业转民用产品等）的建设项目；原有产品生产作业线由于各工序（车间）之间能力不平衡，为填平补齐充分发挥原有生产能力而增建但不增加主要产品生产能力的建设项目。技术改造是指企业、事业单位在现有基础上用先进的技术代替落后的技术，用先进的工艺和装备代替落后的工艺和装备，以改变企业落后的技术经济面貌，实现以内涵为主的扩大再生产，达到提高产品质量、促进产品更新换代、节约能源、降低消耗、扩大生产规模、全面提高社会经效益的目的。技术改造具体包括以下内容：机器设备和工具的更新改造；生产工艺改革、节约能源和原材料的改造；厂房建筑和公共设施的改造；保护环境进行的“三废”治理改造；劳动条件和生产环境的改造等。

固定资产投资按构成分

（1）建筑工程 指各种房屋、建筑物的建造工程。这部分投资额必须兴工动料，通过施工活动才能实现，是固定资产投资额的重要组成部分。

（2）安装工程 指各种设备、装置的安装工程。

在安装工程中，不包括被安装设备本身价值。

（3）设备工器具购置 指报告期内购置或自制的，达到固定资产标准的设备、工具、器具的价值。新建单位及扩建单位的新建车间，按照设计或计划要求购置或自制的全部设备、工具、器具，不论是否达到固定资产标准均计入“设备工器具购置”中。

（4）其他费用 指在固定资产建造和购置过程中发生的，除建筑安装工程和设备、工器具购置投资完成额以外的应当分摊计入固定资产投资的费用，不指经营中财务上的其他费用。

Explanatory Notes on Main Statistical Indicators

Total Investment in Fixed Assets in the Whole Country refers to the volume of activities in construction and purchases of fixed assets of the whole country and related fees, expressed in monetary terms during the reference period. It is a comprehensive indicator which shows the size, structure and growth of the investment in fixed assets, providing a basis for observing the progress of construction projects and evaluating results of investment. Total investment in fixed assets in the whole country includes, by type of ownership, the investment by State-owned units, collective-owned units, joint ownership units, share-holding units, private units, individuals as well as investments by entrepreneurs from Hong Kong, Macao and Taiwan, foreign investors and others.

Investment in Fixed Assets (Excluding Rural Households) refers to the investment in construction projects with a total planned investment of 5 million yuan and over by enterprises of various ownerships, institutions, administrative units and urban self-employed individuals, and the investment in real estate development in both urban and rural areas. Since 2011, it covers the urban investment in fixed assets under the previous statistical coverage plus project investments by rural enterprises and institutions.

Non-governmental Investment in Fixed Assets refers to the investment in the construction or purchase of fixed assets in the territory of the People's Republic of China by domestic-funded enterprises and institutions with collective, private and personal nature and by enterprises and institutions controlled by them (including absolute and relative holding).

Infrastructure Investment refers to projects and facilities that provide basic and popular services for social production and life. It is the basic condition for the survival and development of society. It includes: railway transport, road transport, water transport, air transport, pipeline transport, multimodal transport and transport agent Intermodality and Forwarding Agency, loading and unloading, posts, telecommunications, radio and television and satellite transmission services, Internet and related services, water management industry, ecological protection and environmental governance, public facilities management.

Actual Funds for Investment refer to all kinds of monetary funds used for fixed assets investment. It includes state budget funds, domestic loans, foreign capital utilization, self-raising funds and other funds.

Fund from the State Budget State budget consists of general budget, government fund budget, operation budget of state-owned assets and social security fund budget. Funds for investment in fixed assets from various budgets are reported as fund from the state budget, of which, the general budget utilized on fixed assets investment includes investment on infrastructure construction, vehicle purchase tax, post-disaster restoration and reconstruction funds and other financial investment. Government bonds at all levels should also be included.

Domestic Loans refer to loans of various forms borrowed by investing units from banks and non-bank financial institutions during the reference period for the purpose of investment in fixed assets, including loans issued by banks from their self-owned funds and deposit, loans appropriated by higher responsible authorities, special loans by government (including loan for substituting petroleum with coal, special loans for reform-through-labour coal mines), loans arranged by local government from special funds, domestic reserve loan, and revolving loan, etc.

Foreign Investment refers to overseas (including foreign countries, Hongkong, Macao and Taiwan) funds received during the reference period (covering equipment, materials and technology), including foreign borrowings (loans from foreign governments and international financial institutions, export credit, commercial loans from foreign banks, issue of bonds and stocks overseas), foreign direct investment and other foreign investments (including funds from foreign direct investment income that are reinvested in fixed assets domestically). Excluded from this category is capital in foreign exchanges owned by China (foreign exchanges owned by the central and local governments, foreign exchanges retained by enterprises, foreign exchanges by enterprises through the regulating mechanism, loans in foreign exchanges issued by the Bank of China with its own fund, etc.). In calculating the utilization of foreign capital, foreign currencies are converted into Chinese Renminbi applying the exchange rate (central parity rate) at the end of the reference period.

Self-raised Funds refer to funds for investment in fixed assets received during the reference period by investing units, including investment in fixed assets using own funds of various enterprises and institutions or funds raised from other units other than financial funds, funds borrowed from financial institutions and overseas funds.

Other Funds refer to funds for investment in fixed assets received from sources other than those listed above, including funds raised from individuals and through donations, and funds transferred from other units.

Investment in Fixed Assets by Sector refers to the classification of investment by the nature of social economic activities the investing units are engaged in. The classification of construction projects by sector is determined by the major products or the purpose of the projects when they are put into production or use, and by the nature of their social economic activities, instead of being determined by industrial classification of the project enterprises. The project will be classified according to major product if there are several kinds of products yielded. In general, one project can only be classified into one sector.

Investment in Fixed Assets by Jurisdiction of Management refers to the classification of investment by the competent authorities under which investment is made by construction units, enterprises, institutions or administrative units.

(1) Central investment refers to the investment in projects or by enterprises, institutions or administrative units which are under the direct leadership and management of the State Council and of the national commissions, ministries, agencies and State-owned large corporations. Various ministries and departments of the State Council prepare and implement plans through unified organization or lower-level commissions, which include departments direct under central government (i.e. survey offices at all level of the National Bureau of Statistics) and enterprises and institutions directly under central government (like the Industrial and Commercial Bank of China, China Telecom and China National Petroleum Corporation).

(2) Local investment refers to the investment in projects or by enterprises, institutions or administrative units which are under the direct leadership and management of competent departments and governments at the level of province (autonomous regions and municipalities directly under the Central Government), prefecture （prefectures, cities and leagues） and county (districts, cities and banners). Also included are projects by foreign-invested enterprises and enterprises without competent managing authorities.

Investment in Fixed Assets by Type of Construction Construction projects in general can be classified, by the type of construction, into new construction, expansion, reconstruction and technical transformation, purely construction of living facilities, moving, restoration and purely purchasing. However, investment by type of construction is not applied to investment by real-estate development units and investment by rural households.

(1) New construction in general refers to construction projects, which start from scratch. The existing projects invested by enterprises, institutions and administrative agencies cannot be classified as new construction. In case the size of the existing unit is quite small, and the value of newly added fixed assets is more than three times of the original value, the expansion will be considered as new construction.

(2) Expansion refers to projects of construction of new production workshop, branch factory or independent production line within a factory or in other locations, for the purpose of increasing the production capacity (or improving efficiency) or adding new production capacity. Newly constructed accommodation for the operation of institutions and administrative organizations (such as newly constructed buildings for teaching in schools, buildings for clinics or wards in hospitals, etc.) are also classified as expansion.

Also included in expansion are investments by existing enterprises or institutions in building major production line(s) or branch factory (ies) along with some work on innovation, for the purpose of expanding the production capacity of original products or producing new products.

(3) Reconstruction and technical transformation refers to construction projects by existing enterprises or institutions in innovation or technical transformation of the old facilities (including auxiliary production equipment and welfare facilities). Also considered as reconstruction is the construction of new workshops by the existing enterprises or institutions to change the variety of products to meet the market demand (such as the production of civil products by defence industries), or to bring the designed production capacity into full play through a more balanced production process on production lines. Technical transformation refers to replacement of old technology or equipment by new technology or equipment, in order to expand the reproduction through improvement of technology contents in production, to improve product quality, to promote new products, to save energy, to reduce consumption, to expand the production scale and to improve overall social-economic efficiency. Contents of technical transformation include: updating of machinery, equipment and tools; reforming production process by using energy or materials saving technology; construction of factory workshops and transformation of public facilities; treatment transformation of "three wastes" (waste gas, waste water and industrial residue) aiming at environmental protection; improvement of working conditions and environment, etc.

Investment in Fixed Assets by Structure

(1) Construction refers to the construction of houses and buildings, also known as work volume of construction. This part of investment can only be achieved through construction activities, it is the major component of the total investment in fixed assets.

(2) Installation refers to the installation of various kinds of equipment and instruments, also known as work volume of installation.

The value of equipment installed itself is not included in the value of installation projects.

(3) Purchase of equipment and instruments refers to the total value of equipment, tools, and instruments purchased or self-produced which come up to the cut-off point for fixed assets during the reference period. Equipment, tools and instruments purchased or self-produced for new workshops by newly established or expanded units are categorized as "purchase of equipment and instruments" no matter whether they come up to the cut-off point for fixed assets.

(4) Other expenses refer to expenses arising during the construction or purchase of fixed assets other than those expenses on construction, installation and purchase of equipment and instruments. Other financial expenses arising in operation are not included.

The Newly Increased Production Capacity (project efficiency) of Current Year refers to the production capacity (project efficiency) that has been completed and put into operation in current year according to the calculation conditions and standards on newly increased production capacity (project efficiency).

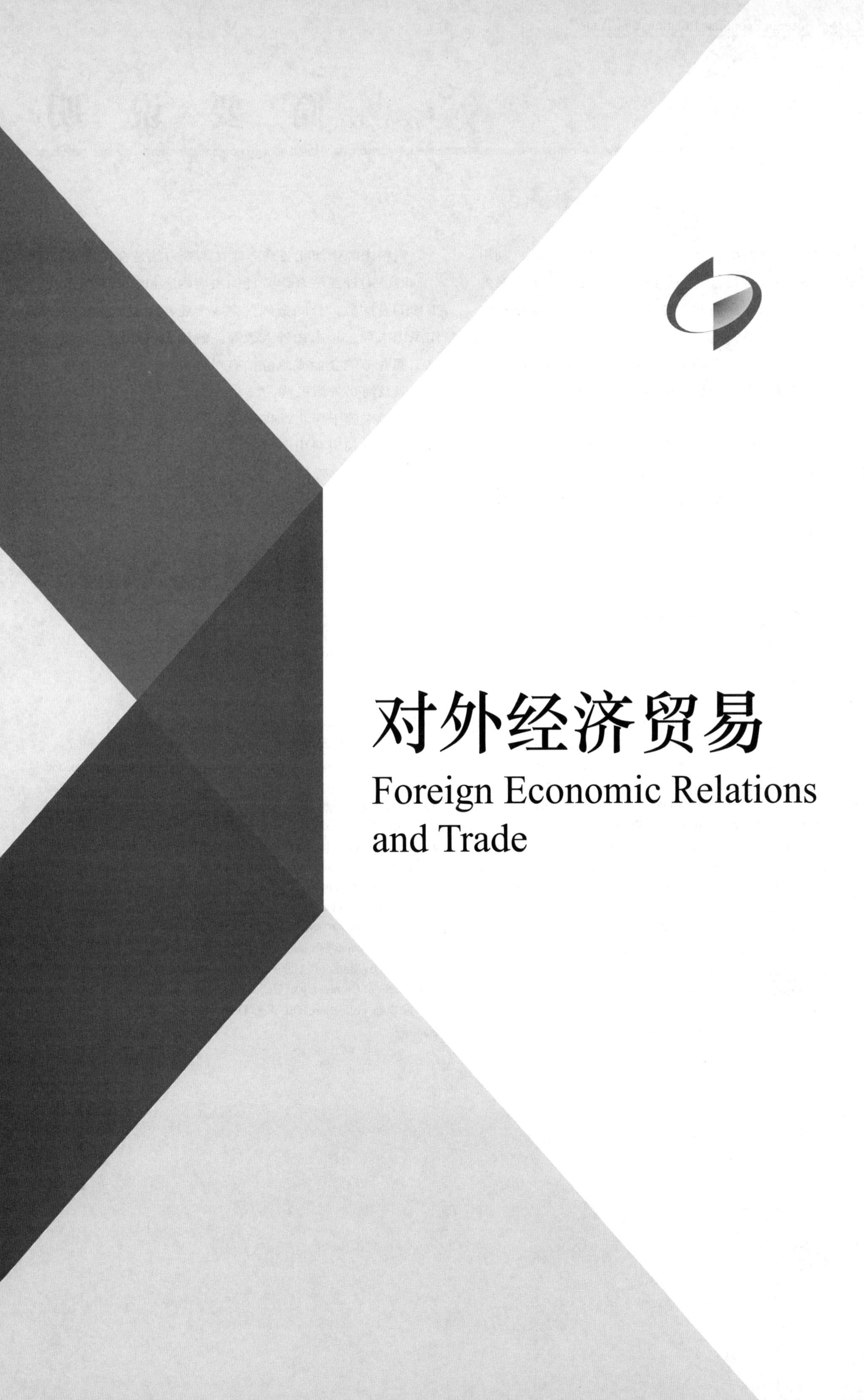

对外经济贸易

Foreign Economic Relations and Trade

简 要 说 明

一、本篇资料综合反映河北省对外经济贸易、利用外资、对外直接投资、对外经济合作的发展状况。对外经济贸易主要指标由河北省统计局贸易外经处根据石家庄海关提供的资料整理。

二、利用外资统计的主要内容包括：实际使用外资情况，外商投资企业登记注册情况。资料来源于省商务厅。

三、对外直接投资部分的统计范围主要包括境内投资者通过直接投资方式在境外拥有或控制10%或以上股权、投票权或其他等价利益的各类公司型和非公司型的境外直接投资企业。

资料来源于河北省商务厅，调查方法是全面调查。

四、对外经济合作统计的主要内容包括：对外承包工程的合同数、合同金额、完成营业额以及对外劳务合作派出人数、年末在外人数等。统计范围是发生对外承包工程业务的企业或单位，有对外劳务合作经营资格的企业以及海员外派机构。

资料来源于河北省商务厅，调查方法是全面调查。

五、本篇资料由河北省统计局贸易外经统计处、河北省商务厅整理提供。

六、资料整理：杜玮　董昱含　智孟伟　常晓玲

Brief Introduction

Ⅰ.The data in this chapter comprehensively reflects the development status of Hebei's foreign economic trade, foreign capital utilization, foreign direct investment and foreign economic cooperation.The main indicators of foreign economic relations and trade are compiled by the Foreign Economic Relations Division of Hebei Provincial Statistics Bureau according to the data provided by Shijiazhuang Customs.

Ⅱ.The main contents of the statistics on the utilization of foreign capital include: the actual utilization of foreign capital and the registration of foreign-invested enterprises. Data from the Provincial Department of Commerce.

Ⅲ.The statistical scope of OFDI mainly includes all kinds of foreign direct investment enterprises of corporate type and non-corporate type that domestic investors own or control 10% or more equity, voting rights or other equivalent interests overseas through direct investment.

The data comes from the Department of Commerce of Hebei Province, and the survey method is comprehensive survey.

Ⅳ.The main contents of statistics on foreign economic cooperation include: the number of contracts contracted for foreign projects, the contract amount, the turnover completed, the number of personnel dispatched for foreign labor cooperation, and the number of personnel traveling at the end of the year. The statistical scope includes enterprises or units engaged in foreign contracted projects, enterprises with operation qualifications of foreign labor cooperation and seafarers' dispatched institutions.

The data comes from the Department of Commerce of Hebei Province, and the survey method is comprehensive survey.

Ⅴ. This paper is compiled and provided by Trade and Economic Statistics Division of Hebei Province Statistics Bureau and the Department of Commerce of Hebei Province.

Ⅵ.Data collection: Du Wei, Dong Yuhan, Zhi Mengwei, Chang Xiaoling.

10-1 海关进出口贸易总额
Total Value of Imports and Exports by Customs

单位：万美元 (USD 10000)

年 份 Year	进出口贸易总额 Total Value of Imports and Exports	出口总额 Total Exports	进口总额 Total Imports	进出口差额(+、-) Balance
1989	219587	179905	39682	140223
1990	226785	190069	36716	153353
1991	240550	202052	38498	163554
1992	246227	194801	51426	143375
1993	243727	167991	75736	92255
1994	316065	230303	85762	144541
1995	392804	286635	106169	180466
1996	420412	308989	111423	197566
1997	411928	325480	86448	239032
1998	422917	311632	111286	200346
1999	458038	311957	146081	165876
2000	523460	370685	152775	217910
2001	573775	395613	178163	217450
2002	666565	459402	207163	252239
2003	897892	592863	305029	287834
2004	1352624	934031	418593	515438
2005	1607132	1092685	514447	578238
2006	1852616	1283469	569147	714322
2007	2553848	1701651	852197	849454
2008	3841850	2402981	1438870	964111
2009	2961131	1569129	1392002	177127
2010	4193116	2257003	1936113	320890
2011	5359910	2858386	2501524	356862
2012	5054790	2960384	2094405	865979
2013	5488298	3096268	2392030	704238
2014	5988289	3571347	2416942	1154405
2015	5148154	3293870	1854284	1439586
2016	4662322	3057706	1604616	1453090
2017	4981003	3135882	1845122	1290760
2018	5387795	3398752	1989043	1409709
2019	5803745	3437792	2365953	1071838

10-2 进出口总值分类
Total Value of Imports and Exports by Category

单位：万美元 (USD 10000)

项目	Item	2015	2016	2017	2018	2019
出口总值	**Exports**	**3293870**	**3057706**	**3135882**	**3398752**	**3437792**
#机电产品	Electrical and Mechanical Products	879447	826925	957718	1145591	1228869
总值中：	Among Exports					
国有企业	State-owned Enterprises	507371	438606	474069	491709	472485
三资企业	Foreign Funded Enterprises	768923	605499	565248	562176	467227
集体企业	Collective Owned Enterprises	43320	58077	46489	43318	31821
私营企业	Private Enterprises	1944731	1934778	2017143	2272752	2442779
其他企业	Others	19	4			1960
进口总值	**Imports**	**1854284**	**1604616**	**1845122**	**1989043**	**2365953**
#机电产品	Electrical and Mechanical Products	274730	296476	294887	443005	280658
总值中：	Among Imports					
国有企业	State-owned Enterprises	387865	386606	477769	530950	791001
三资企业	Foreign Funded Enterprises	628930	512291	491736	429718	392352
集体企业	Collective Owned Enterprises	57719	41858	29796	37316	59015
私营企业	Private Enterprises	779574	663162	845576	990700	1123175
其他企业	Others	36	70		3	233

10-3 分贸易方式进出口货物总值
Total Value of Imports and Exports by Type

单位：万元 (10000 yuan)

贸易方式	Type	出口 Exports			进口 Imports		
		2015	2018	2019	2015	2018	2019
总值	**Total**	**20420649**	**22429602**	**23703271**	**11503159**	**13086500**	**16312821**
一般贸易	Ordinary Trade	17948701	19700326	20200876	10570775	11767994	14510974
租赁贸易	Renting Trade	871		1383	1	190	903
来料加工装配贸易	Processing and Assembling Raw Material Supplied by Foreign Firms	346018	400765	404758	239896	265736	297648
进料加工贸易	Processing Imported Raw Materials	1693721	1345220	1351106	511400	559712	642240
外商投资企业作为投资进口的设备物品	Equipment and Articles for Investment and Import from Foreign-invested Enterprises				61885	17244	7734
出料加工贸易	Processing Exported Raw Materials	56			19		
保税监管场所进出境货物	Bonded Cargo Entry and Exit Monitoring Sites	13098	69918	209859	69895	396065	620326
海关特殊监管区域物流货物	Customs Supervision of Goods Logistics	151454	174949	460337	38124	65830	212718
国家间、国际组织无偿援助和赠送的物资	Free Assistance and Gifts from Countries and International Organizations	6870	26927	41003			
华侨、港澳台同胞、外籍华人捐赠物资	Assistant Goods from Overseas Chinese Compatriots from Hong Kong,Macao and Taiwan						
来料加工装配进口的设备	Assembling Imported Equipment				197	3	
对外承包工程出口货物	Exported Commodities for Contracted Projects	256502	357030	273260			
其他	Others	3287	354468	760531	10499	13706	18641

10−4　进出口主要商品情况
Statistics on Imports and Export of Commodities

单位：万美元　　(USD 10000)

项　目	Item	2015	2016	2017	2018	2019
出口主要商品	**Export of Commodities**					
机电产品	Electrical and Mechanical Products	879447	826925	957718	1145591	1228869
高新技术产品	High-tech Products	236161	189528	218565	286204	304841
服装及衣着附件	Garments and Clothing Accessories	382108	367263	417943	427156	403104
纺织纱线、织物及制品	Textile Yarns, Fabrics and Related Products	162700	167316	189308	195782	203951
鞋类	Footwear	18812	17382	18577	16060	17782
家具及其零件	Furniture and Related Parts	74053	78298	90286	94200	103175
塑料制品	Plastics Products	23433	22754	27209	30864	42375
进口主要商品	**Import of Commodities**					
机电产品	Electrical and Mechanical Products	274730	296476	294887	443005	280658
高新技术产品	High-tech Products	92100	107464	100248	250172	134164
钢材	Rolled Steel	14981	11951	10181	13151	8600

10−5　石家庄海关按贸易方式分进出口商品总额
Total Value of Imports and Exports through Shijiazhuang Customs by Trade System

单位：万美元　　(USD 10000)

年　份 Year	一般贸易 Ordinary Trade		加工贸易 Processing Trade		其他贸易 Others	
	出　口 Exports	进　口 Imports	出　口 Exports	进　口 Imports	出　口 Exports	进　口 Imports
2000	301994	103967	67990	31558	3	136
2001	334620	127234	59057	29080	7	100
2002	386892	152537	67331	38453	98	121
2003	498600	230573	87958	51155	5	165
2004	814664	310919	112621	63899		225
2005	934921	403849	145311	75709	8	182
2006	1087143	453300	174552	80613	58	239
2007	1439235	686524	233864	123066	193	436
2008	2007767	1187130	340108	153103	167	734
2009	1232708	1228780	285241	115779	125	953
2010	1799712	1719740	409743	177965	743	1199
2011	2389590	2204243	419651	202084	782	1611
2012	2490598	1831041	414373	184802	851	2204
2013	2612374	2097053	411327	211086	399	1437
2014	3101926	2097904	422137	209222	489	1199
2015	2894593	1703796	329203	121279	533	1679
2016	2784184	1487674	231262	93769	1541	1528
2017	2763443	1680549	241750	108833	48834	1159
2018	2986214	1790045	263563	125375	53829	2080
2019	2929787	2105164	254659	135998	110570	2726

10−6 石家庄海关按国别(地区)分的进出口商品总额
Import and Export Value through Shijiazhuang Customs by Country and Region

单位：万美元 (USD 10000)

国别(地区)	Country (Region)	2018			2019		
		进出口 Total Imports and Exports	出口 Exports	进口 Imports	进出口 Total Imports and Exports	出口 Exports	进口 Imports
合　计	**Total**	**5387795**	**3398752**	**1989043**	**5803745**	**3437792**	**2365953**
亚　洲	**Asia**	**2012983**	**1424136**	**588846**	**2138235**	**1544442**	**593793**
阿富汗	Afghanistan	1222	1214	8	1098	1061	36
巴林	Bahrain	10767	10757	10	14180	9271	4909
孟加拉国	Bangladesh	42500	39309	3191	36314	32910	3403
不丹	Bhutan	1	1		26	26	
文莱	Brunei	1390	1390		511	511	0
缅甸	Myanmar	18948	18859	89	15652	15434	218
柬埔寨	Cambodia	11889	2508	9381	13329	7299	6029
塞浦路斯	Cyprus	754	750	4	1230	1200	30
朝鲜	Korea DPR	312	311	0	1865	1865	
香港	Hong Kong,China	87118	68302	18816	123042	102486	20556
印度	India	183723	147966	35757	188942	134922	54020
印度尼西亚	Indonesia	91194	74221	16973	83758	63980	19778
伊朗	Iran	18923	18289	634	13452	12691	761
伊拉克	Iraq	15123	15123		22361	22357	4
以色列	Israel	26000	20803	5197	27079	22389	4689
日本	Japan	288387	167619	120768	225784	149565	76219
约旦	Jordan	8048	8048	0	5945	5945	0
科威特	Kuwait	8004	7506	498	9369	7696	1673
老挝	Laos	1887	1505	382	6945	3079	3867
黎巴嫩	Lebanon	2617	2612	5	2056	2056	0
澳门	Macao,China	673	673		516	516	
马来西亚	Malaysia	68906	52807	16099	147014	64483	82532
马尔代夫	Maldives	670	670		597	597	
蒙古	Mongolia	12390	4123	8268	14187	5858	8328
尼泊尔	Nepal	2759	2756	3	3829	3826	3
阿曼	Oman	8463	6939	1523	20098	11126	8972
巴基斯坦	Pakistan	41164	39512	1652	39309	37548	1761
巴勒斯坦	Palestine	81	81		122	122	
菲律宾	Philippines	70177	67520	2657	73232	68033	5200
卡塔尔	Qatar	6438	5578	860	13232	7232	6000
沙特阿拉伯	Saudi Arabia	54136	34439	19697	70167	59560	10607
新加坡	Singapore	35761	32230	3531	52907	49158	3749
韩国	Korea Rep.	365409	200095	165314	313480	222652	90828
斯里兰卡	Sri Lanka	12621	12394	227	13695	13317	378
叙利亚	Syrian	1627	1627		1560	1560	
泰国	Thailand	82514	65052	17461	90206	69004	21202
土耳其	Turkey	43931	39894	4037	45018	41559	3459
阿联酋	United Arab Emirates	138692	50842	87849	156168	68620	87548
也门	Republic of Yemen	5401	5401		9342	9342	
越南	Vietnam	114690	108725	5965	131676	117016	14660
中国	China	5750		5750	8350		8350
台湾省	Taiwan, China	81716	48470	33246	88975	46739	42237
东帝汶	East Timor	155	155		372	372	
哈萨克斯坦	Kazakhstan	20065	18685	1380	19882	19303	579
吉尔吉斯斯坦	Kirghizia	9933	9804	128	18303	18200	103
塔吉克斯坦	Tadzhikistan	2068	1984	84	2873	2873	
土库曼斯坦	Turkmenistan	760	255	506	1566	946	620
乌兹别克斯坦	Uzbekistan	7227	6330	897	8620	8135	485
非　洲	**Africa**	**306364**	**244324**	**62040**	**325560**	**240418**	**85142**
阿尔及利亚	Algeria	36165	36155	10	20108	20106	2
安哥拉	Angola	3230	3142	89	3228	3139	89
贝宁	Benin	3629	3325	304	3155	2976	179
博茨瓦纳	Botswana	386	386		403	403	
布隆迪	Burundi	270	173	97	185	170	16
喀麦隆	Cameroon	4788	4787	2	3314	3301	14
加那利群岛	Canary Is.	0	0		1	1	

10-6 续表 1 continued

单位：万美元 (USD 10000)

国别(地区)	Country (Region)	2018 进出口 Total Imports and Exports	2018 出口 Exports	2018 进口 Imports	2019 进出口 Total Imports and Exports	2019 出口 Exports	2019 进口 Imports
佛得角	Cape Verde	134	134		122	122	
中非共和国	Central Africa	4	4		29	29	
塞卜泰(休达)	Ceuta	12	12				
乍得	Chad	1379	1379		1923	1923	
科摩罗	Comoros	59	59		166	166	
刚果(布)	Congo (B)	257	247	10	522	507	14
吉布提	Djibouti	3919	3919		4220	4220	
埃及	Egypt	24062	23783	279	19123	18996	127
赤道几内亚	Eq. Guinea	68	68		174	174	
埃塞俄比亚	Ethiopia	7258	6147	1111	8565	7159	1406
加蓬	Gabon	1100	466	635	1102	515	587
冈比亚	Gambia	1065	1065		1208	1208	
加纳	Ghana	13672	13444	228	14362	13170	1192
几内亚	Guinea	2305	2305		3994	3383	611
几内亚比绍	Guinea Bissau	350	350		79	79	
科特迪瓦	Cote d'Lvoire	5000	3899	1101	8035	4596	3438
肯尼亚	Kenya	9298	9097	202	10360	10173	186
利比里亚	Liberia	7282	7282		1593	1593	
利比亚	Libyan	1837	1826	11	3163	3163	
马达加斯加	Madagascar	6243	6036	207	5400	5215	185
马拉维	Malawi	406	406		414	414	
马里	Mali	1195	1195		2208	2198	10
毛里塔尼亚	Mauritania	1944	1060	884	1190	1183	7
毛里求斯	Mauritius	1258	1242	16	1360	1360	0
摩洛哥	Morocco	6136	4894	1241	9937	9047	890
莫桑比克	Mozambique	3113	3045	68	5203	4537	666
纳米比亚	Namibia	562	562		260	260	1
尼日尔	Niger	764	764		1096	1096	
尼日利亚	Nigeria	34331	34082	248	42156	41280	876
留尼汪	Reunion	308	308		279	279	
卢旺达	Rwanda	288	234	54	668	642	26
圣多美和普林西比	Sao Tome & Principe	21	21		16	16	
塞内加尔	Senegal	6874	5120	1754	9540	4167	5373
塞舌尔	Seychelles	52	52		48	48	
塞拉利昂	Sierra Leone	538	538		618	618	0
索马里	Somalia	891	881	10	1871	1859	12
南非	S. Africa	79383	32886	46497	100536	36134	64402
苏丹	Sudan	5386	5313	74	4706	4610	96
坦桑尼亚	Tanzania	9301	8376	925	9179	7421	1759
多哥	Togo	2476	2337	140	2847	2410	437
突尼斯	Tunisia	3891	3261	630	5106	3966	1140
乌干达	Uganda	1741	1723	18	4156	4143	13
布基纳法索	Burkina Faso	851	851		925	837	88
刚果(金)	Congo(J)	2863	2785	78	2981	2977	4
赞比亚	Zambia	4698	753	3945	665	538	128
津巴布韦	Zimbabwe	2485	1311	1175	2086	919	1167
莱索托	Lesotho	299	299	0	40	40	0
梅利利亚	Melilla	74	74				
斯威士兰	Swaziland	215	215	0	398	398	
厄立特里亚	Eritrea	170	170		235	235	
马约特	Mayo Is.	34	34		39	39	
南苏丹共和国	S. Sudan	43	43		265	265	0
欧　洲	**Europe**	**1134059**	**835160**	**298899**	**1113941**	**846674**	**267267**
比利时	Belgium	36551	32275	4276	42039	37610	4430
丹麦	Denmark	17016	6955	10061	15550	7373	8176
英国	United Kingdom	90481	58410	32072	70713	65038	5674
德国	Germany	203783	104047	99736	171236	107158	64078
法国	France	52897	41230	11668	52166	40500	11667

10-6 续表 2 continued

单位：万美元 (USD 10000)

国别(地区)	Country (Region)	2018 进出口 Total Imports and Exports	2018 出口 Exports	2018 进口 Imports	2019 进出口 Total Imports and Exports	2019 出口 Exports	2019 进口 Imports
爱尔兰	Ireland	5585	3288	2297	4710	3036	1674
意大利	Italy	83739	71539	12200	77443	67806	9638
卢森堡	Luxembourg	1518	286	1232	1370	227	1143
荷兰	Netherlands	76881	62486	14395	80399	72943	7456
希腊	Greece	5533	5361	172	9279	8923	356
葡萄牙	Portugal	11472	6936	4536	13589	7809	5780
西班牙	Spain	47310	40528	6783	47308	42564	4743
阿尔巴尼亚	Albania	1001	768	232	1593	1142	451
安道尔	Andorra	1	1		17	3	13
奥地利	Austria	14544	2930	11614	14764	4399	10365
保加利亚	Bulgaria	2548	2185	363	2444	2283	161
芬兰	Finland	13096	4698	8397	9513	4759	4753
直布罗陀	Gibraltar	1	1		1	1	
匈牙利	Hungary	5102	2808	2294	3442	2384	1058
冰岛	Iceland	213	207	6	176	176	0
列支敦士登	Liechtenstein	35	2	33	90	1	88
马耳他	Malta	656	646	9	4325	3973	352
摩纳哥	Monaco	2	0	2	12	11	2
挪威	Norway	3929	3419	510	5746	3164	2582
波兰	Poland	25000	22480	2519	28713	25087	3626
罗马尼亚	Romania	6771	4455	2316	6617	4335	2282
圣马力诺	Sanmarino	12	12		19	19	
瑞典	Sweden	28304	11933	16371	29432	14889	14543
瑞士	Switzerland	7304	3796	3508	7143	3398	3745
爱沙尼亚	Estonia	1276	1271	6	1165	1152	13
拉脱维亚	Latvia Armenia	2263	2188	75	1844	1772	72
立陶宛	Lithuania	2885	2850	35	2379	2348	31
格鲁吉亚	Georgia	1174	1167	7	1824	1820	4
亚美尼亚	Armenia	253	253		279	279	
阿塞拜疆	Azerbaijan	1306	1306		1134	1132	1
白俄罗斯	Belorussia	1757	1290	467	2843	2803	40
摩尔多瓦	Moldavia	203	197	6	241	227	14
俄罗斯联邦	Russia	334301	300818	33483	328812	270416	58397
乌克兰	Ukraine	23195	13200	9996	47591	17045	30546
斯洛文尼亚	Slovenia	7548	6371	1177	6516	5445	1072
克罗地亚	Croatia	1500	1397	102	1629	1542	86
捷克	Czech	9323	6359	2965	11329	7360	3968
斯洛伐克	Slovakia	2694	962	1731	2302	750	1552
前南马其顿	Macedonia	164	157	7	89	88	1
波黑	Bosnia&Hercegovina	111	106	4	83	83	0
塞尔维亚	Serbie	1555	1521	35	1213	1182	31
黑山	Montenegro	1265	66	1199	2819	218	2602
拉丁美洲	**Latin America**	**578378**	**255643**	**322735**	**658070**	**243491**	**414579**
安提瓜和巴布达	Antigua & Barbuda	7	7		483	483	
阿根廷	Argentina	10905	9976	929	23390	8901	14490
阿鲁巴岛	Aruba	84	84		61	61	
巴哈马	Bahamas	58	58		83	83	
巴巴多斯	Barbados	180	180	0	217	216	0
伯利兹	Belize	140	140		671	671	
玻利维亚	Bolivia	2126	1880	246	2955	2321	635
巴西	Brazil	345033	55236	289796	418948	53269	365679
开曼群岛	Cayman Islands	39	39		3	3	
智利	Chile	53426	40485	12940	40942	35023	5920
哥伦比亚	Colombia	12123	11986	137	19479	14142	5336
多米尼克	Dominica	14	14		29	29	
哥斯达黎加	Costa Rica	3129	2851	278	2981	2617	364
古巴	Cuba	539	539		253	253	

10−6 续表 3 continued

单位：万美元 (USD 10000)

国别(地区)	Country (Region)	2018			2019		
		进出口 Total Imports and Exports	出口 Exports	进口 Imports	进出口 Total Imports and Exports	出口 Exports	进口 Imports
库腊索岛	Curacao	113	113		97	97	
多米尼加共和国	Dominica Rep.	4144	4143	1	4728	4667	60
厄瓜多尔	Ecuador	18816	16102	2714	18382	12678	5704
法属圭亚那	French Guyana	33	33		48	48	
格林纳达	Grenada	11	11		16	16	
瓜德罗普	Guadaloupe	224	224		351	351	
危地马拉	Guatemala	7193	5440	1753	4066	4066	0
圭亚那	Guyana	666	662	3	741	740	1
海地	Haiti	1375	1375		1456	1456	0
洪都拉斯	Honduras	2734	2734	0	6158	6158	0
牙买加	Jamaica	806	806		1740	1046	694
马提尼克	Martinique	21	21		10	10	
墨西哥	Mexico	52860	51588	1272	50573	47387	3186
尼加拉瓜	Nicaragua	1187	1187		923	923	0
巴拿马	Panama	5536	5523	13	6829	6779	50
巴拉圭	Paraguay	2373	2367	5	2307	2275	31
秘鲁	Peru	39686	30335	9351	34021	27234	6787
波多黎各	Puerto Rico	1060	1060	0	953	953	
圣卢西亚	Saint Lucia	24	24		15	15	
圣马丁岛	Saint Martin Is.	29	29		6	6	
圣文森特和格林纳丁斯	Saint Vincent & Grenadines	27	27		94	94	
萨尔瓦多	EL Salvador	2147	2119	28	1802	1785	17
苏里南	Suriname	258	249	9	375	375	
特立尼达和多巴哥	Trinidad & Tobago	879	879		1074	1074	
特克斯和凯科斯群岛	Tueks and Caicos Is.	1	1		0	0	
乌拉圭	Uruguay	5880	3982	1898	6600	3301	3298
委内瑞拉	Venezuela	2290	932	1359	4159	1832	2327
英属维尔京群岛	Br.VirginIS.	106	106		43	43	
圣其茨和尼维斯	St.Kitts-Nevis	14	14		1	1	
荷属安地列斯群岛	Netherlands Antilles	79	79		4	4	
拉丁美洲其他国家(地区)	Other Countries (region)	3	3		2	2	
北美洲	**North America**	**723149**	**565772**	**157377**	**584886**	**486942**	**97944**
加拿大	Canada	81336	53005	28332	74917	51252	23665
美国	United States	641552	512767	128785	509968	435689	74279
百慕大	Bermuda	0	0		1	1	
大洋洲	**Oceanic & Pacific**	**632855**	**73716**	**559138**	**983052**	**75824**	**907228**
澳大利亚	Australia	610900	60326	550574	6	6	
库克群岛	Cook Islands	4	4		877	877	0
斐济	Fiji	874	874		0	0	
新喀里多尼亚	New Caledonia	531	531	1	161	161	
瓦努阿图	Vanuatu	75	75		14894	9000	5894
新西兰	New Zealand	15191	8559	6632	16739	2493	14246
诺福克岛	Norfolk Is.				13	13	
巴布亚新几内亚	Papua New Guinea	4146	2215	1931	700	469	231
社会群岛	Society Islands	33	33		27	27	
所罗门群岛	Solomon Is.	380	380		90	90	
汤加	Tonga	32	32		18	18	
萨摩亚	Samoa	111	111		1	1	
基里巴斯	Kiribati	9	9		6	6	
密克罗尼西亚联邦	Micronesia FS	0	0		691	691	
马绍尔群岛	Marshall Is.	244	244		3	3	
帕劳共和国	Palau	20	20		217	217	
法属波利尼西亚	French Polynesia	277	277		0	0	
瓦利斯和浮图纳	Wallis and Budo Satisfied	2	2		46	46	
大洋洲其他国家(地区)	Other Countries	21	21		0	0	0
国别(地区)不详的	**Country (region) of Unknown**	**6**		**6**	**0**	**0**	**0**

10—7 利用外资协议合同(项目)和金额

Total Amount of Foreign Capital Utilized Through the Signed Agreements and Contracts

年 份 Year	协议合同(项目)(个) Projects (unit)				协议金额(万美元) Value (USD 10000)			
	合 计 Total	对外借款 Foreign Loans	外商直接投资 Direct Foreign Investment	外商其他投资 Other Foreign Investment	合 计 Total	对外借款 Foreign Loans	外商直接投资 Direct Foreign Investment	外商其他投资 Other Foreign Investment
1984	22		7	15	904		174	730
1985	53	1	39	13	4804	175	4093	536
1986	31		17	14	1751		1011	740
1987	25		25		4539		4233	306
1988	91		91		19962		18689	1273
1989	73		73		9486		6310	3176
1990	110		110		8877		8593	284
1991	322		322		16351		16161	190
1992	1428	65	1363		144090	8972	133253	1865
1993	1975	58	1917		193358	24149	169052	157
1994	1096	27	1069		148462	60125	88014	323
1995	1220	16	1204		188794	19445	168656	693
1996	923	17	906		210368	30777	179216	375
1997	742	11	731		172670	20175	142088	10407
1998	652	9	643		128467	12004	111611	4852
1999	530	6	524		113879	21645	91057	1177
2000	510	9	501		94822	19624	72445	2753
2001	507	4	503		107759	3332	99763	4664
2002	482	8	474		136259	3540	127929	4790
2003	586	13	573		251313	27703	196502	27108
2004	603	9	594		244704	2614	214731	26702
2005	581	4	577		272736	742	253154	18840
2006	447	1	446		177048	495	150625	25928
2007	369		369		357085		311892	45193
2008	252	4	248		300118	495	288913	10710
2009	215		215		266027		260727	5300
2010	248	2	246		376971	1417	329314	46240
2011	199	4	195		477064	1555	422376	53133
2012	197	1	196		415637	10000	388396	17241
2013	196	1	195		384587	495	368226	15866
2014	198		198		550329		496978	53351
2015	208		208		687096	7411	567962	111723
2016	162		162		413984	37570	334675	41739
2017	194		194		415341	36143	370705	8493
2018	246		246		620046	38220	557864	23962
2019	298		298		634205	14840	591259	28106

注：1990年以前年度数据为部门数，仅供参考使用。

a) The data for 1990 and before are from the ministries other than Hebei Bureau of Statistics. They are listed here as comparable data.

10-8 实际利用外资金额
Amount of Foreign Capital Actually Used

单位：万美元 (USD 10000)

年 份 Year	合 计 Total	对外借款 Foreign Loans	外商直接投资 Direct Foreign Investment	其他投资 Other Foreign Investment
1984	546	51	160	335
1985	1423	597	393	433
1986	1127		685	442
1987	1032		744	288
1988	1910		1673	237
1989	4373		2685	1688
1990	4447		3935	512
1991	18967	11133	7615	219
1992	28682	10441	17951	290
1993	48447	12572	35735	140
1994	73742	21402	52340	
1995	108620	29924	78061	635
1996	160062	36035	123652	375
1997	213649	53622	149620	10407
1998	210348	41603	163893	4852
1999	193747	48292	144278	1177
2000	139378	34249	102376	2753
2001	93521	13196	75661	4664
2002	104793	17558	82445	4790
2003	155800	17125	111567	27108
2004	197856	8813	162341	26702
2005	227890	17794	191256	18840
2006	238274	10912	201434	25928
2007	300722	13908	241621	45193
2008	363395	10817	341868	10710
2009	369316	4192	359824	5300
2010	436597	7283	383074	46240
2011	526016	4788	468095	53133
2012	603168	5441	580486	17241
2013	667250	6664	644720	15866
2014	700949	10402	637196	53351
2015	736884	7411	617750	111723
2016	814697	37570	735388	41739
2017	893587	36143	848951	8493
2018	970292	38220	908110	23962
2019	1027741	14840	984795	28106

注：1.1990年以前年度数据为部门数，仅供参考使用。2.2019年以前数据由省统计局提供，2019年起由省商务厅提供。

a) The data for 1990 and before are from the ministries other than Hebei Bureau of Statistics. They are listed here as comparable data.

b) Data will be provided by the Provincial Bureau of Statistics before 2019 and by the Provincial Department of Commerce since 2019.

10-9 外商直接投资情况

单位：万美元

指　标	Item	新设立 Amount of New 2010	2015
全省总计	**Total**	**329314**	**567962**
按投资方式分	**Grouped by Investment Type**		
#独资经营	Enterprises with Sole Fund	226559	335149
合资经营	Joint-venture Enterprises	80995	195855
合作经营	Cooperative Enterprises	15434	34141
按国民经济行业分	**Grouped by Sector**		
#农、林、牧、渔业	Agriculture, Forestry, Animal Husbandry and Fishery	8841	10171
采矿业	Mining	1928	8000
制造业	Manufacturing	201207	322271
电力、热力、燃气及水生产和供应业	Production and Distribution of Electricity, Gas and Water	7160	23426
建筑业	Construction	207	96
批发和零售业	Wholesale and Retail Trades	20829	13712
交通运输、仓储和邮政业	Traffic, Transport, Storage and Post	1724	66827
住宿和餐饮业	Hotels and Catering Services	3619	281
信息传输、软件和信息技术服务业	Information Transmission, Computer Services and Software	1583	9971
房地产业	Real Estate	46716	66057
租赁和商务服务业	Leasing and Business Services	4751	14711
居民服务、修理和其他服务业	Services to Households and Other Services	1325	940
按主要国别(地区)分	**Grouped by Country and Region**		
#香　港	Hong Kong, China	187672	292259
台　湾	Taiwan, China	7631	17601
日　本	Japan	19597	2256
美　国	United States	12893	7913
加拿大	Canada	3400	3940
德　国	Germany	1858	4681
英　国	United Kingdom	3352	3393
法　国	France	589	300

Statistics on Foreign Direct Investment

(USD 10000)

合同外资额 Contracted Foreign Investment				外商直接投资额 Foreign Direct Investment					
2016	2017	2018	2019	2010	2015	2016	2017	2018	2019
334675	**370705**	**557864**	**591259**	**383074**	**617750**	**735388**	**848951**	**908110**	**984795**
195500	260263	192713	264727	260238	308654	366932	499234	502130	493698
137968	56735	353749	300041	103141	271479	312595	311604	323997	374680
528	50741	5515	3937	7574	9276	25866	11522	28587	26703
50907	28953	15178	6954	7327	9518	10405	5579	2381	3669
	118	34650	1098	3943	2012	10708	1818	9340	9763
143515	120416	167275	266088	259917	384395	547061	625203	689172	698202
60883	20975	77185	-7611	18101	36099	50529	57155	47967	77950
-366	317	816	6702	2103	4531	869	1179	324	629
18274	11546	12313	49113	11846	4059	9050	8767	13947	7311
21262	29861	21484	34438	6202	58418	17647	15992	25184	42193
30	1128	2036	1945	3975		1544		1459	639
2333	16458	10123	31966	138	2834	4456	15563	5381	12338
7544	32438	48599	55637	52258	61963	52268	94601	67084	73810
7138	6872	18251	45654	1886	7646	2108	827	1034	16787
444	-23	934	1264	406		721	4121	145	238
208503	226287	340071	392014	195212	340270	343375	472395	491740	536289
4561	29803	36180	5678	3683	4771	3812	4389	4352	6446
772	2219	7893	9338	13557	27957	24644	30353	36926	34410
846	11457	13585	13058	18621	7046	39390	49067	40336	23953
14173	11450	3441	836	3131	1927	4231	6047	5053	4239
547	250	2234	4125	2351	8843	9582	4451	6767	11521
2174	12228	20263	1347	6557	7016	15973	20678	17525	33136
1225	11470	80	792	510	300	3643	1246	1307	3357

10—10 按投资方式和行业分外商直接投资情况(2019年)
Statistics on Foreign Direct Investment by Type and Sector (2019)

单位：万美元 (USD 10000)

项　目	Item	新设立项目 New Projects		外　商 直接投资 Foreign Direct Investment
		项目个数(个) Number of Projects (unit)	合同外资额 Contracted Value	
合　计	**Total**	**298**	**591259**	**984795**
按投资方式分组	**Grouped by Investment by Type**			
外商投资经济	Foreign Funded Enterprises			
中外合资经营企业	Joint-venture Enterprises	165	300041	374680
中外合作经营企业	Cooperation Enterprises	3	3937	26703
外资企业	Enterprises with Sole Fund	127	264727	493698
外商投资股份公司	Share-holding Corporations Ltd	2	14051	84673
其他外商投资企业	Others	1	8503	5041
按产业分组	**Grouped by Industry**			
第一产业	Primary Industry		6780	3669
第二产业	Secondary Industry		266277	785327
第三产业	Tertiary Industry		318202	195799
按国民经济行业分组	**Grouped by Sector**			
农、林、牧、渔业	Agriculture, Forestry, Animal Husbandry and Fishery		6954	3669
采矿业	Mining		1098	9763
制造业	Manufacturing		266088	698202
电力、燃气及水的生产和供应业	Production and Distribution of Electricity, Gas and Water		-7611	77950
建筑业	Construction		6702	629
批发和零售业	Wholesale and Retail Trades		49113	7311
交通运输、仓储和邮政业	Traffic, Transport, Storage and Post		34438	42193
住宿和餐饮业	Hotels and Catering Services		1945	639
信息传输、计算机服务和软件业	Information Transmission, Computer Services and Software		31966	12338
金融业	Financial Intermediation			23666
房地产业	Real Estate		55637	73810
租赁和商务服务业	Leasing and Business Services		45654	16787
科学研究、技术服务和地质勘查业	Scientific Research, Technical Service		64613	3728
水利、环境和公共设施管理业	Management of Water Conservancy, Environment and Public Facilities		4970	6575
居民服务和其他服务业	Services to Households and Other Services		1264	238
教　育	Education		1125	
卫生、社会保障和社会福利业	Health, Social Security and Social Welfare		2	78
文化、体育和娱乐业	Culture, Sports and Entertainment		27301	7219

10—11 按国别和地区分外商直接投资情况(2019年)
Statistics on Foreign Direct Investment by Countries and Regions (2019)

单位：万美元 (USD 10000)

项 目	Item	新设立项目 New Projects		外商直接投资 Foreign Direct Investment	期末实有三资企业(个) Number of Registered Enterprises in the Year-end (unit)	
		项目个数(个) Number of Projects (unit)	合同外资额 Contracted Value		合计 Total	投产企业 Enterprises that have come into Operation
合 计	**Total**	**298**	**591259**	**984795**	**3326**	**1488**
亚 洲	**Asia**	**216**	**438578**	**660725**	**2243**	**923**
#香 港	Hong Kong, China	114	392014	536289	1196	459
澳 门	Macao, China	1	131		6	
台 湾	Taiwan, China	22	5678	6446	198	74
印度尼西亚	Indonesia			487	6	3
日 本	Japan	8	9338	34410	240	136
马来西亚	Malaysia	2	1570	248	26	12
菲律宾	Philippines			4250	7	4
新加坡	Singapore	9	7837	41051	114	65
韩 国	Republic of Korea	33	3382	8280	342	133
泰 国	Thailand			2281	9	2
#东南亚联盟	Association of Southeast Asian Nations	12	10407	62105	171	89
非 洲	**Africa**	**6**	**39779**	**3322**	**38**	**12**
欧 洲	**Europe**	**40**	**18041**	**72568**	**404**	**213**
#比利时	Belgium	2	165	1310	11	5
丹 麦	Denmark	2	69	2233	12	8
英 国	United Kingdom	3	1347	33136	68	32
德 国	Germany	10	4125	11521	86	47
法 国	France	1	792	3357	24	11
爱尔兰	Ireland			373	2	1
意大利	Italy	4	1022	3768	40	19
卢森堡	Luxembourg				2	2
荷 兰	Netherlands	2	2013	1525	27	16
希 腊	Greece				2	
西班牙	Spain	1	118	479	13	10
瑞 士	Switzerland	1	49	955	13	8
#欧 盟(27国)	European Union (27 Countries)	28	10128	71573	335	180
拉丁美洲	**Latin America**	**8**	**44215**	**170132**	**182**	**106**
#开曼群岛	Cayman Islands	1	743	5565	21	13
英属维尔京群岛	Virgin Islands	2	10815	164449	150	91
北美洲	**North America**	**21**	**13894**	**32047**	**354**	**183**
#加拿大	Canada	3	836	4239	78	32
美 国	United States	18	13058	23953	272	147
大洋洲	**Oceanic**	**7**	**36208**	**46001**	**99**	**46**
#澳大利亚	Australia	4	1475	6395	57	29
新西兰	New Zealand			5814	10	3

10-12 分市利用外资主要指标(2019年)

Major Indicators of Foreign Capital Utilized by City (2019)

单位：万美元 (USD 10000)

市	City	实际利用外资 Foreign Capital Actually Used	外商直接投资 Direct Foreign Investment	新设立外商投资企业(个) Newly Established Foreign Invested Enterprises (unit)	合同外资 Contracted Value
全　省	**Total**	**1027741**	**984795**	**298**	**591259**
石家庄市	Shijiazhuang	161846	160862	59	67806
承 德 市	Chengde	5456	2618	13	21316
张家口市	Zhangjiakou	46558	43039	11	33263
秦皇岛市	Qinhuangdao	120036	119924	10	3922
唐 山 市	Tangshan	180386	179471	36	118520
廊 坊 市	Langfang	110554	110222	39	75077
保 定 市	Baoding	97422	83012	25	23919
沧 州 市	Cangzhou	71696	69338	44	58331
衡 水 市	Hengshui	27154	26355	9	7719
邢 台 市	Xingtai	68530	52815	17	72996
邯 郸 市	Handan	119178	118875	28	82633
定 州 市	Dingzhou	8854	8204	2	15386
辛 集 市	Xinji	1505	1493	3	1099
雄安新区	Xiongan New Area	8567	8567	2	9272

10-13 对外承包工程

Contracted Projects with Foreign Countries and Territories

年 份 Year	签订合同的国家(地区)(个) Number of Coutries Made Contracts with China for Projects and Labor (unit)	合同份数(份) Number of Contracts (unit)	合同金额(万美元) Contracted Value (10000 USD)	派出人次(人次) Number of Labor Send abroad (person-time)	完成营业额(万美元) Value of Business Fulfilled (10000 USD)
1985	4	4	321		466
1990	9	9	327	121	584
1995	7	16	2127	428	1798
2000	13	50	9440	1170	4624
2001	16	26	5265	662	2412
2002	22	38	21329	2998	12022
2003	25	40	31669	1509	17940
2004	25	69	48200	1484	23095
2005	35	91	107533	1832	54139
2006	29	84	171035	3176	78583
2007	41	119	172954	7241	123912
2008	37	73	393774	5271	155593
2009	47	186	266678	8097	287157
2010	50	190	294596	7033	285351
2011	51	214	328203	6599	243461
2012	45	160	373834	10790	285086
2013	44	175	467343	9791	434565
2014	48	190	485335	8636	408696
2015	46	185	386488	7039	357117
2016	45	130	467386	4936	257649
2017	39	128	584589	6122	294101
2018	40	195	422354	7004	277253
2019			372915	3854	307172

10–14 对外投资与劳务合作
Outward Foreign Direct Investment and Labor Services

单位：万美元 (USD 10000)

项 目	Item	2015	2016	2017	2018	2019
对外投资	**Outward Foreign Direct Investment**					
新核准家数	Enterprise Approved to Invest Abroad	131	132	98	101	102
对外投资总额	Total Value of the Outward-FDI by the Enterprises	306258	362977	405352	473149	562434
中方对外投资额	FDI by Domestic Chinese Investors	235256	335488	378153	436556	482003
对外劳务合作	**Labor Services**					
新签合同工资总额	Gross Payroll in Newly Signed Contracts	715	1656	1883	2191	1906
实际收入总额	Realized Payroll	725	1596	2802	1568	2151
派出人数	Workers Sent Abroad for the Year	342	1287	1797	1523	1592
期末在外人数	Workers Abroad at the Year-end	2340	3159	3554	3930	4142

10–15 按行业分对外投资额(2019年)
Overseas Investment by Sector (2019)

单位：万美元 (USD 10000)

行 业	Item	备案(核准)中方对外投资额 Record (approve) the Amount of Overseas Investment
合 计	**Total**	**482003**
农、林、牧、渔业	Agriculture, Forestry, Animal Husbandry and Fishery	17310
采矿业	Mining	4000
制造业	Manufacturing	348021
电力、热力、燃气及水生产和供应业	Production and Supply of Electricity, Heat, Gas and Water	15441
建筑业	Construction	40415
批发和零售业	Wholesale and Retail Trades	9191
交通运输、仓储和邮政业	Transport, Storage and Post	1560
住宿和餐饮业	Hotels and Catering Services	271
租赁和商务服务业	Leasing and Business Services	12003
科学研究和技术服务业	Scientific Research and Technical Services	4241
卫生和社会工作	Health and Social Service	29550

10-16 按主要国别(地区)分对外投资额(2019年)
Overseas Investment by Countries or Regions (2019)

单位：万美元 (USD 10000)

国家(地区)	Countries or Regions	备案(核准)中方对外投资额 Record (approve) the Amount of Overseas Investment
合计	**Total**	**482003**
亚洲	**Asia**	**348133**
中国香港	Hong Kong,China	36607
巴基斯坦	Pakistan	500
柬埔寨	Cambodia	29550
印度	India	516
印度尼西亚	Indonesia	238093
日本	Japan	600
哈萨克斯坦	Kazakhstan	950
马来西亚	Malaysia	9500
菲律宾	The Philippines	300
新加坡	Singapore	10503
斯里兰卡	Sri Lanka	300
泰国	Thailand	1119
乌兹别克斯坦	Uzbekistan	8400
越南	Vietnam	11195
非洲	**Africa**	**74541**
贝宁	Benin	350
乍得	Chad	600
埃及	Egypt	59641
埃塞俄比亚	Ethiopia	5330
加纳	Ghana	1700
肯尼亚	Kenya	500
马拉维	Malawi	100
毛里塔尼亚	Mauritania	105
纳米比亚	Namibia	1000
南非	S. Africa	365
乌干达	Uganda	2249
赞比亚	Zambia	2600
欧洲	**Europe**	**11693**
英国	United Kingdom	353
德国	Germany	7236
匈牙利	Hungary	560
荷兰	Netherlands	56
西班牙	Spain	3489
拉丁美洲	**Latin America**	**2110**
巴西	Brazil	110
英属维尔京群岛	Br.VirginIS.	2000
北美洲	**North America**	**23317**
美国	United States	17467
加拿大	Canada	5851
大洋洲	**Oceanic & Pacific**	**22209**
澳大利亚	Australia	18209
新西兰	New Zealand	4000

10-17 按国别(地区)分对外经济合作(2019年)
Economic Cooperation with Foreign Countries or Regions (2019)

国家(地区)	Country (Region)	对外承包工程 Contracted Projects	对外劳务合作 Labour Services
		完成营业额(万美元) Value of Turnover Fulfilled (10000 USD)	年末在外人数(人) Persons Abroad by the End of Year (person)
合计	**Total**	**307172**	**14054**
亚洲	**Asia**	**209355**	**9370**
孟加拉国	Bangladesh	18400	384
文莱	Brunei	5285	
缅甸	Myanmar	446	200
柬埔寨	Cambodia	49	115
中国香港	Hong Kong,China	391	796
印度	India		15
印度尼西亚	Indonesia	11247	865
伊朗	Iran	294	33
伊拉克	Iraq	19051	677
以色列	Israel	118	22
日本	Japan		1170
科威特	Kuwait	3417	25
老挝	Laos	1398	104
马来西亚	Malaysia	6003	502
马尔代夫	Maldives		15
蒙古	Mongolia	127	37
阿曼	Oman	13318	143
巴基斯坦	Pakistan	5785	508
菲律宾	The Philippines	3322	57
卡塔尔	Qatar		70
沙特阿拉伯	Saudi Arabia	59631	1100
新加坡	Singapore		1345
韩国	Republic of Korea		56
斯里兰卡	Sri Lanka	1000	253
泰国	Thailand	8284	59
土耳其	Turkey	458	315
阿拉伯联合酋长国	United Arab Emirates	28701	258
越南	Viet Nam	4204	6
东帝汶	East Timor	961	4
哈萨克斯坦	Kazakhstan	8943	37
塔吉克斯坦	Tajikistan		13
土库曼斯坦	Turkmenistan		16
乌兹别克斯坦	Uzbekistan	8521	170

10—17 续表 continued

国家(地区)	Country (Region)	对外承包工程 Contracted Projects 完成营业额(万美元) Value of Turnover Fulfilled (10000 USD)	对外劳务合作 Labour Services 年末在外人数(人) Persons Abroad by the End of Year (person)
非洲	**Africa**	**90364**	**4128**
阿尔及利亚	Algeria	41280	2037
安哥拉	Angola	3021	23
贝宁	Benin	142	9
博茨瓦纳	Botswana		1
喀麦隆	Cameroon	1408	9
乍得	Chad	11397	341
刚果(布)	Congo (B)		22
埃及	Egypt	842	5
埃塞俄比亚	Ethiopia	1649	149
加蓬	Gabon		12
加纳	Ghana	49	8
几内亚	Guinea		1
科特迪瓦	Cote d'Ivoir		122
肯尼亚	Kenya	324	79
利比里亚	Liberia	160	8
利比亚	Libya		40
马达加斯加	Madagascar		11
毛里塔尼亚	Mauritania		2
摩洛哥	Morocco	1356	
莫桑比克	Mozambique	1932	6
纳米比亚	Namibia	1098	52
尼日尔	Niger	1433	20
尼日利亚	Nigeria	21259	687
南非	South Africa	951	110
苏丹	Sudan	101	62
坦桑尼亚	Tanzania	1147	27
乌干达	Uganda	623	133
赞比亚	Zambia	52	122
津巴布韦	Zimbabwe	131	19
莱索托	Lesotho		2
刚果(金)	Congo (J)	8	9
欧洲	**Europe**	**4564**	**150**
英国	United Kingdom		22
法国	France	969	
希腊	Greece		30
马耳他	Malta		20
阿塞拜疆	Azerbajan		
白俄罗斯	Belorussia	200	6
俄罗斯联邦	Russian Federation	3395	72
拉丁美洲	**Latin America**	**2888**	**97**
阿根廷	Argentina	984	16
玻利维亚	Bolivia		11
巴西	Brazil	231	33
哥伦比亚	Colombia	1637	
厄瓜多尔	Ecuador		18
墨西哥	Mexico		4
委内瑞拉	Venezuela	36	15
大洋洲	**Oceanica**		**309**
澳大利亚	Australia		35
新西兰	New Zealand		261
巴布亚新几内亚	Papua New Guinea		12
马绍尔群岛共和国	Republic of the Marshall Islands		1

主要统计指标解释

货物进出口总额 指实际进出我国关境的货物总金额。包括对外贸易实际进出口货物，来料加工装配进出口货物，国家间、联合国及国际组织无偿援助物资和赠送品，华侨、港澳台同胞和外籍华人捐赠品，租赁期满归承租人所有的租赁货物，进料加工进出口货物，边境地方贸易及边境地区小额贸易进出口货物，中外合资企业、中外合作经营企业、外商独资经营企业进出口货物和公用物品，到、离岸价格在规定限额以上的进出口货样和广告品(无商业价值、无使用价值和免费提供出口的除外)，从保税仓库提取在中国境内销售的进口货物，以及其他进出口货物。该指标可以观察一个国家在货物贸易方面的总规模。我国规定出口货物按离岸价格统计，进口货物按到岸价格统计。

商品收发货人所在地进、出口额 指在所在地海关注册登记的有进出口经营权的企业实际进、出口额。

商品目的地进口额和商品货源地出口额 目的地进口额指进口货物的消费、使用或最终抵运地的实际进口额；货源地出口额指出口货物的产地或原始发货地的实际出口额。

服务进出口 指常住单位与非常住单位之间相互提供的服务。包括运输，旅行，建筑，保险服务，金融服务，电信、计算机和信息服务，知识产权使用费，个人、文化和娱乐服务，维护和维修服务，加工服务，其他商业服务，政府服务。

外商直接投资 是指外国投资者在我国境内通过设立外商投资企业、合伙企业、与中方投资者共同进行石油资源的合作勘探开发以及设立外国公司分支机构等方式进行投资。外国投资者可以用现金、实物、无形资产、股权等投资，还可以用从外商投资企业获得的利润进行再投资。

对外直接投资 是境内投资者以控制国（境）外企业的经营管理权为核心的经济活动，体现在一经济体通过投资于另一经济体而实现其持久利益的目标。

对外承包工程 根据《对外承包工程管理条例》，对外承包工程是指中国的企业或者其他单位承包境外建设工程项目的活动。

对外劳务合作 指组织劳务人员赴其他国家或地区为国外的企业或机构工作的经营性活动。

Explanatory Notes on Main Statistical Indicators

Total Import and Export of Goods refer to the real value of commodities imported and exported across the border of China. They include the actual imports and exports through foreign trade, imported and exported goods under the processing and assembling trades and materials, supplies and gifts as aid given gratis between governments and by the United Nations and other international organizations, and contributions donated by overseas Chinese, compatriots in Hong Kong and Macao and Chinese with foreign citizenship, leasing commodities owned by tenant at the expiration of leasing period, the imported and exported commodities processed with imported materials, commodities trading in border areas, the imported and exported commodities and articles for public use of the Sino-foreign joint ventures, cooperative enterprises and ventures with sole foreign investment. Also included is import or export of samples and advertising goods for which CIF or FOB value are beyond the permitted ceiling (excluding goods of no trading or use value and free commodities for export), imported goods sold in China from bonded warehouses and other imported or exported goods. The indicator of the total imports and exports at customs can be used to observe the total size of external trade in a country. In accordance with the stipulation of the Chinese government, imports are calculated at CIF, while exports are calculated at FOB.

Import or Export Value by Location of China's Foreign Trade Managing Units refers to actual value of imports and exports carried out by corporations which have been registered by the local Customs house and are vested with right to run import export business.

Import Value of Commodities by Place of Destination and Export Value of Commodities by Place of Origin in China The former indicator refers to the value of import commodities of the places of their consumption, utilization or the places of their final destination. The latter indicator refers to the value of export commodities of the places of their origin or the places of the commodities dispatched.

Import and Export of Services refers to services provided between resident and non-resident units, including transportation, travel, construction, insurance, finance, telecommunications, computer and informations, professional and management consultancy, intellectual property fee, individual, culture and recreation, maintenance and repair, and other services, but excluding government services.

Foreign Direct Investment refers to foreign investment in China through the establishment of foreign invested enterprises, cooperative exploration and development of petroleum resources with domestic investors and the establishment of branch organizations of foreign enterprises. Foreign investment can be made in forms of cash, physical investment, intangible assets and equity, in addition with reinvestment of the foreign enterprises with the profits gained from the investment.

Overseas Direct Investment refers to the economic activities centring on operation and management of those enterprises are under the control of domestic investors. The content of overseas direct investment mainly reflects one economic entity by investing in another economic entity to achieve its goal of lasting interest.

Overseas Contracted Projects refer to activities of contracting overseas construction projects by Chinese enterprises or any other units, which are stipulated in the *Regulations on Administration of Foreign Contracted Project*.

Overseas Labour Services refer to operational activities of organizing labour force to go abroad providing services to foreign enterprises or agencies.

农 业
Agriculture

简 要 说 明

一、本篇资料反映河北省农业生产和农村经济的基本情况，内容主要包括农业机械拥有量、农林牧渔业产值、主要农产品产量、国营农场基本情况等方面的统计资料。

二、本篇资料主要来源于《河北省农林牧渔业综合统计报表制度》。农林牧渔业综合统计报表制度的统计范围包括各市县区各种经济类型的全部农林牧渔业以及各非农行业附属的农林牧渔业生产单位。

三、根据《全国农业普查条例》，本篇资料的1996年部分数据以第一次全省农业普查结果为基础做了调整，2006年部分数据以第二次全省农业普查结果为基础做了调整，2007—2017年部分数据以第三次全省农业普查结果为基础做了调整。

四、本篇资料主要由河北省统计局农村社会经济统计处整理提供。

五、资料整理：徐清全　蒋晓雷　陈伟莉　刘珺　张艳萍

Brief Introduction

Ⅰ.The data in this chapter reflects the basic situation of agricultural production and rural economy in Hebei Province, which mainly includes the statistical data of agricultural machinery ownership, output value of agriculture, forestry, animal husbandry and fishery, output of main agricultural products, basic situation of state farms and other aspects.

Ⅱ.The data in this chapter is mainly from the Hebei Province agriculture, forestry, animal husbandry and fishery comprehensive statistical Statement System. The statistical scope of the comprehensive statistical statement system of agriculture, forestry, animal husbandry and fishery includes all agriculture, forestry, animal husbandry and fishery of various economic types in each city, county and district as well as agricultural, forestry, animal husbandry and fishery production units attached to each non-agricultural industry.

Ⅲ. According to the Regulations of the National Agricultural Census, part of the data in this paper was adjusted based on the results of the first national agricultural census in 1996, part of the data in 2006 was adjusted based on the results of the second national agricultural census, and part of the data in 2007-2017 was adjusted based on the results of the third National agricultural census.

Ⅳ.This data is mainly collected and provided by the Rural Socio-Economic Statistics Division of Hebei Province Statistics Bureau.

Ⅴ. Data collection: Xu Qingquan, Jiang Xiaolei, Chen Weili, Liu Jun, Zhang Yanping.

11-1 农业生产条件与农作物播种面积
Agricultural Production Basic Conditions and Sown Area of Farm Crops

指 标	Item	2000	2010	2015	2018	2019
农业机械总动力(万千瓦)	Total Agricultural Machinery Power (10000 kW)	7000.39	10151.30	11102.81	7706.20	7830.73
大中型拖拉机(万台)	Number of Large and Medium-sized Agricultural Tractors (10000 units)	6.36	17.27	27.43	28.00	29.72
大中型拖拉机配套农具(万部)	Number of Large and Medium-sized Tractor Towing Farm Machinery (10000 units)	10.83	34.53	49.78		
耕地灌溉面积(千公顷)	Irrigated Area of Cultivated Land (1000 hectares)	4482.32	4520.87	4447.98	4495.13	4482.16
农用化肥施用量(折纯)(万吨)	Consumption of Chemical Fertilizers (10000 tons)	270.62	322.86	335.49	312.40	297.27
农村用电量(亿千瓦时)	Electricity Consumed in Rural Areas (100 million kWh)	180.45	511.81	611.82	505.16	501.57
农作物总播种面积(千公顷)	Total Sown Area (1000 hectares)	9024.4	8352.0	8482.2	8197.1	8132.7
粮食	Grain Crops	6918.7	6441.3	6772.1	6538.7	6469.2
谷物	Cereal	5879.1	6055.9	6463.4	6196.5	6121.7
#稻谷	Rice	143.9	77.6	79.9	78.4	78.2
小麦	Wheat	2678.8	2451.4	2394.2	2357.2	2322.5
玉米	Corn	2478.6	3191.0	3654.4	3437.7	3408.2
豆类	Beans	592.2	160.4	98.5	116.0	125.1
薯类	Tubers	447.4	225.0	210.2	226.2	222.4
油料	Oil-bearing Crops	686.4	428.5	383.8	367.9	364.5
棉花	Cotton	307.4	558.9	322.5	210.4	203.9
麻类	Fiber Crops	3.0	0.3	0.2		0.0
糖料	Sugar Crops	9.9	14.1	11.6	18.1	12.4
烟叶	Tobacco	5.5	2.2	1.6	1.4	1.4
蔬菜	Vegetables	866.1	693.2	755.1	787.6	794.6
果园面积(千公顷)	Area of Orchards (1000 hectares)	1041.8	811.4	594.1	529.7	506.0

11−2 主要农牧渔业生产情况
Output of Agriculture, Animal Husbandry and Fishery

指　标	Item	2015	2016	2017	2018	2019
农产品产量(万吨)	Output of Farm Products (10000 tons)					
粮食	Grain	3602.20	3783.00	3829.20	3700.86	3739.24
谷物	Cereal	3505.80	3645.60	3674.50	3524.86	3566.90
#稻谷	Rice	51.20	51.20	50.40	52.49	48.65
小麦	Wheat	1482.80	1480.20	1504.10	1450.73	1462.57
玉米	Corn	1897.70	2031.20	2035.50	1941.15	1986.64
豆类	Beans	19.10	19.80	20.80	28.13	30.08
薯类	Tubers	77.30	117.60	133.90	147.87	142.30
油料	Oil-bearing Crops	126.01	126.20	129.40	121.38	119.54
#花生	Peanuts	102.81	102.68	103.41	98.45	96.46
棉花	Cotton	32.35	23.90	24.00	23.93	22.74
麻类	Fiber Crops	499.00	2.79	2.95	7.77	12.00
糖类(甜菜)	Beetroots	60.57	60.44	62.49	94.11	64.28
烟叶	Tobacco	3424.09	2317.66	2231.27	3321.19	3467.70
水果	Fruits	948.63	942.85	969.94	956.96	1004.39
农产品单位面积产量(公斤/公顷)	Output of Farm Products per Hectare (kg/hectare)					
粮食	Cereal	5319.00	5570.00	5751.00	5660.00	5780.09
油料	Oil-bearing	3283.05	3293.83	3279.34	3299.62	3279.80
棉花	Cotton	1003.00	1036.00	1088.00	1137.30	1115.31
麻类	Fiber Crops	2160.17	2876.29	1378.50	1420.48	534.05
糖类(甜菜)	Beetroots	52015.46	49784.27	51237.99	51913.76	51760.99
烟叶	Tobacco	2182.81	1660.85	1655.91	2459.07	2565.78
大牲畜年底头数(万头)	Number of Large Animals (year-end,10000 heads)	395.85	369.55	387.87	371.61	376.97
#牛	Cattle and Buffaloes	360.31	340.74	359.50	342.03	350.11
猪出栏头数(万头)	Number of Slaughtered Fattened Hogs (10000 heads)	3837.12	3742.57	3785.30	3709.60	3119.77
猪年底头数(万头)	Number of Hogs (year-end,10000 heads)	2015.93	1982.52	1957.80	1820.80	1418.37
羊年底只数(万只)	Number of Sheep and Goats (year-end,10000 heads)	1425.09	1359.77	1228.10	1179.60	1194.90
肉类产量(万吨)	Output of Meat (10000 tons)	477.50	472.13	472.31	466.70	433.40
生牛奶	Raw Milk	393.50	366.35	381.01	384.81	428.68
绵羊毛(吨)	Sheep Wool (ton)	26850.99	23376.13	23157.89	20816.00	19095.85
禽蛋(万吨)	Poultry Eggs (10000 tons)	379.69	395.59	383.72	377.97	385.90
水产品总产量(万吨)	Total Aquatic Products (10000 tons)	112.92	119.41	116.46	109.62	99.01
海水产品	Seawater Aquatic Products	75.69	75.92	76.32	70.22	63.97
淡水产品	Freshwater Aquatic Products	36.83	38.73	35.32	32.85	29.45

11-3 农、林、牧、渔业总产值及指数
Gross Output Value of Agriculture, Forestry, Animal Husbandry and Fishery and Related Indices

年 份 市	Year City	绝对数（亿元） Gross Output Value (100 million yuan)					指 数 （上年=100） Indices of Gross Output (preceding year=100)				
		农林牧渔业总产值 Total	#农 业 Farming	#林 业 Forestry	#牧 业 Animal Husbandry	#渔 业 Fishery	农林牧渔业总产值 Total	#农 业 Farming	#林 业 Forestry	#牧 业 Animal Husbandry	#渔 业 Fishery
	1978	75.86	64.03	2.39	8.87	0.56	122.1	125.0	113.1	97.2	101.5
	1980	97.79	79.86	3.10	14.00	0.83	93.8	92.1	96.2	104.0	100.9
	1985	167.33	128.65	6.15	31.16	1.37	103.3	98.6	104.6	131.1	126.2
	1990	357.63	254.77	9.58	83.38	9.90	105.4	104.4	107.3	107.1	143.7
	1995	1147.83	753.52	23.50	344.18	26.63	111.9	110.5	105.4	114.0	124.3
	2000	1544.65	846.72	25.37	613.68	58.88	105.7	105.4	98.4	106.2	108.7
	2005	2379.17	1258.00	40.13	879.38	79.44	106.5	106.0	96.9	107.7	104.1
	2006	2466.37	1380.45	45.85	832.32	72.75	105.5	106.0	96.7	104.9	102.0
	2007	3075.77	1639.07	52.37	1146.99	85.14	103.9	104.2	109.6	102.1	105.1
	2008	3505.23	1760.75	55.89	1410.82	102.77	105.1	103.7	108.6	106.6	106.9
	2009	3640.93	1958.79	39.69	1350.10	108.38	103.2	103.3	111.8	102.3	104.4
	2010	4309.42	2470.11	51.26	1443.76	142.47	103.5	103.8	101.8	102.4	105.8
	2011	4570.27	2484.67	62.23	1643.80	155.36	103.9	105.5	103.6	101.1	101.8
	2012	4912.42	2710.55	83.40	1709.84	167.08	104.1	103.6	105.5	104.7	104.1
	2013	5284.43	2975.01	104.30	1772.37	166.28	103.3	104.0	106.5	101.2	106.0
	2014	5373.76	2893.29	118.47	1895.90	175.85	104.1	103.1	108.9	105.1	103.2
	2015	5291.68	2820.11	134.62	1842.65	181.12	102.7	102.8	104.3	101.7	102.4
	2016	5299.66	2772.86	148.30	1846.23	190.30	103.5	101.3	97.8	106.8	101.2
	2017	5373.38	2890.60	175.54	1735.82	195.86	104.0	104.9	107.9	102.1	98.2
	2018	5707.00	3085.86	186.64	1813.82	207.49	103.0	102.1	99.0	104.4	101.3
	2019	6061.46	3114.86	231.38	2035.42	212.54	101.9	101.7	104.8	100.4	100.6
石家庄市	Shijiazhuang	725.95	356.31	19.10	291.43	2.88	101.6	105.4	75.0	98.1	93.2
#辛集市	Xinji	88.45	47.91	0.02	37.81	0.00	101.2	103.0	4.3	100.4	75.0
承 德 市	Chengde	456.10	261.12	33.39	150.69	0.59	104.4	102.7	117.3	105.8	86.7
张家口市	Zhangjiakou	438.51	238.51	25.04	161.84	1.63	99.6	117.9	30.8	103.2	106.3
秦皇岛市	Qinhuangdao	378.75	150.12	15.18	145.94	31.49	100.1	101.3	116.7	102.6	76.5
唐 山 市	Tangshan	870.44	415.42	12.73	294.68	113.28	101.9	103.8	97.2	99.4	101.5
廊 坊 市	Langfang	329.09	226.61	8.99	78.72	3.78	100.9	101.1	86.2	102.7	91.1
保 定 市	Baoding	708.86	382.33	32.74	256.51	2.58	102.0	105.4	92.4	97.6	85.7
#定州市	Dingzhou	117.67	69.83	7.20	37.91		103.3	102.9	99.9	105.2	
沧 州 市	Cangzhou	605.06	246.76	10.19	166.20	40.77	102.3	101.3	83.4	108.4	93.6
衡 水 市	Hengshui	407.20	241.70	10.30	123.91	0.90	101.8	102.3	90.0	101.9	88.8
邢 台 市	Xingtai	493.95	310.37	12.13	145.09	0.81	103.3	103.1	101.0	104.2	97.1
邯 郸 市	Handan	633.41	321.92	20.47	243.51	3.09	101.8	103.0	112.8	98.8	85.4
雄安新区	Xiongan New Area	37.92	26.69	3.19	6.16	0.29	76.9	99.3	220.6	8.3	73.3

注：1.本表绝对数按当年价格计算，指数按可比价格计算。2003年起总产值包括农林牧渔专业及辅助性活动产值。2.分市指数为快报数。

a) Data in value terms in this table are calculated at current prices, while the indices are calculated at constant prices. Since 2003, gross output value includes professional and support services for agriculture, forestry, animal husbandry and fishery.

b) Indices of city is preliminary estimation.

11-4 主要农业机械拥有量(年底数)
Major Agricultural Machinery at Year-end

年 份 Year 市 City		农业机械总动力(万千瓦) Total Power of Agricultural Machinery (10000 kW)	大中型拖拉机 Large and Medium-sized Tractors	
			数 量(万台) Number (10000 units)	配套农具(万部) Towing Farm Machinery (10000 units)
	1978	1083.17	2.81	7.68
	1980	1253.84	4.21	8.86
	1985	1993.74	3.73	5.31
	1990	2822.25	3.01	4.10
	1995	4336.44	2.90	4.58
	2000	7000.39	6.36	10.83
	2005	8487.21	10.09	18.35
	2006	8795.77	11.11	20.55
	2007	9134.53	11.43	22.35
	2008	9525.37	13.62	26.05
	2009	9861.37	15.52	32.00
	2010	10151.30	17.27	34.53
	2011	10349.19	19.79	37.96
	2012	10553.81	21.37	40.97
	2013	10786.45	23.44	43.54
	2014	10942.86	25.46	45.82
	2015	11102.81	27.43	49.78
	2016	7401.97	29.87	53.80
	2017	7580.58	31.47	59.79
	2018	7706.20	28.00	
	2019	7830.7	29.72	41.94
石家庄市	Shijiazhuang	1300.81	4.30	5.93
#辛集市	Xinji	127.46	0.15	0.38
承 德 市	Chengde	263.59	1.74	1.38
张家口市	Zhangjiakou	273.04	1.82	1.84
秦皇岛市	Qinhuangdao	177.54	0.50	0.61
唐 山 市	Tangshan	793.41	2.41	3.82
廊 坊 市	Langfang	390.64	1.49	1.51
保 定 市	Baoding	710.33	2.85	5.39
#定州市	Dingzhou	99.13	0.30	0.60
沧 州 市	Cangzhou	1041.62	3.29	5.81
衡 水 市	Hengshui	838.28	3.25	4.32
邢 台 市	Xingtai	900.03	3.84	5.46
邯 郸 市	Handan	1046.21	3.84	5.36
雄安新区	Xiongan New Area	95.24	0.37	0.52

11－5 耕地灌溉面积和农用化肥施用量

Irrigated Area of Cultivated Land and Consumption of Chemical Fertilizers

年 份 市	Year City	耕地灌溉面积（千公顷）Irrigated Area of Cultivated Land (1000 hectares)	农用化肥施用量（折纯）（万吨）Consumption of Chemical Fertilizers (by 100% Effective Component) (10000 tons)	氮 肥 Nitrogenous Fertilizer	磷 肥 Phosphate Fertilizer	钾 肥 Potash Fertilizer	复合肥 Compound Fertilizer
	1978	3660.17	65.32				
	1980	3622.25	74.74	59.31	13.85	1.00	0.58
	1985	3572.70	110.36	72.50	19.79	1.98	16.09
	1990	3758.49	145.21	92.10	26.13	2.60	24.38
	1995	4040.01	220.68	128.58	39.61	9.40	43.08
	2000	4482.32	270.62	147.96	43.85	16.81	62.00
	2005	4547.75	303.39	155.16	48.58	24.27	75.37
	2006	4569.77	304.89	155.06	48.60	24.30	76.90
	2007	4579.02	311.87	156.11	48.19	25.06	82.51
	2008	4560.51	312.40	153.47	47.92	25.47	85.54
	2009	4509.60	316.17	153.03	47.42	26.29	89.43
	2010	4520.87	322.86	153.07	47.31	26.84	95.64
	2011	4596.61	326.28	152.42	47.10	27.05	99.71
	2012	4165.03	329.33	151.68	46.58	27.24	103.83
	2013	4349.03	331.04	150.65	46.55	27.85	105.99
	2014	4404.22	335.61	150.66	46.94	28.04	109.97
	2015	4447.98	335.49	147.95	46.36	28.05	113.14
	2016	4457.64	331.79	144.95	45.17	27.73	113.93
	2017	4474.67	321.98	138.88	43.18	26.68	110.93
	2018	4495.13	312.40	114.47	23.94	23.97	150.02
	2019	4482.16	297.27	106.49	23.37	22.20	145.20
石家庄市	Shijiazhuang	498.03	39.54	18.92	4.56	1.85	14.20
#辛集市	Xinji	55.49	6.16	3.70	1.09	0.31	1.07
承 德 市	Chengde	142.30	10.04	4.22	0.71	0.95	4.16
张家口市	Zhangjiakou	246.35	13.52	4.37	1.33	1.63	6.19
秦皇岛市	Qinhuangdao	127.73	11.60	3.03	0.25	0.89	7.43
唐 山 市	Tangshan	462.87	35.36	14.15	0.75	3.69	16.77
廊 坊 市	Langfang	227.53	13.58	4.10	0.57	0.98	7.93
保 定 市	Baoding	581.94	38.64	14.64	2.22	2.07	19.71
#定州市	Dingzhou	85.66	8.31	3.98	0.73	0.31	3.29
沧 州 市	Cangzhou	503.82	27.34	10.84	2.20	2.71	11.58
衡 水 市	Hengshui	479.69	31.26	11.35	3.70	2.55	13.66
邢 台 市	Xingtai	594.37	30.49	8.01	2.30	2.04	18.13
邯 郸 市	Handan	555.99	43.48	11.93	4.61	2.61	24.33
雄安新区	Xiongan New Area	61.53	2.42	0.92	0.16	0.23	1.11

11−6 灌溉、水库和除涝治水情况
Irrigation, Reservoirs, Flood Prevention, Water and Soil Conservation

项　　目	Item	2000	2005	2010	2015	2018	2019
万亩以上灌区数	Number of Irrigated Areas over 10000 Mu (set)	147	141	140	149	151	152
3.3万公顷以上	33000 Hectares and Over	5	5	5	6	6	6
2.0-3.3万公顷	20000-33000 Hectares	12	13	15	15	15	15
水库(座)	Number of Reservoirs (unit)	1107	1096	1063	1065	1070	1060
大型水库	Large Reservoir	18	18	19	23	23	23
中型水库	Medium-sized Reservoir	39	39	42	45	45	45
小型水库	Small Reservoir	1050	1039	1002	997	1002	992
节水灌溉面积(万公顷)	Water-saving Irrigated Area (10000 hectares)	197.88	240.52	269.88	314.00	359.43	362.39
除涝面积(万公顷)	Areas with Flood Prevention Measures (10000 hectares)	163.82	164.27	164.86	164.11	163.83	163.83
水土流失治理面积(万公顷)	Area of Soil Erosion under Control (10000 hectares)	540.71	597.72	629.03	506.16	553.25	572.22
堤防长度(万公里)	Total Length of Dikes (10000 km)	2.03	2.11	2.14	1.17	1.20	1.20
堤防保护面积(万公顷)	Area of Land Protected by Dikes (10000 hectares)	310.65	334.40	328.39	379.43	357.47	357.48

注：大型水库库容：1亿立方米以上；中型水库库容：1千万至1亿立方米；小型水库库容：10万至1千万立方米。

a) The capacity of the large-scale reservoir is over 100 million cubic meters, while that of the medium-scale one is from 10 to 100 million cubic meters, and that of the small-scale one is from 100000 to 10 million cubic meters.

11−7 各市水利设施和除涝面积(2019年)
Water Conservancy Facilities and Area with Flood Prevention Measures by City (2019)

市	City	水库数 (座) Number of Reservoirs (unit)	水土流失治理面积 (千公顷) Area of Soil Erosion under Control (1000 hectares)
全　省	**Total**	**1060**	**5722.2**
石家庄市	Shijiazhuang	239	540.7
#辛集市	Xinji		
承 德 市	Chengde	95	1685.9
张家口市	Zhangjiakou	91	1583.4
秦皇岛市	Qinhuangdao	279	286.4
唐 山 市	Tangshan	131	256.9
廊 坊 市	Langfang		29.3
保 定 市	Baoding	94	658.7
#定州市	Dingzhou		5.1
沧 州 市	Cangzhou	3	
衡 水 市	Hengshui		54.9
邢 台 市	Xingtai	49	328.7
邯 郸 市	Handan	79	297.5
雄安新区	Xiongan New Area		

11-8 农作物播种面积
Sown Areas of Farm Crops

单位：千公顷 (1000 hectares)

年份 市	Year City	农作物总播种面积 Total Sown Area	粮食作物播种面积 Sown Area of Grain Crops	谷物 Cereal	#小麦 Wheat	#玉米 Corn	豆类 Beans	薯类 Tubers	棉花 Cotton
	1978	9370.9	7949.4		2854.8	2236.2		608.5	576.6
	1980	9013.9	7487.2		2648.9	2340.9		473.6	548.7
	1985	8656.5	6492.7		2351.9	1749.5		473.9	850.3
	1990	8786.7	6827.8		2508.4	2040.8		433.7	910.9
	1995	8720.1	6829.5	5767.2	2500.6	2290.8	655.4	407.0	700.5
	2000	9024.4	6918.7	5879.1	2678.8	2478.6	592.2	447.4	307.4
	2005	8785.5	6240.2	5611.3	2377.1	2677.4	333.1	295.8	573.5
	2006	8713.9	6271.7	5752.2	2504.5	2799.9	270.0	249.5	664.1
	2007	8248.2	6201.5	5715.3	2420.2	2903.2	236.6	249.6	678.5
	2008	8283.9	6201.0	5714.1	2431.8	2885.4	236.6	250.3	679.4
	2009	8266.9	6317.4	5893.5	2397.8	3080.4	189.5	234.4	581.7
	2010	8352.0	6441.3	6055.9	2451.4	3191.0	160.4	225.0	558.9
	2011	8422.2	6488.6	6115.5	2435.0	3264.7	140.5	232.6	603.7
	2012	8462.5	6553.6	6197.8	2457.1	3323.2	127.8	228.0	547.3
	2013	8443.8	6607.3	6272.6	2432.0	3428.5	117.9	216.7	451.2
	2014	8432.1	6678.6	6361.8	2404.0	3542.1	110.1	206.7	375.5
	2015	8482.2	6772.1	6463.4	2394.2	3654.4	98.5	210.2	322.5
	2016	8467.5	6791.4	6490.6	2389.8	3696.1	89.1	211.8	230.7
	2017	8381.7	6658.5	6356.7	2373.4	3544.1	90.1	211.6	220.6
	2018	8197.1	6538.7	6196.5	2357.2	3437.7	116.0	226.2	210.4
	2019	8132.7	6469.2	6121.7	2322.5	3408.2	125.1	222.4	203.9
石家庄市	Shijiazhuang	891.73	756.86	708.37	342.07	358.58	36.11	12.38	0.65
#辛集市	Xinji	110.86	93.30	90.70	47.82	41.54	1.57	1.02	0.31
承德市	Chengde	386.23	280.50	221.03		168.64	6.29	53.19	
张家口市	Zhangjiakou	663.66	468.51	368.79		186.48	23.03	76.70	
秦皇岛市	Qinhuangdao	194.36	126.89	102.03	5.36	82.25	6.43	18.43	0.02
唐山市	Tangshan	717.81	480.54	463.51	112.36	285.69	5.40	11.63	10.12
廊坊市	Langfang	386.55	279.98	260.69	56.97	202.03	12.31	6.98	3.17
保定市	Baoding	966.19	787.46	762.38	335.70	420.47	6.53	18.54	0.56
#定州市	Dingzhou	159.41	117.12	115.18	59.49	55.47	0.60	1.34	0.02
沧州市	Cangzhou	984.75	900.76	890.21	375.39	509.02	6.97	3.58	13.93
衡水市	Hengshui	861.09	711.90	701.04	328.35	368.44	7.40	3.46	45.27
邢台市	Xingtai	970.42	772.56	758.52	350.07	386.36	7.60	6.44	82.77
邯郸市	Handan	985.45	785.32	772.16	363.65	380.82	5.91	7.25	47.34
雄安新区	Xiongan New Area	124.45	117.91	112.93	52.58	59.43	1.13	3.85	0.11

11-8 续表 continued

单位：千公顷 (1000 hectares)

年份 市	Year City	油料 Oil-bearing Crops	#花生 Peanuts	麻类 Fiber Crops	甜菜 Beetroots	烟叶 Tobacco	#烤烟 Flue-cured Tobacco	蔬菜 Vegetables	瓜果类 Melons and Fruits
	1978	300.2	133.1	30.2	15.2	11.8	6.3	225.4	26.0
	1980	461.0	237.1	27.8	10.0	5.6	1.0	213.7	36.5
	1985	749.8	331.6	24.6	11.5	11.5	3.3	263.2	82.7
	1990	543.5	296.2	9.0	7.7	12.2	7.2	288.5	45.2
	1995	604.5	371.7	4.9	11.9	5.5	3.7	408.9	53.0
	2000	686.4	463.3	3.0	9.9	5.5	3.7	866.1	87.7
	2005	559.0	438.8	2.2	10.5	3.7	2.6	1104.8	105.4
	2006	485.9	377.6	2.0	13.9	1.9	1.1	1066.7	103.1
	2007	488.4	383.5	1.5	15.7	1.9	1.1	653.6	99.9
	2008	496.5	384.3	0.4	15.7	2.6	2.3	670.3	92.8
	2009	467.6	352.8	0.4	12.5	2.4	2.1	669.6	82.7
	2010	428.5	336.4	0.3	14.1	2.2	1.9	693.2	83.3
	2011	403.9	317.8	0.3	11.5	2.1	1.9	705.7	83.3
	2012	404.5	311.4	0.3	12.2	2.1	2.0	734.0	84.1
	2013	411.7	311.6	0.3	12.5	2.1	2.0	743.6	84.8
	2014	390.9	287.6	0.3	11.1	1.7	1.6	754.7	85.6
	2015	383.8	276.7	0.2	11.6	1.6	1.5	755.1	85.8
	2016	383.1	270.6		12.1	1.4	1.4	751.6	70.3
	2017	394.6	266.8		12.2	1.3	1.3	748.6	70.7
	2018	367.9	258.1		18.1	1.4	1.3	787.6	73.9
	2019	364.5	250.2	0.0	12.4	1.4	1.0	794.6	74.6
石家庄市	Shijiazhuang	37.06	32.40			0.08	0.07	71.72	4.16
#辛集市	Xinji	5.38	4.44					10.17	0.14
承德市	Chengde	11.88	0.23		0.02			62.19	1.80
张家口市	Zhangjiakou	64.22	0.23		12.39	1.13	0.83	89.19	2.03
秦皇岛市	Qinhuangdao	24.57	24.05					33.86	1.09
唐山市	Tangshan	77.31	77.11			0.06		118.95	8.43
廊坊市	Langfang	10.33	8.50					80.19	9.54
保定市	Baoding	33.82	30.98			0.08	0.07	83.60	14.39
#定州市	Dingzhou	5.13	4.63					18.17	0.33
沧州市	Cangzhou	10.54	8.17					44.77	9.70
衡水市	Hengshui	23.85	17.09					59.96	11.38
邢台市	Xingtai	37.95	23.86					50.79	4.28
邯郸市	Handan	32.08	26.80	0.02				95.22	6.50
雄安新区	Xiongan New Area	0.88	0.77			0.01		4.17	1.32

11−9 主要农作物种植结构
Planting Structure of Major Farm Crops

单位：% (%)

项　目	Item	2000	2010	2015	2017	2018	2019
农作物总播种面积	**Total Sown Areas of Farm Crops**	**100.00**	**100.00**	**100.00**	**100.00**	**100.00**	**100.00**
粮食作物	**Grain Crops**	**76.66**	**77.12**	**79.84**	**79.44**	**79.77**	**79.55**
谷物	Cereal	65.14	72.51	76.20	75.84	75.59	75.27
小麦	Wheat	29.68	29.35	29.23	28.32	28.76	28.56
稻谷	Rice	1.59	0.93	0.94	0.90	0.96	0.96
玉米	Corn	27.47	38.21	43.08	42.28	41.94	41.91
谷子	Millet	3.43	1.93	1.87	1.52	1.44	1.42
高粱	Jowar	0.58	0.20	0.14	0.03	0.12	0.13
其他谷物	Other Cereal						
豆类	Soybeans	6.56	1.92	1.16	1.08	1.41	1.54
#大豆	Soya	4.70	1.49	0.93	0.84	1.07	1.15
薯类	Tubers	4.96	2.69	2.48	2.53	2.76	2.73
#马铃薯	Potato	2.34	1.70	1.91	1.94	1.99	1.90
油料作物	**Oil-bearing Crops**	**7.61**	**5.13**	**4.53**	**4.71**	**4.49**	**4.48**
#花生	Peanuts	5.13	4.03	3.26	3.18	3.15	3.08
油菜籽	Rapeseeds	0.31	0.27	0.21	0.29	0.24	0.24
芝麻	Sesame	0.29	0.05	0.02	0.02	0.02	0.02
胡麻籽	Benne	1.00	0.48	0.37	0.45	0.44	0.51
向日葵	Helianthus	0.78	0.28	0.63	0.74	0.63	0.62
棉花	**Cotton**	**3.41**	**6.69**	**3.80**	**2.63**	**2.57**	**2.51**
麻类	**Fiber Crops**	**0.03**	**0.00**	**0.00**	**0.00**	**0.00**	**0.00**
#黄红麻	Jute and Ambary Hemp	0.03	0.00	0.00	0.00	0.00	0.00
甜菜	**Beetroots**	**0.11**	**0.17**	**0.14**	**0.15**	**0.22**	**0.15**
烟叶	**Tobacco**	**0.06**	**0.03**	**0.02**	**0.02**	**0.02**	**0.02**
#烤烟	Flue-cured Tobacco	0.04	0.02	0.02	0.02	0.02	0.01
药材	**Medicinal Materials**	**0.24**	**0.34**	**0.73**	**0.89**	**1.04**	**1.22**
蔬菜	**Vegetables and**	**9.60**	**8.30**	**8.90**	**8.93**	**9.61**	**9.77**
瓜果类	**Melons and Fruits**	**0.97**	**1.00**	**1.01**	**0.84**	**0.90**	**0.92**
其他农作物	**Other Farm Crops**	**1.31**	**1.22**	**1.03**	**2.39**	**1.39**	**1.39**
#青饲料	Succulence	0.49	0.77	0.66	1.37	0.87	0.82

11-10 主要农产品产量
Output of Major Farm Products

单位：万吨 (10000 tons)

年 份 市	Year City	粮 食 Grain	谷 物 Cereal	#小 麦 Wheat	#玉 米 Corn	豆 类 Beans	薯 类 Tubers	棉 花 Cotton
	1978	1687.9		631.4	516.6		163.8	11.7
	1980	1522.5		378.8	663.2		125.2	24.7
	1985	1966.6		744.3	678.9		144.5	62.9
	1990	2276.9		927.7	829.2		138.6	57.1
	1995	2739.0	2507.0	1060.3	1183.4	94.3	137.7	37.1
	2000	2551.1	2355.6	1208.0	994.5	74.5	121.0	30.0
	2005	2598.6	2452.9	1150.3	1193.8	51.2	94.5	57.7
	2006	2780.6	2640.2	1189.7	1348.8	46.9	93.5	70.0
	2007	2897.3	2781.7	1197.6	1478.2	40.6	75.0	71.7
	2008	2995.0	2862.5	1229.8	1532.6	41.4	91.1	72.7
	2009	3017.4	2926.3	1241.8	1579.4	30.1	61.0	58.1
	2010	3121.0	3018.3	1246.6	1663.8	27.5	75.2	54.8
	2011	3345.0	3237.4	1296.9	1823.0	28.1	79.4	62.4
	2012	3442.6	3330.8	1363.9	1856.2	24.2	87.6	53.5
	2013	3584.9	3474.2	1419.0	1922.8	22.2	88.4	43.2
	2014	3569.0	3468.9	1444.3	1898.8	23.7	76.4	39.5
	2015	3602.2	3505.8	1482.8	1897.7	19.1	77.3	32.4
	2016	3783.0	3645.6	1480.2	2031.2	19.8	117.6	23.9
	2017	3829.2	3674.5	1504.1	2035.5	20.8	133.9	24.0
	2018	3700.9	3524.9	1450.7	1941.2	28.1	147.9	23.9
	2019	3739.2	3566.9	1462.6	1986.6	30.1	711.3	22.7
石家庄市	Shijiazhuang	484.38	469.64	231.07	236.61	7.92	34.07	0.06
#辛集市	Xinji	64.53	63.69	34.05	29.43	0.23	3.04	0.03
承 德 市	Chengde	144.62	102.68		87.69	1.77	200.87	
张家口市	Zhangjiakou	179.69	129.49		98.08	4.44	228.80	
秦皇岛市	Qinhuangdao	72.72	59.52	3.47	48.77	1.97	56.15	0.00
唐 山 市	Tangshan	285.72	276.47	64.08	172.11	1.69	37.82	1.19
廊 坊 市	Langfang	147.75	140.54	32.85	107.03	3.07	20.69	0.33
保 定 市	Baoding	484.03	469.95	214.75	252.78	1.98	60.48	0.06
#定州市	Dingzhou	77.78	76.71	39.58	37.02	0.21	4.29	0.00
沧 州 市	Cangzhou	451.86	447.87	199.75	246.13	1.63	11.81	1.54
衡 水 市	Hengshui	425.39	421.08	209.91	209.75	2.04	11.35	4.81
邢 台 市	Xingtai	474.46	468.20	228.91	231.14	2.22	20.19	9.13
邯 郸 市	Handan	517.57	513.51	245.03	261.87	1.05	15.04	5.61
雄安新区	Xiongan New Area	71.04	67.94	32.74	34.67	0.30	14.05	0.01

11-10 续表 1 continued

单位：万吨 (10000 tons)

年 份 Year 市 City		油 料 Oil-bearing Crops	#花 生 Peanuts	麻 类 (吨) Fiber Crops (ton)	甜 菜 Beetroots	烟 叶 (吨) Tobacco (ton)	#烤 烟 Flue-cured Tobacco	蔬 菜 Vegetables
	1978	24.5	17.4	16615.0	8.3	10940	6385	550.7
	1980	45.1	35.8	17785.0	9.4	5900	1540	531.6
	1985	86.9	58.0	59890.0	19.9	20135	5440	921.2
	1990	74.9	57.8	20148.0	12.3	22090	11596	1157.0
	1995	109.9	94.7	13996.0	12.4	9427	6513	2148.4
	2000	147.0	132.6	7951.0	11.5	12429	7360	4454.0
	2005	152.7	140.3	7262.0	42.7	9759	4928	6467.6
	2006	133.8	121.9	7328.0	56.8	4984	2286	6314.4
	2007	135.2	128.0	3962.0	53.1	4223	2271	3916.1
	2008	146.6	131.3	710.0	59.4	5321	3378	4068.4
	2009	134.9	121.3	745.0	30.7	5399	3628	4100.5
	2010	129.5	118.3	677.0	49.0	4926	3192	4306.3
	2011	126.4	113.7	729.0	42.8	4812	3518	4507.9
	2012	127.3	111.5	780.0	51.0	4626	3491	4703.0
	2013	132.3	114.0	786.0	56.9	4714	3697	4823.8
	2014	125.9	105.5	612.0	54.8	5088	4439	4965.1
	2015	126.0	102.8	499.0	60.6	3424	2839	5022.2
	2016	126.2	102.7	2.8	60.4	2318	2265	5038.9
	2017	129.4	103.4	3.0	62.5	2231	2189	5058.5
	2018	121.4	98.5	7.8	94.1	3321	3192	5154.5
	2019	119.5	96.5	13.0	64.3	3468	2163	5093.1
石家庄市	Shijiazhuang	11.87	10.68			282	282	554.3
#辛集市	Xinji	2.42	2.11					82.3
承 德 市	Chengde	2.58	0.08		0.18	9		402.6
张家口市	Zhangjiakou	9.46	0.06	1.00	64.09	2977	1793	533.9
秦皇岛市	Qinhuangdao	9.12	8.99			2		238.7
唐 山 市	Tangshan	31.98	31.94			84		919.8
廊 坊 市	Langfang	2.91	2.41					502.3
保 定 市	Baoding	13.22	12.25			94	89	522.8
#定州市	Dingzhou	2.14	1.96					123.5
沧 州 市	Cangzhou	3.83	3.24					296.8
衡 水 市	Hengshui	9.23	7.19					276.5
邢 台 市	Xingtai	12.83	8.33					290.8
邯 郸 市	Handan	12.15	10.97	12.00				532.0
雄安新区	Xiongan New Area	0.35	0.32					22.7

11-10 续表 2 continued

单位：万吨 (10000 tons)

年份 Year 市 City		园林水果 Garden Fruits	#苹果 Apples	#梨 Pears	#桃 Peach	#葡萄 Grapes	#红枣 Red Dates
	1978	79.5	17.2	37.1	3.6	0.6	9.3
	1980	80.1	17.8	36.0	3.5	0.8	12.4
	1985	160.2	46.8	73.8	4.8	2.6	14.0
	1990	175.5	46.8	76.3	17.8	8.1	12.3
	1995	432.0	125.6	168.6	50.0	29.3	21.3
	2000	677.3	180.6	255.2	73.6	52.4	44.2
	2005	918.5	220.2	324.6	124.9	86.4	80.8
	2006	968.5	235.8	333.5	131.7	87.8	90.9
	2007	971.3	236.2	334.8	129.9	90.6	85.8
	2008	967.8	236.6	328.9	128.5	90.7	89.0
	2009	973.1	235.6	333.0	123.0	92.3	97.3
	2010	933.0	220.1	330.0	117.9	90.4	87.7
	2011	957.7	224.5	340.1	116.7	90.5	97.1
	2012	975.0	226.8	357.2	114.0	95.5	91.9
	2013	931.8	221.3	343.4	114.1	90.2	80.4
	2014	941.1	224.6	350.4	109.9	97.6	75.5
	2015	948.6	226.1	356.0	109.1	100.0	75.2
	2016	942.8	217.3	332.5	118.1	109.5	77.1
	2017	969.9	228.1	342.4	120.7	111.6	77.3
	2018	957.0	220.1	329.7	127.0	113.4	77.1
	2019	1004.4	221.6	363.2	135.7	118.8	78.0
石家庄市	Shijiazhuang	221.3	18.2	164.9	7.0	10.8	17.0
#辛集市	Xinji	35.2	5.5	23.5	3.7	2.4	
承德市	Chengde	98.6	60.0	11.8	1.0	0.5	0.5
张家口市	Zhangjiakou	21.1	2.8	0.7	0.4	13.0	0.8
秦皇岛市	Qinhuangdao	64.1	32.2	6.4	10.3	12.0	0.1
唐山市	Tangshan	79.7	18.5	11.3	33.0	10.3	0.7
廊坊市	Langfang	42.8	3.4	15.6	9.7	11.7	1.0
保定市	Baoding	114.0	11.3	18.9	37.9	10.6	7.7
#定州市	Dingzhou	2.4	0.4	0.4	1.2	0.3	0.0
沧州市	Cangzhou	98.6	4.8	46.3	3.1	3.1	39.6
衡水市	Hengshui	100.6	31.0	38.7	16.6	13.3	0.3
邢台市	Xingtai	98.0	24.6	24.4	4.8	21.2	9.7
邯郸市	Handan	61.6	13.8	22.8	10.4	12.0	0.5
雄安新区	Xiongan New Area	4.0	1.0	1.3	1.4	0.2	0.0

11-11 主要农产品单位面积产量
Output of Major Farm Products per Hectare

单位：公斤/公顷 (kg/hectare)

年份 市	Year City	小麦 Wheat	玉米 Corn	棉花 Cotton	花生 Peanuts	麻类 Fiber Crops	甜菜 Beetroots	烤烟 Flue-cured Tobacco
	1978	2212	2310	203	1305	548	5468	1013
	1980	1430	2833	451	1509	638	9398	1478
	1985	3165	3881	739	1750	2438	17250	1665
	1990	3698	4063	627	1951	2229	16027	1606
	1995	4240	5166	529	2548	2843	10408	1761
	2000	4509	4012	976	2862	2642	11695	1976
	2005	4839	4459	1007	3198	3317	40704	1918
	2006	4750	4817	1054	3227	3684	40769	2169
	2007	4948	5092	1057	3338	2717	33851	2028
	2008	5057	5312	1070	3417	1994	37851	1449
	2009	5179	5127	999	3438	2105	24540	1698
	2010	5085	5214	981	3517	2212	34813	1659
	2011	5326	5584	1034	3579	2202	37246	1815
	2012	5551	5586	977	3581	2241	41911	1725
	2013	5835	5608	956	3658	2382	45584	1807
	2014	6008	5361	1051	3667	2242	49574	2692
	2015	6193	5193	1003	3716	2160	52015	1873
	2016	6194	5495	1036	3794	2876	49784	1639
	2017	6338	5743	1088	3876	1379	51238	1640
	2018	6155	5647	1137	3815	1420	51914	2479
	2019	6297	5829	1115	3855	534	51761	2228
石家庄市	Shijiazhuang	6755	6598	880	3296			3833
#辛集市	Xinji	7122	7083	983	4757			
承德市	Chengde		5200		3263		77118	
张家口市	Zhangjiakou		5259		2715	3000	51712	2174
秦皇岛市	Qinhuangdao	6482	5930	1238	3740			
唐山市	Tangshan	5703	6025	1177	4142			
廊坊市	Langfang	5766	5298	1043	2835			
保定市	Baoding	6397	6012	1039	3954	5000		1222
#定州市	Dingzhou	6653	6675	971	4227			
沧州市	Cangzhou	5321	4835	1106	3963			
衡水市	Hengshui	6393	5693	1063	4206			
邢台市	Xingtai	6539	5983	1103	3491			
邯郸市	Handan	6738	6877	1185	4094	509		
雄安新区	Xiongan New Area	6228	5834	960	4092			1651

11−12 牲畜饲养情况
Number of Livestock

单位：万头、万只 (10000 heads)

年 份 Year / 市 City		大牲畜年末存栏头数 Large Animals (year-end)	牛 Cattle and Buffaloes	马 Horses	驴 Donkeys	骡 Mules
	1996	885.85	598.52	49.36	164.23	73.74
	2000	774.24	516.73	45.04	149.14	63.33
	2005	762.63	584.92	33.13	104.11	40.47
	2006	613.00	458.93	28.99	90.16	34.92
	2007	571.85	448.21	22.78	74.05	26.81
	2008	536.23	435.71	18.98	59.45	22.09
	2009	491.90	410.19	15.52	48.55	17.64
	2010	449.68	380.62	13.17	40.88	15.01
	2011	431.71	371.33	11.63	36.25	12.50
	2012	423.26	368.35	10.77	33.07	11.07
	2013	400.17	351.69	9.65	29.32	9.49
	2014	398.18	356.84	8.33	25.03	7.94
	2015	395.85	360.31	7.13	21.78	6.60
	2016	369.55	340.74	6.17	17.25	5.36
	2017	387.87	359.50	5.86	17.35	5.12
	2018	371.61	342.03	6.12	17.96	5.46
	2019	376.95	350.11	6.27	16.11	4.41
石家庄市	Shijiazhuang	4603	4446	29	126	2
#辛集市	Xinji	279	269	5	5	
承 德 市	Chengde	7930	7121	328	253	228
张家口市	Zhangjiakou	5180	4468	126	420	163
秦皇岛市	Qinhuangdao	1386	1265	11	103	7
唐 山 市	Tangshan	5593	5323	41	202	25
廊 坊 市	Langfang	1310	1273	9	28	
保 定 市	Baoding	3415	3083	31	287	4
#定州市	Dingzhou	759	719	10	30	
沧 州 市	Cangzhou	1838	1772	7	58	1
衡 水 市	Hengshui	2248	2217	3	27	1
邢 台 市	Xingtai	1982	1901	21	59	1
邯 郸 市	Handan	2139	2075	8	48	8
雄安新区	Xiongan New Area	68	66	1	1	

注：分市大牲畜计量单位为百头。
a) Units of large animals for city was 100 heads.

11-12 续表 continued

单位：万头、万只 (10000 heads)

年份 Year 市 City		猪出栏头数 Slaughtered Fattened Hogs	猪存栏头数 Hogs (year-end)	羊存栏只数 Sheep and Goats (year-end)	山羊 Goats	绵羊 Sheep
	1996	2454.1	2061.2	1654.2	840.1	814.1
	2000	2675.2	1959.6	1676.6	801.8	874.8
	2005	3145.0	1977.5	1679.1	678.3	1000.8
	2006	3246.7	1812.8	1552.6	634.9	917.8
	2007	2989.8	1923.5	1580.6	784.0	796.7
	2008	3286.9	2050.2	1610.8	748.0	862.8
	2009	3420.1	2019.5	1556.1	548.2	1007.8
	2010	3335.8	1910.7	1397.8	458.7	939.1
	2011	3378.1	1968.1	1443.2	463.0	980.2
	2012	3576.7	1945.4	1397.2	445.3	951.9
	2013	3666.4	2052.9	1435.6	444.8	990.7
	2014	3897.8	2052.0	1503.0	474.2	1028.8
	2015	3837.1	2015.9	1425.1	467.6	957.5
	2016	3742.6	1982.5	1359.8	461.3	898.4
	2017	3785.3	1957.8	1228.1	401.4	826.7
	2018	3709.6	1820.8	1179.6	365.2	814.3
	2019	3119.8	1418.4	1194.9	364.3	830.6
石家庄市	Shijiazhuang	420.0	207.2	74.8	22.2	52.6
#辛集市	Xinji	65.2	34.7	11.2	1.9	9.3
承德市	Chengde	167.3	80.2	90.5	43.2	47.3
张家口市	Zhangjiakou	188.0	76.3	167.3	9.9	157.4
秦皇岛市	Qinhuangdao	215.6	89.5	87.5	29.0	58.5
唐山市	Tangshan	524.4	251.3	69.5	24.4	45.1
廊坊市	Langfang	117.8	41.9	67.5	6.9	60.6
保定市	Baoding	413.7	189.6	225.6	49.1	176.5
#定州市	Dingzhou	63.7	35.2	13.4	1.0	12.4
沧州市	Cangzhou	253.1	109.6	107.0	45.9	61.1
衡水市	Hengshui	212.7	99.2	67.2	29.6	37.6
邢台市	Xingtai	214.0	102.6	66.5	34.1	32.4
邯郸市	Handan	381.5	170.9	167.6	70.0	97.6
雄安新区	Xiongan New Area	0.1		4.0	0.0	4.0

11–13 畜产品产量
Output of Livestock Products

年 份 市	Year City	肉 类 (万吨) Output of Meat (10000 tons)	#猪牛羊肉 Output of Pork, Beef and Mutton	奶 类 (万吨) Milk (10000 tons)	#牛 奶 Cow Milk	绵羊毛 (吨) Sheep Wool (ton)	禽 蛋 (万吨) Poultry Eggs (10000 tons)
	1996	315.9	253.1	47.9	40.1	19284	266.6
	2000	342.4	270.0	96.2	84.2	27788	329.3
	2005	395.6	314.2	348.6	340.4	36466	385.2
	2006	406.2	323.5	384.4	375.0	33254	382.3
	2007	396.6	309.5	415.3	407.1	32051	397.2
	2008	422.3	333.3	430.4	419.6	30660	412.5
	2009	429.7	343.3	385.0	375.5	30232	355.1
	2010	420.7	340.9	375.1	365.7	29290	341.5
	2011	423.9	340.0	389.7	381.7	27748	342.9
	2012	450.7	356.4	399.8	391.2	27663	346.3
	2013	458.8	362.7	388.6	380.9	28105	350.4
	2014	481.1	383.6	414.0	405.7	27930	368.0
	2015	477.5	381.5	401.3	393.5	26851	379.7
	2016	472.1	375.3	373.0	366.4	23376	395.6
	2017	472.3	377.2	387.8	381.0	23158	383.7
	2018	466.7	373.3	391.1	384.8	20816	378.0
	2019	433.4	330.1	433.8	428.7	19096	385.9
石家庄市	Shijiazhuang	56.3	44.0	74.0	73.8	1655	83.4
#辛集市	Xinji	8.5	6.6	5.8	5.8	249	15.9
承 德 市	Chengde	37.7	25.9	9.7	9.7	1693	11.0
张家口市	Zhangjiakou	28.2	22.5	87.5	87.5	3045	16.5
秦皇岛市	Qinhuangdao	29.1	21.3	7.0	6.6	2105	8.2
唐 山 市	Tangshan	62.3	50.9	108.8	104.6	1059	29.5
廊 坊 市	Langfang	17.5	13.7	13.3	13.3	1251	12.7
保 定 市	Baoding	53.5	43.8	56.2	56.2	4510	35.9
#定州市	Dingzhou	8.0	6.7	20.7	20.7	275	7.2
沧 州 市	Cangzhou	42.2	26.1	11.9	11.9	635	31.1
衡 水 市	Hengshui	27.3	22.0	26.7	26.7	1280	23.3
邢 台 市	Xingtai	29.2	21.0	25.7	25.7	745	42.4
邯 郸 市	Handan	47.8	37.6	12.9	12.8	1117	91.8
雄安新区	Xiongan New Area	2.2	1.2	0.6	0.6	54	0.9

11–14 水产品产量
Output of Aquatic Products

单位：万吨 (10000 tons)

年份 市	Year City	水产品总产量 Total Aquatic Products	海水产品 Seawater Aquatic Products	#鱼类 Fish	#虾蟹类 Shrimps, Prawns and Crabs	淡水产品 Freshwater Aquatic Products	#鱼类 Fish	#虾蟹类 Shrimps, Prawns and Crabs
	1978	13.90	12.80	4.40	6.39	1.10	1.02	0.02
	1980	9.76	8.65	4.19	3.81	1.11	0.98	0.06
	1985	12.75	10.45	5.86	3.93	2.30	2.15	0.15
	1990	21.86	16.49	6.18	7.13	5.37	5.09	0.27
	1995	39.61	21.02	7.39	6.29	18.59	17.82	0.63
	2000	80.95	48.20	18.79	8.07	32.75	30.65	1.51
	2005	98.95	57.18	19.16	9.51	41.77	38.63	2.37
	2006	87.14	49.90	15.55	7.78	37.24	34.25	2.25
	2007	90.64	52.43	16.04	7.51	38.21	35.32	2.29
	2008	96.64	54.93	16.46	8.03	41.72	38.55	2.50
	2009	100.41	55.39	15.15	7.85	45.02	41.60	2.65
	2010	106.33	58.26	15.17	7.89	48.07	44.33	2.77
	2011	106.71	56.33	14.51	7.18	50.39	46.49	2.85
	2012	99.82	63.46	14.19	8.20	36.36	31.92	3.35
	2013	106.02	68.28	13.46	7.75	37.74	32.85	3.91
	2014	109.73	73.16	14.38	7.50	36.57	32.35	3.23
	2015	112.92	75.69	15.40	7.77	36.83	32.74	3.10
	2016	119.41	75.92	15.60	7.70	38.73	34.65	3.27
	2017	116.46	76.32	14.87	7.70	35.32	31.37	3.32
	2018	109.62	70.22	13.34	7.71	32.85	29.34	2.99
	2019	99.01	63.97	11.67	7.00	29.45	26.45	2.73
石家庄市	Shijiazhuang	17457				17457	16375	523
#辛集市	Xinji	39				39	39	
承德市	Chengde	4124				4124	4124	
张家口市	Zhangjiakou	8627				8627	7894	733
秦皇岛市	Qinhuangdao	245537	238190	12325	6337	4410	4199	108
唐山市	Tangshan	530792	314742	36531	48493	177953	153802	23822
廊坊市	Langfang	20779	2656	2182	453	18123	17985	116
保定市	Baoding	13796				13796	12159	31
#定州市	Dingzhou							
沧州市	Cangzhou	112357	84146	65628	14704	13339	12145	1194
衡水市	Hengshui	6040				6040	5949	91
邢台市	Xingtai	5417				5417	5342	7
邯郸市	Handan	23214				23214	22618	594
雄安新区	Xiongan New Area	1976				1976	1924	33

注：分市数据计量单位为吨。
a) Units of data for city is ton.

11-15 人均主要农产品产量
Per Capita Output of Major Farm Products

单位：公斤 (kg)

年 份 / 市	Year / City	粮 食 Grain	棉 花 Cotton	油 料 Oil-bearing Crops	猪牛羊肉 Pork, Beef and Mutton	水产品 Total Aquatic Products	牛 奶 Milk
	1978	335.72	2.32	4.87	8.29	2.76	0.36
	1980	296.42	4.81	8.79	13.45	1.90	0.52
	1985	356.43	11.39	15.75	14.84	2.31	1.33
	1990	378.23	9.48	12.44	20.13	3.64	1.86
	1995	427.17	5.78	17.13	40.36	6.18	5.08
	2000	383.97	4.52	22.12	40.64	12.18	12.67
	2005	380.48	8.45	22.36	46.00	14.49	49.83
	2006	404.49	10.19	19.46	47.06	12.68	54.55
	2007	418.65	10.36	19.54	44.72	13.10	58.82
	2008	429.94	10.43	21.04	47.84	13.87	60.24
	2009	430.35	8.29	19.24	48.96	14.32	53.56
	2010	438.71	7.70	18.20	47.93	14.95	51.41
	2011	463.48	8.65	17.51	47.12	14.79	52.88
	2012	473.93	7.36	17.52	49.06	13.74	53.85
	2013	490.40	5.90	18.10	49.62	14.50	52.11
	2014	485.04	5.36	17.11	52.14	14.91	55.13
	2015	486.50	4.37	17.02	51.52	15.25	53.15
	2016	507.95	3.21	16.95	50.39	16.03	49.19
	2017	510.92	3.20	17.27	50.32	15.54	50.84
	2018	490.97	3.17	16.10	49.52	14.54	51.05
	2019	493.69	3.00	15.78	43.58	13.07	56.60
石家庄市	Shijiazhuang	440.69	0.05	10.80	40.06	1.59	67.11
#辛集市	Xinji	1013.25	0.48	38.06	103.47	0.06	90.81
承 德 市	Chengde	403.89		7.21	72.24	1.15	27.02
张家口市	Zhangjiakou	405.76		21.37	50.76	1.95	197.53
秦皇岛市	Qinhuangdao	231.57	0.01	29.06	67.94	78.19	21.08
唐 山 市	Tangshan	359.40	1.50	40.23	64.03	66.77	131.53
廊 坊 市	Langfang	302.86	0.67	5.97	28.12	4.26	27.23
保 定 市	Baoding	432.91	0.05	11.82	39.22	1.23	49.70
#定州市	Dingzhou	632.90	0.01	17.45	54.28		168.59
沧 州 市	Cangzhou	597.30	2.04	5.07	34.56	14.85	15.79
衡 水 市	Hengshui	949.74	10.74	20.61	49.06	1.35	59.66
邢 台 市	Xingtai	642.49	12.36	17.37	28.41	0.73	34.79
邯 郸 市	Handan	542.58	5.89	12.74	39.42	2.43	13.38
雄安新区	Xiongan New Area	576.04	0.08	2.85	9.61	1.60	4.86

11-16 国有农场基本情况
Basic Statistics on State Farms

指 标	Item	2015	2016	2017	2018	2019
农场数(个)	**Number of Farms (unit)**	**33**	**33**	**33**	**33**	**33**
职工人数(万人)	**Number of Staff and Workers (10000 persons)**	**6.6**	**6.7**	**6.3**	**5.7**	**5.9**
耕地面积(千公顷)	**Cultivated Area (1000 hectares)**	**97.8**	**96.7**	**92.8**	**95.8**	**99.3**
农业机械总动力(亿瓦)	**Total Power of Agricultural Machinery (100 million watts)**	**11.9**	**11.6**	**10.5**	**10.9**	**10.7**
农业机械拥有量(万台、万辆)	**Ownership of Agricultural Machinery (10000 units)**					
大中型农用拖拉机	Large and Medium-sized Agricultural Tractors	0.5	0.6	0.5	0.4	0.4
小型及手扶拖拉机	Small and Walking Agricultural Tractors	2.3	2.1	1.7	1.6	1.8
农用排灌动力机械	Machinery for Agricultural Drainage and Irrigation					
联合收割机	Combine Harvesters	0.1	0.1	0.1	0.1	0.1
农用化肥施用量(万吨)	**Consumption of Chemical Fertilizers (10000 tons)**	**3.3**	**3.5**	**5.2**	**6.5**	**6.3**
农业总产值(亿元)	**Gross Agricultural Output Value (100 million yuan)**	**455.7**	**486.8**	**488.9**	**531.2**	**585.4**
农作物总播种面积(千公顷)	**Sown Area of Farm Crops (1000 hectares)**	**100.7**	**97.3**	**85.0**	**86.2**	**85.8**
粮食作物	Grain	78.2	76.4	65.8	70.2	70.0
谷 物	Cereal	68.0	67.3	56.4	59.8	59.8
棉 花	Cotton	7.7	5.4	3.8	2.9	1.7
油 料	Oil-bearing Crops	1.3	1.5	1.4	2.5	3.1
年底实有茶果桑园面积	Area of Tea Plantations, Orchards and Mulberry Plantations (year-end)	1.6	1.6	1.9	2.0	1.5
主要农产品产量(万吨)	**Output of Major Farm Products (10000 tons)**					
粮食作物	Grain	53.2	62.3	65.3	57.0	60.1
谷 物	Cereal	40.2	44.3	42.4	35.0	38.0
棉 花	Cotton	0.9	0.7	0.5	0.3	0.4
油 料	Oil-bearing Crops	0.1	0.2	0.2	0.3	0.5
水 果	Fruits	2.4		2.8	1.6	4.0
畜牧业、渔业生产	**Production of Animal Husbandry and Fishery**					
大牲畜年底头数(万头)	Number of Large Animals (year-end) (10000 heads)	20.3	19.0	19.6	17.4	17.9
猪年底头数(万头)	Number of Hogs (10000 heads)	32.8	33.1	37.7	36.6	27.2
羊年底只数(万只)	Number of Sheep and Goats (10000 heads)	12.8	11.5	10.6	8.0	6.9
#绵 羊	Sheep					
畜产品产量(万吨)	**Output of Livestock Products (10000 tons)**					
肉类总产量	Output of Meat	6.1	6.7	7.3	7.2	6.8
牛 奶	Milk	53.9	55.9	51.5	55.9	59.5
禽 蛋	Poultry Eggs	1.2	1.9	2.0	1.9	1.7
羊 毛	Sheep Wool					
水产品总产量(万吨)	**Total Output of Aquatic Products (10000 tons)**	**13.7**	**11.4**	**11.3**	**15.5**	**16.3**

注：本表为农垦系统数据。
a) Data in this table are those from land reclamation departments.

主要统计指标解释

农林牧渔业总产值 指以货币表现的农、林、牧、渔业全部产品和对农林牧渔业生产活动进行的各种支持性服务活动的价值总量，它反映一定时期内农林牧渔业生产总规模和总成果。1957 年以前的农林牧渔业总产值中包括了厩肥和农民自给性手工业(如农民自制衣服、鞋、袜，自己从事粮食初步加工等)。1958 年及以后，林业中增加了村及村以下竹木采伐产值；牧业中取消了厩肥产值；副业中取消了农民自给性手工业产值，增加了村及村以下办的工业产值；渔业中增加了海洋捕捞水产品产值。1980 年及以后，在副业中增加了农民家庭兼营工业商品部分的产值。从 1984 年起村及村以下工业产值划归工业。从 1993 年起取消副业，将野生动物的捕猎划入牧业，野生植物采集和农民家庭兼营商品性工业划归农业。从 2003 年起，执行新的国民经济行业分类标准，农林牧渔业总产值中包括了农林牧渔服务业产值，2018 年以后农林牧渔服务业产值改称农林牧渔专业及辅助性活动产值。林业中增加了森林采运业产值。农业中取消了家庭兼营商品性工业产值，将野生林产品的采集划归林业。第一、二、三次农业普查以后，根据农业普查结果，对农业、畜牧业、渔业年报数据和农业、畜牧业、渔业产值进行了修订。2010 年执行《统计用产品分类目录》，对 2009 年的农业、林业产值做了相应调整。

农林牧渔业总产值的计算方法通常是按农、林、牧、渔业产品及其副产品的产量分别乘以各自单位产品价格求得；少数生产周期较长，当年没有产品或产品产量不易统计的，则采用间接方法匡算其产值；然后将四业产品产值及农林牧渔专业及辅助性活动产值相加即为农林牧渔业总产值。

粮食产量 指农业生产经营者日历年度内生产的全部粮食数量。按收获季节包括夏收粮食、早稻和秋收粮食，按作物品种包括谷物、薯类和豆类。其产量计算方法：谷物按脱粒后的原粮计算，豆类按去豆荚后的干豆计算；薯类(包括甘薯和马铃薯，不包括芋头和木薯)1963 年以前按每 4 公斤鲜薯折 1 公斤粮食计算，从 1964 年开始改为按 5 公斤鲜薯折 1 公斤粮食计算；城市郊区作为蔬菜的薯类(如马铃薯等)按鲜品计算，并且不作粮食统计。1989 年以前全国粮食产量数据主要靠全面报表取得，1989 年开始使用抽样调查数据。

棉花产量 指全社会的产量。包括春播棉和夏播棉。产量按皮棉计算。不包括木棉。

油料产量 指全部油料作物的生产量。包括花生、油菜籽、芝麻、向日葵籽、胡麻籽（亚麻籽）和其他油料。不包括大豆、木本油料和野生油料。花生以带壳干花生计算。

水产品产量 指渔业（捕捞和养殖）生产活动的最终有效成果，包括全部海水和淡水鱼类、甲壳类（虾、蟹）、贝类、头足类、藻类和其他类渔业产品的最终产量。水产品产量是通过各级水产部门逐级上报取得数据。1995 年及以前，贝类中牡蛎按鲜肉计算；蚶、蛤、蛙按 5 斤鲜品折 1 斤计算。1996 年以后则统一按鲜品计算。

猪、牛、羊肉产量 指当年出栏并已屠宰、除去头蹄下水后带骨肉(即胴体重)的重量。包括全社会范围内的产量。1996 年以前为全面统计并逐级上报数据。1996 年第一次农业普查以后，根据普查结果，对畜牧业主要年报数据进行了修正。1999 年以后，国家统计局在部分地区开展了猪、牛、羊、禽等主要畜禽品种的抽样调查，并用抽样数据作为国家定案数据使用。未开展抽样调查的地区和品种，仍使用各级统计部门逐级上报数据。2008 年，建立了主要畜禽监测调查制度，猪、牛、羊、禽等主要畜禽数据均以抽样调查数为法定数据。

期初(末)畜禽存栏头(只)数 指报告期初(末)农村各种合作经济组织和国营农场、农民个人、机关、团体、学校、工矿企业、部队等单位以及城镇居民饲养的大牲畜、猪、羊、家禽等畜禽的数量。数据上报方式及数据调整情况同猪、牛、羊肉产量。

农作物播种面积 指农业生产经营者应在日历年度内收获农作物在全部土地（耕地或非耕地）上的播种或移植面积。凡是本年内收获的农作物，无论是本年还是上年播种，都算为播种面积，但不包括本年播种，下年收获的农作物面积。

耕地灌溉面积 指具有一定的水源，地块比较平整，灌溉工程或设备已经配套，在一般年景下能够进行正常灌溉的耕地面积。在一般情况下，耕地灌溉面积应等于灌溉工程或设备已经配套，能够进行正常灌溉的水田和水浇地面积之和。它是反映我国农田水利建设的重要指标。

农用化肥施用量 指本年内实际用于农业生产的化肥数量，包括氮肥、磷肥、钾肥和复合肥。化肥施用量要求按折纯量计算数量。折纯量是指把氮肥、磷肥、钾肥分别按含氮、含五氧化二磷、含氧化钾的百分之百成份进行折算后的数量。复合肥按其所含主要成分折算。公式为：

折纯量=实物量 × 某种化肥有效成份含量的百分比

农业机械总动力 指全部农业机械动力的额定功率之和。农业机械是指用于种植业、畜牧业、渔业、农产品初加工、农用运输和农田基本建设等活动的机械及设备。农机总动力按使用能源不同分为以下四部分：

柴油发动机动力：指全部柴油发动机额定功率之和；

汽油发动机动力：指全部汽油发动机额定功率之和；

电动机动力：指全部电动机（含潜水电泵的电动机）额定功率之和；

其他机械动力：指采用柴油、汽油、电力之外的其他能源，如水力、风力、煤炭、太阳能等动力机械功率之和。

这个指标的统计数据主要来源于农机部门。

Explanatory Notes on Main Statistical Indicators

Gross Output Value of Agriculture, Forestry, Animal Husbandry and Fishery refers to the total value of products of agriculture, forestry, animal husbandry and fishery, and total value of services in support of agriculture, forestry, animal husbandry and fishery activities. It reflects the total scale and results of agricultural production during a given period. Prior to 1957, China's gross agricultural output value included barnyard manure and handicraft products for self-consumption (clothes, shoes, stockings, and initial grain processing undertaken by peasants). Since 1958, cutting and felling of bamboo and trees by villages and other cooperative organizations under villages have been included in forestry; value of barnyard manure has been excluded from animal husbandry; self consumed handicrafts have not been included from sideline occupations, while the output value of industries run by villages and cooperative organizations under village has been included in sideline occupations; and the output value of fish catches by motor fishing boats has been added to fishery. Since 1980, the value of handicraft products made for sale by individuals in households has been added to sideline occupations. Since 1984, industries run by villages and under villages have been included in the sector of industry. Since 1993, the subdivision of sideline occupations has been cancelled, and the hunting of wild animals has been classified into animal husbandry, and the gathering of wild plants and commodity industry run by rural household have been included in farming. A new industrial classification of economic activities was introduced in 2003. Under the new classification, value of services to agriculture, forestry, animal husbandry and fishery is included in the gross output value of agriculture. In 2018, the output value of agriculture, forestry, animal husbandry and fishery services was renamed the output value of professional and auxiliary activities in support of agriculture, forestry, animal husbandry and fishery, value of wood felling and transport is included in forestry, value of industrial output by rural households is not included in agriculture. According to the result of the first, second, third Agriculture Census, efforts were made to adjust the annual reports of animal husbandry and fishery output and the output value of agriculture, animal husbandry and fishery output to make the figures from the annual reports consistent with the census data. "The Classification of Products for Statistical Purposes" implemented in 2010 made relevant revision on the output value of agriculture and forestry in 2009.

Gross output value of agriculture is obtained by multiplying the output of each product or by-product by its price, resulting in the output value of each single item. For a small number of products, annual output of which is not available or difficult to get due to the long production (growing) process involved, the output value is estimated through an indirect approach. The sum of output values of all products of agriculture, forestry, animal husbandry and fishery and professional and auxiliary activities in support of agriculture, forestry, animal husbandry and fishery is then equal to the gross output value of agriculture.

Grain Output refers to the total output of grains produced by agricultural producers within a calendar year. It includes summer grain, early rice and autumn grain if classified by harvest seasons; it covers cereal, tubers and beans if classified by type of crops. Output of cereal should be limited to husked grain only. Output of beans refers to dry beans without pods. The output of tubers (sweet potatoes and potatoes, not including taros and cassava) are converted into that of grain at the ratio 4 ∶ 1, i.e. 4 kilograms of fresh tubers were equivalent to 1 kilogram of grain up to 1963. Since 1964 the ratio for conversion has been 5 ∶ 1. Tubers supplied as vegetables (such as potatoes) in cities and suburbs are calculated as fresh vegetables and their output is not included in the output of grain. Data on grain production before 1989 were obtained through the Comprehensive Statistical Reporting System. Since 1989, data from sample surveys are used.

Cotton Output refers to cotton production in the whole country including cotton planted in spring and in autumn. Output is measured as the weight of ginned cotton. Ceiba is not included.

Output of Oil-bearing Crops refers to the total production of oil-bearing crops of various kinds, including peanuts (dry, in shell), rapeseeds, sesame, sunflower seeds, flax seeds, and other oil-bearing crops. Soybeans, oil-bearing woody plants, and wild oil-bearing crops are not included.

Output of Aquatic Products refers to final output actually yielded from fishing production (fishery and breeding), including all output of marine and freshwater fish, crustaceans (shrimps, crabs), shellfish, cephalopod, seaweed and other fishery products. Data on output of aquatic products are reported by aquatic product agencies level by level. Before 1995, among the shellfish, oyster was counted as fresh meat; 5 kilograms of ark shell, clams and frogs are equivalent to 1 kilogram of fresh aquatic products; they have all been counted as fresh aquatic products since 1996.

Output of Pork, Beef, and Mutton refers to the meat of slaughtered hogs, cattle, sheep and goats with head, feet, and offal taken away. Data refers to the production of the whole country. Before 1996, it was a comprehensive reporting from the lower level to the upper one. The First Agricultural Census of China in 1996 revealed some discrepancy between the production of animal products from the annual reports and that from the census. Efforts were made to adjust the output value of animal husbandry to make the figures from the annual reports consistent with the census data. Since 1999, the NBS conducted sample surveys for the major animal husbandry products, such as hogs, cattle, sheep and goats and fowls, and the data from sample surveys are used as national finalized data. Those products, which are not covered by the sample survey, are still reported by statistical agencies level by level. In 2008, A Monitoring and Survey Program was set up on main livestock, the data on the main livestock such as hog, cattle, sheep and poultry became the official data based on the sampling survey.

Number of Livestock or Poultry in Stock at Beginning (or End) of Period refers to the total number of large animals, pigs, sheep, fowls, etc. raised by rural cooperative organizations, State farms, rural individuals, government agencies, schools, industrial and mining enterprises, army, and urban residents at the beginning (or end) of the reference period. Data reporting system and data adjustment are the same as that in the output of pork, beef and mutton.

Sown Area of Crops refers to area of all land (cultivated or non-cultivated area) sown or transplanted with crops that are harvested within the calendar year by agricultural producers. All crops harvested within the year are counted as sown area, regardless of being sown in this year or the previous year. Crops sown this year but will be harvested in the coming year are excluded.

Irrigated Area of Cultivated Land refers to area of land that are effectively irrigated, i.e. relatively level land, where there are water sources or complete sets of irrigation facilities to lift and move adequate water for irrigation purpose under normal conditions. Under normal situations, irrigated area of cultivated land is the sum of watered fields and irrigated fields where irrigation systems or equipment have been installed for regular irrigation purpose. It is an important indicator to reflect the farmland water conservancy construction in China.

Consumption of Chemical Fertilizers in Agriculture refers to the quantity of chemical fertilizers applied in agriculture in the year, including nitrogenous fertilizer, phosphate fertilizer, potash fertilizer, and compound fertilizer. The consumption of chemical fertilizers is calculated in terms of volume of effective components by means of converting the gross weight of the respective fertilizers into weight containing effective component (e.g. nitrogen content in nitrogenous fertilizer, phosphorous pentoxide contents in phosphate fertilizer, and potassium oxide contents in potash fertilizer). Compound fertilizer is converted in regard to its major components. The formula is:

Volume of effective component= physical quantity× effective component of certain chemical fertilizer (%)

Total Power of Agricultural Machinery refers to the total rated capacity of all agricultural machinery. Agricultural machinery refers to the machineries and equipments which are used for activities of planting, animal husbandry, fishery, primary processing of agricultural products, agricultural transport and infrastructure construction of farmland. Total power of agricultural machinery is grouped into four parts according to the energy used:

Diesel engine power refers to the total rated capacity of all diesel engines.

Gasoline engine power refers to the total rated capacity of all gasoline engines.

Motor power refers to the total rated capacity of all motors (include submersible pump motors).

Other mechanical powers refer to the total mechanical capacity of the sources of energy besides diesel, gasoline and motor power, such as hydro power, wind power, coal and solar energy.

Data are mainly from agricultural machinery agencies.

工 业
Industry

简 要 说 明

一、本篇资料反映河北规模以上工业企业基本情况。

二、规模以上工业企业的统计范围。1998年至2007年为全部国有和年主营业务收入500万元及以上的非国有工业法人企业；2008至2010年为年主营业务收入500万元及以上的工业法人企业；从2011年开始，为年主营业务收入2000万元及以上的工业法人企业。

本篇资料中工业行业分类按《国民经济行业分类》（GB/T 4754—2017）标准划分；企业规模划分按《统计上大中小微型企业划分办法（2017）》标准执行。

三、本篇资料由河北省统计局工业统计处整理提供。

四、资料整理：刘旭　王宁

Brief Introduction

Ⅰ. The data in this chapter reflects the basic situation of industrial enterprises above the scale in Hebei.

Ⅱ.The statistical scope of industrial enterprises above designated size. From 1998 to 2007, it was a state-owned non-state-owned industrial enterprise with annual main business income of 5 million yuan or more. Industrial enterprises with annual main business income of 5 million yuan or above from 2008 to 2010; since 2011, it has been an industrial enterprise with annual main business income of 20 million yuan or more.

In this paper, the industrial industry classification is divided according to the *National Economic Industry Classification* (GB/T 4754-2017). The scale division of enterprises shall be carried out according to the *Statistical Measures for the Division of Large, Medium, Small and Micro Enterprises (2017)*.

Ⅲ. This data is collated and provided by The Industrial statistics Division of Hebei Province Statistics Bureau.

Ⅳ. Data collection: Liu Xu, Wang Ning.

12-1 规模以上工业企业主要指标(2019年)
Main Indicators of Industrial Enterprises above Designated Size (2019)

单位：亿元 (100 million yuan)

项 目	Item	企业单位数(个) Number of Enterprises (unit)	资产总计 Total Assets	营业收入 Revenue from Principal Business	利润总额 Total Profits
总 计	**Total**	**13181**	**47267.72**	**41095.06**	**2140.10**
按工业门类分	**Grouped by Industries**				
采矿业	Mining	368	3368.34	1800.99	95.11
制造业	Manufacturing	12177	37349.04	35831.74	1853.61
电力、热力、燃气及水生产和供应业	Production and Supply of Electricity, Gas and Water	636	6550.34	3462.32	191.38
按企业规模分	**Grouped by Size of Enterprises**				
大型企业	Large Enterprises	266	23053.09	19269.27	1072.06
中型企业	Medium-sized Enterprises	1147	9023.85	8197.45	431.12
小型企业	Small Enterprises	11768	15190.77	13628.34	636.92
按登记注册类型分	**By Status of Registration**				
内资企业	Domestic Funded	12574	41972.87	36298.64	1732.27
国有企业	State-owned Enterprises	60	1103.83	926.30	6.43
集体企业	Collective-owned Enterprises	68	70.11	100.55	3.66
股份合作企业	Cooperative Enterprises	16	8.06	10.32	0.31
有限责任公司	Limited Liability Corporations	2068	20907.59	12861.52	520.17
国有独资公司	State Sole Funded Corporations	135	3734.06	2179.35	51.94
其他有限责任公司	Other Limited Liability Corporations	1933	17173.53	10682.18	468.23
股份有限公司	Share-holding Corporations Limited	288	5307.33	3665.20	163.43
私营企业	Private Enterprises	10073	14575.45	18734.42	1038.22
私营独资企业	Private-funded Enterprises	304	113.56	277.65	15.69
私营合伙企业	Private Partnership Enterprises	85	29.11	116.52	3.41
私营有限责任公司	Private Limited Liability Corporations	9412	13797.72	17879.45	987.02
私营股份有限公司	Private Share-holding Corporations Ltd.	272	635.06	460.79	32.10
其他企业	Other Enterprises	1	0.51	0.32	0.06
港、澳、台商投资企业	Enterprises with Funds from Hong Kong, Macao and Taiwan	182	2217.77	1993.01	208.68
合资经营企业(港或澳、台资)	Joint-venture Enterprises	92	1199.52	997.16	77.95
合作经营企业(港或澳、台资)	Cooperative Enterprises	8	136.77	251.40	28.09
港、澳、台商独资经营企业	Enterprises with Sole Investment	76	816.39	694.21	95.48
港、澳、台商投资股份有限公司	Share-holding Corporations Ltd.	4	62.96	48.78	7.31
其他港、澳、台商投资企业	Other Enterprises with Funds from Hong Kong, Macao and Taiwan	2	2.12	1.46	-0.15
外商投资企业	Foreign Funded Enterprises	425	3077.07	2803.41	199.15
中外合资经营企业	Joint-venture Enterprises	199	1391.77	1332.85	101.07
中外合作经营企业	Cooperation Enterprises	9	34.64	65.52	1.65
外资企业	Enterprises with Sole Funds	210	1328.79	1057.48	59.47
外商投资股份有限公司	Share-holding Corporations Ltd.	3	306.98	330.07	35.87
其他外商投资企业	Other Foreign Funded Enterprises	4	14.91	17.50	1.08

注：全国规模以上工业企业统计范围1998年至2006年为全部国有及年主营业务收入在500万元及以上非国有工业企业；2007年至2010年为年主营业务收入在500万元及以上的工业企业；2011年及以后年份为年主营业务收入在2000万元及以上的工业企业。

a) Industrial enterprises above designated size are all state-owned enterprises and non-state owned enterprises with annual revenue from principal business over 5 million yuan from 1998 to 2006, and are industrial enterprise with annual revenue from principal business over 5 million yuan from 2007 to 2010, and are industrial enterprise with annual revenue from principal business over 20 million yuan since 2011.

12-2 按行业分规模以上工业企业主要指标(2019年)

单位：亿元

行　　业	Sector	企业单位数(个) Number of Enterprises (unit)	资产总计 Total Assets
总　　计	**National Total**	**13181**	**47267.72**
煤炭开采和洗选业	Mining and Washing of Coal	57	1559.37
石油和天然气开采业	Extraction of Petroleum and Natural Gas	2	520.37
黑色金属矿采选业	Mining and Processing of Ferrous Metal Ores	233	1178.62
有色金属矿采选业	Mining and Processing of Non-ferrous Metal Ores	11	37.13
非金属矿采选业	Mining and Processing of Non-metal Ores	65	72.86
开采专业及辅助性活动	Professional and Support Activities for Mining		
其他采矿业	Mining of Other Ores		
农副食品加工业	Processing of Food from Agricultural Products	720	1152.39
食品制造业	Manufacture of Foods	283	731.12
酒、饮料和精制茶制造业	Manufacture of Liquor, Beverages and Refined Tea	123	609.87
烟草制品业	Manufacture of Tobacco	3	140.76
纺织业	Manufacture of Textile	587	464.19
纺织服装、服饰业	Manufacture of Textile, Wearing Apparel and Accessories	163	140.46
皮革、毛皮、羽毛及其制品和制鞋业	Manufacture of Leather, Fur, Feather and Related Products and Footwear	375	454.04
木材加工和木、竹、藤、棕、草制品业	Processing of Timber, Manufacture of Wood, Bamboo, Rattan, Palm and Straw Products	172	181.09
家具制造业	Manufacture of Furniture	161	133.01
造纸和纸制品业	Manufacture of Paper and Paper Products	233	302.01
印刷和记录媒介复制业	Printing and Reproduction of Recording Media	169	163.96
文教、工美、体育和娱乐用品制造业	Manufacture of Articles for Culture, Education, Arts and Crafts, Sport and Entertainment Activities	278	153.59
石油、煤炭及其他燃料加工业	Processing of Petroleum, Coal and Other Fuels	127	1448.60
化学原料和化学制品制造业	Manufacture of Raw Chemical Materials and Chemical Products	843	2152.56
医药制造业	Manufacture of Medicines	273	1186.20
化学纤维制造业	Manufacture of Chemical Fibres	39	260.69
橡胶和塑料制品业	Manufacture of Rubber and Plastics Products	755	771.69
非金属矿物制品业	Manufacture of Non-metallic Mineral Products	1358	1961.78
黑色金属冶炼和压延加工业	Smelting and Pressing of Ferrous Metals	354	13143.89
有色金属冶炼和压延加工业	Smelting and Pressing of Non-ferrous Metals	196	450.48
金属制品业	Manufacture of Metal Products	1463	1876.82
通用设备制造业	Manufacture of General Purpose Machinery	824	943.94
专用设备制造业	Manufacture of Special Purpose Machinery	768	2343.53
汽车制造业	Manufacture of Automobiles	566	2705.37
铁路、船舶、航空航天和其他运输设备制造业	Manufacture of Railway, Ship, Aerospace and Other Transport Equipments	160	596.23
电气机械和器材制造业	Manufacture of Electrical Machinery and Apparatus	728	1626.35
计算机、通信和其他电子设备制造业	Manufacture of Computers, Communication and Other Electronic Equipment	196	822.90
仪器仪表制造业	Manufacture of Measuring Instruments and Machinery	106	224.18
其他制造业	Other Manufacture	32	14.14
废弃资源综合利用业	Utilization of Waste Resources	101	152.44
金属制品、机械和设备修理业	Repair Service of Metal Products, Machinery and Equipment	21	40.72
电力、热力生产和供应业	Production and Supply of Electric Power and Heat Power	412	5495.97
燃气生产和供应业	Production and Supply of Gas	162	707.61
水的生产和供应业	Production and Supply of Water	62	346.77

Main Indicators of Industrial Enterprises above Designated Size by Industrial Sector (2019)

(100 million yuan)

流动资产合计 Total Current Assets	应收账款 Accounts Receivable	存货 Inventories	#产成品 Finished Goods	负债合计 Total Liabilities
21845.75	**5399.78**	**4358.84**	**1606.52**	**28638.06**
656.94	90.85	64.77	24.88	1081.71
34.41	0.49	5.79	2.06	157.90
514.19	86.94	62.74	27.01	831.61
10.76	0.49	1.50	0.77	20.50
39.94	9.87	7.07	4.21	49.70
724.38	103.09	210.23	87.42	683.92
373.27	80.18	94.70	40.50	382.04
332.40	22.57	75.13	24.23	274.31
109.87	3.37	82.86	4.72	68.92
234.65	59.85	88.42	48.64	251.96
85.10	17.86	27.99	14.20	77.24
122.89	30.68	33.04	12.40	132.22
99.29	18.95	25.84	12.91	110.29
75.05	20.91	19.12	7.38	77.37
153.56	22.95	41.01	17.12	175.34
89.03	26.21	16.56	5.85	80.19
81.30	25.74	27.39	11.84	71.17
712.33	64.11	216.25	58.48	1012.26
1036.54	196.09	202.91	104.14	1155.20
678.73	149.67	136.69	63.19	534.18
80.59	6.86	19.47	6.25	148.24
440.32	191.67	83.40	37.17	341.99
1079.52	328.70	207.48	86.23	1188.88
5819.04	1204.07	1152.19	346.63	8731.47
162.99	42.68	45.77	14.51	242.96
1087.28	263.30	262.08	123.46	1027.32
607.69	232.86	154.12	54.23	505.58
1282.69	270.46	290.81	95.49	1447.31
1632.16	591.20	216.25	121.73	1583.57
406.61	140.07	107.48	27.72	332.94
1009.39	425.74	177.09	69.90	977.33
396.04	182.97	56.33	19.39	316.28
159.16	64.35	32.60	13.06	90.48
8.77	3.56	2.71	0.94	6.88
84.08	27.95	20.40	8.23	105.41
29.85	11.89	10.41	0.14	22.24
997.39	285.09	44.81	3.28	3644.65
289.54	81.22	28.22	5.99	467.39
108.00	14.27	7.22	0.23	229.08

12–2 续表

单位：亿元

行　　业	Sector	营业收入 Business Revenue	营业成本 Business Cost
总　　计	**Total**	**41095.06**	**35216.65**
煤炭开采和洗选业	Mining and Washing of Coal	856.02	732.98
石油和天然气开采业	Extraction of Petroleum and Natural Gas	191.71	141.41
黑色金属矿采选业	Mining and Processing of Ferrous Metal Ores	676.55	518.04
有色金属矿采选业	Mining and Processing of Non-ferrous Metal Ores	22.90	13.64
非金属矿采选业	Mining and Processing of Non-metal Ores	53.82	41.56
开采专业及辅助性活动	Professional and Support Activities for Mining		
其他采矿业	Mining of Other Ores		
农副食品加工业	Processing of Food from Agricultural Products	1775.54	1629.31
食品制造业	Manufacture of Foods	893.44	717.33
酒、饮料和精制茶制造业	Manufacture of Liquor, Beverages and Refined Tea	366.90	255.08
烟草制品业	Manufacture of Tobacco	244.91	115.10
纺织业	Manufacture of Textile	587.53	538.01
纺织服装、服饰业	Manufacture of Textile, Wearing Apparel and Accessories	158.45	141.97
皮革、毛皮、羽毛及其制品和制鞋业	Manufacture of Leather, Fur, Feather and Related Products and Footwear	846.25	680.44
木材加工和木、竹、藤、棕、草制品业	Processing of Timber, Manufacture of Wood, Bamboo, Rattan, Palm and Straw Products	173.99	157.85
家具制造业	Manufacture of Furniture	154.83	130.93
造纸和纸制品业	Manufacture of Paper and Paper Products	288.57	259.57
印刷和记录媒介复制业	Printing and Reproduction of Recording Media	136.79	115.56
文教、工美、体育和娱乐用品制造业	Manufacture of Articles for Culture, Education, Arts and Crafts, Sport and Entertainment Activities	196.62	167.07
石油、煤炭及其他燃料加工业	Processing of Petroleum, Coal and Other Fuels	2403.80	2036.74
化学原料和化学制品制造业	Manufacture of Raw Chemical Materials and Chemical Products	1787.40	1501.36
医药制造业	Manufacture of Medicines	767.28	424.61
化学纤维制造业	Manufacture of Chemical Fibres	224.95	187.89
橡胶和塑料制品业	Manufacture of Rubber and Plastics Products	701.58	600.80
非金属矿物制品业	Manufacture of Non-metallic Mineral Products	1730.48	1438.42
黑色金属冶炼和压延加工业	Smelting and Pressing of Ferrous Metals	12606.11	11116.60
有色金属冶炼和压延加工业	Smelting and Pressing of Non-ferrous Metals	480.36	434.13
金属制品业	Manufacture of Metal Products	2342.76	2112.49
通用设备制造业	Manufacture of General Purpose Machinery	758.32	643.32
专用设备制造业	Manufacture of Special Purpose Machinery	1024.79	830.28
汽车制造业	Manufacture of Automobiles	2479.81	2149.15
铁路、船舶、航空航天和其他运输设备制造业	Manufacture of Railway, Ship, Aerospace and Other Transport Equipments	417.60	339.53
电气机械和器材制造业	Manufacture of Electrical Machinery and Apparatus	1464.30	1262.38
计算机、通信和其他电子设备制造业	Manufacture of Computers, Communication and Other Electronic Equipment	413.25	336.71
仪器仪表制造业	Manufacture of Measuring Instruments and Machinery	162.79	110.78
其他制造业	Other Manufacture	17.99	15.57
废弃资源综合利用业	Utilization of Waste Resources	191.33	174.07
金属制品、机械和设备修理业	Repair Service of Metal Products, Machinery and Equipment	33.00	27.77
电力、热力生产和供应业	Production and Supply of Electric Power and Heat Power	2848.08	2607.15
燃气生产和供应业	Production and Supply of Gas	536.11	455.52
水的生产和供应业	Production and Supply of Water	78.13	55.55

continued

(100 million yuan)

销售费用 Selling Expenses	管理费用 Administrative Expenses	财务费用 Financial Expenses	利润总额 Total Profits	平均用工人数（人） Annual Average Employees (person)
923.50	**1125.00**	**559.98**	**2140.10**	**2766500**
16.82	41.64	33.35	26.73	122848
0.26	23.40	1.67	-5.20	24106
11.77	35.49	23.44	65.76	56067
0.18	2.70	0.32	4.47	2266
4.89	5.40	0.58	3.34	11636
34.58	29.86	11.65	65.52	87586
88.73	27.40	6.52	54.82	70614
41.47	15.49	3.10	52.30	29204
1.43	14.82	-0.08	-0.58	5078
6.74	13.26	6.31	23.05	75556
2.93	7.49	1.50	3.75	38354
26.08	34.60	20.33	82.33	197440
2.35	4.53	2.05	6.18	15347
4.89	6.08	1.66	9.55	25644
4.33	9.61	2.51	11.55	27374
3.43	9.27	1.41	5.42	22746
4.88	6.80	1.61	14.51	29843
24.96	35.29	20.15	53.85	45261
54.32	70.09	31.35	94.07	144673
163.20	34.66	9.08	117.24	78287
6.60	13.86	3.97	8.99	21599
22.51	24.46	9.04	35.96	75727
53.67	71.69	26.94	117.24	167900
86.01	186.05	135.32	662.21	411621
7.73	10.55	6.69	14.09	24571
34.75	47.23	15.64	79.97	168522
23.68	33.33	11.06	34.60	95129
36.75	49.20	42.00	54.71	109802
75.45	71.79	6.62	95.05	168136
10.09	16.94	1.80	35.27	40743
29.11	43.74	18.06	51.30	96822
9.70	18.80	6.10	29.65	64929
10.45	10.18	0.85	27.15	20653
0.33	1.05	0.07	0.82	4288
1.90	4.78	2.22	11.55	8703
0.20	2.99		1.50	8466
1.42	64.36	84.14	140.63	129839
11.58	15.51	7.31	45.07	20969
3.31	10.66	3.61	5.68	18151

12-3 规模以上工业企业主要指标
Main Indicators of Industrial Enterprises above Designated Size

单位：亿元 (100 million yuan)

年 份 市	Year City	企业单位数(个) Number of Enterprises (unit)	资产总计 Total Assets	流动资产合计 Total Current Assets	应收账款 Accounts Receivable	存 货 Inventories	#产成品 Finished Goods	负债合计 Total Liabilities
	1998	7597						
	2000	7261	5199.74	2000.19	518.32	626.29	294.38	3209.78
	2005	9935	9473.65	4032.20	693.08	1250.41	500.40	5792.00
	2006	10634	11250.95	4763.83	775.13	1400.40	560.09	6869.24
	2007	10870	13721.58	5959.50	983.58	1759.72	633.49	8122.97
	2008	11207	16599.88					
	2009	13096	20662.67	8319.12	1385.38	2323.52	834.14	12590.85
	2010	13927	24943.75	10422.94	1732.28	2917.43	956.86	15136.72
	2011	11570	29687.55	12692.76	2083.82	3382.55	1136.15	17865.03
	2012	12360	33567.18	13723.31	2452.63	3524.07	1230.98	19939.47
	2013	13957	37407.61	15260.70	2844.88	3833.70	1366.35	21904.86
	2014	14792	42555.67	16379.21	3166.26	4050.00	1491.21	24172.80
	2015	15295	42717.82	16589.33	3358.99	3830.49	1433.44	23988.85
	2016	14764	44562.88	17327.05	3529.43	3997.11	1450.62	24449.56
	2017	14790	45213.57	18959.29	3745.78	4179.34	1515.01	26107.85
	2018	13697	43957.87	20039.02	4250.47	4376.88	1592.10	26711.55
	2019	13181	47267.72	21845.75	5399.78	4358.84	1606.52	28638.06
石家庄市	Shijiazhuang	1865	7041.00	4091.94	1495.66	682.75	212.90	4598.75
承 德 市	Chengde	370	2323.15	1034.17	237.09	150.82	39.83	1687.94
张家口市	Zhangjiakou	404	2697.55	818.04	266.39	163.06	45.55	1845.80
秦皇岛市	Qinhuangdao	393	1954.94	1120.31	247.63	258.10	129.05	1078.94
唐 山 市	Tangshan	1761	11537.41	4280.12	604.28	999.34	334.50	7081.43
廊 坊 市	Langfang	1137	2813.06	1519.18	418.82	278.90	103.43	1680.13
保 定 市	Baoding	1184	3632.23	1897.02	544.22	329.95	145.09	2056.14
沧 州 市	Cangzhou	1898	3950.96	1829.52	505.23	423.47	164.72	2157.31
衡 水 市	Hengshui	885	1546.45	863.21	273.75	154.50	58.21	777.82
邢 台 市	Xingtai	1349	3050.03	1361.15	312.71	269.41	102.02	1716.76
邯 郸 市	Handan	1312	5725.73	2620.49	408.50	560.95	239.98	3548.10
定 州 市	Dingzhou	196	331.17	161.08	29.85	21.80	8.86	195.34
辛 集 市	Xinji	232	534.25	154.80	26.00	35.46	12.11	156.14
雄安新区	Xiongan New Area	195	129.8	94.7	29.7	30.3	10.3	57.5

12-3 续表 continued

单位：亿元 (100 million yuan)

年 份 Year 市 City	营业收入 Business Revenue	营业成本 Business Cost	销售费用 Selling Expenses	管理费用 Administrative Expenses	财务费用 Financial Expenses	利润总额 Total Profits	平均用工人数（万人） Annual Average Employees (10000 persons)
1998						98.87	
2000	3425.08	2812.34	108.14	205.33	91.98	184.94	269.75
2005	10745.82	9133.88	233.10	403.71	128.54	690.38	292.12
2006	13124.58	11158.19	276.01	475.21	158.13	884.74	303.35
2007	17109.89	14515.55	340.29	532.32	198.07	1269.98	303.21
2008						1291.22	
2009	24119.47	20792.12	418.75	708.00	269.10	1440.28	319.94
2010	31628.93	27049.79	500.18	932.51	341.92	2141.47	344.67
2011	41235.52	35517.99	588.19	1123.79	471.52	2639.01	356.03
2012	44887.68	38890.63	660.18	1208.01	562.74	2559.47	371.45
2013	47749.54	41450.18	747.20	1301.74	587.82	2734.45	368.29
2014	48738.95	42382.65	812.20	1384.93	646.38	2610.90	370.65
2015	47076.35	41148.74	823.61	1333.33	585.37	2360.99	360.83
2016	48615.80	42277.58	874.75	1346.48	535.17	2815.11	346.67
2017	43516.80	37313.68	903.82	1401.23	573.37	2712.87	334.81
2018	39167.84	33409.75	873.25	1355.50	576.00	2163.96	275.28
2019	41095.06	35216.65	923.50	1125.00	559.98	2140.10	276.65
石家庄市 Shijiazhuang	4529.35	3622.55	243.62	134.17	66.45	308.43	31.89
承 德 市 Chengde	1457.60	1195.85	39.06	53.96	48.15	96.13	9.38
张家口市 Zhangjiakou	1211.98	993.22	22.74	53.61	37.41	57.53	8.24
秦皇岛市 Qinhuangdao	2054.60	1787.07	53.08	53.86	6.85	130.77	13.25
唐 山 市 Tangshan	11372.41	9870.36	127.18	256.47	128.56	587.69	56.57
廊 坊 市 Langfang	2436.15	2146.74	66.97	79.86	31.92	86.36	19.99
保 定 市 Baoding	2712.00	2314.48	103.81	91.60	30.53	117.50	24.38
沧 州 市 Cangzhou	4255.59	3706.99	50.72	109.62	46.77	159.75	23.89
衡 水 市 Hengshui	1226.90	1043.40	51.09	37.88	20.05	76.77	11.34
邢 台 市 Xingtai	2597.59	2286.03	52.85	79.20	38.54	138.15	24.02
邯 郸 市 Handan	5606.57	4899.98	65.57	122.25	78.59	237.76	29.75
定 州 市 Dingzhou	380.96	319.96	14.84	11.35	3.62	25.98	2.26
辛 集 市 Xinji	1082.09	872.84	30.15	38.16	21.29	110.04	20.03
雄安新区 Xiongan New Area	171.27	157.16	1.83	3.02	1.25	7.24	1.66

注：2017年及以前为主营业务收入和主营业务成本，2018年起为营业收入和营业成本，以下相关表均同。

a) The indicators were Revenue from Principal Business and Cost of Principal Business in 2017 and before, and are Business Revenue and Business Cost since 2018. The same applies to the tables following.

12-4 按行业分国有控股工业企业主要指标(2019年)

单位：亿元

行　　业	Sector	企　业单位数(个) Number of Enterprises (unit)	资产总计 Total Assets
总　　计	**Total**	**788**	**17923.50**
煤炭开采和洗选业	Mining and Washing of Coal	11	1529.25
石油和天然气开采业	Extraction of Petroleum and Natural Gas	2	520.37
黑色金属矿采选业	Mining and Processing of Ferrous Metal Ores	9	451.20
有色金属矿采选业	Mining and Processing of Non-ferrous Metal Ores	1	3.29
非金属矿采选业	Mining and Processing of Non-metal Ores	8	32.13
开采专业及辅助性活动	Professional and Support Activities for Mining		
农副食品加工业	Processing of Food from Agricultural Products	17	101.09
食品制造业	Manufacture of Foods	5	30.08
酒、饮料和精制茶制造业	Manufacture of Liquor, Beverages and Refined Tea	17	119.39
烟草制品业	Manufacture of Tobacco	3	140.76
纺织业	Manufacture of Textile	6	107.40
纺织服装、服饰业	Manufacture of Textile, Wearing Apparel and Accessories	10	30.96
皮革、毛皮、羽毛及其制品和制鞋业	Manufacture of Leather, Fur, Feather and Related Products and Footwear	2	12.13
木材加工和木、竹、藤、棕、草制品业	Processing of Timber, Manufacture of Wood, Bamboo, Rattan, Palm and Straw Products	2	5.17
家具制造业	Manufacture of Furniture	1	7.86
造纸和纸制品业	Manufacture of Paper and Paper Products	4	34.65
印刷和记录媒介复制业	Printing and Reproduction of Recording Media	11	46.36
文教、工美、体育和娱乐用品制造业	Manufacture of Articles for Culture, Education, Arts and Crafts, Sport and Entertainment Activities	1	1.13
石油、煤炭及其他燃料加工业	Processing of Petroleum, Coal and Other Fuels	17	510.67
化学原料和化学制品制造业	Manufacture of Raw Chemical Materials and Chemical Products	50	395.63
医药制造业	Manufacture of Medicines	19	257.75
化学纤维制造业	Manufacture of Chemical Fibres	2	237.06
橡胶和塑料制品业	Manufacture of Rubber and Plastics Products	10	92.59
非金属矿物制品业	Manufacture of Non-metallic Mineral Products	72	404.32
黑色金属冶炼和压延加工业	Smelting and Pressing of Ferrous Metals	21	5721.74
有色金属冶炼和压延加工业	Smelting and Pressing of Non-ferrous Metals	8	170.48
金属制品业	Manufacture of Metal Products	20	594.42
通用设备制造业	Manufacture of General Purpose Machinery	17	84.69
专用设备制造业	Manufacture of Special Purpose Machinery	45	327.73
汽车制造业	Manufacture of Automobiles	21	462.03
铁路、船舶、航空航天和其他运输设备制造业	Manufacture of Railway, Ship, Aerospace and Other Transport Equipments	11	398.21
电气机械和器材制造业	Manufacture of Electrical Machinery and Apparatus	26	248.14
计算机、通信和其他电子设备制造业	Manufacture of Computers, Communication and Other Electronic Equipment	15	133.65
仪器仪表制造业	Manufacture of Measuring Instruments and Machinery	5	12.31
其他制造业	Other Manufacture	1	0.37
废弃资源综合利用业	Utilization of Waste Resources	7	9.74
金属制品、机械和设备修理业	Repair Service of Metal Products, Machinery and Equipment	6	29.27
电力、热力生产和供应业	Production and Supply of Electric Power and Heat Power	222	4205.32
燃气生产和供应业	Production and Supply of Gas	43	205.28
水的生产和供应业	Production and Supply of Water	40	248.89

Main Indicators of State-holding Industrial Enterprises by Industrial Sector (2019)

(100 million yuan)

流动资产合计 Total Current Assets	应收账款 Accounts Receivable	存货 Inventories		负债合计 Total Liabilities
			#产成品 Finished Goods	
5478.62	**976.20**	**1211.11**	**369.71**	**11502.86**
631.09	84.36	59.08	23.22	1056.71
34.41	0.49	5.79	2.06	157.90
112.25	24.48	21.34	4.88	308.35
1.06	0.14	0.07		0.94
20.42	2.36	3.44	2.48	23.19
60.00	5.08	5.73	2.87	67.01
17.95	10.48	1.23	0.57	6.59
57.09	5.32	26.47	6.08	49.41
109.87	3.37	82.86	4.72	68.92
40.58	4.52	14.69	10.82	48.60
23.31	6.01	4.48	1.20	13.52
7.15	1.59	1.66	1.07	5.06
1.04	0.37	0.40	0.10	9.02
5.28	3.80	0.98	0.48	6.52
20.55	0.44	5.97	3.74	3.56
23.88	2.42	4.73	1.33	12.59
0.78	0.36	0.17	0.06	0.55
175.59	18.97	109.26	22.16	318.07
133.15	18.08	21.11	8.56	264.66
123.11	22.85	24.13	13.30	169.48
70.46	4.44	16.65	5.45	133.71
31.24	9.82	6.25	3.83	33.66
173.28	38.95	25.71	10.89	226.78
1437.23	112.71	381.97	96.67	4022.67
33.16	6.74	10.95	2.53	106.98
286.18	31.94	47.14	24.20	308.17
51.74	21.83	12.43	2.18	38.65
169.23	43.12	64.78	31.69	177.36
277.71	75.01	58.10	48.35	293.99
280.56	83.44	80.22	14.58	230.64
163.82	62.77	36.29	12.49	174.73
83.61	47.62	14.24	4.04	76.33
10.56	6.33	0.71	0.25	8.47
0.31	0.01	0.08	0.04	0.07
5.04	1.26	0.46	0.34	15.34
21.91	8.51	9.05		17.04
619.95	185.52	33.76	1.81	2748.38
79.97	11.39	12.31	0.63	135.56
84.10	9.31	6.42	0.04	163.70

12-4 续表

单位：亿元

行业	Sector	营业收入 Business Revenue	营业成本 Business Cost
总计	**Total**	**10968.37**	**9398.94**
煤炭开采和洗选业	Mining and Washing of Coal	778.01	659.77
石油和天然气开采业	Extraction of Petroleum and Natural Gas	191.71	141.41
黑色金属矿采选业	Mining and Processing of Ferrous Metal Ores	119.63	73.61
有色金属矿采选业	Mining and Processing of Non-ferrous Metal Ores	1.79	0.94
非金属矿采选业	Mining and Processing of Non-metal Ores	15.11	12.86
开采专业及辅助性活动	Support Activities for Mining		
农副食品加工业	Processing of Food from Agricultural Products	96.76	88.57
食品制造业	Manufacture of Foods	18.85	15.03
酒、饮料和精制茶制造业	Manufacture of Liquor, Beverages and Refined Tea	68.63	42.10
烟草制品业	Manufacture of Tobacco	244.91	115.10
纺织业	Manufacture of Textile	56.61	55.09
纺织服装、服饰业	Manufacture of Textile, Wearing Apparel and Accessories	17.14	13.30
皮革、毛皮、羽毛及其制品和制鞋业	Manufacture of Leather, Fur, Feather and Related Products and Footwear	9.19	7.98
木材加工和木、竹、藤、棕、草制品业	Processing of Timber, Manufacture of Wood, Bamboo, Rattan, Palm and Straw Products	0.95	1.02
家具制造业	Manufacture of Furniture	6.76	6.19
造纸和纸制品业	Manufacture of Paper and Paper Products	29.73	20.45
印刷和记录媒介复制业	Printing and Reproduction of Recording Media	28.67	20.89
文教、工美、体育和娱乐用品制造业	Manufacture of Articles for Culture, Education, Arts and Crafts, Sport and Entertainment Activities	0.66	0.44
石油、煤炭及其他燃料加工业	Processing of Petroleum, Coking and Processing of Nuclear Fuel	1201.15	946.86
化学原料和化学制品制造业	Manufacture of Raw Chemical Materials and Chemical Products	174.35	154.10
医药制造业	Manufacture of Medicines	98.96	74.74
化学纤维制造业	Manufacture of Chemical Fibres	192.63	158.02
橡胶和塑料制品业	Manufacture of Rubber and Plastics Products	42.28	34.22
非金属矿物制品业	Manufacture of Non-metallic Mineral Products	240.87	168.10
黑色金属冶炼和压延加工业	Smelting and Pressing of Ferrous Metals	3017.59	2712.77
有色金属冶炼和压延加工业	Smelting and Pressing of Non-ferrous Metals	123.63	105.77
金属制品业	Manufacture of Metal Products	263.71	230.59
通用设备制造业	Manufacture of General Purpose Machinery	43.36	31.79
专用设备制造业	Manufacture of Special Purpose Machinery	131.47	111.21
汽车制造业	Manufacture of Automobiles	399.45	343.48
铁路、船舶、航空航天和其他运输设备制造业	Manufacture of Railway, Ship, Aerospace and Other Transport Equipments	244.88	197.85
电气机械和器材制造业	Manufacture of Electrical Machinery and Apparatus	116.46	98.04
计算机、通信和其他电子设备制造业	Manufacture of Computers, Communication and Other Electronic Equipment	116.77	98.66
仪器仪表制造业	Manufacture of Measuring Instruments and Machinery	8.39	6.19
其他制造业	Other Manufacture	0.21	0.09
废弃资源综合利用业	Utilization of Waste Resources	11.02	8.84
金属制品、机械和设备修理业	Repair Service of Metal Products, Machinery and Equipment	17.95	14.61
电力、热力生产和供应业	Production and Supply of Electric Power and Heat Power	2560.75	2400.52
燃气生产和供应业	Production and Supply of Gas	213.25	181.98
水的生产和供应业	Production and Supply of Water	64.14	45.80

continued

(100 million yuan)

销售费用 Selling Expenses	管理费用 Administrative Expenses	财务费用 Financial Expenses	利润总额 Total Profits	平均用工人数（人） Annual Average Employees (person)
170.77	**373.40**	**246.43**	**307.18**	**642227**
13.42	40.85	32.81	26.82	120472
0.26	23.40	1.67	-5.20	24106
2.50	12.26	6.89	13.83	17537
	0.35	0.01	0.38	474
0.36	2.91	0.08	1.29	7032
1.36	2.05	1.77	1.40	4860
2.17	0.76	-0.20	0.94	2362
10.92	3.86	0.26	4.62	7046
1.43	14.82	-0.08	-0.58	5078
0.15	1.79	1.63	0.81	4104
0.59	2.77	0.17	0.19	8309
0.19	0.40	0.03	0.50	1031
0.01	0.48		-0.57	313
0.14	0.37		0.06	451
0.15	3.47	-0.03	6.40	2295
0.65	4.08	0.04	2.90	4779
0.02	0.13	0.01	0.01	303
2.69	18.87	6.02	-0.33	12255
5.83	11.20	8.22	-8.86	17169
14.25	4.81	5.26	0.98	12097
6.28	13.12	3.65	8.14	18395
2.72	2.32	0.73	1.49	5636
6.64	21.79	5.07	36.59	20154
35.45	58.39	90.42	41.22	101854
2.83	2.61	2.94	4.63	5366
6.59	9.03	2.82	13.86	15438
2.30	2.03	0.33	5.37	7043
6.70	9.20	6.11	-4.37	18011
21.07	13.82	-0.76	13.58	15614
5.59	10.19	0.11	20.37	18301
5.76	5.57	2.51	-1.03	9377
2.43	2.94	0.17	8.52	10558
0.16	0.41	0.08	1.26	1629
	0.17		-0.06	122
0.25	0.84	0.80	2.94	898
0.08	2.09	-0.03	0.90	3144
0.70	53.79	62.18	91.21	113275
4.86	6.19	2.60	12.87	9017
3.25	9.27	2.17	4.09	16322

12-5 国有控股工业企业主要指标
Main Indicators of State-holding Industrial Enterprises

单位：亿元 (100 million yuan)

年份 市	Year City	企业单位数(个) Number of Enterprises (unit)	资产总计 Total Assets	流动资产合计 Total Current Assets	应收账款 Accounts Receivable	存货 Inventories	#产成品 Finished Goods	负债合计 Total Liabilities
	2005	1232	5054.86	1858.99	310.53	535.36	174.32	3235.52
	2006	1120	5472.76	1939.31	287.61	518.34	165.90	3493.95
	2007	832	6675.00	2435.62	364.47	664.85	174.85	4073.02
	2008	876	8241.39					
	2009	794	10210.87	3252.46	438.33	947.27	254.87	6639.33
	2010	765	12144.25	3879.76	580.50	1161.04	293.76	7905.58
	2011	690	13506.43	4670.22	653.91	1347.45	359.84	8814.49
	2012	709	14638.22	4831.72	740.31	1364.58	366.19	9456.19
	2013	753	15489.38	5052.39	817.18	1467.13	407.11	10102.80
	2014	794	16507.43	5238.53	867.79	1602.57	457.17	10840.86
	2015	818	16484.92	5074.54	901.19	1418.51	417.32	10778.83
	2016	714	17303.45	5407.94	988.35	1466.31	400.54	11289.60
	2017	699	17491.84	5515.01	1006.70	1360.33	398.53	11295.98
	2018	715	17645.76	5556.56	1006.65	1370.09	403.91	11201.23
	2019	788	17923.50	5478.62	976.20	1211.11	369.71	11502.86
石家庄市	Shijiazhuang	113	1864.96	704.90	150.37	195.47	44.45	1123.01
承德市	Chengde	62	1049.12	336.49	65.36	69.29	7.67	815.21
张家口市	Zhangjiakou	94	1693.25	366.92	91.09	102.14	22.62	1172.49
秦皇岛市	Qinhuangdao	47	712.64	392.67	93.75	111.96	64.83	449.63
唐山市	Tangshan	127	5958.00	1654.51	261.61	344.89	93.14	3880.26
廊坊市	Langfang	55	419.24	123.62	45.40	23.25	8.35	266.21
保定市	Baoding	77	857.98	285.65	84.03	64.11	21.36	504.32
沧州市	Cangzhou	58	1259.87	254.96	22.34	86.27	27.40	627.28
衡水市	Hengshui	27	295.47	76.94	8.02	16.19	5.87	181.50
邢台市	Xingtai	38	827.66	317.16	29.30	22.29	8.19	457.08
邯郸市	Handan	79	2826.69	887.81	111.98	168.93	63.14	1924.86
定州市	Dingzhou	6	130.73	60.38	10.19	2.81	1.55	84.57
辛集市	Xinji	4	24.12	13.09	1.06	2.98	0.99	15.54
雄安新区	Xiongan New Area	1	3.79	3.50	1.71	0.51	0.15	0.91

12-5 续表 continued

单位：亿元 (100 million yuan)

年 份 市	Year City	营业收入 Business Revenue	营业成本 Business Cost	销售费用 Selling Expenses	管理费用 Administrative Expenses	财务费用 Financial Expenses	利润总额 Total Profits	平均用工人数（万人） Annual Average Employees (10000 persons)
	2005	4021.79	3388.06	71.92	236.05	68.06	224.40	108.32
	2006	4318.41	3637.93	65.27	268.58	74.01	232.43	102.36
	2007	5488.87	4643.31	78.81	262.42	93.42	366.98	94.88
	2008						289.04	
	2009	7482.68	6515.27	86.24	335.47	130.60	262.40	92.39
	2010	9936.35	8684.35	99.29	420.02	166.67	365.54	92.68
	2011	12243.26	10705.36	114.88	500.50	223.35	480.32	92.20
	2012	12667.66	11224.00	125.14	493.51	256.82	340.83	94.26
	2013	12042.62	10618.13	136.54	489.12	262.92	307.41	88.14
	2014	11784.06	10321.07	144.53	519.64	284.29	216.38	87.47
	2015	10337.51	9011.25	144.61	468.88	261.09	158.73	82.30
	2016	9758.84	8307.58	160.95	450.27	236.43	284.12	79.17
	2017	10569.89	8857.38	164.38	471.69	228.46	518.45	74.19
	2018	10816.82	9190.53	182.72	477.99	235.17	332.05	68.35
	2019	10968.37	9398.94	170.77	373.40	246.43	307.18	64.22
石家庄市	Shijiazhuang	1520.99	1251.17	28.51	49.25	24.98	39.57	7.63
承德市	Chengde	584.72	511.10	9.03	16.47	22.07	22.07	2.84
张家口市	Zhangjiakou	586.86	455.91	9.28	30.38	24.46	23.71	3.96
秦皇岛市	Qinhuangdao	549.33	478.90	20.38	18.16	0.78	23.68	2.44
唐山市	Tangshan	3338.86	2936.48	44.36	110.89	85.60	70.44	19.98
廊坊市	Langfang	342.46	315.47	4.93	10.83	3.31	9.72	2.40
保定市	Baoding	518.63	432.78	11.22	24.03	10.49	23.16	3.90
沧州市	Cangzhou	1187.70	949.63	5.43	39.42	11.64	24.71	4.26
衡水市	Hengshui	211.59	187.65	9.29	5.73	3.15	4.03	1.84
邢台市	Xingtai	326.93	278.62	3.26	18.46	10.01	20.81	3.37
邯郸市	Handan	1662.38	1488.75	18.50	43.04	48.92	37.67	10.74
定州市	Dingzhou	122.92	99.63	6.16	6.01	0.84	7.10	0.64
辛集市	Xinji	11.60	10.12	0.20	0.61	0.14	0.30	0.20
雄安新区	Xiongan New Area	3.42	2.74	0.21	0.11	0.03	0.20	0.02

12-6 按行业分私营工业企业主要指标(2019年)

单位：亿元

行 业	Sector	企业单位数(个) Number of Enterprises (unit)	资产总计 Total Assets
总 计	**Total**	**10073**	**14575.45**
煤炭开采和洗选业	Mining and Washing of Coal	40	24.96
石油和天然气开采业	Extraction of Petroleum and Natural Gas		
黑色金属矿采选业	Mining and Processing of Ferrous Metal Ores	189	453.00
有色金属矿采选业	Mining and Processing of Non-ferrous Metal Ores	5	13.78
非金属矿采选业	Mining and Processing of Non-metal Ores	46	29.25
开采专业及辅助性活动	Professional and Support Activities for Mining		
其他采矿业	Mining of Other Ores		
农副食品加工业	Processing of Food from Agricultural Products	562	598.17
食品制造业	Manufacture of Foods	198	323.22
酒、饮料和精制茶制造业	Manufacture of Liquor, Beverages and Refined Tea	71	132.05
烟草制品业	Manufacture of Tobacco		
纺织业	Manufacture of Textile	524	280.49
纺织服装、服饰业	Manufacture of Textile, Wearing Apparel and Accessories	129	66.67
皮革、毛皮、羽毛及其制品和制鞋业	Manufacture of Leather, Fur, Feather and Related Products and Footwear	347	405.36
木材加工和木、竹、藤、棕、草制品业	Processing of Timber, Manufacture of Wood, Bamboo, Rattan, Palm and Straw Products	154	108.25
家具制造业	Manufacture of Furniture	144	99.67
造纸和纸制品业	Manufacture of Paper and Paper Products	199	199.57
印刷和记录媒介复制业	Printing and Reproduction of Recording Media	132	91.47
文教、工美、体育和娱乐用品制造业	Manufacture of Articles for Culture, Education, Arts and Crafts, Sport and Entertainment Activities	244	117.20
石油、煤炭及其他燃料加工业	Processing of Petroleum, Coal and Other Fuels	81	394.48
化学原料和化学制品制造业	Manufacture of Raw Chemical Materials and Chemical Products	587	952.81
医药制造业	Manufacture of Medicines	156	177.07
化学纤维制造业	Manufacture of Chemical Fibres	34	17.98
橡胶和塑料制品业	Manufacture of Rubber and Plastics Products	651	488.34
非金属矿物制品业	Manufacture of Non-metallic Mineral Products	1090	1147.99
黑色金属冶炼和压延加工业	Smelting and Pressing of Ferrous Metals	279	3790.04
有色金属冶炼和压延加工业	Smelting and Pressing of Non-ferrous Metals	168	161.23
金属制品业	Manufacture of Metal Products	1266	964.23
通用设备制造业	Manufacture of General Purpose Machinery	684	596.15
专用设备制造业	Manufacture of Special Purpose Machinery	565	562.84
汽车制造业	Manufacture of Automobiles	386	562.86
铁路、船舶、航空航天和其他运输设备制造业	Manufacture of Railway, Ship, Aerospace and Other Transport Equipments	122	98.07
电气机械和器材制造业	Manufacture of Electrical Machinery and Apparatus	585	825.71
计算机、通信和其他电子设备制造业	Manufacture of Computers, Communication and Other Electronic Equipment	123	134.52
仪器仪表制造业	Manufacture of Measuring Instruments and Machinery	65	70.91
其他制造业	Other Manufacture	19	6.37
废弃资源综合利用业	Utilization of Waste Resources	73	77.64
金属制品、机械和设备修理业	Repair Service of Metal Products, Machinery and Equipment	6	1.15
电力、热力生产和供应业	Production and Supply of Electric Power and Heat Power	92	444.27
燃气生产和供应业	Production and Supply of Gas	54	147.90
水的生产和供应业	Production and Supply of Water	3	9.78

Main Indicators of Private Enterprises by Industrial Sector (2019)

(100 million yuan)

流动资产合计 Total Current Assets	应收账款 Accounts Receivable	存货 Inventories	#产成品 Finished Goods	负债合计 Total Liabilities
7985.72	**1964.96**	**1832.53**	**741.19**	**8039.16**
21.98	5.71	5.35	1.61	21.81
234.83	32.55	29.32	15.82	337.64
4.62	0.33	0.88	0.66	7.17
12.47	4.94	2.02	0.86	21.23
389.43	60.31	114.26	42.50	341.04
149.83	29.19	51.54	20.45	168.84
67.94	10.97	21.28	7.70	80.30
157.39	45.93	56.46	29.07	151.52
34.56	6.00	14.14	7.18	29.13
106.03	27.28	27.95	10.16	119.29
64.48	17.46	22.15	11.56	66.08
57.71	15.21	15.19	5.37	62.52
105.82	17.84	27.35	10.43	140.87
51.51	19.20	9.47	3.60	54.86
58.67	15.48	20.94	9.27	51.90
256.70	19.25	69.36	23.54	296.08
481.88	92.82	101.08	51.31	484.93
106.96	34.77	27.41	11.79	84.95
7.82	2.44	2.03	0.60	9.89
301.06	134.58	55.95	25.14	220.65
656.41	221.83	135.39	55.53	740.67
1878.28	124.22	444.88	166.10	1983.50
90.02	25.46	23.19	8.27	74.70
602.81	185.68	153.53	70.82	536.52
370.14	157.18	90.74	33.98	317.60
363.45	117.85	88.38	33.10	288.98
362.27	130.15	66.14	27.30	345.35
59.37	25.57	14.38	5.69	51.67
495.15	235.89	84.67	32.77	373.61
89.21	41.73	17.18	5.71	61.17
47.55	20.63	12.02	2.42	28.43
4.22	1.96	1.27	0.58	2.84
47.94	18.60	16.41	6.22	50.76
0.89	0.51	0.06		0.52
165.30	39.39	3.74	1.40	320.17
75.20	25.66	6.26	2.60	104.83
5.80	0.39	0.16	0.11	7.18

12-6 续表

单位：亿元

行　业	Sector	营业收入 Business Revenue	营业成本 Business Cost
总　计	**Total**	**18734.42**	**16329.39**
煤炭开采和洗选业	Mining and Washing of Coal	67.67	63.55
石油和天然气开采业	Extraction of Petroleum and Natural Gas		
黑色金属矿采选业	Mining and Processing of Ferrous Metal Ores	375.03	312.88
有色金属矿采选业	Mining and Processing of Non-ferrous Metal Ores	10.20	6.20
非金属矿采选业	Mining and Processing of Non-metal Ores	27.63	19.46
开采专业及辅助性活动	Professional and Support Activities for Mining		
其他采矿业	Mining of Other Ores		
农副食品加工业	Processing of Food from Agricultural Products	1014.44	937.89
食品制造业	Manufacture of Foods	412.69	352.47
酒、饮料和精制茶制造业	Manufacture of Liquor, Beverages and Refined Tea	92.54	67.31
烟草制品业	Manufacture of Tobacco		
纺织业	Manufacture of Textile	454.84	413.85
纺织服装、服饰业	Manufacture of Textile, Wearing Apparel and Accessories	83.77	75.41
皮革、毛皮、羽毛及其制品和制鞋业	Manufacture of Leather, Fur, Feather and Related Products and Footwear	728.93	584.58
木材加工和木、竹、藤、棕、草制品业	Processing of Timber, Manufacture of Wood, Bamboo, Rattan, Palm and Straw Products	154.20	140.84
家具制造业	Manufacture of Furniture	115.92	99.02
造纸和纸制品业	Manufacture of Paper and Paper Products	201.03	187.55
印刷和记录媒介复制业	Printing and Reproduction of Recording Media	88.10	77.54
文教、工美、体育和娱乐用品制造业	Manufacture of Articles for Culture, Education, Arts and Crafts, Sport and Entertainment Activities	152.85	128.86
石油、煤炭及其他燃料加工业	Processing of Petroleum, Coal and Other Fuels	652.01	604.11
化学原料和化学制品制造业	Manufacture of Raw Chemical Materials and Chemical Products	892.98	760.12
医药制造业	Manufacture of Medicines	180.06	140.84
化学纤维制造业	Manufacture of Chemical Fibres	28.75	26.54
橡胶和塑料制品业	Manufacture of Rubber and Plastics Products	506.55	442.77
非金属矿物制品业	Manufacture of Non-metallic Mineral Products	1131.46	983.18
黑色金属冶炼和压延加工业	Smelting and Pressing of Ferrous Metals	6560.70	5705.70
有色金属冶炼和压延加工业	Smelting and Pressing of Non-ferrous Metals	249.06	228.52
金属制品业	Manufacture of Metal Products	1453.95	1322.87
通用设备制造业	Manufacture of General Purpose Machinery	534.48	462.80
专用设备制造业	Manufacture of Special Purpose Machinery	549.86	467.40
汽车制造业	Manufacture of Automobiles	601.85	498.66
铁路、船舶、航空航天和其他运输设备制造业	Manufacture of Railway, Ship, Aerospace and Other Transport Equipments	110.72	94.54
电气机械和器材制造业	Manufacture of Electrical Machinery and Apparatus	798.40	707.52
计算机、通信和其他电子设备制造业	Manufacture of Computers, Communication and Other Electronic Equipment	94.51	78.34
仪器仪表制造业	Manufacture of Measuring Instruments and Machinery	51.53	37.22
其他制造业	Other Manufacture	9.12	7.97
废弃资源综合利用业	Utilization of Waste Resources	127.93	118.31
金属制品、机械和设备修理业	Repair Service of Metal Products, Machinery and Equipment	2.50	2.16
电力、热力生产和供应业	Production and Supply of Electric Power and Heat Power	103.95	74.63
燃气生产和供应业	Production and Supply of Gas	113.10	97.02
水的生产和供应业	Production and Supply of Water	1.10	0.74

continued

(100 million yuan)

销售费用 Selling Expenses	管理费用 Administrative Expenses	财务费用 Financial Expenses	利润总额 Total Profits	平均用工人数(人) Annual Average Employees (person)
312.82	**427.17**	**182.63**	**1038.22**	**1388341**
2.94	0.53	0.47	0.07	1571
4.51	15.75	10.02	26.39	28066
0.06	0.98	0.25	1.37	691
3.95	1.81	0.33	1.74	3139
16.07	15.34	7.33	36.16	46284
22.38	13.43	4.25	25.38	38419
5.60	5.31	2.37	7.13	10371
5.22	8.81	3.74	19.43	58305
1.63	2.59	0.75	2.80	20983
22.35	28.70	19.32	72.02	167882
1.16	3.10	1.68	6.42	12644
3.73	4.13	1.50	6.05	19386
3.25	4.44	1.95	3.57	20009
1.81	3.49	1.16	2.88	14202
4.07	5.03	1.38	11.76	21696
6.69	8.04	4.80	20.69	17965
24.78	31.19	13.36	46.83	83884
9.41	8.84	1.72	15.86	18856
0.31	0.60	0.17	0.89	2774
12.51	16.10	6.15	21.86	52556
32.06	33.36	18.41	51.40	109200
37.40	79.93	27.81	432.87	218584
3.29	5.14	2.16	6.75	12759
20.74	27.83	10.46	44.09	114127
13.56	19.60	9.31	21.66	62500
15.44	21.66	5.67	30.75	59380
10.72	17.75	4.05	36.56	64805
2.22	4.01	0.90	7.38	13594
14.24	20.97	9.05	33.91	51996
3.24	4.72	1.35	5.79	12063
2.97	3.89	0.38	5.64	8515
0.15	0.24	0.08	0.65	1319
1.25	2.27	0.95	4.09	4980
0.02	0.23		0.07	2718
0.54	4.27	8.13	17.68	7453
2.55	2.93	1.10	9.60	4370
	0.17	0.12	0.04	295

12-7 私营工业企业主要指标
Main Indicators of Private Industrial Enterprises

单位：亿元 (100 million yuan)

年份 Year / 市 City		企业单位数(个) Number of Enterprises (unit)	资产总计 Total Assets	流动资产合计 Total Current Assets	应收账款 Accounts Receivable	存货 Inventories	#产成品 Finished Goods	负债合计 Total Liabilities
	2005	4724	1458.18	705.70	125.69	224.38	109.37	793.07
	2006	5567	1949.71	955.94	170.77	283.29	137.29	1088.98
	2007	6067	2537.51	1233.78	232.24	365.44	163.34	1348.36
	2008							
	2009	8162	4001.80	1934.68	364.31	515.94	257.08	2237.77
	2010	8959	5232.19	2591.28	481.92	694.71	302.61	2810.79
	2011	7302	6733.58	3218.22	594.91	778.51	344.73	3535.81
	2012	7949	8897.32	3810.57	750.78	919.16	421.21	4561.44
	2013	9021	10876.66	4620.31	914.29	1070.02	476.31	5379.27
	2014	9600	13685.76	4974.76	1035.60	1142.54	530.41	6323.97
	2015	9893	13349.67	5199.29	1113.45	1152.08	519.44	6189.39
	2016	9626	13851.74	5265.82	1127.72	1226.01	529.00	6040.49
	2017	11647	15484.98	7100.46	1556.17	1748.03	711.25	7932.56
	2018	10692	14125.77	7756.67	1796.29	1870.04	742.65	8224.61
	2019	10073	14575.45	7985.72	1964.96	1832.53	741.19	8039.16
石家庄市	Shijiazhuang	1443	1257.33	815.84	225.56	164.10	66.02	731.41
承德市	Chengde	218	793.20	453.30	118.38	49.83	18.77	583.20
张家口市	Zhangjiakou	183	303.41	142.62	44.78	27.45	9.82	208.47
秦皇岛市	Qinhuangdao	248	678.13	394.74	63.86	80.45	38.27	298.89
唐山市	Tangshan	1296	3251.99	1500.93	188.28	428.63	172.40	1770.59
廊坊市	Langfang	815	1151.05	741.51	148.30	153.55	53.30	857.35
保定市	Baoding	849	1112.22	655.86	212.80	147.02	61.43	623.15
沧州市	Cangzhou	1616	1390.53	849.95	296.51	215.31	93.06	680.56
衡水市	Hengshui	725	812.92	494.92	205.93	97.11	35.07	413.87
邢台市	Xingtai	1100	1339.16	651.27	181.03	162.35	65.19	730.01
邯郸市	Handan	1038	1842.59	1033.22	216.71	240.37	104.62	925.31
定州市	Dingzhou	167	69.26	44.77	16.36	13.26	5.83	39.71
辛集市	Xinji	204	468.24	130.44	21.68	28.71	8.91	127.66
雄安新区	Xiongan New Area	171	105.43	76.37	24.78	24.40	8.50	48.99

12-7 续表 continued

单位：亿元 (100 million yuan)

年 份 市	Year City	营业收入 Business Revenue	营业成本 Business Cost	销售费用 Selling Expenses	管理费用 Administrative Expenses	财务费用 Financial Expenses	利润总额 Total Profits	平 均 用工人数 (万人) Annual Average Employees (10000 persons)
	2005	2719.79	2323.23	57.33	53.02	24.21	191.66	77.34
	2006	3626.95	3107.01	80.09	69.01	31.88	261.97	88.30
	2007	4979.83	4240.03	105.41	100.25	43.75	384.24	95.39
	2008							
	2009	8471.12	7296.15	144.08	150.21	61.92	639.82	112.97
	2010	11649.99	9915.10	189.47	231.36	84.90	968.14	129.81
	2011	15141.31	12963.46	225.15	284.65	112.70	1231.33	138.47
	2012	18083.93	15525.58	260.40	352.35	149.40	1423.01	155.15
	2013	20699.88	17878.53	302.28	412.14	169.30	1573.37	154.32
	2014	21856.50	19036.58	321.33	427.08	194.58	1532.07	158.44
	2015	21930.92	19269.27	324.46	424.57	169.66	1435.70	155.55
	2016	23378.17	20637.77	345.83	433.04	152.95	1539.11	151.25
	2017	22862.13	20024.44	397.38	537.89	212.04	1479.09	179.15
	2018	17881.37	15522.71	276.74	482.65	194.50	1097.82	133.56
	2019	18734.42	16329.39	312.82	427.17	182.63	1038.22	138.83
石家庄市	Shijiazhuang	1303.09	1140.96	34.60	36.97	8.09	79.00	13.20
承 德 市	Chengde	596.19	492.38	10.60	23.85	16.79	39.12	4.16
张家口市	Zhangjiakou	173.99	141.67	5.82	8.12	6.11	11.23	1.98
秦皇岛市	Qinhuangdao	970.00	855.69	14.60	18.88	1.91	70.17	6.02
唐 山 市	Tangshan	5665.89	4874.02	52.97	88.75	22.02	363.15	24.42
廊 坊 市	Langfang	1337.16	1231.35	17.54	29.10	19.37	26.92	9.84
保 定 市	Baoding	951.08	815.21	27.88	30.62	12.33	56.52	10.31
沧 州 市	Cangzhou	1880.49	1715.66	30.40	43.34	15.22	59.57	14.14
衡 水 市	Hengshui	648.47	556.24	20.41	21.99	13.79	24.34	6.47
邢 台 市	Xingtai	1430.33	1270.88	32.70	39.04	18.78	67.05	15.35
邯 郸 市	Handan	2548.80	2215.72	35.11	49.01	26.39	131.42	13.49
定 州 市	Dingzhou	130.22	118.11	2.76	3.65	0.81	4.13	1.12
辛 集 市	Xinji	953.38	766.69	26.02	31.65	19.91	100.24	16.98
雄安新区	Xiongan New Area	145.32	134.78	1.41	2.21	1.11	5.36	1.35

12-8 按行业分外商投资和港澳台商投资工业企业主要指标(2019年)

单位：亿元

行　　业	Sector	企业单位数（个） Number of Enterprises (unit)	资产总计 Total Assets
总　　计	**Total**	**607**	**5294.84**
煤炭开采和洗选业	Mining and Washing of Coal		
石油和天然气开采业	Extraction of Petroleum and Natural Gas		
黑色金属矿采选业	Mining and Processing of Ferrous Metal Ores	3	47.01
有色金属矿采选业	Mining and Processing of Non-ferrous Metal Ores	1	10.82
非金属矿采选业	Mining and Processing of Non-metal Ores	3	1.77
开采专业及辅助性活动	Professional and Support Activities for Mining		
农副食品加工业	Processing of Food from Agricultural Products	31	192.14
食品制造业	Manufacture of Foods	27	156.21
酒、饮料和精制茶制造业	Manufacture of Liquor, Beverages and Refined Tea	20	131.27
烟草制品业	Manufacture of Tobacco		
纺织业	Manufacture of Textile	16	15.12
纺织服装、服饰业	Manufacture of Textile, Wearing Apparel and Accessories	9	5.19
皮革、毛皮、羽毛及其制品和制鞋业	Manufacture of Leather, Fur, Feather and Related Products and Footwear	13	31.39
木材加工和木、竹、藤、棕、草制品业	Processing of Timber, Manufacture of Wood, Bamboo, Rattan, Palm and Straw Products	2	5.35
家具制造业	Manufacture of Furniture	3	1.26
造纸和纸制品业	Manufacture of Paper and Paper Products	4	38.11
印刷和记录媒介复制业	Printing and Reproduction of Recording Media	4	9.86
文教、工美、体育和娱乐用品制造业	Manufacture of Articles for Culture, Education, Arts and Crafts, Sport and Entertainment Activities	10	11.36
石油、煤炭及其他燃料加工业	Processing of Petroleum, Coal and Other Fuels	5	181.80
化学原料和化学制品制造业	Manufacture of Raw Chemical Materials and Chemical Products	51	307.46
医药制造业	Manufacture of Medicines	15	381.77
化学纤维制造业	Manufacture of Chemical Fibres		
橡胶和塑料制品业	Manufacture of Rubber and Plastics Products	26	61.71
非金属矿物制品业	Manufacture of Non-metallic Mineral Products	27	77.62
黑色金属冶炼和压延加工业	Smelting and Pressing of Ferrous Metals	22	1581.25
有色金属冶炼和压延加工业	Smelting and Pressing of Non-ferrous Metals	5	45.19
金属制品业	Manufacture of Metal Products	42	61.42
通用设备制造业	Manufacture of General Purpose Machinery	33	136.02
专用设备制造业	Manufacture of Special Purpose Machinery	45	175.85
汽车制造业	Manufacture of Automobiles	71	432.88
铁路、船舶、航空航天和其他运输设备制造业	Manufacture of Railway, Ship, Aerospace and Other Transport Equipments	7	17.53
电气机械和器材制造业	Manufacture of Electrical Machinery and Apparatus	17	140.70
计算机、通信和其他电子设备制造业	Manufacture of Computers, Communication and Other Electronic Equipment	18	110.96
仪器仪表制造业	Manufacture of Measuring Instruments and Machinery	8	39.26
其他制造业	Other Manufacture	7	4.55
废弃资源综合利用业	Utilization of Waste Resources	6	19.91
金属制品、机械和设备修理业	Repair Service of Metal Products, Machinery and Equipment	2	4.64
电力、热力生产和供应业	Production and Supply of Electric Power and Heat Power	28	502.96
燃气生产和供应业	Production and Supply of Gas	19	307.16
水的生产和供应业	Production and Supply of Water	7	47.33

Main Indicators of Industrial Enterprises with Hong Kong, Macao, Taiwan and Foreign Funds by Industrial Sector (2019)

(100 million yuan)

流动资产合计 Total Current Assets	应收账款 Accounts Receivable	存货 Inventories	#产成品 Finished Goods	负债合计 Total Liabilities
2770.08	**585.83**	**469.24**	**160.46**	**2877.81**
33.24	5.16	2.06	1.56	30.62
1.37		0.25	0.02	8.62
1.17	0.29	0.45	0.26	0.62
149.34	14.95	37.80	18.26	128.98
91.30	21.22	13.82	5.43	52.41
33.46	5.62	10.84	4.64	62.37
8.71	2.43	3.40	1.22	8.21
3.14	0.76	1.29	0.62	3.41
5.92	1.36	1.89	0.88	4.83
3.71	0.27	0.60	0.34	0.86
0.58	0.04	0.34	0.11	0.42
8.65	2.13	2.39	0.39	12.17
4.88	1.17	0.67	0.39	4.57
6.30	2.91	2.32	0.60	4.63
90.95	1.45	8.46	1.12	114.69
140.91	25.69	20.60	11.08	131.09
247.62	41.81	30.39	19.60	135.24
37.62	11.35	7.90	3.78	35.84
36.40	11.03	10.88	4.94	34.85
859.38	30.03	154.38	28.50	877.73
21.39	8.06	5.47	1.36	26.86
37.88	11.88	12.34	6.60	25.82
102.19	27.24	29.32	5.79	57.33
137.66	44.16	40.05	20.56	86.48
261.22	149.02	27.09	11.47	289.12
14.09	4.44	3.29	0.37	7.18
79.80	40.16	7.89	4.13	153.75
74.32	43.89	7.91	3.86	39.07
32.57	9.73	4.80	0.79	16.11
2.83	0.75	1.01	0.12	1.71
10.60	0.94	0.25	0.12	8.38
3.20	0.93	0.30	0.03	0.87
119.71	32.11	7.74		299.39
102.26	30.80	10.96	1.52	179.91
5.71	2.05	0.09		33.68

12-8 续表

单位：亿元

行业	Sector	营业收入 Business Revenue	营业成本 Business Cost
总　计	**Total**	**4796.42**	**3965.36**
煤炭开采和洗选业	Mining and Washing of Coal		
石油和天然气开采业	Extraction of Petroleum and Natural Gas		
黑色金属矿采选业	Mining and Processing of Ferrous Metal Ores	22.15	12.78
有色金属矿采选业	Mining and Processing of Non-ferrous Metal Ores	5.92	3.24
非金属矿采选业	Mining and Processing of Non-metal Ores	1.48	1.10
开采专业及辅助性活动	Professional and Support Activities for Mining		
农副食品加工业	Processing of Food from Agricultural Products	280.38	259.91
食品制造业	Manufacture of Foods	192.01	139.18
酒、饮料和精制茶制造业	Manufacture of Liquor, Beverages and Refined Tea	83.33	67.53
烟草制品业	Manufacture of Tobacco		
纺织业	Manufacture of Textile	20.66	18.48
纺织服装、服饰业	Manufacture of Textile, Wearing Apparel and Accessories	3.29	2.81
皮革、毛皮、羽毛及其制品和制鞋业	Manufacture of Leather, Fur, Feather and Related Products and Footwear	102.38	82.67
木材加工和木、竹、藤、棕、草制品业	Processing of Timber, Manufacture of Wood, Bamboo, Rattan, Palm and Straw Products	3.41	2.23
家具制造业	Manufacture of Furniture	2.96	2.36
造纸和纸制品业	Manufacture of Paper and Paper Products	24.87	21.32
印刷和记录媒介复制业	Printing and Reproduction of Recording Media	8.16	7.03
文教、工美、体育和娱乐用品制造业	Manufacture of Articles for Culture, Education, Arts and Crafts, Sport and Entertainment Activities	22.41	19.99
石油、煤炭及其他燃料加工业	Processing of Petroleum, Coal and Other Fuels	175.51	145.15
化学原料和化学制品制造业	Manufacture of Raw Chemical Materials and Chemical Products	256.87	208.40
医药制造业	Manufacture of Medicines	254.91	93.35
化学纤维制造业	Manufacture of Chemical Fibres		
橡胶和塑料制品业	Manufacture of Rubber and Plastics Products	58.84	47.48
非金属矿物制品业	Manufacture of Non-metallic Mineral Products	71.22	58.63
黑色金属冶炼和压延加工业	Smelting and Pressing of Ferrous Metals	1789.12	1595.69
有色金属冶炼和压延加工业	Smelting and Pressing of Non-ferrous Metals	56.76	54.27
金属制品业	Manufacture of Metal Products	65.52	55.02
通用设备制造业	Manufacture of General Purpose Machinery	112.29	90.72
专用设备制造业	Manufacture of Special Purpose Machinery	141.28	108.95
汽车制造业	Manufacture of Automobiles	426.04	358.66
铁路、船舶、航空航天和其他运输设备制造业	Manufacture of Railway, Ship, Aerospace and Other Transport Equipments	14.17	10.67
电气机械和器材制造业	Manufacture of Electrical Machinery and Apparatus	77.72	70.31
计算机、通信和其他电子设备制造业	Manufacture of Computers, Communication and Other Electronic Equipment	66.93	60.10
仪器仪表制造业	Manufacture of Measuring Instruments and Machinery	50.77	36.94
其他制造业	Other Manufacture	5.97	5.10
废弃资源综合利用业	Utilization of Waste Resources	6.72	5.13
金属制品、机械和设备修理业	Repair Service of Metal Products, Machinery and Equipment	3.13	2.24
电力、热力生产和供应业	Production and Supply of Electric Power and Heat Power	185.41	149.09
燃气生产和供应业	Production and Supply of Gas	196.59	164.06
水的生产和供应业	Production and Supply of Water	7.25	4.78

continued

(100 million yuan)

销售费用 Selling Expenses	管理费用 Administrative Expenses	财务费用 Financial Expenses	利润总额 Total Profits	平均用工人数(人) Annual Average Employees (person)
182.72	**135.23**	**36.72**	**407.83**	**284458**
0.38	1.35	0.78	6.22	1360
	0.98		1.42	439
0.27	0.15	0.02	-0.05	198
8.12	5.07	0.24	6.13	10310
23.61	6.21	0.12	17.83	12700
6.45	2.52	0.90	3.82	4523
0.34	0.97	0.18	0.73	3621
0.05	0.36	0.06	0.02	2966
3.50	5.29	0.96	9.61	27022
0.79	0.24	-0.07	0.10	342
0.07	0.27	0.01	0.15	717
0.42	0.92	0.11	1.17	1429
0.60	0.75	0.03	-0.24	1845
0.28	0.41	0.04	1.62	3093
7.59	3.07	2.59	16.26	4993
8.29	9.56	2.62	21.99	11240
76.63	7.43	-1.59	69.91	20565
2.81	2.95	0.69	4.08	6908
3.54	3.82	0.72	3.07	8830
5.59	27.65	13.33	127.10	52312
1.03	1.03	1.12	0.05	2133
2.20	3.04	0.33	3.92	11610
5.14	5.62	0.19	7.91	11777
7.75	7.95	0.83	14.38	11694
6.17	14.70	1.32	33.86	21840
0.38	0.79	-0.05	1.92	2682
2.52	5.08	2.49	-5.40	7456
1.29	3.91	-0.12	-2.03	20544
1.95	1.82	0.01	9.86	2772
0.10	0.50		0.22	2379
0.18	0.49	0.12	1.38	446
0.02	0.34	-0.01	0.50	378
0.01	4.35	4.91	24.77	6755
4.63	5.17	2.95	24.50	6046
0.01	0.47	0.90	1.05	533

12–9 外商投资和港澳台商投资工业企业主要指标
Main Indicators of Industrial Enterprises with Hong Kong, Macao, Taiwan and Foreign Funds

单位：亿元 (100 million yuan)

年份 Year / 市 City		企业单位数(个) Number of Enterprises (unit)	资产总计 Total Assets	流动资产合计 Total Current Assets	应收账款 Accounts Receivable	存货 Inventories	#产成品 Finished Goods	负债合计 Total Liabilities
	2005	993	1549.76	664.82	120.62	212.55	73.20	882.76
	2006	1043	1973.75	908.32	148.28	286.25	108.92	1131.09
	2007	1076	2387.92	1141.31	201.28	351.63	110.39	1363.43
	2008							
	2009	1127	3676.75	1647.70	296.42	423.26	137.17	2088.01
	2010	1094	4220.60	2071.27	342.06	553.63	156.21	2426.49
	2011	919	5117.98	2480.97	424.54	655.48	195.24	3018.76
	2012	911	4999.36	2479.52	462.40	632.92	203.92	2987.09
	2013	913	5121.83	2548.51	512.09	626.08	196.18	3035.70
	2014	868	5245.95	2605.33	542.28	582.57	190.69	2971.42
	2015	503	4827.11	2318.32	527.27	481.64	168.17	2588.69
	2016	731	4999.98	2398.67	512.22	483.39	151.72	2585.09
	2017	719	5702.70	2792.20	566.00	518.62	162.41	2975.02
	2018							
	2019	607	5294.84	2770.08	585.83	469.24	160.46	2877.81
石家庄市	Shijiazhuang	64	760.64	439.11	73.84	76.12	36.85	335.96
承德市	Chengde	13	79.82	26.96	12.43	2.75	1.29	44.17
张家口市	Zhangjiakou	25	220.71	93.43	25.80	11.50	3.38	134.97
秦皇岛市	Qinhuangdao	57	398.83	244.92	47.29	48.55	19.90	233.03
唐山市	Tangshan	77	990.03	426.86	32.45	74.94	14.45	548.42
廊坊市	Langfang	121	632.56	378.41	162.12	63.88	28.38	284.15
保定市	Baoding	58	394.29	207.81	60.75	34.86	14.02	282.68
沧州市	Cangzhou	80	783.04	405.96	122.49	71.49	22.56	483.59
衡水市	Hengshui	29	80.27	32.62	9.25	7.97	4.71	32.70
邢台市	Xingtai	39	385.37	144.96	20.53	37.70	7.47	221.47
邯郸市	Handan	25	423.42	315.65	14.58	33.16	5.64	204.78
定州市	Dingzhou	4	111.07	44.82	1.72	4.01	0.34	62.89
辛集市	Xinji	10	32.37	6.35	2.05	1.42	0.88	7.40
雄安新区	Xiongan New Area	5	2.42	2.22	0.52	0.89	0.59	1.60

12-9 续表 continued

单位：亿元 (100 million yuan)

年 份 市	Year City	营业收入 Business Revenue	营业成本 Business Cost	销售费用 Selling Expenses	管理费用 Administrative Expenses	财务费用 Financial Expenses	利润总额 Total Profits	平均用工人数（万人） Annual Average Employees (10000 persons)
	2005	1675.24	1413.68	39.15	48.60	16.65	162.82	30.82
	2006	2291.27	1909.97	62.57	60.36	24.73	218.42	35.22
	2007	2998.35	2495.50	78.60	76.70	27.63	296.16	38.32
	2008							
	2009	3874.67	3305.87	98.85	109.78	43.01	286.66	43.11
	2010	4597.75	3890.25	109.26	130.77	47.81	366.57	47.32
	2011	5744.97	4946.86	129.71	149.59	65.01	376.26	48.26
	2012	5766.67	5052.46	140.46	160.62	83.96	225.93	45.81
	2013	5931.28	5220.75	149.30	173.74	70.67	245.61	46.60
	2014	5542.41	4827.97	159.41	179.28	71.84	281.32	44.14
	2015	4747.82	4113.77	165.10	164.40	63.77	195.55	40.28
	2016	4614.09	3948.89	153.63	156.04	57.35	275.62	32.89
	2017	4951.72	4107.02	173.37	185.29	53.38	401.76	35.37
	2018							
	2019	4796.42	3965.36	182.72	135.23	36.72	407.83	28.45
石家庄市	Shijiazhuang	581.24	375.48	85.93	15.62	0.50	92.20	4.03
承 德 市	Chengde	30.15	17.32	2.02	1.59	1.34	7.90	0.23
张家口市	Zhangjiakou	130.16	109.62	2.71	3.48	1.08	11.38	0.75
秦皇岛市	Qinhuangdao	370.89	319.12	14.96	11.64	2.40	21.34	2.54
唐 山 市	Tangshan	920.52	822.72	6.84	19.14	11.86	77.39	3.83
廊 坊 市	Langfang	510.27	394.27	37.06	26.01	2.23	38.26	4.91
保 定 市	Baoding	238.24	197.76	9.28	11.60	3.69	10.51	2.20
沧 州 市	Cangzhou	777.59	677.06	6.66	15.74	10.27	58.28	2.82
衡 水 市	Hengshui	78.53	67.95	2,04	3.12	0.10	5.46	0.75
邢 台 市	Xingtai	379.52	344.09	4.74	8.79	3.90	17.51	1.80
邯 郸 市	Handan	565.20	469.55	1.19	12.12	-3.46	43.78	1.49
定 州 市	Dingzhou	108.87	84.95	5.69	1.13	1.66	14.47	0.35
辛 集 市	Xinji	102.78	83.17	3.57	5.17	1.16	9.33	2.65
雄安新区	Xiongan New Area	2.48	2.29	0.04	0.09	0.02	0.03	0.09

12-10 按行业分大中型工业企业主要指标(2019年)

单位：亿元

行业	Sector	企业单位数 (个) Number of Enterprises (unit)	资产总计 Total Assets
总计	**Total**	**1413**	**32076.94**
煤炭开采和洗选业	Mining and Washing of Coal	9	1526.21
石油和天然气开采业	Extraction of Petroleum and Natural Gas	2	520.37
黑色金属矿采选业	Mining and Processing of Ferrous Metal Ores	44	862.14
有色金属矿采选业	Mining and Processing of Non-Ferrous Metal Ores	3	26.45
非金属矿采选业	Mining and Processing of Non-metal Ores	5	36.53
开采专业及辅助性活动	Professional and Support Activities for Mining		
农副食品加工业	Processing of Food from Agricultural Products	63	658.05
食品制造业	Manufacture of Foods	49	491.48
酒、饮料和精制茶制造业	Manufacture of Liquor, Beverages and Refined Tea	26	391.36
烟草制品业	Manufacture of Tobacco	3	140.76
纺织业	Manufacture of Textile	45	221.18
纺织服装、服饰业	Manufacture of Textile, Wearing Apparel and Accessories	34	90.48
皮革、毛皮、羽毛及其制品和制鞋业	Manufacture of Leather, Fur, Feather and Related Products and Footwear	40	128.02
木材加工和木、竹、藤、棕、草制品业	Processing of Timber, Manufacture of Wood, Bamboo, Rattan, Palm and Straw Products	7	32.63
家具制造业	Manufacture of Furniture	20	76.37
造纸和纸制品业	Manufacture of Paper and Paper Products	17	172.46
印刷和记录媒介复制业	Printing and Reproduction of Recording Media	16	68.57
文教、工美、体育和娱乐用品制造业	Manufacture of Articles for Culture, Education, Arts and Crafts, Sport and Entertainment Activities	11	24.63
石油、煤炭及其他燃料加工业	Processing of Petroleum, Coal and Other Fuels	46	1311.72
化学原料和化学制品制造业	Manufacture of Raw Chemical Materials and Chemical Products	88	1115.17
医药制造业	Manufacture of Medicines	59	945.10
化学纤维制造业	Manufacture of Chemical Fibres	3	238.72
橡胶和塑料制品业	Manufacture of Rubber and Plastics Products	40	264.93
非金属矿物制品业	Manufacture of Non-metallic Mineral Products	123	816.40
黑色金属冶炼和压延加工业	Smelting and Pressing of Ferrous Metals	121	12654.66
有色金属冶炼和压延加工业	Smelting and Pressing of Non-ferrous Metals	13	282.72
金属制品业	Manufacture of Metal Products	95	938.36
通用设备制造业	Manufacture of General Purpose Machinery	52	349.20
专用设备制造业	Manufacture of Special Purpose Machinery	72	641.20
汽车制造业	Manufacture of Automobiles	94	2257.90
铁路、船舶、航空航天和其他运输设备制造业	Manufacture of Railway, Ship, Aerospace and Other Transport Equipments	24	485.58
电气机械和器材制造业	Manufacture of Electrical Machinery and Apparatus	47	900.50
计算机、通信和其他电子设备制造业	Manufacture of Computers, Communication and Other Electronic Equipment	24	630.55
仪器仪表制造业	Manufacture of Measuring Instruments and Machinery	18	149.55
其他制造业	Other Manufacture	3	3.75
废弃资源综合利用业	Utilization of Waste Resources	5	28.43
金属制品、机械和设备修理业	Repair Service of Metal Products, Machinery and Equipment	7	30.77
电力、热力生产和供应业	Production and Supply of Electric Power and Heat Power	59	2210.28
燃气生产和供应业	Production and Supply of Gas	11	189.62
水的生产和供应业	Production and Supply of Water	15	164.11

注：从2017年开始，工业企业年报规模划分按《统计上大中小微型企业划分办法(2017)》执行。大中型工业企业为从业人员300人及以上并且主营业务收入在2000万元及以上的工业企业。

Main Indicators of Large and Medium-sized Industrial Enterprises by Industrial Sector (2019)

(100 million yuan)

流动资产合计 Total Current Assets	应收账款 Accounts Receivable	存货 Inventories	#产成品 Finished Goods	负债合计 Total Liabilities
14330.28	**3157.23**	**2866.80**	**1003.13**	**19646.31**
629.00	83.18	57.74	22.31	1054.74
34.41	0.49	5.79	2.06	157.90
322.12	57.84	34.93	11.44	615.12
6.24	0.14	0.89	0.41	15.25
19.64	2.91	4.15	3.04	25.14
414.90	44.03	93.69	36.88	420.76
230.78	46.11	53.26	21.06	267.64
256.55	8.70	48.87	16.18	168.18
109.87	3.37	82.86	4.72	68.92
95.14	16.21	41.34	25.44	119.25
53.95	12.18	17.75	8.52	56.27
38.65	8.74	11.23	3.72	32.76
13.61	1.30	4.40	2.48	22.96
41.26	10.82	9.80	4.30	46.18
77.21	4.90	17.67	7.78	95.50
34.55	4.28	7.29	1.99	19.67
14.67	6.85	4.02	1.53	16.59
624.99	46.26	190.54	47.52	900.75
476.58	80.73	96.91	54.14	593.79
524.82	99.22	102.44	47.94	413.59
71.75	4.74	17.34	5.61	134.83
127.70	57.06	22.45	8.09	112.71
408.23	72.89	90.43	37.04	464.29
5502.40	1184.45	1066.25	303.89	8394.74
66.46	15.39	20.00	6.17	162.43
478.13	72.94	130.75	66.97	520.59
226.71	68.69	65.26	20.07	181.74
383.31	122.86	114.43	49.04	320.14
1352.40	461.73	167.59	100.07	1298.94
332.94	112.96	90.03	21.12	279.87
524.11	191.25	85.10	37.99	652.75
266.47	129.19	30.39	10.51	231.15
104.66	38.12	22.29	10.06	59.57
2.21	0.61	0.79	0.10	1.55
12.66	4.38	2.98	1.24	19.99
23.09	9.30	9.71	0.02	18.76
296.29	56.24	27.81	0.99	1441.21
72.82	8.90	11.36	0.57	131.98
59.01	7.27	6.27	0.10	108.11

a) Since 2017, sizes in industrial enterprises annual reporting forms are based on the 2017's Standards of Enterprises by Size. Large and medium-sized enterprises refer to enterprises with engaged persons over 300 and revenue from principal business above 20 million yuan.

12-10 续表

单位：亿元

行 业	Sector	营业收入 Business Revenue	营业成本 Business Cost
总 计	**Total**	**27466.72**	**23353.72**
煤炭开采和洗选业	Mining and Washing of Coal	763.24	645.54
石油和天然气开采业	Extraction of Petroleum and Natural Gas	191.71	141.41
黑色金属矿采选业	Mining and Processing of Ferrous Metal Ores	344.47	237.83
有色金属矿采选业	Mining and Processing of Non-ferrous Metal Ores	16.53	9.20
非金属矿采选业	Mining and Processing of Non-metal Ores	18.11	16.08
开采专业及辅助性活动	Professional and Support Activities for Mining		
农副食品加工业	Processing of Food from Agricultural Products	887.41	816.47
食品制造业	Manufacture of Foods	628.43	488.38
酒、饮料和精制茶制造业	Manufacture of Liquor, Beverages and Refined Tea	248.79	161.57
烟草制品业	Manufacture of Tobacco	244.91	115.10
纺织业	Manufacture of Textile	199.97	182.31
纺织服装、服饰业	Manufacture of Textile, Wearing Apparel and Accessories	85.92	77.16
皮革、毛皮、羽毛及其制品和制鞋业	Manufacture of Leather, Fur, Feather and Related Products and Footwear	300.70	242.47
木材加工和木、竹、藤、棕、草制品业	Processing of Timber, Manufacture of Wood, Bamboo, Rattan, Palm and Straw Products	25.00	21.94
家具制造业	Manufacture of Furniture	74.98	59.14
造纸和纸制品业	Manufacture of Paper and Paper Products	108.48	91.89
印刷和记录媒介复制业	Printing and Reproduction of Recording Media	45.08	34.56
文教、工美、体育和娱乐用品制造业	Manufacture of Articles for Culture, Education, Arts and Crafts, Sport and Entertainment Activities	29.51	25.63
石油、煤炭及其他燃料加工业	Processing of Petroleum, Coal and Other Fuels	2199.25	1845.06
化学原料和化学制品制造业	Manufacture of Raw Chemical Materials and Chemical Products	849.51	690.52
医药制造业	Manufacture of Medicines	554.58	268.62
化学纤维制造业	Manufacture of Chemical Fibres	196.01	161.01
橡胶和塑料制品业	Manufacture of Rubber and Plastics Products	192.30	155.05
非金属矿物制品业	Manufacture of Non-metallic Mineral Products	623.64	482.50
黑色金属冶炼和压延加工业	Smelting and Pressing of Ferrous Metals	11435.01	10117.73
有色金属冶炼和压延加工业	Smelting and Pressing of Non-ferrous Metals	207.56	182.94
金属制品业	Manufacture of Metal Products	1098.92	987.18
通用设备制造业	Manufacture of General Purpose Machinery	214.26	167.85
专用设备制造业	Manufacture of Special Purpose Machinery	416.65	334.97
汽车制造业	Manufacture of Automobiles	1963.42	1695.48
铁路、船舶、航空航天和其他运输设备制造业	Manufacture of Railway, Ship, Aerospace and Other Transport Equipments	305.23	243.53
电气机械和器材制造业	Manufacture of Electrical Machinery and Apparatus	698.25	576.14
计算机、通信和其他电子设备制造业	Manufacture of Computers, Communication and Other Electronic Equipment	274.15	225.43
仪器仪表制造业	Manufacture of Measuring Instruments and Machinery	102.59	69.10
其他制造业	Other Manufacture	4.52	3.93
废弃资源综合利用业	Utilization of Waste Resources	37.98	36.15
金属制品、机械和设备修理业	Repair Service of Metal Products, Machinery and Equipment	19.33	16.04
电力、热力生产和供应业	Production and Supply of Electric Power and Heat Power	1644.59	1552.94
燃气生产和供应业	Production and Supply of Gas	168.45	139.55
水的生产和供应业	Production and Supply of Water	47.29	35.34

continued

(100 million yuan)

销售费用 Selling Expenses	管理费用 Administrative Expenses	财务费用 Financial Expenses	利润总额 Total Profits	平均用工人数（人） Annual Average Employees (person)
643.86	**724.10**	**342.20**	**1503.18**	**1687559**
13.30	40.84	32.68	26.58	120760
0.26	23.40	1.67	-5.20	24106
6.27	26.44	17.68	39.51	39441
	2.22	0.26	3.14	1432
0.43	3.19	0.08	0.78	7771
18.02	13.10	7.02	32.32	45506
79.83	18.22	3.51	42.58	47225
34.58	8.33	0.27	48.50	18497
1.43	14.82	-0.08	-0.58	5078
2.15	5.73	3.29	9.64	27756
1.60	4.39	1.04	1.12	24751
10.17	15.67	3.00	28.07	83398
0.34	0.56	0.78	1.24	2725
2.75	3.70	0.82	7.38	13208
1.77	5.66	0.56	8.85	9058
1.36	5.06	0.26	3.79	9810
0.54	1.32	0.40	1.83	7141
22.37	32.23	18.59	52.21	39684
33.25	33.62	17.87	53.09	62309
138.48	22.90	6.55	103.15	56792
6.31	13.22	3.67	8.37	18874
9.25	7.36	2.99	15.54	23139
23.07	34.81	11.20	63.80	79073
75.18	177.71	130.69	634.50	381157
4.34	4.99	4.47	6.76	11440
16.84	19.87	8.00	42.78	69361
12.43	13.12	2.79	12.23	37489
19.49	20.42	9.10	26.12	48049
66.39	52.97	1.88	80.20	120876
7.90	13.07	1.18	27.58	28894
14.51	20.61	11.63	24.26	46286
4.30	11.06	4.42	20.14	48438
6.76	5.47	0.38	18.43	13206
0.08	0.31		0.16	1812
0.31	0.64	0.35	0.15	1952
	2.30	-0.03	0.67	4774
0.27	32.03	29.36	49.93	83192
4.91	5.23	2.69	11.58	9234
2.62	7.54	1.14	1.98	13865

12-11 大中型工业企业主要指标
Main Indicators of Large and Medium-sized Industrial Enterprises

单位：亿元 (100 million yuan)

年份 市	Year City	企业单位数(个) Number of Enterprises (unit)	资产总计 Total Assets	流动资产合计 Total Current Assets	应收账款 Accounts Receivable	存货 Inventories	#产成品 Finished Goods	负债合计 Total Liabilities
	2005	1206	7404.47	3044.23	460.78	913.84	326.49	4592.09
	2006	1298	8881.50	3608.11	498.36	1037.07	378.05	5491.95
	2007	1167	9909.83	4127.25	560.01	1200.64	372.10	5924.88
	2008	1340						
	2009	1466	16155.76	6243.64	880.60	1738.06	539.89	10129.75
	2010	1627	19539.54	7962.57	1159.79	2245.62	644.79	12361.79
	2011	2030	23461.11	9912.75	1419.89	2662.41	799.20	14677.90
	2012	2184	26017.06	10436.26	1586.95	2715.65	837.17	16105.06
	2013	2191	28022.44	11172.26	1773.06	2837.39	907.52	17177.55
	2014	2221	31324.46	11603.13	1890.22	2909.91	963.78	18668.00
	2015	2169	30535.76	11534.68	1958.32	2688.41	892.26	18190.42
	2016	2042	31663.94	12092.11	2027.18	2832.31	917.06	18570.81
	2017	1878	31679.17	13055.85	2024.21	2898.88	974.47	1134.23
	2018	1470	31899.45	13694.18	2279.36	2988.11	1010.00	19671.77
	2019	1413	32076.94	14330.28	3157.23	2866.80	1003.13	19646.31
石家庄市	Shijiazhuang	210	4753.71	2900.16	1283.49	456.82	149.69	3113.80
承德市	Chengde	67	1343.76	681.11	89.48	111.59	21.03	1030.34
张家口市	Zhangjiakou	48	1272.34	348.81	82.57	124.17	34.83	926.71
秦皇岛市	Qinhuangdao	86	1403.11	859.96	182.90	190.91	104.63	732.77
唐山市	Tangshan	257	9508.87	3279.71	392.78	780.38	236.08	5765.73
廊坊市	Langfang	120	1364.41	745.80	176.25	142.61	53.51	778.76
保定市	Baoding	123	2401.64	1236.08	330.98	195.05	87.34	1368.31
沧州市	Cangzhou	125	2399.84	939.23	186.89	240.32	84.69	1340.21
衡水市	Hengshui	64	677.47	356.96	73.98	53.79	22.15	331.88
邢台市	Xingtai	128	2000.81	826.28	115.23	150.56	52.31	1127.90
邯郸市	Handan	127	4499.69	1968.25	219.29	392.48	149.25	2924.44
定州市	Dingzhou	11	250.88	112.09	16.35	9.17	2.80	149.73
辛集市	Xinji	39	188.78	68.15	5.39	16.65	3.89	49.56
雄安新区	Xiongan New Area	8	11.62	7.71	1.66	2.31	0.92	6.16

12-11 续表 continued

单位：亿元 (100 million yuan)

年 份 Year 市 City		营业收入 Business Revenue	营业成本 Business Cost	销售费用 Selling Expenses	管理费用 Administrative Expenses	财务费用 Financial Expenses	利润总额 Total Profits	平均用工人数(万人) Annual Average Employees (10000 persons)
	2005	7455.87	6359.34	143.76	308.92	98.68	477.12	176.02
	2006	9087.26	7740.20	166.47	367.69	121.80	601.71	187.06
	2007	10843.11	9235.07	182.34	355.51	138.66	817.00	168.69
	2008	14868.77						
	2009	15951.39	13797.44	252.66	516.76	198.75	844.72	196.41
	2010	20931.40	17980.15	292.90	674.09	259.80	1266.02	215.26
	2011	27730.48	23988.63	356.97	841.87	362.93	1536.53	246.98
	2012	30026.54	26130.29	405.40	891.76	432.78	1397.84	256.62
	2013	30891.05	26885.81	462.80	929.22	434.19	1475.39	242.22
	2014	31125.29	26999.22	502.59	987.76	477.70	1452.00	241.67
	2015	28736.93	25089.98	506.94	922.10	413.91	1180.07	231.91
	2016	29597.86	25578.49	543.68	925.89	374.66	1570.07	223.12
	2017	28266.59	23945.87	621.63	970.56	390.34	1856.17	209.51
	2018	27704.89	23411.62	643.61	985.39	407.21	1674.75	178.58
	2019	27466.72	23353.72	643.86	724.10	342.20	1503.18	168.76
石家庄市	Shijiazhuang	3250.87	2519.60	211.26	88.14	30.28	251.30	19.60
承 德 市	Chengde	1014.50	840.48	28.07	33.85	31.06	55.61	6.32
张家口市	Zhangjiakou	683.38	562.52	15.53	36.33	13.13	11.42	5.10
秦皇岛市	Qinhuangdao	1581.11	1366.57	41.00	37.12	1.43	116.20	9.67
唐 山 市	Tangshan	8624.52	7477.08	92.13	201.28	109.04	497.46	43.65
廊 坊 市	Langfang	1191.75	1030.64	41.05	35.45	14.88	53.77	10.07
保 定 市	Baoding	1733.68	1482.83	72.45	54.17	15.64	61.38	15.25
沧 州 市	Cangzhou	2546.13	2176.20	19.33	64.38	28.70	86.30	10.83
衡 水 市	Hengshui	546.77	455.29	31.03	16.29	6.40	49.38	5.07
邢 台 市	Xingtai	1529.99	1337.17	32.85	47.92	23.35	92.67	12.36
邯 郸 市	Handan	3978.06	3470.43	34.01	82.89	62.11	147.32	20.03
定 州 市	Dingzhou	266.13	214.53	13.03	8.05	2.54	23.67	1.37
辛 集 市	Xinji	508.93	411.54	12.03	17.67	3.50	55.46	9.07
雄安新区	Xiongan New Area	10.90	8.84	0.09	0.56	0.13	1.24	0.38

12-12 工业产品产量
Output of Industrial Products

产品名称	Item	2018	2019
原煤(万吨)	Coal (10000 tons)	5505.26	5075.25
原油(万吨)	Crude Petroleum Oil (10000 tons)	537.21	550.00
天然气(亿立方米)	Natural Gas (100 million cu.m)	6.15	5.84
原盐(万吨)	Salt (10000 tons)	276.37	265.96
精制食用植物油(万吨)	Refined Edible Vegetable Oil (10000 tons)	289.09	321.72
成品糖(万吨)	Refined Sugar (10000 tons)	31.23	39.23
罐头(万吨)	Canned Food (10000 tons)	16.13	17.86
啤酒(万千升)	Beer (10000 kiloliters)	166.76	180.62
卷烟(亿支)	Cigarettes (100 million pieces)	762.00	758.35
纱(万吨)	Yarn (10000 tons)	97.96	83.81
布(亿米)	Cloth (100 million m)	21.14	14.41
机制纸及纸板(万吨)	Machine-made Paper and Paperboard (10000 tons)	282.14	322.74
汽油(万吨)	Gasoline (10000 tons)	446.42	536.06
柴油(万吨)	Diesel Oil (10000 tons)	412.39	556.48
焦炭(万吨)	Coke (10000 tons)	4747.12	4982.97
硫酸(折100%)(万吨)	Sulfuric Acid (10000 tons)	157.40	185.37
烧碱(折100%)(万吨)	Caustic Soda (10000 tons)	135.32	115.41
纯碱(碳酸钠)(万吨)	Soda Ash (10000 tons)	224.94	228.98
乙烯(万吨)	Ethylene (10000 tons)	0.72	
合成氨(万吨)	Synthetic Ammonia (10000 tons)	222.38	211.42
农用氮、磷、钾化肥(万吨)	Chemical Fertilizers (10000 tons)	187.53	186.67
#氮肥(万吨)	Nitrogen Fertilizers (10000 tons)	160.01	156.49
磷肥(万吨)	Phosphate Fertilizers (10000 tons)	19.33	20.88
化学农药原药(万吨)	Chemical Pesticides (10000 tons)	2.26	4.26
初级形态的塑料(万吨)	Primary Plastic (10000 tons)	189.57	143.96
合成橡胶(万吨)	Synthetic Rubber (10000 tons)	1.02	1.69
合成洗涤剂(万吨)	Synthetic Detergents (10000 tons)	4.46	3.86
化学药品原药(万吨)	Chemical Medicines (10000 tons)	48.44	55.67
中成药(万吨)	Traditional Chinese Medicine (10000 tons)	4.21	2.94
化学纤维(万吨)	Chemical Fiber (10000 tons)	72.96	99.75
橡胶轮胎外胎(万条)	Tires (10000 tires)	48.59	33.76
水泥(万吨)	Cement (10000 tons)	8936.03	10231.49
平板玻璃(万重量箱)	Plain Glass (10000 weight cases)	12156.03	14812.24
生铁(万吨)	Pig Iron (10000 tons)	21387.65	21774.37
粗钢(万吨)	Crude Steel (10000 tons)	23729.85	24157.70

12-12 续表 continued

产品名称	Item	2018	2019
钢材(万吨)	Rolled Steel (10000 tons)	26908.74	28409.63
#重轨(万吨)	Heavy Rail (10000 tons)	31.71	57.65
大型型钢(万吨)	Rolled-steel, Large (10000 tons)	402.21	577.31
中小型型钢(万吨)	Rolled-steel, Medium and Small (10000 tons)	2369.39	2545.06
棒材(万吨)	Steel Bar (10000 tons)	643.15	628.38
钢筋(万吨)	Corrugated Steel Bar (10000 tons)	2544.17	3012.06
线材(盘条)(万吨)	Wire Rod (10000 tons)	3046.34	3157.95
特厚板(万吨)	Heavy Steel Plate (10000 tons)	228.83	196.61
厚钢板(万吨)	Thick Steel Plate (10000 tons)	446.65	410.47
中厚宽钢带(万吨)	Medium Wide Steel Belt (10000 tons)	5678.83	6048.40
热轧薄宽钢带(万吨)	Hot-roll Thin Wide Steel Belt (10000 tons)	2918.40	3019.22
冷轧薄宽钢带(万吨)	Non-hot-roll Thin Wide Steel Belt (10000 tons)	860.98	954.80
镀层板(带)(万吨)	Plated Plate (Belt) (10000 tons)	1199.72	1400.14
无缝钢管(万吨)	Seamless Steel Pipe (10000 tons)	26.69	21.46
十种有色金属(万吨)	Ten Kinds of Nonferrous Metals (10000 tons)	3.17	4.00
#精炼铜(万吨)	Refined Copper (10000 tons)	0.59	0.45
发动机(万千瓦)	Engines (10000 kW)	3466.29	3166.40
金属切削机床(万台)	Metal-cutting Machine Tools (10000 units)	0.04	0.27
矿山专用设备(万吨)	Special Equipment for Mine (10000 tons)	50.73	39.68
炼油、化工生产专用设备(万吨)	Equipment for Oil Refining, Chemical Production (10000 tons)	2.18	0.93
铁路客车(辆)	Railway Passenger Coaches (unit)	320	732
铁路货车(辆)	Railway Freight Wagons (unit)	1597	868
汽车(万辆)	Motor Vehicles (10000 sets)	122.28	105.08
#轿车(万辆)	Cars (10000 sets)	5.57	12.47
客车(万辆)	Buses (10000 sets)	3.54	3.90
载货汽车(万辆)	Trucks (10000 sets)	27.04	26.45
摩托车整车(万辆)	Motorcycle (10000 sets)	16.48	4.53
两轮脚踏自行车(万辆)	Bicycles with Two Wheels and Feet Driven (10000 sets)	10.18	0.88
发电机组(发电设备)(万千瓦)	Power Generation Equipment (10000 kW)	5.68	180.20
房间空气调节器(万台)	Air Conditioners (10000 sets)	1153.83	1311.26
家用电风扇(万台)	Electric Fans (10000 sets)	244.06	201.96
家用洗衣机(万台)	Home Washing Machines (10000 sets)	4.00	5.37
程控交换机(万线)	Program-controlled Switchboards (10000 lines)	25.04	38.41
集成电路(万块)	Integrated Circuits (10000 units)	1237.85	435.45
发电量(亿千瓦小时)	Electricity (100 million kWh)	3048.80	3117.74
#火电(亿千瓦小时)	Thermal Power (100 million kWh)	2723.18	2755.18
水电(亿千瓦小时)	Hydropower (100 million kWh)	6.84	5.85

12–13 分市工业产品产量(2019年)
Output of Industrial Products by City (2019)

市	City	原煤 (亿吨) Coal (100 million tons)	啤酒 (万千升) Beer (10000 kiloliters)	布 (亿米) Cloth (100 million m)	机制纸及纸板 (万吨) Machine-made Paper and Paperboards (10000 tons)	焦炭 (万吨) Coke (10000 tons)	硫酸 (万吨) Sulfuric Acid (10000 tons)	烧碱 (万吨) Caustic Soda (10000 tons)	农用氮、磷、钾化肥 (万吨) Chemical Fertilizer (10000 tons)
全　省	**Total**	5075.2	180.6	14.4	322.7	4983.0	185.4	115.4	186.7
石家庄市	Shijiazhuang		36.3	9.4	33.9	245.7	74.6	10.8	15.4
承 德 市	Chengde	47.4	1.3			126.4	12.8		19.2
张家口市	Zhangjiakou	102.6	0.9		0.3	163.5	5.8	0.1	2.1
秦皇岛市	Qinhuangdao		12.8		43.8	215.4	22.1		
唐 山 市	Tangshan	2091.5	34.1		131.9	2097.9	43.0	53.0	30.3
廊 坊 市	Langfang		53.8						1.6
保 定 市	Baoding	32.4	20.1	2.7	33.6				
沧 州 市	Cangzhou		13.8		3.1	134.1		25.8	86.9
衡 水 市	Hengshui		3.8		0.5		21.1	25.8	30.9
邢 台 市	Xingtai	842.9	1.7	1.2	63.3	425.7	6.0		
邯 郸 市	Handan	1958.4	1.9	0.9	5.6	1254.7			0.3
定 州 市	Dingzhou					319.7			
辛 集 市	Xinji			0.1	2.3				
雄安新区	Xiongan New Area				4.5				

12–13 续表 continued

市	City	初级形态的塑料 (万吨) Primary Plastic (10000 tons)	化学纤维 (万吨) Chemical Fiber (10000 tons)	水泥 (万吨) Cement (10000 tons)	平板玻璃 (万重量箱) Plate Glass (10000 weight cases)	生铁 (万吨) Pig Iron (10000 tons)	粗钢 (万吨) Crude Steel (10000 tons)	钢材 (万吨) Rolled Steel (10000 tons)	汽车 (万辆) Motor Vehicles (10000 units)	发电量 (亿千瓦小时) Electricity (100 million kWh)
全　省	**Total**	**144**	**99.8**	**10231.5**	**14812.2**	**21774.4**	**24157.7**	**28409.6**	**105.1**	**3118.2**
石家庄市	Shijiazhuang	32.6	10.6	1539.4	1257.2	1101.4	1234.1	1255.2		442.9
承 德 市	Chengde			1211.8		1223.2	1227.3	1070.1		169.8
张家口市	Zhangjiakou			554.7		596.3	605.3	604.3	8.1	464.5
秦皇岛市	Qinhuangdao	1.1	1.3	577.1	1525.6	1296.5	1322.8	1389.1		129.9
唐 山 市	Tangshan	37.7	84.7	2835.5	1322	12277.7	13689.4	15094.3		640.6
廊 坊 市	Langfang	7.7		309.7	1782.2	106.2	116.4	1122.2		106.5
保 定 市	Baoding	1	0.7	754.8				15.8	60.9	141.6
沧 州 市	Cangzhou	9.9	0.2	297		702.7	736.4	980.7	17	284.5
衡 水 市	Hengshui	37.6	1.8	136.3				64.8		79.2
邢 台 市	Xingtai	5		593.7	8925.2	448	533.8	690.2		166
邯 郸 市	Handan	7.5		1182.5		3630.3	4132.1	5597.8		350.9
定 州 市	Dingzhou			2.1					19	128.3
辛 集 市	Xinji	0.9		236.8		392.2	560.3	524.6		13.5
雄安新区	Xiongan New Area	3	0.4					0.6		

主要统计指标解释

工业 指从事自然资源的开采，对采掘品和农产品进行加工和再加工的物质生产部门。具体包括：(1)对自然资源的开采，如采矿、晒盐等(但不包括禽兽捕猎和水产捕捞)；(2)对农副产品的加工、再加工，如粮油加工、食品加工、缫丝、纺织、制革等；(3)对采掘品的加工、再加工，如炼铁、炼钢、化工生产、石油加工、机器制造、木材加工等，以及电力、燃气及水的生产和供应等；(4)对工业品的修理、翻新，如机器设备的修理等。

工业统计调查单位为工业法人单位。

工业法人单位指从事工业生产经营活动的法人单位。工业法人单位应同时具备以下条件：①依法成立，有自己的名称、组织机构和场所，能够独立承担民事责任；②独立拥有（或授权）使用资产，承担负债，有权与其他单位签订合同；③具有包括资产负债表在内的账户，或者能够根据需要编制账户。

国有控股企业 即原来的国有及国有控股企业，根据企业实收资本中国有经济成分的出资人的实际投资情况，或国有经济成分的出资人对企业资产的实际控制、支配程度进行分类。以下情况为国有控股：（1）在企业的全部实收资本中，国有经济成分的出资人拥有的实收资本（股本）所占企业全部实收资本（股本）的比例大于50%的国有绝对控股。（2）在企业的全部实收资本中，国有经济成分的出资人拥有的实收资本（股本）所占比例虽未大于50%，但相对大于其他任何一方经济成分的出资人所占比例的国有相对控股；或者虽不大于其他经济成分，但根据协议规定拥有企业实际控制权的国有协议控股。（3）投资双方各占50%，且未明确由谁绝对控股的企业，若其中一方为国有经济成分的，一律按国有控股处理。

本篇涉及的企业登记注册类型的解释详见综合篇。

资产总计 指企业过去的交易或者事项形成的、由企业拥有或者控制的、预期会给企业带来经济利益的资源。资产一般按流动性分为流动资产和非流动资产。其中流动资产可分为货币资金、交易性金融资产、应收票据、应收账款、预付款项、其他应收款、存货等；非流动资产可分为长期股权投资、固定资产、无形资产及其他非流动资产等。来源于会计“资产负债表”中“资产总计”项目的期末余额数。

流动资产合计 资产满足以下条件之一应归为流动资产：（1）预计在一个正常营业周期中变现、出售或耗用，主要包括存货、应收账款等；（2）主要为交易目的而持有；（3）预计在资产负债表日起一年内（含一年）变现；（4）自资产负债日起一年内，交换其他资产或清偿负债的能力不受限制的现金或现金等价物。包括货币资金、应收票据、应收账款、存货等项目。来源于会计“资产负债表”中“流动资产合计”项目的期末余额数。

负债合计 指企业过去的交易或者事项形成的，预期会导致经济利益流出企业的现时义务。负债一般按偿还期长短分为流动负债和非流动负债。来源于会计“资产负债表”中“负债合计”项目的期末余额数。

应收账款 指企业因销售商品、提供劳务等经营活动所形成的债权，包括应向客户收取的货款、增值税款和为客户代垫的运杂费等。来源于会计“资产负债表”中“应收账款”项目的期末余额数。

存货 指企业在日常活动中持有以备出售的产成品或商品、处在生产过程中的在产品、在生产过程或提供劳务过程中耗用的材料或物料等，通常包括原材料、在产品、半成品、产成品、商品以及周转材料等。来源于会计“资产负债表”中“存货”项目的期末余额数。

产成品 指企业已经完成全部生产过程并验收入库，可以按照合同规定的条件送交订货单位，或者可以作为商品对外销售的产品。来源于会计“产成品”科目的借方余额。

营业收入 指企业经营主要业务和其他业务所确认的收入总额。营业收入包括“主营业务收入”和“其他业务收入”。来源于会计“利润表”中“营业收入”项目的本年累计数。

营业成本 指企业经营主要业务和其他业务所发生的成本总额。包括企业（单位）在报告期内从事销售商品、提供劳务等日常活动发生的各种耗费。包括“主营业务成本”和“其他业务成本”。来源于会计“利润表”中“营业成本”项目的本年累计数。

销售费用 指企业在销售商品和材料、提供劳务的过程中发生的各种费用，包括保险费、包装费、展览费和广告费、商品维修费、预计产品质量保证损失、运输费、装卸费等以及为销售本企业商品而专设的销售机构（含销售网点、售后服务网点等）的职工薪酬、业务费、折旧费等经营费用。

管理费用 指企业为组织和管理企业生产经营所发生的费用，包括企业在筹建期间内发生的开办费、董事会和行政管理部门在企业经营管理中发生的，或者应当由企业统一负担的公司经费等。来源于会计“利润表”中“管理费用”项目的本年累计数。

财务费用 指企业为筹集生产经营所需资金等而发生的筹资费用，包括企业生产经营期间发生的利息支出（减利息收入）、汇兑损失（减汇兑收益）以及相关的手续费等。来源于会计“利润表”中“财务费用”项目的本年累计数。

利润总额 指企业在一定会计期间的经营成果，是生产经营过程中各种收入扣除各种耗费后的盈余，反映企业在报告期内实现的盈亏总额。来源于会计“利润表”中“利润总额”项目的本年累计数。

平均用工人数 指报告期企业平均实际拥有的、参与本企业生产经营活动的人员数。

Explanatory Notes on Main Statistical Indicators

Industry refers to the material production sector which is engaged in the extraction of natural resources and processing and reprocessing of minerals and agricultural products, including (1) extraction of natural resources, such as mining, salt production (but not including hunting and fishing); (2) processing and reprocessing of farm and sideline produces, such as grain and oil processing, food processing, silk reeling, spinning and weaving and leather making; (3) processing and reprocessing of mineral products, such as steel making, iron smelting, chemicals manufacturing, petroleum processing, machine building, timber processing, and production and supply of electricity, gas and water; (4) repairing and renovating of industrial products such as the machinery.

In industrial surveys, the units of enquiry are industrial corporate units.

Industrial corporate units refer to corporate units engaging in industrial production and operation activities, which meet the following requirements: (1) They are established legally, having their own names, organizations, location, and are able to take civil liability independently; (2) They possess (or are authorized to use) assets independently, assume liabilities and are entitled to sign contracts with other units; (3) They have accounts including the balance sheets or can compile the accounts according to the need.

State-holding Enterprises cover the original state-owned enterprises and state-holding enterprises. They are classified according to the actual investment made by the contributor of state-owned part in the paid-in capital of the enterprises, or the degree of control or dominance of the contributor on the assets of the enterprises. The following cases are regarded as state-holding: (1) Absolute state-holding in which the contributors of state-owned parts possess more than 50% of all the paid-in capital (stocks) of the enterprises; (2) Relative state-holding in which the contributors of state-owned parts possess no more than 50% of the paid-in capital (stocks) of the enterprises, but more than that of any other contributors; or Agreed state-holding in which the contributors of state-owned parts possess no more than other contributors but have actual control over the enterprises according to agreements; (3) In the case both contributors possess 50% and it is not clear which one is in absolute holding position, the enterprise is regarded as state-holding enterprise if one of the contributor has state-owned elements.

For explanation of types of registration covered in this chapter, please refer to General Survey.

Total Assets refer to all resources that are owned or controlled by enterprises through previous trades or transactions with expectation of making economic profits. Classified by the degree of liquidity, total assets include current assets and non-current assets. Current assets can be classified into monetary capital, trading financial assets, notes receivable, accounts receivable, advanced payments, other receivables and inventories. Non-current assets can be divided into long-term equity investment, fixed assets, intangible assets and other non-current assets. Data on this indicator can be obtained from the year-end figures of total assets in the *Balance Sheet* of accounting records.

Total Current Assets refer to the assets that meet one of the following requirements: (1) expected to be cashed, sold or used in a normal operation cycle, mainly including inventory and accounts receivable; (2) be owned for trading purpose mainly; (3) expected to be cashed in one year (including one year) from the day of the *Balance Sheet*; (4) unlimited cash or cash equivalents that can be exchanged with other assets or being capable of settling debts during one year since the day of the *Balance Sheet*. Included are monetary capital, notes receivable, accounts receivable and inventories. Data on this indicator can be obtained from the year-end figures of total current assets in the *Balance Sheet* of accounting records.

Total Liabilities refer to payable liabilities of enterprises that accumulated from previous trades or transactions with expectation of economic profits leaking out. In terms of payment, it can be divided into liquid liabilities and long-term liabilities. Data on this indicator can be obtained from the year-end figures of total liabilities in the *Balance Sheet* of accounting records.

Accounts Receivable refers to creditor's rights formed by business activities such as selling goods, providing labor, which include payment for goods that should be charged to the customer, value-added tax and advance freight for the clients. It comes from the ending balance of accounts receivable in balance sheet.

Inventories refers to finished goods or commodities held in preparation for sale in enterprises' daily activities, goods in the production process, material or the physical materials consumed in the production process or in the process of providing labor, usually include raw materials, goods in the production process, semi-finished products, finished products, goods and materials in flow. It comes from the ending balance of inventory in balance sheet.

Finished Goods refers to the products that the enterprises have completed all of the production process and accepted and put in storage, and can be sent to the ordering units in accordance with the contract stipulations, or can be on sale. It come from the debit balance of Finished Products of accounting.

Business Revenue refers to the total revenue recognized by an enterprise in its principal business and other business operations. Business revenue includes "revenue from principal business" and "revenue from other business". It comes from this year's cumulative report of "business revenue" items from the "income statement".

Business Cost refers to the total cost incurred by an

enterprise in its principal business and other business operations. It includes various expenditures incurred by enterprises (units) in their daily activities of selling goods and providing labour services during the reporting period. It includes "Cost of principal business" and "Cost of other business". It comes from this year's cumulative report of "operating cost" items from the "income statement".

Selling Expense refers to the cost during the sale of goods and materials, providing labour services, including insurance, packing, exhibition fees and advertising fees, merchandise maintenance costs, expected product quality guarantee loss, transportation fees, handling fees, and operating expenses for the sales of the company's products such as employee compensation, business expenses, depreciation costs for dedicated sales offices (including sales outlets, after-sales service outlets, etc.).

Administrative Expense refers to the expenses for the organization and management of enterprise operating, including the start-up costs during the construction of enterprises, funds occurred during enterprises operating by board of directors and executive management in the enterprise management, or burden by enterprises. It comes from this year's cumulative current amount of management cost in income statement.

Financial Expenses refers to cost of raising fund for enterprises to raise funds for production and operation, including interest payments (a reduction in interest income), exchange loss (less exchange gains) and related fees during the period of production. It comes from this year's cumulative current amount of financial expenses in income statement.

Total Profits refers to the operation results in a certain accounting period, and it is the balance of various incomes minus various spendings in the course of operation, reflecting the total profits and losses of enterprises in reference period. Data are obtained from the this year's cumulative amount of total profits in the profit statement of the accounting record of enterprise.

Annual Average Employees refers to the number of persons engaged in the enterprise production and operation activities in the reporting period, which are actually owned by the enterprise.

建筑业
Construction

简要说明

一、本篇资料反映河北省建筑业概况和发展情况。包括建筑业企业基本情况和生产经营情况。

二、根据建筑业发展的实际情况，建筑业统计范围从2002年年报起由原具有建筑业资质等级四级及四级以上的独立核算的建筑业企业调整为具有建筑业资质的独立核算建筑业企业。

三、本篇建筑业企业统计数据是根据国家统计局制定的《建筑业统计报表制度》整理汇总的。

四、本篇资料由河北省统计局投资与建筑业统计处整理提供。

五、资料整理：周云

Brief Introduction

Ⅰ.The data in this chapter reflects the general situation and development of construction industry in Hebei Province. Including the basic situation of construction enterprises and production and operation.

Ⅱ. According to the actual situation of the development of the construction industry, the statistical scope of the construction industry shall be adjusted from independent accounting construction enterprises with construction industry qualification grade 4 or above to independent accounting construction enterprises with construction industry qualification since the 2002 annual Report.

Ⅲ. The statistical data of this construction enterprise is collated and summarized according to the *Statistical Statement System of Construction Industry* formulated by the National Bureau of Statistics.

Ⅳ.This information is provided by Investment and Construction Statistics Division of Hebei Province Statistics Bureau.

Ⅴ.Data collection: Zhou Yun.

13-1 建筑业企业概况
Main Indicators on Construction Enterprises

年份 Year	总计 Total	国有企业 State-owned	集体企业 Collective-owned	港澳台商投资企业 Funded from Hong Kong, Macao and Taiwan	外商投资企业 Foreign Funded
企业单位数（个） Number of Enterprises(unit)					
1980	243	82	161		
1985	441	200	241		
1990	527	237	290		
1995	941	412	506		
2000	1730	435	900		
2001	1618	389	676		
2002	1669	359	353		
2003	1618	331	261		
2004	2163	357	196		
2005	2094	328	181		
2006	2117	271	152		
2007	1925	259	127	5	1
2008	2622	189	132	6	2
2009	2286	179	111	6	2
2010	2289	153	97	4	2
2011	2290	158	101	5	1
2012	2499	158	108	5	2
2013	2500	109	85	5	1
2014	2496	104	77	5	1
2015	2485	120	75	3	1
2016	2604	97	74	4	1
2017	2667	87	70	3	2
2018	2523	69	62	3	
2019	2693	111	63	3	2
从业人员（万人） Number of Persons Employed (10000 persons)					
1980	26.23	18.37	7.86		
1985	29.59	17.60	11.99		
1990	59.31	42.87	16.44		
1995	76.24	46.20	27.95		
2000	87.60	32.62	38.12		
2001	94.74	29.53	30.86		
2002	99.71	27.97	18.03		
2003	102.88	28.67	13.52		
2004	111.86	26.13	10.52		
2005	108.40	25.65	9.79		
2006	107.30	23.02	8.27		
2007	107.14	13.73	7.09	0.10	
2008	115.81	13.80	5.67	0.10	0.02
2009	118.19	13.47	5.45	0.10	
2010	128.68	11.23	5.81	0.08	0.03

13-1 续表 continued

年 份 Year	总 计 Total	国有企业 State-owned	集体企业 Collective-owned	港澳台商投资企业 Funded from Hong Kong, Macao and Taiwan	外商投资企业 Foreign Funded
2011	120.50	11.95	4.28	0.06	0.01
2012	134.87	10.84	4.73	0.06	0.03
2013	119.45	7.67	2.63	0.04	0.06
2014	114.18	5.33	2.36	0.06	0.07
2015	107.31	4.61	2.28	0.05	0.01
2016	145.32	5.97	4.00	0.05	0.01
2017	149.24	5.76	4.32	0.04	0.03
2018	124.25	4.35	2.98	0.04	
2019	89.76	89.70	4.07	1.71	0.05
建筑业总产值（亿元） Gross Output Value (100 million yuan)					
1980	23.53				
1985	44.98				
1990	133.06				
1995	555.23				
2000	852.09	263.66	144.28		
2001	898.80	245.29	116.49		
2002	1173.69	230.00	97.36		
2003	779.93				
2004	1000.44	270.73	61.34		
2005	1285.29	365.75	58.57	0.48	0.15
2006	1448.73	356.26	78.01	2.13	0.08
2007	1614.69	414.01	51.96	1.81	0.02
2008	2044.81	448.69	46.54	2.52	1.21
2009	2525.05	590.76	59.36	2.38	1.46
2010	3232.53	427.92	81.18	2.83	2.31
2011	3972.66	830.96	97.58	3.54	0.21
2012	4865.09	946.23	136.20	3.64	3.64
2013	5234.97	289.80	116.47	2.80	0.64
2014	5625.75	302.40	125.36	2.78	0.57
2015	5252.57	248.70	110.98	2.69	…
2016	5517.69	246.80	123.81	3.73	0.36
2017	5655.38	247.09	123.41	3.90	0.78
2018	5740.25	176.16	90.88	4.31	
2019	5847.97	174.91	82.92	3.86	0.07

注：1.1996年至2001年数据为资质等级(旧资质)四级及四级以上建筑业企业数据；2002年及以后数据为所有具有资质等级的施工总承包、专业承包建筑业企业数据。

2.从业人员数1993年至1997年为年平均人数，其余年份为年末人数。

a) Data from 1996 to 2001 included construction enterprises at fourth or higher quality grades(old classification of grades). Data since 2002 included all general construction contractors and professional contractors which possess qualification grades.

b) For 1993-1997, the number of employed persons refers to the annual average, and refers to persons at year-end in other years.

13-2 按登记注册类型分建筑业企业主要经济指标(2019年)
Main Economic Indicators on Construction Enterprises by Registration Status (2019)

指　标	Item	合　计 Total	内资企业 Domestic Funded	#国　有 State-owned	#集　体 Collective-owned	港澳台商投资企业 Funded from Hong Kong, Macao and Taiwan	外商投资企　业 Foreign Funded
企业单位数(个)	Number of Construction Enterprises (unit)	2693	2688	111	63	3	2
从业人员(万人)	Number of Employed Persons (10000 persons)	89.40	89.34	7.17	1.71	0.05	0.00
固定资产原价(亿元)	Fixed Assets (original value) (100 million yuan)	787.62	787.42	87.06	6.01	0.09	0.11
固定资产净值(亿元)	Fixed Assets (net value) (100 million yuan)						
建筑业总产值(亿元)	Gross Output Value of Construction (100 million yuan)	5847.97	5844.03	975.56	82.92	3.86	0.07
房屋施工面积(万平方米)	Floor Space of Buildings under Construction (10000 sq.m)	34994.68	34994.68	4374.96	654.53		
房屋竣工面积(万平方米)	Floor Space of Buildings Completed (10000 sq.m)	8945.58	8945.58	574.79	136.86		
利润总额(亿元)	Total Profits (100 million yuan)	143.95	143.81	6.70	2.31	0.15	-0.02
税金总额(亿元)	Total Tax (100 million yuan)						
按总产值计算的劳动生产率(元/人)	Overall Labour Productivity in Terms of Gross Output Value (yuan/person)	654144	654107	1360710	484835	757429	170725
房屋建筑面积竣工率(%)	Rate of Floor Space of Buildings Completed (%)	25.6	25.6	13.1	20.9		
产值利润率(%)	Ratio of Profit to Gross Output Value (%)	2.5	2.5	0.7	2.8	3.9	-29.3
产值利税率(%)	Ratio of Pre-tax Profit to Gross Output Value (%)						

13-3 分市按登记注册类型分建筑业企业单位数(2019年)
Number of Construction Enterprises by Registration Status and City (2019)

单位：个 (unit)

市	City	合　计 Total	内资企业 Domestic Funded	#国　有 State-owned	#集　体 Collective-owned	港澳台商投资企业 Funded from Hong Kong, Macao and Taiwan	外商投资企　业 Foreign Funded
全　省	**Total**	**2693**	**2688**	**73**	**63**	**3**	**2**
石家庄市	Shijiazhuang	373	372	9	3	1	
#辛集市	Xinji	17	17	1			
承 德 市	Chengde	178	178	5	1		
张家口市	Zhangjiakou	123	123	5	4		
秦皇岛市	Qinhuangdao	246	243	4	11	1	2
唐 山 市	Tangshan	294	294	5	1		
廊 坊 市	Langfang	217	217	6	9		
保 定 市	Baoding	246	246	9	4		
#定州市	Dingzhou	24	24				
沧 州 市	Cangzhou	218	218	5	3		
衡 水 市	Hengshui	170	169	7	17	1	
邢 台 市	Xingtai	167	167	6			
邯 郸 市	Handan	442	442	12	8		
雄安新区	Xiongan New Area	19	19		2		

13-4 建筑业企业技术装备情况
Number and Power of Machinery and Equipment Owned by Construction Enterprises

年 份 市	Year City	自有施工机械设备年末总台数(台) Number of Machinery and Equipment Owned (set)	自有施工机械设备年末总功率(万千瓦) Total Power of Machinery and Equipment Owned (10000 kW)	自有施工机械设备年末净值(万元) Net Value of Machinery and Equipment Owned (10000 yuan)	技术装备率(元/人) Value of Machines per Laborer (yuan/person)	动力装备率(千瓦/人) Power of Machines per Laborer (kW/person)
	1992	94837	212.56	138588	3398	5.21
	1995	213972	331.78	2851719	3741	4.35
	2000	380673	603.88	5715649	6525	7.00
	2005	435734	716.67	975913	8212	6.00
	2006	516915	723.70	1065747	9936	6.75
	2007	498629	697.98	1071893	10004	6.51
	2008	465252	777.43	1290411	11142	6.70
	2009	475386	843.66	1384173	11711	7.14
	2010	967008	1034.50	1813278	14092	8.04
	2011	551462	1198.60	1878605	15590	9.95
	2012	546209	1471.40	1873380	15672	12.31
	2013	870203	1129.90	1818782	14732	9.15
	2014	657988	1756.64	1949338	13327	12.01
	2015	530245	1250.41	2088220	15001	8.98
	2016	535161	1029.74	1750955	12049	7.09
	2017	641691	1183.79	2191898	14532	7.85
	2018	595714	1257.37	7660159	61653	10.10
	2019	500821	1086	1646906	18348	11.15
石家庄市	Shijiazhuang	111586	93	179814	14482	7.1
#辛集市	Xinji	2110	6	5386	7729	6.8
承 德 市	Chengde	11767	24	78762	23635	5.5
张家口市	Zhangjiakou	10515	59	59893	21462	13.4
秦皇岛市	Qinhuangdao	11767	29	50343	12263	6.5
唐 山 市	Tangshan	53149	111	189380	19990	11.1
廊 坊 市	Langfang	145084	421	396887	59601	60.9
保 定 市	Baoding	43974	122	213114	10309	5.4
#定州市	Dingzhou	5183	10	14784	2537	1.6
沧 州 市	Cangzhou	31525	85	129431	15611	9.5
衡 水 市	Hengshui	12420	16	47506	9683	3.3
邢 台 市	Xingtai	26372	46	106866	23704	9.8
邯 郸 市	Handan	42228	81	192093	15469	6.2
雄安新区	Xiongan New Area	434		2817	15114	1.9

13-5 分市按登记注册类型分建筑业企业从业人员(2019年)
Number of Staff and Workers in Construction Enterprises by Registration Status and City (2019)

单位：人 (person)

市	City	合计 Total	内资企业 Domestic Funded	#国有 State-owned	#集体 Collective-owned	港澳台商投资企业 Funded from Hong Kong, Macao and Taiwan	外商投资企业 Foreign Funded
全　省	**Total**	**897593**	**897043**	**40693**	**17148**	**510**	**40**
石家庄市	Shijiazhuang	124161	123726	5830	552	435	
#辛集市	Xinji	6968	6968	94			
承德市	Chengde	33325	33325	837	56		
张家口市	Zhangjiakou	27906	27906	353	474		
秦皇岛市	Qinhuangdao	41051	40993	257	688	18	40
唐山市	Tangshan	94737	94737	11490	414		
廊坊市	Langfang	66591	66591	1406	1828		
保定市	Baoding	206721	206721	8814	3036		
#定州市	Dingzhou	58265	58265				
沧州市	Cangzhou	82910	82910	2829	1431		
衡水市	Hengshui	49063	49006	958	5432	57	
邢台市	Xingtai	45083	45083	3800			
邯郸市	Handan	124181	124181	4119	2492		
雄安新区	Xiongan New Area	1864	1864		745		

13-6 分市建筑业总产值和劳动生产率(2019年)
Total Output Value and Labor Productivity of Construction by City (2019)

单位：万元 (10000 yuan)

市	City	建筑业总产值 Total Output Value	建筑工程产值 Output Value of Construction	安装工程产值 Output Value of Installation	其他 Others	按建筑业总产值计算的劳动生产率(元/人) Overall Labor Productivity in Terms of Total Output Value (yuan/person)
全　省	**Total**	**58479651**	**47582844**	**7998762**	**2898046**	**602883**
石家庄市	Shijiazhuang	15604764	11433480	3006131	1165153	1488575
#辛集市	Xinji	205285	200921	4203	161	205285
承德市	Chengde	1448282	1255695	158570	34017	662288
张家口市	Zhangjiakou	1720251	1375271	228473	116507	512420
秦皇岛市	Qinhuangdao	2049678	1798685	219780	31214	371911
唐山市	Tangshan	6622877	5843502	381747	397628	380429
廊坊市	Langfang	6546361	4329935	1760684	455741	935318
保定市	Baoding	12073087	10999273	897264	176550	289201
#定州市	Dingzhou	1735207	1637374	94108	3725	430063
沧州市	Cangzhou	4410669	3651114	553026	206529	362070
衡水市	Hengshui	1238185	1017417	125228	95540	490074
邢台市	Xingtai	1902143	1781950	62675	57519	935194
邯郸市	Handan	4834838	4082930	600259	151649	247637
雄安新区	Xiongan New Area	28517	13593	4925	9999	285168

13−7 分市按登记注册类型分建筑业总产值(2019年)
Total Output Value of Construction by Registration Status and City (2019)

单位：万元 (10000 yuan)

市	City	合 计 Total	内资企业 Domestic Funded	#国 有 State-owned	#集 体 Collective-owned	港澳台商投资企业 Funded from Hong Kong, Macao and Taiwan	外商投资企业 Foreign Funded
全 省	**Total**	**58479651**	**58440339**	**1749108**	**829213**	**38629**	**683**
石家庄市	Shijiazhuang	15604764	15570627	537677	280	34137	
#辛集市	Xinji	205285	205285	889			
承 德 市	Chengde	1448282	1448282	57259	5923		
张家口市	Zhangjiakou	1720251	1720251	13601	93638		
秦皇岛市	Qinhuangdao	2049678	2048868	4733	24752	127	683
唐 山 市	Tangshan	6622877	6622877	317257	11588		
廊 坊 市	Langfang	6546361	6546361	95343	28770		
保 定 市	Baoding	12073087	12073087	155761	428890		
#定州市	Dingzhou	1735207	1735207				
沧 州 市	Cangzhou	4410669	4410669	46166	24294		
衡 水 市	Hengshui	1238185	1233820	18994	143373	4365	
邢 台 市	Xingtai	1902143	1902143	417953			
邯 郸 市	Handan	4834838	4834838	84363	64960		
雄安新区	Xiongan New Area	28517	28517		2746		

13−8 分市按行业分建筑业总产值(2019年)
Total Output Value of Construction by Branch and City (2019)

单位：万元 (10000 yuan)

市	City	建筑业总产值 Total Output Value of Construction	房屋建筑业 Construction of Buildings	土木工程建筑业 Civil Engineering	建筑安装业 Construction Installation	建筑装饰、装修和其他建筑业 Building Decoration and Other Construction
全 省	**Total**	**58479651**	**35028981**	**17098852**	**4943758**	**1408061**
石家庄市	Shijiazhuang	15604764	8038770	4777846	2367996	420153
#辛集市	Xinji	205285	181549	21136		2601
承 德 市	Chengde	1448282	900396	393259	141467	13160
张家口市	Zhangjiakou	1720251	1435874	265256	2859	16261
秦皇岛市	Qinhuangdao	2049678	924703	622589	339477	162910
唐 山 市	Tangshan	6622877	3520416	2930329	101989	70143
廊 坊 市	Langfang	6546361	3136782	2695120	513335	201124
保 定 市	Baoding	12073087	9196248	2371296	295003	210540
#定州市	Dingzhou	1735207	1731675		1878	1655
沧 州 市	Cangzhou	4410669	3237264	512955	560544	99906
衡 水 市	Hengshui	1238185	795250	341372	62954	38608
邢 台 市	Xingtai	1902143	953516	903731	18280	26616
邯 郸 市	Handan	4834838	2874988	1285098	534930	139823
雄安新区	Xiongan New Area	28517	14773		4925	8819

13-9 分市建筑业企业签订合同和承包工程完成情况(2019年)
Contracts Signed and Completion of Contracted Projects by Construction Enterprises by City (2019)

单位：亿元 (100 million yuan)

市	City	合同总额 Total Value of Contracts	上年结转合同额 Value from Contracts Signed in Last Year	本年新签合同额 Value from New Contracts Signed in This Year	直接从建设单位承揽工程完成的产值 Completed Output Value of Projects Contracted Directly from Investors	自行完成施工产值 Own-completed Output Value	分包出去工程的产值 Output Value of Out-sourced Projects	从建设单位以外承揽工程完成的产值 Completed Output Value of Projects Contracted from Non-investors
全　省	**Total**	**13219.44**	**6261.72**	**6957.73**	**5752.51**	**5646.65**	**105.86**	**201.31**
石家庄市	Shijiazhuang	3368.91	1448.17	1920.74	1480.88	1469.13	11.75	91.34
#辛集市	Xinji	59.69	39.34	20.35	20.23	20.23		0.30
承 德 市	Chengde	227.78	103.13	124.65	147.53	144.34	3.19	0.49
张家口市	Zhangjiakou	281.03	125.08	155.95	170.89	170.69	0.20	1.33
秦皇岛市	Qinhuangdao	417.84	199.28	218.56	158.33	156.19	2.14	48.78
唐 山 市	Tangshan	2565.29	1425.28	1140.01	641.72	637.85	3.88	24.44
廊 坊 市	Langfang	1464.81	792.79	672.02	715.26	651.74	63.53	2.90
保 定 市	Baoding	2622.24	1183.76	1438.48	1205.58	1201.96	3.62	5.35
#定州市	Dingzhou	176.63	38.62	138.00	173.33	171.28	2.05	2.24
沧 州 市	Cangzhou	782.11	297.07	485.04	441.07	431.19	9.88	9.88
衡 水 市	Hengshui	201.02	96.19	104.83	123.58	122.36	1.22	1.46
邢 台 市	Xingtai	448.31	259.47	188.84	187.37	182.50	4.87	7.72
邯 郸 市	Handan	835.45	329.96	505.49	477.44	475.86	1.58	7.63
雄安新区	Xiongan New Area	4.66	1.54	3.12	2.85	2.85		

13-10 分市按登记注册类型分建筑业企业实收资本(2019年)
Paid-up Capitals of Construction Enterprises by Registration Status and City (2019)

单位：万元 (10000 yuan)

市	City	合计 Total	内资企业 Domestic Funded	#国有 State-owned	#集体 Collective-owned	港澳台商投资企业 Funded from Hong Kong, Macao and Taiwan	外商投资企业 Foreign Funded
全　省	**Total**	**1116287.7**	**1115548.9**	**69507.0**	**7138.0**	**481.4**	**257.5**
石家庄市	Shijiazhuang	165819.1	165458.3	5796.6	165.0	360.9	
#辛集市	Xinji	4082.8	4082.8	23.6			
承 德 市	Chengde	47529.9	47529.9	3022.5	210.0		
张家口市	Zhangjiakou	33391.8	33391.8	785.3	880.0		
秦皇岛市	Qinhuangdao	77105.0	76797.0	58.3	1003.9	50.5	257.5
唐 山 市	Tangshan	131778.1	131778.1	7426.8	205.8		
廊 坊 市	Langfang	161409.5	161409.5	771.0	521.9		
保 定 市	Baoding	129712.8	129712.8	2308.5	1517.7		
#定州市	Dingzhou	7315.3	7315.3				
沧 州 市	Cangzhou	81934.0	81934.0	3979.4	525.8		
衡 水 市	Hengshui	32134.5	32064.5	460.7	974.3	70.0	
邢 台 市	Xingtai	86559.7	86559.7	42989.2			
邯 郸 市	Handan	163519.9	163519.9	1908.6	604.0		
雄安新区	Xiongan New Area	5393.4	5393.4		529.6		

13-11 分市建筑业企业资产(2019年)
Assets of Construction Enterprises by City (2019)

单位：亿元 (100 million yuan)

市	City	资产总计 Total Assets	#流动资产 Circulating Funds	#在建工程 Under Construction
全 省	**Total**	**6891.44**	**5764.47**	**86.49**
石家庄市	Shijiazhuang	1265.61	1065.64	18.86
#辛集市	Xinji	25.06	20.97	0.13
承 德 市	Chengde	270.55	225.22	1.08
张家口市	Zhangjiakou	248.22	216.07	4.79
秦皇岛市	Qinhuangdao	403.90	346.30	2.20
唐 山 市	Tangshan	973.83	797.60	8.36
廊 坊 市	Langfang	1091.63	942.26	2.77
保 定 市	Baoding	1152.78	1029.37	30.95
#定州市	Dingzhou	18.55	13.75	0.05
沧 州 市	Cangzhou	426.16	359.63	5.32
衡 水 市	Hengshui	138.56	117.14	0.93
邢 台 市	Xingtai	378.95	225.65	6.56
邯 郸 市	Handan	531.31	432.46	4.58
雄安新区	Xiongan New Area	9.95	7.14	0.09

13-12 分市建筑业企业负债及所有者权益(2019年)
Liabilities and Owners' Equity of Construction Enterprises by City (2019)

单位：亿元 (100 million yuan)

市	City	负债合计 Total Liabilities	流动负债合计 Liquid Liabilities	非流动负债合计 Non-current Liabilities	所有者权益 Owners' Equity	#实收资本 Paid-in Capitals
全 省	**Total**	**5020.18**	**4632.37**	**254.58**	**1871.26**	**1116.29**
石家庄市	Shijiazhuang	1010.61	924.24	60.08	255.00	165.82
#辛集市	Xinji	19.13	18.55	0.02	5.93	4.08
承 德 市	Chengde	175.10	159.84	7.08	95.44	47.53
张家口市	Zhangjiakou	190.16	179.12	4.86	58.06	33.39
秦皇岛市	Qinhuangdao	304.25	277.69	15.37	99.66	77.10
唐 山 市	Tangshan	727.23	656.51	52.68	246.60	131.78
廊 坊 市	Langfang	767.56	735.03	30.88	324.08	161.41
保 定 市	Baoding	915.36	878.48	25.93	237.41	129.72
#定州市	Dingzhou	7.16	6.62		11.39	7.32
沧 州 市	Cangzhou	314.31	298.06	2.36	111.86	81.93
衡 水 市	Hengshui	83.96	78.77	3.43	54.60	32.13
邢 台 市	Xingtai	214.34	161.75	33.52	164.61	86.56
邯 郸 市	Handan	313.52	279.23	18.38	217.79	163.52
雄安新区	Xiongan New Area	3.80	3.66		6.15	5.39

13-13 各市按登记注册类型分建筑业企业资产(2019年)

Assets of Construction Enterprises by Registration Status and City (2019)

单位：万元 (10000 yuan)

市	City	合 计 Total	内资企业 Domestic Funded	#国 有 State-owned	#集 体 Collective-owned	港澳台商投资企业 Funded from Hong Kong, Macao and Taiwan	#港澳台商独资企业 Solely Owned	外商投资企业 Foreign Funded	#外商独资企业 Solely Owned
全 省	**Total**	**68914420**	**68879358**	**3354653**	**368022**	**27358**		**7704**	
石家庄市	Shijiazhuang	12656061	12631484	721941	6273	24577			
#辛集市	Xinji	250605	250605	12484					
承 德 市	Chengde	2705471	2705471	122871	12616				
张家口市	Zhangjiakou	2482188	2482188	54044	74011				
秦皇岛市	Qinhuangdao	4039037	4029660	14052	39062	1674		7704	
唐 山 市	Tangshan	9738262	9738262	360731	23136				
廊 坊 市	Langfang	10916307	10916307	16270	16459				
保 定 市	Baoding	11527816	11527816	202726	95288				
#定州市	Dingzhou	185548	185548						
沧 州 市	Cangzhou	4261650	4261650	103267	24557				
衡 水 市	Hengshui	1385570	1384462	16790	35731	1108			
邢 台 市	Xingtai	3789503	3789503	1361058					
邯 郸 市	Handan	5313084	5313084	380902	31425				
雄安新区	Xiongan New Area	99471	99471		9463				

13-14 各市按登记注册类型分建筑业企业负债(2019年)

Liabilities of Construction Enterprises by Registration Status and City (2019)

单位：万元 (10000 yuan)

市	City	合 计 Total	内资企业 Domestic Funded	#国 有 State-owned	#集 体 Collective-owned	港澳台商投资企业 Funded from Hong Kong, Macao and Taiwan	#港澳台商独资企业 Solely Owned	外商投资企业 Foreign Funded	#外商独资企业 Solely Owned
全 省	**Total**	**50201826**	**50177851**	**2578727**	**226914**	**19063**		**4912**	
石家庄市	Shijiazhuang	10106101	10089258	671553	4131	16843			
#辛集市	Xinji	191304	191304	10816					
承 德 市	Chengde	1751043	1751043	91531	6785				
张家口市	Zhangjiakou	1901581	1901581	45125	61730				
秦皇岛市	Qinhuangdao	3042453	3036591	13755	28351	950		4912	
唐 山 市	Tangshan	7272259	7272259	278838	6507				
廊 坊 市	Langfang	7675551	7675551	10074	11127				
保 定 市	Baoding	9153660	9153660	175151	63326				
#定州市	Dingzhou	71615	71615						
沧 州 市	Cangzhou	3143086	3143086	65088	11378				
衡 水 市	Hengshui	839578	838309	6131	14782	1269			
邢 台 市	Xingtai	2143403	2143403	874964					
邯 郸 市	Handan	3135152	3135152	346517	14631				
雄安新区	Xiongan New Area	37959	37959		4167				

13-15 分市按登记注册类型分建筑业企业所有者权益(2019年) Owners' Equity of Construction Enterprises by Registration Status and City (2019)

单位：万元 (10000 yuan)

市	City	合计 Total	内资企业 Domestic Funded	#国有 State-owned	#集体 Collective-owned	港澳台商投资企业 Funded from Hong Kong, Macao and Taiwan	#港澳台商独资企业 Solely Owned	外商投资企业 Foreign Funded	#外商独资企业 Solely Owned
全　　省	**Total**	**18712594**	**18701507**	**775926**	**141109**	**8296**		**2792**	
石家庄市	Shijiazhuang	2549960	2542226	50389	2141	7734			
#辛集市	Xinji	59301	59301	1668					
承 德 市	Chengde	954428	954428	31340	5831				
张家口市	Zhangjiakou	580607	580607	8918	12282				
秦皇岛市	Qinhuangdao	996584	993069	297	10711	723		2792	
唐 山 市	Tangshan	2466002	2466002	81893	16630				
廊 坊 市	Langfang	3240757	3240757	6196	5333				
保 定 市	Baoding	2374156	2374156	27575	31962				
#定州市	Dingzhou	113933	113933						
沧 州 市	Cangzhou	1118564	1118564	38179	13180				
衡 水 市	Hengshui	545992	546153	10659	20949	-161			
邢 台 市	Xingtai	1646100	1646100	486094					
邯 郸 市	Handan	2177932	2177932	34385	16795				
雄安新区	Xiongan New Area	61512	61512		5296				

13-16 分市建筑业企业营业收入(2019年) Business Revenue of Construction Enterprises by City (2019)

单位：万元 (10000 yuan)

市	City	营业收入 Business Revenue	主营业务收入 Revenue from Principal Business	#主营业务成本 Costs of Principal Business	#其他业务利润 Profits from Other Businesses
全　　省	**Total**	**54025114**	**50012394**	**46212898**	**47952**
石家庄市	Shijiazhuang	14017071	13955774	13114097	2039
#辛集市	Xinji	207335	207333	194277	2
承 德 市	Chengde	1897460	1890619	1715677	2990
张家口市	Zhangjiakou	1654146	1540007	1433842	3656
秦皇岛市	Qinhuangdao	1798550	1760051	1584096	3442
唐 山 市	Tangshan	6602977	6513357	5935104	10037
廊 坊 市	Langfang	5612972	5499832	5010531	16378
保 定 市	Baoding	9790586	6456286	5997831	2435
#定州市	Dingzhou	465880	465732	396132	
沧 州 市	Cangzhou	4017294	3999306	3728687	2831
衡 水 市	Hengshui	1277344	1260036	1135801	132
邢 台 市	Xingtai	2217449	2106088	1937069	2202
邯 郸 市	Handan	5101523	4993886	4588133	1741
雄安新区	Xiongan New Area	37744	37153	32032	69

13–17 分市按登记注册类型分建筑业企业营业收入(2019年)

Business Revenue of Construction by Registration Status and City (2019)

单位：万元 (10000 yuan)

市	City	合 计 Total	内资企业 Domestic Funded	#国 有 State-owned	#集 体 Collective-owned	港澳台商投资企业 Funded from Hong Kong, Macao and Taiwan	#港澳台商独资企业 Solely Owned	外商投资企 业 Foreign Funded	#外商独资企业 Solely Owned
全 省	**Total**	**54025114**	**53966876**	**1769093**	**618086**	**57551**		**688**	
石家庄市	Shijiazhuang	14017071	13964012	488520	6507	53059			
#辛集市	Xinji	207335	207335	19367					
承 德 市	Chengde	1897460	1897460	89352	3434				
张家口市	Zhangjiakou	1654146	1654146	12567	46769				
秦皇岛市	Qinhuangdao	1798550	1797735	4728	25125	127		688	
唐 山 市	Tangshan	6602977	6602977	272620	11588				
廊 坊 市	Langfang	5612972	5612972	16161	26984				
保 定 市	Baoding	9790586	9790586	156356	274530				
#定州市	Dingzhou	465880	465880						
沧 州 市	Cangzhou	4017294	4017294	67683	27944				
衡 水 市	Hengshui	1277344	1272979	20939	127966	4365			
邢 台 市	Xingtai	2217449	2217449	537408					
邯 郸 市	Handan	5101523	5101523	102760	63828				
雄安新区	Xiongan New Area	37744	37744		3411				

13–18 分市按登记注册类型分建筑业企业利润总额(2019年)

Total Profits of Construction Enterprises by Registration Status and City (2019)

单位：万元 (10000 yuan)

市	City	合 计 Total	内资企业 Domestic Funded	#国 有 State-owned	#集 体 Collective-owned	港澳台商投资企业 Funded from Hong Kong, Macao and Taiwan	外商投资企 业 Foreign Funded
全 省	**Total**	**1439496**	**1438130**	**8194**	**23080**	**1543**	**-178**
石家庄市	Shijiazhuang	208905	207382	-1775	-724	1524	
#辛集市	Xinji	4535	4535	163			
承 德 市	Chengde	88152	88152	-117	-94		
张家口市	Zhangjiakou	38518	38518	-1829	1802		
秦皇岛市	Qinhuangdao	51238	51408	470	724	7	-178
唐 山 市	Tangshan	144533	144533	514	1496		
廊 坊 市	Langfang	294139	294139	-1011	-301		
保 定 市	Baoding	297467	297467	415	8467		
#定州市	Dingzhou	21792	21792				
沧 州 市	Cangzhou	73629	73629	3553	2850		
衡 水 市	Hengshui	51633	51621	1085	6774	13	
邢 台 市	Xingtai	50738	50738	6404			
邯 郸 市	Handan	138940	138940	485	1590		
雄安新区	Xiongan New Area	1605	1605		498		

13-19 分市按登记注册类型分建筑业企业业务利润(2019年)
Profits of Project Settlement Accounts of Construction Enterprises by Registration Status and City (2019)

单位：万元 (10000 yuan)

市	City	合计 Total	内资企业 Domestic Funded	#国有 State-owned	#集体 Collective-owned	港澳台商投资企业 Funded from Hong Kong, Macao and Taiwan	#港澳台商独资企业 Solely Owned	外商投资企业 Foreign Funded	#外商独资企业 Solely Owned
全　省	**Total**	**1400940**	**1399627**	**4194**	**23351**	**1491**		**-178**	
石家庄市	Shijiazhuang	208040	206568	-2956	-723	1472			
#辛集市	Xinji	4531	4531	159					
承 德 市	Chengde	86896	86896	-48	-94				
张家口市	Zhangjiakou	38400	38400	-1822	2085				
秦皇岛市	Qinhuangdao	41861	42032	81	724	7		-178	
唐 山 市	Tangshan	135487	135487	-221	1526				
廊 坊 市	Langfang	287617	287617	-1021	-325				
保 定 市	Baoding	291190	291190	349	8463				
#定州市	Dingzhou	21771	21771						
沧 州 市	Cangzhou	74194	74194	3560	2855				
衡 水 市	Hengshui	52026	52014	1091	6781	12			
邢 台 市	Xingtai	49327	49327	4766					
邯 郸 市	Handan	134268	134268	415	1563				
雄安新区	Xiongan New Area	1636	1636		498				

13-20 分市建筑业企业房屋建筑面积(2019年)
Floor Space of Buildings Constructed by Construction Enterprises by City (2019)

单位：万平方米 (10000 sq.m)

市	City	房屋建筑面积 Floor Space of Buildings		#国有 State-owned		#集体 Collective-owned	
		施工面积 Floor Space under Construction	竣工面积 Floor Space Completed	施工面积 Floor Space under Construction	竣工面积 Floor Space Completed	施工面积 Floor Space Construction	竣工面积 Floor Space Completed
全　省	**Total**	**34994.7**	**8945.8**	**911.4**	**138.3**	**654.5**	**136.9**
石家庄市	Shijiazhuang	7583.7	1398.6	89.7	13.0	12.4	0.5
#辛集市	Xinji	298.6	53.1				
承 德 市	Chengde	778.9	208.6				
张家口市	Zhangjiakou	1264.6	376.2			155.2	5.0
秦皇岛市	Qinhuangdao	870.9	251.7	0.1	0.1	9.9	7.8
唐 山 市	Tangshan	3723.6	876.1	168.8	36.4		
廊 坊 市	Langfang	2784.3	516.0	147.9	6.0	37.2	3.1
保 定 市	Baoding	10241.6	2789.8	422.5	49.1	247.8	42.1
#定州市	Dingzhou	674.9	607.5				
沧 州 市	Cangzhou	2192.5	876.0	2.1		33.2	
衡 水 市	Hengshui	1145.8	329.9			130.4	65.1
邢 台 市	Xingtai	1072.4	347.3	8.6	7.8		
邯 郸 市	Handan	3321.9	921.5	71.8	25.9	25.9	12.7
雄安新区	Xiongan New Area	14.6	54.0			2.5	0.6

主要统计指标解释

建筑业统计单位 指从事房屋、构筑物建造和设备安装活动的法人企业。建筑业法人企业应具有建筑业资质并能够独立核算，同时还应具备以下条件：①依法成立，有自己的名称、组织机构和场所，能够承担民事责任；②独立拥有和使用资产，承担负债，有权与其他单位签订合同；③独立核算盈亏，能够编制资产负债表。

建筑业总产值 是以货币形式表现的建筑业企业在一定时期内生产的建筑业产品和提供服务的总和。建筑业总产值包括：

⑴建筑工程产值：指列入建筑工程预算内的各种工程价值。

⑵安装工程产值：指设备安装工程价值，不包括被安装设备本身的价值。

⑶其他产值：建筑业总产值中除建筑工程、安装工程以外的产值。包括房屋构筑物修理产值、非标准设备制造产值、总包企业向分包企业收取的管理费以及不能明确划分的施工活动所完成的产值。

a.房屋构筑物修理产值：指房屋和构筑物修理所完成的产值，但不包括被修理房屋、构筑物本身价值和生产设备的修理价值。

b.非标准设备制造产值：指加工制造没有定型的非标准生产设备的加工费和原材料价值(如化工厂、炼油厂用的各种罐、槽，矿井生产统一使用的各种漏斗、三角槽、阀门等)以及附属加工厂为本企业承建工程制作的非标准设备的价值。

房屋施工面积 指报告期内施工的全部房屋建筑面积，包括本期新开工的房屋建筑面积、上期跨入本期继续施工的房屋建筑面积、上期停缓建在本期恢复施工的房屋建筑面积、本期竣工的房屋建筑面积及本期施工后又停缓建的房屋建筑面积。

房屋竣工面积 指报告期内房屋建筑按照设计要求已全部完工，达到住人和使用条件，经验收鉴定合格或达到竣工验收标准，可正式移交使用的各栋房屋建筑面积的总和。

Explanatory Notes on Main Statistical Indicators

Statistical Unit in the Construction Industry refers to a corporate enterprise engaged in the construction of buildings and structures and in the installation of equipment. A corporate construction enterprise should have qualification certificates with independent accounting system, and should meet the following 3 requirements: a) being set up in line with relevant legal basis, having its full name, organization and location, and capable of taking civil liabilities; b) independently possessing and using its assets and assuming its liabilities, and entitled to sign contracts with other institutions; and c) making independent accounts of its profits and losses, and capable of compiling its own balance sheet.

Gross Output Value of Construction refers to total of construction products and services, expressed in money terms, produced or rendered by construction and installation enterprises during a given period of time. It includes:

(1) Output value of construction projects: the value of projects covered by the project budgets;

(2) Output value of installation projects: the value of the installation of equipment, (excluding the value of the equipment to be installed);

(3) Other output values: the output value of construction industry apart from that of construction projects and installation projects. It includes: output value of repair of buildings and structures; output value of non-standard equipment manufacturing; overhead expenses received by contracted enterprises from the sub-contracted enterprises and the completed output value of construction activities for which there is no clear definition.

a. Output value of repair of buildings and structures: the value created through the repairs of buildings or structures. It does not include the value of buildings or structures being repaired and the value of the repair of production equipment;

b. Output value of manufactured non-standard equipment: the value of non-standard production equipment, including raw materials and manufacturing cost, made for the construction project (i.e., chemical plant; kettles or tanks used by refineries; various fillers, triangle tanks, valves used by mines). It also includes the output value of equipment manufactured by subsidiary workshops.

Floor Space of Buildings refers to floor space of buildings under construction in the reference period, including the space of buildings for which construction has newly started; buildings for which construction has started earlier and is continuing during the reference period; and buildings for which construction has been suspended earlier but has restarted during the reference period; buildings completed during the reference period; and buildings under construction but construction has subsequently been during the reference period.

Floor Space of Buildings Completed refers to the total floor space of each building that has been completed in the reference period in accordance with the requirements of the design, up to the standard for being resided in and put into use, or has been checked and accepted by departments concerned as qualified ones or up to the standard of buildings completed and can be handed over for putting into use.

批发和零售业

Wholesale and Retail

简 要 说 明

一、本篇资料反映河北省批发零售业商品流通情况、社会消费品零售总额等。

二、本篇资料主要根据国家统计局《批发和零售业统计报表制度》进行搜集和加工整理。资料中限额以上批发和零售业采用全面调查的方法自下而上逐级综合汇总而得，限额以下企业及个体户资料采用抽样调查方法推算而得。

三、各表的调查范围：

限额以上批发和零售业统计限额标准：批发业年销售额2000万元及以上；零售业年销售额500万元及以上。

商品购、销、存总额表为各种经济类型的限额以上和限额以下批发零售业法人及产业活动单位和个体户。

社会消费品零售总额表为各种经济类型的法人及产业活动单位、个体户对城乡居民和社会集团的零售。

四、本篇资料由河北省统计局贸易外经统计处整理提供。

五、资料整理：田朴　孙皖靓

Brief Introduction

Ⅰ. The data in this chapter in this chapter show the development of Hebei's domestic market，including mainly the circulation of commodities in the wholesale and retail trades and the total retail sales of consumer goods，etc.

Ⅱ. The data are collected and processed in accordance with the *Statistical Reporting Scheme on Wholesale and Retail Trades* stipulated by the National Bureau of Statistics. Data on basic conditions for all corporate enterprises of wholesale, retail above the designated size are collected through comprehensive reporting systems and data are reported level by level in a bottom-up manner. Data on small-size enterprises and individual enterprises below the designated size are collected through sample surveys.

Ⅲ. The statistical coverage in this chapter comes as follows:

Criteria for wholesale and retail sale trades above designated size is defined as follows：wholesale trade with annual sales of 20 million yuan or above, retail sale trade with annual sales of 5 million yuan or above.

The table of total purchases，sales and inventory include corporate units, establishments and individuals of various types of ownership both above and below designated size by category of commodities.

The table of total retail sales of consumer goods includes the retail sales of corporate units, establishments and individuals of various types of ownership to urban and rural residents and institutions.

Ⅳ. The data in this chapter are prepared and provided by the Division of Trade and External Economic Relations Statistics of Statistics Bureau of Hebei Province.

Ⅴ.Data collection:Tian Pu, Sun Huanjing.

14－1　批发和零售业情况
Basic Conditions of Wholesale and Retail Trades

指　　标	Item	2014	2015	2016	2017	2018	2019
批发和零售业	**Wholesale and Retail Trades**						
法人企业(个)	Number of Corporation Enterprises (unit)	4027	3945	4058	4152	3998	4648
年末从业人数(万人)	Engaged Persons at Year-end (10000 persons)	36.7	35.7	35.9	35.8	34.0	35.0
商品购进额(亿元)	Total Purchases Value (100 million yuan)	10632.3	9061.2	9521.9	9173.8	8623.2	11541.3
#进口额(亿元)	Imports (100 million yuan)	164.0	148.7	182.7	151.8	132.4	189.9
商品销售额(亿元)	Total Sales Value (100 million yuan)	11579.1	9857.8	10362.0	10313.2	10175.5	13363.9
#出口额(亿元)	Exports (100 million yuan)	101.7	77.8	85.9	102.0	104.8	154.9
期末商品库存额(亿元)	Total Stock at Year-end (100 million yuan)	663.5	741.0	673.5	858.0	683.7	830.3
批发业	**Wholesale Trade**						
法人企业(个)	Number of Corporation Enterprises (unit)	1712	1556	1541	1584	1566	2083
年末从业人数(万人)	Engaged Persons at Year-end (10000 persons)	12.6	10.8	10.4	10.2	9.5	10.0
商品购进额(亿元)	Total Purchases Value (100 million yuan)	7828.5	6289.4	6570.5	6471.1	6151.2	8663.9
#进口额(亿元)	Imports (100 million yuan)	94.2	93.9	117.3	90.6	85.3	130.8
商品销售额(亿元)	Total Sales Value (100 million yuan)	8527.5	6781.7	7064.5	7211.4	7186.1	9868.0
#出口额(亿元)	Exports (100 million yuan)	101.5	77.5	82.7	101.9	104.8	154.6
期末商品库存额(亿元)	Total Stock at Year-end (100 million yuan)	368.3	296.4	367.8	323.9	348.3	426.0
零售业	**Retail Trade**						
法人企业(个)	Number of Corporation Enterprises (unit)	2315	2389	2517	2568	2432	2565
年末从业人数(万人)	Engaged Persons at Year-end (10000 persons)	24.2	25.0	25.5	25.6	24.3	25.0
商品购进额(亿元)	Total Purchases Value (100 million yuan)	2803.8	2771.8	2951.3	2702.7	2472.1	2877.4
#进口额(亿元)	Imports (100 million yuan)	69.8	54.8	65.3	61.2	47.1	59.1
商品销售额(亿元)	Total Sales Value (100 million yuan)	3051.5	3076.0	3297.5	3101.8	2989.5	3495.9
#出口额(亿元)	Exports (100 million yuan)	0.2	0.4	3.2	0.1		0.3
期末商品库存额(亿元)	Total Stock at Year-end (100 million yuan)	32.5	444.6	305.7	534.1	335.4	404.3
年末零售营业面积(万平方米)	Business Area of Retail at Year-end (10000 sq.m)	1159.4	1294.9	1318.1	1334.5	1210.4	1408.3

注：本表的统计范围为限额以上法人企业。

a) Scope of wholesale and retail trades covers enterprises above designated size.

14-2 按登记注册类型和行业分限额以上批发业企业主要指标(2019年)

单位：亿元

指标	Item	法人企业(个) Number of Corporation Enterprises (unit)	年末从业人数(人) Engaged Persons at Year-end (person)	商品购进额 Total Purchases Value	#进口 Imports
批发业合计	**Wholesale Trade**	**2083**	**98672**	**8667.1**	**130.8**
按登记注册类型分	**By Status of Registration**				
内资企业	**Domestic Funded Enterprises**	**2073**	**95033**	**8332.8**	**130.1**
国有企业	State-owned Enterprises	31	10389	453.5	5.8
集体企业	Collective-owned Enterprises	7	173	2.5	
股份合作企业	Cooperative Enterprises	1	48	0.7	
联营企业	Joint Ownership Enterprises				
#国有联营企业	State Joint Ownership Enterprises				
集体联营企业	Collective Joint Ownership Enterprises				
有限责任公司	Limited Liability Corporations	451	30486	3623.9	101.4
国有独资公司	State Sole Funded Corporations	40	3417	474.9	39.5
其他有限责任公司	Other Limited Liability Corporations	411	27069	3149.0	61.9
股份有限公司	Share-holding Corporations Ltd.	27	5276	322.6	0.5
私营企业	Private Enterprises	1550	48482	3928.1	22.5
私营独资企业	Private-funded Enterprises	14	262	9.2	
私营合伙企业	Private Partnership Enterprises	5	64	2.2	
私营有限责任公司	Private Limited Liability Corporations	1519	47307	3898.4	22.5
私营股份有限公司	Private Share-holding Corporations Ltd.	12	849	18.3	
其他企业	Other Enterprises	6	179	1.4	
港、澳、台商投资企业	**Enterprises with Funds from Hong Kong, Macao and Taiwan**	**2**	**55**	**21.9**	
合资经营企业	Joint-venture Enterprises				
合作经营企业	Cooperative Enterprises				
独资经营企业	Enterprises with Sole Fund	2	55	21.9	
投资股份有限公司	Share-holding Corporations Ltd. with Investment				
其他港澳台商投资企业	Other Enterprises with Funds from Hong Kong, Macao and Taiwan				
外商投资企业	**Foreign Funded Enterprises**	**8**	**3584**	**312.3**	**0.7**
中外合资经营企业	Joint-venture Enterprises	3	1827	90.1	0.5
中外合作经营企业	Cooperation Enterprises				
外资企业	Enterprises with Sole Fund	4	979	222.2	0.1
外商投资股份有限公司	Share-holding Corporations Ltd. with Foreign Investment				
其他外商投资企业	Other Foreign Funded Enterprises	1	778		

注：限额以上批发业企业中，因包含了部分视同法人单位，财务指标数据存在资产≠负债+所有者权益的问题。

Main Indicators of Enterprises above Designated Size of Wholesale Trade by Status of Registration and Sector (2019)

(100 million yuan)

商品销售额 Total Sales Value	#出口 Exports	期末商品库存额 Stock (year-end)	资产总计 Total Assets	#流动资产合计 Total Current Assets	负债合计 Total Liabilities	所有者权益合计 Total Owners' Equities	营业收入 Business Income	营业成本 Operating Costs	营业税金及附加 Business Tax and Surcharges	营业利润 Operating Profit
9862.8	**154.6**	**425.9**	**4655.1**	**3639.8**	**3265.6**	**1375.3**	**8940.2**	**8418.3**	**82.3**	**115.1**
9457.0	**154.6**	**412.6**	**4383.9**	**3407.4**	**3050.3**	**1319.5**	**8570.3**	**8058.7**	**81.9**	**119.6**
624.4	3.0	31.0	167.6	150.6	43.3	124.3	548.1	396.9	72.8	50.1
3.1		0.3	22.8	13.3	15.8	6.9	3.3	2.5	0.0	-0.3
0.8		0.0	0.3	0.3	0.2	0.1	0.7	0.6	0.0	0.0
4010.8	30.1	176.9	1888.4	1637.8	1528.4	350.3	3608.3	3438.9	3.9	25.2
527.2	5.3	16.6	524.4	454.1	399.0	122.4	477.5	443.8	0.7	0.6
3483.6	24.7	160.4	1364.0	1183.7	1129.3	227.9	3130.8	2995.1	3.3	24.6
385.8	5.0	29.2	913.2	433.1	378.3	534.8	346.4	325.3	0.5	6.0
4429.9	116.5	174.2	1390.3	1171.0	1083.4	302.4	4061.4	3892.7	4.7	38.5
9.4		0.4	2.9	2.6	2.2	0.7	8.5	8.2	0.0	0.0
2.5		0.1	1.0	0.9	0.7	0.3	2.3	2.2	0.0	0.0
4389.0	116.5	170.0	1376.1	1158.2	1072.1	299.6	4023.7	3856.6	4.7	38.3
29.0		3.7	10.2	9.3	8.4	1.8	26.9	25.7	0.0	0.2
2.0		0.9	1.5	1.3	0.8	0.7	2.0	1.8	0.0	0.1
24.4			**9.1**	**9.0**	**10.6**	**-1.4**	**21.5**	**19.3**	**0.0**	**0.5**
24.4			9.1	9.0	10.6	-1.4	21.5	19.3	0.0	0.5
381.4	**0.0**	**13.3**	**262.0**	**223.4**	**204.8**	**57.2**	**348.4**	**340.2**	**0.3**	**-5.0**
111.5	0.0	4.3	165.4	148.8	130.5	35.0	102.9	99.4	0.1	-3.3
232.1		5.1	60.7	48.9	50.8	9.9	211.4	207.6	0.1	-0.1
37.8		4.0	35.8	25.7	23.5	12.3	34.1	33.2	0.0	-1.6

a) Of enterprises above designated size of wholesale trade, the financial data have the problem of total assets ≠ liabilities + total owner's equities, because some of them are regarded as legal entities.

14-2 续表

单位：亿元

指标	Item	法人企业(个) Number of Corporation Enterprises (unit)	年末从业人数(人) Engaged Persons at Year-end (person)	商品购进额 Total Purchases Value	#进口 Imports
按国民经济行业分	**By Sector**				
农、林、牧、渔产品批发	Wholesale of Agricultural, Forestry, Livestock and Fishery Products	124	3146	223.6	0.2
食品、饮料及烟草制品批发	Wholesale of Food, Beverages and Tobaccos	165	18266	616.9	7.5
#米、面制品及食用油批发	Wholesale of Rice, Flour and Edible Oil	35	1263	59.3	0.9
烟草制品批发	Wholesale of Tobaccos	15	9403	429.3	5.6
纺织、服装及家庭用品批发	Wholesale of Textiles, Wearing Apparel and Household Articles	112	5390	205.3	2.0
#服装批发	Wholesale of Garments	30	1481	25.4	0.1
日用家电批发	Wholesale of Household Electrical Appliances	19	687	111.6	1.2
文化、体育用品及器材批发	Wholesale of Culture, Sports Appliances and Equipments	38	1833	65.9	0.5
医药及医疗器材批发	Wholesale of Medicines and Medical Appliances	295	23452	961.1	5.2
矿产品、建材及化工产品批发	Wholesale of Mineral Products, Building Materials and Chemical Products	986	35800	5979.5	110.2
#煤炭及制品批发	Wholesale of Coal and Related Products	215	10320	1359.9	53.0
石油及制品批发	Wholesale of Petroleum and Related Products	117	11509	681.8	0.0
金属及金属矿批发	Wholesale of Metal Materials	319	7674	3107.4	16.4
建材批发	Wholesale of Building Materials	107	1474	145.1	1.4
化肥批发	Wholesale of Chemical Fertilizer	25	566	87.1	
机械设备、五金产品及电子产品批发	Wholesale of Machinery, Hardware and Electronic Products	305	8942	476.2	4.7
#汽车及零配件批发	Wholesale of Motor Vehicles and Their Parts	143	3800	201.2	3.3
计算机、软件及辅助设备批发	Wholesale of Computer, Software and Assistant Appliances	16	413	19.8	
贸易经纪与代理	Trade Broker and Agency	12	284	23.1	0.4
其他批发业	Other Wholesale not Classified Elsewhere	46	1559	115.5	

continued

(100 million yuan)

商品销售额 Total Sales Value	#出口 Exports	期末商品库存额 Stock (year-end)	资产总计 Total Assets	#流动资产合计 Total Current Assets	负债合计 Total Liabilities	所有者权益合计 Total Owners' Equities	营业收入 Business Income	营业成本 Operating Costs	营业税金及附加 Business Tax and Surcharges	营业利润 Operating Profit
223.5	0.4	19.2	109.2	78.3	69.4	37.8	216.0	208.8	0.2	-0.2
827.3	5.3	49.1	308.6	261.6	136.8	171.7	736.2	555.7	73.4	54.9
66.4	2.2	7.9	31.1	26.4	22.8	8.3	62.6	58.2	0.1	0.5
599.0		29.9	158.7	143.3	34.4	124.3	525.2	375.8	72.7	50.0
241.5	22.0	33.8	142.3	137.2	112.1	30.1	221.4	209.0	0.6	6.2
50.2	10.5	6.8	19.3	17.5	16.0	3.3	45.0	41.5	0.1	0.6
117.3		19.3	98.2	96.8	77.1	21.1	108.9	104.5	0.1	5.7
87.0	1.5	4.9	65.5	40.9	36.1	29.4	84.7	65.1	0.1	2.7
1165.8	5.6	107.0	597.6	540.8	507.1	90.5	1042.3	952.1	1.9	17.5
6658.3	40.4	165.6	3173.2	2360.8	2192.9	968.5	6025.4	5841.1	5.3	33.2
1690.9	0.3	51.9	1209.0	689.1	571.5	631.6	1542.4	1460.8	1.7	28.6
855.6	0.3	36.3	542.6	413.3	411.5	128.1	782.9	749.4	0.9	-2.9
3233.8	21.3	45.3	1137.4	998.2	967.5	167.8	2901.4	2855.5	1.8	4.7
161.1	7.9	6.9	81.6	75.4	68.0	13.3	147.9	139.5	0.2	2.5
92.7		8.8	39.1	33.1	31.8	7.0	85.4	84.4	0.0	-0.4
517.9	60.2	40.6	196.5	174.1	158.8	37.3	484.5	459.8	0.6	1.5
225.4	27.0	18.3	91.7	79.2	74.6	17.1	207.0	201.6	0.3	-0.3
21.5		0.8	5.8	5.6	3.1	2.6	19.2	18.2	0.0	0.2
24.0	19.2	0.4	5.4	5.2	4.8	0.6	23.4	22.4	0.0	0.0
117.6		5.3	56.8	40.8	47.5	9.3	106.3	104.2	0.2	-0.9

14—3 分市限额以上批发业企业主要指标(2019年)
Main Indicators of Enterprises above Designated Size of Wholesale Trade by City (2019)

单位：亿元 (100 million yuan)

市	City	法人企业(个) Number of Corporation Enterprises (unit)	年末从业人数(人) Engaged Persons at Year-end (person)	商品购进额 Total Purchases Value	#进口 Imports	商品销售额 Total Sales Value	#出口 Exports	期末商品库存额 Stock (year-end)
全　省	**Total**	**2083**	**98672**	**8667.1**	**130.8**	**9862.8**	**154.6**	**425.9**
石家庄市	Shijiazhuang	576	24530	3457.7	41.9	3752.8	77.9	185.8
#辛集市	Xinji	5	253	3.9		4.2		0.9
承 德 市	Chengde	57	4818	235.3		274.7		14.2
张家口市	Zhangjiakou	57	3763	98.6	1.5	120.2	0.0	10.2
秦皇岛市	Qinhuangdao	156	5842	1061.6	1.1	1159.3	9.1	21.6
唐 山 市	Tangshan	390	20399	1562.2	57.8	1898.9	13.4	54.4
廊 坊 市	Langfang	133	6220	496.7	2.1	593.8	18.7	26.2
保 定 市	Baoding	143	7989	353.3	5.5	407.0	26.8	30.3
#定州市	Dingzhou	12	275	8.6	5.5	10.8		0.4
沧 州 市	Cangzhou	189	5907	462.8	6.2	556.6	5.4	27.0
衡 水 市	Hengshui	140	6410	220.7	0.0	269.5	1.8	16.5
邢 台 市	Xingtai	126	5555	243.9		278.2	1.4	23.1
邯 郸 市	Handan	103	6578	417.7	13.7	495.6	0.0	12.7
雄安新区	Xiongan New Area	13	661	56.5	0.9	56.2		3.8

14-3 续表 continued

单位：亿元 (100 million yuan)

市	City	资产总计 Total Assets	#流动资产合计 Total Current Assets	负债合计 Total Liabilities	所有者权益合计 Total Owners' Equities	营业收入 Business Income	营业成本 Operating Costs	营业税金及附加 Business Tax and Surcharges	营业利润 Operating Profit
全 省	**Total**	**4655.1**	**3639.8**	**3265.6**	**1375.3**	**8940.2**	**8418.3**	**82.3**	**115.1**
石家庄市	Shijiazhuang	1991.7	1396.3	1271.6	719.8	3339.9	3181.1	14.7	32.1
#辛集市	Xinji	2.5	2.0	2.0	0.5	3.9	3.8	0.0	-0.2
承 德 市	Chengde	139.5	111.2	108.9	29.7	261.7	241.5	4.1	1.3
张家口市	Zhangjiakou	48.3	42.6	31.2	17.1	106.6	90.0	5.0	4.6
秦皇岛市	Qinhuangdao	199.9	176.3	149.0	50.9	1028.4	984.1	4.2	10.7
唐 山 市	Tangshan	740.7	607.0	520.6	211.3	1792.6	1690.0	10.6	28.2
廊 坊 市	Langfang	284.1	244.5	236.7	47.4	542.3	512.1	6.2	7.2
保 定 市	Baoding	180.9	160.8	129.3	51.2	367.2	330.5	11.6	13.6
#定州市	Dingzhou	3.8	3.6	1.1	2.7	9.5	7.6	0.9	0.6
沧 州 市	Cangzhou	305.3	240.7	251.5	52.2	513.7	484.4	7.8	7.6
衡 水 市	Hengshui	141.2	115.9	97.5	43.7	241.5	216.7	4.3	4.4
邢 台 市	Xingtai	111.6	90.0	71.6	39.5	253.6	234.2	6.0	2.3
邯 郸 市	Handan	498.5	442.4	386.1	110.7	440.9	403.1	7.8	3.2
雄安新区	Xiongan New Area	13.5	12.2	11.6	1.8	51.9	50.7	0.0	-0.1

14-4 按登记注册类型和行业分限额以上零售业企业主要指标(2019年)

单位：亿元

指标	Item	法人企业(个) Number of Corporation Enterprises (unit)	年末从业人数(人) Engaged Persons at Year-end (person)	商品购进额 Total Purchases Value	#进口 Imports
零售业合计	**Retail Trade**	**2565**	**247572**	**2877.5**	**59.1**
按登记注册类型分	**By Status of Registration**				
内资企业	**Domestic Funded Enterprises**	**2550**	**242573**	**2729.6**	**56.3**
国有企业	State-owned Enterprises	16	615	4.1	
集体企业	Collective-owned Enterprises	37	702	5.6	
股份合作企业	Cooperative Enterprises	14	1749	16.6	
联营企业	Joint Ownership Enterprises				
国有联营企业	State Joint Ownership Enterprises				
集体联营企业	Collective Joint Ownership Enterprises				
国有与集体联营企业	Joint State-collective Enterprises				
其他联营企业	Other Joint Ownership Enterprises				
有限责任公司	Limited Liability Corporations	631	86622	1146.1	33.6
国有独资公司	State Sole Funded Corporations	15	2729	23.1	
其他有限责任公司	Other Limited Liability Corporations	616	83893	1122.9	33.6
股份有限公司	Share-holding Corporations Ltd.	36	18476	302.0	1.1
私营企业	Private Enterprises	1816	134409	1255.3	21.5
私营独资企业	Private-funded Enterprises	213	3366	25.0	
私营合伙企业	Private Partnership Enterprises	29	361	2.9	
私营有限责任公司	Private Limited Liability Corporations	1550	128365	1211.2	21.5
私营股份有限公司	Private Share-holding Corporations Ltd.	24	2317	16.2	
其他企业	Other Enterprises				
港、澳、台商投资企业	**Enterprises with Funds from Hong Kong, Macao and Taiwan**	**10**	**2774**	**50.7**	
合资经营企业	Joint-venture Enterprises	2	439	23.9	
合作经营企业	Cooperative Enterprises				
独资经营企业	Enterprises with Sole Fund	8	2335	26.7	
投资股份有限公司	Share-holding Corporations Ltd. with Investment				
其他港澳台商投资企业	Other Enterprises with Funds from Hong Kong, Macao and Taiwan				
外商投资企业	**Foreign Funded Enterprises**	**5**	**2225**	**97.2**	**2.8**
中外合资经营企业	Joint-venture Enterprises	2	1313	85.2	
中外合作经营企业	Cooperation Enterprises				
外资企业	Enterprises with Sole Fund	3	912	12.0	2.8
外商投资股份有限公司	Share-holding Corporations Ltd. with Foreign Investment				
其他外商投资企业	Other Foreign Funded Enterprises				

Main Indicators of Enterprises above Designated Size of Retail Trade by Status of Registration and Sector (2019)

(100 million yuan)

商品销售额 Total Sales Value	#出口 Exports	期末商品库存额 Stock (year-end)	资产总计 Total Assets	#流动资产合计 Total Current Assets	负债合计 Total Liabilities	所有者权益合计 Total Owners' Equities	营业收入 Business Income	营业成本 Operating Costs	营业税金及附加 Business Tax and Surcharges	营业利润 Operating Profit
3496.4	**0.3**	**404.3**	**2454.6**	**1235.7**	**1896.6**	**542.9**	**3196.6**	**2828.1**	**13.9**	**24.6**
3341.5	**0.3**	**396.1**	**2410.1**	**1216.4**	**1873.7**	**521.3**	**3060.4**	**2703.2**	**13.5**	**25.3**
5.2		0.2	2.4	1.8	2.5	-0.1	4.7	4.4	0.0	-0.1
8.3		0.3	3.0	2.2	2.2	0.6	7.6	6.8	0.0	0.0
14.4		3.0	14.3	6.3	2.3	11.9	13.9	9.8	0.2	1.6
1346.6		134.4	655.7	426.6	486.4	168.7	1233.9	1082.6	4.4	10.0
24.0		2.5	25.5	14.5	11.1	14.3	21.7	16.2	0.2	1.1
1322.6		132.0	630.2	412.1	475.3	154.4	1212.2	1066.4	4.2	8.9
337.3		20.2	259.3	169.7	207.0	40.5	298.9	263.2	2.0	2.8
1629.7	0.3	238.1	1475.5	610.0	1173.3	299.7	1501.5	1336.3	6.9	11.1
30.1		3.2	11.9	8.4	7.5	4.2	27.4	24.3	0.2	0.8
3.3		0.2	1.6	1.3	1.1	0.4	3.0	2.7	0.0	0.1
1577.5	0.3	231.9	1448.7	589.9	1156.0	290.4	1454.0	1294.9	6.6	9.8
18.7		2.8	13.3	10.4	8.6	4.6	17.0	14.4	0.1	0.4
55.5		**3.9**	**15.2**	**8.5**	**7.8**	**7.4**	**50.0**	**43.0**	**0.3**	**1.6**
24.5		0.8	9.0	4.1	3.7	5.2	21.2	18.1	0.2	1.3
31.0		3.1	6.2	4.4	4.0	2.2	28.9	24.9	0.1	0.3
99.4		**4.3**	**29.3**	**10.8**	**15.1**	**14.2**	**86.2**	**81.9**	**0.1**	**-2.4**
85.3		3.5	25.6	8.9	7.8	17.8	72.7	70.1	0.1	-2.1
14.2		0.8	3.7	1.9	7.4	-3.7	13.5	11.8	0.0	-0.3

14-4 续表

单位：亿元

指标	Item	法人企业(个) Number of Corporation Enterprises (unit)	年末从业人数(人) Engaged Persons at Year-end (person)	商品购进额 Total Purchases Value	#进口 Imports
按国民经济行业分	**By Sector**				
综合零售	Integrated Retail	442	131393	757.9	0.1
#百货零售	Retail of General Merchandise	275	89533	544.3	0.0
超级市场零售	Retail of Supermarkets	155	40364	197.5	0.0
食品、饮料及烟草制品专门零售	Special Retail of Food, Beverages and Tobaccos	98	3351	25.6	0.2
纺织、服装及日用品专门零售	Special Retail of Textiles, Garments and Daily Consumer Articles	87	7945	42.6	
#服装零售	Retail of Garments	50	5501	29.7	
文化、体育用品及器材专门零售	Special Retail of Culture, Sports Appliances and Equipments	66	8800	52.6	
#体育用品及器材零售	Retail of Sports Appliances and Equipments	1	9	0.1	
图书、报刊零售	Retail of Books, Newspapers and Magazines	18	5524	36.0	
医药及医疗器材专门零售	Special Retail of Medicines and Medical Appliances	190	28809	103.8	
#西药零售	Retail of Western Medicines	171	27878	99.7	
汽车、摩托车、零配件和燃料及其他动力销售	Retail of Motor Vehicles, Motorcycles, Parts, and Fuel and Other Powers	1260	52781	1583.7	58.9
#汽车新车零售	Retail of New Motor Vehicles	912	41236	1271.6	58.0
机动车燃油零售	Retail of Fuel Oil of Motor Vehicles	323	10764	289.7	
家用电器及电子产品专门零售	Special Retail of Household Electric Appliances and Electronic Products	330	12085	128.3	
#日用家电零售	Retail of Household Electric Appliances	71	3489	44.0	
计算机、软件及辅助设备零售	Retail of Computer, Software and Assistant Appliances	39	980	8.9	
通信设备零售	Retail of Communication Equipments	42	2315	28.1	
五金、家具及室内装饰材料专门零售	Special Retail of Hardware, Furniture and Interior Decoration Materials	42	1159	10.7	
货摊、无店铺及其他零售业	Stalls, Non-shop and Other Retails	50	1249	172.3	
#互联网零售	Retails on the Internet	31	686	157.8	

continued

(100 million yuan)

商品销售额 Total Sales Value	#出口 Exports	期末商品库存额 Stock (year-end)	资产总计 Total Assets	#流动资产合计 Total Current Assets	负债合计 Total Liabilities	所有者权益合计 Total Owners' Equities	营业收入 Business Income	营业成本 Operating Costs	营业税金及附加 Business Tax and Surcharges	营业利润 Operating Profit
1076.4		109.1	1238.2	335.3	1053.2	184.7	989.3	807.6	6.9	19.3
821.2		82.0	1080.4	237.8	906.2	173.5	739.9	604.5	6.1	21.7
237.7		26.4	150.2	93.2	140.9	9.6	234.0	190.7	0.8	-1.7
36.5		4.0	26.5	20.4	18.1	8.2	33.5	26.8	0.1	1.9
59.4		6.1	57.7	36.3	52.1	5.4	54.8	43.8	0.3	0.2
35.6		4.1	51.0	30.9	47.9	3.0	33.4	26.6	0.3	-0.6
62.3		11.9	72.5	53.1	35.1	37.4	60.0	42.2	0.5	5.0
0.1		0.0	0.0	0.0	0.0	0.0	0.1	0.1	0.0	0.0
40.2		4.4	49.7	34.1	16.0	33.6	39.6	25.4	0.3	4.8
130.6		24.0	82.4	60.3	50.0	32.0	119.2	92.7	1.3	3.7
125.2		22.6	78.3	56.6	47.1	30.9	114.2	88.5	1.3	3.8
1789.9	0.3	226.7	866.3	633.1	602.9	249.5	1631.7	1536.9	3.9	-4.9
1416.9		211.1	618.6	482.5	429.2	187.6	1301.1	1225.7	3.4	2.3
349.4		13.9	238.3	142.9	166.1	60.1	309.0	290.2	0.4	-6.9
154.5		19.9	84.2	73.9	64.0	19.9	141.7	125.3	0.6	0.0
52.8		3.2	28.1	24.4	23.7	4.4	47.9	41.9	0.1	-0.9
11.0		2.1	8.6	7.7	3.6	5.0	10.2	8.0	0.2	0.9
30.2		3.1	9.9	9.0	5.5	4.4	28.2	25.7	0.1	0.1
13.2		1.1	5.6	4.9	3.9	1.7	12.2	10.4	0.1	0.3
173.5		1.5	21.3	18.4	17.3	3.9	154.3	142.3	0.2	-1.0
158.4		1.3	16.4	15.0	13.5	2.9	140.3	129.0	0.2	-0.6

14-5 分市限额以上零售业企业主要指标(2019年)
Main Indicators of Enterprises above Designated Size of Retail Trade by City (2019)

单位：亿元 (100 million yuan)

市	City	法人企业(个) Number of Corporation Enterprises (unit)	年末从业人数(人) Engaged Persons at Year-end (person)	商品购进额 Total Purchases Value	#进口 Imports	商品销售额 Total Sales Value	#出口 Exports	期末商品库存额 Stock (year-end)
全省	**Total**	**2565**	**247572**	**2877.5**	**59.1**	**3496.4**	**0.3**	**404.3**
石家庄市	Shijiazhuang	363	52271	845.1	15.9	1087.5		148.2
#辛集市	Xinji	15	1410	115.7		122.9		46.9
承德市	Chengde	104	10439	66.2	1.1	74.8		9.4
张家口市	Zhangjiakou	125	13609	94.9	1.1	143.2		16.6
秦皇岛市	Qinhuangdao	124	12149	130.3	1.4	171.0		20.3
唐山市	Tangshan	266	26364	214.6	12.2	274.7		28.2
廊坊市	Langfang	289	17214	366.3	4.4	408.9		25.1
保定市	Baoding	373	31743	384.5	8.8	433.3		52.6
#定州市	Dingzhou	42	3973	35.8		47.1		5.3
沧州市	Cangzhou	241	34293	295.9	8.4	342.6	0.3	38.8
衡水市	Hengshui	139	14667	122.7	1.1	136.6		17.4
邢台市	Xingtai	247	19910	164.8	4.4	204.9		21.5
邯郸市	Handan	271	14250	187.4	0.3	213.4		25.5
雄安新区	Xiongan New Area	23	663	4.70	0.00	5.37		0.70

14-5 续表 continued

单位：亿元 (100 million yuan)

市	City	资产总计 Total Assets	#流动资产合计 Total Current Assets	负债合计 Total Liabilities	所有者权益合计 Total Owners' Equities	营业收入 Business Income	营业成本 Operating Costs	营业税金及附加 Business Tax and Surcharges	营业利润 Operating Profit
全省	**Total**	**2454.6**	**1235.7**	**1896.6**	**542.9**	**3196.6**	**2828.1**	**13.9**	**24.6**
石家庄市	Shijiazhuang	1147.2	381.2	898.6	248.5	988.0	877.3	4.0	10.5
#辛集市	Xinji	154.9	120.0	52.1	102.7	122.1	115.9	0.3	1.6
承德市	Chengde	46.2	28.3	35.1	11.1	71.4	61.2	0.2	-0.8
张家口市	Zhangjiakou	89.3	56.0	74.4	15.1	130.7	117.1	0.3	-1.8
秦皇岛市	Qinhuangdao	123.2	96.3	99.2	24.0	154.3	133.9	0.5	2.7
唐山市	Tangshan	175.5	92.0	133.4	41.4	250.9	220.9	0.9	1.1
廊坊市	Langfang	136.6	103.7	109.6	27.7	374.7	338.3	1.6	0.8
保定市	Baoding	227.1	139.2	169.8	56.9	397.6	354.7	2.0	1.6
#定州市	Dingzhou	23.2	12.7	7.2	15.9	41.5	35.4	0.3	2.0
沧州市	Cangzhou	190.2	126.6	129.9	59.5	312.1	270.7	1.5	5.7
衡水市	Hengshui	75.3	42.7	61.9	13.0	126.5	109.6	1.0	0.5
邢台市	Xingtai	114.2	75.5	76.7	25.3	186.5	165.0	0.7	1.8
邯郸市	Handan	125.7	91.3	106.8	17.4	198.9	174.8	1.1	2.4
雄安新区	Xiongan New Area	4.1	2.8	1.3	2.9	5.0	4.4	0.0	0.1

14-6 按登记注册类型分连锁零售企业基本情况(2019年)
Basic Conditions of Chain Retail Enterprises by Status of Registration (2019)

指　标	Item	总店数(个) Number of Head Stores (unit)	门店总数(个) Number of Stores (unit)	年末从业人数(人) Engaged Persons at Year-end (person)	年末零售营业面积(万平方米) Operating Area of Retail Enterprises at Year-end (10000 sq.m)	商品销售额(亿元) Total Sales of Commodities (100 million yuan)	商品购进总额(亿元) Total Purchases Value (100 million yuan)	统一配送商品购进额(亿元) Centralized Purchase and Delivery (100 million yuan)
合　计	**Total**	**121**	**7404**	**58760**	**634.6**	**959.5**	**800.0**	**591.0**
内资企业	**Domestic Funded Enterprises**	**114**	**6820**	**53725**	**531.7**	**795.3**	**641.5**	**439.1**
国有企业	State-owned Enterprises	3	360	2022	97.2	67.6	51.3	51.3
有限责任公司	Limited Liability Corporations	45	2916	20777	172.2	244.0	194.2	162.4
国有独资公司	State Sole Funded Corporations	2	32	446	6.6	22.9	25.4	25.1
其他有限责任公司	Other Limited Liability Corporations	43	2884	20331	165.6	221.2	168.8	137.3
股份有限公司	Share-holding Corporations Ltd.	20	1474	17155	205.0	411.6	340.4	188.8
私营企业	Private Enterprises	46	2070	13771	57.4	72.1	55.5	36.5
私营独资企业	Private-funded Enterprises							
私营合伙企业	Private Partnership Enterprises	1	15	61	0.5	0.2	0.2	0.2
私营有限责任公司	Private Limited Liability Corporations	45	2055	13710	56.9	71.9	55.4	36.4
私营股份有限公司	Private Share-holding Corporations Ltd.							
港、澳、台商投资企业	**Enterprises with Funds from Hong Kong, Macao and Taiwan**	**2**	**124**	**837**	**0.0**	**6.7**	**4.3**	**3.7**
独资经营企业	Enterprises with Sole Fund	2	124	837	0.0	6.7	4.3	3.7
外商投资企业	**Foreign Funded Enterprises**	**5**	**460**	**4198**	**102.8**	**157.5**	**154.2**	**148.2**
中外合资经营企业	Joint-venture Enterprises	3	296	2846	76.3	128.3	127.6	124.8
中外合作经营企业	Cooperative Enterprises							
外资企业	Enterprises with Sole Fund	1	4	647	3.1	4.1	3.3	
外商投资股份有限公司	Share-holding Corporations Ltd.	1	160	705	23.4	25.1	23.4	23.4

14－7 按行业和业态分批发和零售业连锁基本情况(2019年)
Basic Statistics of Chain Wholesale and Retail Enterprises by Sector and Business Categories (2019)

指标	Item	总店数(个) Number of Head Stores (unit)	门店总数(个) Number of Stores (unit)	年末从业人数(人) Engaged Persons at Year-end (person)	年末零售营业面积(万平方米) Operating Area of Retail Enterprises at Year-end (10000 sq.m)	商品销售额(亿元) Total Sales of Commodities (100 million yuan)	商品购进总额(亿元) Total Purchases Value (100 million yuan)	统一配送商品购进额(亿元) Centralized Purchase and Delivery (100 million yuan)
总计	**Total**	**121**	**7404**	**58760**	**634.6**	**959.5**	**800.0**	**591.0**
按行业分	**By Sector**							
批发业	**Wholesale**	**14**	**922**	**5548**	**185.4**	**218.6**	**120.8**	**107.0**
纺织、服装及家庭用品批发	Wholesale of Textiles, Wearing Apparel and Household Articles	2	48	204	0.6	5.2	0.7	0.5
医药及医疗器材批发	Wholesale of Medicines and Medical Appliances	1	6	10	0.1	0.2	0.2	
矿产品、建材及化工产品批发	Wholesale of Mineral Products, Building Materials and Chemical Products	10	857	5162	184.6	209.2	116.2	102.7
机械设备、五金产品及电子产品批发	Wholesale of Machinery, Hardware and Electronic Products	1	11	172	0.1	4.0	3.7	3.7
零售业	**Retail**	**107**	**6482**	**53212**	**449.2**	**740.9**	**679.2**	**484.1**
综合零售	Integrated Retail	23	650	22046	148.7	218.8	194.2	49.1
食品、饮料及烟草制品专门零售	Retail of Food, Beverages and Tobaccos	4	112	741	1.4	2.8	1.7	0.3
纺织、服装及日用品专门零售	Special Retail of Textiles, Garments and Daily Consumer Articles	4	211	1436	1.3	13.8	11.2	10.4
文化、体育用品及器材专门零售	Retail of Culture, Sports Appliances and Equipments	1	13	515	1.1	3.4	0.3	
医药及医疗器材专门零售	Retail of Medicines and Medical Appliances	52	3758	17326	38.4	68.7	54.0	44.8
汽车、摩托车、燃料及零配件专门零售	Retail of Motor Vehicles, Motorcycles, Fuel and Parts	16	1644	9705	244.5	412.1	397.0	360.1
家用电器及电子产品专门零售	Special Retail of Household Electric Appliances and Electronic Products	7	94	1443	13.6	21.2	20.9	19.4
按业态分	**By Business Categories**							
便利店	Convenience Store	3	370	945	3.6	9.7	9.3	9.3
折扣店	Discount Store							
超市	Supermarket	13	178	6609	38.5	41.6	41.7	27.0
大型超市	Hypermarket	5	54	4631	38.2	30.3	24.2	6.9
仓储会员店	Warehouse Club							
百货店	Department Store	2	48	9861	68.4	137.2	119.0	5.9
专业店	Specialty Store	88	6406	34916	481.0	722.6	596.1	534.3
#加油站	Gas Station	26	2501	14867	429.1	621.3	513.1	462.8
专卖店	Franchised Store	8	272	1599	4.2	13.3	9.1	7.2
家居建材商店	Building Material Store							
厂家直销中心	Factory Outlets Center	1	39	140	0.4	4.7	0.5	0.5
其他	Other Store	1	37	59	0.3	0.1	0.1	

14-8 连锁零售企业基本情况
Basic Conditions of Chain Retail Enterprises

年份 市	Year City	总店数 (个) Number of Head Stores (unit)	门店总数 (个) Number of Stores (unit)	年末从业人数 (万人) Engaged Persons at Year-end (10000 persons)	年末零售营业面积 (万平方米) Operating Area of Retail Enterprises at Year-end (10000 sq.m)	商品销售额 (亿元) Total Sales of Commodities (100 million yuan)	商品购进总额 (亿元) Total Purchases Value (100 million yuan)	统一配送商品购进额 (亿元) Centralized Purchase and Delivery (100 million yuan)
	2005	35	3738	3.8	363.9	333.2	305.3	289.8
	2006	37	3779	4.0	367.2	439.8	402.1	385.0
	2007	37	4363	4.4	202.5	413.2	367.0	241.4
	2008	84	5205	5.7	380.4	637.2	465.3	254.4
	2009	92	5528	5.6	554.7	707.2	568.2	380.8
	2010	92	4168	4.9	528.5	839.1	707.3	460.2
	2011	88	4168	5.0	513.8	1054.3	958.2	631.2
	2012	88	4299	5.2	589.7	1100.5	1028.9	741.4
	2013	83	4362	5.3	612.1	1107.1	949.4	634.8
	2014	81	4537	5.4	645.9	1145.3	988.8	689.0
	2015	84	4750	5.3	606.6	989.0	919.6	590.3
	2016	85	4935	5.2	612.0	939.8	868.5	541.6
	2017	108	5879	5.5	648.6	1237.1	1131.5	920.7
	2018	117	6557	5.8	655.1	996.3	861.2	648.5
	2019	121	7404	5.9	634.6	959.5	800.0	591.0
石家庄市	Shijiazhuang	23	1826	1.9	153.2	276.9	265.2	146.5
#辛集市	Xinji							
承德市	Chengde	2	208	0.1	31.4	50.1	21.2	7.8
张家口市	Zhangjiakou	9	1009	0.6	10.3	34.8	24.8	22.3
秦皇岛市	Qinhuangdao	22	726	0.7	49.7	81.0	61.2	47.4
唐山市	Tangshan	30	1396	0.8	134.2	122.6	126.4	118.7
廊坊市	Langfang	10	532	0.5	69.2	96.6	36.6	30.0
保定市	Baoding	12	663	0.6	41.0	97.5	88.6	43.9
#定州市	Dingzhou							
沧州市	Cangzhou	2	211	0.1	13.6	52.6	49.0	49.0
衡水市	Hengshui	5	408	0.1	47.6	37.1	35.1	35.1
邢台市	Xingtai	2	148	0.1	12.9	49.6	48.6	48.6
邯郸市	Handan	4	277	0.3	71.6	60.7	43.3	41.8
雄安新区	Xiongan New Area							

14-9 亿元以上商品交易市场基本情况(2019年)
Basic Statistics on Commodity Exchange Markets of Transaction Value over 100 Million Yuan (2019)

市场	Market	市场数量(个) Number of Markets (unit)	摊位数(个) Number of Booths (unit)	营业面积(万平方米) Operating Area (10000 sq.m)	成交额(亿元) Turnover (100 million yuan)	批发市场 Whole-sale	零售市场 Retail-sale
总　计	**Total**	**190**	**291491**	**2360.3**	**5982.4**	**5716.1**	**266.3**
综合市场	**Integrated Markets**	**56**	**73178**	**473.6**	**1288.9**	**1183.4**	**105.5**
生产资料综合市场	Production Comprehensive Market	3	1834	43.6	102.2	101.0	1.2
工业消费品综合市场	Industrial Consumable Comprehensive Markets	10	17891	137.1	483.3	426.8	56.4
农产品综合市场	Farm Produce Comprehensive Markets	27	37577	167.2	476.0	460.9	15.1
其他综合市场	Other Comprehensive Markets	16	15876	125.7	227.5	194.7	32.8
专业市场	**Special Markets**	**134**	**218313**	**1886.7**	**4693.5**	**4532.7**	**160.8**
生产资料市场	Production Markets	27	20145	428.7	601.3	600.2	1.1
农业生产用具市场	Agricultural Production Equipment Markets	3	2300	67.6	142.7	142.7	
建材市场	Building Material Markets	5	1484	25.1	17.5	16.4	1.1
化工材料及制品市场	Chemical Materials and Products Markets	2	795	6.5	52.2	52.2	
金属材料市场	Metal Materials Markets	11	13064	284.1	307.9	307.9	
机械设备市场	Mechanical Equipments Markets	4	1431	41.0	32.3	32.3	
其他生产资料市场	Others	2	1071	4.3	48.7	48.7	
农产品市场	Farm Produce Markets	49	100166	422.7	1505.8	1481.2	24.7
粮油市场	Grain and Oil Markets	2	270	24.0	5.0	5.0	
肉禽蛋市场	Meat, Poultry and Eggs Markets	3	1146	23.5	109.3	107.7	1.5
水产品市场	Aquatic Products Markets	4	2639	6.8	11.8	3.6	8.2
蔬菜市场	Vegetables Markets	28	59646	235.7	336.8	322.9	13.9
干鲜果品市场	Dried and Fresh Melons and Fruits Markets	7	19074	83.1	948.8	948.8	
棉麻土畜、烟叶市场	Cotton, Local & Livestock Products, and Tobacco Markets	2	16109	36.0	89.0	89.0	
其他农产品市场	Others	3	1282	13.5	5.1	4.1	1.0
食品、饮料及烟酒市场	Food, Beverages, Tobacco and Liquor Markets	1	628	0.5	1.1		1.1
食品饮料市场	Food and Beverages Markets	1	628	0.5	1.1		1.1
纺织、服装、鞋帽市场	Textiles, Clothing, Shoes and Hats Markets	17	45277	330.0	837.8	812.0	25.8
布料及纺织品市场	Cloth and Textiles Markets	2	2965	31.0	58.5	58.0	0.5
服装市场	Clothing Markets	13	41117	296.2	723.0	697.7	25.3
鞋帽市场	Shoes and Hats Markets	1	535	0.8	35.3	35.3	
其他纺织服装鞋帽市场	Others	1	660	2.0	21.0	21.0	
日用品及文化用品市场	Daily Use Articles and Cultural Goods Markets	3	15035	29.9	722.6	722.6	
小商品市场	Merchandise Markets	2	9085	14.3	215.1	215.1	
箱包市场	Luggage Markets	1	5950	15.6	507.6	507.6	
电器、通讯器材、电子设备市场	Electrical Appliances, Communication ppliances and Electronical Appliances Markets	1	300	3.6	4.4		4.4
通讯器材市场	Communication Appliances Markets	1	300	3.6	4.4		4.4
医药、医疗用品及器材市场	Medicine, Medical Materials and Medical Instruments Markets	1	12000	36.0	350.0	350.0	
中药材市场	Chinese Medicine Markets	1	12000	36.0	350.0	350.0	
家具、五金及装饰材料市场	Furniture, Hardware and Decoration Materials Markets	21	14065	472.3	370.1	351.3	18.8
家具市场	Furniture Markets	7	8171	348.8	213.9	199.9	14.0
装饰材料市场	Decoration Materials Markets	8	2552	47.6	44.5	39.7	4.8
五金材料市场	Hardware Materials Markets	1	2000	32.0	82.6	82.6	
其他装修市场	Others	5	1342	43.9	29.1	29.1	
汽车、摩托车及零配件市场	Cars, Motorcycles and Spare Parts Markets	9	3939	59.8	121.8	65.8	55.9
汽车市场	Cars Markets	4	1753	27.4	51.8		51.8
摩托车市场	Motorcycles Markets	1	785	5.0	3.9	3.9	
机动车零配件市场	Vehicle Spare Parts Markets	4	1401	27.4	66.0	61.9	4.1
花、鸟、鱼、虫市场	Flower, Bird, Fish and Insects Markets	1	161	1.9	2.9	2.9	
花卉市场	Flower Markets	1	161	1.9	2.9	2.9	
其他专业市场	Others	4	6597	101.3	175.7	146.6	29.1

14－10 亿元以上商品交易市场摊位分类情况(2019年)

Classification of Commodity Exchange Markets of Transaction Value over 100 Million Yuan (2019)

类别	Classification	摊位数(个) Number of Booths (unit)	成交额(亿元) Turnover (100 million yuan)	批发市场 Wholesale	零售市场 Retail
总　计	**Total**	**249798**	**5982.4**	**5716.1**	**266.3**
粮油、食品类	Grain and Oil, Food	108747	1916.7	1869.0	47.7
#粮油类	Grain and Oil	3567	104.3	98.5	5.9
肉禽蛋类	Meat, Poultry and Eggs	4903	154.1	147.2	6.9
水产品类	Aquatic Products	4097	70.0	59.2	10.8
蔬菜类	Vegetables	66202	486.4	466.3	20.1
干鲜果品类	Dried and Fresh Melons and Fruits	27930	1093.3	1090.6	2.8
饮料类	Beverages	2302	26.2	22.4	3.8
烟酒类	Tobacco and Liquor	2171	40.1	33.6	6.5
服装鞋帽、针、纺织品类	Clothing, Shoes, Hats and Textiles	44191	865.5	822.9	42.6
服装类	Clothing	37392	613.7	579.9	33.7
鞋帽类	Footwear and Hats	2831	60.5	56.5	4.0
针、纺织品类	Knitwear and Textiles	3968	191.3	186.4	4.9
化妆品类	Cosmetics	904	11.1	10.2	0.9
金银珠宝类	Gold, Silver and Jewellery	633	4.6	0.5	4.1
日用品类	Articles for Daily Use	12230	384.4	380.8	3.5
五金、电料类	Hardware & Electrical Materials	4044	153.8	152.4	1.4
体育、娱乐用品类	Sports & Recreational Articles	548	35.4	34.6	0.8
#照相器材类	Photographic Equipment	1	0.0		0.0
书报杂志类	Newspapers and Magazines	107	1.0	1.0	0.1
电子出版物及音像制品类	E-journal and Video Products	39	0.2	0.0	0.2
家用电器和音像器材类	Household Appliances and Video Equipments	686	19.2	17.2	2.0
中西药品类	Traditional Chinese and Western Medicine	7064	350.3	350.1	0.1
#西药类	Western Medicine	40	0.2	0.1	0.1
中草药及中成药类	Traditional Chinese	7019	350.0	350.0	0.0
文化办公用品类	Cultural and Official Goods	2131	134.1	133.7	0.4
#计算机及其配套产品	Computer and Corollary Equipment	8	0.0		0.0
家具类	Furniture	6683	263.4	216.3	47.1
通讯器材类	Communication Appliances	1677	69.9	64.4	5.5
木材及制品类	Wood and Wooden Products	223	28.9	28.8	0.0
石油及制品类	Petroleum and Related Products	3	0.0		0.0
化工材料及制品类	Raw Chemical Materials and Related Products	1064	78.7	78.7	0.0
#化肥类	Fertilizer	196	9.5	9.5	0.0
金属材料类	Metal Materials	12369	309.2	309.0	0.2
建筑及装潢材料类	Building and Decoration Materials	5946	123.0	114.4	8.6
机电产品及设备类	Mechanical & Electrical Products	3702	135.8	132.1	3.7
#农机类	Agricultural Machinery	1301	94.5	94.4	0.0
汽车类	Automobile	4270	169.7	113.2	56.5
种子饲料类	Seed and Feedstuff	74	2.7	2.7	0.0
棉麻类	Cotton and Hemp	43	0.0	0.0	0.0
其他类	Others	27947	858.5	828.0	30.5

14-11 分市社会消费品零售总额
Total Retail Sales of Consumer Goods by City

市	City	2017		2018		2019	
		社会消费品零售总额(亿元) Total Retail Sales of Consumer Goods (100 million yuan)	增长(%) Growth Rate (%)	社会消费品零售总额(亿元) Total Retail Sales of Consumer Goods (100 million yuan)	增长(%) Growth Rate (%)	社会消费品零售总额(亿元) Total Retail Sales of Consumer Goods (100 million yuan)	增长(%) Growth Rate (%)
全　省	**Total**	**11138.5**	**9.3**	**11973.9**	**7.5**	**12985.5**	**8.4**
石家庄市	Shijiazhuang	2124.7	9.0	2278.4	7.2	2465.2	8.3
#辛集市	Xinji	93.6	5.6	97.6	4.2	106.6	9.3
承 德 市	Chengde	418.9	9.5	450.5	7.6	486.3	8.0
张家口市	Zhangjiakou	484.6	8.3	518.3	6.9	559.5	8.0
秦皇岛市	Qinhuangdao	505.8	8.9	540.6	6.9	585.3	8.3
唐 山 市	Tangshan	1799.7	8.8	1926.1	7.0	2094.7	8.8
廊 坊 市	Langfang	1113.4	11.8	1219.1	9.5	1328.0	9.1
保 定 市	Baoding	1358.3	9.1	1455.6	7.2	1577.2	8.4
#定州市	Dingzhou	86.9	8.2	92.4	6.4	100.7	9.0
沧 州 市	Cangzhou	932.7	8.8	1001.0	7.3	1084.6	8.4
衡 水 市	Hengshui	506.2	9.6	544.3	7.5	591.4	8.7
邢 台 市	Xingtai	839.8	9.9	909.2	8.3	986.0	8.5
邯 郸 市	Handan	1054.5	9.0	1130.8	7.2	1227.5	8.6

14-12 亿元以上商品交易市场基本情况
Basic Statistics on Commodity Exchange Markets of Transaction Value over 100 Million Yuan

年份 市	Year City	市场数量（个） Number of Markets (unit)	摊位数（个） Number of Booths (unit)	营业面积（万平方米） Operating Area (10000 sq.m)	成交额（亿元） Turnover (100 million yuan)	批发市场 Wholesale	零售市场 Retail
	2000	247	329179	1604.7	1573.8	1251.9	322.0
	2005	240	286611	2049.1	2322.9		
	2006	247	287168	1979.7	2622.8	2259.1	363.7
	2007	265	292389	2312.9	3036.2	2679.9	356.4
	2008	281	339137	2481.1	3508.0	3260.0	248.0
	2009	259	305973	2343.0	3168.6	2905.4	263.2
	2010	281	338928	2599.0	4125.2	3867.8	257.3
	2011	278	338227	2670.4	4430.6	4112.8	317.7
	2012	268	335552	2862.0	4774.0	4475.9	298.1
	2013	253	336525	2872.4	4874.5	4551.4	323.1
	2014	244	355813	2699.8	5193.0	4886.6	306.4
	2015	236	362252	2621.2	5365.6	5064.5	301.1
	2016	225	348754	2656.6	5540.4	5248.9	291.5
	2017	217	327322	2644.7	5918.0	5628.4	289.7
	2018	200	278526	2307.2	5848.3	5574.3	274.0
	2019	190	291491	2360.3	5982.4	5716.1	266.3
石家庄市	Shijiazhuang	43	56695	539.2	1399.6	1303.6	95.9
#辛集市	Xinji	1	950	22.0	14.9	14.9	
承德市	Chengde	11	7668	52.7	73.5	46.3	27.2
张家口市	Zhangjiakou	8	4111	88.4	89.7	60.6	29.1
秦皇岛市	Qinhuangdao	13	49789	135.0	243.0	225.5	17.5
唐山市	Tangshan	19	15519	106.9	403.0	377.5	25.5
廊坊市	Langfang	15	15350	435.0	256.4	252.6	3.8
保定市	Baoding	15	34136	219.5	1743.8	1742.3	1.4
#定州市	Dingzhou	2	1225	14.9	24.0	24.0	
沧州市	Cangzhou	26	57391	422.3	921.9	882.9	39.0
衡水市	Hengshui	10	15076	64.0	152.4	147.5	4.9
邢台市	Xingtai	10	14400	137.0	255.7	254.5	1.3
邯郸市	Handan	20	21356	160.4	443.3	422.7	20.6
雄安新区	Xiongan New Area			87.3	6.8	94.1	7.7

主要统计指标解释

批发业 指向其他批发或零售单位（含个体经营者）及其他企事业单位、机关团体等批量销售生活用品、生产资料的活动，以及从事进出口贸易和贸易经纪与代理的活动，包括拥有货物所有权，并以本单位（公司）的名义进行交易活动，也包括不拥有货物的所有权，收取佣金的商品代理、商品代售活动；还包括各类商品批发市场中固定摊位的批发活动，以及以销售为目的的收购活动。

零售业 指百货商店、超级市场、专门零售商店、品牌专卖店、售货摊等主要面向最终消费者（如居民等）的销售活动，以互联网、邮政、电话、售货机等方式的销售活动，还包括在同一地点，后面加工生产，前面销售的店铺（如面包房）；谷物、种子、饲料、牲畜、矿产品、生产用原料、化工原料、农用化工产品、机械设备（乘用车、计算机及通信设备除外）等生产资料的销售不作为零售活动；多数零售商对其销售的货物拥有所有权，但有些则是充当委托人的代理人，进行委托销售或以收取佣金的方式进行销售。

批发和零售业商品购进、销售、库存额 指各种登记注册类型的批发和零售业企业（单位）以本企业（单位）为总体的，从国内、国外市场购进的商品总价，销售和出口的商品总价，库存的商品总价等情况。该指标可以反映商品流转过程中商品的购进、销售、库存之间的比例关系和存在的问题。

商品购进额 指从本企业以外的单位和个人购进（包括从国外直接进口）作为转卖或加工后转卖的商品金额（含增值税）。商品购进包括：（1）从工农业生产者、批发和零售业、住宿和餐饮业、出版社或报社的出版发行部门和其他服务业等企事业单位和个体经营户购进的商品；（2）从机关、社会团体购进的商品；（3）从海关、市场管理部门购进的缉私和没收的商品；（4）从居民收购的废旧商品等。不包括：（1）企业为本单位自身经营用，不是作为转卖而购进的商品，如材料物资、包装物、低值易耗品、办公用品等；（2）未通过买卖行为而收入的商品，如接受其他部门移交的商品、借入的商品、收入代其他单位保管的商品、其他单位赠送的样品、加工回收的成品等；（3）经本单位介绍，由买卖双方直接结算，本单位只收取手续费的业务；（4）销售退回和买方拒付货款的商品；（5）商品溢余；（6）期货交易商品。

进口 指直接从国外进口或委托外贸企业代理进口的商品金额，不包括从国内有关单位购进的进口商品。对外贸易企业只统计自主经营进口的商品，不统计受托代理进口的商品。

商品销售额 指对本单位以外的单位和个人出售的商品金额（包括售给本单位消费用的商品，含增值税）。商品销售包括：（1）售给个人和社会集团消费用的商品；（2）售给农业、工业、建筑业、服务业等国民经济各行业用于生产、经营用的商品，包括售予批发和零售业作为转卖或加工后转卖的商品；（3）对国（境）外直接出口的商品。不包括：（1）未通过买卖行为付出的商品，如因机构变动移交给其他企业单位的商品、借出的商品、归还受其他单位委托代保管的商品、付出的加工原料和赠送给其他单位的样品等；（2）促销返券所销售的、不计入营业收入的商品；（3）经本单位介绍，由买卖双方直接结算，本单位只收取手续费的业务；（4）未发生所有权转移的商品预付卡销售，如加油卡；（5）汽车维修、电话卡销售等服务性经济活动；（6）购货退回的商品；（7）商品损耗和损失；（8）出售本单位自用的废旧物资；（9）期货交易商品；（10）自来水供应企业、电力企业、天然气供应企业提供的水、电、气。

出口 指直接向国（境）外出口商品和委托外贸企业代理出口的商品金额，商品出口不包括售给外贸企业出口或加工后出口的商品，以及在国内市场以外币销售的商品。外贸企业只统计自主经营出口的商品，不包括受托代理出口的商品。

期末商品库存额 对于批发和零售业法人单位和个体经营户，是指报告期末取得所有权的全部商品金额（含增值税）；对于批发和零售业产业活动单位，是指报告期末实际在库且归属法人具有所有权的全部商品金额（含增值税）。库存商品包括：（1）存放在本单位(如门市部、批发站、采购站、经营处)的仓库、货场、货柜和货架中的商品；（2）挑选、整理、包装中的商品；（3）已记入购进而尚未运到本单位的商品，即发货单或银行承兑凭证已到而货未到的商品；（4）寄放他处的商品，如因购货方拒绝付款而暂时存在购货方的商品；（5）委托其他单位代销(未作销售或调出)尚未售出的商品；（6）代其他单位购进尚未交付的商品。不包括：（1）所有权不属于本单位的商品，如商品已作销售但买方尚未取走的商品，代替他人保管、运输、加工的商品，代其他单位销售（未做购进或调入）而未售出的商品；（2）委托外单位加工的商品（包括本单位所属加工厂和其他生产单位加工生产尚未收回成品的商品）；（3）外贸企业代理其他单位从国外进口，尚未付给订货单位的商品；（4）代国家储备部门保管的商品。

连锁总店（总部） 指负责连锁企业资源（商号、商誉、经营模式、服务标准、管理模式等）的开发、配置、控制或使用等功能的企业核心管理机构。连锁经营是指经营同类商品或服务，使用统一商号的若干店铺，在同一总店（总部）的管理下，采取统一采购或特许经营等方式，实现规模效益的组织形式，包括直营连锁、特许连锁和自愿连锁三种形式。其中，直营连锁是指连锁店铺由连锁公司全资或控股开设，在总部的直接控制下，开展统一经营的连锁经营形式；特许连锁是指拥有注册商标、企业标志、专利、专有技术等经营资源的企业（特许人），以合同形式将其拥有的经营资源许可其他经营者（被特许人）使用，被特许人按合同约定在统一的经营模式下开展经营，并向特许人支付特许经营费用的连锁经营形式；自愿连锁是指若干个店铺或企业自愿组合起来，在不改变各自资产所有权关系的情况下，以同一个品牌形象面对消费者，以共同进货为纽带开展的连锁经营形式。

亿元以上商品交易市场 指年成交额在亿元及以上的商品交易市场。商品交易市场是指经有关部门和组织批准设立，有固定场所、设施，有经营管理部门和监管人员，若干市场经营者入内，常年或实际开业三个月以上，集中、公开、独立地进行生活消费品、生产资料等现货商品交易以及提供相关服务的交易场所，包括各类消费品市场、生产资料市场等。

社会消费品零售总额 指企业（单位、个体户）通过交易直接售给个人、社会集团非生产、非经营用的实物商品金额，以及提供餐饮服务所取得的收入金额。个人包括城乡居民和入境人员，社会集团包括机关、社会团体、部队、学校、企事业单位、居委会或村委会等。

网上零售额 指通过公共网络交易平台（包括自建网站和第三方平台）实现的商品和服务零售额之和。商品和服务包括实物商品和非实物商品（如虚拟商品、服务类商品等）。

Explanatory Notes on Main Statistical Indicators

Wholesale Trade refers to the activities of selling wholesale commodities for daily use and capital goods to enterprises of wholesale and retail trades (including self-employed individuals) and other enterprises, institutions and government organs and organizations, and the activities of engaging in import and export and acting as a trade agent. The wholesaler may have the ownership of the commodities for wholesale and trade in the name of its own (a company), and the wholesaler can act as commission agent or commodity broker without the ownership of commodities. Also included are the wholesale activities at the fixed stalls in wholesale market and the acquisition for sales purpose.

Retail Trade refers to the activities of department store, supermarket, franchised store, brand store, retail stall and on-the-spot-making-selling store selling commodities to the final consumers (residents) by any means including internet, post, telephone, sales machine. It also includes shops with sales and production located in the same places (such as bakeries). Retail trade excludes the activities of sales of capital goods such as grain, seed, feed, livestock, mineral products, raw material for production, industrial chemicals, chemical products for agricultural use, machine and equipment (excluding vehicles, computers and communication equipment). Most retailers have the ownership of commodities to sell, but some are acting as agents or brokers to make transactions for a commission.

Purchase, Sales and Stock of Commodities by Wholesale and Retail Trades refer to the total volume of commodities purchased, total volume of sales and exports, and the stock of commodities by wholesale and retail enterprises (establishments) of different status of registration from domestic and overseas markets. This indicator reflects the relationship among purchase, sales and stock of commodities in the circulation of goods and reveals the existing problems.

Total Purchases of Commodities refer to the total value of purchases of commodities by enterprises (establishments) from other establishments or individuals (including direct import from abroad) for the purpose of re-selling, either with or without further processing of the commodities purchased. The commodities include: (1) commodities purchased from agricultural and industrial producer, wholesaler, retailer, publishing house and other enterprises, institutions and individual operators of service business; (2) commodities purchased from institutions and government departments; (3) confiscated goods purchased from the customs authorities or market management agencies; (4) second-hand goods and wastes purchased from residents; The commodities exclude (1) commodities purchased by enterprises (establishments) for use in their own business operation, commodities obtained without buying or selling procedures such as materials, consumable goods of low value, office appliance, etc. (2) received goods without trading, such as goods handed over from others, borrowed goods, preserved goods for others, donated goods from others, processed and retrieved goods, etc. (3) goods of direct settlement between buyer and seller with handling fees introduced by others, (4) goods returned or refused to pay by the buyer, (5) excessive goods, (6) futures trading commodities.

Import refers to the amount of goods imported directly from abroad or imported entrusted to foreign trade enterprises as agents, excluding imports purchased from relevant domestic units. Foreign trade enterprises only count imported goods independently, not imported goods entrusted by agents.

Total Sales of Commodities refer to value of commodities sold by the establishments to other establishments and individuals (including goods sold for self consumption, including the value-added tax). The commodities include: (1) commodities sold to individuals and social groups for their consumption; (2) commodities sold to establishments in all industries for their production and operation, including agriculture, industry, construction, and catering services including commodities sold to wholesale and retail establishments for re-selling, with or without further processing; and (3) commodities for direct export to abroad. Excluded are (1) extended commodities without trading, such as goods handed over to other enterprises and institutions because of the change of organizations, lent goods, returned goods preserved for others, extended processing materials and samples donated to others, (2) goods sold by coupon rebates that are not included in business income, (3) goods of direct settlement between buyer and seller with handling fees introduced by others, (4) prepaid cards for goods without transfer of ownership, such as gas cards, (5) Service-oriented economic activities such as automobile maintenance and telephone card sales, (6) goods returned after purchase, (7) damaged and spoiled goods, (8) waste and used goods of self use, (9) futures trading commodities, (10) water, electricity and gas supplied by water supply enterprises, electric power enterprises and natural gas supply enterprises.

Export refers to the amount of goods exported directly to foreign countries (borders) or exported entrusted to foreign trade enterprises as agents. Commodity export does not include goods sold to foreign trade enterprises for export or exported after processing, as well as goods sold in foreign currencies in the domestic market. Foreign trade enterprises only count the goods they export independently, excluding those exported by trusted agents.

Total Stock of Commodities at End of Period For the legal entities and self-employed individuals engaged in wholesale and retail trade, it refers to total value (including VAT) of commodities possessed at the end of the reference period; and for wholesale and retail establishments, it refers to the value (including VAT) of all commodities actually in stock and owned by their legal persons at the end of reference period. The commodities in stock includes: (1) commodities located in storage, garages, counters, and shelves of operating places of wholesale and retail trades (such as sale stores, wholesale centres, procurement stations and operating offices); (2) commodities in the process of being selected, sorted, and packed; (3) commodities not arrived but recorded as purchase in the account, i.e. commodities not arrived but payment receipts for the commodities from the sellers or the banks arrived; (4) commodities deposited in other places rather than places mentioned above, for instance: commodities in the hold of purchasers temporarily due to the refusal of payment; (5) commodities entrusted to other units to sell but not sold yet; (6) commodities purchased for other units but not delivered yet. Commodities not included as stock are those not owned by the enterprises (units), commodities on commission for processing, imported commodities of agency of foreign trade enterprise but not yet delivered to ordering units and finally those put in stock on behalf of the state reserves units.

Chain Head Stores (headquarter) refer to the core leading stores responsible for development, allocation, administration and utilization of resources (name of stores, brand of stores, operation model, service standard, management way, etc.) of chain stores. Chain stores refers to the stores engaged in providing homogeneous commodities or services, with the central leadership of head store (headquarters) and guided by common policies, conduct centralized purchase and distributed selling of commodities, in order to gain better efficiency through standardized operation. The chain stores include regular chain stores, franchise chain stores and voluntary chain stores.

Regular Chain store refers to chain stores that are invested or controlled by the headquarters. They operate under direct and unified management from the headquarters.

Franchise chain store refers to the chain stores (franchisees) which are franchised with operation resources such as trade marks, names, patent and operation know-how by the franchisors in form of contract and pay the operation fees to the franchisors.

Voluntary chain store refers to the stores operate jointly on the voluntary bases while maintaining their status of independent legal entities with full ownership of their assets. They sell goods of same brand from same channel of resource to the consumers.

Large Commodity Markets with Transaction Value over 100 Million Yuan refers to the commodity markets with an annual transaction at and above 100 million. The commodity market refers to the markets approved and managed by related departments, where there are fixed sites, facilities, managers and administration offices, where there are a certain number of traders to operate for three month and above or all the year, where the commodities including the articles for daily consumption and capital goods and services are traded in a centralized, independent and open way. Such market includes markets of daily goods and market of capital goods, etc.

Total Retail Sales of Consumer Goods refer to the amount obtained by enterprises (units, self-employed individuals) through direct sales of non-production and non-business physical commodity to individuals, social institutions, and revenue from providing catering services. Individuals include rural and urban households, population from abroad, social institutions include government agencies, social organizations, military units, schools, institutions, neighbourhood (village)committees.

Online Retail Sales refer to the total retail sales of goods and services through public online trading platforms (including self-built websites and third-party platforms). Goods and services include physical goods and non-physical goods (such as virtual goods, service goods, etc.).

运输和邮电

Transport, Post and Telecommunications

简 要 说 明

一、本篇资料反映河北省交通运输业和邮政、电信发展的基本状况。

二、交通运输业资料主要包括：运输线路里程、运输设备拥有量，各种运输方式完成的货物运输量和旅客运输量，规模以上港口码头长度、泊位数量及货物吞吐量等资料。

邮政、电信资料主要包括：全省营业网点及邮政邮路情况，电信主要通信能力，主要的邮电业务完成情况，邮电通信发展水平主要指标等资料。

三、本篇资料由河北省统计局服务业统计处、河北省通信管理局整理提供。

四、资料整理：李岩　马辉

Brief Introduction

Ⅰ.The data in this chapter show the basic situation of the development of Hebei Province's transportation industry, postal service and telecommunication.

Ⅱ.Transportation data mainly include: mileage of transportation lines, ownership of transportation equipment, volume of cargo and passenger transportation completed by various modes of transportation, length of ports above designated size, number of berths and throughput of cargo, etc.

Postal and telecommunications data mainly include: the province's business outlets and postal and postal routes, the main telecommunications capacity, the main completion of postal and telecommunications services, and the development level of postal and telecommunications major indicators.

Ⅲ. This data is collated and provided by Services Statistics Division of Hebei Province Statistics Bureau and Hebei Provincial Bureau of Communications.

Ⅳ.Data collection: Li Yan, Ma Hui.

15-1 运输线路长度
Length of Transportation Routes

单位：公里 (km)

年 份 Year	公路通车里程 Total Length of Highways	#高速公路 Expressway	内河通航里程 Length of Navigable Inland Waterways	地方铁路里程 Length of National Railways	中央铁路营业里程 Length of Local Railways
1978	40260		177	562.7	2012.5
1980	39883		29	572.8	2087.7
1985	40698			721.6	2481.1
1990	43640	7	75	691.5	2815.3
1995	51630	229	75	770.0	3076.3
2000	59152	1480	75	554.8	3474.2
2005	75894	2135	286	1207.0	3675.9
2006	143778	2329	286	1489.1	3594.9
2007	147265	2853	286	1522.7	3675.1
2008	149504	3234	286	1605.4	3670.0
2009	152135	3303	286	2152.8	3670.0
2010	154344	4307	286	2124.1	3704.0
2011	156965	4756	286	2172.4	3707.5
2012	163045	5069	286	2174.8	3711.5
2013	174492	5618	286	2193.4	3711.0
2014	179200	5888	286	2212.1	3712.1
2015	184553	6333	286	2242.9	
2016	188431	6502	286	2330.2	
2017	191693	6531	286	2350.0	
2018	193252	7280	286	2455.2	
2019	196983	7476	286	2448.0	

15-2 交通运输工具拥有量
Number of Transportation Tools

指 标	Item	2015		2018		2019	
		合 计 Total	#个 人 Private	合 计 Total	#个 人 Private	合 计 Total	#个 人 Private
汽 车(辆)	Vehicles (unit)	11371345	10361729	15524724	14330438	16666663	15368336
载客汽车	Passenger Vehicles	9233310	8732308	13303927	12734148	14298140	13670955
#轿 车	Saloon Cars	6492873	6214163	9341550	9036097	10045284	9706603
载货汽车	Trucks	1466413	1034078	1933744	1353976	2109993	1486855
#普通载货	Ordinary Trucks	760073	636051	925297	784678	1006285	855226
其他汽车	Others	671622	595343	287053	242314	258530	210526
摩托车(辆)	Motorcycle (unit)	2998683	2856850	885553	872497	803899	789327
拖拉机(辆)	Tractors (unit)	1636978		1507727		1473273	
挂 车(辆)	Combination Vehicle (unit)	412347	164136	465228	184696	502514	210301
运输船舶	Transport Vessels						
货 船(艘)	Freighter (unit)	146	80	115		108	
净载重量(吨位)	Deadweight Cargo Tonnage (ton)	3692744	770955	1739268		1850267	
拖 船(艘)	Tow-boat (unit)	5		5		1	
功 率(千瓦)	Drawing Power (kW)	13850		16382		1940	
货运驳船(艘)	Barges (unit)	1					
净载重量(吨位)	Dead Weight Tonnage (ton)	1300					

15-3 民用汽车拥有量
Possession of Civil Vehicles

单位：万辆 (10000 units)

年 份 Year	民用汽车总 计 Civil Vehicles	#载客汽车 Passenger Vehicles	#载货汽车 Trucks	#私人汽车总 计 Private Vehicles	#载客汽车 Passenger Vehicles	#轿车 Cars	#载货汽车 Trucks
1978	6.9	1.3	5.1				
1980	9.3	1.7	6.9				
1985	17.8	3.5	13.3	2.8	0.2		2.5
1990	35.6	9.2	25.5	7.7	2.6		5.1
1995	72.6	23.6	44.5	26.7	10.5		12.6
1996	69.4	26.7	38.3	26.4	13.9		9.2
1997	77.3	31.9	41.1	32.6	18.5		11.0
1998	81.0	36.0	43.5	38.7	22.5		16.0
1999	91.1	42.0	47.6	41.7	26.4		15.3
2000	104.1	50.2	52.4	51.7	33.1		18.6
2001	119.9	59.9	58.5	63.4	41.2		22.1
2002	135.7	71.6	53.8	70.8	53.1		22.5
2003	155.6	87.4	56.1	95.1	66.1		30.9
2004	180.9	103.1	59.0	112.7	79.4		26.7
2005	282.9	120.0	70.9	198.9	97.0	44.6	34.5
2006	301.7	149.5	70.4	221.2	123.8	62.5	37.4
2007	345.2	185.3	75.1	260.6	156.2	85.9	41.6
2008	388.6	220.0	79.9	300.0	188.0	108.7	46.4
2009	625.8	286.1	104.4	379.0	248.1	149.3	62.7
2010	719.9	365.4	121.5	470.6	323.3	199.5	79.1
2011	832.5	463.4	137.2	577.1	416.2	266.5	92.3
2012	957.6	568.1	153.4	694.3	516.7	341.4	105.0
2013	1035.6	660.2	150.0	781.8	612.0	423.4	105.1
2014	995.3	780.6	143.5	895.4	732.0	516.4	100.4
2015	1137.1	923.3	146.6	1036.2	873.2	621.4	103.4
2016	1291.7	1077.1	163.3	1186.6	1026.9	731.4	114.7
2017	1413.8	1207.3	174.3	1304.9	1155.2	823.6	121.8
2018	1552.5	1330.4	193.4	1433.0	1273.4	903.6	135.4
2019	1666.7	1429.8	211.0	1536.8	1367.1	970.7	148.7

15－4　民用车辆拥有量(2019年)

Possession of Civil Motor Vehicles (2019)

单位：辆　(unit)

指　标	Item	总　计 Total	营　运 Working	进　口 Import	#个　人 Private
全省总计	**Total**	**19446416**	**2134067**	**365507**	**16367973**
汽　车	Civil Vehicles	16666663	1603518	362689	15368336
载客汽车	Passenger Vehicles	14298140	168283	359659	13670955
#大型	Large Scale	67476	47557	255	5770
中型	Medium Scale	44230	37537	17	31877
小型	Small Scale	13943243	114182	353531	13400254
#轿车	Cars	10045284	110386	132188	9706603
载货汽车	Trucks	2109993	1350321	2792	1486855
#重型	Heavy Scale	720158	705579	510	325564
中型	Medium Scale	44230	37537	17	31877
轻型	Light Scale	1344139	606898	2265	1128031
#普通载货	Ordinary Trucks	1006285	439237	2251	855226
其他汽车	Other Vehicles	258530	84914	238	210526
#三轮汽车	Tricycle Motors	125912	50530		122308
低速汽车	Low Speed Vehicles	62236	24596		57448
电　车	Tram	35	35		
摩托车	Motor	803899	29090	2780	789327
普通	Ordinary Motor	800905	29089	2780	786377
轻便	Light Motor	2994	1		2950
挂　车	Freight Trailers	502514	501421	36	210301
其他类型车	Other Motor Vehicles	32	3	2	9
拖拉机	Low Speed Vehicles	1473273			

15－5　民用航空发展基本情况

Basic Indication of Civil Aviation

指　标	Item	2005	2010	2015	2018	2019
定期航班航线条数(条)	Number of Regular Civil Aviation Routes (line)	25	56	74	202	213
国际航线	International Routes	1	1	4	16	18
国内航线	Domestic Routes	24	55	70	184	200
#港澳地区航线	Regional Routes	1	2	2	2	3
民用机场数(个)	Number of Civil Airports (unit)	2	4	5	6	6
国外通航国家和地区(个)	Countries and Regions in International Air Navigation (unit)	1	1	3	6	8
#通航城市	Cities	1	1	4	12	15
民航机场旅客吞吐量(万人)	Passenger Traffic (10000 persons)	47	308.39	684.86	1390.91	1463.36

15-6 客 运 量
Passenger Traffic

单位：万人 (10000 persons)

年 份 Year	总 计 Total	铁 路 Railways	公 路 Highways	水 运 Waterways	民 航 Civil Aviation
1990	25745	5034	20525	183	4.0
1995	36714	4655	32038		21.0
2000	65255	4902	60341		12.0
2001	72229	4841	67377		10.7
2002	76094	5004	71081		9.1
2003	65219	4441	60767		10.7
2004	77784	5270	72500		13.8
2005	80918	5492	75402		23.8
2006	83988	6024	77931		33.3
2007	88935	6238	82648		48.8
2008	94622	6816	87746		59.4
2009	77773	7194	70579		76.7
2010	90847	7558	83289		156.8
2011	99688	7601	91857		229.6
2012	105336	7846	97218		272.0
2013	102974	8762	93911		300.8
2014	61063	9571	51151	3.67	338.0
2015	53631	9706	43563	4.54	358.0
2016	51176	10771	39925	5.10	474.8
2017	50688	11527	38492	1.66	666.8
2018	48105	12211	35133	2.50	759.8
2019	45524	13013	31719	1.19	790.3

15-7 旅 客 周 转 量
Passenger-Kilometers

单位：亿人公里 (100 million passenger-km)

年 份 Year	总 计 Total	铁 路 Railways	公 路 Highways	水 运 Waterways
1990	358.09	249.44	108.44	0.20
1995	493.92	287.72	206.20	
2000	782.87	377.24	405.63	
2001	849.33	402.56	445.35	
2002	897.84	415.26	482.58	
2003	780.46	383.76	396.69	
2004	945.40	479.07	466.33	
2005	989.77	504.44	485.33	
2006	1068.57	552.45	516.12	
2007	1165.28	595.48	569.80	
2008	1236.65	639.17	597.47	
2009	1043.30	672.40	370.90	
2010	1172.86	730.61	442.25	
2011	1306.58	784.50	522.08	
2012	1369.20	791.03	578.17	
2013	1434.76	867.18	567.58	
2014	1276.66	985.91	290.48	0.28
2015	1213.21	944.43	268.43	0.34
2016	1238.12	993.55	244.18	0.39
2017	1282.66	1042.72	239.82	0.12
2018	1289.20	1061.40	227.61	0.19
2019	1311.11	1089.54	221.47	0.09

15-8 货 运 量
Freight Traffic

单位：万吨 (10000 tons)

年 份 Year	总 计 Total	铁 路 Railways	公 路 Highways	水 运 Waterways	民 航 Civil Aviation	管 道 Petroleum and Gas Pipelines	港口货物吞吐量 Volume of Freight Handled in Coastal Ports
1990	58203	11501	44258	363	0.10	2080	6960
1995	74214	12106	59860	404	…	1844	8815
2000	76808	12546	62321	571	3.09	1366	10771
2001	80835	14954	63696	945	3.80	1236	12558
2002	84315	15368	66655	1105	2.62	1184	14432
2003	80551	16646	61570	1172	2.48	1161	18002
2004	87265	18216	66227	1700	1.81	1120	22515
2005	91330	19051	68652	2539	1.45	1087	27341
2006	96784	19646	73263	2778	0.88	1096	33805
2007	104188	20920	79822	2162	0.77	1283	39962
2008	111383	23808	84486	1762	0.98	1326	44065
2009	136804	28308	106530	1008	1.16	958	50874
2010	177308	37964	135938	2149	1.68	1258	60344
2011	212330	41671	166680	2672	2.11	1305	71300
2012	242886	43429	195530	2590	2.40	1335	76234
2013	277840	49688	224319	2517	2.63	1313	88984
2014	238749	48063	185286	4041	2.52	1356	95029
2015	199192	17843	175637	4542	2.60	1168	91251
2016	210994	16313	189822	4458	2.33	399	95208
2017	229211	17100	207309	4413	2.10	386	108868
2018	249650	19580	226334	3352	2.19	382	115599
2019	258186	26823	226809	4160	2.58	392	116315

15-9 货物周转量
Ton-Kilometers

单位：亿吨公里 (100 million ton-km)

年 份 Year	总 计 Total	铁 路 Railways	公 路 Highways	水 运 Waterways	管 道 Petroleum and Gas Pipelines
1990	1546.47	1256.80	215.42	48.53	25.72
1995	2029.48	1534.74	397.36	67.88	29.50
2000	2325.85	1474.77	555.42	267.97	27.69
2001	2760.82	1613.04	608.01	512.70	27.07
2002	2862.79	1658.24	632.40	543.34	28.82
2003	3023.79	1787.73	591.60	612.19	32.28
2004	3796.05	1955.54	658.59	1150.00	31.93
2005	4750.64	2120.98	691.45	1908.07	30.14
2006	5157.40	2331.11	748.86	2051.41	26.02
2007	5507.02	2581.86	843.23	2057.28	24.64
2008	5209.01	2738.05	890.96	1554.62	25.38
2009	5981.61	2743.10	2998.49	216.82	23.21
2010	7673.09	3208.70	4011.23	432.11	21.05
2011	9840.50	4104.69	5219.28	495.04	21.49
2012	10844.84	4180.88	6133.47	509.60	20.89
2013	12003.78	4489.73	6972.94	519.81	21.29
2014	12968.80	4444.78	7019.56	1481.77	22.69
2015	12024.94	3633.01	6821.48	1551.86	18.59
2016	12339.25	3704.47	7294.59	1335.55	4.64
2017	13383.62	4278.36	7896.99	1203.91	4.37
2018	13876.71	4831.57	8550.15	490.88	4.12
2019	14179.53	4937.18	8639.24	599.04	4.08

15-10 沿海港口基本情况(2019年)

Basic Indicators of Coastal Ports (2019)

年份 港口名称	Year Name	合计 Total 码头长度(米) Length of Quay Line (m)	泊位个数(个) Number of Berths (unit)	#万吨级 10000 Ton Class	#生产用 For Productive Use 码头长度(米) Length of Quay Line (m)	泊位个数(个) Number of Berths (unit)	#万吨级 10000 Ton Class	设计吞吐能力(万吨) Design the Handling Capacity (10000 tons)	货物吞吐量(万吨) Volume of Freight Handled (10000 tons)
全省	**Total**	**61540**	**267**	**201**	**59576**	**236**	**201**	**111940**	**116315**
秦皇岛港	Qinhuangdao	17161	92	44	15928	72	44	23549	21880
黄骅港	Huanghua	10365	48	35	9945	39	35	25450	28761
唐山港	Tangshan	34014	127	122	33703	125	122	62941	65674
#京唐港	Jingtang	11754	45	40	11443	43	40	17252	30117
曹妃甸港	Caofeidian	22260	82	82	22260	82	82	45689	35557

15-11 规模以上沿海港口货物分货类吞吐量(2019年)

Volume of Freight Handled in Coastal Ports above Designated Size by Type of Freight (2019)

单位：万吨 (10000 tons)

货物种类	Type of Freight	合计 Total	#外贸 Foreign Trade	出港量 Out-put	#外贸 Foreign Trade	进港量 In-put	#外贸 Foreign Trade
总计	**Total**	**116315**	**33487**	**78784**	**599**	**37531**	**32888**
煤炭及制品	Coal	68860	2370	66281	119	2579	2252
石油、天然气及制品	Crude Petroleum Oil and Natural Gas	2979	2008	260	2	2719	2006
#原油	Crude Oil	2409	1549	204		2204	1549
金属矿石	Metal Ores	27275	26653	61	4	27215	26649
钢铁	Steel and Iron	5494	325	5386	264	108	61
矿建材料	Mineral Building Materials	3909	58	2776	10	1133	47
水泥	Cement	456		452		5	
木材	Timber	146	146			146	146
非金属矿石	Nonmetal Ores	1302	1011	63		1239	1011
化肥农药	Chemical Fertilizers and Pesticides	76	75	56	56	20	19
盐	Salt	98	87			98	87
粮食	Grain	530	509	12		518	509
机械、设备、电器	Machinery, Equipment and Electric Appliance	13	10	11	10	2	0
化工原料及制品	Industrial Chemicals and Product	69.06	10.64	59.00	5.86	10.06	4.78
有色金属	Non-ferrous Metals	19	7	3	1	16	6
轻工、医药产品	Light Industry, Medicines and Product	25	22			25	22
农林牧渔业产品	Agriculture, Forestry, Animal Husbandry and Fishery Product	21	17	5	2	16	16
其他	Others	5044	178	3361	125	1683	53
港口集装箱吞吐量(万标箱)	**Port Container Throughput (10000 TEUs)**	**412.71**	**11.97**	**172.60**	**5.14**	**191.38**	**5.92**

注：规模以上港口包括秦皇岛港、黄骅港和唐山港。

a) Coastal ports above designated size include Qinhuangdao, Huanghua and Tangshan.

15-12 邮电业务基本情况(年底数)

Basic Conditions of Postal and Telecommunication Services (End of Year)

年份 Year	邮政局、所(处) Number of Postal and Offices (unit)	#设在农村的 Located in the Countryside	邮路总长度(万公里) Length of Postal Routes (10000 km)	移动电话用户(万户) Number of Mobile Telephone Subscribers (10000 subscribers)	#3G用户 3G Mobile Phone Subscribers	#4G用户 4G Mobile Phone Subscribers	互联网上网人数(万人) Number of Internet Users (10000 persons)	互联网宽带接入用户(万户) Broad Band Subscribers Port of Internet (10000 ports)
1978	1802	1511	16.5					
1980	1752	1434	17.0					
1985	2928	2588	2.6					
1990	2443	1078	2.8					
1995	2538	1869	3.5					
1996	2555	1820	3.7	24.7				
1997	2472	1863	3.9	44.8				
1998	2389	1750	3.9	86.5				
1999	2081	1455	4.0	139.7				
2000	2018	1390	4.1	279.4				
2001	2013	1371	4.1	543.4				
2002	1978	1312	4.5	840.8				
2003	1952	1272	5.3	1253.2			289.1	
2004	1955	1258	5.4	1512.9			387	
2005	1957	1242	4.7	1785.5			486.0	
2006	1986	1244	4.6	2251.0			631	
2007	1851	1110	4.9	2814.8			762	
2008	1876	1091	5.5	3214.1			1334	
2009	1742	1098	6.4	3783.2	43.7		1842	
2010	2054	1030	5.1	4353.6	166.8		2197	
2011	2114	1001	5.2	5094.5	550.1		2597	824.5
2012	1616	1024	5.2	5513.1	1077.2		3008	963.9
2013	1617	1019	4.7	6006.2	2003.5		3389	1031.6
2014	2273	1683	7.7	6229.1	2431.7		3603	1127.6
2015	2470	1883	6.5	6139.9	1172.7	2107.4	3731	1226.5
2016	2441	1875	7.2	7121.0	775.4	4034.7	3956	1612.0
2017	2460	1906	8.7	7581.8	628.3	5199.0	4183	1910.1
2018	2457	1906	10.2	8195.6	686.3	5920.0	4522	2159.8
2019	2450	1904	11.2	8315.6	511.6	6596.5	4935	2359.7

注：邮路总长度1982年及以前是邮路及农村投递线路总长度之和。

a) Length of postal routes before 1983 included the length of postal routes and rural delivery routes.

15-13 邮政和电信业务量
Business Volume of Postal Services and Telecommunications Services

年 份 Year	邮政业务总量(亿元) Business Volume of Postal Services (100 million yuan)	电信业务总量(亿元) Business Volume of Telecommunication Services (100 million yuan)	函 件(万件) Number of Letters (10000 pcs)	报刊期发数(万份) Issue of Newspapers (10000 copies)	快 递(万件) Pieces of Express Mail Services (10000 pcs)	固定电话用户(万户) Fixed Telephone Subscribers (10000 subscribers)	移动短信业务量(亿条) Short Message Services (100 million messages)
1978		0.59	15417	267		8.0	
1980		0.64	15961	304		8.2	
1985		1.26	21639	580		16.3	
1990		5.56	23716	473		23.6	
1995		36.09	31471	504		189.3	
1996		48.50	30171	584		265.3	
1997		63.42	25858	589		328.8	
1998		88.51	25699	499		403.4	
1999		116.44	21235	1149		487.4	
2000		191.04	26302	522		667.3	
2001		167.01	31698	422	507.2	905.2	
2002		219.84	36078	508	488.3	1104.4	
2003		293.18	20056	484	651.0	1339.0	
2004		430.79	32623	451	739.9	1578.0	
2005		528.47	25742	378	842.9	1627.8	
2006		641.57	22444	340	1023.5	1657.2	204.6
2007		852.31	20641	321	2956.5	1589.1	281.0
2008		1069.57	26702	317	3795.5	1457.5	362.2
2009		1190.65	26960	185	4506.8	1343.9	380.4
2010		1420.68	25355	509	4573.7	1251.3	352.5
2011		537.56	24432	617	8660.4	1242.8	319.4
2012		572.69	29263	632	12469.1	1207.7	311.2
2013		728.74	32091	732	20755.7	1152.4	311.8
2014		825.54	25607	786	34019.0	1085.1	265.5
2015	131.5	866.5	14319	1179	54911.9	978.2	220.5
2016	196.8	1348.4	7006	1095	90392.4	850.6	173.4
2017	269.0	1095.5	5483	477	119389.3	763.8	178.1
2018	380.1	2785.3	4915	519	174136.2	669.9	258.0
2019	557.4	4742.8	4154	483	230392.7	705.2	610.3

15-14 分市电信业务基本情况(2019年底数)

Basic Conditions of Telecommunication Services by City (End of 2019)

市	City	电信业务总量 (万元) BusinessVolume of Telecommunication Services (10000 yuan)	固定电话用户 (户) Fixed Telephone Subscribers (subscriber)	移动电话用户 (户) Number of Mobile Telephone Subscribers at Year-end (subscriber)	#3G移动电话用户 3G Mobile Telephone Subscribers	#4G移动电话用户 4G Mobile Telephone Subscribers
石家庄市	Shijiazhuang	8024625	1232056	14033080	842812	11100276
承 德 市	Chengde	1923935	252864	3731767	245675	2946948
张家口市	Zhangjiakou	2540677	297656	4400407	291973	3588751
秦皇岛市	Qinhuangdao	2441244	431818	3665519	246799	2980579
唐 山 市	Tangshan	5143689	905506	9740029	610516	7305629
廊 坊 市	Langfang	4323577	583433	6771764	349694	5315229
保 定 市	Baoding	6873186	1036610	11772101	679743	9969996
沧 州 市	Cangzhou	4345621	684648	7809278	527244	6251209
衡 水 市	Hengshui	2316780	492789	4703115	286444	3441631
邢 台 市	Xingtai	3743897	575933	6670457	402310	5485681
邯 郸 市	Handan	5723063	558625	9858513	632994	7579334

15-14 续表 continued

市	City	#5G移动电话用户 5G Mobile Telephone Subscribers	(固定)互联网宽带接入用户 (户) Broad Band Subscribers Users of Internet (subscriber)	FFTH/O用户 (户) FFTH/O Subscribers (subscriber)	固定互联网宽带接入端口数 (个) Broad Band Subscribers Port of Fixed Internet (unit)	FFTH/O端口数 (个) FFTH/O Subscribers Port (unit)
石家庄市	Shijiazhuang	39461	3932212	3588024	7018081	6695291
承 德 市	Chengde	5900	1061294	1413322	2012872	1908908
张家口市	Zhangjiakou	6071	1318041	1202755	2575968	2501950
秦皇岛市	Qinhuangdao	5142	1290767	1483644	2531896	2356696
唐 山 市	Tangshan	14850	2614483	2434687	5025661	4808883
廊 坊 市	Langfang	9628	2061924	2424690	3771216	3664909
保 定 市	Baoding	18246	3389688	2947677	6668574	6382154
沧 州 市	Cangzhou	11579	2288941	2154995	4088920	3987893
衡 水 市	Hengshui	5946	1355899	1473784	2369733	2304941
邢 台 市	Xingtai	9443	1959878	1670742	3113435	2992525
邯 郸 市	Handan	9379	2323524	1635084	4265718	4081810

主要统计指标解释

铁路营业里程 又称营业长度，指投入客货运输营业或临时营业的线路长度。

电气化里程 指具备了电力机车牵引条件，并已交付运营的线路里程。

公路里程 指报告期末公路的实际长度。统计范围：包括城间、城乡间、乡（村）间能行驶汽车的公共道路，公路通过城镇街道的里程，公路桥梁长度、隧道长度、渡口宽度。不包括城市街道里程，断头路里程，农（林）业生产用道路里程，工（矿）企业等内部道路里程。统计原则：按已竣工验收或交付使用的实际里程计算；两条或多条公路共同经由同一路段的重复里程，只计算一次。

内河航道里程 指在一定时期内，能通航运输船舶及排筏的天然河流、湖泊水库、运河及通航渠道的长度。包括全年季节性通航累计三个月以上的航道，不包括仅供零散流放竹、木排的河道。两省以河为界的航道里程，双方均按一半计算，以免重复。

定期航班航线里程 指定期航班营运里程的总长度，以万公里为计算单位。航线里程的统计分为按重复距离计算和按不重复距离计算两种形式。“按重复距离计算”是指不同航线的相同航段距离可以重复累加；“按不重复距离计算”则不同航线相同航段只统计一次。

管道输油(气)里程 指油、气、成品油等各类介质实际输送距离，是反映运输管线长度的指标，也是计算周转量的依据。对于有复线和备用线的地段，原则上按单线计算管输里程。双线同时输送又不能分开计量的情况下，管输里程为双线长度之和除以 2。

货(客)运量 指在一定时期内，各种运输工具实际运送的货物重量(旅客数量）。货运按吨计算，客运按人计算。货物不论运输距离长短、货物类别，均按实际重量统计。旅客不论行程远近或票价多少，均按一人一次客运量统计；半价票、儿童票也按一人统计。

货物(旅客)周转量 指在一定时期内，由各种运输工具运送的货物(旅客)数量与其相应运输距离的乘积之总和。该指标可以反映运输业生产的总成果，也是编制和检查运输生产计划，计算运输效率、劳动生产率以及核算运输单位成本的主要基础资料。计算货物周转量通常按发出站与到达站之间的最短距离，也就是计费距离计算。计算公式为：

货物（旅客）周转量=Σ（货物（旅客）运输量×运输距离）

港口货物吞吐量 指经由水路进、出港区范围，并经过装卸的货物数量。按货物流向分为进港吞吐量和出港吞吐量，按货物的贸易性质分为内贸和外贸吞吐量。货物类别根据现行的交通行业《运输货物分类和代码》标准分类。

民用运输船舶拥有量 指报告期末在水路运输管理部门注册登记的从事水上客、货运输活动的我国企业或私人拥有的营业性运输船舶（含我国企业或私人拥有的悬挂外国旗的船舶）数量。不包括非运输船舶及农业、渔业生产船舶。

民用汽车拥有量 指报告期末，在公安交通管理部门按照《机动车注册登记工作规范》，已注册登记领有民用车辆牌照的全部汽车数量。汽车拥有量统计的主要分类：根据汽车结构分为载客汽车、载货汽车及其他汽车；根据汽车所有者不同分为个人(私人)汽车、单位汽车；根据汽车的使用性质分为营运汽车、非营运汽车；根据汽车大小规格不同，载客汽车分为大型、中型、小型和微型，载货汽车分为重型、中型、轻型和微型。

邮政、电信业务总量 指以货币形式表示的邮政、电信通信企业为社会提供各类邮政、电信通信服务的总数量。计算方法为各类业务的实物量分别乘以相应的不变单价，求出各类业务的货币量加总求得。没有不变单价的业务按其业务收入直接相加。

移动电话用户 指在电信运营企业营业网点办理开户登记手续，通过移动电话交换机进入移动电话网，占用移动电话号码的各类电话用户。包括各类签约用户、智能网预付费用户、无线上网卡用户。

互联网上网人数 指过去半年内使用过互联网的 6 周岁及以上中国居民人数。

固定电话用户 指在电信企业营业网点办理开户登记手续并已接入固定电话网上的全部电话用户。包括普通电话用户、无线市话用户、公用电话用户、窄带综合业务数字网（N—ISDN）用户、智能网专用接入终端用户等。

住宅电话用户 指私人付费或安装在居民住宅并按照私人或住宅电话用户登记注册和收费的各类电话用户。

固定长途电话交换机容量 指电信企业用于接入长途电话网的电话交换机的设备额定容量。

局用交换机容量 指安装在电信企业内用于接续本地固定电话的电话交换机容量，包括接入网设备容量（安装在电信运营企业用于连接语音用户的远端节点的设备容量）。

移动电话交换机容量 指移动电话交换机根据一定话务模型和交换机处理能力计算出来的最大同时服务用户的数量。按报告期末已割接入网正式投入使用的设备实际容量统计。

互联网宽带接入端口 指用于接入互联网用户的各类实际安装运行的接入端口的数量，包括 xDSL 用户接入端口、LAN 接入端口、其他类型接入端口等，不包括窄带拨号接入端口。

Explanatory Notes on Main Statistical Indicators

Length of Railways in Operation refers to the total length of the trunk line for passenger and freight transportation in full operation or temporary operation.

Length of Electrified Trunk Line refers to the length of the trunk line capable for the running of electrified locomotives and having been put into operation.

Length of Highways refers to the actual length of highways at the end of reference period. It covers public roads running vehicles among cities, city and rural areas, township (villages), highways passing through streets at small cities and towns, length of bridges and tunnels, width of ferry piers. It does not include the length of streets in cities, dead end highways, the length of streets built for agricultural (forest) production and inside factories (mines). It can only be calculated with the actual mileage having been completed, checked and accepted or put into operation. If two or more highways go the same section of the way, the length of the section is only calculated for once.

Length of Navigable Inland Waterways refers to the length of natural rivers, lakes, reservoirs and canals that are open to navigation for ships and rafts during a given period. It includes the channels with annual seasonal navigation for more than three months other than the waterways only for scattered bamboo and wooden rafts. If two provinces share one river as the border, the length of waterways will be half divided for each province to avoid duplication.

Length of Routes with Scheduled Flights refers to the total length of all routes for scheduled flights, which is calculated using million kilometres as the unit. There are usually two ways to calculate the route length: duplicated calculation and non-duplicated calculation. Duplicated calculation means that the same segment of different routes can be added duplicately, while the non-duplicated calculation allows the same segment of different routes be counted once only.

Length of Oil (Gas) Pipelines refers to the actual transport distance of oil, gas and oil products, an indicator reflecting the length of transportation routes and a reference to calculate the freight-kilometers. For those sections with double pipelines and alternate pipeline, the length will be calculated according to the length of single pipeline in principle. If the double pipelines perform the transportation at the same time and unable to be counted separately, the length of pipelines will be the length of double pipelines divided by 2.

Freight (Passenger) Traffic refers to the weight of freight (number of passenger) transported with various means within a specific period of time. Freight transport is calculated in tons and passenger traffic is calculated in terms of number of persons. Freight transport is calculated in terms of the actual weight of the goods and takes no account of the type of freight and distance of travel. Passenger traffic is calculated by the principle that one person can be counted only once in one trip and takes no account of the travelling distance and ticket price. The passengers who travel with a half price ticket or a child's ticket is also calculated as one person.

Freight Ton-kilometres (Passenger-kilometres) refers to the sum of the product of the volume of transported cargo (passengers) multiplied by the transport distance. It is an important indicator to reflect the achievement of the transportation industry. This is an important indicator to show the total results of the transport industry; to prepare and examine the transport plan; and to serve as the main basic data for calculating the efficiency, labour productivity and unit cost of transport. Normally, the shortest distance between the departure station and the destination station (i.e., the payable distance) is the basis in calculating the freight ton-kilometres. The formula is as follows:

$$\frac{\text{Freight ton-kilometres}}{\text{(passenger-kilometres)}} = \sum \frac{\text{freight}}{\text{(passenger)traffic}} \times \frac{\text{distance of}}{\text{transportation}}$$

Volume of Freight Handled in Coastal Ports refers to the volume of cargo passing in and out of the harbour area of the major coastal ports and having been loaded and unloaded. The volume of freight handled may be classified by direction of cargo flow as in-port freight and out-port freight, or by nature of cargo as freight for domestic trade and freight for foreign trade. It can also be classified by type of freight based on the existing standard classification for transportation industry "*Classification and Coding for Freight*".

Possession of Civil Transport Vessels refers to the total number at the end of reference period of operating transport vessels owned by Chinese enterprises or privately that are registered in the water transportation management institutions and permitted to perform cargo transport activities (including vessels with foreign flags but owned by Chinese enterprises or citizens). Non-transport vessels and vessels used for agriculture and fishery are not included.

Possession of Civil Motor Vehicles refer to the total numbers of vehicles that are registered and received vehicles license tags according to the *Work Standard for Motor Vehicles Registration* formulated by the Transport Management Office under the department of public security at the end of the reference period. They are divided into categories. According to the structure of motor vehicles, they are divided into passenger vehicles, trucks and others; according to ownership into private vehicles and vehicles for the unit's use; according to kind of usage into working vehicles and non-working vehicles; and according to size of vehicles into large passenger vehicles, medium-sized passenger vehicles, small passenger vehicles and mini passenger vehicles, heavy trucks, light-heavy trucks, light trucks and mini-trucks.

Business Volume of Post and Telecommunications refers to the total amount of postal and telecommunication services, expressed in value terms, provided by the post and telecommunications departments for society. Business volume of post and telecommunications is the sum of each service in kind multiplying with its correspondent unit price (constant price). Business without constant price add their business revenue directly.

Mobile Telephone Subscribers refer to persons who have gone through registration procedures in the operation points of enterprises engaged in telecommunications and are hence connected with the mobile telephone communication network through the mobile telephone switchboards and occupy mobile phone numbers. Included are various types of subscriber, prepaid users for intelligent network and wireless network card users.

Internet Users refer to the number of Chinese citizens aged 6 and over who use the Internet in the past six months.

Local Telephone Subscribers refer to all subscribers who have gone through registration procedures in the operation points of enterprises engaged in telecommunications and are hence connected to the local telecommunications service provider through fixed line network. Included are general subscribers, wireless local telephone subscribers, public telephones subscribers, N-ISDN subscribers and intelligent network terminal subscribers.

Household Telephone Subscribers refer to all kinds of subscribers with telephone sets paid privately or installed in the dwelling units of residents, and registered as private subscribers or residence subscribers for payment.

Capacity of Fixed Long Distance Telephone Exchanges refers to the rated capacity of telephone exchanges to connect long distance telephone network by enterprises engaged in telecommunications.

Capacity of Office Telephone Exchanges refers to the capacity (measured in gate) of telephone exchanges installed in the offices of telecommunication service providers for communication between fixed telephones. It includes the capacity of access network equipment (capacity of equipment installed in the offices of telecommunication service providers for connecting distant nodes of voice users).

Capacity of Mobile Telephone Exchanges refers to the capacity of the maximum services provided to subscribers at any one time as computed based on a certain model of calls distribution and transacting capacity of the mobile telephone exchanges. It is calculated based on the actual capacity of equipments connected to network through cutover and put into operation officially at the end of the reference period.

Broadband Connection Terminals refer to the connection terminals to internet users actually installed and put into operation, including connection terminals for XDSL, connection terminals for LAN, and other types of connection terminals. N-ISDN connection terminals are not included.

住宿、餐饮业和旅游

Hotels, Catering Services and Tourism

简要说明

一、本篇资料主要反映河北省住宿和餐饮业的基本情况、经营情况和旅游产业的发展状况。

二、本篇资料的统计范围为：限额以上住宿和餐饮业法人企业、个体经营户；餐饮连锁集团；旅行社、星级饭店和旅游者。限额以上住宿和餐饮业统计单位是指年主营业务收入200万元及以上。

三、本篇资料中住宿和餐饮业统计数据由河北省统计局贸易外经处整理提供；旅游产业统计数据由河北省文化旅游厅整理提供。

四、资料整理：杜玮　董昱含　杜析

Brief Introduction

Ⅰ. The data in this chapter reflect the development of hotel and catering services and tourism in Hebei

Ⅱ. The statistical coverage in this chapter comes as follows: Data in this chapter cover the enterprises of hotel and catering services above the designated size, self-employed households of hotel and catering services; chain catering services, travel agencies, star-rated hotels and tourists; hotels with annual turnover of 2 million yuan or above, and catering services with annual turnover of 2 million yuan or above.

Ⅲ. The data in this chapter are prepared and edited by the Division of Trade and External Economic Relations Statistics of Statistics Bureau of Hebei Province. Data on tourism are from Department of Culture and Tourism of Hebei Province.

Ⅳ.Data collection: Du Wei, Dong Yuhan, Du Xi.

16-1 住宿和餐饮业情况
Basic Conditions of Hotels and Catering Services

指　标	Item	2014	2015	2016	2017	2018	2019
住宿和餐饮业	**Hotels and Catering Services**						
法人企业(个)	Number of Corporation Enterprises (unit)	961	915	883	891	895	982
年末从业人数(万人)	Engaged Persons at Year-end (10000 persons)	9.4	8.5	8.0	8.3	7.7	7.9
营业额(亿元)	Business Revenue (100 million yuan)	104.9	101.5	103.0	112.7	120.3	140.2
#餐费收入(亿元)	From Meals (100 million yuan)	62.7	59.7	60.1	65.1	66.5	77.3
年末餐饮营业面积(万平方米)	Business Area of Catering Services at Year-end (10000 sq.m)	284.6	275.1	264.2	265.5	0.0	435.6
住宿业	**Hotels**						
法人企业(个)	Number of Corporation Enterprises (unit)	494	476	460	458	453	514
年末从业人数(万人)	Engaged Persons at Year-end (10000 persons)	5.9	5.4	5.0	5.0	4.7	4.8
营业额(亿元)	Business Revenue (100 million yuan)	64.7	65.7	65.8	70.5	74.5	87.9
#客房收入(亿元)	From Hotel Rooms (100 million yuan)	27.4	27.1	27.4	30.5	32.6	39.7
餐费收入(亿元)	From Meals (100 million yuan)	30.8	31.5	31.4	32.0	32.8	37.7
客房数(万间)	Number of Rooms (10000 rooms)	8.7	9.4	8.4	7.0	12.0	9.1
床位数(万位)	Number of Beds (10000 beds)	15.9	16.6	14.0	12.1	18.6	15.1
年末餐饮营业面积(万平方米)	Business Area of Catering Services at Year-end (10000 sq.m)	156.7	154.2	150.9	151.8	142.7	255.7
餐饮业	**Catering Services**						
法人企业(个)	Number of Corporation Enterprises (unit)	467	439	423	433	442	468
年末从业人数(万人)	Engaged Persons at Year-end (10000 persons)	3.5	3.1	3.0	3.3	3.0	3.1
营业额（亿元)	Business Revenue (100 million yuan)	40.2	35.8	37.3	42.2	45.8	52.3
#餐费收入(亿元)	From Meals (100 million yuan)	31.9	28.2	28.7	33.1	33.7	39.6
年末餐饮营业面积(万平方米)	Business Area of Catering Services at Year-end (10000 sq.m)	127.8	120.9	113.3	113.7	110.9	180.0

注：本表的统计范围为限额以上法人企业。

a) Scope of hotels and catering services covers enterprises above designated size.

16–2 按登记注册类型和行业分限额以上住宿业企业主要指标(2019年)

单位：亿元

指标	Item	法人企业(个) Number of Corporation Enterprises (unit)	年末从业人数(人) Engaged Persons at Year-end (person)	营业额 Business Revenue	#客房收入 From Hotel Rooms	#餐费收入 From Meals
住宿业合计	**Hotels**	**514**	**48366**	**87.89**	**39.71**	**37.71**
按登记注册类型分	**By Status of Registration**					
内资企业	**Domestic Funded Enterprises**	**510**	**47690**	**86.26**	**38.79**	**37.10**
国有企业	State-owned Enterprises	82	8588	11.67	4.43	5.59
集体企业	Collective-owned Enterprises	6	406	0.79	0.18	0.55
有限责任公司	Limited Liability Corporations	132	17262	37.27	16.95	15.68
国有独资公司	State Sole Funded Corporations	10	1135	1.84	0.71	0.61
其他有限责任公司	Other Limited Liability Corporations	122	16127	35.43	16.24	15.07
股份有限公司	Share-holding Corporations Ltd.	6	967	0.94	0.51	0.39
私营企业	Private Enterprises	284	20467	35.59	16.73	14.89
私营独资企业	Private-funded Enterprises	17	1252	1.89	1.03	0.81
私营合伙企业	Private Partnership Enterprises	1	110	0.05	0.01	0.03
私营有限责任公司	Private Limited Liability Corporations	265	19085	33.62	15.65	14.04
私营股份有限公司	Private Share-holding Corporations Ltd.	1	20	0.04	0.04	…
港、澳、台商投资企业	**Enterprises with Funds from Hong Kong, Macao and Taiwan**	**4**	**676**	**1.63**	**0.92**	**0.61**
合资经营企业	Joint-venture Enterprises	2	164	0.26	0.14	0.08
独资经营企业	Enterprises with Sole Fund	2	512	1.37	0.77	0.53
按国民经济行业分	**By Sector**					
旅游饭店	Tourist Hotel	279	31073	62.38	27.75	27.48
一般旅馆	Fonda	218	14773	22.19	10.72	9.04
民宿服务	Home Lodging Services	1	50	0.13	0.06	0.07
其他住宿业	Others	16	2470	3.19	1.17	1.11

Main Indicators of Enterprises above Designated Size of Hotels by Status of Registration and Sector (2019)

(100 million yuan)

资产总计 Total Assets	#流动资产合计 Total Current Assets	#固定资产合计 Total Fixed Assets	负债合计 Total Liabilities	所有者权益合计 Total Owners' Equities	营业收入 Business Income	营业成本 Operating Costs	营业税金及附加 Business Tax and Surcharges	营业利润 Operating Profit
388.80	**152.40**	**214.90**	**356.80**	**31.90**	**79.00**	**30.70**	**1.80**	**-15.90**
373.8	**151.1**	**200.6**	**342.8**	**30.9**	**77.5**	**30.1**	**1.7**	**-15.4**
37.9	8.7	31.6	26.8	11.0	11.3	4.8	0.4	-2.5
1.4	0.6	1.5	0.7	0.7	0.8	0.4		
143.1	41.4	92.7	105.4	37.7	30.6	11.3	0.7	-5.7
12.2	2.1	11.2	6.7	5.5	1.9	0.8	0.1	-0.6
131.0	39.3	81.5	98.7	32.3	28.7	10.5	0.6	-5.1
2.7	2.2	0.7	2.4	0.3	0.9	0.2		
188.6	98.3	74.1	207.5	-18.8	33.8	13.5	0.7	-7.1
3.9	2.8	1.3	3.2	0.7	1.8	0.8		0.1
0.2		0.2		0.2				
184.5	95.5	72.6	204.3	-19.7	31.9	12.6	0.6	-7.3
15.0	**1.2**	**14.3**	**14.0**	**1.0**	**1.5**	**0.7**	**0.1**	**-0.5**
0.6	0.4	0.9	0.6		0.2			
14.4	0.9	13.4	13.4	0.9	1.3	0.6	0.1	-0.5
281.0	109.6	174.4	266.0	14.9	53.8	19.6	1.4	-12.3
95.2	38.3	34.6	81.3	14.0	21.7	9.8	0.4	-3.2
0.2		0.1		0.1	0.1	0.1		
12.4	4.4	5.9	9.5	2.9	3.3	1.3		-0.5

16−3 按登记注册类型和行业分限额以上餐饮业企业主要指标(2019年)

单位：亿元

指　　标	Item	法人企业(个) Number of Corporation Enterprises (unit)	年末从业人数(人) Engaged Persons at Year-end (person)	营业额 Business Revenue	#餐费收入 From Meals
餐饮业合计	**Catering Services**	**468**	**30697**	**52.26**	**39.62**
按登记注册类型分	**By Status of Registration**				
内资企业	**Domestic Funded Enterprises**	**464**	**30178**	**51.26**	**39.17**
国有企业	State-owned Enterprises	11	727	0.79	0.53
集体企业	Collective-owned Enterprises	4	138	0.18	0.16
股份合作企业	Cooperative Enterprises	3	278	0.66	0.66
有限责任公司	Limited Liability Corporations	88	7400	12.19	9.07
国有独资公司	State Sole Funded Corporations	4	376	0.59	0.37
其他有限责任公司	Other Limited Liability Corporations	84	7024	11.60	8.70
股份有限公司	Share-holding Corporations Ltd.	5	1925	4.83	3.22
私营企业	Private Enterprises	353	19710	32.60	25.52
私营独资企业	Private-funded Enterprises	47	2467	3.85	3.29
私营合伙企业	Private Partnership Enterprises	8	286	0.83	0.73
私营有限责任公司	Private Limited Liability Corporations	294	16534	27.33	21.05
私营股份有限公司	Private Share-holding Corporations Ltd.	4	423	0.60	0.44
港、澳、台商投资企业	**Enterprises with Funds from Hong Kong, Macao and Taiwan**	**2**	**437**	**0.94**	**0.40**
合资经营企业	Joint-venture Enterprises	2	437	0.94	0.40
外商投资企业	**Enterprises with Foreign Investment**	**2**	**82**	**0.07**	**0.06**
中外合资经营企业	Joint-venture Enterprises	1	21	…	…
外资企业	Enterprises with Sole Fund	1	61	…	…
按国民经济行业分	**By Sector**				
正餐服务	Restaurant	454	30156	51.23	38.65
快餐服务	Fast Food	9	333	0.65	0.59
餐饮配送及外卖送餐服务	Catering Distribution and Delivery Service	3	151	0.28	0.28
其他餐饮业	Others	2	57	0.11	0.10

Main Indicators of Enterprises above Designated Size of Catering Services by Status of Registration and Sector (2019)

(100 million yuan)

资产总计 Total Assets	#流动资产合计 Total Current Assets	#固定资产合计 Total Fixed Assets	负债合计 Total Liabilities	所有者权益合计 Total Owners' Equities	营业收入 Business Income	营业成本 Operating Costs	营业税金及附加 Business Tax and Surcharges	营业利润 Operating Profit
111.8	**56.4**	**54.2**	**91.2**	**20.4**	**50.5**	**25.6**	**0.5**	**-3.6**
102.6	**52.5**	**43.3**	**85.9**	**16.5**	**49.5**	**25.2**	**0.5**	**-3.5**
2.2	0.3	2.0	1.5	0.7	0.7	0.4		-0.1
0.3	0.1	0.1	0.1	0.2	0.2	0.1		
0.9	0.1	0.9	0.8	0.1	0.6	0.3		
36.9	16.7	17.9	27.3	9.3	11.8	5.6	0.1	-1.9
0.8	0.3	0.4	0.3	0.5	0.6	0.2		-0.4
36.1	16.4	17.5	27.0	8.8	11.3	5.4	0.1	-1.5
4.4	1.9	1.1	2.5	1.9	4.6	1.8		
57.9	33.4	21.3	53.7	4.3	31.6	17.0	0.3	-1.6
6.7	4.2	3.7	6.1	0.6	3.9	2.0	0.1	0.1
0.4	0.2	0.4	0.2	0.2	0.8	0.4		
49.6	28.2	16.3	46.1	3.7	26.3	14.4	0.2	-1.7
1.2	0.8	0.9	1.4	-0.2	0.6	0.2		
9.2	**3.8**	**2.7**	**5.3**	**3.9**	**0.9**	**0.3**		
9.2	3.8	2.7	5.3	3.9	0.9	0.3		
		8.3			**0.1**			
		8.3						
111.4	56.0	54.1	91.1	20.2	49.5	25.0	0.5	-3.6
0.2	0.2	0.1	0.1	0.1	0.6	0.3		
0.1	0.1			0.1	0.3	0.2		
0.1	0.1			0.1	0.1			

16–4 分市限额以上住宿业企业主要指标(2019年)

Main Indicators of Enterprises above Designated Size of Hotels by City (2019)

单位：亿元 (100 million yuan)

市	City	法人企业(个) Number of Corporation Enterprises (unit)	年末从业人数(人) Engaged Persons at Year-end (person)	营业额 Business Revenue	#客房收入 From Hotel Rooms	#餐费收入 From Meals	资产总计 Total Assets	#流动资产合计 Total Current Assets	#固定资产合计 Total Fixed Assets
全省	**Total**	**514**	**48366**	**87.89**	**39.71**	**37.71**	**388.8**	**152.4**	**214.9**
石家庄市	Shijiazhuang	98	12141	25.38	11.39	10.30	98.4	24.2	70.7
#辛集市	Xinji	1	90	0.13	0.06	0.06	2.1	0.3	0.8
承德市	Chengde	39	3189	4.64	2.31	2.20	31.8	11.4	14.4
张家口市	Zhangjiakou	57	5074	7.02	2.58	3.08	72.7	46.9	20.0
秦皇岛市	Qinhuangdao	76	4761	10.00	6.03	3.19	43.7	14.5	34.5
唐山市	Tangshan	38	2849	3.99	2.09	1.57	20.3	7.2	12.3
廊坊市	Langfang	38	3560	7.47	2.53	3.30	25.6	16.6	13.3
保定市	Baoding	54	6485	14.96	6.79	6.63	46.0	17.0	20.1
#定州市	Dingzhou	1	202	0.17	0.07	0.09	0.2		0.2
沧州市	Cangzhou	30	2537	3.55	1.52	1.69	10.1	2.8	6.7
衡水市	Hengshui	27	2212	3.19	1.65	1.43	10.0	2.8	6.7
邢台市	Xingtai	22	1907	2.47	1.15	1.18	12.9	2.6	7.5
邯郸市	Handan	35	3651	5.22	1.67	3.13	17.7	6.4	8.8

16–4 续表 continued

单位：亿元 (100 million yuan)

市	City	负债合计 Total Liabilities	所有者权益合计 Total Owners' Equities	营业收入 Business Income	营业成本 Operating Costs	营业税金及附加 Business Tax and Surcharges	营业利润 Operating Profit
全省	**Total**	**356.8**	**31.9**	**79.0**	**30.7**	**1.8**	**-15.9**
石家庄市	Shijiazhuang	70.4	28.0	24.4	7.1	0.5	-1.2
#辛集市	Xinji	2.5	-0.4	0.1			-0.1
承德市	Chengde	36.8	-5.0	4.5	1.8	0.1	-2.3
张家口市	Zhangjiakou	80.3	-7.6	6.3	2.6	0.2	-5.0
秦皇岛市	Qinhuangdao	28.0	15.5	9.8	4.1	0.3	-1.5
唐山市	Tangshan	19.7	0.6	3.9	1.7	0.2	-1.1
廊坊市	Langfang	31.9	-6.4	7.3	3.8	0.1	-1.0
保定市	Baoding	47.2	-1.3	9.0	3.6	0.1	-1.0
#定州市	Dingzhou	0.1	0.1	0.2	0.1		
沧州市	Cangzhou	8.0	2.1	3.4	1.3	0.1	-0.6
衡水市	Hengshui	6.0	4.0	3.0	1.2		-0.1
邢台市	Xingtai	11.9	1.0	2.4	1.1		-0.6
邯郸市	Handan	16.9	0.8	5.1	2.5	0.2	-1.4

16-5 分市限额以上餐饮业企业主要指标(2019年)
Main Indicators of Enterprises above Designated Size of Catering Services by City (2019)

单位：亿元 (100 million yuan)

市	City	法人企业(个) Number of Corporation Enterprises (unit)	年末从业人数(人) Engaged Persons at Year-end (person)	营业额 Business Revenue	#餐费收入 From Meals	资产总计 Total Assets	#流动资产合计 Total Current Assets	#固定资产合计 Total Fixed Assets
全 省	**Total**	**468**	**30697**	**52.26**	**39.62**	**111.8**	**56.4**	**54.2**
石家庄市	Shijiazhuang	73	6398	14.80	11.31	19.7	9.5	5.2
#辛集市	Xinji	1	108	0.42	0.03	1.4	0.7	0.1
承 德 市	Chengde	22	1475	2.00	1.35	5.0	1.6	3.5
张家口市	Zhangjiakou	38	2870	4.40	3.25	12.5	6.2	4.8
秦皇岛市	Qinhuangdao	49	2459	3.82	3.44	5.1	2.8	1.3
唐 山 市	Tangshan	53	3788	6.54	4.96	10.3	5.0	6.3
廊 坊 市	Langfang	35	1837	3.18	2.54	15.0	10.3	5.4
保 定 市	Baoding	74	3844	5.72	4.80	20.8	11.5	6.7
#定州市	Dingzhou	6	439	0.58	0.52	0.5	0.2	0.3
沧 州 市	Cangzhou	27	2365	2.39	1.48	8.3	3.2	5.6
衡 水 市	Hengshui	13	1048	1.39	1.19	0.8	0.5	0.4
邢 台 市	Xingtai	40	1997	4.27	2.45	7.1	3.2	10.9
邯 郸 市	Handan	44	2616	3.74	2.85	7.1	2.7	4.1

16-5 续表 continued

单位：亿元 (100 million yuan)

市	City	负债合计 Total Liabilities	所有者权益合计 Total Owners' Equities	营业收入 Business Income	营业成本 Operating Costs	营业税金及附加 Business Tax and Surcharges	营业利润 Operating Profit
全 省	**Total**	**91.2**	**20.4**	**50.5**	**25.6**	**0.5**	**-3.6**
石家庄市	Shijiazhuang	13.8	5.9	14.2	6.0		0.2
#辛集市	Xinji	1.4		0.4	0.3		
承 德 市	Chengde	4.5	0.2	1.9	1.0		-0.5
张家口市	Zhangjiakou	12.4	0.1	4.2	1.8	0.1	-0.7
秦皇岛市	Qinhuangdao	5.6	-0.5	3.6	2.0		-0.2
唐 山 市	Tangshan	10.3		6.5	3.0	0.1	-0.6
廊 坊 市	Langfang	8.0	7.0	3.2	1.8		-0.2
保 定 市	Baoding	15.0	5.8	5.6	3.2	0.1	-0.2
#定州市	Dingzhou	0.3	0.2	0.6	0.4		
沧 州 市	Cangzhou	7.1	1.5	2.3	1.3		-0.7
衡 水 市	Hengshui	0.6	0.2	1.3	0.7		
邢 台 市	Xingtai	6.9	0.1	3.9	2.6		-0.4
邯 郸 市	Handan	7.0	0.1	3.8	2.0	0.1	-0.2

16-6 按登记注册类型分连锁餐饮企业基本情况(2019年)

Basic Conditions of Chain Catering Enterprises by Status of Registration (2019)

指　标	Item	总店数 (个) Number of Head Stores (unit)	门店总数 (个) Number of Stores (unit)	年末从业人数 (人) Engaged Persons at Year-end (person)	年末餐饮营业面积 (平方米) Operating Area of Catering Enterprises at Year-end (sq.m)
合　计	**Total**	**5**	**23**	**1097**	**40697**
内资企业	**Domestic Funded Enterprises**	**5**	**23**	**1097**	**40697**
股份合作企业	Cooperative Enterprises	1	3	212	6600
股份有限公司	Share-holding Corporations Ltd.	1	5	279	7700
私营企业	Private Enterprises	3	15	606	26397
私营独资企业	Private-funded Enterprises	1	7	433	20750
私营有限责任公司	Private Limited Liability Corporations	2	8	173	5647

16-6 续表 continued

指　标	Item	餐位数 (个) Number of Dining-seats (unit)	营业额 (万元) Business Revenue (10000 yuan)	商品购进总额 (万元) Total Purchases Value (10000 yuan)	统一配送商品购进额 (万元) Centralized Purchase and Delivery (10000 yuan)
合　计	**Total**	**6843**	**25206**	**15976**	**6142**
内资企业	**Domestic Funded Enterprises**	**6843**	**25206**	**15976**	**6142**
股份合作企业	Cooperative Enterprises	1600	5778	3038	
股份有限公司	Share-holding Corporations Ltd.	770	6142	6142	6142
私营企业	Private Enterprises	4473	13286	6796	
私营独资企业	Private-funded Enterprises	3250	11140	5780	
私营有限责任公司	Private Limited Liability Corporations	1223	2145	1016	

16–7 分市连锁餐饮企业基本情况
Basic Conditions of Chain Catering Enterprises by City

年份 Year 市 City	总店数 (个) Number of Head Stores (unit)	门店总数 (个) Number of Stores (unit)	年末从业人数 (人) Engaged Persons at Year-end (person)	年末餐饮营业面积 (平方米) Operating Area of Catering Enterprises at Year-end (sq.m)	餐位数 (个) Number of Dining-seats (unit)	营业额 (万元) Business Revenue (10000 yuan)	商品购进总额 (万元) Total Purchases Value (10000 yuan)	统一配送商品购进额 (万元) Centralized Purchases and Delivery (10000 yuan)
2005	3	305	1794	26980	6380	6309	3148	2285
2006	3	351	1925	36180	6580	6599	3069	2181
2007	3	17	2108	46180	6180	8148	2396	144
2008	7	36	2185	66720	8264	15027	4754	636
2009	4	12	1093	18675	3934	14568	5853	383
2010	1	7	887	14930	4644	17797	11321	
2011	1	7	1117	14980	4674	17465	12580	
2012	1	7	1063	14980	4674	17907	11831	
2013	1	6	960	13780	4520	12307	9732	
2014	1	6	965	24632	4520	12058	9801	9801
2015	1	6	862	24632	4520	5877	9801	9801
2016	1	6	478	20750	3192	6741	3083	
2017	4	18	1125	37040	5653	15752	7797	227
2018	4	18	985	37040	5898	22400	10146	2124
2019	5	23	1097	40697	6843	25206	15976	6142
石家庄市 Shijiazhuang	1	5	279	7700	770	6142	6142	6142
#辛集市 Xinji								
承德市 Chengde								
张家口市 Zhangjiakou								
秦皇岛市 Qinhuangdao	2	8	173	5647	1223	2145	1016	
唐山市 Tangshan	2	10	645	27350	4850	16919	8818	
廊坊市 Langfang								
保定市 Baoding								
#定州市 Dingzhou								
沧州市 Cangzhou								
衡水市 Hengshui								
邢台市 Xingtai								
邯郸市 Handan								

16−8 按行业分连锁餐饮企业基本情况(2019年)

Basic Conditions of Chain Catering Enterprises by Sector (2019)

指标	Item	总店数(个) Number of Head Stores (unit)	门店总数(个) Number of Stores (unit)	年末从业人数(人) Engaged Persons at Year-end (person)	年末餐饮营业面积(平方米) Operating Area of Catering Enterprises at Year-end (sq.m)	餐位数(个) Number of Dining-seats (unit)	营业额(万元) Business Revenue (10000 yuan)	商品购进总额(万元) Total Purchases Value (10000 yuan)	统一配送商品购进额(万元) Centralized Purchases and Delivery (10000 yuan)
总计	**Total**	**5**	**23**	**1097**	**40697**	**6843**	**25206**	**15976**	**6142**
正餐服务	Restaurant	4	19	1026	38707	6565	24431	15673	6142
快餐服务	Fast Food	1	4	71	1990	278	775	303	
饮料及冷饮服务	Beverages and Cold Drinks								
其他餐饮业	Others								

16−9 旅游发展情况

Development of Tourism

指标	Item	2014	2015	2016	2017	2018	2019
入境游客(万人次)	**Number of Overseas Visitor Arrivals (10000 person-times)**	**132.86**	**138.18**	**147.59**	**160.25**	**175.77**	**187.91**
外国人	Foreigners	106.06	108.32	116.95	123.44	131.65	140.75
港澳同胞	Chinese Compatriots from Hong Kong and Macao	16.26	18.35	19.09	22.69	27.61	28.47
台湾同胞	Chinese Compatriots from Taiwan Province	10.55	11.51	11.55	14.12	16.52	18.68
#入境过夜游客	Overnight Tourists	75.61	76.64	83.79	91.01	98.86	97.08
国内游客(万人次)	**Number of Domestic Visitors (10000 person-times)**	**31368.80**	**37059.96**	**46531.68**	**57073.90**	**67610.00**	**78078.89**
旅游收入	**Tourism Earnings**	**2561.49**	**3433.97**	**4654.53**	**6140.9**	**7636.42**	**9313.36**
国际旅游收入(亿美元)	Foreign Exchange Earnings from International Tourism (100 million USD)	5.34	6.21	6.69	7.60	8.49	9.36
国内旅游收入(亿元)	Earnings from Domestic Tourism (100 million yuan)	2528.66	3395.60	4610.13	6089.60	7580.21	9248.69

16–10 旅游基本情况

Basic Conditions of Tourism

年份 Year 市 City		游客总人数(万人次) Total Number of Tourists (10000 person-times)	过夜游客 Overnight Tourists	一日游游客 One-day Tourists	旅游总收入(亿元) Total Tourism Earnings (100 million yuan)
	2015	37198.15			3433.97
	2016	46679.29	24444.87	22234.42	4654.53
	2017	57234.13	29375.35	27858.77	6140.92
	2018	67786.50	36611.23	31175.27	7636.42
	2019	78266.80	42099.31	36166.66	9313.35
石家庄市	Shijiazhuang	12689.78	6569.95	6118.56	1525.93
#辛集市	Xinji	391.50	202.72	188.74	46.95
承德市	Chengde	7992.86	4410.93	3581.93	1047.20
张家口市	Zhangjiakou	8605.06	4463.94	4141.13	1037.11
秦皇岛市	Qinhuangdao	7262.33	4448.00	2814.35	1013.97
唐山市	Tangshan	7866.27	3972.78	3893.50	906.85
廊坊市	Langfang	4553.67	2414.95	2139.18	545.84
保定市	Baoding	12945.73	6568.99	6376.74	1459.93
#定州市	Dingzhou	194.31	98.77	95.54	21.89
沧州市	Cangzhou	2471.93	1476.07	995.86	241.38
衡水市	Hengshui	2290.66	1404.70	885.96	197.11
邢台市	Xingtai	3551.95	2127.34	1424.61	360.88
邯郸市	Handan	8036.56	4241.69	3794.87	977.16

16–11 国内旅游基本情况

Basic Conditions of Domestic Tourism

年份 Year 市 City		国内游客人数(万人次) Number of Domestic Tourists (10000 person-times)	过夜游客 Overnight Tourists	一日游游客 One-day Tourists	国内旅游收入(亿元) Domestic Tourism Earnings (100 million yuan)
	2015	37059.96	20312.59	16747.37	3395.60
	2016	46531.68	24361.07	22170.61	4610.13
	2017	57073.88	29284.34	27789.54	6089.60
	2018	67610.73	36512.37	31098.36	7580.21
	2019	78078.89	42002.23	36076.66	9248.69
石家庄市	Shijiazhuang	12666.82	6557.61	6109.21	1518.62
#辛集市	Xinji	391.41	202.63	188.78	46.93
承德市	Chengde	7954.34	4382.84	3571.50	1032.74
张家口市	Zhangjiakou	8590.99	4456.15	4134.84	1034.36
秦皇岛市	Qinhuangdao	7227.67	4434.18	2793.49	996.61
唐山市	Tangshan	7852.48	3964.72	3887.76	901.42
廊坊市	Langfang	4529.61	2403.87	2125.74	538.46
保定市	Baoding	12925.30	6560.88	6364.42	1454.37
#定州市	Dingzhou	194.02	98.48	95.54	21.83
沧州市	Cangzhou	2467.86	1475.29	992.57	240.34
衡水市	Hengshui	2288.17	1403.34	884.83	196.70
邢台市	Xingtai	3547.61	2125.37	1422.24	359.96
邯郸市	Handan	8028.04	4238.00	3790.04	975.11

16−12 国际旅游基本情况
Basic Conditions of International Tourism

年 份 市	Year City	入境游客人数 (人次) Overseas Tourist Arrivals (person-time)	过夜游客 Overnight Tourists	一日游游客 One-day Tourists	国际旅游收入 (万美元) Foreign Exchange Earnings (USD 10000)
	2015	1381816	766388	615428	62143.88
	2016	1475907	837892	638015	66862.39
	2017	1602452	910138	692314	76012.47
	2018	1757685	988630	769055	84931.57
	2019	1879050	970816	908234	93580.51
石家庄市	Shijiazhuang	229584	123431	106153	10569.19
#辛集市	Xinji	947	947		34.16
承德市	Chengde	385151	280887	104264	20915.04
张家口市	Zhangjiakou	140720	77879	62841	3985.75
秦皇岛市	Qinhuangdao	346618	138159	208459	25129.26
唐山市	Tangshan	137945	80566	57379	7864.00
廊坊市	Langfang	240570	110797	129773	10678.86
保定市	Baoding	204325	81093	123232	8054.07
#定州市	Dingzhou	2852	2852		80.45
沧州市	Cangzhou	40684	7801	32883	1495.26
衡水市	Hengshui	24883	13614	11269	603.09
邢台市	Xingtai	43386	19664	23722	1320.52
邯郸市	Handan	85184	36925	48259	2965.48

16-13 按国别(地区)分外国入境游客
Number of Oversea Visitor Arrivals by Country/Region

单位：人次 (person-time)

地 区	Region	2015	2016	2017	2018	2019
全省	**Total**	**1083201**	**1169471**	**1234408**	**1316463**	**1407507**
亚洲	**Asia**	**536217**	**605701**	**600597**	**666153**	**707853**
日本	Japan	115726	130362	140555	168514	165669
韩国	Republic of Korea	137436	138389	105436	134426	157242
蒙古	Mongolia	31538	42718	40156	32895	34075
印尼	Indonesia	23970	33310	34520	34430	36544
马来西亚	Malaysia	40997	56279	53018	59653	66839
菲律宾	The Philippines	22590	23852	25357	28756	29275
新加坡	Singapore	40333	53206	54812	60465	63155
泰国	Thailand	28179	31221	30248	37379	39694
印度	India	25056	29009	29816	27284	28808
越南	Viet Nam	7803	8015	12002	11341	11751
缅甸	Myanmar	5013	3776	6338	7105	8304
朝鲜	Korea DPR.	11903	7303	7710	8185	10187
巴基斯坦	Pakistan	14471	16600	18542	14500	20090
其他	Other	31202	31661	42087	41220	36220
欧洲	**Europe**	**307159**	**329787**	**352294**	**364861**	**402056**
英国	United Kingdom	50195	47588	49603	49819	59032
法国	France	34222	39434	37727	41171	49667
德国	Germany	42800	44842	41364	42290	48378
意大利	Italy	25429	31440	30802	34701	38221
瑞士	Switzerland	14237	16563	22131	23386	25134
瑞典	Sweden	13392	13788	19464	20905	22937
俄罗斯	Russian Federation	81037	92065	97370	97636	111152
西班牙	Spain	17727	16700	20344	22237	22641
其他	Other	28120	27367	33489	32716	24894
美洲	**America**	**86163**	**85800**	**101254**	**108677**	**115053**
美国	United States	48869	45634	57223	61310	67767
加拿大	Canada	22897	23553	25178	27690	30616
其他	Other	14397	16613	18853	19677	16670
大洋洲	**Oceanic & Pacific**	**50439**	**52898**	**69183**	**69625**	**77916**
澳大利亚	Australia	22654	24190	31256	29768	37965
新西兰	New Zealand	16271	16158	21887	21505	24875
其他	Other	11514	12550	16040	18352	15076
非洲	**Africa**	**27756**	**24401**	**24024**	**22717**	**27982**
其他	**Other**	**75467**	**70884**	**87056**	**84430**	**76647**

主要统计指标解释

住宿业　指为旅行者提供短期留宿场所的活动，有些单位只提供住宿，也有些单位提供住宿、饮食、商务、娱乐一体的服务，不包括主要按月或按年长期出租房屋住所的活动。

餐饮业　指通过即时制作加工、商业销售和服务性劳动等，向消费者提供食品和消费场所及设施的服务。

营业额　指住宿和餐饮业单位在经营活动中，因提供服务或销售商品等取得的全部收入（含增值税），收入主要来源于提供客房、餐费服务、商品销售和其他服务，如商务服务。不包括多产业法人企业附营的其他行业产业活动单位的餐费收入、商品销售收入等各项收入。其中，客房收入指住宿和餐饮业单位在经营活动中因提供住宿服务取得的收入（含增值税）。不包括多产业法人企业附营的其他行业产业活动单位的客房收入。餐费收入指本单位为顾客提供就餐服务取得的收入（含增值税）。包括：经烹饪、调制加工后出售的各种食品，如主食、炒菜、凉拌菜等的收入。不包括多产业法人企业附营的其他行业产业活动单位的餐费收入。

入境游客　指报告期内来中国（大陆）观光、度假、探亲访友、就医疗养、购物、参加会议或从事经济、文化、体育、宗教活动的外国人、港澳台同胞等游客（即入境旅游人数）。统计时，入境游客按每入境一次统计 1 人次。入境旅游人数包括入境过夜游客和入境一日游游客。

国内游客　指报告期内在中国（大陆）观光游览、度假、探亲访友、就医疗养、购物、参加会议或从事经济、文化、体育、宗教活动的中国（大陆）居民人数，其出游的目的不是通过所从事的活动谋取报酬。统计时，国内游客按每出游一次统计 1 人次。

国际旅游收入　指入境游客在中国（大陆）境内旅行、游览过程中用于交通、参观游览、住宿、餐饮、购物、娱乐等全部花费。

国内旅游收入（旅游总花费）　指国内游客在国内旅行、游览过程中用于交通、参观游览、住宿、餐饮、购物、娱乐等全部花费。

Explanatory Notes on Main Statistical Indicators

Hotel Services refer to the accommodation services provided to visitors. Some units may provide only accommodation while others provide a combination of accommodation, meals, business services and/or recreational facilities. It excludes activities related to the provision of long-term primary residences in facilities such as apartments typically leased on a monthly or annual basis.

Catering Services refer to the activities of providing foods, serving locations and facilities to customers through instant processing, commercial sales and service-type labor.

Business Revenue refers to total revenue (including VAT) of hotels and catering services received from providing services or selling commodities through business activities, income comes mainly from providing hotels, catering services, selling of commodities and other services, such as commodity services. It does not include revenue such as meal fees, selling of commodities of other industrial units affiliated with multi industrial legal entities. Income from hotels refers to income (including VAT) of hotels and catering services by providing lodging services through business activities. Income from catering services refers to income (including VAT) from providing catering services, including selling of cooked or prepared foods, such as staple food, cooked dishes, or cold dishes. It does not include meal fees of other industrial units affiliated with multi industrial legal entities.

Overseas Visitor Arrivals refer to the number of tourists of foreigners, Chinese compatriots from Hong Kong, Macao and Taiwan who come to China (mainland) within the reference period for sight-seeing, vacation, visiting relatives, medical treatment, shopping, attending conference, or to engage in economic, cultural, sports and religious activities (namely the number of overseas visitor arrivals). In compiling statistics, each arrival is counted as one person-time. The number of overseas visitor arrivals includes inbound overnight tourists and one-day tourists.

Number of Domestic Tourists refers to the number of Chinese (mainland) residents who travel within China (mainland) for sight-seeing, vacation, visiting relatives, medical treatment, shopping, attending conference, or to engage in economic, cultural, sports and religious activities. In compiling statistics, each time of travelling is counted as one person-time.

Foreign Exchange Earnings from International Tourism refer to the total expenditure of foreigners, overseas Chinese, Chinese compatriots from Hong Kong, Macao and Taiwan during their stay in the mainland of China on transportation, sighting, accommodation, food, shopping and entertainment.

Income from Domestic Tourism refer to expenditure of domestic tourists on transportation, sighting, accommodation, food, shopping and entertainment while they travel.

房地产

Real Estate

简要说明

一、本篇资料反映河北省房地产开发企业经营活动情况，主要包括房地产开发企业土地开发和购置情况、投资规模及完成情况、房屋建筑情况及商品房销售情况等。

二、本篇统计资料是根据《房地产开发统计报表制度》搜集和加工整理而得，全部数据采用全面调查的统计方法。

三、本篇统计资料由河北省统计局投资与建筑业统计处整理提供。

四、资料整理：张慕子

Brief Introduction

I. The data in this chapterreflects the operation and activities of real estate development enterprises within the Hebei Province. The information focuses on the land development and purchasing activities of real estate development enterprises, the scope of investments and their completion, the construction of buildings, and the sale of commodity buildings

II.The statistical information within this section was collected and further edited in accordance to the *Real Estate Development Statistics Reporting System* all data have been compiled by full investigation.

III. The information within this section was edited and provided by the Statistics Office on Investment in Fixed Assets from the Hebei Statistics Bureau.

Ⅳ.Data collection: Zhang Muzi.

17-1 房地产开发企业主要指标

Main Indicators of Enterprises for Real Estate Development

指　标	Item	2000	2010	2015	2018	2019
企业个数(个)	**Number of Enterprises (unit)**	**460**	**2997**	**3181**	**3449**	**3498**
内资	Domestic Funded	416	2933	3130	3406	3458
港、澳、台投资	Enterprises with Funds from Hong Kong, Macao and Taiwan	22	34	33	22	22
外商投资	Foreign Funded	22	30	18	21	18
平均从业人数(万人)	**Average Number of Employed Persons (10000 persons)**	**2.23**	**7.52**	**10.66**	**11.07**	**10.83**
内资企业	Domestic Funded	2.08	7.26	10.32	10.72	10.49
港、澳、台投资企业	Enterprises with Funds from Hong Kong, Macao and Taiwan	0.08	0.10	0.14	0.09	0.09
外商投资企业	Foreign Funded	0.06	0.17	0.20	0.26	0.25
本年土地购置面积(万平方米)	**Land Space Purchased This Year (10000 sq.m)**	**415.09**	**3024.15**	**756.86**	**1150.91**	**1047.34**
本年完成投资(亿元)	**Investment Completed This Year (100 million yuan)**	**108.39**	**2264.94**	**4285.27**	**4476.40**	**4347.10**
#住宅	Residential Buildings	71.11	1785.76	3162.55	3471.11	3455.70
本年实际到位资金(亿元)	**Actual Funds in Place This Year (100 million yuan)**	**129.74**	**2710.89**	**4666.67**	**4784.39**	**5036.44**
#国内贷款	Domestic Loans	20.12	288.89	456.70	580.38	594.27
利用外资	Foreign Investment	0.77	3.00	2.31	0.04	
自筹资金	Self-raising Fund	38.00	1462.58	3099.11	2834.91	2556.61
房屋建筑面积(万平方米)	**Floor Space of Buildings (10000 sq.m)**					
施工面积	Floor Space under Construction	1670.00	20700.03	30434.76	28172.06	29852.97
竣工面积	Floor Space Completed	771.31	3614.66	4039.31	2390.41	2679.96
本年新开工面积	Floor Space Started This Year	859.72	9629.16	7219.81	8390.07	9452.68
商品房销售面积(万平方米)	**Floor Space of Commercialized Buildings Sold (10000 sq.m)**	**489.44**	**4662.10**	**5854.65**	**5251.93**	**5282.70**
#住宅	Residential Buildings	443.52	4325.12	5161.65	4714.40	4770.38
商品房平均销售价格(元/平方米)	**Average Selling Price of Commercialized Buildings (yuan/sq.m)**	**1448.20**	**3539.00**	**5759.00**	**7683.00**	**7728.75**
#住宅	Residential Buildings	1349.88	3442.00	5530.00	7567.00	7636.33
实收资本合计(亿元)	**Total Capital Held (100 million yuan)**	**214.98**	**590.78**	**1375.00**	**1789.74**	**1983.85**
资产负债率(%)	**Ratio of Liabilities to Assets (%)**	**82.60**	**81.95**	**85.90**	**84.50**	**86.41**
主营业务收入(亿元)	**Revenue from Principle Business (100 million yuan)**	**83.66**	**1202.66**	**2338.89**	**2748.27**	**2313.24**
#土地转让收入	Land Transferred	2.51	3.20	6.30	22.33	13.96

注：商品房平均销售价格由报告期内新建商品房销售额除以销售面积计算而成。不同时期的商品房平均销售价格可能会受商品房区域、房屋类型等各种因素的影响(以下相关表同)。

a) Average selling price of commercialized buildings is calculated by total sale of newly-built commercialized building divided by floor space sold during report period. It is affected by location and type of buildings etc. in different period. The same applies to the relevant tables following.

17–2 房地产开发企业个数
Number of Enterprises for Real Estate Development

单位：个 (unit)

年份 Year 市 City		企业个数 Number of Enterprises	内资企业 Domestic Funded Enterprises	#国有 State-owned Enterprises	#集体 Collective-owned Enterprises	港、澳、台投资企业 Enterprises with Funds from Hong Kong, Macao and Taiwan	外商投资企业 Foreign Funded Enterprises
	1998	376	332	201	52	27	17
	2000	460	416	181	31	22	22
	2005	1169	1111	66	5	37	21
	2006	1272	1215	57	10	37	20
	2007	1497	1440	60	11	37	20
	2008	2564	2499	55	6	39	26
	2009	2710	2642	64	20	37	31
	2010	2997	2933	59	23	34	30
	2011	3226	3159	45	5	39	28
	2012	3178	3115	38	4	37	26
	2013	3283	3225	24	4	33	25
	2014	3387	3332	16		34	21
	2015	3181	3130	9		33	18
	2016	3279	3228	7		32	19
	2017	3317	3269	6	1	27	21
	2018	3449	3406	6		22	12
	2019	3498	3458	3		22	18
石家庄市	Shijiazhuang	478	471			1	6
#辛集市	Xinji	33	33				
承德市	Chengde	268	266			1	1
张家口市	Zhangjiakou	354	348			3	3
秦皇岛市	Qinhuangdao	219	216	1		1	2
唐山市	Tangshan	341	335	2		3	3
廊坊市	Langfang	382	373			8	1
保定市	Baoding	458	457				1
#定州市	Dingzhou	50	50				
沧州市	Cangzhou	220	218			2	
衡水市	Hengshui	173	173				
邢台市	Xingtai	310	310				
邯郸市	Handan	295	291			3	1

17-3 房地产开发企业从业人员数
Number of Employed Persons in Enterprises for Real Estate Development

单位：人 (person)

年 份 Year 市 City		平均从业人数 Average Number of Employed Persons	内资企业 Domestic Funded Enterprises	#国有 State-owned Enterprises	#集体 Collective-owned Enterprises	港、澳、台投资企业 Enterprises with Funds from Hong Kong, Macao and Taiwan	外商投资企业 Foreign Funded Enterprises
	1998	15224	14216	9447	2024	601	407
	2000	22263	20848	10656	1091	783	632
	2005	39573	36950	2723	121	1913	710
	2006	44690	42563	2880	299	1187	940
	2007	48902	47140	2423	218	1046	716
	2008	65664	63479	2018	161	1109	1076
	2009	63189	61160	1561	174	833	1196
	2010	75245	72592	2012	428	968	1685
	2011	88021	85946	1714	71	1183	892
	2012	97887	94850	1496	311	1301	1736
	2013	108627	105806	939	342	1204	1617
	2014	111598	108927	725		1348	1323
	2015	106614	103190	384		1433	1991
	2016	111918	108712	341		1384	1822
	2017	109273	106390	300	5	979	1904
	2018	110660	107158	284		882	2620
	2019	108323	104931	123		876	2516
石家庄市	Shijiazhuang	16952	14543			211	2198
#辛集市	Xinji	685	685				
承 德 市	Chengde	5304	5236			27	41
张家口市	Zhangjiakou	10300	10128			89	83
秦皇岛市	Qinhuangdao	5671	5606	62		53	12
唐 山 市	Tangshan	9585	9400	61		98	87
廊 坊 市	Langfang	16475	16312			162	1
保 定 市	Baoding	14337	14268				69
#定州市	Dingzhou	1434	1434				
沧 州 市	Cangzhou	6095	5996			99	
衡 水 市	Hengshui	4845	4845				
邢 台 市	Xingtai	9151	9151				
邯 郸 市	Handan	9608	9446			137	25

17-4 房地产开发企业土地开发及购置
Land Development and Purchase of Enterprises for Real Estate Development

年 份 Year 市 City	待开发土地面积(万平方米) Land Space Pending Development (10000 sq.m)	本年土地购置面积(万平方米) Land Space Purchased This Year (10000 sq.m)	本年土地成交价款(亿元) Transaction Value of Land This Year (100 million yuan)
1998	86.58	349.31	6.86
2000	122.96	415.09	8.94
2005	216.01	968.57	23.91
2006	714.40	1040.27	37.90
2007	728.23	1483.56	45.49
2008	806.78	1947.62	177.02
2009	501.24	2022.71	222.22
2010	630.36	3024.15	368.27
2011	790.20	2799.59	408.98
2012	773.24	1760.99	332.60
2013	765.45	1127.34	297.68
2014	850.55	1081.72	511.39
2015	861.99	756.86	405.93
2016	1122.37	929.93	337.84
2017	1351.10	1033.84	373.02
2018	1617.23	1150.91	280.94
2019	1881.93	1047.34	349.15
石家庄市 Shijiazhuang	235.26	168.57	85.88
#辛集市 Xinji	19.51	2.11	0.62
承德市 Chengde	124.19	40.38	7.54
张家口市 Zhangjiakou	232.83	88.81	22.24
秦皇岛市 Qinhuangdao	174.54	63.64	14.34
唐山市 Tangshan	349.80	191.52	53.62
廊坊市 Langfang	201.35	67.72	40.67
保定市 Baoding	128.11	95.64	22.91
#定州市 Dingzhou	36.00	10.09	3.56
沧州市 Cangzhou	184.22	173.37	67.03
衡水市 Hengshui	59.25	23.73	4.67
邢台市 Xingtai	114.48	38.97	8.75
邯郸市 Handan	77.88	94.97	21.49

17-5 按用途分房地产开发企业完成投资
Investment Completed by Enterprises for Real Estate Development by Use

单位：亿元 (100 million yuan)

年份 Year 市 City		本年完成投资 Investment Completed This Year	住宅 Residential Buildings	办公楼 Office Buildings	商业营业用房 Houses for Business Use	其他 Others
	1998	61.27	40.63	2.07	7.94	10.63
	2000	81.30	71.11	2.62	13.22	21.44
	2005	394.52	292.05	9.71	47.27	42.49
	2006	481.58	379.63	11.28	46.27	44.40
	2007	709.28	573.70	6.95	44.01	84.62
	2008	1084.44	858.58	20.14	81.43	124.28
	2009	1520.04	1219.24	30.11	150.25	120.44
	2010	2264.94	1785.76	51.27	276.01	151.90
	2011	3054.59	2282.57	86.56	435.52	249.94
	2012	3086.52	2317.13	114.67	407.57	247.16
	2013	3445.42	2539.29	140.39	456.98	308.75
	2014	4059.72	3010.35	153.85	502.02	393.50
	2015	4285.27	3162.55	175.87	509.40	437.45
	2016	4695.63	3475.48	219.26	651.57	349.33
	2017	4823.91	3656.98	215.22	594.49	357.22
	2018	4476.40	3471.11	172.22	469.05	364.02
	2019	4347.05	3455.74	141.42	335.71	414.18
石家庄市	Shijiazhuang	887.64	672.02	69.47	56.97	89.19
#辛集市	Xinji	40.27	33.20	0.94	4.17	1.96
承德市	Chengde	181.61	136.47	3.39	24.57	17.18
张家口市	Zhangjiakou	291.63	244.46	3.15	17.62	26.40
秦皇岛市	Qinhuangdao	198.93	151.26	2.26	23.31	22.10
唐山市	Tangshan	380.16	331.00	3.84	18.52	26.79
廊坊市	Langfang	511.43	394.51	8.89	58.97	49.06
保定市	Baoding	647.28	503.75	28.27	47.22	68.05
#定州市	Dingzhou	100.51	81.63	1.81	11.59	5.48
沧州市	Cangzhou	318.93	248.22	6.63	20.01	44.07
衡水市	Hengshui	237.03	206.48	0.87	14.90	14.78
邢台市	Xingtai	266.49	231.04	1.64	10.12	23.68
邯郸市	Handan	425.93	336.54	13.02	43.50	32.88

17-6 房地产开发企业实际到位资金
Actual Funds in Place of Enterprises for Real Estate Development

单位：亿元 (100 million yuan)

年份 Year 市 City		本年实际到位资金 Actual Funds in Place This Year	国内贷款 Domestic Loans	利用外资 Foreign Investment	自筹资金 Self-raising Funds	其他到位资金 Others
	1998	79.07	13.80	1.56	18.46	28.39
	2000	129.74	20.12	0.77	38.00	55.63
	2005	413.13	68.25	3.44	177.64	163.80
	2006	594.08	87.31	1.13	250.82	254.81
	2007	810.16	125.36	1.12	343.35	340.32
	2008	1384.15	166.44	3.52	565.36	497.86
	2009	2121.25	265.17		887.36	702.24
	2010	2710.89	288.89	3.00	1462.58	956.43
	2011	3499.18	289.55	14.52	2028.69	1166.42
	2012	3712.99	295.57	10.93	2195.48	1211.02
	2013	4123.54	336.40	9.98	2394.67	1382.50
	2014	4438.48	312.47	26.34	2819.53	1280.14
	2015	4666.67	456.70	2.31	3099.11	1108.55
	2016	5102.36	456.10	1.71	3224.49	1420.07
	2017	5184.96	532.68	2.01	3133.32	1516.96
	2018	4784.39	580.38	0.04	2834.91	82.81
	2019	5036.44	594.27		2556.61	66.35
石家庄市	Shijiazhuang	1009.18	82.26		635.31	6.80
#辛集市	Xinji	53.18			21.90	0.53
承德市	Chengde	191.55	24.20		79.42	4.80
张家口市	Zhangjiakou	347.31	61.14		157.64	8.10
秦皇岛市	Qinhuangdao	311.90	30.89		89.77	9.27
唐山市	Tangshan	595.85	61.26		244.98	6.15
廊坊市	Langfang	619.05	106.36		294.27	6.40
保定市	Baoding	638.76	62.33		395.89	0.62
#定州市	Dingzhou	74.07	3.60		63.29	
沧州市	Cangzhou	350.03	72.48		136.86	2.62
衡水市	Hengshui	237.28	24.37		132.67	1.56
邢台市	Xingtai	279.09	17.75		142.10	7.02
邯郸市	Handan	456.46	51.23		247.69	13.03

17-7 房地产开发企业房屋建筑面积和造价
Floor Space and Cost of Buildings Developed by Enterprises for Real Estate Development

年 份 市	Year City	房屋施工面积(万平方米) Floor Space of Buildings under Construction (10000 sq.m)	房屋竣工面积(万平方米) Floor Space of Buildings Completed (10000 sq.m)	房屋建筑面积竣工率(%) Rate of Floor Space of Buildings Completed (%)	房屋竣工价值(亿元) Value of Buildings Completed (100 million yuan)	房屋竣工造价(元/平方米) Cost of Buildings Completed (yuan/sq.m)
	1998	1169.47	480.78	41.1	39.76	827
	2000	1670.00	771.31	46.2	69.38	900
	2005	3820.96	1129.92	29.6	137.41	1216
	2006	4769.50	1378.89	28.9	196.23	1423
	2007	5821.87	1342.64	23.1	221.19	1647
	2008	8958.07	1663.55	18.6	316.60	1903
	2009	12752.97	2211.72	17.3	464.22	2099
	2010	20700.03	3614.66	17.5	816.11	2258
	2011	26670.81	5180.51	19.4	1282.08	2475
	2012	27577.83	4894.56	17.7	1132.49	2314
	2013	29949.12	4437.02	14.8	1199.11	2703
	2014	31628.39	4037.56	12.8	1138.41	2820
	2015	30434.76	4039.31	13.3	1253.87	3104
	2016	30476.78	4287.78	14.1	1139.31	2657
	2017	30318.32	3416.00	11.3	971.32	2843
	2018	28172.06	2390.41	8.0	623.06	2607
	2019	29852.97	2679.96	9.0	690.52	2577
石家庄市	Shijiazhuang	3891.35	266.93	6.9	74.81	2803
#辛集市	Xinji	310.53	1.61	0.5	0.47	2921
承 德 市	Chengde	1771.88	292.53	16.5	79.09	2703
张家口市	Zhangjiakou	2530.53	246.33	9.7	62.60	2541
秦皇岛市	Qinhuangdao	1854.41	107.96	5.8	22.17	2054
唐 山 市	Tangshan	3954.15	227.28	5.7	60.29	2653
廊 坊 市	Langfang	3463.96	224.86	6.5	66.69	2966
保 定 市	Baoding	3334.78	332.16	10.0	92.76	2793
#定州市	Dingzhou	504.75	103.66	20.5	24.96	2407
沧 州 市	Cangzhou	1580.25	112.10	7.1	43.06	3841
衡 水 市	Hengshui	1763.03	536.10	30.4	130.11	2427
邢 台 市	Xingtai	2557.39	105.62	4.1	26.08	2469
邯 郸 市	Handan	3151.22	228.07	7.2	32.85	1440

17-8 按用途分房地产开发企业房屋新开工面积
Floor Space of Buildings Started This Year by Enterprises for Real Estate Development by Use

单位：万平方米 (10000 sq.m)

年 份 市	Year City	本年房屋新开工面积 Floor Space Started This Year	住 宅 Residential Buildings	办公楼 Office Buildings	商业营业用 房 Houses for Business Use	其 他 Others
	1998	662.41	603.32	10.86	32.62	15.61
	2000	859.72	748.85	13.01	80.78	17.08
	2005	1970.80				
	2006	2280.51				
	2007	2797.55				
	2008	3768.81	3319.77	56.76	238.21	154.07
	2009	6786.00	5771.58	98.77	581.95	333.69
	2010	9629.16	7866.40	147.43	993.13	622.20
	2011	11182.80	8925.24	246.12	1177.27	834.16
	2012	7641.80	5973.78	187.61	831.34	639.08
	2013	6932.65	5445.77	172.02	704.82	610.04
	2014	8239.03	6361.42	160.41	959.84	757.36
	2015	7219.81	5542.98	186.40	764.65	725.78
	2016					
	2017					
	2018					
	2019	9452.68	7404.40	209.36	602.31	1236.61
石家庄市	Shijiazhuang	1560.86	1277.79	55.65	73.51	153.90
#辛集市	Xinji	123.51	99.34	1.80	9.26	13.11
承 德 市	Chengde	635.92	448.53	18.26	67.65	101.48
张家口市	Zhangjiakou	819.99	624.21	13.90	62.16	119.73
秦皇岛市	Qinhuangdao	442.15	313.31	6.23	23.48	99.13
唐 山 市	Tangshan	936.44	785.77	10.70	40.10	99.87
廊 坊 市	Langfang	767.54	528.25	31.14	96.07	112.08
保 定 市	Baoding	1253.69	981.08	39.72	69.56	163.33
#定州市	Dingzhou	195.47	155.15	3.20	19.21	17.91
沧 州 市	Cangzhou	668.37	529.64	14.06	52.60	72.07
衡 水 市	Hengshui	614.43	517.33	1.44	34.76	60.89
邢 台 市	Xingtai	779.67	621.39	7.00	25.70	125.57
邯 郸 市	Handan	973.62	777.09	11.26	56.71	128.56

17–9 按用途分商品房销售面积

Floor Space of Commercialized Buildings Sold by Use

单位：万平方米 (10000 sq.m)

年 份	Year	商品房销售面积 Floor Space of Commercialized Buildings Sold	住 宅 Residential Buildings	办公楼 Office Buildings	商业营业用房 Houses for Business Use	其 他 Others
市	City					
	1998	293.86	272.47	6.79	13.38	1.22
	2000	489.44	443.52	1.81	41.30	2.81
	2005	1408.74	1322.32	15.86	60.37	10.19
	2006	1817.94	1692.40	19.29	93.37	12.87
	2007	2067.79	1969.12	7.74	73.93	17.00
	2008	2231.84	2128.86	2.69	78.79	21.50
	2009	2966.61	2819.77	19.05	88.50	39.28
	2010	4662.10	4325.12	39.20	209.09	88.69
	2011	5888.33	5293.18	59.24	366.01	169.91
	2012	5144.92	4622.46	74.78	316.70	130.97
	2013	5675.95	5020.13	78.00	404.93	172.89
	2014	5706.19	5015.06	75.54	444.33	171.25
	2015	5854.65	5161.65	90.10	385.34	217.56
	2016	4301.83	3710.88	121.80	394.35	74.80
	2017	6425.91	5576.99	144.11	496.13	208.68
	2018	5251.93	4714.42	110.63	274.04	152.84
	2019	5282.70	4770.38	112.68	222.30	177.34
石家庄市	Shijiazhuang	782.28	673.94	75.21	16.03	17.09
#辛集市	Xinji	71.69	68.27	1.53	1.22	0.68
承 德 市	Chengde	237.38	204.08	0.58	14.04	18.67
张家口市	Zhangjiakou	306.19	294.00		6.11	6.08
秦皇岛市	Qinhuangdao	317.47	279.42	0.76	15.33	21.96
唐 山 市	Tangshan	633.71	586.21	0.60	22.87	24.03
廊 坊 市	Langfang	743.47	661.30	11.10	60.37	10.70
保 定 市	Baoding	585.05	519.60	14.30	21.11	30.04
#定州市	Dingzhou	131.60	124.24	0.83	2.81	3.73
沧 州 市	Cangzhou	432.42	402.02	3.49	14.59	12.32
衡 水 市	Hengshui	454.28	422.33		16.90	15.05
邢 台 市	Xingtai	337.76	316.19	0.63	6.82	14.12
邯 郸 市	Handan	452.69	411.27	6.02	28.13	7.26

注：2004年及以前的销售数据仅包括现房；2005年及以后的销售数据包括期房和现房(以下相关表同)。

a) Figures on floor space of houses sold and selling price of houses for 2004 and the earlier years refer to houses actually sold out, while figures since 2005 refer to both completed and future houses sold. The same applies to the relevant tables following.

17–10 按用途分商品房销售额
Total Sale of Commercialized Buildings Sold by Use

单位：亿元 (100 million yuan)

年份 市	Year City	商品房销售额 Total Sale of Commercialized Buildings Sold	住宅 Residential Buildings	办公楼 Office Buildings	商业营业用房 Houses for Business Use	其他 Others
	1998	41.17	36.42	1.47	3.07	0.21
	2000	70.88	59.87	0.33	10.03	0.65
	2005	262.31	235.04	7.54	18.11	1.63
	2006	383.84	343.29	7.07	31.42	2.06
	2007	534.68	493.27	3.81	34.27	3.34
	2008	620.24	583.89	0.99	30.84	4.52
	2009	968.05	905.15	7.90	45.93	9.07
	2010	1650.00	1488.78	18.34	118.29	24.59
	2011	2345.23	1993.81	40.88	258.37	52.17
	2012	2303.90	1914.61	50.34	297.49	311.39
	2013	2779.69	2329.11	60.72	311.39	78.46
	2014	2928.00	2501.63	48.78	319.13	324.03
	2015	3371.59	2854.21	84.35	323.99	109.04
	2016	4301.80	3710.90	121.80	394.30	74.80
	2017	4628.40	3925.40	148.90	452.20	101.90
	2018	4035.00	3567.30	100.30	285.30	82.10
	2019	4138.57	3714.57	111.68	215.85	96.47
石家庄市	Shijiazhuang	728.19	622.29	75.22	15.13	15.55
#辛集市	Xinji	38.35	36.18	0.83	1.14	0.20
承德市	Chengde	140.16	120.79	0.39	11.53	7.46
张家口市	Zhangjiakou	198.91	192.43		5.33	1.15
秦皇岛市	Qinhuangdao	299.02	268.82	0.47	21.09	8.64
唐山市	Tangshan	481.65	449.29	0.54	22.18	9.63
廊坊市	Langfang	823.31	729.54	14.66	72.99	6.12
保定市	Baoding	415.51	357.81	12.24	15.79	29.67
#定州市	Dingzhou	56.80	52.61	0.35	2.35	1.50
沧州市	Cangzhou	316.30	294.62	2.97	14.11	4.61
衡水市	Hengshui	255.16	238.18		11.14	5.83
邢台市	Xingtai	170.70	160.66	0.29	5.87	3.88
邯郸市	Handan	309.66	280.14	4.90	20.68	3.94

17-11 按用途分商品房平均销售价格
Average Selling Price of Commercialized Buildings by Use

单位：元/平方米 (yuan/sq.m)

年份 市	Year City	商品房平均销售价格 Average Selling Price of Commercialized Buildings	住宅 Residential Buildings	办公楼 Office Buildings	商业营业用房 Houses for Business Use	其他 Others
	1998	1401	1337	2165	2294	1721
	2000	1448	1350	1823	2429	2313
	2005	1862	1777	4754	3000	1600
	2006	2111	2028	3667	3365	1602
	2007	2586	2505	4922	4635	1967
	2008	2779	2743	3692	3915	2102
	2009	3263	3210	4145	5190	2309
	2010	3539	3442	4680	5657	2772
	2011	3983	3767	6901	7059	3070
	2012	4478	4142	6732	9393	
	2013	4897	4640	7785	7690	4538
	2014	5131	4988	6457	7182	
	2015	5759	5530	9362	8408	5012
	2016	6438	6290	9622	8789	3609
	2017	7039	8001	10334	9115	4882
	2018	7683	7567	9068	10409	5372
	2019	7834	7787	9911	9710	5440
石家庄市	Shijiazhuang	9309	9234	10002	9436	9097
#辛集市	Xinji	5349	5300	5399	9335	3003
承德市	Chengde	5905	5919	6711	8212	3992
张家口市	Zhangjiakou	6496	6545		8724	1891
秦皇岛市	Qinhuangdao	9419	9621	6249	13760	3933
唐山市	Tangshan	7600	7664	9144	9698	4007
廊坊市	Langfang	11074	11032	13208	12091	5717
保定市	Baoding	7102	6886	8554	7481	9878
#定州市	Dingzhou	4316	4234	4191	8358	4034
沧州市	Cangzhou	7315	7328	8508	9669	3739
衡水市	Hengshui	5617	5640		6593	3877
邢台市	Xingtai	5054	5081	4602	8612	2746
邯郸市	Handan	6840	6812	8143	7350	5425

17-12 房地产开发企业资产负债
Assets and Liabilities of Enterprises for Real Estate Development

单位：亿元 (100 million yuan)

年 份 市	Year City	实收资本合计 Total Capital Held	资产总计 Total Assets	累计折旧 Total Depreciation	#本年折旧 Depreciation This Year	负债合计 Total Liabilities	所有者权益 Owners' Equity	资产负债率(%) Ratio of Liabilities to Assets(%)
	1998	36.35	142.76	1.83	0.32	120.99	21.77	84.8
	2000	34.59	214.98	2.30	0.58	177.66	37.32	82.6
	2005	188.15	931.76			647.73	284.03	69.5
	2006	214.20	1189.27			8501.00	339.17	71.5
	2007	256.77	1651.76			1217.35	434.41	73.7
	2008	395.75	2510.04			1940.26	570.26	77.3
	2009	431.89	3096.39			2260.36	836.03	73.0
	2010	590.78	4811.26	345.68	69.31	3942.90	868.36	82.0
	2011	883.42	7281.31	38.77	10.98	5909.82	1371.50	81.2
	2012	1028.11	9007.44	46.63	11.74	7453.94	1553.49	82.6
	2013	1145.13	11120.85	67.79	14.77	11537.43	1725.39	84.5
	2014	1117.92	12976.63	69.46	13.70	11098.65	1877.97	85.5
	2015	1375.00	14274.35	65.24	11.64	12263.68	2010.67	85.9
	2016	1437.68	15931.79			13334.91	2596.88	83.7
	2017	1632.30	18325.10			15503.03	2822.07	84.6
	2018	1789.74	22513.56			19023.96	3489.60	84.5
	2019	1983.85	25290.18	105.21	23.75	21853.67	3436.51	86.4
石家庄市	Shijiazhuang	240.52	4125.65	14.81	2.12	3847.88	277.76	93.3
#辛集市	Xinji	0.50	4.69	0.02	…	4.90	-0.21	104.6
承 德 市	Chengde	79.81	1147.29	6.84	1.74	1015.16	132.13	88.5
张家口市	Zhangjiakou	124.11	1900.30	5.17	0.99	1750.06	150.24	92.1
秦皇岛市	Qinhuangdao	132.67	1402.50	10.04	1.66	1168.94	233.56	83.4
唐 山 市	Tangshan	193.75	2551.51	9.86	1.41	2174.85	376.67	85.2
廊 坊 市	Langfang	557.85	5678.57	19.99	4.28	4329.13	1349.44	76.2
保 定 市	Baoding	252.56	3065.69	10.26	2.74	2652.87	412.82	86.5
#定州市	Dingzhou	35.73	272.69	0.84	0.33	242.22	30.48	88.8
沧 州 市	Cangzhou	103.38	1333.49	4.31	0.93	1207.69	125.81	90.6
衡 水 市	Hengshui	61.31	797.00	3.16	0.62	720.00	77.01	90.3
邢 台 市	Xingtai	85.58	1311.33	5.40	0.89	1257.46	53.87	95.9
邯 郸 市	Handan	152.30	1976.84	15.37	6.37	1729.63	247.21	87.5

17-13 房地产开发企业经营情况

Operating Statistics on Enterprises for Real Estate Development

单位：亿元 (100 million yuan)

年 份 市	Year City	主营业务收入 Revenue from Principle Business	土地转让收入 Land Transferred	商品房销售收入 Commercialized Buildings Sold	房屋出租收入 Houses Leased	其他收入 Others	主营业务税金及附加 Taxes and Other Charges on Principal Business	营业利润 Operating Profit
	1998	40.68	0.84	34.43	0.30	5.11	1.73	-2.66
	2000	83.66	2.51	71.93	0.32	8.90	3.35	0.55
	2005	259.62	1.95	251.58	0.42	5.68	14.78	8.50
	2006	346.56	0.05	338.18	0.44	4.36	22.79	27.60
	2007	465.26	3.28	454.92	0.79	6.27	29.32	29.82
	2008	574.61	4.82	555.98	1.09	12.72	35.37	42.65
	2009	750.33	5.98	728.60	0.37	15.39	51.37	76.43
	2010	1199.86	3.21	1180.17	2.26	14.22	92.41	101.78
	2011	1226.55	2.04	1197.16	4.09	23.26	97.89	97.65
	2012	1687.70	2.80	1651.55	9.83	23.52	139.16	122.53
	2013	1927.53	3.48	1891.52	9.55	22.98	172.19	115.49
	2014	1953.50	11.29	1894.97	16.14	31.10	174.88	61.84
	2015	2305.92	6.30	2265.32	8.07	26.24	202.28	132.29
	2016	2856.33	12.14	2799.20	14.40	30.59	204.63	354.35
	2017	24142.71	386.52	23284.24	83.20	327.66	1326.60	3105.72
	2018	2748.27	22.33	2671.58	10.96	40.55	175.30	297.58
	2019	2313.24	13.96	2237.45	11.55	49.37	210.02	111.21
石家庄市	Shijiazhuang	340.25	1.06	331.77	2.20	5.23	24.32	9.18
#辛集市	Xinji	1.34		1.34			0.04	0.08
承 德 市	Chengde	94.62	0.13	93.29	0.21	0.90	5.72	-6.31
张家口市	Zhangjiakou	108.75	0.03	106.33	0.71	1.55	7.10	-9.39
秦皇岛市	Qinhuangdao	332.63	4.54	326.90	0.34	0.82	21.00	33.17
唐 山 市	Tangshan	175.37		173.77	0.73	0.85	7.45	18.17
廊 坊 市	Langfang	102.32	0.59	90.39	0.62	10.49	11.31	-6.63
保 定 市	Baoding	63.59	0.73	62.02	0.55	0.28	6.97	-16.34
#定州市	Dingzhou	227.93	0.15	225.30	1.77	0.70	18.47	0.64
沧 州 市	Cangzhou	31.62		31.47		0.15	1.87	0.26
衡 水 市	Hengshui	139.61	0.03	132.32	1.30	5.94	8.69	2.36
邢 台 市	Xingtai	629.44	6.14	597.78	3.09	22.35	90.56	89.21
邯 郸 市	Handan	98.73	0.56	97.57	0.03	0.25	8.42	-2.85

主要统计指标解释

待开发土地面积　指房地产开发企业经有关部门批准，通过各种方式获得土地使用权，但尚未开工建设的土地面积。

本年土地购置面积　指房地产开发企业本年通过各种方式获得土地使用权的土地面积。

本年土地成交价款　指房地产开发企业本年进行土地使用权交易活动的最终金额。在土地一级市场，是指土地最后的划拨款、“招拍挂”价格和出让价；在土地二级市场是指土地转让、出租、抵押等最后确定的合同价格。土地成交价款与土地购置面积同口径。

土地购置费　指房地产开发企业通过各种方式取得土地使用权而支付的费用。土地购置费按本年实际发生额计入投资。土地购置费为分期付款的，分期计入房地产开发投资。

计划总投资　指房地产开发企业在建的建设工程按照总体设计（或按设计概算或预算）规定的内容全部建成计划需要的总投资。

自开始建设累计完成投资　指房地产开发企业在建的房屋建设工程或正在开发的土地开发工程从开始建设到本年末止累计完成的全部投资。

房地产开发投资　指房地产开发企业本年完成的全部用于房屋建设工程、土地开发工程的投资额以及公益性建筑和土地购置费等的投资。

本年实际到位资金　指房地产开发企业本年实际到位的，可用于房地产开发的各种货币资金。包括国内贷款、利用外资、自筹资金、定金及预收款、个人按揭贷款和其他资金。

房屋施工面积　指房地产开发企业本年施工的全部房屋建筑面积。包括本年新开工的房屋建筑面积、上年跨入本年继续施工的房屋建筑面积、上年停缓建在本年恢复施工的房屋建筑面积、本年竣工的房屋建筑面积以及本年施工后又停缓建的房屋建筑面积。多层建筑应填各层建筑面积之和。

房屋新开工面积　指房地产开发企业本年新开工建设的房屋建筑面积，以单位工程为核算对象。不包括在上年开工跨入本年继续施工的房屋建筑面积和上年停缓建而在本年恢复施工的房屋建筑面积。房屋的开工应以房屋正式开始破土刨槽（地基处理或打永久桩）的日期为准。房屋新开工面积指整栋房屋的全部建筑面积，不能分割计算。

房屋竣工面积　指房地产开发企业本年按照设计要求已全部完工，达到住人和使用条件，经验收鉴定合格或达到竣工验收标准，可正式移交使用的各栋房屋建筑面积的总和。

商品房销售面积　指房地产开发企业本年出售商品房屋的合同总面积(即双方签署的正式买卖合同中所确定的建筑面积)。

商品房销售额　指房地产开发企业本年出售商品房屋的合同总价款(即双方签署的正式买卖合同中所确定的合同总价)。该指标与商品房销售面积同口径。

Explanatory Notes on Main Statistical Indicators

Land Space Pending Development refers to the area of land with its use rights already approved by authorities and obtained by real estate development companies but the land development not yet starts.

Land Space Purchased in the Year refers to the area of land with its use rights already obtained in the year by real estate development companies.

Transaction Value of Land in the Year refers to the final amount of transactions made by real estate development companies to obtain the land use rights in the year. At the primary land market, it refers to the amount of final assignment, or the amount reached and transferred as a result of bidding, auction or listing procedures. In the secondary land market, it refers to the final amount on contracts with land transfer, lease and mortgage. The transaction value of land and the land space purchased have the same scope.

Value of Land Purchased refers to the payment made by real estate development companies for land use rights. The actual payment incurred in the year is included in the investment. The payment by installment when occurring is included in the investment.

Total Investment Planned refers to the total amount required for the completion of the activities according to the planned design or budget for the project under construction by real estate development companies.

Accumulative Investment Actually Completed Since Starting of Construction refers to all the investment accomplished by real estate development companies in the construction of building or the development of land from the beginning to the end of the year.

Investment in Real Estate Development refers to the investment made by real estate development companies in the construction of housing, development of land, nonprofit buildings and value of land purchased.

Total Actual Funds in Place This Year refers to the total amount available for real estate development regardless of kinds of currencies. It includes domestic loans, foreign investment, self-raising funds, deposit and advance payment, personal mortgage loan and others.

Floor Space of Buildings under Construction refers to the total space area of the buildings under construction in the year by real estate development companies. It includes buildings started in the year, continued from the previous year, suspended in earlier years but restarted in the year, completed in the year, and started in the year but suspended in the year as well. The floor space of a multi-storied building should be the sum of floor space of all the stories.

Floor Space of Buildings Started This Year refers to the total floor space area of the buildings started in the year by real estate development companies. It excludes the buildings started in previous years and continued in the year, and the buildings suspended in previous years but restarted in the year. The start of a construction is defined by the date of ground breaking or pile driving. The floor space of the building includes that of the entire building.

Floor Space of Buildings Completed refers to the total floor space area of the buildings completed in the year by real estate development companies, which meet the requirements as designed, reach the criteria set for people to live in or use, have passed the acceptance checks, and are ready for delivery or use.

Area of Commercialized Housing Sold refers to total contracted area of commercialized housing (i.e. area of floor space as designated in the formal contracts signed by both sides) sold by real estate development companies during the reference time.

Value of Commercialized Housing Sold refers to the total contracted value (i.e. value of sales/purchase for selling/purchase of commercialized housing as designated in the contract signed by both sides) received from the sales of the buildings by real estate development companies during the reference time. This indicator has the same coverage as the area of commercialized housing sold.

科学技术

Science and Technology

简 要 说 明

一、本篇资料主要反映河北省科学技术活动基本情况。

二、本篇资料主要包括研究与开发机构基本情况，高校研究与发展人员及经费，规模以上工业企业科技活动情况，专利申请受理量和批准量等数据。

三、本篇资料由河北省统计局社会和科技统计处负责整理提供。

四、资料整理：龚小红 张媛媛 朱丽静 张连松

Brief Introduction

Ⅰ. The data in this chapter reflects the basic situation of science and technology activities in Hebei Province.

Ⅱ. The data of this paper mainly include the basic information of research and development institutions, research and development personnel and funds of universities, scientific and technological activities of industrial enterprises above a certain scale, the number of patent applications accepted and approved and other data.

Ⅲ.This data is collated and provided by the Social and Scientific Statistics Division of Hebei Province Statistics Bureau.

Ⅳ. Data collection: Gong Xiaohong, Zhang Yuanyuan, Zhu Lijing, Zhang Liansong.

18−1 科技活动基本情况

Basic Statistics on Scientific and Technological Activities

指 标	Item	2000	2010	2015	2018	2019
研究与试验发展(R&D)投入情况	**Statistics on R&D Input**					
R&D人员折合全时当量(人年)	Full-time Equivalent of R&D Personnel (man-year)	28093.0	62302.3	107508.0	103274.7	111798.7
#基础研究	Basic Research	2671.0	3807.1	5623.0	5751.1	7060.8
应用研究	Applied Research	6981.0	10576.6	14432.0	19398.9	22415.3
试验发展	Experimental Development	18442.0	47918.5	87456.0	78125.9	82327.0
R&D经费支出(万元)	Expenditure on R&D (10000 yuan)	262738	1554488	3521444	4997415	5667279
#基础研究	Basic Research	15139	52824	68298	131502	148850
应用研究	Applied Research	69792	230884	309184	597294	580123
试验发展	Experimental Development	177807	1270778	3143962	4268620	4938307
#政府资金	Government Funds	74158	273893	541239	681591	679657
企业资金	Self-raised Funds by Enterprises	150785	1220160	2858631	4202540	4874130
R&D经费支出与国内生产总值之比(%)	Ratio of Expenditure on R&D to GDP (%)	0.57	0.86	1.33	1.54	1.61
科技产出及成果情况	**Statistics on S&T Outputs and Results**					
发表科技论文(篇)	Scientific Papers Issued (piece)	21071	40425	44427	46170	47222
出版科技著作(种)	Publication on Science and Technology (kind)	1138	917	1384	1645	1558
科技成果登记数(项)	Number of Major Achievements in Science and Technology (item)		2325	2902	2678	2586
国家技术发明奖(项)	Number of National Invention Prizes Awarded (item)				3	2
国家科学技术进步奖(项)	Number of National Scientific and Technological Progress Prizes Awarded (item)	3	11	14	11	13
专利申请数(件)	Number of Patent Applications (piece)	789	5112	15159	25348	31797
#发明专利	Inventions	344	1774	5258	9811	13285
专利授权数(件)	Number of Patent Grants (piece)		877	3456	4559	4693
#发明专利	Inventions		292	1133	1266	1518
高技术产品进出口及技术市场情况	**Statistics on Export and Import of High-tech Products and Technical Market**					
高技术产品进出口额(万美元)	Total Value of Export and Import of High-tech Products (10000 USD)	18783	506568	328261	536376	439004
高技术产品出口额	Export	5422	356651	236161	286204	304841
高技术产品进口额	Import	13362	149916	92100	250172	134164
登记技术合同成交额(亿元)	Register the Transaction Amount of Technical Contract (100 million yuan)		19.29	39.95	279.79	382.46

注：1.2017年起专利申请受理数改为专利申请数(以下相关表同)。

2.R&D经费支出与国内生产总值之比，根据国内生产总值最新核实数据作了相应修正。

a) Since 2017, number of patent applications accepted change to number of patent applications.The same applies to the relevant tables following.

b) Ratio of expenditure on R&D to GDP was revised by use of latest updated historical data of GDP.

18-2 科学研究与开发机构基本情况
Basic Statistics on Scientific Research and Development Institutions

指　标	Item	2000	2010	2015	2018	2019
机构基本情况	**Basic Statistics on Institutions**					
机构数(个)	Number of R&D Institutions (unit)		75	79	75	74
#中央属	Subordinated to Central Level		8	8	8	8
地方属	Subordinated to Local Level		67	71	67	66
研究与试验发展(R&D)投入情况	**Statistics on R&D Input**					
R&D人员(人)	R&D Personnel (person)		6551	9400	11232	11732
R&D人员全时当量(人年)	Full-time Equivalent of R&D Personnel (man-year)	4315	6201	8757	10560	10916
#基础研究	Basic Research	393	669	693	759	868
应用研究	Applied Research	1312	4072	3597	3807	3968
试验发展	Experimental Development	2610	1460	4467	5994	6080
R&D经费支出(万元)	Expenditure on R&D (10000 yuan)	42709	212542	406037	498114	487783
#基础研究	Basic Research	3542	24796	13306	21416	21891
应用研究	Applied Research	7448	141414	100804	107015	87823
试验发展	Experimental Development	31719	46331	291927	369683	378069
#政府资金	Government Appropriation Funds	38872	175190	346804	424060	418286
企业资金	Self-raised Funds by Enterprises	107	51	549	119	11626
R&D项目(课题)情况	**Statistics on R&D Topics**					
R&D项目(课题)数(项)	R&D Projects (item)	558	572	857	1045	1044
R&D项目(课题)人员全时当量(人年)	Participants (man-year)	3261	5690	7958	10069	10154
R&D项目(课题)经费支出(万元)	Expenditure (10000 yuan)	4128	106116	266479	349459	352458
科技产出及成果情况	**Statistics on S&T Outputs and Results**					
发表科技论文(篇)	Scientific Papers Issued (piece)	2089	1935	2352	2454	2652
#国外发表	Published in Foreign Periodicals					
出版科技著作(种)	Publication on Science and Technology (kind)	83	35	124	67	94
专利申请数(件)	Number of Patent Applications (piece)	41	244	665	1062	1288
#发明专利	Inventions	15	151	430	777	874
专利授权数(件)	Number of Patent Grants (piece)		150	510	637	765
#发明专利	Inventions		62	298	322	389

18-3 高等学校科技活动情况
Basic Statistics on Higher Education for Science and Technology Activities

指 标	Item	2000	2010	2015	2018	2019
高等学校基本情况	**Basic Statistics on Higher Education**					
学校数(个)	Number of Institutions (unit)					
#理工农医	Natural Sciences & Technology				118	117
#人文社科	Social Sciences & Humanities				120	120
R&D机构(个)	R&D Institutions (unit)	46			181	184
研究与试验发展(R&D)投入情况	**Statistics on R&D Input**					
R&D人员(人)	R&D Personnel (person)		16842	28416	33444	36017
R&D人员全时当量(人年)	Full-time Equivalent of R&D Personnel (man-year)	5226	7388	10569	11828	12885
#基础研究	Basic Research	1647	2981	4657	4645	5327
应用研究	Applied Research	2842	4092	5659	6781	7151
试验发展	Experimental Development	737	319	253	402	407
R&D经费支出(万元)	Expenditure on R&D (10000 yuan)	31780	74597	140153	241757	253766
#基础研究	Basic Research	8571	27030	51196	103240	106794
应用研究	Applied Research	18408	41076	83895	125938	136325
试验发展	Experimental Development	4802	6486	5062	12579	10647
#政府资金	Government Appropriation Funds	22580	39915	84486	157203	142367
企业资金	Self-raised Funds by Enterprises	5603	29338	41916	59237	61420
R&D项目(课题)情况	**Statistics on R&D Topics**					
R&D项目(课题)数(项)	R&D Projects (item)	3042	13301	20946	27124	28951
R&D项目(课题)人员全时当量(人年)	Participants (man-year)	5865.0	7384.9	10554.1	11811.9	12883.5
R&D项目(课题)经费支出(万元)	Expenditure (10000 yuan)	8241	54999	80604	101920	126598
科技产出及成果情况	**Statistics on S&T Outputs and Results**					
发表科技论文(篇)	Scientific Papers Issued (piece)	14482	30426	32909	34470	35323
#国外发表	Published in Foreign Periodicals					
出版科技著作(种)	Publication on Science and Technology (kind)	931	743	1129	1448	1339
专利申请数(件)	Number of Patent Applications (piece)	64	937	3753	5761	6074
#发明专利	Inventions	24	430	1286	2222	2670
专利授权数(件)	Number of Patent Grants (piece)		649	2900	3779	3817
#发明专利	Inventions		211	821	935	1126

18-4 规模以上工业企业的科技活动基本情况
Basic Statistics on Science and Technology Activities of Industrial Enterprises above Designated Size

指　　标	Item	2010	2015	2018	2019
企业基本情况	**Statistics on Industrial Enterprises**				
有R&D活动企业数(个)	Number of Enterprises Having R&D Activities (unit)	546	1388	1748	2351
有R&D活动企业所占比重(%)	Percentage of Enterprises Having R&D Activities to Total Number of Enterprises (%)	3.92	9.07	12.76	17.84
R&D活动情况	**Statistics on R&D Activities**				
R&D人员全时当量(人年)	Full-time Equivalent of R&D Personnel (man-year)	41632.2	79452.0	68956.4	76096.0
R&D经费支出(万元)	Expenditure on R&D (10000 yuan)	1149280	2858051	3819916	4385826
R&D经费支出与主营业务收入之比(%)①	Percentage of Expenditure on R&D to Revenue from Principal Business (%)①	0.36	0.63	0.97	1.07
R&D项目数(项)	R&D Projects (item)	4976	8358	9921	13340
R&D项目经费支出(万元)	Expenditure on R&D Projects (10000 yuan)	979939	2493028	3620069	4072153
企业办R&D机构情况	**Statistics on R&D Institutions**				
机构数(个)	Number of R&D Institutions (unit)	529	1245	1123	2154
机构人员数(人)	R&D Personnel (person)	43038	79049	69928	93942
机构经费支出(万元)	Expenditure on R&D (10000 yuan)	771783	1514208	2077082	3380991
新产品开发及生产情况	**Statistics on New Products Development and Production**				
新产品开发项目数(个)	Number of New Products (unit)	4892	7489	11449	14913
新产品开发经费支出(万元)	Expenditure on New Products Development (10000 yuan)	1081733.6	2465368.8	3863708.0	5046186.5
新产品销售收入(万元)	Sales Revenue of New Products (10000 yuan)	13857108	34762445	52288698	64847324
#新产品出口	Export	1480375	3268926	4671720	5989527
专利情况	**Statistics on Patents**				
专利申请数(件)	Number of Patent Applications (piece)	3581	10396	16707	21570
#发明专利	Inventions	1072	3393	6067	8431
有效发明专利数(件)	Number of Inventions in Force (piece)	1545	7740	18762	21487
技术获取和技术改造情况(万元)	**Statistics on Technology Acquisition and Technology Reconstruction (10000 yuan)**				
引进境外技术经费支出	Expenditure for Acquisition of Foreign Technology	134132	41980	35411	24475
引进技术消化吸收经费支出	Expenditure for Assimilation of Technology	190811	16576	9092	6922
购买境内技术经费支出	Expenditure for Purchase of Domestic Technology	31476	21108	65386	68642
技术改造经费支出	Expenditure for Technical Renovation	1714642	1236018	1141717	1048086

注：1.从2011年起，规模以上工业企业的统计范围从年主营业务收入为500万元及以上的法人工业企业调整为年主营业务收入为2000万元及以上的法人工业企业。以下相关表同。

2.①2018起为R&D经费内部支出与营业收入之比。

a) From 2011, the statistics range of the industrial enterprises above designated size change from the industrial enterprises with the sales revenue above 5 million RMB to the industrial enterprises with the sales revenue above 20 million RMB. The same applies to the following table.

b) Since 2018 ① is Percentage of Expenditure on R&D to Revenue from Business.

18-5 按登记注册类型分规模以上工业企业研究与试验发展(R&D)活动及专利情况(2019年)

Statistics on R&D Activities and Patents of Industrial Enterprises above Designated Size by Registration Status (2019)

登记注册类型	Status of Registration	R&D人员全时当量(人年) Full-time Equivalent of R&D Personnel (man-year)	R&D经费(万元) Expenditure on R&D (10000 yuan)	专利申请数(件) Number of Patent Applications (piece)	#发明专利 Inventions	有效发明专利数(件) Number of Inventions in Force (piece)
合　计	**Total**	**76096**	**4385826**	**21570**	**8431**	**21487**
#大中型工业企业	Large and Medium-sized Industrial Enterprises	58585	3798080	13885	6099	12332
内资企业	**Domestic Funded Enterprises**	**67113**	**3792960**	**20255**	**8071**	**19812**
国有企业	State-owned Enterprises	159	10289	429	264	446
集体企业	Collective-owned Enterprises	34	1253	23	4	1
股份合作企业	Cooperative Enterprises	34	1111	10	3	3
有限责任公司	Limited Liability Corporations	25623	1899743	8343	3895	6453
国有独资公司	State Sole Funded Corporations	3699	163025	1035	396	639
其他有限责任公司	Others	21924	1736718	7308	3499	5814
股份有限公司	Share-holding Corporations Ltd.	16482	726962	4169	1566	4275
私营企业	Private Enterprises	24780	1153602	7281	2339	8634
私营独资企业	Private-funded Enterprises	55	2762	7	1	29
私营合伙企业	Private Partnership Enterprises	15	657			
私营有限责任公司	Private Limited Liability Corporations	22150	1066294	6562	2113	7399
私营股份有限公司	Private Share-holding Corporations Ltd.	2560	83889	712	225	1206
港、澳、台商投资企业	**Enterprises with Funds from Hong Kong, Macao and Taiwan**	**4723**	**322135**	**469**	**145**	**629**
合资经营企业(港或澳、台资)	Joint-venture Enterprises	2513	151896	316	95	318
合作经营企业(港或澳、台资)	Cooperative Enterprises	835	45563	5	3	9
港、澳、台商独资经营企业	Enterprises with Sole Fund	1320	123633	137	44	276
港、澳、台商投资股份有限公司	Share-holding Corporations Ltd.	55	1043	11	3	26
其他港澳台投资企业	Others		0.1			
外商投资企业	**Foreign Funded Enterprises**	**4260**	**270731**	**846**	**215**	**1046**
中外合资经营企业	Joint-venture Enterprises	2725	136960	496	85	438
中外合作经营企业	Cooperation Enterprises	44	3523	19	1	11
外资企业	Enterprises with Sole Fund	1291	65504	298	122	596
外商投资股份有限公司	Share-holding Corporations Ltd.	200	64744	33	7	1

18-6 按行业分规模以上工业企业研究与试验发展(R&D)活动及专利情况(2019年)

Statistics on R&D Activities and Patents of Industrial Enterprises above Designated Size by Industrial Sector (2019)

行业	Sector	R&D人员全时当量(人年) Full-time Equivalent of R&D Personnel (man-year)	R&D经费(万元) Expenditure on R&D (10000 yuan)	专利申请数(件) Number of Patent Applications (piece)	#发明专利 Inventions	有效发明专利数(件) Number of Inventions In Force (piece)
全省总计	**Total**	**76096**	**4385826**	**21570**	**8431**	**21487**
煤炭开采和洗选业	Mining and Washing of Coal	2491	74835	72	29	48
石油和天然气开采业	Extraction of Petroleum and Natural Gas	1596	33342	188	96	310
黑色金属矿采选业	Mining and Processing of Ferrous Metal Ores	60	8016	78	7	19
有色金属矿采选业	Mining and Processing of Non-ferrous Metal Ores	34	1612	12		20
非金属矿采选业	Mining and Processing of Non-metal Ores	139	1679	7	1	15
农副食品加工业	Processing of Food from Agricultural Products	741	42655	279	69	222
食品制造业	Manufacture of Foods	688	37981	255	109	339
酒、饮料和精制茶制造业	Manufacture of Liquor, Beverages and Refined Tea	488	29467	145	30	223
烟草制品业	Manufacture of Tobacco					
纺织业	Manufacture of Textile	772	21021	119	52	186
纺织服装、服饰业	Manufacture of Textile, Wearing Apparel and Accessories	303	7098	68	19	121
皮革、毛皮、羽毛及其制品和制鞋业	Manufacture of Leather, Fur, Feather and Related Products and Footwear	202	3802	61	18	46
木材加工和木、竹、藤、棕、草制品业	Processing of Timber, Manufacture of Wood, Bamboo, Rattan, Palm and Straw Products	215	20205	53	27	63
家具制造业	Manufacture of Furniture	369	7312	131	35	34
造纸及纸制品业	Manufacture of Paper and Paper Products	349	8432	98	33	121
印刷和记录媒介复制业	Printing and Reproduction of Recording Media	190	5139	54	26	72
文教、工美、体育和娱乐用品制造业	Manufacture of Articles for Culture, Education, Arts and Crafts, Sport and Entertainment Activities	259	6149	209	65	289
石油加工、炼焦及核燃料加工业	Processing of Petroleum, Coking and Processing of Nuclear Fuel	569	124274	210	50	187
化学原料及化学制品制造业	Manufacture of Raw Chemical Materials and Chemical Products	5168	226523	1238	706	2276
医药制造业	Manufacture of Medicines	3033	130103	561	243	1460
化学纤维制造业	Manufacture of Chemical Fibre	790	59499	61	36	79
橡胶和塑料制品业	Manufacture of Rubber and Plastics Products	2043	60550	579	202	816
非金属矿物制品业	Manufacture of Non-metallic Mineral Products	2532	85164	966	221	675
黑色金属冶炼和压延加工业	Smelting and Pressing of Ferrous Metals	17517	1956303	2702	981	1465
有色金属冶炼和压延加工业	Smelting and Pressing of Non-ferrous Metals	657	47028	229	102	241
金属制品业	Manufacture of Metal Products	3379	180029	1408	376	1499
通用设备制造业	Manufacture of General Purpose Machinery	2665	58216	849	267	1500
专用设备制造业	Manufacture of Special Purpose Machinery	4488	144440	1950	570	2164
汽车制造业	Manufacture of Automobiles	12545	530696	3232	1019	2368
铁路、船舶、航空航天和	Manufacture of Railway, Ship, Aerospace and Other	1613	97617	595	293	714
其他运输设备制造业	Transport Equipments	3563	185389	1653	610	1936
电气机械和器材制造业	Manufacture of Electrical Machinery and Apparatus					
计算机、通信和其他电子	Manufacture of Computers, Communication and Other	4648	134446	2269	1597	855
设备制造业	Electronic Equipment	1144	28756	424	153	324
仪器仪表制造业	Instruments and Meters					
其他制造业	Other Manufacturing	49	2990	15	8	4
废弃资源综合利用业	Utilization of Waste Resources	167	8781	83	20	52
金属制品、机械和设备修理业	Repair Service of Metal Products, Machinery and Equipment	203	9779	52	11	44
电力、热力生产和供应业	Production and Supply of Electric Power and Heat Power	250	3555	606	332	643
燃气生产和供应业	Production and Supply of Gas	162	2279	34	13	45
水的生产和供应业	Production and Supply of Water	16	668	25	5	12

18-7 按登记注册类型分规模以上工业企业新产品开发及生产情况(2019年)

New Products Development and Production of Industrial Enterprises above Designated Size by Registration Status (2019)

登记注册类型	Status of Registration	新产品开发项目数(项) New Products (unit)	新产品开发经费支出(万元) Expenditure on New Products Development (10000 yuan)	新产品销售收入(万元) Sales Revenue of New Products (10000 yuan)	#出口 Exports
合　计	**Total**	**14913**	**5046187**	**64847324**	**5989527**
#大中型工业企业	Large and Medium-sized Industrial Enterprises	6924	4186250	56507679	5378183
内资企业	**Domestic Funded Enterprises**	**13557**	**4337712**	**59732826**	**5597185**
国有企业	State-owned Enterprises	58	19051	104697	13691
集体企业	Collective-owned Enterprises	21	1731	2058	
股份合作企业	Cooperative Enterprises	11	1551	2616	
有限责任公司	Limited Liability Corporations	4469	2371086	23416509	2715035
国有独资公司	State Sole Funded Corporations	401	173258	2837479	218530
其他有限责任公司	Others	4068	2197828	20579030	2496504
股份有限公司	Share-holding Corporations Ltd.	1814	631499	16094423	1771407
私营企业	Private Enterprises	7184	1312794	20112523	1097052
私营独资企业	Private-funded Enterprises	40	4536	4899	
私营合伙企业	Private Partnership Enterprises	13	1790	35	
私营有限责任公司	Private Limited Liability Corporations	6420	1215238	18863294	902040
私营股份有限公司	Private Share-holding Corporations Ltd.	711	91230	1244295	195012
港、澳、台商投资企业	**Enterprises with Funds from Hong Kong, Macao and Taiwan**	**518**	**359670**	**2667918**	**118519**
合资经营企业(港或澳、台资)	Joint-venture Enterprises	275	200257	973357	87306
合作经营企业(港或澳、台资)	Cooperative Enterprises	7	13341		
港、澳、台商独资经营企业	Enterprises with Sole Fund	207	144156	1682339	27180
港、澳、台商投资股份有限公司	Share-holding Corporations Ltd.	28	1915	12222	4034
其他港澳台投资企业	Others	1	…		
外商投资企业	**Foreign Funded Enterprises**	**838**	**348805**	**2446580**	**273823**
中外合资经营企业	Joint-venture Enterprises	469	189925	1045878	163765
中外合作经营企业	Cooperation Enterprises	19	3862	93414	27130
外资企业	Enterprises with Sole Fund	329	90152	1292378	82928
外商投资股份有限公司	Share-holding Corporations Ltd.	21	64866	14910	
其他外商投资企业	Others				

18−8 按行业分规模以上工业企业新产品开发及生产情况(2019年)
New Products Development and Production of Industrial Enterprises above Designated Size by Industrial Sector (2019)

行 业	Sector	新产品开发项目数(项) New Products (unit)	新产品开发经费支出(万元) Expenditure on New Products Development (10000 yuan)	新产品销售收入(万元) Sales Revenue of New Products (10000 yuan)	#出口 Exports
全省总计	**Total**	**14913**	**5046187**	**64847324**	**5989527**
煤炭开采和洗选业	Mining and Washing of Coal	84	20600	47430	
石油和天然气开采业	Extraction of Petroleum and Natural Gas				
黑色金属矿采选业	Mining and Processing of Ferrous Metal Ores	42	18952	18263	
有色金属矿采选业	Mining and Processing of Non-Ferrous Metal Ores				
非金属矿采选业	Mining and Processing of Non-metal Ores	16	1680	13225	
农副食品加工业	Processing of Food from Agricultural Products	239	55605	899583	26945
食品制造业	Manufacture of Foods	218	79501	569074	61879
酒、饮料和精制茶制造业	Manufacture of Liquor, Beverages and Refined Tea	64	17710	375607	
烟草制品业	Manufacture of Tobacco				
纺织业	Manufacture of Textile	160	32465	388817	90899
纺织服装、服饰业	Manufacture of Textile, Wearing Apparel and Accessories	92	10563	102917	6494
皮革、毛皮、羽毛及其制品和制鞋业	Manufacture of Leather, Fur, Feather and Related Products and Footwear	38	5082	54015	9096
木材加工和木、竹、藤、棕、草制品业	Processing of Timber, Manufacture of Wood, Bamboo, Rattan, Palm and Straw Products	71	23754	140411	
家具制造业	Manufacture of Furniture	99	12271	76490	5562
造纸及纸制品业	Manufacture of Paper and Paper Products	73	11429	301904	5188
印刷和记录媒介复制业	Printing and Reproduction of Recording Media	109	10359	123204	17373
文教、工美、体育和娱乐用品制造业	Manufacture of Articles for Culture, Education, Arts and Crafts, Sport and Entertainment Activities	139	11547	93835	17148
石油加工、炼焦及核燃料加工业	Processing of Petroleum, Coking and Processing of Nuclear Fuel	91	96549	2048970	
化学原料及化学制品制造业	Manufacture of Raw Chemical Materials and Chemical Products	1289	235565	3910785	474914
医药制造业	Manufacture of Medicines	919	181172	2774526	356956
化学纤维制造业	Manufacture of Chemical Fibres	59	37660	626379	43140
橡胶和塑料制品业	Manufacture of Rubber and Plastics Products	755	87274	1019728	193905
非金属矿物制品业	Manufacture of Non-metallic Mineral Products	724	112842	1376096	188473
黑色金属冶炼和压延加工业	Smelting and Pressing of Ferrous Metals	1080	2318901	20412043	1107959
有色金属冶炼和压延加工业	Smelting and Pressing of Non-ferrous Metals	193	45288	1172761	92921
金属制品业	Manufacture of Metal Products	1237	177723	2631293	265734
通用设备制造业	Manufacture of General Purpose Machinery	997	92648	986741	80225
专用设备制造业	Manufacture of Special Purpose Machinery	1742	256983	1893132	191521
汽车制造业	Manufacture of Automobiles	1438	490831	13648296	1322626
铁路、船舶、航空航天和其他运输设备制造业	Manufacture of Railway, Ship, Aerospace and Other Transport Equipments	436	116882	2137450	14649
电气机械和器材制造业	Manufacture of Electrical Machinery and Apparatus	1086	242611	4071550	319042
计算机、通信和其他电子设备制造业	Manufacture of Computers, Communication and Other Electronic Equipment	675	158494	2243636	1082224
仪器仪表制造业	Manufacture of Measuring Instruments and Machinery	587	50830	470416	2981
其他制造业	Other Manufacture	21	3391	32986	9873
废弃资源综合利用业	Utilization of Waste Resources	23	5080	87750	
金属制品、机械和设备修理业	Repair Service of Metal Products, Machinery and Equipment	47	17743	73063	1800
电力、热力生产和供应业	Production and Supply of Electric Power and Heat Power	39	4228	18553	
燃气生产和供应业	Production and Supply of Gas	24	1556		
水的生产和供应业	Production and Supply of Water	7	422	6397	

18−9 分市规模以上工业企业研究与试验发展(R&D)活动及专利情况(2019年)

Statistics on R&D Activities and Patents of Industrial Enterprises above Designated Size by City (2019)

市	City	R&D人员全时当量(人年) Full-time Equivalent of R&D Personnel (man-year)	R&D经费(万元) Expenditure on R&D (10000 yuan)	专利申请数(件) Number of Patent Applications (piece)	#发明专利 Inventions	有效发明专利数(件) Number of Inventions in Force (piece)
全　省	**Total**	**76096**	**4385826**	**21570**	**8431**	**21487**
石家庄市	Shijiazhuang	8456	893056	2794	1066	4019
承 德 市	Chengde	1222	123177	511	199	456
张家口市	Zhangjiakou	697	16181	500	141	375
秦皇岛市	Qinhuangdao	3949	157944	1571	620	1163
唐 山 市	Tangshan	18896	1165998	3550	1256	2965
廊 坊 市	Langfang	7373	263760	3201	1768	1720
保 定 市	Baoding	11467	435672	3430	1392	3896
沧 州 市	Cangzhou	8347	389374	1690	528	2086
衡 水 市	Hengshui	2947	127821	907	271	1116
邢 台 市	Xingtai	3141	180053	914	323	1498
邯 郸 市	Handan	8255	494067	1989	720	1611
定 州 市	Dingzhou	342	42337	219	46	260
辛 集 市	Xinji	817	88844	181	38	204
雄安新区	Xiongan New Area	186	7544	113	63	118

18−10 分市规模以上工业企业新产品开发及生产情况(2019年)

New Products Development and Production of Industrial Enterprises above Designated Size by City (2019)

市	City	新产品开发项目数(项) New Products (unit)	新产品开发经费支出(万元) Expenditure on New Products Development (10000 yuan)	新产品销售收入(万元) Sales Revenue of New Products (10000 yuan)	#出口 Exports
全　省	**Total**	**14913**	**5046187**	**64847324**	**5989527**
石家庄市	Shijiazhuang	2819	1498528	7223270	811797
承 德 市	Chengde	240	165502	1069435	10797
张家口市	Zhangjiakou	276	55608	1460119	41643
秦皇岛市	Qinhuangdao	735	193313	3952158	1716036
唐 山 市	Tangshan	2835	1016274	15962839	1289020
廊 坊 市	Langfang	1571	298910	3638243	344037
保 定 市	Baoding	1918	463945	11699114	682074
沧 州 市	Cangzhou	1530	354444	2950600	213999
衡 水 市	Hengshui	843	153257	2276845	126809
邢 台 市	Xingtai	739	209081	3755725	432677
邯 郸 市	Handan	1090	568483	8523157	313581
定 州 市	Dingzhou	153	38049	787734	5193
辛 集 市	Xinji	131	24969	1441883	359
雄安新区	Xiongan New Area	33	5823	106202	1503

18－11 按行业分规模以上工业企业产品和工艺创新情况(2019年) Industrial Enterprises above Designated Size with Product or Process Innovation by Sector (2019)

行　业	Sector	有产品或工艺创新活动的企业数(个) Number of Product or Process Innovation-active Enterprises (unit)	有产品或工艺创新活动的企业占规模以上工业企业的比重(%) As Percentage of Industrial Enterprises above Designated Size (%)	#实现产品创新的企业所占比重 Product Innovators	#实现工艺创新的企业所占比重 Process Innovators
总　计	**Total**	**5480**	**23.9**	**14.4**	**18.0**
采矿业	**Mining**	**77**	**20.9**	**2.7**	**13.3**
煤炭开采和洗选业	Mining and Washing of Coal	8	14.0	5.3	10.5
石油和天然气开采业	Extraction of Petroleum and Natural Gas	2	100.0		50.0
黑色金属矿采选业	Mining and Processing of Ferrous Metal Ores	57	24.5	1.7	15.5
有色金属矿采选业	Mining and Processing of Non-ferrous Metal Ores	3	27.3		9.1
非金属矿采选业	Mining and Processing of Non-metal Ores	7	10.8	4.6	7.7
开采专业及辅助性活动	Support Activities for Mining				
其他采矿业	Mining of Other Ores				
制造业	**Manufacture**	**4116**	**33.8**	**21.7**	**26.1**
农副食品加工业	Processing of Food from Agricultural Products	175	24.3	12.8	17.4
食品制造业	Manufacture of Foods	88	31.1	20.9	21.9
酒、饮料和精制茶制造业	Manufacture of Liquor, Beverages and Refined Tea	36	29.3	18.7	21.1
烟草制品业	Manufacture of Tobacco	2	66.7	33.3	33.3
纺织业	Manufacture of Textile	97	16.5	9.9	11.8
纺织服装、服饰业	Manufacture of Textile, Wearing Apparel and Accessories	27	16.6	8.0	9.8
皮革、毛皮、羽毛及其制品和制鞋业	Manufacture of Leather, Fur, Feather and Related Products and Footware	37	9.9	6.4	6.4
木材加工和木、竹、藤、棕、草制品业	Processing of Timber, Manufacture of Wood, Bamboo, Rattan, Palm and Straw Products	48	27.9	15.1	25.0
家具制造业	Manufacture of Furniture	60	37.3	25.5	27.3
造纸和纸制品业	Manufacture of Paper and Paper Products	40	17.2	9.0	14.6
印刷和记录媒介复制业	Printing and Reproduction of Recording Media	36	21.3	10.1	14.8
文教、工美、体育和娱乐用品制造业	Manufacture of Articles for Culture, Education, Arts and Crafts, Sport and Entertainment Activities	87	31.3	20.5	22.7
石油加工、炼焦和核燃料加工业	Processing of Petroleum, Coking and Processing of Nuclear Fuel	48	37.8	17.3	29.1

18−11 续表 continued

行 业	Sector	有产品或工艺创新活动的企业数(个) Number of Product or Process Innovation-active Enterprises (unit)	有产品或工艺创新活动的企业占规模以上工业企业的比重(%) As Percentage of Industrial Enterprises above Designated Size (%)	#实现产品创新的企业所占比重 Product Innovators	#实现工艺创新的企业所占比重 Process Innovators
化学原料和化学制品制造业	Manufacture of Raw Chemical Materials and Chemical Products	354	42.0	24.6	34.4
医药制造业	Manufacture of Medicines	163	59.7	35.9	47.6
化学纤维制造业	Manufacture of Chemical Fibres	9	23.1	15.4	18.0
橡胶和塑料制品业	Manufacture of Rubber and Plastics Products	264	35.0	23.4	26.6
非金属矿物制品业	Manufacture of Non-metallic Mineral Products	346	25.5	14.4	19.2
黑色金属冶炼和压延加工业	Smelting and Pressing of Ferrous Metals	111	31.4	21.5	27.4
有色金属冶炼和压延加工业	Smelting and Pressing of Non-ferrous Metals	52	26.5	17.9	17.9
金属制品业	Manufacture of Metal Products	434	29.7	16.8	24.7
通用设备制造业	Manufacture of General Purpose Machinery	310	37.6	25.4	29.1
专用设备制造业	Manufacture of Special Purpose Machinery	450	58.6	43.6	44.9
汽车制造业	Manufacture of Automobiles	244	43.1	30.9	33.0
铁路、船舶、航空航天和其他运输设备制造业	Manufacture of Railway, Ship, Aerospace and Other Transport Equipments	67	41.9	29.4	28.8
电气机械和器材制造业	Manufacture of Electrical Machinery and Apparatus	289	39.7	29.5	31.5
计算机、通信和其他电子设备制造业	Manufacture of Computers, Communication and Other Electronic Equipment	118	60.2	45.9	48.0
仪器仪表制造业	Manufacture of Measuring Instruments and Machinery	83	78.3	60.4	52.8
其他制造业	Other Manufacture	11	34.4	21.9	18.8
废弃资源综合利用业	Utilization of Waste Resources	24	23.8	5.0	14.9
金属制品、机械和设备修理业	Repair Service of Metal Products, Machinery and Equipment	6	28.6	14.3	23.8
电力、热力、燃气及水生产和供应业	**Production and Supply of Electricity, Heat, Gas and Water**	**92**	**14.5**	**0.9**	**11.8**
电力、热力生产和供应业	Production and Supply of Electric Power and Heat Power	66	16.0	1.2	12.9
燃气生产和供应业	Production and Supply of Gas	14	8.6		7.4
水的生产和供应业	Production and Supply of Water	12	19.4	1.6	16.1

18-12 按行业分规模以上工业企业组织(管理)和营销创新情况(2019年)

Industrial Enterprises above Designated Size with Organizational or Marketing Innovation by Sector (2019)

行业	Sector	有组织(管理)或营销创新活动的企业数(个) Number of Organizational or Marketing Innovation-active Enterprises (unit)	有组织(管理)或营销创新活动的企业占规模以上工业企业的比重(%) As Percentage of Industrial Enterprises above Designated Size (%)	#实现组织(管理)创新的企业所占比重 Organizational Innovators	#实现营销创新的企业所占比重 Marketing Innovators
总计	**Total**	**7523**	**32.8**	**26.2**	**23.9**
采矿业	**Mining**	**69**	**18.8**	**16.6**	**8.7**
煤炭开采和洗选业	Mining and Washing of Coal	9	15.8	12.3	10.5
石油和天然气开采业	Extraction of Petroleum and Natural Gas	1	50.0	50.0	
黑色金属矿采选业	Mining and Processing of Ferrous Metal Ores	40	17.2	16.3	6.9
有色金属矿采选业	Mining and Processing of Non-ferrous Metal Ores	3	27.3	27.3	
非金属矿采选业	Mining and Processing of Non-metal Ores	16	24.6	18.5	15.4
开采专业及辅助性活动	Support Activities for Mining				
其他采矿业	Mining of Other Ores				
制造业	**Manufacture**	**4607**	**37.8**	**29.7**	**29.4**
农副食品加工业	Processing of Food from Agricultural Products	278	38.7	26.6	33.4
食品制造业	Manufacture of Foods	129	45.6	32.9	37.8
酒、饮料和精制茶制造业	Manufacture of Liquor, Beverages and Refined Tea	57	46.3	30.9	44.7
烟草制品业	Manufacture of Tobacco	1	33.3	33.3	
纺织业	Manufacture of Textile	139	23.7	16.9	18.7
纺织服装、服饰业	Manufacture of Textile, Wearing Apparel and Accessories	46	28.2	22.1	22.1
皮革、毛皮、羽毛及其制品和制鞋业	Manufacture of Leather, Fur, Feather and Related Products and Footware	112	29.9	16.8	22.4
木材加工和木、竹、藤、棕、草制品业	Processing of Timber, Manufacture of Wood, Bamboo, Rattan, Palm and Straw Products	63	36.6	29.7	32.6
家具制造业	Manufacture of Furniture	72	44.7	34.2	36.7
造纸和纸制品业	Manufacture of Paper and Paper Products	74	31.8	21.9	26.6
印刷和记录媒介复制业	Printing and Reproduction of Recording Media	60	35.5	30.8	21.9
文教、工美、体育和娱乐用品制造业	Manufacture of Articles for Culture, Education, Arts and Crafts, Sport and Entertainment Activities	113	40.7	28.4	34.9
石油加工、炼焦和核燃料加工业	Processing of Petroleum, Coking and Processing of Nuclear Fuel	39	30.7	22.8	20.5

18-12 续表 continued

行 业	Sector	有组织(管理)或营销创新活动的企业数(个) Number of Organizational or Marketing Innovation-active Enterprises (unit)	有组织(管理)或营销创新活动的企业占规模以上工业企业的比重(%) As Percentage of Industrial Enterprises above Designated Size (%)	#实现组织(管理)创新的企业所占比重 Organizational Innovators	#实现营销创新的企业所占比重 Marketing Innovators
化学原料和化学制品制造业	Manufacture of Raw Chemical Materials and Chemical Products	331	39.3	31.9	29.9
医药制造业	Manufacture of Medicines	150	55.0	45.1	42.9
化学纤维制造业	Manufacture of Chemical Fibres	14	35.9	23.1	30.8
橡胶和塑料制品业	Manufacture of Rubber and Plastics Products	289	38.3	29.0	30.5
非金属矿物制品业	Manufacture of Non-metallic Mineral Products	445	32.8	26.2	24.6
黑色金属冶炼和压延加工业	Smelting and Pressing of Ferrous Metals	114	32.2	28.0	22.9
有色金属冶炼和压延加工业	Smelting and Pressing of Non-ferrous Metals	63	32.1	27.0	24.0
金属制品业	Manufacture of Metal Products	467	31.9	25.5	23.8
通用设备制造业	Manufacture of General Purpose Machinery	339	41.1	32.9	33.0
专用设备制造业	Manufacture of Special Purpose Machinery	374	48.7	40.1	36.9
汽车制造业	Manufacture of Automobiles	237	41.9	36.2	29.5
铁路、船舶、航空航天和其他运输设备制造业	Manufacture of Railway, Ship, Aerospace and OtherTransport Equipments	58	36.3	31.9	26.9
电气机械和器材制造业	Manufacture of Electrical Machinery and Apparatus	345	47.4	37.1	37.5
计算机、通信和其他电子设备制造业	Manufacture of Computers, Communication and Other Electronic Equipment	88	44.9	38.3	33.2
仪器仪表制造业	Manufacture of Measuring Instruments and Machinery	69	65.1	52.8	54.7
其他制造业	Other Manufacture	13	40.6	31.3	34.4
废弃资源综合利用业	Utilization of Waste Resources	22	21.8	20.8	12.9
金属制品、机械和设备修理业	Repair Service of Metal Products, Machinery and Equipment	6	28.6	28.6	4.8
电力、热力、燃气及水生产和供应业	**Production and Supply of Electricity, Heat, Gas and Water**	**164**	**25.8**	**23.9**	**10.7**
电力、热力生产和供应业	Production and Supply of Electric Power and Heat Power	102	24.8	23.1	8.5
燃气生产和供应业	Production and Supply of Gas	47	29.0	26.5	17.3
水的生产和供应业	Production and Supply of Water	15	24.2	22.6	8.1

18－13 高技术产业(制造业)相关情况(2019年)

行 业	Industry	R&D机构数(个) R&D Institutions (unit)	R&D人员折合全时当量(人年) Full-time Equivalent of R&D Personnel (man-year)
合计	**Total**	**233**	**9977**
医药制造业	**Manufacture of Medicines**	**92**	**3033**
#化学药品制造	Manufacture of Chemical Medicine	30	1448
中成药生产	Manufacture of Finished Traditional Chinese Herbal Medicine	22	897
生物药品制品制造	Manufacture of Biopharmaceutical Products	13	325
电子及通信设备制造业	**Manufacture of Electronic Equipment and Communication Equipment**	**71**	**5073**
#电子工业专用设备制造	Manufacture of Special Equipment for Electronic Industry	6	93
光纤光缆及锂离子电池制造	Manufacture of Optical Fiber and Cable, and Lithium Ion Battery	11	357
#锂离子电池制造	Manufacture of Lithium Ion Batteries	6	300
通信设备、雷达及配套设备制造	Manufacture of Communication Equipment, Radar and Matching Equipment	7	1265
#通信系统设备制造	Manufacture of Communication System Equipment	4	165
通信终端设备制造	Manufacture of Communication Terminal Equipment	3	1093
雷达及配套设备制造	Manufacture of Radar and Related Equipment		7
广播电视设备制造	Manufacture of Broadcasting and TV Equipment	1	64
非专业视听设备制造	Manufacture of Non-professional Audio-visual Equipment		
电子器件制造	Manufacture of Electronic Appliances	16	1786
#电子真空器件制造	Manufacture of Electronic Vacuum Appliances	1	30
半导体分立器件制造	Manufacture of Semiconductor Discreting Appliances	1	33
集成电路制造	Manufacture of Integrate Circuit	1	125
光电子器件制造	Manufacture of Optoelectronic Devices	8	180
电子元件及电子专用材料制造	Manufacture of Electronic Components and Electronic Specialized Materials	19	1234
#电阻电容电感元件制造	Manufacture of Resistance, Capacitance and Inductance Components	3	6
电子电路制造	Manufacture of Electronic Circuit	1	803
电子专用材料制造	Manufacture of Electronic Specialized Materials	4	120
智能消费设备制造	Manufacturing of Intelligent Consumption Equipment	4	60
其他电子设备制造	Other Electronic Equipment	7	213
计算机及办公设备制造业	**Manufacture of Computers and Office Equipments**	**6**	**87**
#计算机整机制造	Manufacture of Entire Computer		
计算机零部件制造	Manufacture of Parts and Fixture for Computer	1	23
计算机外围设备制造	Manufacture of Computer Peripheral Equipment	1	
办公设备制造	Manufacture of Office Equipment	3	62
医疗仪器设备及仪器仪表制造业	**Manufacture of Medical Equipments and Meters**	**52**	**1358**
#医疗仪器设备及器械制造	Manufacture of Medical Equipment and Appliances	13	224
#医疗诊断、监护及治疗设备制造	Manufacture of Medical Diagnosis, Monitoring and Treatment Equipment	3	70
医疗、外科及兽医用器械制造	Manufacture of Medical, Surgical and Veterinary Instruments	2	46
通用仪器仪表制造	Manufacture of General Instruments	28	963
专用仪器仪表制造	Manufacture of Special Instruments	7	144
信息化学品制造业	**Manufacture of Electronic Chemicals**	**7**	**241**

注：本表的数据口径为规模以上工业企业。

Statistics on High-tech Industry (Manufacturing Industry) (2019)

R&D 经费支出 (万元) Expenditure on R&D (10000 yuan)	R&D 项目数 (个) R&D Projects (unit)	R&D 项目经费 (万元) Expenditure on R&D Projects (10000 yuan)	新产品开发项目数 (项) New Products (unit)	新产品开发经费支出 (万元) Expenditure on New Products Development (10000 yuan)	新产品销售收入 (万元) Sales Revenue of New Products (10000 yuan)	#出口 Export	专利申请数 (件) Patent Applications (piece)	#发明专利 Inventions	有效发明专利数 (件) Number of Inventions in Force (piece)
340203.1	**1927**	**326009.4**	**2553**	**497991.7**	**6230759.6**	**1517910.2**	**4111**	**2395**	**3716**
130103.2	**717**	**146195.9**	**919**	**181172.0**	**2774525.8**	**356955.9**	**561**	**243**	**1460**
93026.6	322	93721.5	398	123258.6	1995470.0	272709.2	124	82	564
23062.5	162	37052.0	197	34389.7	500516.8	2710.4	194	86	642
7263.5	146	8427.1	134	7497.1	111715.4	62829.6	42	11	98
152885.3	**684**	**128601.0**	**763**	**215843.8**	**2507068.4**	**1089830.9**	**2551**	**1722**	**1017**
4368.1	53	4184.4	72	39117.6	26126.3	7598.8	160	70	147
14498.1	62	12205.0	71	19995.8	250195.9	8.2	147	68	35
12495.3	49	10840.7	52	17571.4	246392.1	8.2	144	68	33
12566.3	130	10803.3	174	33624.2	350230.5	65293.8	115	46	95
3713.9	72	3390.5	106	5624.9	26246.8		96	36	83
8290.9	40	6712.9	34	26149.5	323983.7	65293.8	19	10	12
561.5	18	699.9	34	1849.8					
1170.7	8	1370.9	11	2123.8	21449.0		7		1
70528.7	191	46019.6	164	56710.2	673154.0	120829.9	1827	1397	422
527.7	10	612.3	13	1416.7	6790.2				2
882.2	14	650.1	15	1025.8	13708.5	1064.8	8	2	23
4435.3	27	4726.2	29	7340.7	1850.8		25	17	35
6289.8	43	8041.9	57	10343.5	72187.8	6320.8	81	32	138
43717.2	179	45671.3	196	55155.3	1084164.3	866464.0	220	130	236
191.0	4	195.3	12	2142.5	6345.4		21	1	11
25941.0	40	28121.3	42	30444.3	861231.5	852359.1	58	42	52
4487.4	27	4966.7	18	3945.5	140032.6	4098.4	84	67	109
1112.5	11	1599.8	13	805.9	11957.6	3281.5	37	6	24
4923.7	50	6746.7	62	8311.0	89790.8	26354.7	38	5	57
1946.9	**34**	**2080.3**	**83**	**3852.8**	**27804.1**	**3722.3**	**92**	**28**	**100**
402.0	5	363.9	19	851.9	5030.9		10	1	3
			1	146.1	7241.9		7	5	12
1519.7	23	1682.3	28	2089.3	14914.6	3722.3	67	15	80
33108.9	**400**	**29470.1**	**670**	**60658.2**	**558364.6**	**28497.4**	**672**	**207**	**417**
4655.2	64	4492.1	98	10304.7	89401.4	25516.0	253	54	104
1123.1	7	1226.0	35	5875.7	33575.3	16459.1	95	37	52
731.7	13	672.4	14	811.7	18596.8	8498.2	21	1	19
21211.2	264	19762.2	462	41047.3	367290.3	949.8	317	128	186
4890.7	57	4392.1	85	6558.1	82780.8	963.0	82	14	88
10303.8	**48**	**8375.0**	**76**	**17955.4**	**242454.7**	**38850.7**	**188**	**180**	**628**

a) Data in this table cover industrial enterprises above designated size.

18-14 按登记注册类型分规模以上工业企业组织(管理)和营销创新情况(2019年)

Industrial Enterprises above Designated Size with Organizational or Marketing Innovation by Status of Registration (2019)

登记注册类型	Status of Registration	有组织(管理)或营销创新活动的企业数(个) Number of Organizational or Marketing Innovation Active Enterprises (unit)	有组织(管理)或营销创新活动的企业占规模以上工业企业的比重(%) As Percentage of Industrial Enterprises above Designated Size (%)		
				#实现组织(管理)创新的企业所占比重 Organizational Innovators	#实现营销创新的企业所占比重 Marketing Innovators
总　计	**Total**	**7523**	**32.8**	**26.2**	**23.9**
内资企业	**Domestic Funded Enterprises**	**7267**	**32.7**	**26.0**	**23.8**
国有企业	State-owned Enterprises	70	24.3	22.2	11.1
集体企业	Collective-owned Enterprises	34	20.2	16.7	13.1
股份合作企业	Cooperative Enterprises	8	22.2	16.7	16.7
联营企业	Joint Ownership Enterprises				
有限责任公司	Limited Liability Corporations	1672	35.0	29.6	22.4
国有独资公司	State Sole Funded Corporations	130	33.5	31.2	15.5
股份有限公司	Share-holding Corporations Ltd.	275	56.4	47.3	44.1
私营企业	Private Enterprises	5208	31.6	24.5	24.0
其他企业	Other Enterprises				
港、澳、台商投资企业	**Enterprises with Funds from Hong Kong, Macao and Taiwan**	**90**	**41.9**	**34.0**	**29.3**
外商投资企业	**Foreign Funded Enterprises**	**166**	**35.0**	**29.3**	**22.6**

18-15 国内外三种专利申请数和授权数
Three Kinds of Patent Applications and Granted

单位：件 (piece)

指 标	Item	申请数 Applications		授权数 Granted	
		2018	2019	2018	2019
合 计	**Total**	**83785**	**101274**	**51894**	**57808**
发 明	**Inventions**				
国 内	Domestic	18954	20536	5126	5130
职 务	Official		17100		4699
大专院校	Universities and Colleges		3847		1274
科研单位	Research Institutions		1024		412
企 业	Enterprises		11920		2947
机关团体	Government Agencies and Organizations		309		66
非职务	Non-official		3436		431
国 外	Foreign				
实用新型	**Utility Models**				
国 内	Domestic	51171	63798	36210	40561
职 务	Official		48501		33091
大专院校	Universities and Colleges		4235		2620
科研单位	Research Institutions		513		445
企 业	Enterprises		42962		29397
机关团体	Government Agencies and Organizations		791		629
非职务	Non-official		15297		7470
国 外	Foreign				
外观设计	**Designs**				
国 内	Domestic	13660	16940	10558	12117
职 务	Official		6650		4963
大专院校	Universities and Colleges		647		567
科研单位	Research Institutions		22		11
企 业	Enterprises		5961		4371
机关团体	Government Agencies and Organizations		20		14
非职务	Non-official		10290		7154
国 外	Foreign				

18-16 按登记注册类型分规模以上工业企业产品和工艺创新情况(2019年) Industrial Enterprises above Designated Size with Product or Process Innovation by Status of Registration (2019)

登记注册类型	Status of Registration	有产品或工艺创新活动的企业数(个) Number of Product or Process Innovationactive Enterprises (unit)	有产品或工艺创新活动的企业占规模以上工业企业的比重(%) As Percentage of Industrial Enterprises above Designated Size (%)	#实现产品创新的企业所占比重 Product Innovators	#实现工艺创新的企业所占比重 Process Innovators
总 计	**Total**	**5480**	**23.9**	**14.4**	**18.0**
内资企业	Domestic Funded Enterprises	5217	23.5	14.1	17.6
国有企业	State-owned Enterprises	42	14.6	5.2	10.8
集体企业	Collective-owned Enterprises	14	8.3	3.6	8.3
股份合作企业	Cooperative Enterprises	7	19.4	11.1	11.1
联营企业	Joint Ownership Enterprises				
有限责任公司	Limited Liability Corporations	1290	27.0	15.5	21.0
国有独资公司	State Sole Funded Corporations	95	24.5	12.1	18.6
股份有限公司	Share-holding Corporations Ltd.	259	53.1	35.9	41.0
私营企业	Private Enterprises	3605	21.9	13.3	16.2
其他企业	Other Enterprises				
港、澳、台商投资企业	Enterprises with Funds from Hong Kong, Macao and Taiwan	85	39.5	23.7	31.2
外商投资企业	Foreign Funded Enterprises	178	37.6	23.6	28.7

18-17 分市国内三种专利申请数和授权数(2019年) Three Kinds of Domestic Patent Applications and Granted by City (2019)

单位：件 (piece)

市	City	申请数 Applications	发明 Inventions	实用新型 Utility Models	外观设计 Designs	授权数 Granted	发明 Inventions	实用新型 Utility Models	外观设计 Designs
全 省	**Total**	**101274**	**20536**	**63798**	**16940**	**57808**	**5130**	**40561**	**12117**
石家庄市	Shijiazhuang	22398	5373	14638	2387	13290	1306	10184	1800
#辛集市	Xinji	1015	115	779	121	557	20	458	79
承 德 市	Chengde	2286	427	1633	226	1299	108	1019	172
张家口市	Zhangjiakou	2591	439	1890	262	1606	140	1290	176
秦皇岛市	Qinhuangdao	5724	2274	2849	601	3175	698	1886	591
唐 山 市	Tangshan	12017	2855	7820	1342	7102	823	5484	795
廊 坊 市	Langfang	11100	2354	6052	2694	5941	438	3662	1841
保 定 市	Baoding	12182	2543	7438	2201	6902	821	4458	1623
#定州市	Dingzhou	885	69	686	130	655	18	528	109
沧 州 市	Cangzhou	8701	916	5787	1998	4973	133	3438	1402
衡 水 市	Hengshui	4913	615	3198	1100	3018	103	2128	787
邢 台 市	Xingtai	8416	920	4833	2663	4664	185	2557	1922
邯 郸 市	Handan	8200	1522	5788	890	4053	312	3100	641
雄安新区	Xiongan New Area	846	114	407	325	573	25	369	179

主要统计指标解释

研究与试验发展(R&D) 指为增加知识存量（也包括有关人类、文化和社会的知识）以及设计已有知识的新应用而进行的创造性、系统性工作，包括基础研究、应用研究和试验发展三种类型。国际上通常采用 R&D 活动的规模和强度指标反映一国的科技实力和核心竞争力。

基础研究 指一种不预设任何特定应用或使用目的的实验性或理论性工作，其主要目的是为获得（已发生）现象和可观察事实的基本原理、规律和新知识。其成果通常表现为提出一般原理、理论或规律，并以论文、著作、研究报告等形式为主。

应用研究 指为获取新知识，达到某一特定的实际目的或目标而开展的初始性研究。应用研究是为了确定基础研究成果的可能用途，或确定实现特定和预定目标的新方法。其研究成果以论文、著作、研究报告、原理性模型或发明专利等形式为主。

试验发展 指利用从科学研究、实际经验中获取的知识和研究过程中产生的其他知识，开发新的产品、工艺或改进现有产品、工艺而进行的系统性研究。其研究成果以专利、专有技术，以及具有新颖性的产品原型、原始样机及装置等形式为主。

R&D 人员 指报告期 R&D 活动单位中从事基础研究、应用研究和试验发展活动的人员。包括直接参加上述三类 R&D 活动的人员，以及与上述三类 R&D 活动相关的管理人员和直接服务人员，即直接为 R&D 活动提供资料文献、材料供应、设备维护等服务的人员。不包括为 R&D 活动提供间接服务的人员，如餐饮服务、安保人员等。

R&D 人员折合全时当量 指报告期 R&D 人员按实际从事 R&D 活动时间计算的工作量，以“人年”为计量单位。为国际上比较科技人力投入而制定的可比指标。

R&D 经费内部支出 指报告期调查单位内部为实施 R&D 活动而实际发生的全部经费，按支出性质分为日常性支出和资产性支出。不包括调查单位委托其他单位或与其他单位合作开展 R&D 活动而转拨给其他单位的全部经费。

R&D 经费内部支出中政府资金 指 R&D 经费支出中来自于各级政府财政的各类资金，包括财政科学技术支出和财政其他功能支出的资金用于 R&D 活动的实际支出。

R&D 经费内部支出中企业资金 指 R&D 经费支出中来自于企业的各类资金。对企业而言，企业资金指企业自有资金、接受其他企业委托开展 R&D 活动而获得的资金，以及从金融机构贷款获得的开展 R&D 活动的资金；对科研院所、高校等事业单位而言，企业资金是指因接受从企业委托开展 R&D 活动而获得的各类资金。

R&D 项目（课题）数 R&D 项目（课题）是进行 R&D 活动的基本组织形式，通常由 R&D 活动执行单位依据项目立项书或合同书等形式明确项目任务、目标、人员和经费等。

专利 是专利权的简称，是对发明人的发明创造经审查合格后，由专利局依据专利法授予发明人和设计人对该项发明创造享有的专有权。包括发明、实用新型和外观设计。反映拥有自主知识产权的科技和设计成果情况。

发明（专利） 指对产品、方法或者其改进所提出的新的技术方案。是国际通行的反映拥有自主知识产权技术的核心指标。

实用新型（专利） 指对产品的形状、构造或者其结合所提出的适于实用的新的技术方案。反映具有一定技术含量的技术成果情况。

外观设计（专利） 指对产品的形状、图案、色彩或者其结合所作出的富有美感并适于工业上应用的新设计。反映拥有自主知识产权的外观设计成果情况。

Explanatory Notes on Main Statistical Indicators

Research and Experimental Development (R&D) refers to creative and systematic work undertaken in order to increase the stock of knowledge (including knowledge of humankind, culture and society) and to devise new applications of available knowledge. R&D includes 3 categories of activities: basic research, applied research and experimental development. The scale and intensity of R&D are widely used internationally to reflect the strength of S&T and the core competitiveness of a country in the world.

Basic Research refers to experimental or theoretical work undertaken primarily to acquire new knowledge of the underlying foundations of phenomena and observable facts, without any particular application or use in view. Basic research usually formulates hypotheses, theories or laws, and its results are mainly released or disseminated in the form of scientific papers or monographs or research reports.

Applied Research refers to original investigation undertaken in order to acquire new knowledge. It is directed primarily towards a specific, practical aim or objective. Purpose of the applied research is to identify the possible uses of results from basic research, or to explore new (fundamental) methods or new approaches. Results of applied research are expressed in the form of scientific papers, monographs, fundamental models or invention patents.

Experimental Development refers to systematic work, drawing on knowledge gained from research and practical experience and producing additional knowledge, which is directed to producing new products or processes or to improving existing products or processes. Results of experimental development activities are embodied in patents, exclusive technology, and monotype of new products or equipment.

R&D Personnel refer to persons of R&D activities units engaged in basic research, applied research, and experimental development at the reference period, including persons of directly participating in the three activities above, as well as management and direct service staff related to R&D activities, such as literature provision, material supply,equipment maintenance staff, it excludes persons providing indirect support and ancillary services, such as canteen and security staff.

Full-time Equivalent of R&D Personnel refers to the ratio of working hours actually spent on R&D during a specific reference period (usually a calendar year) divided by the total number of hours conventionally worked in the same period by an individual or by a group. The measurement unit of the ratio is "man-years". This is an internationally comparable indicator of S&T manpower input.

Expenditure on R&D refers to the real expenditure of surveyed units on their own R&D activities in reporting period. It is divided into current expenditures and gross fixed capital expenditures for R&D according to the nature of expenditure. It doesn't include the fees transferred to cooperated or entrusted agencies on R&D activities.

Expenditure on R&D from Government Funds refers to the expenditure of funds on R&D activities from government agencies at different levels, including appropriate funds on science and technology from financial departments, and the real expenditure of other fiscal functional funds on R&D activities from government agencies.

Expenditure on R&D from Enterprises funds refers to the expenditure of all kinds of funds on R&D activities from enterprises. In terms of enterprises, it refers to the expenditure of self-raised funds of enterprises, funds from other enterprises through entrustment, loans from financial institutions on R&D activities. In terms of public institutions, such as institution of scientific research and universities, it refers to the expenditure of funds from enterprises through entrustment.

Number of R&D Projects (subjects) R&D Projects (subjects) are the basic forms of R&D activities, The project task, target, personnel and expenditure are usually defined by R&D activity execution unit according to project approval specification or contract document.

Patent is an abbreviation for the patent right and refers to the exclusive right of ownership by the inventors or designers for the creation or inventions, given from the patent offices after due process of assessment and approval in accordance with the Patent Law. Patents are granted for inventions, utility models and designs. This indicator reflects the achievements of S&T and design with independent intellectual property.

Patented Inventions refer to new technical proposals to the products or methods or their modifications. This is universal core indicator reflecting the technologies with independent intellectual property.

Patented Utility Models refer to the practical and new technical proposals on the shape and structure of the product or the combination of both. This indicator reflects the condition of technological results with certain technical content.

Designs refer to the aesthetics and industrially applicable new designs for the shape, pattern and colour of the product, or their combinations. This indicator reflects the appearance design achievements with independent intellectual property.

教育

Education

简 要 说 明

一、本篇主要反映河北省教育事业发展基本情况。

二、本篇资料的主要高、中、初等教育，幼儿教育和各种类型的各级成人教育，指标主要包括各级各类的学校数、在校生数、招生数、毕业生数、教职工数、专任教师数和教育经费等。

三、本篇的资料来源

教育事业统计资料、教育经费统计资料由河北省教育厅提供；技工学校资料由河北省人力资源和社会保障厅提供。

四、资料整理：于正一 张东

Brief Introduction

Ⅰ.This paper mainly reflects the basic situation of education development in Hebei Province.

Ⅱ.The data of the main high, middle, primary education, early childhood education and various types of adult education at all levels, indicators mainly include the number of schools at all levels, the number of students, enrollment, graduates, teaching staff, full-time teachers and educational funds, etc..

Ⅲ. Sources for this article

Statistical data on educational undertakings and educational funds shall be provided by the Education Department of Hebei Province; the technical school materials are provided by the Human Resources and Social Security Department of Hebei Province.

Ⅳ.Data collection: Yu Zhengyi, Zhang Dong.

19-1 各级各类学校、教职工和专任教师情况(2019年)

Number of Schools, Educational Personnel and Full-time Teachers by Type and Level (2019)

项 目	Item	学校数(所) Schools (unit)	教职工数(人) Educational Personnel (person)	专任教师(人) Full-time Teachers (person)
高等教育	**Higher Education**	**155**	**117021**	**82993**
研究生培养机构	Institutions Providing Postgraduate Programs	27	5875	3296
普通高校	Regular Higher Education Institutions	24	5875	3296
科研机构	Research Institutions	3		
普通高等学校	Regular Higher Education Institutions	122	110173	79147
本科院校	HEIs Offering Degree Programs	61	76584	54758
#独立学院	Independent Institutions	16	13295	9930
高职(专科)院校	Higher Vocational Colleges	61	33589	24389
成人高等学校	Adult HEIs	6	973	550
中等教育	**Secondary Education**	**3872**	**469323**	**376818**
高中阶段教育	Senior Secondary Education	1467	239914	166174
高中	Senior Secondary Schools	679	164923	107059
普通高中	Regular Senior Secondary Schools	679	164923	107059
完全中学	Combined Secondary Schools	228	54603	23471
高级中学	Regular High Schools	383	91687	79046
十二年一贯制学校	12-Year Schools	68	18633	4542
中等职业教育	Secondary Vocational Education	788	74991	59115
普通中专	Regular Specialized Secondary Schools	252	21745	15603
成人中专	Adult Specialized Secondary Schools	162	7908	6456
职业高中	Vocational Senior Secondary Schools	187	30359	25870
技工学校	Skilled Workers Schools	187	14313	10631
其他中职机构	Other Institutions	15	666	555
初中阶段教育	Junior Secondary Education	2405	229409	210644
初中	Junior Secondary Schools	2405	229409	210644
初级中学	Regular Junior Secondary Schools	1840	167909	152960
九年一贯制学校	9-Year Schools	565	61500	26988
十二年一贯制学校	12-Year Schools			6098
完全中学	Combined Secondary Schools			24598
初等教育	**Primary Education**	**11604**	**391480**	**395305**
普通小学	Regular Primary Schools	11604	391480	395305
小学	Primary Schools	11604	391480	365313
九年一贯制学校	9-Year Schools			25404
十二年一贯制学校	12-Year Schools			4588
特殊教育	**Special Education Schools**	**163**	**4054**	**3530**
学前教育	**Pre-school Education Institutions**	**16559**	**222594**	**135145**

注：1.完全中学的学校数和教职工数计入高中阶段教育，九年一贯制学校的校数和教职工数计入初中阶段教育，十二年一贯制学校的校数和教职工数计入高中阶段教育，专任教师按照教育层次划分归类。以下相关表同。

2.普通高校、中职学校的教职工数为校本部数据。以下相关表同。

a) The numbers of Combined Secondary Schools and their educational personnel are calculated into the number of Senior Secondary Education, the numbers of 9-Year Schools and their educational personnel are calculated into the number of Junior Secondary Education, the numbers of 12-Year Schools and their educational personnel are calculated into the number of Senior Secondary Education. The full-time teachers are classified by educational level. The same applies to the table following.

b) Educational personnel in Regular Higher Education and Secondary Vocational Education Institutions is the school-based data. The same applies to the table following.

19−2 各级各类学历教育学生情况(2019年)
Number of Students of Formal Education by Type and Level (2019)

单位：人 (person)

项　目	Item	毕业生数 Graduates	招生数 Entrants	在校生数 Enrolment
高等教育	**Higher Education**			
研究生	Postgraduates	13874	20131	55159
博 士	Doctor's Degree	461	985	3760
硕 士	Master's Degree	13413	19146	51399
普通本专科	Undergraduate in Regular HEIs	357831	499596	1473971
本 科	Normal Courses	174547	227602	822919
专 科	Short-cycle Courses	183284	271994	651052
成人本专科	Undergraduate in Adult HEIs	171132	147946	429093
本 科	Normal Courses	94773	80909	243652
专 科	Short-cycle Courses	76359	67037	185441
中等教育	**Secondary Education**	**1570803**	**1871077**	**5291814**
高中阶段教育	Senior Secondary Education	710385	878709	2318715
高中	Senior Secondary Schools	427550	506728	1411999
普通高中	Regular Senior Secondary Schools	427550	506728	1411999
完全中学	Combined Secondary Schools	86501	115214	313243
高级中学	Regular High Schools	325457	362521	1029232
十二年一贯制学校	12-Year Schools	15592	28993	69524
中等职业教育	Secondary Vocational Education	282835	371981	906716
普通中专	Regular Specialized Secondary Schools	125193	157628	412490
成人中专	Adult Specialized Secondary Schools	38633	50685	82406
职业高中	Vocational High Schools	81162	107334	279733
技工学校	Skilled Workers Schools	37847	56334	132087
初中阶段教育	Junior Secondary Education	860418	992368	2973099
初中	Junior Secondary Schools	860418	992368	2973099
初级中学	Regular Junior Secondary Schools	628035	699055	2116605
九年一贯制学校	9-Year Schools	101399	145265	401245
十二年一贯制学校	12-Year Schools	24914	33051	94000
完全中学	Combined Secondary Schools	106070	114997	361249
初等教育	**Primary Education**	**1003465**	**1189801**	**6791054**
普通小学	Regular Primary Schools	1003465	1189801	6791054
小学	Primary Schools	913166	1105487	6249766
九年一贯制学校	9-Year Schools	75548	74198	464168
十二年一贯制学校	12-Year Schools	14751	10116	77120
特殊教育	**Special Education Schools**	**1535**	**3326**	**17327**
学前教育	**Pre-school Education Institutions**	**940002**	**875756**	**2390385**

注：1.完全中学、九年一贯制学校和十二年一贯制学校的学生数按教育层次分别计入对应教育阶段的学生数中。
2.特殊教育学生数中不包括义务教育阶段随班就读的学生。

a) Number of the students in Combined Secondary Schools, 9-Year Schools,12-Year Schools are classified by educational level.

b) Number of the students in the Special Education Schools excludes those followed in the regular primary and middle School.

19-3 各级各类民办学校校数、教职工、专任教师情况(2019年)

Number of Schools, Educational Personnel and Full-time Teachers of Non-government Schools by Type and Level (2019)

项　　目	Item	学校数(所) Schools (unit)	教职工数(人) Educational Personnel (person)	专任教师数(人) Full-time Teachers (person)
高等教育	**Higher Education**			
研究生培养机构	Institutions Providing Postgraduate Programs	1		
普通高校	Regular Higher Education Institutions	1	1656	1276
科研机构	Research Institutions			
普通高等学校	Regular Higher Education Institutions	36		
本科院校	HEIs Offering Degree Programs	24	23059	17420
#独立学院	Independent Institutions	16	13295	9930
高职(专科)院校	Higher Vocational Colleges	12	7539	5727
民办的其他高等教育机构	Other Non-government HEIs	38	908	519
中等教育	**Secondary Education**			
高中阶段教育	Senior Secondary Education			
高中	Senior Secondary Schools			
普通高中	Regular Senior Secondary Schools	220		
完全中学	Combined Secondary Schools	79		
高级中学	Regular High Schools	86		
十二年一贯制学校	12-Year Schools	55		
中等职业教育	Secondary Vocational Education	217	11698	7663
普通中专	Regular Specialized Secondary Schools	144		
成人中专	Adult Specialized Secondary Schools	6		
职业高中	Vocational Senior Secondary Schools	17		
技工学校	Skilled Workers Schools	47	2601	1561
其他中职机构	Other Institutions	3		
初中阶段教育	Junior Secondary Education			
初中	Junior Secondary Schools	293		
初级中学	Junior Secondary Schools	82		
九年一贯制学校	9-Year Schools	211		
初等教育	**Primary Education**			
普通小学	Regular Primary Schools	728	37254	27589
小学	Primary Schools	728	37254	27589
特殊教育	**Special Education Schools**	**8**	**229**	**148**
学前教育	**Pre-school Education Institutions**	**8816**	**158258**	**88483**

注：2018年起，民办学校不包含具有法人资格的中外合作办学校（下表同）。

a) Since 2018, the number of Non-government Schools do not include Sino-foreign cooperation office with legal personality. The same applies to the table following.

19-4 各级各类民办教育学生情况(2019年)
Statistics on Students of Non-government Schools by Type and Level (2019)

单位：人 (person)

项　目	Item	毕业生数 Graduates	招生数 Entrants	在校生数 Enrolment
高等教育	**Higher Education**			
研究生	Postgraduates	53	165	312
硕士	Master's Degree	53	165	312
普通本专科	Undergraduate in Regular HEIs	96149	135724	392208
本科	Normal Courses	57950	68989	247079
专科	Short-cycle Courses	38199	66735	145129
成人本专科	Undergraduate in Adult HEIs	2392	17328	33800
本科	Normal Courses	269	3727	6976
专科	Short-cycle Courses	2123	13601	26824
中等教育	**Secondary Education**			
高中阶段教育	Senior Secondary Education			
高中	Senior Secondary Schools	70906	127372	322846
普通高中	Regular Senior Secondary Schools	70906	127372	322846
完全中学	Combined Secondary Schools			
高级中学	Regular High Schools			
十二年一贯制学校	12-Year Schools			
中等职业教育	Secondary Vocational Education	47671	87204	218548
普通中专	Regular Specialized Secondary Schools			
成人中专	Adult Specialized Secondary Schools			
职业高中	Vocational High Schools			
技工学校	Skilled Workers Schools	9941	16020	45932
初中阶段教育	Junior Secondary Education			
初中	Junior Secondary Schools	145263	222891	604704
初等教育	**Primary Education**			
普通小学	Regular Primary Schools	126877	123681	809469
学前教育	**Pre-school Education Institutions**	**446958**	**473014**	**1280778**

注：完全中学、九年一贯制学校和十二年一贯制学校的学生数按教育层次分别计入对应教育阶段的学生数中。

a) Number of the students in Combined Secondary Schools, 9-Year Schools,12-Year Schools are classified by educational level.

19–5 各级各类学校情况
Number of School by Type and Level

单位：所 (unit)

年 份 Year	普通高等学校 Regular HEIs	#高职(专科)院校 Specialized Courses	普通高中 Regular Senior Secondary Schools	中等职业教育 Secondary Vocational Education	初 中 Junior Secondary Schools	#职业初中 Vocational Junior Secondary Schools	普通小学 Regular Primary Schools	特殊教育 Special Education Schools	学前教育 Pre-school Education Institutions
1978	23		4594	105	12205		44644	10	8183
1980	27		2291	117	8048		49764	10	4634
1985	46		752	292	5423	117	49346	11	2790
1990	50		658	306	4745	88	49568	17	2031
1995	47		561	202	4695	88	47133	74	2319
2000	52		716	150	4194	52	36465	95	4476
2001	67		752	111	4346	43	31529	90	1307
2002	75		791	96	4262	40	28433	93	2235
2003	83		810	133	4214	65	25700	97	3765
2004	87		814	624	4103	30	22953	109	3368
2005	86		816	686	3918	25	20883	117	4034
2006	88		801	718	3663	9	19162	124	5616
2007	88		761	781	3403	4	17340	134	6441
2008	105		713	801	3172	2	16205	137	6383
2009	109	58	661	755	2887	1	14447	144	6434
2010	110	58	615	753	2649	1	13563	149	7368
2011	112	58	598	696	2534		13274	148	8183
2012	113	58	565	663	2435		12898	151	9327
2013	118	61	563	636	2381		12538	155	10813
2014	118	60	567	631	2391		12529	157	11437
2015	118	60	578	628	2378		12126	159	12959
2016	120	59	598	609	2379		11944	160	13635
2017	121	60	630	609	2375		11697	161	14368
2018	122	61	655	604	2367		11545	162	15418
2019	122	61	679	601	2405		11604	163	16559

注：1. 特殊教育1990年前为盲聋哑学校情况。2.中等职业教育2004年前为普通中等专业学校，从2004年起为中等职业学校，包括普通中专、成人中专、职业高中。3.职业初中1990年前为农职业中学的初中。以下相关表同。

a) The situation of special education schools for the blind, deaf and dumb before 1990.

b) Secondary vocational education was a general secondary vocational school before 2004, and a secondary vocational school since 2004, including general secondary school, adult secondary school, and vocational high school.

c) Vocational junior high school A junior high school that was an agricultural vocational school before 1990. The same applies to the table following.

19–6 各级各类学校专任教师情况
Number of Full-time Teachers of Schools by Type and Level

单位：万人 (10000 persons)

年 份 Year	普通高等学校 Regular HEIs	普通高中 Regular Senior Secondary Schools	中等职业教育 Secondary Vocational Education	初 中 Junior Secondary Schools	#职业初中 Vocational Junior Secondary Schools	普通小学 Regular Primary Schools	特殊教育 Special Education Schools	学前教育 Pre-school Education Institutions
1978	0.78	5.73	0.48	14.31		24.96		1.78
1980	0.85	3.46	0.59	15.65	0.03	27.11		2.25
1985	1.20	2.26	0.97	12.87	0.25	24.70		2.26
1990	1.36	2.56	1.22	13.04	0.22	26.99	0.04	3.96
1995	1.48	2.59	1.33	15.37	0.26	27.01	0.11	4.73
2000	1.94	4.37	1.41	21.00	2.38	32.95	0.15	4.03
2001	2.37	4.82	1.35	22.10	0.26	33.28	0.15	
2002	2.81	5.35	1.17	22.37	0.28	33.22	0.15	1.66
2003	3.45	6.13	1.18	22.46	0.27	32.92	0.16	2.17
2004	3.92	6.75	3.17	22.25	0.17	32.48	0.18	2.30
2005	4.27	7.34	3.97	21.66	0.09	32.01	0.19	2.84
2006	4.74	7.82	4.36	20.89	0.04	31.53	0.21	3.64
2007	5.28	8.12	4.65	20.14	0.01	31.60	0.22	4.01
2008	5.51	8.07	4.82	19.36	0.003	31.67	0.23	4.27
2009	5.84	8.18	4.80	18.62	0.003	32.12	0.26	4.69
2010	6.08	8.30	4.91	17.77	0.001	31.90	0.27	5.37
2011	6.27	8.35	4.83	17.25		31.65	0.28	5.91
2012	6.50	8.29	4.57	16.78		31.70	0.29	6.71
2013	6.68	10.15	4.42	16.07		30.37	0.30	7.61
2014	6.86	10.36	4.42	16.72		31.63	0.31	8.39
2015	6.94	10.68	4.39	17.10		32.02	0.32	9.81
2016	7.04	11.23	4.49	17.69		33.05	0.32	10.62
2017	7.29	12.02	4.61	18.55		34.22	0.33	11.45
2018	7.55	13.15	4.66	19.48		35.37	0.34	12.66
2019	7.91	14.23	4.85	20.54		36.53	0.35	13.51

19−7 各级各类学校招生情况
Number of Entrants of Formal Education by Type and Level

单位：万人 (10000 persons)

年 份 Year	普通本专科 Undergraduate in Regular HEIs	#专科 Specialized Courses	普通高中 Regular Senior Secondary Schools	中等职业教育 Secondary Vocational Education	初 中 Junior Secondary Schools	#职业初中 Vocational Junior Secondary Schools	普通小学 Regular Primary Schools	特殊教育 Special Education Schools	学前教育 Pre-school Education Institutions
1978	1.23		58.44	2.37	116.70		187.12		
1980	1.07		24.50	2.50	89.27	0.23	134.40		
1985	2.17		11.06	3.35	69.66	1.69	113.45		
1990	2.38		10.81	3.55	64.97	0.99	125.33	0.05	
1995	4.30		14.66	6.55	105.98	1.54	162.60	0.20	137.04
2000	11.10		26.22	6.18	151.00	1.94	107.05	0.15	84.97
2001	14.83		31.20	6.11	149.80	2.18	93.30	0.15	60.50
2002	17.08		37.95	6.90	147.69	2.04	78.96	0.18	61.40
2003	20.38		44.93	8.53	142.97	1.45	72.74	0.18	65.34
2004	23.86		46.40	23.93	126.00	0.80	71.50	0.17	75.14
2005	25.03		49.47	35.35	115.20	0.41	72.00	0.19	77.61
2006	26.68		49.70	37.69	107.49	0.15	80.07	0.17	83.40
2007	29.46		45.25	41.01	93.37	0.05	88.52	0.17	88.17
2008	31.12		44.85	40.65	80.08	0.01	91.44	0.19	99.65
2009	32.92		44.72	45.24	73.37		87.58	0.17	102.42
2010	33.90	18.06	42.02	40.95	72.16		95.60	0.17	106.58
2011	35.92	19.71	39.78	35.68	72.72		103.85	0.19	97.63
2012	34.23	17.56	38.41	29.95	77.77		106.29	0.15	101.01
2013	34.69	17.55	37.56	22.10	78.36		99.61	0.14	106.32
2014	34.20	16.49	38.23	22.41	81.27		98.98	0.22	102.71
2015	35.08	17.18	40.77	24.32	77.06		109.27	0.18	109.09
2016	38.07	18.66	43.27	27.43	85.41		110.88	0.17	102.07
2017	39.24	19.06	45.71	28.71	96.50		113.45	0.18	102.04
2018	42.18	20.79	44.89	27.58	100.37		121.86	0.28	102.66
2019	49.96	27.20	50.67	31.56	99.24		118.98	0.33	87.58

19–8 各级各类学校在校学生情况

Number of Enrolment of Formal Education by Type and Level

单位：万人 (10000 persons)

年 份 Year	普通本专科 Undergraduate in Regular HEIs	#专科 Specialized Courses	普通高中 Regular Senior Secondary Schools	中等职业教育 Secondary Vocational Education	初 中 Junior Secondary Schools	#职业初中 Vocational Junior Secondary Schools	普通小学 Regular Primary Schools	特殊教育 Special Education Schools	学前教育 Pre-school Education Institutions
1978	2.96		121.31	4.49	263.64		746.32		61.30
1980	4.15		60.43	6.00	264.92	0.52	734.57		69.45
1985	5.82		33.02	7.31	212.37	4.42	601.30		73.95
1990	7.60		31.24	10.76	176.36	2.87	705.48	0.19	125.23
1995	12.63		35.58	18.03	274.66	4.34	851.31	1.12	155.30
2000	25.26		70.04	23.52	411.71	4.77	813.73	0.97	100.42
2001	35.05		80.39	22.69	421.40	4.85	747.60	1.01	74.30
2002	47.30		94.80	21.38	433.25	5.26	674.55	1.23	82.25
2003	57.55		114.23	24.70	429.48	4.30	606.60	1.35	92.61
2004	69.74		129.39	63.07	403.53	2.69	547.00	1.09	108.53
2005	77.40		139.11	81.04	370.43	1.31	500.36	1.14	120.36
2006	86.26		143.81	90.40	336.83	0.53	470.25	1.15	133.62
2007	93.05		140.86	102.00	306.24	0.14	465.44	1.28	135.56
2008	100.00		135.12	105.58	274.18	0.02	475.66	1.23	139.12
2009	106.05		130.87	110.39	241.86		488.65	1.27	151.29
2010	110.51	55.31	127.51	112.05	221.25		511.59	1.26	168.03
2011	114.93	55.73	123.32	106.60	215.03		541.09	1.26	183.46
2012	116.88	54.62	117.69	93.40	217.37		562.22	1.24	196.22
2013	117.44	52.90	109.28	75.23	208.85		546.21	1.31	212.94
2014	116.43	49.85	110.41	65.54	228.82		564.29	1.26	216.85
2015	117.92	49.66	115.79	61.29	236.13		596.24	1.03	231.72
2016	121.61	50.74	121.33	65.81	243.58		620.55	1.11	234.11
2017	126.89	53.31	129.14	70.62	260.07		637.22	1.20	237.47
2018	134.26	56.79	133.49	72.43	283.15		658.85	1.38	240.21
2019	147.40	65.11	141.20	77.46	297.31		679.11	1.73	239.04

19–9 各级各类学校毕业生情况
Number of Graduates of Formal Education by Type and Level

单位：万人 (10000 persons)

年 份 Year	普通本专科 Undergraduate in Regular HEIs	#专科 Specialized Courses	普通高中 Regular Senior Secondary Schools	中等职业教育 Secondary Vocational Education	初 中 Junior Secondary Schools	#职业初中 Vocational Junior Secondary Schools	普通小学 Regular Primary Schools	特殊教育 Special Education Schools	学前教育 Pre-school Education Institutions
1978	0.71		45.95	1.65	106.44		125.47		
1980	0.23		40.85	2.44	50.16	0.13	108.80		
1985	1.20		7.79	2.82	52.73	0.89	101.79		
1990	2.28		10.54	3.13	55.16	0.83	82.56	0.01	
1995	3.64		8.84	4.69	66.50	0.92	119.22	0.07	
2000	4.35		18.16	7.25	113.42	1.34	154.93	0.11	
2001	4.58		21.28	7.13	115.80	1.04	153.80	0.10	
2002	6.29		23.48	7.43	124.06	1.09	152.69	0.13	
2003	11.34		26.49	7.53	136.61	1.26	145.92	0.20	
2004	14.31		31.87	18.38	141.19	1.07	128.09	0.09	
2005	18.04		39.63	21.24	138.40	0.76	117.46	0.09	
2006	22.10		45.06	23.57	133.03	0.39	108.58	0.11	
2007	24.07		47.22	27.72	115.32	0.17	93.54	0.11	51.75
2008	27.13		48.23	31.21	105.27		80.20	0.11	53.26
2009	28.27		46.90	34.81	99.08		73.39	0.11	51.81
2010	29.71	18.91	42.66	34.82	87.69		72.18	0.08	48.93
2011	31.11	19.08	42.79	35.58	75.25		73.28	0.11	78.60
2012	31.58	18.23	42.37	38.86	70.31		79.61	0.09	79.70
2013	33.43	18.81	40.45	33.71	66.78		84.01	0.11	79.47
2014	34.45	19.14	36.20	29.77	60.25		82.04	0.12	81.89
2015	32.80	16.95	35.24	25.41	69.19		78.10	0.11	87.37
2016	33.52	17.16	36.82	19.66	77.44		87.26	0.09	89.40
2017	33.00	15.96	37.70	22.01	80.94		97.69	0.11	91.71
2018	33.88	16.74	40.11	23.05	77.61		102.00	0.12	94.40
2019	35.78	18.33	42.76	24.50	86.04		100.35	0.15	94.00

19–10 研究生情况
Statistics on Postgraduates

单位：人 (person)

年 份 Year	研究生数 Number of Postgraduates		
	毕业生数 Graduates	招生数 Entrants	在校学生数 Enrolment
1978		91	91
1980		49	231
1985	86	363	593
1990	285	226	698
1995	239	431	1194
2000	640	1896	3914
2001	834	2670	6063
2002	1320	3460	8228
2003	2012	5022	11171
2004	2786	6491	14932
2005	2836	6600	15786
2006	3954	7712	20088
2007	5154	8404	22687
2008	6520	9234	25261
2009	7317	10787	28346
2010	7895	11326	31452
2011	9106	11795	34085
2012	10441	12338	35934
2013	11231	12933	37823
2014	12131	13175	38450
2015	12337	14053	40046
2016	12606	14469	41673
2017	12771	17162	45637
2018	13669	18346	49882
2019	13874	20131	55159

19-11 技工学校情况
Statistics on Skilled Workers Schools

年 份 Year	学校数 (所) Schools (unit)	教职工数 (人) Educational Personnel (person)	#专任教师 Full-time Teachers	毕业生数 (万人) Graduates (10000 persons)	招生数 (万人) Enrolment (10000 persons)	在校学生数 (万人) Enrolment (10000 persons)
2005	164	10863	8111			105508
2006	160	10951	8988			129845
2007	161	13096	10209			160286
2008	161	12133	10881			174421
2009	164	12597	11196			169663
2010	166	12743	11109			158592
2011	168	12686	8865			145870
2012	170	13188	9355			145272
2013	170	13204	9546	48513	50126	135468
2014	173	13131	9504	46449	45245	111626
2015	173	13044	9456	41083	38570	101333
2016	175	13076	9539	41257	43842	100535
2017	177	13331	9973	33969	52997	110598
2018	181	13495	10339	31331	47523	120309
2019	187	14313	10631	37847	56334	132087

19-12 进城务工子女和农村留守儿童在校情况(2019年)
Children of Migrant Workers and Children Left Behind (2019)

单位：人 (person)

项 目	Item	进城务工人员随迁子女 Children of Migrant Workers	外省迁入 From Other Provinces	本省外县迁入 From Other Counties of the Same Province	农村留守儿童 Rural Children Left Behind
普通小学	**Regular Primary Schools**				
毕业生数	Graduates	45131	12984	32147	31423
招生数	Entrants	53748	15013	38735	23097
#受过学前教育	Trained in Preschool	53679	14983	38696	23092
在校学生数	Enrolment	316506	88287	228219	165008
#女	Female	135651	38106	97545	68190
初中	**Junior Secondary Schools**				
毕业生数	Graduates	43083	10524	32559	28006
招生数	Entrants	44684	11870	32814	28450
在校学生数	Enrolment	146409	35145	111264	87351
#女	Female	65739	15510	50229	39232

19-13 小学学龄儿童净入学率和各级普通学校毕业生升学率
Net Enrolment Ratio of School-age Children in Primary Schools and Promotion Rate of Graduates of Regular School by Levels

单位：% (%)

年 份 Year	小学学龄儿童净入学率 Net Enrollment Ratio of School-age Children in Primary Schools	小学升学率 Promotion Rate from Primary Schools to Junior Secondary Schools	初中升学率 Promotion Rate from Junior Secondary Schools to Senior Secondary Schools
1990	98.3	79.9	31.9
1991	98.3	81.6	36.8
1992	98.5		
1993	98.5	82.9	38.0
1994	98.4	85.7	40.5
1995	99.2	90.2	41.1
1996	99.7	95.0	43.5
1997	99.8	98.8	44.3
1998	99.8	98.1	45.2
1999			
2000	99.9	98.7	40.9
2001	99.5	98.8	51.0
2002	99.5	98.1	60.2
2003	99.4	99.0	59.7
2004	99.8	99.0	61.5
2005	99.7	98.4	64.6
2006	99.4	99.6	67.7
2007	99.5	99.9	75.1
2008	99.7	99.8	81.7
2009	99.7	100.0	84.0
2010	99.8	100.0	85.6
2011	99.9	99.2	88.2
2012	99.8	97.7	92.3
2013	99.8	97.7	92.4
2014	99.7	98.1	92.5
2015	99.8	98.7	92.7
2016	100.1	97.9	90.2
2017	99.5	98.8	92.1
2018	100.0	98.4	99.5
2019	99.8	98.9	96.6

注：1.1991年以前的入学率是按7-11周岁统一计算的；从1991年起入学率是按各地不同入学年龄和学制分别计算的。
2.1991年前初中毕业生升学率不含技工学校招生数。

a) Enrolment ratio of school-age children before 1991 was calculated on the basis of primary school pupils aged 7-11 enrolled. From 1991 onwards its calculation has taken account of the age of entry and the length of schooling prevailing.

b) Pre-1991 transition rate for junior high school graduates exclude enrolment in technical schools.

19-14 分市普通高中情况(2019年)
Statistics on Regular Senior Secondary Schools by City (2019)

单位：人 (person)

市	City	学校数(所) Schools (unit)	教职工数 Educational Personnel	#专任教师 Full-time Teachers	毕业生数 Graduates	招生数 Entrants	在校学生数 Enrolment
全　省	**Total**	**679**	**164923**	**142343**	**427550**	**506728**	**1411999**
石家庄市	Shijiazhuang	126	25571	22149	60557	64998	184243
#辛集市	Xinji	6	1148	1035	3751	3421	10233
承 德 市	Chengde	23	5724	4512	18925	20369	60134
张家口市	Zhangjiakou	36	9182	7797	25045	24923	77530
秦皇岛市	Qinhuangdao	34	5350	4524	15207	17207	47177
唐 山 市	Tangshan	78	17393	14414	41392	46006	129337
廊 坊 市	Langfang	38	10141	8076	23135	27002	76259
保 定 市	Baoding	87	20668	17728	66087	74884	211281
#定州市	Dingzhou	12	2859	2592	9330	9216	27688
沧 州 市	Cangzhou	55	13594	11619	37853	45882	126571
衡 水 市	Hengshui	60	19325	17246	39902	55559	148873
邢 台 市	Xingtai	62	16698	15328	41576	51672	139887
邯 郸 市	Handan	72	19660	17500	53379	71759	192499
雄安新区	Xiongan New Area	8	1617	1450	4492	6467	18208

19-15 分市中等职业学校情况(2019年)
Statistics on Secondary Vocational Schools by City (2019)

单位：人 (person)

市	City	学校数(所) Schools (unit)	教职工数 Educational Personnel	#专任教师 Full-time Teachers	毕业生数 Graduates	#获得职业资格证书 With Professional Qualification Certificates	招生数 Entrants	在校学生数 Enrolment	预计毕业生数 Estimated Graduates for Next Year
全　省	**Total**	**601**	**60678**	**48484**	**244988**	**184967**	**315647**	**774629**	**270900**
石家庄市	Shijiazhuang	138	12667	9561	61082	47199	84171	218582	71195
#辛集市	Xinji	3	442	397	932	900	1596	3940	1176
承 德 市	Chengde	24	3070	2290	11118	9257	12529	36894	11842
张家口市	Zhangjiakou	48	4116	3424	14213	11570	15836	43801	14382
秦皇岛市	Qinhuangdao	33	2962	2254	9083	4513	8700	26199	9081
唐 山 市	Tangshan	48	5454	4425	18653	14297	21236	60281	22850
廊 坊 市	Langfang	32	2991	2162	10187	6627	10694	28866	9985
保 定 市	Baoding	69	8413	6740	23803	18859	35079	85480	24977
#定州市	Dingzhou	5	535	464	3341	3290	3099	9568	3236
沧 州 市	Cangzhou	40	4411	3584	41813	30841	50159	83059	47066
衡 水 市	Hengshui	36	3300	2741	10422	8167	13100	33828	11120
邢 台 市	Xingtai	60	5199	4475	16893	14886	25012	60174	18117
邯 郸 市	Handan	67	7446	6259	27022	18247	37416	92180	28633
雄安新区	Xiongan New Area	6	649	569	699	504	1715	5285	1652

19–16 分市初中情况(2019年)
Statistics on Regular Junior Secondary Schools by City (2019)

单位：人 (person)

市	City	学校数(所) Schools (unit)	专任教师 Full-time Teachers	城区 City	镇区 Township	乡村 Rural	在校学生数 Enrolment	城区 City	镇区 Township	乡村 Rural
全 省	**Total**	**2405**	**210644**	**64885**	**110358**	**35401**	**2973099**	**909970**	**1594763**	**468366**
石家庄市	Shijiazhuang	296	26306	10954	11743	3609	363111	154918	162928	45265
#辛集市	Xinji	26	1628	880	302	446	20350	11749	3285	5316
承 德 市	Chengde	104	9836	1893	7102	841	144666	25920	107430	11316
张家口市	Zhangjiakou	118	10862	2910	7075	877	149099	38389	99604	11106
秦皇岛市	Qinhuangdao	125	8975	2939	3989	2047	98586	32690	47772	18124
唐 山 市	Tangshan	256	20733	8201	9206	3326	251791	101865	113187	36739
廊 坊 市	Langfang	157	13152	2854	8241	2057	184658	41177	117238	26243
保 定 市	Baoding	346	29459	9178	13706	6575	435093	134941	210863	89289
#定州市	Dingzhou	33	3181	1729	729	723	50010	28501	11488	10021
沧 州 市	Cangzhou	267	19521	5578	8772	5171	307032	95139	134601	77292
衡 水 市	Hengshui	120	14528	5025	7952	1551	220612	78164	122662	19786
邢 台 市	Xingtai	223	20897	5271	12775	2851	292511	78361	179378	34772
邯 郸 市	Handan	348	33164	10082	17794	5288	476837	128406	268559	79872
雄安新区	Xiongan New Area	45	3211		2003	1208	49103		30541	18562

19–17 分市普通小学情况(2019年)
Statistics on Regular Primary Schools by City (2019)

单位：人 (person)

市	City	学校数(所) Schools (unit)	专任教师 Full-time Teachers	城区 City	镇区 Township	乡村 Rural	在校学生数 Enrolment	城区 City	镇区 Township	乡村 Rural
全 省	**Total**	**11604**	**395305**	**95718**	**151884**	**147703**	**6791054**	**1825701**	**2744704**	**2220649**
石家庄市	Shijiazhuang	1445	50702	18480	15949	16273	942005	392331	303418	246256
#辛集市	Xinji	74	2935	1479	344	1112	47147	27795	5912	13440
承 德 市	Chengde	452	19338	3071	8452	7815	272030	54650	137607	79773
张家口市	Zhangjiakou	496	20435	4196	10640	5599	291201	77031	170322	43848
秦皇岛市	Qinhuangdao	421	15756	4757	4472	6527	209095	74834	68435	65826
唐 山 市	Tangshan	1134	34152	11867	9995	12290	542461	212735	159141	170585
廊 坊 市	Langfang	765	28332	4545	14016	9771	513187	93271	264413	155503
保 定 市	Baoding	1901	51011	12407	16797	21807	897770	239340	311751	346679
#定州市	Dingzhou	257	4976	1682	850	2444	92572	38820	15027	38725
沧 州 市	Cangzhou	1333	41121	9152	12914	19055	780847	184180	246915	349752
衡 水 市	Hengshui	584	22483	5259	8857	8367	366268	98482	160365	107421
邢 台 市	Xingtai	1034	43780	7753	21462	14565	751545	145035	387169	219341
邯 郸 市	Handan	1799	61599	14218	25366	22015	1106185	253489	480181	372515
雄安新区	Xiongan New Area	240	6596	13	2964	3619	118460	323	54987	63150

19–18 分市特殊教育情况(2019年)
Statistics on Special Education by City (2019)

单位：人 (person)

市	City	学校数(所) Schools (unit)	专任教师 Full-time Teachers	毕业生数 Graduates	招生数 Entrants	在校学生数 Enrolment	# 女 Female
全　　省	**Total**	**163**	**3530**	**3010**	**5733**	**29459**	**11024**
石家庄市	Shijiazhuang	24	467	406	876	3824	1472
#辛集市	Xinji	1	31	25	114	332	124
承 德 市	Chengde	9	220	204	355	1771	682
张家口市	Zhangjiakou	13	246	252	307	1798	698
秦皇岛市	Qinhuangdao	5	208	172	228	1340	510
唐 山 市	Tangshan	14	356	321	415	2123	814
廊 坊 市	Langfang	10	287	110	128	1217	431
保 定 市	Baoding	20	466	370	704	4547	1724
#定州市	Dingzhou	1	26	18	46	373	150
沧 州 市	Cangzhou	16	297	341	905	3008	988
衡 水 市	Hengshui	10	181	97	251	1429	534
邢 台 市	Xingtai	19	323	409	674	3355	1287
邯 郸 市	Handan	20	421	302	861	4798	1791
雄安新区	Xiongan New Area	3	58	26	29	249	93

19–19 各级学校生师比
Student-Teacher Ratio by Level of Regular Schools

(教师人数=1) (Number of Teachers=1)

年 份 Year	普通小学 Primary School	初 中 Junior Secondary School	普通高中 Regular Senior Secondary School	中等职业学校 Secondary Vocational School	普通高校 Regular Institution of Higher Education
2006	16.34	16.12	19.32	30.19	18.16
2007	14.73	15.21	17.35	29.34	17.62
2008	15.02	14.16	16.75	20.82	17.91
2009	15.21	12.99	16.01	21.72	17.70
2010	16.04	12.45	15.37	22.21	17.82
2011	17.09	12.47	14.77	21.24	17.89
2012	17.74	12.95	14.19	19.84	17.65
2013	17.13	12.67	13.28	16.76	17.54
2014	16.92	13.45	13.23	14.82	17.28
2015	17.59	13.58	13.57	13.95	17.46
2016	17.66	13.59	13.61	14.67	16.90
2017	17.42	13.87	13.68	14.49	17.11
2018	17.32	14.17	13.37	15.55	17.39
2019	17.18	14.11	13.19	15.98	18.01

注：中等职业教育2008年以前数据为普通中专。
a) Secondary vocational education was a general secondary vocational school before 2008.

19–20 每十万人口各级学校平均在校生数

Number of Students per 100 000 Population by Level

单位：人 (person)

年 份 Year	学前教育 Pre-school Education	小 学 Primary Education	初中阶段 Junior Secondary Education	高中阶段 Senior Secondary Education	高等教育 Higher Education
1990	2050	1155	3148	691	226
1995	2145	13327	4680	839	336
2000	3202	10724	5607	1415	616
2005	1768	7349	5460	3394	1420
2006	1950	6864	4924	3618	1630
2007	1965	6747	4442	3715	1712
2008	2004	6851	3949	3724	1811
2009	2165	6992	3461	3705	1871
2010	2389	7273	3145	3647	1950
2011	2550	7521	2989	3427	2006
2012	2710	7765	3002	3148	2063
2013	2922	7495	2866	2759	2108
2014	2957	7696	3121	2611	2098
2015	3138	8075	3198	2555	2141
2016	3153	8358	3281	2657	2191
2017	3179	8530	3481	2809	2328
2018	3194	8761	3765	2885	2457
2019	3164	8988	3935	3053	2596

注：1.高等教育包括普通高等学校和成人高等学校。
2.高中阶段包括普通高中、成人高中、普通中专、职业高中、技工学校和成人中专。
3.初中阶段包括普通初中和职业初中。

a) Institutions of higher education include that of regular institutions of higher education and institutions of higher education for adults.

b) Senior secondary schools include that of regular senior schools, adult senior schools, regular secondary technical schools, vocational secondary schools, technical worker school, adult technical secondary schools.

c) Junior secondary schools include regular junior schools and junior vocational schools.

19–21 教育经费情况
Basic Statistics on Educational Funds

单位：万元 (10000 yuan)

年份 Year 市 City	合计 Total	国家财政性教育经费 Government Appropriation for Education	#一般公共预算教育经费 Public Expenditure on Education	民办学校中举办者投入 Funds from Runners of Private Schools	社会捐赠经费 Donations and Fund-raising for Running Schools	事业收入 Income from Teaching Research and Other Auxiliary Activity	#学杂费 Tuition and Miscel-laneous Fees	其他教育经费 Other Educational Funds
1992	356714	289604	202274		36097		25586	25586
1995	780777	536282	389775	2444	109640		105769	105769
2000	1499715	1023712	831405	50716	44081	23810	356922	269132
2001	1718466	1166288	998387	58635	34902	18205	431835	334999
2002	2032640	1344622	1224089	62398	27554	9403	555726	428798
2003	2246260	1436694	1332208	77882	26246	11678	661532	489956
2004	2617872	1703907	1589753	85052	20754	5467	762194	610418
2005	3183289	2094804	1926917	98161	18076	6768	897694	691993
2006	3554401	2372849	2166291	182073	22080	12182	904608	725183
2007	4403700	3103586	2841172	31470	13471	1481	1110183	857400
2008	5584914	4171281	3829877	10606	4971	1098	1196773	959854
2009	6145261	4692123	4345828	29487	9451	1250708	1030697	163491
2010	7192734	5647497	5178041	14598	8285	1422726	1211145	99629
2011	8447882	6844588	6106370	22060	6392	1484576	1302985	90267
2012	10435050	8710670	7907824	38444	7492	1588117	1332742	90326
2013	10298143	8523960	7674486	50262	6637	1606017	1386046	111267
2014	10861672	8926512	8016355	40933	12107	1796503	1517465	85618
2015	12861641	10732988	10010728	29824	6080	1941007	1581934	151742
2016	14203834	11888154	11155774	49418	7217	2106271	1755230	152774
2017	15938478	13374769	12466288	79721	8260	2387755	2041977	87973
2018	17389625	14428248	13545006	57290	10934	2824628	2382262	68525
2019	19921191	16403527	15157178	110687	6353	3291596	2803668	109027
石家庄市 Shijiazhuang	2663193	2253934	2018536	5644	3319	398103	359844	2192
#辛集市 Xinji	135009	122427	122327	125		12374	10911	83
承德市 Chengde	883990	811948	760239	3260	127	68319	56588	336
张家口市 Zhangjiakou	1004460	917876	832971	1722	183	79517	68711	5162
秦皇岛市 Qinhuangdao	692405	621725	595071	322	335	64766	57313	5256
唐山市 Tangshan	1762639	1572777	1451084	7294	261	181816	163484	492
廊坊市 Langfang	1465882	1284345	1225980	8132	16	167976	156390	5414
保定市 Baoding	2199464	1868321	1624455	29432	188	299764	263028	1759
#定州市 Dingzhou	184104	145415	123694	14		38663	33182	13
沧州市 Cangzhou	1736607	1550512	1470883	1672	286	183403	155893	735
衡水市 Hengshui	945388	743748	677333	688	73	197000	166640	3879
邢台市 Xingtai	1393400	1185542	1113676	8146	142	199150	172995	421
邯郸市 Handan	1817504	1490353	1396677	15077	6	309948	279107	2121
雄安新区 Xiongan New Area	253034	224798	212125		126	28104	25893	6

注：1. “民办学校中举办者投入”1992—2006年数据为社会团体和公民个人办学总经费。

2. 从2017年起，“公共财政教育经费”改为“一般公共预算教育经费”。“一般公共预算教育经费”数据1992—2012年包括教育事业费、基建经费、教育费附加、科研经费和其他经费，2012年起包括教育事业费、基建经费和教育费附加。

a) "Funds from runners of private schools" from 1992 to 2006 equals to funds from social organizations and citizens for running schools.

b) Since 2017, the "public expenditure on education" was amended to "general public budget on education expenditure". From 1992 to 2012, the Public Expenditure on Education referred to budgetary educational funds, which included the appropriated funds for education, for science research, capital construction, other funds, and education surcharges. Since 2012, it includes the appropriated funds for education, capital construction, and education surcharges.

主要统计指标解释

普通高等学校 指通过国家普通高等教育招生考试，招收高中毕业生为主要培养对象，实施高等学历教育的全日制大学、独立设置的学院、独立学院和高等专科学校、高等职业学校及其他普通高教机构。

大学、独立设置的学院主要实施本科及本科层次以上的教育。独立学院主要实施本科层次的教育。高等专科学校、高等职业学校实施专科层次的教育。其他普通高教机构是指承担国家普通招生计划任务不计校数的机构，包括普通高等学校分校、大专班等。

成人高等学校 指通过国家成人高等教育招生考试，招收具有高中毕业或同等学力的人员为主要培养对象，利用函授、业余、脱产等多种形式，对其实施高等学历教育的学校。包括：职工高等学校、农民高等学校、管理干部学院、教育学院、独立函授学院、广播电视大学、其他成人高教机构等。其他成人高教机构是指承担国家成人招生计划任务不计校数的机构。

小学学龄儿童净入学率 指调查范围内已入小学学习的学龄儿童占校内外学龄儿童总数的比重。计算公式为：

$$\text{小学学龄儿童净入学率}=\frac{\text{已入学的小学学龄儿童数}}{\text{校内外小学学龄儿童总数}}\times 100\%$$

国家财政性教育经费 包括一般公共预算安排的教育经费，政府性基金预算安排的教育经费，企业办学中的企业拨款，校办产业和社会服务收入用于教育的经费，其他属于国家财政性教育经费。

Explanatory Notes on Main Statistical Indicators

Regular Institutions of Higher Education refer to educational establishments recruiting graduates from senior secondary schools as the main target through National Matriculation TEST. They include full-time universities, independently established colleges, colleges, and institutions of higher professional education, institutions of higher vocational education and other institutions of higher education.

Universities and independently established colleges primarily provide undergraduate and above courses; colleges mainly impart undergraduate courses, institutions of higher professional education and institutions of higher vocational education primarily provide professional trainings; and other institutions of higher education refer to educational establishments, which are responsible for enrolling higher education students under the State Plan but not enumerated in the total number of schools, including: branch schools of universities and colleges and junior colleges.

Institutions of Higher Education for Adults refer to educational establishments, enrolling personnel with senior secondary school or equivalent education through National Matriculation TEST for Adult, and providing higher education courses in forms of correspondence, spare time, or full time for adults. Institutions of higher learning for adults include schools of higher education for staff and workers, schools of higher education for peasants, colleges for management cadres, pedagogical colleges, independent correspondence colleges, radio and television universities and other educational establishments of higher education for adult. Other educational establishments of higher education for adult refer undertakings to enrol adult students but not enumerated in the number of schools under the State Plan.

Net Enrolment Ratio of Primary Schools refers to the proportion of school age children enrolled at schools to the total number of school age children both in and outside schools (including retarded children, but excluding blind, deaf and mute children). The formula is:

$$\text{Net Enrolment Ratio of Primary Schools} = \frac{\text{Total Primary School - age Children at Schools}}{\text{Total Primary School - age Children Whether or Not Attending School}} \times 100\%$$

Government Appropriation for Education refers to the general public budget appropriation fund for education, educational funds budgeted by government funds, enterprise appropriation for enterprise-run schools, income from school-run enterprises and social services that are used for education purpose and other national appropriations for education.

卫生和社会服务

Health and Social Services

简 要 说 明

一、本篇资料主要反映卫生、社会服务的发展情况。

卫生统计资料主要包括医疗卫生机构、卫生人员、医疗服务、卫生设施、卫生费用、基层医疗卫生服务、妇幼保健、疾病控制、居民病伤死亡原因等情况。

社会服务统计资料主要包括民政机构床位情况，社会救助情况，孤儿和收养登记情况，婚姻登记情况，医疗救助情况、残疾人事业基本情况等。

二、本篇的卫生统计资料由省卫生健康委员会提供。社会服务统计资料由省民政厅、省医疗保障局和省残疾人联合会依据统计报表制度整理提供。

三、资料整理：李争艳　陈博　李梦洋　刘焕瑞

Brief Introduction

Ⅰ.The data in this chapter mainly reflects the development of health and social services.

Health statistics mainly include medical and health institutions, health personnel, medical services, health facilities, health costs, primary medical and health services, maternal and child health care, disease control, causes of death from illness and injury, etc.

Statistics on social services mainly include beds in civil affairs institutions, social assistance, registration of orphans and adoptions, marriage registration, medical assistance, basic statistics on the work for persons with disabilities etc.

Ⅱ.The health statistics of this section are provided by the Provincial Health Commission. The statistical data of social services shall be sorted out and provided by the Provincial Civil Affairs Department, Provincial Healthcare Security Bureau and Hebei Disabled Persons' Federation according to the statistical statement system.

Ⅲ.Data collection:Li Zhengyan, Chen Bo, Li Mengyang, Liu Huanrui.

20−1 卫生事业发展情况
Basic Statistics of Health Institutions

年 份 Year	卫生机构数 (个) Number of Health Institutions (unit)	#医 院 Hospitals	卫生机构床位数 (万张) Beds in Health Care Institutions (10000 beds)	#医 院 Hospitals	卫生技术人员数 (万人) Medical Technical Personnel (10000 persons)	#执业(助理)医师 Licensed Doctors	每千人口医疗床位 (张) Beds of Medical Institutions per 1000 Population (bed)	每万人口执业(助理)医师数 (人) Licensed (Assistant) Doctors in Health Care Institutions per 10000 Persons(person)
1978	8949	4336	8.90	8.16	10.70	5.46	1.76	10.8
1980	9492	4336	9.55	8.76	12.56	6.13	1.85	11.9
1981	10063	4327	9.79	8.84	13.37	6.23	1.86	11.9
1982	10227	4316	10.18	9.08	14.32	6.35	1.90	11.8
1983	10281	4333	10.71	9.61	14.85	6.59	1.98	12.2
1984	10344	4333	11.02	9.89	15.47	6.75	2.01	12.3
1985	10402	3120	12.09	10.31	15.45	6.85	2.18	12.4
1986	10454	3246	12.48	10.77	15.88	6.94	2.22	12.3
1987	10366	3311	13.32	11.48	16.18	6.96	2.34	12.2
1988	10579	3374	13.81	11.89	16.88	7.70	2.38	13.3
1989	10721	3379	14.39	12.43	17.45	8.36	2.44	14.2
1990	10586	3531	14.60	12.59	18.56	8.60	2.39	14.0
1991	10647	3630	14.81	12.93	18.35	8.61	2.38	13.8
1992	10715	3640	15.19	13.24	18.95	8.89	2.43	14.2
1993	10958	3787	15.54	13.56	19.77	8.25	2.46	13.0
1994	10274	4540	15.91	13.74	19.83	9.14	2.50	14.3
1995	10266	4533	15.90	13.76	20.18	9.31	2.49	14.5
1996	5402	794	16.19	10.25	18.18	7.93	2.50	12.2
1997	5392	795	16.62	10.45	18.73	8.24	2.56	12.6
1998	5386	791	16.56	10.44	19.21	8.53	2.53	13.0
1999	5338	784	16.62	10.64	20.30	8.96	2.51	13.6
2000	5306	779	16.89	10.78	20.75	9.17	2.54	13.7
2001	5281	773	17.27	10.99	20.98	9.41	2.57	14.0
2002	4671	885	17.17	10.98	20.05	9.33	2.55	12.4
2003	4520	770	15.88	10.98	20.28	9.31	2.35	12.3
2004	3414	807	15.84	11.72	20.21	8.39	2.33	12.3
2005	3284	817	16.23	11.84	20.29	8.41	2.38	12.3
2006	3394	874	17.30	12.63	21.08	8.75	2.52	12.7
2007	19431	1125	19.54	13.74	24.29	10.81	2.82	15.6
2008	15050	1103	21.40	14.84	24.57	10.91	3.07	15.6
2009	14738	1123	23.30	15.92	25.80	11.44	3.31	17.2
2010	15122	1224	24.93	17.29	28.03	21.94	3.47	18.4
2011	14855	1248	26.69	18.77	30.20	12.52	3.69	18.6
2012	79083	1248	28.47	20.39	31.51	14.31	3.91	19.6
2013	78486	1268	30.36	22.05	33.31	15.02	4.14	20.5
2014	78906	1341	32.29	23.69	35.17	15.78	4.37	21.4
2015	78599	1547	34.22	25.48	37.26	16.69	4.61	22.5
2016	78723	1618	36.10	27.15	39.36	17.74	4.83	23.8
2017	80903	1847	39.53	29.98	42.51	19.19	5.26	25.5
2018	85088	2105	42.18	32.07	46.06	21.10	5.58	27.9
2019	84637	2115	42.99	32.83	49.01	22.87	5.66	30.1

20–2 卫生机构基本情况
Basic Statistics of Health Institutions

指 标	Indicator	2017	2018	2019
卫生机构数(个)	**Number of Health Institutions (unit)**	**80903**	**85088**	**84637**
城市	Urban Areas	9655	11117	10740
农村	Rural Areas	71248	73971	73897
医院	Hospitals	1847	2105	2115
#公立医院	Public Hospitals	720	713	699
民营医院	Private Hospitals	1127	1392	1416
#综合医院	General Hospitals	1265	1467	1452
中医医院	Hospitals Specialized in Traditional Chinese Medicine	218	243	249
专科医院	Specialized Hospitals	323	353	372
基层医疗卫生机构	Basic Medical Institutions	78207	82232	81777
#社区卫生服务中心(站)	Community Health Service Centers (Stations)	1274	1383	1425
街道卫生院	Urban Health Centers	8		
乡镇卫生院	Township Health Centers	1972	2006	1998
村卫生室	Village Clinics	60225	59047	59518
门诊部(所)	Outpatient Department (Stations)	12029	14656	14318
专业公共卫生机构	Specialized Public Health Institutions	791	691	666
#疾病预防控制中心	Center for Disease Control and Prevention	189	188	187
专科疾病防治院(所/站)	Specialized Disease Prevention & Treatment Centers (Institution,Stations)	11	12	11
妇幼保健院(所/站)	Women and Children Care Centers (Institution,Stations)	192	187	187
健康教育所(站/中心)	Health Education Institutions (Stations, Centers)	2	2	2
卫生监督所(中心)	Health Inspection Institutions (Centers)	185	185	182
卫生人员数(人)	**Number of Medical Personnel (person)**	**590524**	**623681**	**647081**
卫生技术人员	Medical Technical Personnel	425050	460616	490075
#执业(助理)医师	Licensed (Assistant) Doctors	191900	211038	228651
#执业医师	Licensed Doctors	149854	164717	173553
注册护士	Registered Nurse	158414	172831	184985
药师(士)	Pharmacist	17539	18833	19215
乡村医生和卫生员	Village Doctors and Assistants	79738	72779	65657
其他技术人员	Other Technical Personnel	27355	30180	30544
管理人员	Administrative Personnel	21016	22271	22975
工勤技能人员	Logistics Technical Workers	37357	37836	37830
卫生机构床位数(张)	**Beds in Health Care Institutions (bed)**	**395299**	**421836**	**429926**
城市	Urban Areas	161193	172898	176039
农村	Rural Areas	234106	248938	253887
医院	Hospitals	299849	320679	328330
#公立医院	Public Hospitals	229762	236366	242023
民营医院	Private Hospitals	70087	84313	86307
基层医疗卫生机构	Basic Medical Institutions	81476	86533	86482
#社区卫生服务中心(站)	Community Health Service Centers (Stations)	9924	13593	13573
乡镇卫生院	Township Health Centers	70817	71831	71652
专业公共卫生机构	Specialized Public Health Institutions	12959	13521	14261
#妇幼保健院(所/站)	Women and Children Care Agencies (Institution,Stations)	12599	13262	13999
专科疾病防治院(所/站)	Specialized Disease Prevention & Treatment Centers (Institution,Stations)	290	175	180

20-3 分市医疗卫生机构和人员数(2019年)
Number of Health Care Institutions and Personnel by City (2019)

市	City	机构(个) Number of Institutions (unit)	#医院 Hospitals	卫生人员(人) Medical Personnel (person)	#卫生技术人员 Medical Technical Personnel	执业(助理)医师(人) Certified Doctors (person)	注册护士(人) Registered Nurses (person)
全　省	**Total**	**84637**	**2115**	**647081**	**490075**	**228651**	**184985**
石家庄市	Shijiazhuang	7027	250	104090	82882	37681	33221
承德市	Chengde	4356	86	33444	25806	11287	9951
张家口市	Zhangjiakou	5670	119	34343	24403	10749	9162
秦皇岛市	Qinhuangdao	3417	68	28829	22344	9850	9430
唐山市	Tangshan	9423	212	71312	55267	24272	23028
廊坊市	Langfang	6175	190	44608	34431	16171	12279
保定市	Baoding	10089	296	80949	60207	28185	22089
沧州市	Cangzhou	9191	191	60724	46681	22246	17345
衡水市	Hengshui	6594	152	35078	26262	13380	8584
邢台市	Xingtai	9117	199	55701	41484	21052	14264
邯郸市	Handan	10544	256	77445	55058	26065	20715
定州市	Dingzhou	1003	37	8405	6547	3167	2242
辛集市	Xinji	518	25	5001	3600	1827	1246
雄安新区	Xiongan New Area	1513	34	7152	5103	2719	1429

注：机构、人员数含村卫生室数。
Note: Number of village clinics was included in health care institutions.

20-4 各类医院病床使用率
Utilization Rate of Beds in Hospital

单位：%　　　　(%)

类别	Category	2016	2017	2018	2019
总　计	**Total**	**86.23**	**83.76**	**82.69**	**81.40**
按管理类别分	**By Management Category**				
非营利性	Non-profit	87.84	85.25	84.14	82.69
营利性	For-profit	56.79	55.05	56.38	57.29
按医院等级分	**By Hospital Grade Point**				
三级医院	Tertiary Hospitals	106.47	106.16	104.42	105.74
二级医院	Secondary Hospital	84.13	82.06	81.94	79.42
一级医院	Primary Hospitals	54.96	52.35	52.71	47.31
按类别分	**By Nature**				
综合医院	General Hospital	87.69	85.33	83.80	82.96
中医医院	Hospital Specialized in Traditional Chinese Medicine	81.52	79.06	79.59	76.42
中西医结合医院	Hospital of Integrated Traditional Chinese with Western Medicine	100.71	96.62	92.40	92.46
民族医院	Nationalities Hospital				
专科医院	Specialized Hospital	78.32	75.64	77.06	75.36
护理院	Nursing Hospital		1.92	50.75	48.08

20-5 村卫生室情况
Statistics on Village Clinics

年份 Year / 市 City		村卫生室(个) Village Clinics (unit)					
		合计 Total	村办 Run by Village	乡卫生院设点 Township Hospitals	联合办 Jointly Run	私人办 Run by Private	其他 Others
	2007	60283	23516	1002	935	33279	1551
	2008	60808	24569	1074	707	33584	874
	2009	64483	26613	1446	637	34455	1332
	2010	66356	28575	1775	698	34011	1297
	2011	65463	28863	1845	1292	32220	1243
	2012	64486	29352	1915	1166	30790	1263
	2013	62311	29042	2426	1108	28391	1344
	2014	61451	27452	2107	1039	27180	3673
	2015	60492	28399	2041	1013	25660	3379
	2016	60365	28735	2116	1030	25145	3339
	2017	60225	28763	2208	1057	24535	3662
	2018	59047	28491	2668	1002	23121	3765
	2019	59518	28833	3000	1056	22633	3996
石家庄市	Shijiazhuang	3663	3341	27	27	67	201
承德市	Chengde	2671	2262	301	5	22	81
张家口市	Zhangjiakou	3919	1887	110	97	1259	566
秦皇岛市	Qinhuangdao	2162	1599	55	1	483	24
唐山市	Tangshan	6111	2739	311	414	2490	157
廊坊市	Langfang	4110	2281	67		1417	345
保定市	Baoding	6658	2562	204	190	2752	950
沧州市	Cangzhou	7146	1823	420	57	4407	439
衡水市	Hengshui	5415	1861	294	34	2772	454
邢台市	Xingtai	6942	2865	725	117	3022	213
邯郸市	Handan	8715	4523	478	113	3121	480
定州市	Dingzhou	501	470	2	1	21	7
辛集市	Xinji	348	326	3		15	4
雄安新区	Xiongan New Area	1157	294	3		785	75

20–6 各类医疗卫生机构医疗服务及床位利用情况(2019年)

Number of Visits and Inpatients in Medical Institutions and Utilization of Beds (2019)

机构名称	Institutions	诊疗人次数(万人次) Visits (10000 person-times)	入院人数(万人) Inpatients (10000 persons)	医师日均担负诊疗人次(人次) Daily Visits Each Doctor (person-time)	实际开放总床日数(万日) Days of Total Beds Actually Opened (10000 days)	平均开放病床(万张) Average Beds Opened (10000 beds)
总计	**Total**	**42979.8**	**1191.71**	**5.59**	**14587.7**	**39.97**
医院	Hospitals	16249.5	996.76	5.21	11385.6	31.19
综合医院	General Hospitals	12193.8	775.07	5.32	8194.7	22.45
中医医院	Hospitals Specialized in Traditional Chinese Medicine	2218.9	130.98	5.00	1587.8	4.35
中西医结合医院	Hospital of Integrated Traditional Chinese with Western Medicine	428.7	24.97	5.06	303.3	0.83
专科医院	Specialized Hospitals	1407.4	65.67	4.79	1286.1	3.52
护理院	Nursing Hospital	0.8	0.07	1.03	13.7	0.04
基层医疗卫生机构	Basic Medical Institutions	25266.7	143.29	6.21	2680.2	7.34
#社区卫生服务中心(站)	Community Health Service Centers	1786.6	9.46	8.83	278.0	0.76
卫生院	Health Centers	3747.1	131.32	5.45	2402.2	6.58
乡镇卫生院	Township Health Centers	3747.1	131.32	5.45	2402.2	6.58
村卫生室	Village Clinics	15402.7				
门诊部	Outpatient Department	358.3	2.51	3.84		
专业公共卫生机构	Specialized Public Health Institutions	1460.5	51.40	6.51	491.8	1.35
#专科疾病防治院(所、站)	Specialized Disease Prevention & Treatment Institution	9.7	0.01	3.76	4.9	0.01
妇幼保健院(所、站)	Women and Children Care Agencies	1439.1	51.40	6.57	486.9	1.33
其他医疗卫生机构	Other Institutions	3.1	0.26	6.45	30.2	0.08
#疗养院	Sanatoriums	3.1	0.26	6.81	30.2	0.08

20–6 续表 continued

机构名称	Institutions	病床周转次数(次) Turnover of Beds (time)	病床工作日(日) Working Days of Beds (day)	病床使用率(%) Utilization Rate of Beds (%)	平均住院日(日) Average Stay Days in Hospital (day)
总计	**Total**	**29.7**	**268.8**	**73.7**	**8.7**
医院	Hospitals	31.8	297.1	81.4	9.0
综合医院	General Hospitals	34.3	302.8	83.0	8.6
中医医院	Hospitals Specialized in Traditional Chinese Medicine	29.9	278.9	76.4	8.9
中西医结合医院	Hospital of Integrated Traditional Chinese with Western Medicine	30.1	337.5	92.5	10.8
专科医院	Specialized Hospitals	18.5	275.1	75.4	13.4
护理院	Nursing Hospital	1.8	175.5	48.1	90.3
基层医疗卫生机构	Basic Medical Institutions	19.5	159.3	43.6	7.1
#社区卫生服务中心(站)	Community Health Service Centers	12.3	154.7	42.4	8.0
卫生院	Health Centers	19.9	159.8	43.8	7.1
乡镇卫生院	Township Health Centers	19.9	159.8	43.8	7.1
村卫生室	Village Clinics				
门诊部	Outpatient Department				
专业公共卫生机构	Specialized Public Health Institutions	37.9	225.5	61.8	5.8
#专科疾病防治院(所、站)	Specialized Disease Prevention & Treatment Institution	0.4	67.5	18.5	19.6
妇幼保健院(所、站)	Women and Children Care Agencies	38.3	227.1	62.2	5.8
其他医疗卫生机构	Other Institutions	3.1	36.5	10.0	11.8
#疗养院	Sanatoriums	3.1	36.5	10.0	11.8

20-7 医疗卫生机构床位
Number of Beds in Health Care Institutions

单位：张 (bed)

年份 市	Year City	合计 Total	#医院 Hospitals	#基层医疗卫生机构 Health Care Institutions at Grass-root Level	#社区卫生服务中心(站) Health Service Centers for Community (stations)	#乡镇卫生院 Township Health Centers	#专业公共卫生机构 Specialized Public Health Institutions	#妇幼保健院(所、站) Maternity and Child Care Centers (Institutions, Stations)	#专科疾病防治院(所、站) Specialized Prevention & Treatment Centers (Institutions, Stations)
	2007	195415	137366	49183	5311	42773	7614	7144	371
	2008	213977	148419	56560	7124	48668	8155	7669	377
	2009	233366	159780	63936	9337	54005	8491	8015	377
	2010	249516	173110	66142	8289	57097	8526	8333	94
	2011	266904	187659	68178	8695	58777	9652	8853	700
	2012	284730	203884	69053	8936	59469	10388	9593	795
	2013	303568	220473	70293	8821	60836	11797	10860	837
	2014	322909	236889	73108	9667	62930	11907	11015	837
	2015	342189	254829	74873	9521	64853	11482	10627	800
	2016	360992	271502	76689	9775	66447	11796	10910	831
	2017	395299	299849	81476	9924	70817	12959	12599	290
	2018	421836	320679	86533	13593	71831	13521	13262	175
	2019	429926	328330	86482	13573	71652	14261	13999	180
石家庄市	Shijiazhuang	60926	49532	9991	2066	7867	1403	1363	20
承德市	Chengde	25475	17614	7230	727	6182	631	631	
张家口市	Zhangjiakou	27198	20921	5533	765	4740	744	706	6
秦皇岛市	Qinhuangdao	19074	14282	3040	381	2634	899	899	
唐山市	Tangshan	50071	37131	10837	4431	6351	2103	2077	26
廊坊市	Langfang	25682	20252	4836	442	4394	594	594	
保定市	Baoding	52129	40345	9691	1462	8192	2093	2006	87
沧州市	Cangzhou	41341	34113	6442	836	5586	786	786	
衡水市	Hengshui	21212	16666	3876	240	3621	670	648	22
邢台市	Xingtai	38142	29513	7703	572	6986	926	926	
邯郸市	Handan	55939	38888	14608	1381	13055	2443	2413	
定州市	Dingzhou	5971	4149	1222	270	952	600	600	
辛集市	Xinji	2301	1756	435		435	110	110	
雄安新区	Xiongan New Area	4465	3168	1038		657	259	240	19

20-8 分城乡医疗卫生机构床位数
Number of Beds in Health Institutions by Urban and Rural Areas

单位：张 (bed)

年 份 市	Year City	医疗卫生机构床位数 Beds of Medical Institutions			每千人口医疗卫生机构床位 Beds of Medical Institutions per 1000 Population
		合计 Total	城市 Urban	农村 Rural	
	2010	249516	95568	153948	3.47
	2011	266904	101513	165391	3.69
	2012	284730	109019	175711	3.91
	2013	303568	115897	187671	4.14
	2014	322909	125325	197584	4.37
	2015	342189	133162	209027	4.61
	2016	360992	148724	212268	4.83
	2017	395299	161193	234106	5.26
	2018	421836	172898	248938	5.58
	2019	429926	176039	253887	5.66
石家庄市	Shijiazhuang	60926	36881	24045	5.86
承 德 市	Chengde	25475	7031	18444	7.11
张家口市	Zhangjiakou	27198	13054	14144	6.15
秦皇岛市	Qinhuangdao	19074	12278	6796	6.06
唐 山 市	Tangshan	50071	26797	23274	6.29
廊 坊 市	Langfang	25682	6303	19379	5.22
保 定 市	Baoding	52129	21422	30707	5.55
沧 州 市	Cangzhou	41341	12673	28668	5.48
衡 水 市	Hengshui	21212	7468	13744	4.73
邢 台 市	Xingtai	38142	9815	28327	5.16
邯 郸 市	Handan	55939	22317	33622	5.86
定 州 市	Dingzhou	5971		5971	4.85
辛 集 市	Xinji	2301		2301	3.61
雄安新区	Xiongan New Area	4465		4465	3.58

20-9 分市医院床位利用情况(2019年)
Utilization of Beds in Hospitals by Region (2019)

市	City	病床工作日(日) Work Day of Beds (day)			病床使用率(%) Utilization Rate of Beds (%)			出院者平均住院日(日) Average Stay Days in Hospital (day)		
		合计 Total	公立 State	民营 Private	合计 Total	公立 State	民营 Private	合计 Total	公立 State	民营 Private
全　省	**Total**	**297.1**	**324.9**	**210.9**	**81.4**	**89.0**	**57.8**	**9.0**	**9.0**	**9.1**
石家庄市	Shijiazhuang	357.1	384.3	235.7	97.8	105.3	64.6	9.9	9.8	10.5
承 德 市	Chengde	292.5	311.3	176.7	80.1	85.3	48.4	10.1	10.3	7.8
张家口市	Zhangjiakou	283.2	292.3	235.4	77.6	80.1	64.5	9.7	10.0	8.3
秦皇岛市	Qinhuangdao	285.8	308.0	148.8	78.3	84.4	40.8	9.7	9.6	10.9
唐 山 市	Tangshan	311.4	342.8	237.2	85.3	93.9	65.0	9.2	9.3	9.0
廊 坊 市	Langfang	252.4	260.8	242.1	69.1	71.5	66.3	8.6	8.0	9.7
保 定 市	Baoding	274.5	306.8	215.7	75.2	84.1	59.1	8.6	8.8	8.2
沧 州 市	Cangzhou	319.6	356.0	203.3	87.6	97.5	55.7	8.6	8.5	9.2
衡 水 市	Hengshui	265.8	290.6	189.6	72.8	79.6	52.0	8.6	8.4	9.8
邢 台 市	Xingtai	286.7	312.9	157.1	78.6	85.7	43.1	8.5	8.5	8.6
邯 郸 市	Handan	281.5	305.9	189.6	77.1	83.8	51.9	8.8	8.7	9.9
定 州 市	Dingzhou	234.7	277.2	169.8	64.3	75.9	46.5	6.8	6.8	6.9
辛 集 市	Xinji	254.7	272.1	220.2	69.8	74.5	60.3	7.8	7.6	8.3
雄安新区	Xiongan New Area	221.8	278.2	133.9	60.8	76.2	36.7	7.0	7.1	6.8

20-10 分市按床位数分组的社区卫生服务中心(站)(2019年)
Community Health Service Centers (Stations) by Grouping of Beds and City(2019)

单位：个 (unit)

市	City	社区卫生服务中心 Community Health Service Centers							社区卫生服务站 Community Health Service Stations			
		总计 Total	无床 No Bed	1-9张 1-9 Beds	10-29张 10-29 Beds	30-49张 30-49 Beds	50-99张 50-99 Beds	100张及以上 100 Beds and Above	总计 Total	无床 No Bed	1-9张 1-9 Beds	10张及以上 10 Beds and Above
全　省	**Total**	**343**	**86**	**25**	**135**	**52**	**40**	**5**	**1082**	**736**	**229**	**117**
石家庄市	Shijiazhuang	49	12	5	15	11	3	3	150	115	18	17
承 德 市	Chengde	25	8	1	11	1	4		111	80	26	5
张家口市	Zhangjiakou	30	14	4	3	4	4	1	32	10	17	5
秦皇岛市	Qinhuangdao	17	4	3	8	1	1		101	96	1	4
唐 山 市	Tangshan	34	5		13	7	8	1	118	73	23	22
廊 坊 市	Langfang	19	3		10	4	2		47	46	1	
保 定 市	Baoding	41	10		21	3	7		134	74	29	31
沧 州 市	Cangzhou	29	7	3	13	3	3		76	27	34	15
衡 水 市	Hengshui	15	5	2	7	1			47	34	11	2
邢 台 市	Xingtai	30	8	5	14	1	2		146	113	30	3
邯 郸 市	Handan	47	10	2	17	14	4		91	46	32	13
定 州 市	Dingzhou	7			3	2	2		29	22	7	
辛 集 市	Xinji											
雄安新区	Xiongan New Area											

20-11 分市医疗卫生机构门诊服务情况(2019年)
Outpatient Services of Health Institutions by Region (2019)

市	City	诊疗人次数(万人次) Visits (10000 person-times)	#门急诊 Outpatients with Emergency Treatment	观察室留观病例数(人) Cases in Observation Room (person)	健康检查人数(人) Number of Health Examinations (person)	急诊病死率(%) Fatality Rate among Emergency Admissions (%)	观察室病死率(%) Fatality Rate in Observation Room (%)	居民平均就诊次数(次) Average Number of Visits of Doctors (time)
全　省	**Total**	**42979.83**	**40047.29**	**1430667**	**15679090**	**0.15**	**0.69**	**5.66**
石家庄市	Shijiazhuang	6707.60	6455.77	556333	2816683	0.16	0.65	6.45
承 德 市	Chengde	2197.93	2092.60	77122	818788	0.17	0.35	6.13
张家口市	Zhangjiakou	1539.72	1410.23	40617	758061	0.15	0.05	3.48
秦皇岛市	Qinhuangdao	1677.20	1524.02	142468	894960	0.20	0.06	5.33
唐 山 市	Tangshan	3944.56	3547.04	137797	1595694	0.09		4.95
廊 坊 市	Langfang	3173.58	3009.38	77962	809318	0.21	0.28	6.45
保 定 市	Baoding	4877.18	4588.22	196804	1583167	0.19	0.31	5.19
沧 州 市	Cangzhou	5301.82	4983.90	66188	1824597	0.09	0.08	7.03
衡 水 市	Hengshui	2483.61	2309.23	28584	893034	0.13	0.05	5.54
邢 台 市	Xingtai	4297.17	3952.72	32299	1299784	0.16	0.06	5.81
邯 郸 市	Handan	4886.11	4449.40	64927	1876742	0.15	7.68	5.12
定 州 市	Dingzhou	782.80	717.62	4226	379309	0.22	0.02	6.36
辛 集 市	Xinji	348.02	314.25	3601	58393	0.22		5.46
雄安新区	Xiongan New Area	762.53	692.90	1739	70560	0.24		6.12

20-12 分市医疗卫生机构住院服务情况(2019年)
Hospitalization Services in Health Institutions by City (2019)

市	City	入院人数(万人) Number of Inpatients (10000 persons)	出院人数(万人) Patients Discharged (10000 persons)	住院病人手术人次(万人次) Surgical Operation of Hospitalized (10000 person-times)	病死率(%) Fatality Rate (%)	每床出院人数(人) Patients Discharged per Beds (person)	每百门急诊入院人数(人) Inpatients per 100 Outpatient and Emergency Visits (person)	居民年住院率(%) Annual Hospitalization Rate of Residents (%)
全　省	**Total**	**1191.71**	**1185.10**	**229.1**	**0.3**	**27.6**	**5.3**	**15.70**
石家庄市	Shijiazhuang	192.64	191.24	45.6	0.3	31.4	4.5	18.53
承 德 市	Chengde	63.54	63.02	10.3	0.3	24.7	4.5	17.73
张家口市	Zhangjiakou	66.35	67.32	10.2	0.4	24.8	7.0	15.00
秦皇岛市	Qinhuangdao	49.18	48.53	9.9	0.5	25.4	4.7	15.63
唐 山 市	Tangshan	148.28	147.68	29.3	0.3	29.5	6.1	18.62
廊 坊 市	Langfang	60.34	59.77	14.0	0.4	23.3	3.6	12.26
保 定 市	Baoding	139.06	138.17	25.6	0.3	26.5	5.7	14.79
沧 州 市	Cangzhou	124.81	124.29	29.0	0.2	30.1	5.0	16.54
衡 水 市	Hengshui	49.84	48.55	11.4	0.4	23.0	4.3	11.11
邢 台 市	Xingtai	106.83	106.45	21.4	0.3	27.9	5.2	14.45
邯 郸 市	Handan	155.03	154.12	17.2	0.2	27.6	8.2	16.23
定 州 市	Dingzhou	18.26	18.40	2.4	0.1	30.8	6.5	14.83
辛 集 市	Xinji	6.85	6.72	1.5	0.4	29.2	4.6	10.75
雄安新区	Xiongan New Area	10.71	10.84	1.3	0.1	24.3	4.1	8.59

20–13 社区卫生服务中心(站)医疗服务情况
Medical Services of Community Health Service Centers (Stations)

年份 市	Year City	社区卫生服务中心 Community Health Service Centers					社区卫生服务站 Community Health Service Stations	
		诊疗人次 (人次) Number of Visits (person-time)	入院人数 (人) Number of Inpatients (person)	病床使用率 (%) Utilization Rate of Beds (%)	平均住院日 (日) Average Duration of Hospitali-zation(day)	医师日均担负诊疗人次(人次) Daily Visits Per Doctor (person-time)	诊疗人次 (万人次) Visits of Community Health Service Stations (10000 person-times)	医师日均担负诊疗人次(人次) Daily Visits Per Doctor (person-time)
	2007	1952983	45394	48.7	6.8	5.8	565.0	9.3
	2008	2459130	54168	48.7	6.9	6.1	616.2	9.1
	2009	3559078	66328	46.6	7.3	6.6	780.5	10.0
	2010	3813956	67507	57.6	8.9	5.9	890.4	10.4
	2011	4839985	71832	52.7	7.8	6.9	872.0	10.2
	2012	5438079	52557	51.2	7.9	7.7	952.3	11.3
	2013	5995080	64661	51.6	7.6	8.7	984.6	11.9
	2014	6544883	57736	45.4	9.9	8.7	1029.2	11.7
	2015	6752172	59655	43.4	8.6	8.8	1035.6	11.5
	2016	6908037	60561	44.2	9.2	8.7	996.8	11.0
	2017	7069052	73850	44.8	7.6	8.5	984.2	10.0
	2018	7327128	71984	42.6	9.3	8.2	1020.6	9.6
	2019	7891873	75763	39.3	8.6	8.6	997.4	9.0
石家庄市	Shijiazhuang	3876358	12060	48.2	10.6	16.4	291.9	11.8
承德市	Chengde	241144	13946	59.7	6.6	7.5	78.4	11.3
张家口市	Zhangjiakou	489091	5688	32.2	10.8	9.5	15.4	5.8
秦皇岛市	Qinhuangdao	505972	616	11.4	7.2	9.6	79.7	6.3
唐山市	Tangshan	479911	18682	61.6	8.0	4.8	63.6	7.6
廊坊市	Langfang	364486	1520	21.4	10.7	6.8	37.8	7.0
保定市	Baoding	628216	10668	42.1	6.7	7.0	138.4	10.0
沧州市	Cangzhou	250005	2780	52.4	10.3	4.1	67.2	8.6
衡水市	Hengshui	118308	495	13.2	9.8	3.6	35.9	6.2
邢台市	Xingtai	370523	1001	9.2	2.6	5.4	98.9	8.3
邯郸市	Handan	475925	5504	23.9	10.7	4.2	79.9	9.1
定州市	Dingzhou	91934	2803	47.1	11.3	4.3	10.5	5.2
辛集市	Xinji							
雄安新区	Xiongan New Area							

20-14 乡镇卫生院医疗服务情况
Situations of Medical Services in Township Health Centers

年份 Year 市 City		诊疗人次（万人次）Number of Visits (10000 person-times)	入院人数（万人）Number of Inpatients (10000 persons)	病床使用率（%）Utilization Rate of Beds (%)	平均住院日（日）Average Duration of Hospitalization (day)
	2007	3320.85	124.45	43.76	4.7
	2008	3694.96	162.77	51.76	4.7
	2009	3895.00	176.90	56.64	5.6
	2010	3844.29	167.40	55.27	5.9
	2011	3759.01	155.39	55.35	6.5
	2012	4110.43	156.03	57.87	6.8
	2013	4275.94	157.29	58.32	7.0
	2014	4374.61	149.87	55.59	7.5
	2015	4517.25	154.34	56.47	7.4
	2016	4732.54	168.24	58.69	7.2
	2017	4031.87	162.89	53.37	6.9
	2018	3768.45	160.72	51.25	6.9
	2019	3747.07	131.32	43.78	7.1
石家庄市	Shijiazhuang	607.73	19.03	55.54	6.8
承德市	Chengde	395.29	10.09	39.61	7.8
张家口市	Zhangjiakou	137.19	9.53	49.18	7.3
秦皇岛市	Qinhuangdao	140.69	4.35	41.59	7.9
唐山市	Tangshan	378.14	14.68	49.52	6.7
廊坊市	Langfang	166.32	3.68	21.62	6.9
保定市	Baoding	310.18	13.23	41.94	6.8
沧州市	Cangzhou	327.97	5.18	27.97	7.0
衡水市	Hengshui	245.88	2.84	27.31	8.1
邢台市	Xingtai	539.14	11.81	43.05	7.2
邯郸市	Handan	377.86	32.07	52.40	7.3
定州市	Dingzhou	49.558	2.87	57.81	6.0
辛集市	Xinji	35.422	0.94	46.50	7.6
雄安新区	Xiongan New Area	35.683	1.02	36.10	6.3

20-15 28种传染病报告发病及死亡人数(2019年)
Number of Reported Cases and Deaths of 28 Infectious Diseases (2019)

单位：人 (person)

顺位 No.	发病 Disease Incidence			死亡 Death		
	疾病名称	Diseases	发病人数 Number of Diseases	疾病名称	Diseases	死亡人数 Number of Deaths
1	病毒性肝炎	Viral Hepatitis	69486	艾滋病	AIDS	138
2	肺结核	Pulmonary Tuberculosis	29652	肺结核	Pulmonary Tuberculosis	80
3	梅毒	Syphilis	10804	病毒性肝炎	Viral Hepatitis	10
4	淋病	Gonorrhea	1294	狂犬病	Hydrophobia	1
5	细菌性和阿米巴性痢疾	Dysentery	5444	流行性乙型脑炎	Encephalitis B	
6	猩红热	Scarlet Fever	5941	流行性出血热	Hemorrhage Fever	1
7	艾滋病	AIDS	990	梅毒	Syphilis	1
8	布鲁氏菌病	Brucellosis	3236	流行性脑脊髓膜炎	Epidemic Encephalitis	2
9	百日咳	Pertussis	963	疟疾	Malaria	1
10	流行性出血热	Hemorrhage Fever	487	新生儿破伤风	Newborn Tetanus	
11	伤寒和副伤寒	Typhoid and Paratyphoid Fever	325	炭疽	Anthrax	
12	登革热	Dengue Fever	54	百日咳	Pertussis	
13	麻疹	Measles	130	伤寒和副伤寒	Typhoid and Paratyphoid Fever	
14	疟疾	Malaria	91	淋病	Gonorrhea	
15	流行性乙型脑炎	Encephalitis B	2	细菌性和阿米巴性痢疾	Dysentery	
16	狂犬病	Hydrophobia	4	登革热	Dengue Fever	
17	炭疽	Anthrax	12	麻疹	Measles	
18	钩端螺旋体病	Leptospirosis	2	钩端螺旋体病	Leptospirosis	
19	血吸虫病	Schistosomiasis		人感染H7N9禽流感	HpAI H7N9	
20	流行性脑脊髓膜炎	Epidemic Encephalitis	27	猩红热	Scarlet Fever	
21	新生儿破伤风	Newborn Tetanus	1	布鲁氏菌病	Brucellosis	
22	霍乱	Cholera		血吸虫病	Schistosomiasis	
23	人感染H7N9禽流感	HpAI H7N9		霍乱	Cholera	
24	鼠疫	The Plague		鼠疫	The Plague	
25	传染性非典型肺炎	SARS		传染性非典型肺炎	SARS	
26	脊髓灰质炎	Poliomyelitis		脊髓灰质炎	Poliomyelitis	
27	人感染高致病性禽流感	HpAI		人感染高致病性禽流感	HpAI	
28	白喉	Diphtheria		白喉	Diphtheria	

20–16 28种传染病报告发病率和死亡率(2019年)
Reported Incidence and Death Rates of 28 Infectious Diseases (2019)

顺位 No.	发病 Disease Incidence			死亡 Death		
	疾病名称	Diseases	发病率 (1/10万) Incidence (1/100000)	疾病名称	Diseases	死亡率 (1/10万) Death Rate (1/100000)
1	病毒性肝炎	Viral Hepatitis	91.9578	艾滋病	AIDS	0.1826
2	肺结核	Pulmonary Tuberculosis	39.2415	肺结核	Pulmonary Tuberculosis	0.1059
3	梅毒	Syphilis	14.298	病毒性肝炎	Viral Hepatitis	0.0132
4	淋病	Gonorrhea	1.7125	狂犬病	Hydrophobia	0.0013
5	细菌性和阿米巴性痢疾	Dysentery	7.2046	流行性乙型脑炎	Encephalitis B	
6	猩红热	Scarlet Fever	7.8623	流行性出血热	Hemorrhage Fever	0.0013
7	艾滋病	AIDS	1.3102	梅毒	Syphilis	0.0013
8	布鲁氏菌病	Brucellosis	4.2825	流行性脑脊髓膜炎	Epidemic Encephalitis	0.0026
9	百日咳	Pertussis	1.2744	疟疾	Malaria	0.0013
10	流行性出血热	Hemorrhage Fever	0.6445	新生儿破伤风	Newborn Tetanus	
11	伤寒和副伤寒	Typhoid and Paratyphoid Fever	0.4301	炭疽	Anthrax	
12	登革热	Dengue Fever	0.0715	淋病	Gonorrhea	
13	麻疹	Measles	0.172	细菌性和阿米巴性痢疾	Dysentery	
14	疟疾	Malaria	0.1204	百日咳	Pertussis	
15	流行性乙型脑炎	Encephalitis B	0.0026	伤寒和副伤寒	Typhoid and Paratyphoid Fever	
16	狂犬病	Hydrophobia	0.0053	登革热	Dengue Fever	
17	炭疽	Anthrax	0.0159	麻疹	Measles	
18	钩端螺旋体病	Leptospirosis	0.0026	钩端螺旋体病	Leptospirosis	
19	血吸虫病	Schistosomiasis		人感染H7N9禽流感	HpAI H7N9	
20	流行性脑脊髓膜炎	Epidemic Encephalitis	0.0357	鼠疫	The Plague	
21	新生儿破伤风	Newborn Tetanus	0.0012	传染性非典型肺炎	SARS	
22	霍乱	Cholera		脊髓灰质炎	Poliomyelitis	
23	人感染H7N9禽流感	HpAI H7N9		人感染高致病性禽流感	HpAI	
24	鼠疫	The Plague		白喉	Diphtheria	
25	传染性非典型肺炎	SARS		猩红热	Scarlet Fever	
26	脊髓灰质炎	Poliomyelitis		布鲁氏菌病	Brucellosis	
27	人感染高致病性禽流感	HpAI		血吸虫病	Schistosomiasis	
28	白喉	Diphtheria		霍乱	Poliomyelitis	

20-17 卫生总费用
Total Health Expenditure

年 份 Year	卫 生 总费用 (亿元) Total Health Expenditure (100 million yuan)	政府卫生支出 Government Health Expenditure		社会卫生支出 Social Health Expenditure		个人现金卫生支出 Out-of-pocket Health Expenditure		人 均 卫生费用 合 计 (元) Per Capita Health Expenditure (yuan)	卫生总费用与GDP之比(%) Health Expenditure as Percentage of GDP (%)
		绝对数 (亿元) Level (100 million yuan)	占卫生总费用比重(%) As Percentage of Health Expenditure	绝对数 (亿元) Level (100 million yuan)	占卫生总费用比重(%) As Percentage of Health Expenditure	绝对数 (亿元) Level (100 million yuan)	占卫生总费用比重(%) As Percentage of Health Expenditure		
2000	160.34	23.01	14.35	36.27	22.62	101.05	63.02	240.2	3.18
2001	190.77	28.35	14.86	46.93	24.60	115.50	60.54	284.8	3.46
2002	236.38	31.99	13.53	55.28	23.39	149.11	63.08	351.0	3.93
2003	275.82	43.41	15.74	71.07	25.77	161.34	58.49	407.5	3.99
2004	309.15	45.84	14.83	91.47	29.59	171.83	55.58	454.0	3.65
2005	383.66	63.44	16.54	114.83	29.93	205.39	53.53	560.0	3.83
2006	455.63	68.94	15.13	145.33	31.90	241.35	52.97	660.5	3.97
2007	492.27	100.74	20.46	111.50	22.65	280.04	56.89	709.0	3.62
2008	582.15	150.01	25.77	144.04	24.74	288.09	49.49	833.0	3.64
2009	778.01	203.45	26.15	205.81	26.45	368.75	47.40	1106.0	4.51
2010	904.31	266.86	29.51	247.50	27.37	389.96	43.12	1257.0	4.43
2011	1060.39	338.67	31.94	275.78	26.01	445.94	42.05	1464.5	4.33
2012	1248.11	368.32	29.51	353.03	28.29	526.76	42.20	1712.7	4.70
2013	1486.26	429.83	28.92	440.62	29.65	615.81	41.43	2026.9	5.19
2014	1645.80	458.64	27.87	558.25	33.92	628.90	38.21	2228.9	5.56
2015	1861.50	552.58	29.68	622.13	33.42	686.78	36.89	2507.1	6.20
2016	2005.12	567.79	28.32	741.98	37.00	695.35	34.68	2684.2	6.25
2017	2197.10	615.69	28.02	833.15	37.92	748.25	34.06	2921.9	6.11
2018	2690.84	706.84	26.27	1070.90	39.80	913.86	33.96	3561.1	7.47

20–18 分市提供住宿的民政机构床位数(2019年)
Beds of Civil Affairs Institutions with Accommodations by City (2019)

单位：张 (bed)

市	City	床位数 Number of Beds	养老 The Aged	儿童福利和救助 Child Welfare and Assistance	精神疾病 Mental Illness	其他 Other
全　省	**Total**	**445693**	**441705**	**834**	**570**	**2584**
石家庄市	Shijiazhuang	50810	50237	300		273
承德市	Chengde	29553	29327	30		196
张家口市	Zhangjiakou	30418	30252			166
秦皇岛市	Qinhuangdao	18377	18172			205
唐山市	Tangshan	61790	60886			904
廊坊市	Langfang	31605	31149	304		152
保定市	Baoding	47873	47732			141
沧州市	Cangzhou	42702	42468	150		84
衡水市	Hengshui	26585	25994		570	21
邢台市	Xingtai	48928	48768			160
邯郸市	Handan	51698	51407	50		241
定州市	Dingzhou	1862	1822			40
辛集市	Xinji	3492	3491			1

20–19 分市孤儿和收养登记情况(2019年)
Orphans and Children Adoption Registration by City (2019)

单位：人 (person)

市	City	孤儿数 Number of Orphans	集中养育 Institutionalized	社会散居 Dispersed	无身份信息的孤儿人数 Number of Orphans without Identifying Information	事实无人抚养儿童数 Number of Unsupported Children
全　省	**Total**	**14049**	**1783**	**12149**	**117**	**2052**
石家庄市	Shijiazhuang	2286	535	1717	34	
承德市	Chengde	1178	41	1137		
张家口市	Zhangjiakou	1016	145	871		50
秦皇岛市	Qinhuangdao	409	84	325		193
唐山市	Tangshan	1028	110	917	1	43
廊坊市	Langfang	615	131	480	4	
保定市	Baoding	1351	185	1164	2	104
沧州市	Cangzhou	1010	71	934	5	24
衡水市	Hengshui	856	105	751		26
邢台市	Xingtai	2229	116	2095	18	177
邯郸市	Handan	1601	223	1334	44	1435
定州市	Dingzhou	402	37	356	9	
辛集市	Xinji	68		68		

20–20 社会救助情况
Statistics on Social Relief

单位：万人 (10000 persons)

年 份 / 市	Year / City	城市居民最低生活保障人数 Number of Urban Residents Receiving Minimum Living Allowance	农村居民最低生活保障人数 Number of Rural Residents Receiving Minimum Living Allowance	农村特困人员集中供养人数 Rural Households with Centralized Livelihood Guaranteed in Five Aspects	农村特困人员分散供养人数 Rural Households with Decentralized Livelihood Guaranteed in Five Aspects
	2011	88.10	208.40	10.00	14.70
	2012	77.30	208.00	9.30	14.30
	2013	72.76	221.90	8.88	14.96
	2014	62.50	209.90	6.70	16.40
	2015	55.00	205.80	4.80	18.00
	2016	47.58	189.46	3.84	19.61
	2017	35.50	160.20	3.20	20.00
	2018	23.70	122.20	2.97	22.08
	2019	19.46	157.42	2.94	23.13
石家庄市	Shijiazhuang	1.26	13.45	0.22	1.50
承 德 市	Chengde	1.94	17.25	0.36	2.30
张家口市	Zhangjiakou	4.76	31.79	0.27	2.57
秦皇岛市	Qinhuangdao	1.01	4.30	0.18	1.49
唐 山 市	Tangshan	1.21	6.47	0.49	2.72
廊 坊 市	Langfang	0.37	4.26	0.18	0.71
保 定 市	Baoding	1.58	18.07	0.32	3.20
沧 州 市	Cangzhou	0.79	9.43	0.25	1.90
衡 水 市	Hengshui	0.81	7.21	0.25	1.91
邢 台 市	Xingtai	2.69	22.52	0.26	2.17
邯 郸 市	Handan	3.04	20.39	0.16	2.12
定 州 市	Dingzhou	0.09	1.70	0.02	0.35
辛 集 市	Xinji	0.03	0.55	0.01	0.18

20–21 分市医疗救助情况(2019年)
Statistics on Medical Aid by City (2019)

市	City	资助参加基本医疗保险人数(人) Aid for Basic Medical Insurance (person)	门诊和住院医疗救助人数(人次) Outpatient and Hospitalization Medical Aid (person-time)	资助参加基本医疗保险资金数(万元) Expenses of Aid for Basic Medical Insurance (10000 yuan)	门诊和住院医疗救助资金数(万元) Expenses for Outpatient and Hospitalization Medical Aid (10000 yuan)
全 省	**Total**	**3864761**	**4977671**	**52451.45**	**151249.45**
石家庄市	Shijiazhuang	252120	367784	2811.00	8746.00
承 德 市	Chengde	565879	2284885	2690.00	84112.27
张家口市	Zhangjiakou	953091	532331	13288.98	16250.50
秦皇岛市	Qinhuangdao	12212	96004	170.00	2306.00
唐 山 市	Tangshan	9059	50425	706.00	2065.00
廊 坊 市	Langfang	52957	28798	1208.00	3710.00
保 定 市	Baoding	451039	525470	9142.39	14478.23
沧 州 市	Cangzhou	673182	66412	2103.53	3581.53
衡 水 市	Hengshui	125052	470024	2896.71	2768.58
邢 台 市	Xingtai	320540	243120	7162.37	5909.22
邯 郸 市	Handan	416285	291086	9323.87	6558.20
定 州 市	Dingzhou	494	494	173.60	173.60
辛 集 市	Xinji	15207	8853	335.00	128.32
雄安新区	Xiongan New Area	17644	11985	440.00	462.00

20–22 社会组织、自治组织单位数

Statistics on Social Organizations and Autonomy Organizations

单位：个 (unit)

年 份 Year 市 City		社会组织 Social Organizations	社会团体 Social Organization	民办非企业单位 Non-enterprise Units Run by NGO	基金会 Fund Organization	自治组织 Autonomy Organizations	村民委员会 Village Committee	社区居委会 Neighborhood Committee
	2012	16534	9909	39	6586	52150	48721	3429
	2013	16530	9536	49	6945	52365	48703	3662
	2014	17642	9810	49	7783	52471	48636	3835
	2015	19328	9871	61	9396	52909	48974	3935
	2016	20916	10181	85	10650	53057	48863	4194
	2017	21928	9141	103	12684	53086	48671	4415
	2018	26427	9892	121	16414	52957	48724	4233
	2019	30026	10329	144	19553	53070	48718	4352
省 级	Central-level	1584	1089	133	362			
石家庄市	Shijiazhuang	4108	1264		2844	4674	3943	731
承 德 市	Chengde	1064	553	1	510	2638	2456	182
张家口市	Zhangjiakou	1183	642	2	539	4491	4173	318
秦皇岛市	Qinhuangdao	2468	560		1908	2441	2265	176
唐 山 市	Tangshan	2567	791		1776	5987	5312	675
廊 坊 市	Langfang	1777	567		1210	3505	3202	303
保 定 市	Baoding	4581	1554	2	3025	6180	5716	464
沧 州 市	Cangzhou	1892	778	4	1110	6007	5757	250
衡 水 市	Hengshui	1509	524		985	5114	4984	130
邢 台 市	Xingtai	3378	991	1	2386	5401	4894	507
邯 郸 市	Handan	3497	883	1	2613	5729	5202	527
定 州 市	Dingzhou	286	89		197	542	470	72
辛 集 市	Xinji	132	44		88	361	344	17

20–23 婚姻服务情况
Statistics on Marriages and Divorces

年份 Year / 市 City		按婚前状况分类 By the Classification of Pre Marital Status		按居住地分类 By Place of Residence		离婚
		初婚(人) First Marriages (person)	再婚(人) Re-marriages (person)	居民登记结婚(对) Registered Marriages (couple)	#涉外登记结婚(对) Registered Marriages with Foreigner (couple)	(对) Divorces (couple)
	2003	952850	95232	523822	219	25785
	2004	1041641	107581	574384	227	43117
	2005	947158	100884	523746	275	50280
	2006	1003450	105780	554305	310	56926
	2007	1093448	113714	603261	320	60483
	2008	1203102	122410	662368	388	73066
	2009	1300578	139344	719547	414	86707
	2010	1355779	144803	749885	406	98792
	2011	1370018	184302	776674	486	109600
	2012	1303042	187630	744884	452	118613
	2013	1266237	215277	740260	497	133622
	2014	1099881	222771	660732	594	146877
	2015	987465	231419	609442	579	157180
	2016	851411	252381	551896	988	181901
	2017	750461	259269	504865	963	192255
	2018	645160	272276	462212	1219	197959
	2019	551369	291259	419967	1347	218399
石家庄市	Shijiazhuang	84888	33092	58990		26912
承德市	Chengde	26127	17355	21741		12703
张家口市	Zhangjiakou	34813	18823	26818		14436
秦皇岛市	Qinhuangdao	20567	15605	18086		11897
唐山市	Tangshan	48171	31279	39725		23101
廊坊市	Langfang	35621	32001	33811		23284
保定市	Baoding	78382	39614	58998		28758
沧州市	Cangzhou	50156	33418	41787		24242
衡水市	Hengshui	28576	15398	21987		11240
邢台市	Xingtai	52658	24652	38655		17031
邯郸市	Handan	74627	23563	49095		20269
定州市	Dingzhou	10269	4293	7281		3019
辛集市	Xinji	4347	1639	2993		1386
雄安新区	Xiongan New Area					

20–24 分市分年龄婚姻服务情况(2019年)

Statistics on Marriages and Divorces by City and Age (2019)

市	City	初婚人数(人) First Marriages (person)	再婚人数(人) Re-marriages (person)	结婚人数中(人) In the Marriages (person) 20–24岁 Aged 20-24	25–29岁 Aged 25-29	30–34岁 Aged 30-34	35–39岁 Aged 35-39	40岁以上 Aged 40 and Over
全　省	**Total**	**551369**	**291259**	**179089**	**302099**	**160004**	**77173**	**124263**
省本级	Provincial Level	2167	527	537	1023	656	228	250
石家庄市	Shijiazhuang	89235	34731	19410	48711	25100	10373	20372
承德市	Chengde	26127	17355	7693	15021	8387	4441	7940
张家口市	Zhangjiakou	34813	18823	8798	21014	10246	4425	9153
秦皇岛市	Qinhuangdao	20567	15605	5677	12361	7515	3906	6713
唐山市	Tangshan	48171	31279	16130	26695	15839	7360	13426
廊坊市	Langfang	35621	32001	12054	20536	14990	8493	11549
保定市	Baoding	88651	43907	27910	48168	24015	12239	20226
沧州市	Cangzhou	50156	33418	22183	27926	14950	7395	11120
衡水市	Hengshui	28576	15398	10464	16797	7526	3824	5363
邢台市	Xingtai	52658	24652	18604	28859	13552	6674	9621
邯郸市	Handan	74627	23563	29629	34988	17228	7815	8530

20–24 续表 continued

市	City	离婚登记(对) Registered Divorces (couples)	#内地居民登记离婚 Registered Divorces in the Mainland	离婚人数中(人) In the Divorces (person) 20–24岁 Aged 20-24	25–29岁 Aged 25-29	30–34岁 Aged 30-34	35–39岁 Aged 35-39	40岁以上 Aged 40 and Over
全　省	**Total**	**218399**	**218278**	**8387**	**70453**	**126560**	**91252**	**140146**
省本级	Provincial Level	121						242
石家庄市	Shijiazhuang	28298	28298	907	8454	17951	12486	16798
承德市	Chengde	12703	12703	504	3206	6607	5014	10075
张家口市	Zhangjiakou	14436	14436	552	3928	7538	5067	11787
秦皇岛市	Qinhuangdao	11897	11897	366	3018	6232	4816	9362
唐山市	Tangshan	23101	23101	868	6377	12872	8608	17477
廊坊市	Langfang	23284	23284	651	6126	14051	10927	14813
保定市	Baoding	31777	31777	1313	10964	17794	13911	19572
沧州市	Cangzhou	24242	24242	1251	9316	13938	9577	14402
衡水市	Hengshui	11240	11240	479	4028	6334	4704	6935
邢台市	Xingtai	17031	17031	713	7202	10744	7591	7812
邯郸市	Handan	20269	20269	783	7834	12499	8551	10871

20–25 残疾人补贴情况
Subsidies for Persons with Disabilities

单位：人 (person)

市	City	困难残疾人生活补贴人数 Number of Disabled People in Need		重度残疾人护理补贴人数 Number of Nursing Subsidies for Severe Disabled People	
		2018	2019	2018	2019
全　省	**Total**	**341160**	**493922**	**584936**	**673482**
石家庄市	Shijiazhuang	41104	56689	70692	85364
承 德 市	Chengde	41241	59039	43882	48589
张家口市	Zhangjiakou	51531	66887	47845	55172
秦皇岛市	Qinhuangdao	13137	19147	29825	32515
唐 山 市	Tangshan	27601	28588	58309	61521
廊 坊 市	Langfang	19825	24843	31915	34943
保 定 市	Baoding	33773	62614	84222	104569
沧 州 市	Cangzhou	18816	26721	54063	61441
衡 水 市	Hengshui	14432	24990	36991	43244
邢 台 市	Xingtai	44784	66769	60576	66538
邯 郸 市	Handan	34916	57635	66616	79586

20–26 残疾人事业基本情况
Basic Statistics on the Work for Persons with Disabilities

项　目	Item	2018	2019
康复	**Rehabilitation**		
视力残疾康复服务人数(人)	Rehabilitation of Persons with Visual Disability (person)	40973	25823
听力语言残疾康复服务人数(人)	Rehabilitation of Persons with Hearing and Speech Disability (person)	29595	24181
肢体残疾康复服务人数(人)	Rehabilitation of Persons with Physical Disability (person)	332435	228271
智力残疾康复服务人数(人)	Rehabilitation of Persons with Intellectual Disability (person)	31303	21287
精神病防治康复服务人数(人)	Prevention and Rehabilitation of Mental Illness (PRMI) (person)	35558	42419
残疾人康复机构(个)	Provision of Assistive Devices (unit)	431	435
辅助器具服务机构(个)	Assistive Devices Provided (piece) (unit)	62	66
教育	**Education**		
特殊教育普通高中在校生(人)	Students at Special Education Senior High Schools (person)	804	1354
残疾人中等职业教育在校生(人)	Students at Secondary Vocational Schools for PWDs (person)	376	408
高等院校录取残疾考生(人)	Disable Students Admitted to Higher Education Institutions (person)	187	315
就业	**Employment**		
残疾人就业状况(人)	Newly Employed PWDs in Urban Areas in the Year (person)		
残疾人就业人数	Annual New Employee Population	613526	504298
扶贫	**Poverty Alleviation**		
扶持贫困残疾人(人)	Impoverished PWDs Assisted in Rural Areas (person)	59561	75168
农村贫困残疾人危房改造(户)	Dilapidated House Renovation for Poor PWDs (household)	1590	1048
受益残疾人(人)	PWDs Benefited (person)	1847	1180
组织建设	**Organization Development**		
残疾人工作者数(人)	Number of Workers with Disabilities (person)	5380	5426
残疾人人口库持证残疾人(人)	PWDs with Disability Certificate in the PWD Database (person)	1898950	1833905

主要统计指标解释

医疗卫生机构 指从卫生(卫生计生)行政部门取得《医疗机构执业许可证》《中医诊所备案证》《计划生育技术服务许可证》，或从民政、工商行政、机构编制管理部门取得法人单位登记证书，为社会提供医疗服务、公共卫生服务或从事医学科研和医学在职培训等工作的单位。医疗卫生机构包括医院、基层医疗卫生机构、专业公共卫生机构、其他医疗卫生机构。

医院 包括综合医院、中医医院、中西医结合医院、民族医院、各类专科医院和护理院，不包括专科疾病防治院、妇幼保健院和疗养院，包括医学院校附属医院。

基层医疗卫生机构 包括社区卫生服务中心、社区卫生服务站、街道卫生院、乡镇卫生院、村卫生室、门诊部、诊所(医务室)。

专业公共卫生机构 包括疾病预防控制中心、专科疾病防治机构、妇幼保健机构（含妇幼保健计划生育服务中心）、健康教育机构、急救中心（站）、采供血机构、卫生监督机构、取得《医疗机构执业许可证》或《计划生育技术服务许可证》的计划生育技术服务机构。

卫生人员 指在医院、基层医疗卫生机构、专业公共卫生机构及其他医疗卫生机构工作的职工，包括卫生技术人员、乡村医生和卫生员、其他技术人员、管理人员和工勤人员。一律按支付年底工资的在岗职工统计，包括各类聘任人员(含合同工)及返聘本单位半年以上人员，不包括临时工、离退休人员、退职人员、离开本单位仍保留劳动关系人员、本单位返聘和临聘不足半年人员。

卫生技术人员 包括执业医师、执业助理医师、注册护士、药师（士）、检验技师（士）、影像技师、卫生监督员和见习医（药、护、技）师（士）等卫生专业人员。不包括从事管理工作的卫生技术人员(如院长、副院长、党委书记等)。

执业医师 指《医师执业证》“级别”为“执业医师”且实际从事医疗、预防保健工作的人员，不包括实际从事管理工作的执业医师。执业医师类别分为临床、中医、口腔和公共卫生四类。

执业(助理)医师 指《医师执业证》“级别”为“执业助理医师”且实际从事医疗、预防保健工作的人员，不包括实际从事管理工作的执业助理医师。执业助理医师类别分为临床、中医、口腔和公共卫生四类。

每千人口卫生技术人员 每千人口卫生技术人员=卫生技术人员数/人口数×1000。人口数系年末常住人口。

每千人口执业(助理)医师 每千人口执业(助理)医师=(执业医师数+执业助理医师数)/人口数×1000。人口数系年末常住人口。

床位数 指年底固定实有床位（非编制床位），包括正规床、简易床、监护床、超过半年加床、正在消毒和修理床位、因扩建或大修而停用的床位，不包括产科新生儿床、接产室待产床、库存床、观察床、临时加床和病人家属陪侍床。

每千人口医疗卫生机构床位 每千人口医疗卫生机构床位=医疗卫生机构床位数/人口数×1000。人口数系年末常住人口。

28种传染病发病率 是指某年每10万人口中28种传染病发病数。即28种传染病发病率=28种传染病发病数/人口数×100000。

28种传染病死亡率 是指某年每10万人口中28种传染病死亡数。即28种传染病死亡率=28种传染病死亡数/人口数×100000。

死亡率 指年内一定地区的死亡人数与同期平均人数之比，一般以‰表示。

孕产妇死亡率 指年内每10万名孕产妇的死亡人数。孕产妇死亡指从妊娠期至产后42天内，由于任何妊娠或妊娠处理有关的原因导致的死亡，但不包括意外原因死亡者。按国际通用计算方法，“孕产妇总数”以“活产数”代替计算。

5岁以下儿童死亡率 指年内未满5岁儿童死亡人数与活产数之比，一般以‰表示。

新生儿死亡率 指年内新生儿死亡数与活产数之比。一般以‰表示。新生儿死亡指出生至28天以内(即0-27天)死亡人数。

卫生总费用 指一个国家或地区在一定时期内，为开展卫生服务活动从全社会筹集的卫生资源的货币总额，按来源法核算。它反映一定经济条件下，政府、社会和居民个人对卫生保健的重视程度和费用负担水平，以及卫生筹资模式的主要特征和卫生筹资的公平性合理性。

政府卫生支出 指各级政府用于医疗卫生服务、医疗保障补助、卫生和医疗保障行政管理、人口与计划生育事务支出等各项事业的经费。

社会卫生支出 指政府支出外的社会各界对卫生事业的资金投入。包括社会医疗保障支出、商业健康保险费、社会办医支出、社会捐赠援助、行政事业性收费收入等。

个人现金卫生支出 指城乡居民在接受各类医疗卫生服务时的现金支付，包括享受各种医疗保险制度的居民就医时自付的费用。可分为城镇居民、农村居民个人现金卫生支出，反映城乡居民医疗卫生费用的负担程度。

人均卫生费用 即某年卫生总费用与同期平均人口数之比。

卫生总费用与GDP之比 指某年卫生总费用与同期国内生产总值（GDP）之比。是用来反映一定时期国家对卫生事业的资金投入力度，以及政府和全社会对卫生事业、居民健康的重视程度。

提供住宿的民政机构 指能为老年人、残疾人、智障与精神病人、儿童等人员提供住宿的社会服务机构数。包括社会福利院、农村特困人员救助供养机构、光荣院、养老公寓等其他养老机构、社会福利医院、儿童福利院、未成年人救助保护中心、生活无着人员救助管理站、安置农场以及其他提供住宿的机构。

孤儿数 指失去父母或查找不到生父母的未满 18 周岁的未成年人的人数。由地方县级以上民政部门依据有关规定和条件认定的，并已经领取了孤儿补助费的孤儿。

城市居民最低生活保障人数 指在报告期末共同生活的家庭成员人均收入低于当地最低生活保障标准，且家庭财产状况符合相关规定的城镇居民，并已发放补助经费的人数。

农村居民最低生活保障人数 指报告期末共同生活的家庭成员人均收入低于当地最低生活保障标准，得到当地政府给予最低生活保障待遇的农业人口家庭人数。

离婚率 指某地区当年离婚对数占该地区年平均人口的比重。计算公式为：

$$\text{离婚率} = \frac{\text{当年离婚对数}}{\text{年平均人口数}} \times 1000‰$$

残疾人就业人数 指本年度通过集中就业、按比例就业、个体就业、公益性岗位就业、辅助性就业、从事农业种养、灵活就业形式安排实现就业的城镇残疾人。

Explanatory Notes on Main Statistical Indicators

Medical and Health Care Institutions refer to the units which have been qualified the Certification of Health Care Institution, filing certificate of traditional Chinese medicine clinic, certification of family planning technical service by the administration of public health (family planning), or qualified the Certification of Corporate Unit by the civil affairs, administration for industry and commerce, commission office for public sector reform, and engaging in medical health care services, public health services, or medicine research and on-job training, etc., including: hospitals, health care institutions at grass-root level, specialized public health institutions, and other medical and health care institutions.

Hospitals include general hospitals, hospitals specialized in traditional Chinese medicine, hospitals of integrated traditional Chinese and western medicine, ethnic hospitals, specialized hospitals and nursing hospitals, excluding specialized disease prevention and treatment institutes, maternal and child health care hospitals and convalescent hospitals, including affiliated hospital of medical college.

Health Care Institutions at Grass-root Level include community health service centers, community health service stations, urban health centers, township health centers, village clinics, outpatient departments and clinics (health centers).

Specialized Public Health Institutions include centers for disease control and prevention, specialized disease prevention and treatment institutions, women and children care agencies(including women and children health care family planning service center), health education institutions, first aid centers, blood gathering and supplying institutions, health supervision and inspection agencies, and family planning technical service centers that obtained the Certification of Health Care Institution or certification of family planning technical service centers.

Health Care Employees refer to all employees engaged in the health care institutions, such as hospitals, health care institutions at grass-root level, specialized public health institutions, and other medical and health care institutions, including medical technical personnel, village doctors and assistants, other technical personnel, managerial and service staff. The data is based on the year end payroll, including personnel hired (including contract labor) and re-employed after retirement by the institution for over half a year and excluding temporary workers, retired personnel, resigned personnel, personnel who have left the institution but kept the contract relation and personnel who are re-employed after retirement or temporarily employed for less than half a year.

Medical Technical Personnel refer to the professional staff engaged in health care, including licensed doctors, licensed assistant doctors, registered nurses, pharmacists, laboratory technicians, imaging staff, health care supervisors and intern doctors, pharmacists, nurses, and technical personnel, excluding the medical technical personnel engaged in managerial job (e.g. president, vice president and secretary of the party committee etc).

Licensed Doctors refer to the medical workers who have obtained the licenses of qualified doctors and are employed in medical treatment, disease prevention or healthcare institutions, excluding the licensed doctors engaged in management job. The licensed doctors are divided into 4 categories: clinician, Chinese medicine physicians, dentist and public health physicians.

Licensed Assistant Doctors refer to the medical workers who have obtained the licenses of qualified assistant doctors and are employed in medical treatment, disease prevention or healthcare institutions, excluding the licensed assistant doctors engaged in management job. The classification of licensed assistant doctors is clinician, Chinese medicine, dentist and public health.

Number of Medical Technical Personnel per 1000 Population The formula is:

Number of Medical Technical Personnel per 1000 Population = Number of Medical Technical Personnel / Population×1000

The population is the figure of usual population at year-end.

Number of Licensed (Assistant) Doctors per 1000 Population The formula is:

Number of Licensed Doctors per 1000 Population = (Number of Licensed Doctors + Number of Licensed Assistant Doctors) / Population×1000

The population is the figure of usual population at year-end.

Number of Beds refer to the fixed actual beds (non authorized beds) at year-end, including regular beds, simple beds, monitoring beds, extra bed over half a year, beds which are disinfected and repairing, beds deactivated due to expansion or overhaul, not including neonatal beds, predelivery bed, inventory bed, observation beds, temporary beds and family accompany beds.

Number of Beds of Medical and Health Care Institutions per 1000 Population the formula is:

Number of Beds of Medical and Health Care Institutions per 1000 Population = Number of Beds of Medical and Health Care Institutions / Population×1000

The population is the figure of usual population at year-end.

Incidence Rate of 28 Infectious Diseases refer to the incidence cases of 28 infectious diseases per 100 thousand population in the reference year. The formula is:

Incidence Rate of 28 Infectious Diseases = Incidence Cases

of 28 Infectious Diseases / Population × 100000

Death Rate of 28 Infectious Diseases refer to the death cases of 28 infectious diseases per 100 thousand population in the reference year. The formula is:

Death Rate of 28 Infectious Diseases= Death Cases of 28 Infectious Diseases / Population × 100000

Mortality Rate refers to the ratio of deaths to the average population in a year of the region, and usually is presented by ‰.

Maternal Mortality Rate refers to number of maternal death per 10,000 maternal. Generally refers to maternal mortality from pregnancy to 42 days after parturition due to pregnancy or any treatment of pregnancy, however, accidental deaths are not included. According to internationally accepted calculation method, the live births are used to represent the total number of maternal.

Mortality Rate of Children under 5 refers to the ratio of deaths of children under 5 in a year to the number of live births, and usually is presented by ‰.

Newborn Mortality Rate refers to the ratio of neonatal deaths in a year to the number of live births, and usually is presented by ‰. Neonatal deaths refer to the deaths of new-birth under the age of 28 days (0-27 days).

Total Expenditure on Public Health refers to the total monetary value of health resources in a country or a region collected by the whole society for public health based on source approach. It reflects the attention and affordability of the government, society and individual for public health and the major characteristics, justice and rationality of the health fund-raising model under certain economic circumstance.

Government Expenditure on Public Health refers to the expenditure of the governments at all levels on medical and health care services, medical subsidies, health administration and health security management, and undertakings of family planning etc.

Social Expenditure on Public Health refers to all inputs of society except the government in public health including the expenditures on social medical security, commercial health insurance, private expenditure on operation of medical and health care, social donation and contribution, and income from administrative fees etc.

Individual Cash Expenditure on Health refers to expenditure in cash on various health services by rural and urban residents, including self payments of residents within the system of multi-medical insurance. It can be categorized as cash expenditure on health by urban and rural residents and reflects their affordability of public health.

Average Expenditure on Health refers to the ratio of total expenditure on health in a year to the average population.

Ratio of Total Expenditure on Public Health to GDP refers to the ratio of total expenditure on public health in a year to GDP, which indicates the financial support given by a nation to health work and the attention paid on the public health and the health of residents by the government and society.

Number of Civil Affairs Institutions with Accommodation refers to the number of social service institutions that can provide accommodation for the elderly, the disabled, the mentally handicapped and the mentally ill, and children. It includes social welfare institutions, rural destitute poverty relief and support institutions, nursing homes for elderly revolutionaries and relatives, old-age apartments and other pension institutions, social welfare hospitals, children's welfare homes, rescuing and protection center for minors, relief and management stations for vagrants and beggars, resettlement farms and other institutions providing accommodation.

Number of Orphans refers to juveniles under age of 18 that have lost parents or can't find parents. Orphans are affirmed by department of civil affairs at county level according to relevant regulations, and have received orphan subsidies.

Number of Urban Residents Entitled to Minimum Living Allowances refers to the number of those urban residents whose average family income is below a minimum local standard, and status of family property meets the relevant regulation, and have received subsidies by the end of the reporting period.

Number of Rural Residents Entitled to Minimum Living Allowances refers to the number of those rural residents whose average family income is below a minimum local standard, and receiving the minimum living allowances from the local government by the end of the reporting period.

Divorce Rate refers to ratio of divorced couples to the annual average population in a certain region for the reference year, the formula is:

$$\text{Divorce Rate} = \frac{\text{Number of Couples Divorced for the Reference Year}}{\text{Annual Average Population}} \times 1000 ‰$$

Number of Employment for the Disabled refers to the new jobs created for the urban disabled through centralized employment, proportionate employment, self-employment, employment of welfare posts, supported employment, engaging in agricultural raising, flexible employment.

文化和体育
Culture and Sports

简 要 说 明

一、本篇主要反映河北新闻出版、广电、文化、文物、体育事业等发展情况。

二、本篇资料的主要内容包括全省及各地区图书、期刊、报纸、音像制品的出版、印刷、发行情况；全省及各地区广播影视宣传、覆盖、技术等方面的情况；全省及各地区艺术表演团体、公共图书馆、群众文化机构和博物馆的机构、人员、经费和业务活动情况；全省体育系统机构人员情况等。

三、本篇的资料来源：新闻出版资料来自省新闻出版局；广播、电视资料来自省广播电视局；文化资料来自省文化和旅游厅；文物资料来自省文物局；体育资料来自省体育局；文化企业资料由河北省统计局社会科技统计处整理提供。

四、资料整理：李树奇　闫单单

Brief Introduction

Ⅰ.This paper mainly reflects the development of Hebei press and publication, radio and television, culture, cultural relics, sports and other undertakings.

Ⅱ.The main contents of this paper include the publication, printing and distribution of books, periodicals, newspapers and audio-visual products in the whole province and various regions. Provincial and regional broadcasting, film and television publicity, coverage, technology and other aspects; The institutions, personnel, funds and operational activities of art performing groups, public libraries, mass cultural institutions and museums in the province and other regions; Provincial sports system personnel, etc.

Ⅲ. The sources of this article: press and publication materials from the Provincial Bureau of Press and Publication; The radio and television data are from the Provincial Radio and Television Bureau; Cultural materials from the Provincial Department of Culture and Tourism; Cultural relics data from Provincial Bureau of Cultural Heritage; Sports data from the Provincial Sports Bureau; The data of cultural enterprises are compiled and provided by the Social Science and Technology Statistics Division of Hebei Province Statistics Bureau.

Ⅳ. Data collection:Li Shuqi, Yan Dandan.

21-1 图书、报纸、杂志出版种类和数量(2019年)
Number of Books, Newspaper and Magazines Published (2019)

门　　类	Category	本版图书种类(种) Number of Publications (item)	总印数(万册) Printed Copies (10000 copies)	总印张(千印张) Printed Sheets (1000 sheets)
图　书	**Books Published**	**9980**	**33300**	**2604125**
马克思主义、列宁主义、毛泽东思想	Marxism-Leninism, Mao Zedong Thought	10	2	278
哲学	Philosophy	7	1	117
社会科学总论	General Social Sciences	26	5	940
政治、法律	Politics and Law	46	12	1896
军事	Military Affairs	10	134	4304
经济	Economics	54	8	1431
文化、科学、教育、体育	Culture, Science, Education and Sports	8273	31170	2463314
语言、文字	Languages	109	74	3180
文学	Literature	719	1577	94168
艺术	Arts	334	155	14832
历史、地理	History and Geography	140	36	6237
自然科学类	General Natural Sciences	4	1	138
数理科学、化学	Mathematics and Chemistry	13	68	5573
天文学、地理科学	Astronomy and Geology	12	2	516
生物科学	Biology	6	2	151
医药、卫生	Medicine and Health Care	34	7	962
农业科学	Agricultural Science	50	10	1273
工业技术	Industrial Technology	39	17	1582
交通运输	Transportation	4	3	127
航空、航天	Aeronautics and Aerospace			
环境科学	Environmental Science	6	5	174
综合性图书	General Books	84	11	2929
报　纸	**Newspapers Published**	**64**	**106684**	**1899353**
省级	Province	27	69898	970291
地(市)级	Prefecture	36	36454	922420
县级	County	1	332	6642
期　刊	**Magazines Published**	**218**	**4213**	**203493**
#综合类	General Magazines	10	28	1618
哲学、社会科学类	Philosophy and Social Sciences	54	1694	83636
自然科学、技术类	Natural Sciences and Technology	106	738	50472
文化、教育类	Culture and Education	34	1615	57906
文学、艺术类	Literature and Arts	14	139	9861
#画刊	Pictures	2	24	1225
#少年儿童读物	Books for Children	3	778	17850

21−2 广播电视基本情况
Basic Statistics on Broadcasting and Television Stations

项　　目	Item	2013	2014	2015	2018	2019
广播	**Radio**					
广播节目综合覆盖率(%)	Comprehensive Coverage of Radio Programs (%)	99.34	99.34	99.35	99.36	99.58
电视	**Television**					
电视节目综合覆盖率(%)	Comprehensive Coverage of TV Programs (%)	99.27	99.27	99.27	99.29	99.68
有线广播电视用户数(万户)	Users of Cable Radios and TV (10000 households)	865.82	914.40	922.47	734.60	695.78
广播电视技术及其他	**TV Technology and Others**					
中、短波转播发射台(座)	Transmission and Relaying Stations of Medium and Short Wave Broadcast (unit)	31	31	29	30	34
调频转播发射台(座)	Relaying Stations of Frequency Modulation Broadcasting (unit)	159	159	159	364①	298①
电视转播发射台(座)	TV Transmission and Relaying Stations (unit)	253	253	253		
微波实有站(座)	Microwave Stations (unit)	32	32	32	32	39

注：①为调频转播发射台与电视转播发射台之和。

a) ①The data is for relaying stations of frequency modulation and TV transmission & relaying stations.

21−3 主要文化机构情况
Number of Institutions of Cultural Industry

单位：个　　(unit)

年份 Year	公共图书馆 Public Libraries	文化馆(站) Cultural Centers	省级、地市级文化馆 Art Centers at Provincial & Prefecture Level	县市级文化馆 Cultural Centers at County & City Level	乡镇(街道)文化站 Township (sub-district) Cultural Centers	博物馆 Museums	艺术表演团体 Art Performance Troupes	艺术表演场馆 Art Performance Places
2008	163	2234	13	164	2057	57	228	106
2009	164	2265	13	164	2088	64	246	102
2010	165	2319	13	164	2142	65	284	113
2011	166	2360	14	163	2183	69	312	113
2012	172	2393	13	168	2212	75	448	138
2013	173	2399	13	169	2217	103	500	77
2014	172	2397	13	167	2217	105	458	77
2015	172	2402	13	167	2222	107	596	108
2016	172	2416	13	167	2236	111	712	112
2017	173	2431	13	167	2251	122	735	96
2018	173	2433	13	167	2253	134	450	81
2019	173	2435	13	167	2255	136	749	112

21－4 文化文物机构、人员情况(2019年)

Number and Personnel in Culture and Cultural Relics Institutions (2019)

机构名称	Category of Institution	机构（个）Number of Institutions (unit)	文化部门 Cultural Department	其他部门 Other Department	从业人员（人）Number of Employed Persons (person)	文化部门 Cultural Department	其他部门 Other Department
总　计	**Total**	**11484**	**3553**	**7931**	**112311**	**30370**	**81941**
文化合计	**Cultural**	**11009**	**3136**	**7873**	**103860**	**23207**	**80653**
艺术表演团体	Art Performance Troupes	749	121	628	16458	4446	12012
艺术表演场馆	Art Performance Places	112	69	43	2124	1019	1105
公共图书馆	Public Libraries	173	173		1892	1892	
文化馆	Cultural Centers	180	180		2243	2243	
文化站	Cultural Stations	2255	2255		5147	5147	
艺术展览创作机构	Art Exhibition and Creative Institutions	20	20		176	176	
艺术教育业	Culture and Education	4	4		544	544	
文化科研机构	Art Research Institutions	12	12		156	156	
文化市场经营机构	Institutions of Business of Culture	5245		5245	21915		21915
文化行政主管部门	Administrative Department of Culture	187	187		6367	6367	
其他文化机构	Other Cultural Institutions	124	115	9	1368	1217	151
旅行社	Travel Agency	1552		1552	8948		8948
星级饭店	Star Hotel	396		396	36522		36522
文物合计	**Cultural Relics**	**475**	**417**	**58**	**8451**	**7163**	**1288**
博物馆	Museums	136	81	55	4017	2938	1079
文物保护管理机构	Agencies of Cultural Relics Preservation	163	160	3	3662	3453	209
文物科研机构	Scientific and Research Agencies	9	9		368	368	
文物商店	Cultural Relics Shops	1	1		5	5	

21－5 艺术表演场馆基本情况(2019年)

Basic Statistics on Art Performance Places in the Official Cultural System (2019)

项　目	Item	机构数（个）Number of Institutions (unit)	从业人员（人）Number of Employed Persons (person)	座席数（个）Seating Capacity (unit)	演(映)出场次（万场次）Number of Performances (10000 shows)	#艺术演出 Art Performances
总计	**Total**	**112**	**2124**	**101462**	**7.558**	**0.367**
#附属剧场	Attached Theatre	15	444	48447	0.134	0.119
儿童剧场	Children's Theatre	3	9	559	0.011	0.011
按登记注册类型分	**By Status of Registration**					
国有	State-owned	68	896	30897	3.578	0.114
集体	Collective-owned					
其他	Others	44	1228	70565	3.980	0.252
按管理部门分	**By Management**					
文化部门	Cultural Department	69	1019	33136	4.127	0.143
其他部门	Other Department	43	1105	68326	3.431	0.224
按机构类型分	**By Type of Troupes**					
剧场	Theaters	37	798	24321	1.646	0.188
影剧院	Music Halls and Cinemas	50	606	22013	5.728	0.102
书场、曲艺场	Storytelling, Recitation and Ballad Places	1	3	100	0.005	0.005
杂技、马戏场	Acrobatics and Circus Places					
音乐厅	Concert Halls	1		200		
综合性	General Performance Theaters	11	517	17986	0.132	0.030
其他艺术表演场馆	Others	12	200	36842	0.047	0.043
按隶属关系分	**By Jurisdiction of Management**					
省	Run by Provinces	6	215	4523	0.028	0.028
市	Run by Prefectures (Cities)	25	491	6443	1.632	0.068
县、市、区	Run by Counties (Cities) and Others	81	1418	90496	5.899	0.272

21-5 续表 continued

项 目	Item	观众人次 (万人次) Number of Audience (10000 person-times)	#艺术演出 Art Performances	收入合计 (千元) Total Income (1000 yuan)	#财政拨款 Government	#演出收入 Performance Income
总计	**Total**	**269.205**	**120.556**	**306340**	**95488**	**56027**
#附属剧场	Attached Theatre	51.853	21.473	60156	250	3530
儿童剧场	Children's Theatre	1.609	1.609	148		70
按登记注册类型分	**By Status of Registration**					
国有	State-owned	94.186	33.390	70268	24560	2554
集体	Collective-owned					
其他	Others	175.018	87.166	236072	70928	53473
按管理部门分	**By Management**					
文化部门	Cultural Department	114.829	45.470	125235	63204	14606
其他部门	Other Department	154.375	75.086	181105	32284	41421
按机构类型分	**By Type of Troupes**					
剧场	Theaters	103.660	38.172	139514	46615	15211
影剧院	Music Halls and Cinemas	118.878	41.100	85964	19917	4158
书场、曲艺场	Storytelling, Recitation and Ballad Places	0.250	0.005	11		2
杂技、马戏场	Acrobatics and Circus Places					
音乐厅	Concert Halls					
综合性	General Performance Theaters	30.415	26.980	51777	26886	14576
其他艺术表演场馆	Others	16.000	14.300	29074	2070	22080
按隶属关系分	**By Jurisdiction of Management**					
省	Run by Provinces	13.843	13.843	37264	24344	9002
市	Run by Prefectures (Cities)	44.918	14.795	59416	24137	4541
县、市、区	Run by Counties (Cities) and Others	210.443	91.919	209660	47007	42484

21－6 分市艺术表演团体、艺术表演场馆演出情况(2019年)
Statistics on Performance of Art Performance Troupes and Art Performance Places by City (2019)

市 City	艺术表演团体 Art Performance Troupes				艺术表演场馆 Art Performance Places				
	机构数（个） Number of Institutions (unit)	演出场次（万场次） Number of Performances (10000 shows)	#国内演出 Domestic Performances	国内演出观众人次（万人次） Number of Domestic Audience (10000 person-times)	机构数（个） Number of Institutions (unit)	演(映)出场次（万场次） Number of Performances (10000 shows)	#艺术演出 Art Performances	观众人次（万人次） Number of Audience (10000 person-times)	#艺术演出 Art Performances
全　省 Total	**749**	**9.270**	**9.189**	**6854.101**	**112**	**7.558**	**0.367**	**269.205**	**120.556**
石家庄市 Shijiazhuang	64	0.890	0.890	721.435	15	1.010	0.004	17.042	1.672
承 德 市 Chengde	71	0.563	0.563	176.906	8	0.757	0.077	51.386	35.316
张家口市 Zhangjiakou	52	0.762	0.762	546.198	4	0.115	0.004	1.066	0.410
秦皇岛市 Qinhuangdao	23	0.216	0.207	125.988	5	1.030	0.038	34.660	
唐 山 市 Tangshan	72	0.529	0.529	354.106	10	0.124	0.004	4.957	3.749
廊 坊 市 Langfang	69	0.360	0.352	137.380	12	1.105	0.052	64.024	25.874
保 定 市 Baoding	104	1.580	1.573	1112.285	6	0.053	0.050	21.381	20.094
沧 州 市 Cangzhou	69	1.428	1.386	1974.858	5	0.004	0.004	0.515	0.365
衡 水 市 Hengshui	14	0.106	0.106	69.500	10	0.021	0.018	8.560	6.760
邢 台 市 Xingtai	100	0.774	0.773	322.586	14	1.688	0.010	10.610	0.760
邯 郸 市 Handan	84	1.349	1.343	765.227	11	1.506	0.052	36.715	7.290
定 州 市 Dingzhou	1	0.040	0.040	65.800					
辛 集 市 Xinji	1	0.021	0.021	13.000	1				

21-7 艺术表演团体基本情况(2019年)

项　目	Item	机　构 (个) Number of Institutions (unit)	#补贴团数 Subsidies Group Number	从业人员 (人) Number of Employed Persons (person)	本团原创首演剧目 (个) Original Premiere Play (unit)
总　计	**Total**	**749**	**153**	**16458**	**43**
按照登记注册类型分类	**By Status of Registration**				
国有	State-owned	108	83	3879	36
集体	Collective-owned	9	8	354	2
其他	Others	632	62	12225	5
按隶属关系分	**By Jurisdiction of Management**				
省	Run by Provinces	9	9	1102	4
市	Run by Prefectures (Cities)	33	29	1794	15
县、市、区	Run by Counties (Cities) and Others	707	115	13562	24
按管理部门分	**By Management**				
文化部门	Cultural Department	121	92	4446	42
其他部门	Other Department	628	61	12012	1
按剧种分	**By Type of Art**				
话剧、儿童剧、滑稽剧类	Drama, Children's Play and Comedy Troupes	31	2	557	2
#儿童剧团	Children's Play	3		10	
歌舞、音乐类	Song and Dance, Musicals	110	19	1797	5
京剧、昆曲类	Peking Opera and Kunqu Opera	13	5	430	
#京剧	Peking Opera	12	5	424	
地方戏曲类	Local Opera	298	90	8426	24
杂技、魔术、马戏类	Acrobatics, Magic and Circus	33	4	781	3
曲艺类	Folk Arts	44	6	487	
乌兰牧骑	Ulanmuchi				
综合性艺术表演团体	Comprehensive Art Performance	220	27	3980	9

Basic Statistics on Art Performance Troupes (2019)

演出场次(万场次) Number of Performance (10000 shows)	#国内演出 Domestic Performance	#农村 Rural Performance	国内演出观众人次(万人次) Number of Domestic Audience (10000 person-times)	#农村 Rural Audience	收入合计(千元) Total Income (1000 yuan)	#财政补贴 Government Budget	#演出收入 Performance Income	政府采购的公益演出活动 Public Shows under Government Procurement	
								演出场次(万场次) Number of Performances (10000 shows)	观众人次(万人次) Number of Audience (10000 person-times)
9.270	**9.189**	**7.645**	**6854.101**	**4204.053**	**961551**	**419384**	**371179**	**0.485**	**455.115**
1.656	1.584	1.284	1480.507	1151.343	489155	363668	84538	0.435	373.075
0.128	0.128	0.104	201.680	153.700	51367	40966	7555	0.012	15.000
7.487	7.479	6.257	5171.914	2899.010	421029	14750	279086	0.038	67.040
0.102	0.093	0.037	100.352	59.348	200175	143637	32907	0.050	65.330
0.479	0.472	0.289	672.195	409.095	288207	211888	40623	0.127	122.800
8.689	8.624	7.319	6081.554	3735.610	473169	63859	297649	0.308	266.985
1.884	1.807	1.440	1918.567	1453.423	585356	405727	108841	0.483	454.715
7.386	7.382	6.205	4935.534	2750.630	376195	13657	262338	0.002	0.400
0.360	0.360	0.309	85.199	76.715	47398	25195	19625	0.022	21.700
0.001	0.001	0.001	0.009	0.055	95		95		
0.635	0.627	0.453	227.136	188.348	122645	69113	31573	0.038	32.620
0.112	0.112	0.116	81.994	62.700	47639	39583	7976	0.014	6.100
0.112	0.112	0.080	81.994	62.400	47639	39583	7176	0.014	6.100
4.861	4.850	4.726	4095.213	2599.244	374137	203544	148661	0.354	330.695
1.042	0.991	0.424	693.438	163.547	168974	33782	26062	0.008	18.000
0.371	0.371	0.176	239.300	138.450	9577	2507	6197		
1.889	1.878	1.441	1431.821	975.049	191181	45660	131085	0.048	46.000

21-8 分市公共图书馆基本情况(2019年)

市 City	公共图书馆 (个) Number of Public Library (unit)	藏 量 (册、件) Collection (copy/piece)	电子图书 (册) E-book (copy)	本年新增藏量 (册、件) New Collections This Year (copy/piece)	有效借书证数 (个) Accumulative Number of Library Cards Distributed (unit)	总流通人次 (人次) Total Number of Circulation (person-time)	书刊文献外借人次 (人次) Borrowing from Libraries (person-time)
全 省 Total	**173**	**30635907**	**21602885**	**2607773**	**1777678**	**25625753**	**8722558**
石家庄市 Shijiazhuang	24	4061657	736143	242273	271336	3109530	1984294
承 德 市 Chengde	11	1087764	1178711	78830	27552	363863	137234
张家口市 Zhangjiakou	15	1632483	1329780	62849	35614	359690	185156
秦皇岛市 Qinhuangdao	8	1743613	256500	48008	107624	1429861	392814
唐 山 市 Tangshan	13	5019283	908788	1268368	255425	5043355	1359141
廊 坊 市 Langfang	11	3170705	3803044	70882	125239	1719305	512121
保 定 市 Baoding	22	2324629	819247	58421	53188	1159711	514325
沧 州 市 Cangzhou	15	2553831	1670110	222538	160291	2418079	1441005
衡 水 市 Hengshui	12	1108510	425049	256090	48566	1038541	329039
邢 台 市 Xingtai	20	1977828	3250533	126057	131440	2687740	771131
邯 郸 市 Handan	19	2148692	3764850	60722	186821	4026605	718466
定 州 市 Dingzhou	1	238145	60000	6145	8500	59000	59000
辛 集 市 Xinji	1	151476	300000	5528	2568	60473	37843

Statistics on Public Libraries by City (2019)

书刊文献外借册次 (册次) Number of Books and Periodicals Lent to Readers (copy-time)	为读者举办各种活动						计算机 (台) Computers (set)		阅览室坐席数 (个) Seats of Reading Room (unit)
	组织各类讲座次数 (次) Number of Lectures (time)	参加人次 (人次) Attending Lectures (person-time)	举办展览 (个) Exhibitions Held (unit)	参观人次 (人次) Visiting Exhibitions (person-time)	举办培训班 (个) Training Classes Held (unit)	培训人次 (人次) Attending Training (person-time)		电子阅览室终端数 (台) Terminals in Electronic Media Reading Rooms (set)	
17134992	**3894**	**463655**	**1131**	**1996830**	**1969**	**111370**	**8135**	**5711**	**45575**
2440928	569	55880	118	171025	76	6760	902	595	4937
329932	72	5446	78	44905	47	1223	397	333	1648
487827	426	18519	47	68615	51	1420	411	289	1558
1231093	414	13092	68	63542	229	6964	414	306	2156
4009892	212	27166	153	354743	118	12723	902	657	5497
1056303	347	31161	56	102395	313	19032	699	546	3825
880190	132	22011	101	75930	74	8271	641	474	3962
2301614	366	51712	113	96321	295	11211	1161	782	5131
594615	136	13504	88	579114	240	8518	418	316	3110
1055299	284	16794	112	140903	102	7190	712	594	5487
1482921	613	168095	144	246942	265	15050	823	579	4334
131000	65	19500	15	10100			48	45	140
50769	15	5275	9	2295	9	308	57	42	120

21−9　公共图书馆基本情况(2019年)
Basic Statistics on Public Libraries (2019)

指　标	Item	总　计 Total	#少儿图书馆 Children's Libraries	按隶属关系分 By Jurisdiction of Management 省级 Provincial Level	地市级 Prefecture Level	县市区 County (City) Level	#县图书馆 Libraries
机构数(个)	Number of Institutions (unit)	173	1	1	12	160	100
从业人员(人)	Number of Employed Persons (person)	1892	9	208	514	1170	636
总藏量(万册)	Total Collections (10000 copies)	3063.59	45.50	341.73	1048.81	1673.06	928.20
电子图书(万册)	E-book (10000 copies)	2160.29	0.06	310.01	382.71	1467.57	860.32
本年新增藏量(万册)	New Collections This Year (10000 copies)	260.78	5.70	10.11	73.38	177.29	124.11
当年购买的报刊种类(种)	Kinds of Newspapers and Periodicals Purchased This Year (kind)	30876	118	5237	10530	15109	7463
有效借书证数(个)	Accumulative Number of Library Cards Distributed (unit)	1777678	82400	363514	770602	643562	337394
总流通人次(万人次)	Total Number of Circulation (10000 person-times)	2562.58	80.28	215.00	1258.12	1089.46	589.30
书刊文献外借人次(万人次)	Borrowing from Libraries (10000 person-times)	872.26	53.30	28.10	328.11	516.05	247.93
书刊文献外借册次(万册次)	Number of Books and Periodicals Lent to Readers (10000 copy-times)	1713.50	78.28	108.26	615.42	989.82	444.63
组织各类讲座次数(次)	Number of Lectures (time)	3894	184	243	1108	2543	953
参加人次(万人次)	Number of Participants (10000 person-times)	46.37	0.90	1.55	16.32	28.50	10.98
举办展览(个)	Exhibitions Held (unit)	1131	26	29	252	850	517
参加人次(万人次)	Number of Participants (10000 person-times)	199.68	1.90	4.00	116.05	79.63	42.15
举办培训班(个)	Training Classes Held (unit)	1969	2	150	591	1228	570
培训人次(万人次)	Trainees (10000 person-times)	11.14	…	1.27	2.02	7.84	4.09
计算机(台)	Computers (set)	8135	14	550	1769	5816	3418
#电子阅览室终端数	Terminals in Electronic Media Reading Rooms	5711	8	153	1058	4500	2668
阅览室坐席数(个)	Seats of Reading Room (unit)	45575	200	3670	11384	30521	17375
#少儿阅览室坐席数	Number of Seats in Reading Room for Children	9765	200	280	1968	7517	4333
#盲人阅览室坐席数	Number of Seats in Reading Room for the Blind	1033		22	185	826	433

21-10 群众文化机构基本情况(2019年)
Basic Statistics on Cultural Institutions (2019)

指标	Item	总计 Total	文化馆 Cultural Center	#县市级 County (City) Level	#县文化馆 County Cultural Center	乡镇(街道)文化站 Township (subdistrict) Cultural Stations
机构数(个)	Institutions (unit)	2435	180	167	102	2255
从业人员(人)	Number of Employed Persons (person)	7390	2243	1730	947	5147
组织文艺活动(次)	Art Performances and Story-telling Sessions (time)	52703	16008	15043	8945	36695
参加文艺活动人次(万人次)	Person-times Attending Art and Cultural Activities (10000 person-times)	1846	1200	1137.9	731.5	646
举办训练班(次)	Number of Training Courses (time)	26287	13206	10273	4088	13081
参加培训人次(万人次)	Attending Training (10000 person-times)	145	63	44.2	21.8	82
举办展览个数(个)	Number of Exhibitions (unit)	5350	1287	1129	728	4063
参观展览人次(万人次)	Visiting Exhibitions (10000 person-times)	310	188	169.0	119.0	122
组织公益性讲座(次)	Organize Public Welfare Lectures (time)	2292	2292	1745	819	
参加讲座人次(万人次)	Number of Participants (10000 person-times)	27	27	20.7	11.3	
拥有计算机(台)	Computer Owned (unit)	11903	2010	1621	918	9893
馆办文艺团体(个)	Art Performance Troupes Run by Centers (unit)	362	362	326	157	
馆办文艺团体演出场次(场)	Number of Art Performances Run by Centers (time)	5722	5722	4729	2261	
馆办老年大学(个)	Aging College Run by Centers (unit)	32	32	30	20	
群众业余文艺团队(个)	Part-time Art Troupes (unit)	25452	4366	4143	2210	21086

21-11 分市博物馆基本情况(2019年)
Statistics on Museums by City (2019)

市	City	机构数(个) Number of Institutions	从业人员(人) Number of Employed Persons (person)	#专业技术人才 Professional Technical Staff	藏品数(件/套) Number of Collections (piece/set)	#文物藏品 Collection of Cultural Relics	基本陈列(个) Displays Exhibition (unit)	临时展览(个) Temporary Exhibition (unit)	参观人次(万人次) Spectators (10000 person-times)	门票销售总额(千元) Ticket Sales for Entrance Ticket (1000 yuan)
全省	**Total**	**136**	**4017**	**1303**	**395093**	**263172**	**312**	**451**	**3407.052**	**102239**
石家庄市	Shijiazhuang	11	412	188	23705	8957	31	35	629.131	84
承德市	Chengde	13	532	143	38165	36148	35	65	261.991	79045
张家口市	Zhangjiakou	9	134	37	10703	10647	12	15	39.733	200
秦皇岛市	Qinhuangdao	5	114	27	5697	1614	9	14	46.417	67
唐山市	Tangshan	17	465	170	36341	17650	46	45	383.499	3257
廊坊市	Langfang	4	167	43	3946	1113	15	25	153.526	
保定市	Baoding	22	577	127	35780	28999	49	49	443.960	18937
沧州市	Cangzhou	11	208	44	15622	2250	20	46	135.510	
衡水市	Hengshui	4	60	38	12014	11471	3	9	59.354	
邢台市	Xingtai	6	105	31	3944		10	26	279.465	
邯郸市	Handan	13	388	115	41487	33156	32	39	473.416	
定州市	Dingzhou	1	12	5	31216	31216	6	7	15.500	

21-12 文物业基本情况(2019)

项 目	Item	机构数 (个) Number of Institutions (unit)	从业人员 (人) Number of Employed Persons (person)	基本陈列 (个) Basic Display (unit)	临时展览 (个) Temporary Exhibition (unit)
总 计	**Total**	**475**	**8451**	**347**	**461**
按单位类型分	**By Kind of Units**				
文物科研机构	Scientific and Research Agencies	9	368	1	
文物保护管理机构	Agencies of Cultural Relics Preservation	163	3662	34	10
博物馆	Museums	136	4017	312	451
文物商店	Cultural Relics Shops	1	5		
其他文物机构	Other Agencies	166	399		
按隶属关系分	**By Jurisdiction of Management**				
省区市	Provincial Level	24	1046	44	76
地 市	Prefecture Level	64	3207	108	150
县市区	County or City Level	387	4198	195	235
按管理部门分	**By Department of Management**				
文物部门	Cultural Relics Department	417	7163	229	357
其他部门	Other Department	58	1288	118	104

Statistics on Cultural Relics (2019)

参观人次 (万人次) Spectators (10000 person-times)	#未成年人 Minor	文物藏品 (件/套) Number of Collections (piece/set)	#一级品 Grade One	在藏品数中(件/套) 本年新增藏品 (件/套) New Collections This Year (piece/set)	#从有关部门接收文物 Accepted Cultural Relics from Department	#本年藏品征集数 Collection of Cultural Relics	实际使用房屋建筑面积 (万平方米) Floor Space of Buildings Actually Used (10000 sq.m)
4457.63	**1251.93**	**564751**	**1491**	**13338**	**4429**	**7106**	**96.67**
0.87	0.03	67593	190				2.93
1049.71	232.89	97274	280	5966	4123	1308	14.74
3407.05	1019.01	395093	1016	7372	306	5798	78.27
		506					0.04
		4285	5				0.70
485.55	147.39	181704	537	675	246	364	15.51
1432.14	299.89	138529	407	2413	39	2272	32.40
2539.94	804.66	244518	547	10250	4144	4470	48.76
3374.47	908.47	475740	1400	12171	4144	6310	72.38
1083.17	343.46	89011	91	1167	285	796	24.29

21－13 文化发展主要指标
Main Indicators of Cultural Development

指 标	Item	2015	2016	2017	2018	2019
文化事业费(亿元)	Cultural Expenses (100 million yuan)	18.53	18.49	25.19	27.04	29.80
人均文化事业费(元)	Per Capita Cultural Expenses (yuan)	24.96	24.76	33.50	35.78	39.25
每万人拥有公共图书馆面积(平方米)	Public Library Area per 10000 People (sq.m)	59.15	63.17	65.53	71.52	75.04
人均拥有公共图书馆藏书(册)	Per Capita Public Library Collections (copy)	0.30	0.31	0.34	0.36	0.40
人均购书费(元)	Per Capita Book Purchase (yuan)	0.55	0.49	0.68	0.63	0.56
每万人拥有群众文化设施面积(平方米)	The Area of Mass Cultural Facilities per 10000 People (sq.m)	163.68	167.39	166.52	174.56	178.10
人均群众文化业务活动专项经费(元)	Special Fund for Cultural Business Activities per Capita (yuan)	1.64	1.76	1.83	1.97	1.78
艺术表演团体国内演出观众人次(万人次)	Number of Audiences in Domestic Performances of Art Performances Troupes (10000 person-times)	4559	5419	5501	3316	6854
艺术表演团体演出收入(万元)	Performance Income of Art Performance Troupes (10000 yuan)	34455	35498	39100	29086	37118
文物藏品数量(件、套)	Number of Cultural Relics (piece/set)	613234	558198	533944	553930	564751
博物馆参观总人次(万人次)	Total Number of Visits to The Museum (10000 person-times)	2646	2724	2991	3289	3407

21－14 分市规模以上文化及相关产业法人单位数(2019年底)
Number of Legal Persons of Culture and Relevant Industry above Designated Size by Region at Year-end (2019)

单位：个 (unit)

市	City	法人单位数 Legal Persons	文化制造业 Cultural Manufacturing	文化批发和零售业 Wholesale and Retail of Culture	文化服务业 Services of Culture
全 省	**Total**	**1432**	**544**	**271**	**617**
石家庄市	Shijiazhuang	290	72	45	173
承 德 市	Chengde	44	7	10	27
张家口市	Zhangjiakou	48	5	13	30
秦皇岛市	Qinhuangdao	57	9	8	40
唐 山 市	Tangshan	151	44	22	85
廊 坊 市	Langfang	149	47	33	69
保 定 市	Baoding	144	75	28	41
沧 州 市	Cangzhou	157	83	36	38
衡 水 市	Hengshui	85	57	10	18
邢 台 市	Xingtai	127	82	24	21
邯 郸 市	Handan	130	36	30	64
定 州 市	Dingzhou	13	3	5	5
辛 集 市	Xinji	5		2	3
雄安新区	Xiongan New Area	32	24	5	3

21-15 分市规模以上文化制造业企业基本情况(2019年)
Basic Conditions on Cultural Industrial Enterprises above Designated Size by Region (2019)

单位：万元 (10000 yuan)

市	City	企业单位数（个）Number of Enterprises (unit)	年末从业人员（人）Engaged Persons at Year-end (person)	资产总计 Total Assets	营业收入 Business Revenue	应交增值税 Value-added Tax Payable
全　省	**Total**	**544**	**67656**	**5397797**	**5178130**	**111372**
石家庄市	Shijiazhuang	72	9917	979370	807193	15437
承 德 市	Chengde	7	415	45274	39728	829
张家口市	Zhangjiakou	5	832	58115	31968	462
秦皇岛市	Qinhuangdao	9	1604	101199	115242	6048
唐 山 市	Tangshan	44	6522	639776	626042	5966
廊 坊 市	Langfang	47	5296	393588	342885	6539
保 定 市	Baoding	75	13782	1194824	817911	32440
沧 州 市	Cangzhou	83	7392	382809	435998	6770
衡 水 市	Hengshui	57	6428	576810	449473	13335
邢 台 市	Xingtai	82	10463	599981	846645	14188
邯 郸 市	Handan	36	3496	308109	510505	8123
定 州 市	Dingzhou	3	100	3655	9547	92
辛 集 市	Xinji					
雄安新区	Xiongan New Area	24	1409	114286	144994	1143

21-16 分市限额以上文化批发和零售业企业基本情况(2019年)
Basic Conditions on Cultural Wholesale and Retail Trades Enterprises above Designated Size by Region (2019)

单位：万元 (10000 yuan)

市	City	企业单位数（个）Number of Enterprises (unit)	年末从业人员（人）Engaged Persons at Year-end (person)	资产总计 Total Assets	营业收入 Business Revenue	应交增值税 Value-added Tax Payable
全　省	**Total**	**271**	**15427**	**1633333**	**1946645**	**9854**
石家庄市	Shijiazhuang	45	3554	740073	790150	4532
承 德 市	Chengde	10	472	37932	25206	413
张家口市	Zhangjiakou	13	1342	74002	95005	455
秦皇岛市	Qinhuangdao	8	504	26693	26127	143
唐 山 市	Tangshan	22	1283	124651	265996	981
廊 坊 市	Langfang	33	1171	128029	167123	753
保 定 市	Baoding	28	952	146092	108230	230
沧 州 市	Cangzhou	36	1971	116278	144115	867
衡 水 市	Hengshui	10	672	43671	46833	233
邢 台 市	Xingtai	24	1623	62479	84181	623
邯 郸 市	Handan	30	1634	111515	164528	697
定 州 市	Dingzhou	5	122	12727	17413	40
辛 集 市	Xinji	2	59	5918	6426	-128
雄安新区	Xiongan New Area	5	68	3273	5311	16

21-17 分市规模以上文化服务业企业基本情况(2019年)
Basic Conditions on Cultural Enterprises of Service Industry above Designated Size by Region (2019)

单位：万元 (10000 yuan)

市	City	企业单位数(个) Number of Enterprises (unit)	年末从业人员(人) Engaged Persons at Year-end (person)	资产总计 Total Assets	营业收入 Business Revenue	应交增值税 Value-added Tax Payable
全　省	**Total**	**617**	**70253**	**15761382**	**2479544**	**79267**
石家庄市	Shijiazhuang	173	23340	3883557	1143522	43619
承 德 市	Chengde	27	7461	555240	145663	5703
张家口市	Zhangjiakou	30	6279	894824	98173	861
秦皇岛市	Qinhuangdao	40	5045	876950	165412	3114
唐 山 市	Tangshan	85	6829	6718012	247143	11637
廊 坊 市	Langfang	69	4603	879421	274558	5256
保 定 市	Baoding	41	4348	736436	107256	1984
沧 州 市	Cangzhou	38	3535	538026	85042	1880
衡 水 市	Hengshui	18	1550	132378	59182	1772
邢 台 市	Xingtai	21	1649	202331	35844	844
邯 郸 市	Handan	64	4818	319472	99268	1929
定 州 市	Dingzhou	5	307	7829	5859	73
辛 集 市	Xinji	3	161	2728	2385	70
雄安新区	Xiongan New Area	3	328	14179	10238	525

21-18 体育系统从业人员情况(2019年)
Number of Engaged Persons of Physical Education System (2019)

指　标	Item	合 计(人) Total (person)	#管理人员 Management	#专业技术人员 Professional and Technical Personnel	#优秀运动队运动员 Excellent Sports Teams and Athletes	#工勤人员 Workers and Service Personnel	#其他 Others
全省总计	**Total**	**6646**	**914**	**2948**	**1070**	**660**	**154**
体育行政机关	Administrative Agencies	1293	110	136		64	83
运动项目管理部门	Sports Events Management	1274	176	174	895	29	
本科院校	Colleges	473	60	377		36	
体育运动学校	Physical Education & Sports Schools	785	56	543	140	46	
少儿体育运动学校	Spare-time Sports School	1592	184	1258	35	113	2
训练基地	Training Bases	80	20	32		15	13
体育场馆	Stadium and Gymnasium	668	148	199		279	42
体育科研机构	Sports Science & Technology Institute	65	7	55		3	
其他事业单位	Other Institutions	390	153	171		55	11
其他	Others	26		3		20	3

21－19 等级运动员、裁判员分项发展人数(2019年)
Number of Athletes and Referees in Grades by Type of Sports (2019)

单位：人 (person)

运动项目	Item	等级运动员 Number of Athletes in Grades	#女 性 Female	#一 级 运动员 First Grades	#二 级 运动员 Second Grades	一级裁判员 First Referees	#女 性 Female
全 省 总 计	**Total**	**4455**	**1547**	**1181**	**3274**	**426**	**139**
#田径	Track and Field	1345	277	74	1271	95	34
游泳	Swimming	266	116	56	210		
举重	Weight Lifting	9	5	1	8	1	
体操	Gymnastics	10	4	8	2	1	1
射击	Fire	110	50	56	54		
国际式摔跤	International-like Wrestling	104	30	28	76	8	3
柔道	Judo	66	23	17	49		
篮球	Basketball	320	142	50	270	47	4
排球	Volleyball	209	88	100	109	28	12
乒乓球	Ping-pong	101	46	65	36	60	30
羽毛球	Badminton	83	40	61	22	60	26
足球	Football	152	79	152			
武术	Martial Arts	252	72	30	222	40	8

21－20 群众体育活动和新建体育场地情况
Basic Statistics on Activities of Mass Sports and Number of Newly-built Sports Ground

项 目	Item	2018	2019
群众体育活动	**Activities of Mass Sports**	**1220**	**8591**
体育俱乐部	**Sport Club**		
个数(个)	Number of Sport Club (unit)	316	174
#国家级(个)	National Level (unit)	191	
#省级(个)	Provincial Level (unit)	119	150
体育场地	**Sports Ground**		
数量(个)	Number of Sports Ground (unit)	129495	156173
场地面积(万平方米)	Space of sports Ground (10000 sq.m)	13385	16285
人均体育场地面积(平方米)	Per capita Area of Sports Ground (sq.m)	2	2

主要统计指标解释

广播/电视节目综合人口覆盖率　指根据国家广播电视总局制定的《广播电视人口覆盖率统计技术标准和方法》进行统计调查的，在对象区内能接收到由中央、省、地市或县通过无线、有线或卫星等各种技术方式转播的各级广播/电视节目的人口数占全省总人口数的百分比。

艺术表演团体　指由文化部门主办或实行行业管理（经文化行政部门审批或已申报登记并领取相关许可证），专门从事表演艺术等活动的各类专业艺术表演团体，含民间职业剧团。不包括群众业余文艺表演团体。

艺术表演场馆　指由文化部门主办或实行行业管理（经文化市场行政部门审批或已申报登记并领取相关许可证），有观众席、舞台、灯光设备，公开售票、专供文艺团体演出的文化活动场所。

文化市场经营机构　指经文化市场行政部门审批或已申报登记并领取相关许可证的、从事文化经营和文化服务活动的机构。

综合档案馆　指由省或地方各级档案行政管理部门直接管理的，按行政区划或历史时期设置的，收集和管理所辖范围内多种门类档案的档案馆。

规模以上文化制造业企业　指《文化及相关产业分类(2018)》所规定行业范围内，年主营业务收入在2000万元及以上的工业企业法人。

限额以上文化批发和零售业企业　指《文化及相关产业分类(2018)》所规定行业范围内，年主营业务收入在2000万元及以上的批发业企业法人和年主营业务收入在500万元及以上的零售业企业法人。

规模以上文化服务业企业　指《文化及相关产业分类(2018)》所规定行业范围内，年营业收入在1000万元及以上的服务业企业法人，其中交通运输、仓储和邮政业，信息传输、软件和信息技术服务业，水利、环境和公共设施管理业的年营业收入2000万元及以上，居民服务、修理和其他服务业以及文化、体育和娱乐业的年营业收入在500万元及以上。

Explanatory Notes on Main Statistical Indicators

The Population Coverage Rate of Radio/Television refers to the percentage of the whole country's population who can receive radio/television programmes transmitted by national, provincial, municipal or county stations through wireless, cable or satellite techniques, according to *Statistical Standard and Method on Television and Radio Coverage of Population* established by the State Administration of Radio and Television.

Arts Performance Troupes refer to the various professional performing arts groups, which sponsored by the cultural sectors or guided by the cultural society (approved by the cultural administration authority, or registered and permitted with the relative certificate), including non-governmental troupes. The mass amateur arts performance troupes are not included.

Arts Performance Places refer to the various sites for cultural activities, which sponsored by the cultural sectors or guided by the cultural society (approved by the cultural market administration, or registered and permitted with the relative certificate), with the facility of auditorium, stage and lighting, and selling tickets in public.

Cultural Market Operating Units refer to the units dealing in culture and cultural services, which registered and permitted with the relative certificate by cultural market administration.

Comprehensive Archives refer to all archives institutions, which are directly managed by the province and local levels archives administration, collecting and keeping various documents and materials by administrative regions or historical periods.

Cultural Manufacturing above Designated Size refer to industrial enterprises with principal business over 20 million yuan, within the designated industrial sectors of *Classification of Culture and Relevant Industry (2018).*

Wholesale and Retail of Culture above Designated Size refer to enterprises of wholesale with principal business over 20 million yuan, and industrial enterprise of retail with principal business over 5 million yuan, within the designated industrial sectors of *Classification of Culture and Relevant Industry (2018).*

Services of Culture above Designated Size refer to service enterprises under the designated industrial sectors of *Classification of Culture and Related Industry (2018)*, with annual principal business revenue over 10 million yuan, except for enterprises in transport, storage and post, information transmission, software and information technology services, water conservancy, environment and public facilities management sectors, where the threshold of annual principal business is over 20 million yuan, as well as enterprises in household services, repair and other services, culture, sports and recreation sectors where the threshold of annual principal business is over 5 million yuan.

公共管理和社会保障

Public Management and Social Security

简要说明

一、本篇资料主要反映司法部门律师、公证、调解工作和劳动保障等情况。

二、律师、公证、调解等资料由河北省司法厅整理提供。

三、劳动保障资料的主要内容包括社会保险基本情况，基本养老保险情况、失业保险情况、工伤保险情况由省人力资源和社会保障厅提供。基本医疗保险情况、生育保险情况由省医疗保障局提供。

四、资料整理：谷红叶　张东　李梦洋

Brief Introduction

Ⅰ.The data in this chapter mainly reflects the judicial department lawyer, notarization, mediation work and labor security and so on.

Ⅱ.Documents concerning lawyers, notarization and mediation shall be sorted out and provided by the Department of Justice of Hebei Province.

Ⅲ. The main content that labor ensures data includes social insurance basic situation, basic endowment insurance circumstance, unemployed insurance circumstance, industrial injury insurance circumstance is provided by Hebei Provincial Department of Human Resources and Social Security. Basic medical treatment is sure circumstance, birth insurance circumstance is provided by Hebei Provincial Medical Security Bureau.

Ⅳ. Data collection: Gu Hongye, Zhang Dong, Li Mengyang.

22-1 律师、公证和调解工作基本情况
Basic Statistics on Lawyers, Notarization and Mediation

项目	Item	2015	2016	2017	2018	2019
律师工作	**Lawyers**					
律师事务所(个)	Number of Law Offices (unit)	889	977	1083	1151	1183
律师人数(人)	Number of Lawyers (person)	11443	12407	14797	16591	18450
#专职律师	Full-time Lawyers	10517	11360	12554	13920	15152
兼职律师	Part-time Lawyers	503	508	602	556	579
担任法律顾问(家)	Number of Units with Legal Advisors (unit)	17518	28140	28512	38011	33386
民事案件代理(件)	Agent of Civil Cases (case)	57705	68050	100976	123455	157044
刑事案件辩护及代理(件)	Agent and Defender of Criminal Cases (case)	16775	18605	27932	29838	30110
行政案件代理(件)	Agent of Administrative Action (case)	4374	4315	4698	5078	5949
非诉讼法律事务(件)	Agent of Non-Litigious Legal Affairs (case)	20328	25595	30161	34934	32773
咨询和代书(万人次)	Agent of Legal Advisory Services (10000 person-times)	30.3	35.6	39.2	40.6	43.8
公证工作	**Notarization**					
公证机构(家)	Number of Notary Offices (unit)	175	175	172	170	171
公证员(人)	Notaries (person)	734	735	705	693	717
办理公证(出证)总数(万件)	Number of Notarized Documents (10000 cases)	36.01	36.34	36.94	34.31	35.88
人民调解工作	**Number of People's Mediation**					
人民调解委员会(万个)	Number of People's Mediation Committees (10000 units)	5.84	5.96	5.88	5.84	5.77
调解人员(万人)	Number of Mediators (10000 persons)	34.02	33.71	32.87	38.22	33.16
调解案件总数(万件)	Number of Civil Disputes Mediated (10000 cases)	34.46	29.73	28.20	37.69	36.22

22-2 公证文书分类
Notary Documents by Type

指标	Indicators	办理公证(件) Notarial Documents Issued (piece)		比重(%) Percentage (%)	
		2018	2019	2018	2019
合计	**Total**	**343092**	**358792**	**100.00**	**100.00**
合同(协议)	Contracts (Agreement)	21325	16387	6.22	4.57
继承	Inheritance	69251	69333	20.18	19.32
委托	Proxy	63835	58767	18.61	16.38
声明	Declarations	36997	49754	10.78	13.87
赠与	Gift	6299	2778	1.84	0.77
遗嘱	Testaments	1781	2203	0.52	0.61
现场监督	Field Supervision	2475	2742	0.72	0.76
婚姻状况、亲属关系、收养关系	Marital Status, Kinship Confirmation, Child Adoption	16864	13565	4.92	3.78
出生、生存、死亡	Births, Survival, Deaths	14577	12484	4.25	3.48
身份、经历、学历、学位、职务、职称	Identity, Personal Histories, Schooling, Degree, Position, Professional Certificates	10590	6087	3.09	1.70
有无违法犯罪记录	Any Illegal and Criminal Record	10629	12681	3.10	3.53
公司章程	Articles of Association	173	30	0.05	0.01
保全证据	Preservation of Evidence	7450	14367	2.17	4.00
证书、执照	Certificate, License	18526	31128	5.40	8.68
签名、印鉴	The Signature (The seal)	14100	11072	4.11	3.09
文本相符	Confirmation of Copies and Photo-offset Copies to Originals	23934	26929	6.98	7.51
赋予强制执行效力	Give Effectiveness	13755	12362	4.01	3.45
执行证书	Perform Certificate	302	378	0.09	0.11
抵押登记	Mortgage Registration	3	144	0.00	0.04
提存	Deposited	155	175	0.05	0.05
保管	Custody	340	116	0.10	0.03
其他	Others	9731	15310	2.84	4.27

22−3 社会保险基本情况
Basic Statistics of Social Insurance

单位：万人 (10000 persons)

项　　目	Item	2010	2015	2016	2017	2018	2019
基本养老保险	**Basic Pension Insurance**						
年末参保人数	Contributors at Year-end	2092.34	4760.80		4963.37	5062.12	5178.61
职　工	Number of Employees				1064.22	1101.15	1187.84
#企业(含其他)	Enterprises (including others)	728.94	952.03	846.83	880.35	910.59	966.93
离退休人员	Number of Retirees				425.01	449.35	466.67
#企业(含其他)	Enterprises (including others)	259.50	368.45	328.67	337.78	351.23	362.01
城乡居民	Urban and Rural Residents	1103.90	3440.32	3446.11	3474.14	3511.62	3524.10
失业保险	**Unemployment Insurance**						
年末参保人数	Contributors at Year-end	493.41	510.98	515.88	529.72	546.00	554.10
全年发放失业保险金人数	Beneficiaries of Unemployment Insurance Fund	9.01	14.12	15.10	13.87	13.04	12.71
全年发放失业保险金(亿元)	Unemployed Relief (100 million yuan)	23.51	7.96	8.49	9.36	8.70	8.85
工伤保险	**Work Injury Insurance**						
年末参保人数	Contributors at Year-end	594.44	809.72	840.04	860.66	880.34	951.44
年末享受工伤待遇的人数	Beneficiaries at Year-end	7.50	9.64	9.83	9.97	10.32	10.04

22−4 分市基本养老保险情况(2019年)
Statistics on Basic Pension Insurance for Urban and Rural Residents (2019)

市	City	城乡居民参保人数 Basic Pension Insurance for Urban and Rural Residents	实际领取待遇人数 Actually Persons Received Pension	城镇职工参保人数 Urban Employee Basic Pension Insurance	职　工 Number of Staff and Workers	离退休人员 Number of Retirees
全　省	**Total**	**3524.10**	**1073.65**	**1654.51**	**1187.84**	**466.67**
石家庄市	Shijiazhuang	375.41	121.37	257.48	195.12	62.36
承 德 市	Chengde	178.58	53.38	80.08	57.14	22.94
张家口市	Zhangjiakou	209.77	71.32	109.73	68.47	41.26
秦皇岛市	Qinhuangdao	127.17	44.38	95.06	73.01	22.05
唐 山 市	Tangshan	332.26	111.95	245.06	174.40	70.66
廊 坊 市	Langfang	219.39	63.60	107.43	91.68	15.75
保 定 市	Baoding	450.49	143.54	139.66	102.71	36.95
沧 州 市	Cangzhou	368.65	109.34	120.51	85.17	35.34
衡 水 市	Hengshui	238.12	77.48	61.63	44.37	17.26
邢 台 市	Xingtai	403.82	106.76	99.78	70.10	29.68
邯 郸 市	Handan	457.69	117.46	158.60	109.48	49.12
定 州 市	Dingzhou	57.66	19.95	11.30	8.70	2.60
辛 集 市	Xinji	33.90	12.94	9.87	7.07	2.80
雄安新区	Xiongan New Area	71.19	20.17	7.86	5.91	1.95

22-5 分市失业保险情况(2019年)
Statistics of Unemployment Insurance (2019)

市	City	年末参加失业保险人数(万人) Unemployment Insurance Contributors at Year-end (10000 persons)	年末领取失业保险金人数(万人) Beneficiaries of Unemployment Insurance Fund (10000 persons)	基金收支情况(亿元) Revenue and Expenses (100 million yuan)		
				基金收入 Revenue	基金支出 Expenses	累计结余 Balance at Year-end
全　省	**Total**	**554.10**	**6.73**	**34.27**	**24.72**	**146.14**
石家庄市	Shijiazhuang	93.98	1.15	6.99	4.08	28.28
承 德 市	Chengde	25.14	0.35	1.31	1.18	3.52
张家口市	Zhangjiakou	39.90	0.51	1.65	1.85	3.82
秦皇岛市	Qinhuangdao	39.82	0.60	2.46	1.82	12.81
唐 山 市	Tangshan	97.60	1.40	6.89	5.06	25.80
廊 坊 市	Langfang	36.71	0.28	2.25	0.92	14.93
保 定 市	Baoding	52.92	0.62	3.21	2.96	12.31
沧 州 市	Cangzhou	38.10	0.41	1.90	1.35	7.02
衡 水 市	Hengshui	19.11	0.16	0.98	0.67	2.54
邢 台 市	Xingtai	36.60	0.30	1.92	2.07	2.57
邯 郸 市	Handan	61.30	0.90	3.08	2.39	4.36
定 州 市	Dingzhou	3.99	0.05	0.25	0.09	0.73
辛 集 市	Xinji	1.76	0.01	0.06	0.03	0.10
雄安新区	Xiongan New Area	1.43	0.00	0.00		0.00

22-6 分市基本医疗保险参保人数(2019年)
Persons Covered of Urban Basic Medical Care Insurance (2019)

单位：万人 (10000 persons)

市	City	参保人数 Persons Covered at Year-end				
			城镇职工 Urban Workers	在岗职工 Staff and Workers	退休人员 Retirees	城乡居民 Urban and Rural Residents
全　省	**Total**	**6937.72**	**1079.19**	**741.92**	**337.27**	**5858.53**
石家庄市	Shijiazhuang	894.15	164.24	115.72	48.52	729.91
承 德 市	Chengde	340.31	46.82	31.55	15.27	293.49
张家口市	Zhangjiakou	406.25	72.52	42.34	30.18	333.73
秦皇岛市	Qinhuangdao	273.53	69.46	49.78	19.68	204.07
唐 山 市	Tangshan	712.31	175.56	115.93	59.63	536.75
廊 坊 市	Langfang	415.37	71.72	57.04	14.68	343.65
保 定 市	Baoding	855.42	121.30	86.29	35.01	734.12
沧 州 市	Cangzhou	677.98	75.23	53.77	21.46	602.75
衡 水 市	Hengshui	400.41	38.96	27.19	11.77	361.45
邢 台 市	Xingtai	726.04	75.17	54.11	21.06	650.87
邯 郸 市	Handan	892.13	93.85	59.16	34.69	798.28
定 州 市	Dingzhou	109.18	6.94	4.95	1.99	102.24
辛 集 市	Xinji	57.25	4.95	3.20	1.75	52.30
雄安新区	Xiongan New Area	113.73	6.15	4.54	1.61	107.58

22-7 分市基本医疗保险基金收支情况(2019年)
Revenue and Expenses of Urban Basic Medical Care Insurance (2019)

单位：亿元 (100 million yuan)

市	City	基金收入 Revenue		基金支出 Expenses		累计结余 Balance at the Year-end	
		职 工 Workers	居 民 Non-employment	职 工 Workers	居 民 Non-employment	职 工 Workers	居 民 Non-employment
全 省	**Total**	**479.5**	**476.7**	**367.2**	**443.1**	**800.8**	**237.1**
石家庄市	Shijiazhuang	76.2	57.8	59.5	58.1	105.2	17.6
承德市	Chengde	20.3	26.9	17.8	28.0	20.4	10.3
张家口市	Zhangjiakou	29.4	33.7	23.6	30.4	47.6	12.0
秦皇岛市	Qinhuangdao	32.2	17.0	24.0	15.4	45.2	9.3
唐山市	Tangshan	74.9	41.1	61.9	40.2	142.8	32.8
廊坊市	Langfang	40.6	28.2	26.1	27.4	79.8	12.4
保定市	Baoding	39.0	58.8	32.2	54.4	66.0	30.2
沧州市	Cangzhou	41.4	47.2	26.8	45.5	74.0	20.4
衡水市	Hengshui	13.7	30.3	11.0	23.8	18.6	31.3
邢台市	Xingtai	25.0	51.0	19.2	44.7	40.1	25.3
邯郸市	Handan	43.9	63.4	32.9	56.4	86.2	29.0
定州市	Dingzhou	2.6	8.0	2.4	7.1	3.1	1.2
辛集市	Xinji	1.5	4.0	1.6	3.7	2.6	2.3

注：邯郸市数据包含生育保险基金。
a) Data in this table, Handan include the maternity insurance.

22-8 分市企业职工基本养老保险情况
Statistics on Enterprises Employee Basic Pension Insurance

单位：万人 (10000 persons)

市	City	年末参加保人数 Contributors at Year-end			职 工 Staff and Workers			离退休人员 Retirees		
		2017	2018	2019	2017	2018	2019	2017	2018	2019
全 省	**Total**	**1218.13**	**1261.82**	**1328.94**	**880.35**	**910.59**	**966.93**	**337.78**	**351.23**	**362.01**
石家庄市	Shijiazhuang	200.84	209.16	221.89	153.96	160.14	171.54	46.88	49.02	50.35
承德市	Chengde	57.62	60.20	62.76	42.10	43.76	45.30	15.52	16.44	17.46
张家口市	Zhangjiakou	81.96	84.36	86.59	51.36	52.37	53.71	30.60	31.99	32.88
秦皇岛市	Qinhuangdao	72.01	75.96	80.77	55.80	59.10	63.37	16.21	16.86	17.40
唐山市	Tangshan	196.69	203.30	211.86	141.61	146.44	153.58	55.08	56.86	58.28
廊坊市	Langfang	79.07	83.92	88.34	69.67	74.11	78.24	9.40	9.81	10.10
保定市	Baoding	100.19	104.10	105.89	74.08	77.50	79.36	26.11	26.60	26.53
沧州市	Cangzhou	82.50	86.12	92.09	57.52	60.31	65.58	24.98	25.81	26.51
衡水市	Hengshui	37.67	40.31	45.21	26.61	28.77	33.28	11.06	11.54	11.93
邢台市	Xingtai	66.14	68.81	73.39	45.70	47.68	51.40	20.44	21.13	21.99
邯郸市	Handan	120.25	122.97	125.74	83.16	84.73	86.25	37.09	38.24	39.49
定州市	Dingzhou	7.61	8.08	8.55	6.04	6.45	6.86	1.57	1.63	1.69
辛集市	Xinji	6.75	7.05	7.82	4.84	5.07	5.76	1.91	1.98	2.06
雄安新区	Xiongan New Area			4.46			3.56			0.90

22-9 分市工伤保险情况
Statistics of Work Injury Insurance

单位：万人 (10000 persons)

市	City	年末参保人数 Contributors at Year-end			享受待遇人数 Beneficiaries at Year-end		
		2017	2018	2019	2017	2018	2019
全　省	**Total**	**860.66**	**880.34**	**951.44**	**9.97**	**10.32**	**10.04**
石家庄市	Shijiazhuang	147.24	155.92	173.37	1.15	1.19	1.14
承德市	Chengde	45.43	46.87	62.60	0.65	0.70	0.72
张家口市	Zhangjiakou	56.14	57.97	49.35	0.36	0.42	0.32
秦皇岛市	Qinhuangdao	47.71	48.63	53.62	0.58	0.58	0.63
唐山市	Tangshan	110.00	116.01	119.01	1.94	2.05	2.04
廊坊市	Langfang	60.38	65.97	83.41	0.80	0.90	0.76
保定市	Baoding	80.92	84.52	85.48	0.53	0.53	0.48
沧州市	Cangzhou	58.92	60.66	66.27	0.82	0.91	0.94
衡水市	Hengshui	31.84	35.29	42.72	0.23	0.28	0.28
邢台市	Xingtai	45.80	47.24	57.57	0.59	0.51	0.52
邯郸市	Handan	89.04	71.77	67.90	0.71	0.69	0.73
定州市	Dingzhou	7.07	7.56	4.84	0.02	0.02	0.02
辛集市	Xinji	8.15	8.22	8.30	0.09	0.08	0.07
雄安新区	Xiongan New Area			4.34			0.01

22-10 分市生育保险情况(2019年)
Statistics of Maternity Insurance (2019)

市	City	年末参加生育保险人数(万人) Maternity Insurance at Year-end (10000 persons)	基金收支情况(亿元) Revenue and Expenses (100 million yuan)		
			基金收入 Revenue	基金支出 Expenses	累计结余 Balance at Year-end
全　省	**Total**	**811.0**	**25.2**	**22.7**	**20.1**
石家庄市	Shijiazhuang	161.9	6.2	6.1	1.5
承德市	Chengde	32.1	1.5	1.4	0.7
张家口市	Zhangjiakou	34.4	1.3	0.7	4.0
秦皇岛市	Qinhuangdao	46.7	1.3	1.2	1.3
唐山市	Tangshan	115.9	4.9	4.2	2.5
廊坊市	Langfang	71.7	0.5	0.5	
保定市	Baoding	79.8	2.9	2.4	2.0
沧州市	Cangzhou	62.4	3.2	3.1	1.3
衡水市	Hengshui	26.4	0.6	0.9	0.6
邢台市	Xingtai	51.9	0.5	0.2	1.2
邯郸市	Handan	59.2			
定州市	Dingzhou	4.8	0.1	0.1	0.1
辛集市	Xinji	3.2	0.1	0.1	0.1

主要统计指标解释

公证（出证） 指公证处根据当事人申请，依照事实和法律，按照法定程序制作的，具有法律效力的司法证明文书。

受理劳动人事争议案件数 指劳动人事争议仲裁委员会根据国家法律、法规及有关规章、政策规定，对劳动人事争议当事人提出的仲裁申请进行审查后，符合受理条件而正式立案的劳动人事争议案件数。

城镇职工基本养老保险

1. 参保职工人数 指报告期末按照国家法律、法规和有关政策规定参加城镇职工基本养老保险并在社保经办机构已建立缴费记录档案的职工人数，包括中断缴费但未终止养老保险关系的职工人数，不包括只登记未建立缴费记录档案的人数。

2. 离退休人员人数 指报告期末参加城镇职工基本养老保险的离休、退休和退职人员的人数。

3. 基金收入 指根据国家有关规定，由纳入职工基本养老保险范围的缴费单位和个人按国家规定的缴费基数和缴费比例缴纳的养老保险费，以及通过其他方式取得的形成基金来源的收入。包括单位和职工个人缴纳的基本养老保险费、基本养老保险基金利息收入、委托投资收益、上级补助收入、下级上解收入、转移收入、财政补贴和其他收入。

4. 基金支出 指按照国家政策规定的开支范围和开支标准从职工基本养老保险基金中支付给参加职工基本养老保险的个人养老保险待遇支出，以及由于保险关系转移、上下级之间补助、上解等原因而发生的支出。其他支出包括基本养老金、医疗补助金、丧葬补助金和抚恤金、病残津贴、补助下级支出、上解上级支出、转移支出和其他支出等。

5. 基金累计结余 指职工基本养老保险基金收支相抵后的期末累计余额。

城乡居民基本养老保险

1. 参保人数 指报告期末，参加城乡居民养老保险（在经办机构参保登记并已建立缴费记录以及制度实施当年已经年满 60 周岁并在经办机构参保登记）的人数（不包括已经办理注销登记手续的人数）。

2. 基金收入 指根据国家有关规定，由参加城乡居民基本养老保险的个人按规定缴费的城乡居民基本养老保险费，以及通过集体补助、财政补助等其他方式取得的形成基金来源的收入。包括个人缴费收入、集体补助收入、财政补贴收入、利息收入、委托投资收益、转移收入、上级补助收入、下级上解收入和其他收入。

3. 基金支出 指按照国家政策规定的开支范围和开支标准从城乡居民基本养老保险基金中支付给参加城乡居民基本养老保险的个人养老保险待遇支出，以及由于参保人员跨统筹地区或跨制度流动而发生的支出等。包括养老保险待遇支出、转移支出、补助下级支出、上解上级支出和其他支出。

4. 基金累计结余 指城乡居民基本养老保险基金收支相抵后的期末累计余额。

基本医疗保险

1. 参保人数 指报告期末按国家有关规定参加职工基本医疗保险和城乡居民基本医疗保险人员的合计。

2. 基金收入（含生育保险） 指由用人单位和个人按照国家规定的缴费基数、缴费比例或缴费标准缴纳的基本医疗保险费（含生育保险），财政补贴资金以及通过其他方式取得的形成基金来源的款项，包括：单位缴纳收入、个人缴纳收入、财政补贴收入、利息收入、上级补助收入、下级上解收入和其他收入。

3. 基金支出（含生育保险） 指按照国家政策规定的开支范围和开支标准，从基本医疗保险基金（含生育保险）中支付给参保人员的医疗保险待遇支出，生育保险待遇支出以及其他支出。包括住院费用支出、门诊费用支出、大病保险支出、生育待遇支出、补助下级支出、上解上级支出和其他支出。

4. 基金累计结余（含生育保险） 指基本医疗保险基金（含生育保险）收支相抵后的期末累计结余金额。

失业保险

1. 参保人数 指报告期末按照国家法律、法规和有关政策规定参加了失业保险的城镇企业、事业单位的职工及地方政府规定参加失业保险的其他人员的人数。

2. 基金收入 指报告期内筹集的失业保险基金的总额，包括失业保险费收入、利息收入、财政补贴收入、其他收入、转移收入。

3. 基金支出 指报告期内为保障失业人员基本生活、预防失业、促进再就业等支出的基金总额，包括失业保险金支出、医疗补助金支出、丧葬补助金和抚恤金支出、职业培训和职业介绍补贴支出、其他费用支出、技能提升补贴支出、稳定岗位补贴支出、其他支出、转移支出。

4. 基金累计结余 指截止报告期末失业保险基金收支相抵后的累计余额。

工伤保险

1. 参保人数 指报告期末依据国家有关规定参加工伤保险的职工人数和有雇工的个体工商户的雇工数。

2. 享受工伤保险待遇人数 指年报告期内因工伤或职业病而享受工伤保险待遇的职工人数。为享受工伤医疗待遇中未评定等级的人数、享受伤残待遇人数以及享受因工死亡待遇人数之和。

3. 基金收入 指根据国家有关规定，由参加工伤保险的单位按国家规定的缴费基数和缴费比例缴纳及难以直接按照工资总额计算缴纳工伤保险费的部分行业企业按规定方式缴纳的工伤保险费，以及依法通过其他形式取得的形成基金来源的款项。包括：工伤保险费收入、利息收入、上级补助收入、下级上解收入、其他收入。

4.**基金支出** 指按照国家政策规定的开支范围和开支标准从工伤保险基金中支付给参加工伤保险的人员及供养直系亲属工伤保险待遇支出及其他支出。包括工伤医疗待遇支出、伤残待遇支出、工亡待遇支出、劳动能力鉴定支出、工伤预防费用支出、补助下级支出、上解上级支出和其他支出。

5.**基金累计结余** 指工伤保险基金收支相抵后的期末累计结余金额。

生育保险

1.**参保人数** 指报告期末依据有关规定参加生育保险的人数。

2.**基金收入** 指根据国家有关规定，由参加生育保险的单位按照国家规定的缴费基数和缴费比例缴纳的生育保险费，以及通过其他方式取得的形成基金来源的款项，包括：生育保险费收入、财政补贴收入、利息收入、上级补贴收入、下级上解收入和其他收入。

3.**基金支出** 指按照国家政策规定的开支范围和开支标准，从生育保险基金中支出的生育保险待遇支出及其他支出。包括：生育津贴、医疗费用支出、补助下级支出、上解上级支出及其他支出。

4.**基金累计结余** 指生育保险基金收支相抵后的期末累计结余金额。

Explanatory Notes on Main Statistical Indicators

Notarization (certification) refer to legally binding judicial notary documents developed at the request of the interested party based on facts and the law following certain legal proceedings.

Number of Labour Disputes Cases Accepted refers to the number of cases of labour disputes arbitration submitted that, after being reviewed by the labour dispute arbitration committees in line with the relevant national laws, regulations and policies, are accepted and registered.

Basic Pension Insurance for Urban Staff and Workers

1. Number of Staff and Workers Covered refers to staff and workers participating in the basic pension insurance for urban staff and workers programme according to national laws, regulations and related policies at the end of the reference period, who have already had payment records in social security management agencies, including those who have interrupt payment without terminating the insurance programme. Those who have registered in the programme but with no payment records are not included.

2. Number of Retirees refers to the number of retirees participating in the basic pension insurance for urban staff and workers programmes by the end of the reference period.

3. Revenue of the Basic Pension Insurance Programme refers to payments made by employers and individuals participating in the pension insurance programme of staff in accordance with the basis and proportion stipulated in State regulations, and income from other sources that become the source of pension insurance fund, including the premium paid by employers and staff and workers, interest income, entrusted investment income, subsidies from higher level agencies, income as transfer from subordinate agencies, transferred income, government financial subsidies and other income.

4. Expenditure of Basic Pension Insurance Programme refer to personal pension insurance payment made on pensions subsidies to those covered in pension insurance programmes of staff according to related national policies on scope and standard of expenditure, also included are expenditure which arises due to shift of the insurance relationship or adjustment of funds among agencies, transfer to agencies at higher level. Other expenditure includes: basic pension insurance, medical fees, funeral subsidies, compensation payments, disability allowance, expenses on subsidies to lower subordinates, expenses as transfer to agencies at higher level, transferred expenditure and other expenditure.

5. Balance of Basic Pension Insurance Programme refers to the balance of staff basic pension insurance funds at the end of the reference period after deducting expenses from revenue.

Basic Pension Insurance for Urban and Rural Residents

1. Number of Participants refers to people participating in the basic pension insurance for urban and rural residents programme who registered with the participation and established payment records, and who were 60 years old or above when the system was established and registered with the participation.. Those who cancelled their registration are not included.

2. Revenue of the Insurance Programme refers to the revenue from the payments made, in accordance with related regulations of the government, by individuals participating in the basic pension insurance for urban and rural residents programme and from the subsidies contributed by collective subsidies, public finance and other sources. It includes the payment by individual participants, collective subsidies, financial subsidies, interest income, entrusted investment income, transferred income, subsidies from higher levels, contributions from lower levels, and income from other sources.

3. Expenditure of the Insurance Programme refers to payment made to those covered in the basic pension insurance for urban and rural residents according to related national policies on scope and standard of expenditure. Also included are expenditures which arise due to movement of participants among different locations or system. It includes the payment to the individual participants, transferred expenditures, expenses on subsidies to lower subordinates, expenses as transfer to agencies at higher level, and other expenditures.

4. Balance of Insurance Programme refers to the balance of basic pension insurance funds for urban and rural residents at the end of the reference period after deducting expenses from revenue.

Basic Medical Insurance

1. Participants refers to the total number of people who participate in the basic medical insurance for workers and basic medical insurance for urban and rural residents according to national relevant regulations at the end of the reference period.

2. Revenue (birth insurance included) refers to the basic medical insurance premium (birth insurance included) paid by employing units and individuals according to the payment base, payment proportion or payment standard stipulated by the state, financial subsidy funds and funds obtained by other means, including: revenue from employer payment and individual payment, from financial subsidy, from interest, from subsidies from higher level and payment from lower level and other revenue.

3. Expenses (birth insurance included) refers to the medical insurance benefits, birth insurance benefits and other expenditures paid to contributors from the basic medical insurance fund (birth insurance included) according to the scope and standard of expenditure stipulated by national policies. It includes hospitalization expenses, outpatient expenses, serious illness insurance expenses, childbearing treatment expenses, expenses for subsidizing subordinates, expenses for transfer to superiors and other expenditures.

4. Balance (birth insurance included) refers to the balance of revenue after deducting expenses at the end of the reference period.

Unemployment Insurance

1. Number of People Covered refers to staff and workers in urban enterprises or institutions who have participated in the unemployment insurance programme according to relevant policies and regulations, and other people who have participated according to local government regulations at the end of the reference period.

2. Revenue of the Unemployment Insurance Programme refers to the total unemployment insurance funds raised in the reference period, including unemployment insurance premium, interest income, financial subsidies, other incomes, transferred income.

3. Expenditure of the Unemployment Insurance Programme refers to total expenses during the reference period to guarantee the basic livelihood of unemployed people, prevention of unemployment, and to encourage their re-employment. Included are unemployment relief, medical fees, funeral subsidies, compensation payments, training expenses, job placement expenses, other expenses expenditures, skills upgrading subsidy, job stabilization subsidy, other expenditures, transferred expenditure.

4. Balance of the Unemployment Insurance Programme refers to the balance of revenue of the programme after deducting expenses at the end of the reference period.

Work Injury Insurance

1. Number of People Covered refers to staff and workers who have participated in the work injury insurance programme and employees who work for the self employed and have participated in the work injury insurance programme according to relevant national regulations at the end of the reference period.

2. Number of Beneficiaries refers to number of employee benefited from work injury insurance, as a result of work injury or occupational disease. It is the sum of beneficiaries of medical treatment of unrated work injuries, disability benefits for work injuries and compensation for deaths at work places.

3. Revenue of the Work Injury Insurance Programme refers to payments made by employers participating in the work injury insurance programme in accordance with the basis and proportion stipulated in State regulations and enterprises of part industries difficult to calculate the injury insurance premium directly according to the total wage in accordance with stipulated way, and income from other sources according to law that become source of work injury insurance fund, including income of injury insurance, interest income, subsidies from higher level agencies, income as transfer from subordinate agencies, and other incomes.

4. Expenditure of the Work Injury Insurance Programme refers to payments made from work injury insurance funds to those who participated in the work injury insurance programme and their direct dependents within the scope and standards of expenditure according to related national policies, and other disability expenditure, including medical fees for work injury, injury and subsidies, death subsidies, labor capacity appraisal, injury prevention fees, expenses on subsidies to lower subordinates, expenses as transfer to agencies at higher level, and other expenditure.

5. Balance of the Work Injury Insurance Programme refers to the balance of the work injury funds at the end of the reference period.

Maternity Insurance

1. Number of People Covered refers to people who have participated in the maternity insurance programme according to relevant regulation at the end of the reference period.

2. Revenue of Maternity Insurance Programme refers to payments made by employers participating in the maternity insurance programme in accordance with the basis and proportion stipulated in State regulations, and income from other sources that become source of maternity insurance fund, including income of maternity insurance, government financial subsidies, interest income, subsidies from higher level agencies, income as transfer from subordinate agencies, and other income.

3. Expenditure of the Maternity Insurance Programme refers to payments made from maternity insurance funds to staff and workers who participate in the maternity insurance programme within the scope and standards of expenditure in accordance with related national policies, including allowance for child bearing, medical fees, expenses on subsidies to lower subordinates, expenses as transfer to agencies at higher level, and other expenditure.

4. Balance of the Maternity Programme refers to the balance of the maternity insurance funds at the end of the reference period.

城市概况

City Profiles

简 要 说 明

一、本篇资料反映河北省设区市市辖区经济社会发展等基本情况。

二、市辖区主要指标依据《城市基本情况统计报表制度》收集整理提供。

三、市辖区指城区，不包含市辖县（市）。

四、本篇资料由河北省统计局综合统计处整理提供。

五、资料整理：田朴

Brief Introduction

Ⅰ.The data in this chapter reflects the economic and social development and other basic conditions of Hebei province.

Ⅱ.The main indexes of municipal districts shall be collected and provided in accordance with the *System of Statistical Statements on Basic Urban Conditions*.

Ⅲ. A municipal district refers to an urban area, excluding a county (city) governed by a city.

Ⅳ.This data is compiled and provided by the Comprehensive Statistics Division of Hebei Province Statistics Bureau.

Ⅴ.Data collection: Tian Pu.

23-1 地级城市市辖区主要经济指标(2019年)
Key Economic Indicators for Municipal Districts of Prefecture Cities (2019)

指 标	Item	石家庄市 Shijiazhuang	承德市 Chengde	张家口市 Zhangjiakou
总户数(万户)	Number of Households (10000 households)	123.49	22.99	65.03
常住人口(万人)	Resident Population (10000 persons)	506.56	69.00	177.46
出生人数(人)	Birth Population (person)	49593	5465	12968
死亡人数(人)	Death Population (person)	11552	2296	6588
城镇非私营单位从业人员期末人数(万人)	Employed Person in Urban Non-private Units at Year-end (10000 persons)	80.5	12.8	22.4
行政区域土地面积(平方公里)	Total Land Area of Administrative Region (sq.km)	2240	1253	4373
地区生产总值(亿元)	Gross Regional Product (100 million yuan)	3546.6	383.0	760.0
第一产业	Primary Industry	81.6	4.5	56.0
第二产业	Secondary Industry	962.9	168.4	224.2
第三产业	Tertiary Industry	2502.1	210.1	479.8
工业经济指标	Industrial Economic Indicators			
工业企业数(个)	Number of Enterprises (unit)	752	81	196
内资企业	Domestic Capital	704	79	183
港澳台商投资企业	Hong Kong, Macao and Taiwan Capital	20	1	2
外商投资企业	Foreign Capital	28	1	11
流动资产合计(亿元)	Total Circulating Funds (100 million yuan)	2006.9	383.2	420.4
固定资产合计(亿元)	Total Fixed Assets (100 million yuan)	1032.5	360.5	604.5
营业收入(亿元)	Business Income (100 million yuan)	2850.4	670.7	705.4
营业税金及附加(亿元)	Business Tax and Extra Charges (100 million yuan)	142.6	4.2	50.6
本年应交增值税(亿元)	Value Added Tax Payable (100 million yuan)	79.0	12.5	18.2
利润总额(亿元)	Total Profits (100 million yuan)	190.8	19.2	15.6
固定资产投资 (不含农户)(亿元)	Investment in Fixed Assets (Excluding Rural Household) (100 million yuan)			
#房地产开发投资	Investment in Real Estate	442.2	66.7	166.6
#住 宅	Residential Buildings	321.2	43.9	137.9
商品房销售面积(万平方米)	Floor Space of Commercial Houses Sold (10000 sq.m)	368.15	33.32	141.01
商品房销售额(亿元)	Sales of Commercial Houses (100 million yuan)	404.5	25.6	104.2
社会消费品零售总额(亿元)	Total Retail Sales of Consumer Goods (100 million yuan)	1868.2	201.6	352.6

23-1 续表 1 continued

指 标	Item	秦皇岛市 Qinhuangdao	唐山市 Tangshan	廊坊市 Langfang	保定市 Baoding
总户数(万户)	Number of Households (10000 households)	59.14	106.41	25.96	97.32
常住人口(万人)	Resident Population (10000 persons)	169.32	367.20	99.41	307.64
出生人数(人)	Birth Population (person)	13229	27650	10311	28534
死亡人数(人)	Death Population (person)	7483	25733	3106	11619
城镇非私营单位从业人员期末人数(万人)	Employed Person in Urban Non-private Units at Year-end (10000 persons)	22.3	54.7	18.5	39.3
行政区域土地面积(平方公里)	Total Land Area of Administrative Region (sq.km)	2132	4181	292	2565
地区生产总值(亿元)	Gross Regional Product (100 million yuan)	772.7	3552.8	726.5	1490.3
第一产业	Primary Industry	51.6	147.7	19.6	79.1
第二产业	Secondary Industry	170.8	1762.7	223.1	633.4
第三产业	Tertiary Industry	550.3	1642.5	483.8	777.8
工业经济指标	Industrial Economic Indicators				
工业企业数(个)	Number of Enterprises (unit)	302	982	224	440
内资企业	Domestic Capital	251	935	147	413
港澳台商投资企业	Hong Kong, Macao and Taiwan Capital	11	7	15	5
外商投资企业	Foreign Capital	40	40	62	22
流动资产合计(亿元)	Total Circulating Funds (100 million yuan)	874.5	2664.4	499.0	1291.8
固定资产合计(亿元)	Total Fixed Assets (100 million yuan)	397.1	2663.6	279.3	588.5
营业收入(亿元)	Business Income (100 million yuan)	1291.5	6679.9	709.5	1834.8
营业税金及附加(亿元)	Business Tax and Extra Charges (100 million yuan)	9.6	43.1	4.9	43.3
本年应交增值税(亿元)	Value Added Tax Payable (100 million yuan)	13.6	100.1	13.0	32.4
利润总额(亿元)	Total Profits (100 million yuan)	68.6	249.6	31.1	54.1
固定资产投资（不含农户)(亿元)	Investment in Fixed Assets (Excluding Rural Household) (100 million yuan)				
#房地产开发投资	Investment in Real Estate	172.2	278.6	134.8	206.5
#住 宅	Residential Buildings	126.3	243.6	95.2	166.6
商品房销售面积(万平方米)	Floor Space of Commercial Houses Sold (10000 sq.m)	263.86	402.79	86.82	101.87
商品房销售额(亿元)	Sales of Commercial Houses (100 million yuan)	269.1	355.4	110.4	80.2
社会消费品零售总额(亿元)	Total Retail Sales of Consumer Goods (100 million yuan)	420.7	1231.4	442.2	792.7

23-1 续表 2 continued

指 标	Item	沧州市 Cangzhou	衡水市 Hengshui	邢台市 Xingtai	邯郸市 Handan
总户数(万户)	Number of Households (10000 households)	18.47	35.17	29.65	100.39
常住人口(万人)	Resident Population (10000 persons)	74.92	99.23	95.72	358.43
出生人数(人)	Birth Population (person)	7385	9679	10173	41769
死亡人数(人)	Death Population (person)	1520	3158	2400	18061
城镇非私营单位从业人员期末人数(万人)	Employed Person in Urban Non-private Units at Year-end (10000 persons)	19.0	11.6	17.5	35.0
行政区域土地面积(平方公里)	Total Land Area of Administrative Region (sq.km)	200	1520	135	2663
地区生产总值(亿元)	Gross Regional Product (100 million yuan)	984.7	514.3	379.6	1435.0
第一产业	Primary Industry	14.9	22.9	3.0	95.5
第二产业	Secondary Industry	480.0	195.4	146.3	584.3
第三产业	Tertiary Industry	489.9	296.0	230.4	755.2
工业经济指标	Industrial Economic Indicators				
工业企业数(个)	Number of Enterprises (unit)	48	252	19	438
内资企业	Domestic Capital	44	240	15	429
港澳台商投资企业	Hong Kong, Macao and Taiwan Capital	2	7	1	3
外商投资企业	Foreign Capital	2	5	3	6
流动资产合计(亿元)	Total Circulating Funds (100 million yuan)	130.4	462.9	319.4	902.8
固定资产合计(亿元)	Total Fixed Assets (100 million yuan)	248.1	213.0	241.1	1049.5
营业收入(亿元)	Business Income (100 million yuan)	480.5	606.1	353.4	2046.5
营业税金及附加(亿元)	Business Tax and Extra Charges (100 million yuan)	39.7	7.6	4.0	16.7
本年应交增值税(亿元)	Value Added Tax Payable (100 million yuan)	9.1	15.0	11.5	34.1
利润总额(亿元)	Total Profits (100 million yuan)	13.9	51.0	20.9	52.7
固定资产投资 (不含农户)(亿元)	Investment in Fixed Assets (Excluding Rural Household) (100 million yuan)				
#房地产开发投资	Investment in Real Estate	115.8	129.7	111.3	332.1
#住 宅	Residential Buildings	90.7	108.1	92.0	259.1
商品房销售面积(万平方米)	Floor Space of Commercial Houses Sold (10000 sq.m)	118.10	167.56	104.46	293.70
商品房销售额(亿元)	Sales of Commercial Houses (100 million yuan)	113.4	122.6	72.3	243.4
社会消费品零售总额(亿元)	Total Retail Sales of Consumer Goods (100 million yuan)	429.4	274.5	299.7	592.4

23-1 续表 3 continued

指 标	Item	石家庄市 Shijiazhuang	承德市 Chengde	张家口市 Zhangjiakou
一般公共预算收入(亿元)	Public Finance Revenue (100 million yuan)	407.1	49.4	104.4
一般公共预算支出(亿元)	Public Finance Expenditure (100 million yuan)	566.4	117.2	275.8
在校学生数	Student Enrollment			
普通本专科在校学生数(人)	Institutions of Higher Education (person)	533070	53941	65764
中等职业教育在校学生数(人)	Vocational Secondary Schools (person)	169656	12222	26188
普通中学在校学生数(万人)	Regular Secondary Schools (10000 persons)	23.25	3.15	9.46
普通小学在校学生数(万人)	Primary Schools (10000 persons)	41.87	5.01	11.01
医院数(个)	Number of Hospitals (unit)	146	32	63
医院床位数(张)	Number of Beds in Hospitals (bed)	34107	6636	11910
执业(助理)医师数(人)	Number of Medical Practitioners or Assistant Medical Practitioners (person)	24955	3720	5921
在岗职工平均人数(万人)	Average Number of Fully Employed Staff and Workers (10000 persons)	73.90	11.76	19.95
在岗职工工资总额(亿元)	Total Wages of Full Employed Staff and Workers (100 million yuan)	628.1	92.5	147.8
住户存款余额(亿元)	Balance of Residents Savings Deposits (100 million yuan)	3870.7	692.0	1526.8
年末供水综合生产能力(万立方米/日)	Production Capacity of Tap Water Supply at Year-end (10000 cu.m/day)	160.00	24.05	34.50
年末排水管道长度(公里)	Length of Drainage Pipelines at Year-end (km)	2859	566	666
年末实有城市道路面积(万平方米)	Actual Area of City Roads at Year-end (10000 sq.m)	6243	1171	2009
供气总量(人工、天然气)(万立方米)	Coal Gas Supply (Manufactured and Natural Gas) (10000 cu.m)	111908	7705	9999
#居民家庭用气量	Residential Use	6098	1409	3847
液化石油气供气总量(吨)	Natural Gas Supply (ton)	44380	4935	818
#居民家庭用量	Residential Use	8514	4716	649
年末实有公共汽(电)车营运车辆数(辆)	Number of Public Transportation Vehicles at Year-end (unit)	3886	785	1417
年末实有出租汽车运营车数(辆)	Number of Taxis at Year-end (unit)	7895	2470	4204
公共汽(电)车客运总量(万人次)	Number of Passengers Carried by Public (10000 person-times)	37239	9045	13786
绿地面积(公顷)	Green Area (ha)	14655	3636	3673
#公园绿地面积	Green Area of Parks	4804	1156	1025
建成区绿化覆盖率(%)	Green Coverage Area as % of Built-up Areas (%)	42.9	41.0	40.1

23-1 续表 4 continued

指　　标	Item	秦皇岛市 Qinhuangdao	唐山市 Tangshan	廊坊市 Langfang	保定市 Baoding
一般公共预算收入(亿元)	Public Finance Revenue (100 million yuan)	117.3	327.6	136.6	141.5
一般公共预算支出(亿元)	Public Finance Expenditure (100 million yuan)	221.2	517.6	179.3	276.1
在校学生数	Student Enrollment				
普通本专科在校学生数(人)	Institutions of Higher Education (person)	94673	146262	136428	189598
中等职业教育在校学生数(人)	Vocational Secondary Schools (person)	15180	32398	9608	36291
普通中学在校学生数(万人)	Regular Secondary Schools (10000 persons)	7.26	15.29	5.16	17.76
普通小学在校学生数(万人)	Primary Schools (10000 persons)	11.35	22.14	9.14	24.83
医院数(个)	Number of Hospitals (unit)	48	97	41	115
医院床位数(张)	Number of Beds in Hospitals (bed)	10365	21173	5749	19490
执业(助理)医师数(人)	Number of Medical Practitioners or Assistant Medical Practitioners (person)	6776	13064	4726	12784
在岗职工平均人数(万人)	Average Number of Fully Employed Staff and Workers (10000 persons)	20.27	51.34	18.06	33.80
在岗职工工资总额(亿元)	Total Wages of Full Employed Staff and Workers (100 million yuan)	174.4	417.4	187.7	255.4
住户存款余额(亿元)	Balance of Residents Savings Deposits (100 million yuan)	1787.3	3851.4	1191.7	2026.3
年末供水综合生产能力(万立方米/日)	Production Capacity of Tap Water Supply at Year-end (10000 cu.m/day)	54.00	82.60	33.85	47.40
年末排水管道长度(公里)	Length of Drainage Pipelines at Year-end (km)	713	2825	746	1475
年末实有城市道路面积(万平方米)	Actual Area of City Roads at Year-end (10000 sq.m)	2378	3931	1161	3275
供气总量(人工、天然气)(万立方米)	Coal Gas Supply (Manufactured and Natural Gas) (10000 cu.m)	78904	84190	38875	55353
#居民家庭用气量	Residential Use	6919	17438	10648	24541
液化石油气供气总量(吨)	Natural Gas Supply (ton)	2128	18130	5420	3498
#居民家庭用量	Residential Use	1800	12582	2968	3268
年末实有公共汽(电)车营运车辆数(辆)	Number of Public Transportation Vehicles at Year-end (unit)	1390	2244	739	1459
年末实有出租汽车运营车数(辆)	Number of Taxis at Year-end (unit)	3815	4985	8677	3728
公共汽(电)车客运总量(万人次)	Number of Passengers Carried by Public (10000 person-times)	11499	20163	5980	12071
绿地面积(公顷)	Green Area (ha)	6260	9718	4855	8051
#公园绿地面积	Green Area of Parks	2402	3245	894	1906
建成区绿化覆盖率(%)	Green Coverage Area as % of Built-up Areas (%)	41.7	42.3	47.3	42.8

23-1 续表 5 continued

指 标	Item	沧州市 Cangzhou	衡水市 Hengshui	邢台市 Xingtai	邯郸市 Handan
一般公共预算收入(亿元)	Public Finance Revenue (100 million yuan)	128.0	59.7	55.5	131.5
一般公共预算支出(亿元)	Public Finance Expenditure (100 million yuan)	191.4	131.4	127.3	302.5
在校学生数	Student Enrollment				
普通本专科在校学生数(人)	Institutions of Higher Education (person)	80982	21786	56156	72200
中等职业教育在校学生数(人)	Vocational Secondary Schools (person)	14645	21200	16589	54720
普通中学在校学生数(万人)	Regular Secondary Schools (10000 persons)	4.94	15.93	8.19	23.96
普通小学在校学生数(万人)	Primary Schools (10000 persons)	6.56	9.33	10.75	36.95
医院数(个)	Number of Hospitals (unit)	22	39	49	121
医院床位数(张)	Number of Beds in Hospitals (bed)	11708	7049	9281	19945
执业(助理)医师数(人)	Number of Medical Practitioners or Assistant Medical Practitioners (person)	6074	5460	5663	13204
在岗职工平均人数(万人)	Average Number of Fully Employed Staff and Workers (10000 persons)	11.86	11.29	16.03	31.41
在岗职工工资总额(亿元)	Total Wages of Full Employed Staff and Workers (100 million yuan)	101.2	81.4	123.1	225.9
住户存款余额(亿元)	Balance of Residents Savings Deposits (100 million yuan)	846.2	961.5	905.2	1869.3
年末供水综合生产能力(万立方米/日)	Production Capacity of Tap Water Supply at Year-end (10000 cu.m/day)	20.00	19.39	31.00	75.50
年末排水管道长度(公里)	Length of Drainage Pipelines at Year-end (km)	731	727	1265	1919
年末实有城市道路面积(万平方米)	Actual Area of City Roads at Year-end (10000 sq.m)	1264	1172	1681	4173
供气总量(人工、天然气)(万立方米)	Coal Gas Supply (Manufactured and Natural Gas) (10000 cu.m)	13382	12574	26100	59750
#居民家庭用气量	Residential Use	3866	5301	13500	27916
液化石油气供气总量(吨)	Natural Gas Supply (ton)	1100	4571	890	297
#居民家庭用量	Residential Use	1100	4566	890	284
年末实有公共汽(电)车营运车辆数(辆)	Number of Public Transportation Vehicles at Year-end (unit)	1382	1048	1434	2676
年末实有出租汽车运营车数(辆)	Number of Taxis at Year-end (unit)	2458	1470	2863	5207
公共汽(电)车客运总量(万人次)	Number of Passengers Carried by Public (10000 person-times)	12887	6206	10675	15139
绿地面积(公顷)	Green Area (ha)	3011	3742	4720	8372
#公园绿地面积	Green Area of Parks	796	808	1600	3294
建成区绿化覆盖率(%)	Green Coverage Area as % of Built-up Areas (%)	38.9	40.2	46.7	44.0

主要统计指标解释

供水综合生产能力 指按供水设施取水、净化、送水、出厂输水干管等环节设计能力计算的综合生产能力。包括在原设计能力的基础上，经挖、革、改增加的生产能力。

排水管道长度 指所有排水总管、干管、支管、检查井及连接井进出口等长度之和。

实有城市道路面积 指道路实际铺装面积和与道路相通的广场、桥梁、隧道的铺装面积（统计时，将人行道面积单独统计）。人行道面积按道路两侧面积相加计算，包括步行街和广场，不含人车混行的道路。

实有公共汽（电）车营运车辆数 指实际运营的公共汽车、公共电车的数量。

实有出租汽车运营车数 指已经领取出租汽车专用牌照的运营车辆，包括技术完好的、在修的、长期行驶的以及拟报废尚未经上级机关批准的车辆。

公共汽（电）车客运总量 指一年内公共汽车、公共电车总共搭载的人次。

绿地面积 指报告期末用作园林和绿化的各种绿地面积。包括公园绿地、生产绿地、防护绿地、附属绿地和其他绿地的面积。

公园绿地面积 指城市中向公众开放的、以游憩为主要功能，有一定的游憩设施和服务设施，同时兼有健全生态、美化景观、防灾减灾等综合作用的绿化用地面积的总和。

Explanatory Notes on Main Statistical Indicators

Production Capacity of Water Supply refers to the designed overall production capacity of water facilities, covering the four segments of water collection, purification, conveyance, and outflow through trunk pipelines. Increased capacity through transformation and innovation projects is included as well. The capacity is determined mainly on the weakest of the above-mentioned four segments.

Length of Water Supply Pipelines refers to the total length of all the pipelines between the water pumps and the user water meters, excluding pipelines newly installed but not used yet, pipeline in the water factory, and pipeline in the user's buildings.

The Actual Urban Road Area refers to the actual paving area of the road and the paving area of the square, bridge and tunnel connected with the road (when statistics, the pavement area is counted separately). The pavement area is calculated by adding the area on both sides of the road, including pedestrian street and square, excluding the road with people and cars mixed.

Number of Vehicles in Operation refers to the number of buses and trams in actual operation.

The Number of Taxi Operating Vehicles refers to those operating vehicles that have obtained a special license plate for taxis, including those that are technically sound, under repair, running for a long time, and those that are to be scrapped but have not been approved by higher authorities.

Total Bus (electric) Passenger Transport refers to the total number of passengers carried by buses and public trams in a year.

Area of Green Land refers to the total area occupied for green projects at the end of the reference period, including park green land, production green land, protection green land, green land attached to institutions, and other green areas.

Park Green Area refers to green areas open to the public for amusement and rest with the facilities of amusement, rest and services. Its function includes perfecting ecology, beautifying landscape, and preventing and reducing disaster.

县（市、区）主要指标

Main Indicators of Counties (Cities and Districts at County Level)

简 要 说 明

一、本篇资料反映河北省县（市、区）经济和社会发展基本情况，主要包括：各县（市、区）的行政区划基本情况、地区生产总值、农业总产值、主要农产品产量、消费品零售总额、居民人均收支、财政收支等内容。

二、本篇各县（市、区）生产总值、产值、财政类指标数据汇总数不等于全省数。

三、本篇资料由河北省统计局农村统计处、国民经济核算处及河北省财政厅整理提供。

四、资料整理：陈伟莉　刘博　冯新文

Brief Introduction

Ⅰ. The data in this chapter show the basic conditions of the economic and social development of counties and districts under city administration in Hebei Province, mainly including administrative territorial entity, gross domestic product, gross output value of industry and agriculture, output of major agriculture products, investment in fixed assets, total retail sales of consumer goods, per capita income and consumption expenditure，local government budgetary revenue and expenditure, etc.

Ⅱ. The tabulated data on gross domestic product, output value and government finance of the counties and districts in this chapter do not sum up to the provincial total.

Ⅲ. The data in this chapter are mainly prepared and provided by the Division of Rural Socio-economic Statistics and Division of National Accounts of Hebei Province Statistics Bureau, Hebei Provincial Department of Finance.

Ⅳ. Data collection: Chen Weili, Liu Bo, Feng Xinwen.

24—1 县(市、区)名称(2019年)
Name of Counties (Cities and Districts at County Level) (2019)

市 City	所辖县(市、区)名称 Name of County or City, Districts under Administrative						
石家庄市 Shijiazhuang	长安区 Changan	桥西区 Qiaoxi	新华区 Xinhua	井陉矿区 Jingxingkuangqu		裕华区 Yuhua	藁城区 Gaocheng	鹿泉区 Luquan
	栾城区 Luancheng	井陉县 Jingxing	正定县 Zhengding	行唐县 Xingtang	灵寿县 Lingshou	高邑县 Gaoyi	深泽县 Shenze	赞皇县 Zanhuang
	无极县 Wuji	平山县 Pingshan	元氏县 Yuanshi	赵　县 Zhaoxian	辛集市 Xinji	晋州市 Jinzhou	新乐市 Xinle	
承 德 市 Chengde	双桥区 Shuangqiao	双滦区 Shuangluan	鹰手营子矿区 Yingshouyingzi		承德县 Chengde	兴隆县 Xinglong	滦平县 Luanping	隆化县 Longhua
	丰宁满族自治县 Fengning		宽城满族自治县 Kuancheng		围场满族蒙古族自治县 Weichang		平泉市 Pingquan	
张家口市 Zhangjiakou	桥东区 Qiaodong	桥西区 Qiaoxi	宣化区 Xuanhua	下花园区 Xiahuayuan	万全区 Wanquan	崇礼区 Chongli	张北县 Zhangbei	康保县 Kangbao
	沽源县 Guyuan	尚义县 Shangyi	蔚　县 Yuxian	阳原县 Yangyuan	怀安县 Huaian	怀来县 Huailai	涿鹿县 Zhuolu	赤城县 Chicheng
秦皇岛市 Qinhuangdao	海港区 Haigang	山海关区 Shanhaiguan	北戴河区 Beidaihe	抚宁区 Funing	青龙满族自治县 Qinglong		昌黎县 Changli	卢龙县 Lulong
唐 山 市 Tangshan	路南区 Lunan	路北区 Lubei	古冶区 Guye	开平区 Kaiping	丰南区 Fengnan	丰润区 Fengrun	曹妃甸区 Caofeidian	滦南县 Luannan
	乐亭县 Laoting	迁西县 Qianxi	玉田县 Yutian	遵化市 Zunhua	迁安市 Qianan	滦州市 Luanzhou		
廊 坊 市 Langfang	安次区 Anci	广阳区 Guangyang	固安县 Guan	永清县 Yongqing	香河县 Xianghe	大城县 Dacheng	文安县 Wenan	
	大厂回族自治县 Dachang		霸州市 Bazhou	三河市 Sanhe				
保 定 市 Baoding	竞秀区 Jingxiu	莲池区 Lianchi	满城区 Mancheng	清苑区 Qingyuan	徐水区 Xushui	涞水县 Laishui	阜平县 Fuping	定兴县 Dingxing
	唐　县 Tangxian	高阳县 Gaoyang	容城县 Rongcheng	涞源县 Laiyuan	望都县 Wangdu	安新县 Anxin	易　县 Yixian	曲阳县 Quyang
	蠡　县 Lixian	顺平县 Shunping	博野县 Boye	雄　县 Xiongxian	涿州市 Zhuozhou	定州市 Dingzhou	安国市 Anguo	高碑店市 Gaobeidian
沧 州 市 Cangzhou	新华区 Xinhua	运河区 Yunhe	沧　县 Cangxian	青　县 Qingxian	东光县 Dongguang	海兴县 Haixing	盐山县 Yanshan	肃宁县 Suning
	南皮县 Nanpi	吴桥县 Wuqiao	献　县 Xianxian	孟村回族自治县 Mengcun		泊头市 Botou	任丘市 Renqiu	黄骅市 Huanghua
	河间市 Hejian							
衡 水 市 Hengshui	桃城区 Taocheng	冀州区 Jizhou	枣强县 Zaoqiang	武邑县 Wuyi	武强县 Wuqiang	饶阳县 Raoyang	安平县 Anping	故城县 Gucheng
	景　县 Jingxian	阜城县 Fucheng	深州市 Shenzhou					
邢 台 市 Xingtai	桥东区 Qiaodong	桥西区 Qiaoxi	邢台县 Xingtai	临城县 Lincheng	内丘县 Neiqiu	柏乡县 Baixiang	隆尧县 Longyao	任　县 Renxian
	南和县 Nanhe	宁晋县 Ningjin	巨鹿县 Julu	新河县 Xinhe	广宗县 Guangzong	平乡县 Pingxiang	威　县 Weixian	清河县 Qinghe
	临西县 Linxi	南宫市 Nangong	沙河市 Shahe					
邯 郸 市 Handan	邯山区 Hanshan	丛台区 Congtai	复兴区 Fuxing	峰峰矿区 Fengfeng	肥乡区 Feixiang	永年区 Yongnian	临漳县 Linzhang	成安县 Chengan
	大名县 Daming	涉　县 Shexian	磁　县 Cixian	邱　县 Qiuxian	鸡泽县 Jize	广平县 Guangping	馆陶县 Guantao	魏　县 Weixian
	曲周县 Quzhou	武安市 Wuan						

24-2 县(市、区)主要指标(2019年)

县(市、区)	County (City or District)	行政区域面积(平方公里) Land Area (sq.km)	乡个数(个) Number of Countryside (unit)	镇个数(个) Number of Town (unit)	村民委员会个数(个) Number of Villagers' Committees (unit)
石家庄市	**Shijiazhuang**				
长安区	Changan District	138		4	4
桥西区	Qiaoxi District	70			15
新华区	Xinhua District	92			13
井陉矿区	Jingxing Mining District	70	1	2	
裕华区	Yuhua District	61		2	5
藁城区	Gaocheng District	836	1	12	164
鹿泉区	Luquan District	603	3	9	208
栾城区	Luancheng District	326	3	5	173
井陉县	Jingxing County	1381	7	10	321
正定县	Zhengding County	468	5	3	154
行唐县	Xingtang County	1025	11	4	322
灵寿县	Lingshou County	1066	9	6	279
高邑县	Gaoyi County	222	1	4	107
深泽县	Shenze County	296	3	3	125
赞皇县	Zanhuang County	1210	7	4	212
无极县	Wuji County	524	5	6	213
平山县	Pingshan County	2648	11	12	717
元氏县	Yuanshi County	675	7	8	208
赵　县	Zhao County	674	4	7	281
晋州市	Jinzhou City	619	1	9	224
新乐市	Xinle City	525	3	8	160
承德市	**Chengde**				
双桥区	Shuangqiao District	354		5	53
双滦区	Shuangluan District	452	1	5	63
鹰手营子矿区	Yingshouyingzi Mining District	149		4	15
承德县	Chengde County	3648	11	12	378
兴隆县	Xinglong County	3117	5	15	289
滦平县	Luanping County	2993	10	10	199
隆化县	Longhua County	5473	15	9	357
丰宁满族自治县	Fengning Man Autonomous County	8739	16	10	309
宽城满族自治县	Kuancheng Man Autonomous County	1936	8	10	205
围场满族蒙古族自治县	Weichang Man and Mongolian Autonomous County	9037	25	12	312
平泉市	Pingquan City	3294	4	15	238
张家口市	**Zhangjiakou**				
桥东区	Qiaodong District	374	1	2	47
桥西区	Qiaoxi District	119		1	20
宣化区	Xuanhua District	2014	7	7	314
下花园区	Xiahuayuan District	315	4		46
万全区	Wanquan District	1162	7	4	170
崇礼区	Chongli District	2324	8	2	211
张北县	Zhangbei County	3854	11	7	366
康保县	Kangbao County	3365	8	7	326
沽源县	Guyuan County	3363	10	4	233

Main Indicators of Counties(Cities and Districts at County Level)(2019)

地区生产总值（万元） Gross Domestic Product (10000 yuan)	第一产业 Primary Industry	第二产业 Secondary Industry	第三产业 Tertiary Industry	地区生产总值指数（上年=100） Indices of Gross Domestic Product (preceding year=100)	第一产业 Primary Industry	第二产业 Secondary Industry	第三产业 Tertiary Industry	户籍人口（万人） Registered Population (10000 persons)
5809051	7105	1071764	4730182	108	97	102	109	66.8
7371725	895	737221	6633609	109	77	101	110	67.6
4328685	4026	504207	3820452	109	97	103	110	50.9
545101	3736	206505	334860	108	72	105	110	8.8
3924542	692	414935	3508915	108	125	100	109	48.0
4159863	453617	2016712	1689534	104	102	100	109	86.6
2904093	179900	1050600	1673593	107	95	105	109	44.7
1726388	151563	731794	843031	107	101	106	110	36.4
969420	97872	307168	564380	103	73	104	109	33.2
2803873	394075	675625	1734173	108	101	104	111	51.7
1158550	347281	197606	613663	108	104	108	110	46.3
1022396	268764	180606	573026	107	105	103	109	35.3
682053	130836	210794	340423	105	100	102	109	20.4
711374	144076	221054	346244	106	102	103	109	25.9
775381	188223	231543	355615	107	111	100	109	28.1
1299107	291045	397679	610383	105	101	100	111	53.9
2400030	151461	1441971	806598	107	95	108	109	50.5
1595370	199376	467120	928874	107	106	105	108	44.7
1411279	243619	392025	775635	107	106	104	109	62.3
1542222	376027	375805	790390	97	106	75	109	57.7
1393397	329240	352847	711310	105	101	101	109	51.9
1509900	5436	276973	1227491	107	90	94	110	31.5
1355317	26182	847601	481534	106	106	100	118	14.9
283208	7829	142630	132749	107	105	105	110	6.2
1274325	414876	297617	561832	107	110	103	106	42.8
1127096	241368	408558	477170	103	82	103	118	32.8
1450996	308732	522349	619915	107	107	103	111	33.1
1431867	488883	307254	635730	107	108	102	108	44.9
1194812	296340	335530	562942	107	105	106	109	40.9
1485938	192062	680768	613108	107	107	103	112	26.3
1546643	577451	368195	600997	107	107	102	112	53.7
1350512	414847	280841	654824	106	106	101	110	48.0
1984207	15681	882008	1086518	108	87	103	113	26.0
961848	2267	80221	879360	109	82	107	110	20.7
1742221	130677	616440	995104	102	82	100	109	52.2
222830	26194	76726	119910	107	111	101	109	6.5
725934	106438	226703	392793	107	98	104	110	22.5
326751	55052	86149	185550	102	92	94	111	13.1
1188906	357884	391656	439366	110	122	107	106	36.1
566826	205538	170649	190639	109	105	116	109	26.9
644254	257728	182405	204121	107	97	111	112	22.5

24-2 续表 1

县(市、区)	County (City or District)	行政区域面积(平方公里) Land Area (sq.km)	乡个数(个) Number of Countryside (unit)	镇个数(个) Number of Town (unit)	村民委员会个数(个) Number of Villagers' Committees (unit)
尚义县	Shangyi County	2601	7	7	172
蔚　县	Yu County	3198	11	11	546
阳原县	Yangyuan County	1839	9	5	301
怀安县	Huaian County	1698	7	4	273
怀来县	Huailai County	1801	6	11	279
涿鹿县	Zhuolu County	2802	4	13	373
赤城县	Chicheng County	5273	9	9	440
秦皇岛市	**Qinhuangdao**				
海港区	Haigang District	800		8	262
山海关区	Shanhaiguan District	194		3	96
北戴河区	Beidaihe District	113		3	43
抚宁区	Funing District	968	2	5	363
青龙满族自治县	Qinglong Man Autonomous County	3510	13	11	396
昌黎县	Changli County	1212	5	11	418
卢龙县	Lulong County	956	3	9	548
唐山市	**Tangshan**				
路南区	Lunan District	117	1	1	55
路北区	Lubei District	161	1		71
古冶区	Guye District	248	3	2	122
开平区	Kaiping District	257		6	134
丰南区	Fengnan District	1288	3	12	444
丰润区	Fengrun District	1154	3	19	480
曹妃甸区	Caofeidian District	1281		5	11
滦南县	Luannan County	1483		16	589
乐亭县	Laoting County	1020	3	11	531
迁西县	Qianxi County	1461	8	9	417
玉田县	Yutian County	1170	4	16	750
遵化市	Zunhua City	1514	12	13	648
迁安市	Qianan City	1227	7	10	464
滦州市	Luanzhou City	1027		10	504
廊坊市	**Langfang**				
安次区	Anci District	578	4	4	288
广阳区	Guangyang District	331	1	3	169
固安县	Guan County	703	4	5	419
永清县	Yongqing County	776	5	5	386
香河县	Xianghe County	448		9	300
大城县	Dacheng County	897		10	394
文安县	Wenan County	1037	1	12	383
大厂回族自治县	Dachang Hui Autonomous County	176		5	105
霸州市	Bazhou City	802	3	9	363
三河市	Sanhe City	643		10	395
保定市	**Baoding**				
竞秀区	Jingxiu District	127	5		71
莲池区	Lianchi District	178	6	1	119
满城区	Mancheng District	658	6	5	183
清苑区	Qingyuan District	867	9	9	266

continued

地区生产总值（万元）Gross Domestic Product (10000 yuan)	第一产业 Primary Industry	第二产业 Secondary Industry	第三产业 Tertiary Industry	地区生产总值指数（上年=100）Indices of Gross Domestic Product (preceding year=100)	第一产业 Primary Industry	第二产业 Secondary Industry	第三产业 Tertiary Industry	户籍人口（万人）Registered Population (10000 persons)
439170	162985	121343	154842	105	107	98	109	18.6
828387	147409	149455	531523	107	94	110	110	49.9
521095	126711	133359	261025	108	101	117	106	27.1
956819	101794	579582	275443	112	89	130	103	23.7
1319744	142735	199678	977331	107	95	94	113	36.9
845862	117875	202632	525355	102	92	105	109	35.1
613423	257590	80844	274989	107	104	108	108	29.3
5006570	68276	1071888	3866405	107	94	105	107	74.8
772582	85990	257150	429442	107	106	101	111	14.5
693161	18043	54885	620233	106	92	109	106	9.7
1254202	343754	323986	586462	107	108	104	109	33.1
1238792	439563	327232	471997	103	98	104	107	56.7
2863714	623770	1156039	1083904	107	103	113	104	52.3
1151671	358237	285050	508384	107	104	107	110	41.5
2092036	16431	405005	1670600	108	104	106	109	27.0
3571700	34988	330391	3206321	106	95	109	105	67.2
2124118	91378	1387876	644864	107	97	110	102	33.3
1403828	45768	707998	650062	107	105	108	105	25.1
6570218	450022	3340609	2779587	107	103	111	103	53.7
8751482	365895	5824916	2560671	108	98	107	111	81.3
6304301	305663	3315281	2683357	109	104	110	109	21.4
2710469	827300	911317	971852	107	104	107	108	56.9
3447451	800003	1585367	1062081	108	104	107	112	44.3
3206820	225681	2113254	867885	106	105	107	106	39.6
2628512	638820	1093152	896540	106	102	108	107	70.4
4242634	478270	1788049	1976315	108	102	107	110	75.3
9577765	322898	6058834	3196033	106	95	108	105	77.8
3962438	462597	2311227	1188614	108	104	108	109	57.3
2302253	116496	629643	1556114	107	100	96	113	37.9
4962778	79319	1601537	3281922	107	96	98	112	43.1
3134073	441562	594557	2097954	109	101	94	117	52.7
2045058	631019	426586	987453	107	103	100	112	41.4
2248152	194878	534111	1519163	105	102	104	106	37.6
1705666	179996	712730	812940	106	100	108	107	53.9
1887961	129239	958640	800082	107	105	102	114	55.9
1648040	47740	242844	1357456	109	112	96	112	13.4
4011543	115824	2051745	1843974	104	85	102	108	65.8
5048086	184875	1349735	3513476	108	103	112	106	74.7
3504987	13894	2043041	1448052	106	89	103	112	43.7
4306737	23971	1332465	2950301	110	95	108	112	63.7
1203442	210565	322245	670632	109	101	106	114	41.0
1368371	315416	403209	649746	106	103	105	109	69.2

24-2 续表 2

县(市、区)	County (City or District)	行政区域面积(平方公里) Land Area (sq.km)	乡个数(个) Number of Countryside (unit)	镇个数(个) Number of Town (unit)	村民委员会个数(个) Number of Villagers' Committees (unit)
徐水区	Xushui District	723	4	10	304
涞水县	Laishui County	1662	4	11	284
阜平县	Fuping County	2496	7	6	209
定兴县	Dingxing County	714	9	7	274
唐　县	Tang County	1414	11	9	345
高阳县	Gaoyang County	441	2	5	149
容城县	Rongcheng County	314	3	5	127
涞源县	Laiyuan County	2448	9	8	283
望都县	Wangdu County	358	2	6	142
安新县	Anxin County	779	4	9	223
易　县	Yi County	2534	18	9	469
曲阳县	Quyang County	1084	9	9	367
蠡　县	Li County	652	3	10	232
顺平县	Shunping County	712	5	5	237
博野县	Boye County	331		7	133
雄　县	Xiong County	661	4	8	287
涿州市	Zhuozhou City	751	1	10	402
安国市	Anguo City	486	3	6	198
高碑店市	Gaobeidian City	620		9	409
沧州市	**Cangzhou**				
新华区	Xinhua District	89	1		20
运河区	Yunhe District	118	1	1	62
沧　县	Cang County	1520	15	4	510
青　县	Qing County	992	3	7	345
东光县	Dongguang County	710	1	8	447
海兴县	Haixing County	868	4	3	197
盐山县	Yanshan County	795	6	6	450
肃宁县	Suning County	516	3	6	254
南皮县	Nanpi County	790	3	6	312
吴桥县	Wuqiao County	582	5	5	473
献　县	Xian County	1173	11	7	500
孟村回族自治县	Mengcun Hui Autonomous County	387	2	4	126
泊头市	Botou City	1009	4	8	657
任丘市	Renqiu City	872	5	7	349
黄骅市	Huanghua City	1718	7	4	331
河间市	Hejian City	1322	11	7	615
衡水市	**Hengshui**				
桃城区	Taocheng District	383	1	3	221
冀州区	Jizhou District	878	4	6	382
枣强县	Zaoqiang County	905	2	9	553
武邑县	Wuyi County	800	2	7	522
武强县	Wuqiang County	443	2	4	230
饶阳县	Raoyang County	572	2	5	197
安平县	Anping County	496	3	5	230
故城县	Gucheng County	941	2	11	538
景　县	Jing County	1188	5	11	848
阜城县	Fucheng County	695	4	6	610
深州市	Shenzhou City	1245	6	11	465

continued

地区生产总值（万元）Gross Domestic Product (10000 yuan)	第一产业 Primary Industry	第二产业 Secondary Industry	第三产业 Tertiary Industry	地区生产总值指数（上年=100）Indices of Gross Domestic Product (preceding year=100)	第一产业 Primary Industry	第二产业 Secondary Industry	第三产业 Tertiary Industry	户籍人口（万人）Registered Population (10000 persons)
2713072	219975	1636530	856567	101	85	100	112	63.9
892536	167884	153371	571281	104	104	97	106	36.4
449484	125294	55283	268907	108	115	102	107	23.0
1598186	282835	534580	780771	107	100	106	110	61.0
1221962	301561	432526	487875	104	104	102	107	59.7
982068	58959	448315	474794	108	105	107	109	32.5
599463	64918	234962	299584	100	79	88	118	28.0
634863	72100	162460	400303	107	109	105	107	28.8
669320	155303	199438	314579	107	102	109	110	27.4
666851	86604	255801	324446	100	86	89	113	51.3
1086966	281484	206844	598638	105	107	91	110	58.3
1132220	161776	308691	661753	108	104	104	111	66.0
1094759	163764	333849	597146	106	103	104	108	54.7
693552	224719	139860	328973	109	108	103	113	31.6
523533	135477	125599	262457	107	106	104	109	27.2
724893	85900	300164	338828	99	82	86	119	49.7
3367371	225814	654531	2487026	108	99	104	110	70.4
1024320	201545	219934	602841	106	101	100	110	41.2
1977581	148311	789695	1039575	106	100	105	108	57.0
1846017	1963	659333	1184721	107	85	105	108	18.6
3033660	5442	912225	2115993	107	94	107	107	36.5
2162824	244954	763578	1154292	108	102	107	110	74.3
1900485	433453	591708	875324	107	92	109	116	44.1
1477996	120277	414790	942929	107	104	105	109	38.6
503348	109747	129783	263818	108	118	110	104	23.7
1315380	107150	633155	575075	107	101	104	110	49.6
1295718	234957	169955	890806	107	101	107	109	37.1
1008848	174176	313992	520680	105	102	106	107	40.0
849196	170113	137993	541090	105	101	110	106	28.0
1683603	300820	622159	760624	107	109	106	108	66.3
880395	78008	408577	393810	108	113	108	106	23.3
2222780	184130	917524	1121126	107	106	105	110	63.2
5900078	123155	2846603	2930320	106	113	106	105	81.5
2471298	316900	728194	1426204	106	96	105	110	48.6
2360908	179669	825552	1355687	109	111	107	110	90.7
2114307	83039	448274	1582994	107	95	105	108	50.7
1069692	117398	295634	656660	106	98	105	109	34.5
1139284	137689	419615	581980	107	102	105	111	40.5
823330	255133	156171	412026	107	103	103	110	31.8
631864	99520	202663	329681	107	108	102	109	21.5
890532	315121	156472	418939	107	106	103	110	28.9
1354330	135923	518908	699499	107	101	105	109	33.7
1068836	244769	280091	543976	107	107	107	107	52.6
1652676	184405	596001	872270	107	100	103	112	54.6
804999	189972	227304	387723	108	99	107	113	35.4
1540717	374904	409972	755841	107	102	104	111	56.5

24-2 续表 3

县(市、区)	County (City or District)	行政区域面积(平方公里) Land Area (sq.km)	乡个数(个) Number of Countryside (unit)	镇个数(个) Number of Town (unit)	村民委员会个数(个) Number of Villagers' Committees (unit)
邢台市	**Xingtai**				
桥东区	Qiaodong District	122	1	3	55
桥西区	Qiaoxi District	120		2	31
邢台县	Xingtai County	1848	6	10	519
临城县	Lincheng County	797	4	4	220
内丘县	Neiqiu County	788	4	5	309
柏乡县	Baixiang County	268	2	4	121
隆尧县	Longyao County	749	5	7	276
任　县	Ren County	431	4	4	134
南和县	Nanhe County	405	5	3	209
宁晋县	Ningjin County	1111	5	11	322
巨鹿县	Julu County	631	3	7	246
新河县	Xinhe County	366	4	2	169
广宗县	Guangzong County	504	4	4	196
平乡县	Pingxiang County	406	4	2	227
威　县	Wei County	1012	5	11	519
清河县	Qinghe County	501		6	305
临西县	Linxi County	542	3	6	299
南宫市	Nangong City	861	5	6	440
沙河市	Shahe City	859	4	4	242
邯郸市	**Handan**				
邯山区	Hanshan District	209	5	4	169
丛台区	Congtai District	192	6	3	167
复兴区	Fuxing District	137	3	2	94
峰峰矿区	Fengfeng Mining District	341		9	148
肥乡区	Feixiang District	503	4	5	255
永年区	Yongnian District	761	8	9	342
临漳县	Linzhang County	742	7	7	429
成安县	Chengan County	482	4	5	239
大名县	Daming County	1053	10	10	609
涉　县	She County	1509	8	8	308
磁　县	Ci County	695	6	6	253
邱　县	Qiu County	449	2	5	217
鸡泽县	Jize County	336	3	4	169
广平县	Guangping County	314		7	169
馆陶县	Guantao County	456	4	4	277
魏　县	Wei County	864	9	12	489
曲周县	Quzhou County	677	4	6	338
武安市	Wuan City	1806	9	13	502
定州市	**Dingzhou**	**1284**	**5**	**16**	**470**
辛集市	**Xinji**	**951**	**7**	**8**	**344**

continued

地区生产总　值（万元）Gross Domestic Product (10000 yuan)	第一产业 Primary Industry	第二产业 Secondary Industry	第三产业 Tertiary Industry	地区生产总值指数（上年=100）Indices of Gross Domestic Product (preceding year=100)	第一产业 Primary Industry	第二产业 Secondary Industry	第三产业 Tertiary Industry	户籍人口（万人）Registered Population (10000 persons)
1211439	8777	267804	934858	107	86	108	107	31.9
1902597	8433	819578	1074586	105	98	103	108	42.5
1639863	124235	962674	552954	106	86	106	110	36.3
493337	87021	130502	275814	107	104	103	110	22.1
731254	140837	233414	357003	105	104	100	109	29.8
454955	97327	189294	168334	108	106	108	109	20.7
1040050	242610	358961	438479	107	106	105	110	57.3
600470	124133	206701	269636	108	105	108	109	39.2
770920	212830	210230	347860	109	107	111	110	40.0
2444924	299777	1298340	846807	108	99	110	110	86.6
981509	302394	257267	421848	108	107	108	109	43.4
516212	129477	210230	176505	107	105	108	108	17.8
600841	126802	229936	244103	108	105	108	109	33.7
873819	157993	319255	396571	108	107	109	108	36.9
1062004	287360	269909	504735	109	105	110	110	64.8
1409271	66105	577166	766000	107	111	103	110	45.0
750498	146079	206622	397797	106	105	104	107	39.4
1156294	196300	436002	523992	108	104	107	110	50.8
1881460	67842	772632	1040986	106	97	102	110	46.1
1962642	22980	472727	1466935	108	102	100	110	50.1
2691121	9344	863127	1818650	108	100	104	110	56.5
2034397	5473	1181011	847912	106	77	104	110	30.9
1731489	46109	1006050	679330	107	93	105	111	47.8
1495180	269366	489846	735969	108	102	107	110	41.4
2185705	376405	928220	881079	104	100	100	111	97.2
1581221	243436	649564	688221	110	105	110	112	75.8
1647204	246078	852575	548551	109	103	110	110	46.7
1479540	265774	434372	779394	109	103	108	112	93.6
1649112	107974	755556	785582	106	91	106	109	43.3
799240	113262	253781	432197	103	100	102	105	47.9
934742	150728	401747	382267	108	103	108	109	25.8
935086	145495	396065	393526	107	104	107	109	34.2
931577	106831	371206	453540	109	102	110	111	31.4
915038	214693	192324	508020	108	103	105	111	36.3
2027531	366008	885045	776479	110	104	110	112	104.4
1228380	231848	540389	456143	107	107	107	108	53.6
6381838	276296	3970303	2135240	106	95	105	109	84.9
3330429	**698304**	**1271350**	**1360775**	**107**	**103**	**105**	**111**	**124.1**
4169907	**517523**	**2699560**	**952824**	**107**	**102**	**105**	**115**	**63.5**

24-2 续表 4

县(市、区)	County (City or District)	乡村总户数 (户) Total Rural Households (household)	乡村人口 (万人) Rural Population (10000 persons)	年末乡村从业人员 (人) Number of Rural Laborers (year-end) (person)	#农林牧渔业从业人员 Number of Farming, Forestry, Animal Husbandry & Fishery Laborers
石家庄市	**Shijiazhuang**				
长安区	Changan District	7033	2.5	11000	1870
桥西区	Qiaoxi District	11508	3.8	14870	98
新华区	Xinhua District	12195	4.6	20704	2532
井陉矿区	Jingxing Mining District	14671	5.4	22497	3392
裕华区	Yuhua District	6890	3.2	15114	1161
藁城区	Gaocheng District	201093	76.0	399484	125455
鹿泉区	Luquan District	97988	38.7	176759	64557
栾城区	Luancheng District	87387	34.2	175964	42572
井陉县	Jingxing County	86366	29.9	144469	59681
正定县	Zhengding County	104216	44.5	220272	65517
行唐县	Xingtang County	116982	40.5	197747	114975
灵寿县	Lingshou County	75173	28.4	150442	72972
高邑县	Gaoyi County	45577	18.3	99919	63588
深泽县	Shenze County	61645	22.9	124874	43848
赞皇县	Zanhuang County	65618	23.0	134154	49054
无极县	Wuji County	137766	50.3	256433	115541
平山县	Pingshan County	135604	45.5	227894	140257
元氏县	Yuanshi County	97215	41.5	201653	113472
赵　县	Zhao County	143331	57.1	281512	127437
晋州市	Jinzhou City	134372	51.6	266288	77469
新乐市	Xinle City	104331	41.4	220012	50011
承德市	**Chengde**				
双桥区	Shuangqiao District	25523	7.4	33559	9305
双滦区	Shuangluan District	29044	9.1	41179	13232
鹰手营子矿区	Yingshouyingzi Mining District	6070	1.9	8889	3141
承德县	Chengde County	128460	38.9	211330	120375
兴隆县	Xinglong County	97932	29.2	156186	100370
滦平县	Luanping County	100375	29.4	153852	71656
隆化县	Longhua County	120473	39.0	213830	126293
丰宁满族自治县	Fengning Man Autonomous County	122998	34.9	172608	120683
宽城满族自治县	Kuancheng Man Autonomous County	69077	23.1	122816	49817
围场满族蒙古族自治县	Weichang Man and Mongolian Autonomous County	164560	48.1	241498	177660
平泉市	Pingquan City	131991	41.9	218891	123756
张家口市	**Zhangjiakou**				
桥东区	Qiaodong District	22946	5.6	28489	20126
桥西区	Qiaoxi District	7373	2.1	8709	1283
宣化区	Xuanhua District	81542	20.5	109482	73230
下花园区	Xiahuayuan District	12355	2.7	13969	7186
万全区	Wanquan District	73495	19.4	95505	59279
崇礼区	Chongli District	35229	8.6	42580	23045
张北县	Zhangbei County	104812	25.7	114042	75962
康保县	Kangbao County	101058	24.5	123409	68123
沽源县	Guyuan County	84926	19.7	107068	86234

continued

农林牧渔业增加值（万元）Added Value of Farming, Forestry, Animal Husbandry & Fishery (10000 yuan)	一般公共预算收入（万元）General Public Budget Revenue (10000 yuan)	税收收入 Tax Revenue	非税收入 Non-tax Revenue	一般公共预算支出（万元）General Public Budget Expenditure (10000 yuan)	#教育支出 Education Expenditure	#科学技术支出 Science and Technology Expenditure	#社会保障和就业支出 Social Security and Employment Expenditure	#卫生健康支出 Hygiene and Health Expenditure
9047	498248	412894	85354	363445	138675	2583	38382	19985
1061	727154	543241	183913	482560	127799	2801	51792	21663
4643	290010	221220	68790	266349	106994	2673	24925	13058
3776	40204	34529	5675	130510	17252	98211	13302	4285
712	336258	323355	12903	236012	75164	4916	22495	19808
476173	458004	313786	144218	586960	137759	6438	71558	28631
191529	307729	227312	80417	496662	125358	7466	35371	21688
183505	160870	95004	65866	322865	81159	3581	46635	14448
106303	82020	57720	24300	233464	47151	1443	30442	26913
412786	374221	171901	202320	655830	185008	3003	47638	20015
372841	61208	34885	26323	349825	56178	5597	53157	42441
274753	59076	27286	31790	272480	43965	113	44104	35152
136085	55107	37119	17988	166984	29710	649	21721	16909
160869	51652	28350	23302	171553	24995	1878	23917	20170
201332	44193	31847	12346	201797	39955	240	22597	27444
309181	75859	52445	23414	446075	82589	740	47098	40908
173215	195248	160141	35107	422111	92549	325	51713	44419
204994	101256	61087	40169	271202	59448	1362	23410	34897
259875	74336	41856	32480	303130	67731	2987	39158	45542
390830	104528	60864	43664	361058	73931	2898	45415	54249
355830	101808	57147	44661	323511	66212	2944	38948	39314
5513	143597	131976	11621	178861	39205	39	21996	10473
30298	127142	108777	18365	96951	23465	55720	15131	8812
7910	37666	34561	3105	70666	11714	4931	7175	8836
421979	74472	57268	17204	299795	62278	1945	39038	39951
247043	72070	46617	25453	324399	57913	211	39339	34350
312943	109979	75683	34296	340829	67408	171	30215	35988
494174	51064	44078	6986	443069	74259	4323	61419	55982
306304	90153	59579	30574	570344	82824	410	49486	58877
198815	109181	89835	19346	241218	52673	1294	29434	22352
579693	60573	41424	19149	491084	73102	545	60271	54860
416595	63407	46880	16527	335568	82857	316	35323	37449
15974	38827	24402	14425	157406	38288	56239	14900	9407
2430	42321	13008	29313	137983	32023	1208	24156	7158
134873	160809	98008	62801	471712	100094	783	85971	28133
27938	32861	14188	18673	150279	10121	177	30562	8103
115682	47750	31693	16057	236426	33397	405	41836	14640
55221	57230	34033	23197	364149	25634	3096	28011	13488
358886	82089	52986	29103	397957	45466	132	67106	44274
205967	34645	14984	19661	354563	33980	215	45784	35780
258157	34820	18212	16608	335486	30965	286	41279	32867

24-2 续表 5

县(市、区)	County (City or District)	乡村总户数 (户) Total Rural Households (household)	乡村人口 (万人) Rural Population (10000 persons)	年末乡村从业人员 (人) Number of Rural Laborers (year-end) (person)	#农林牧渔业从业人员 Number of Farming, Forestry, Animal Husbandry & Fishery Laborers
尚义县	Shangyi County	41889	10.1	50808	37100
蔚　县	Yu County	102143	27.1	105184	83016
阳原县	Yangyuan County	82541	22.0	113322	66606
怀安县	Huaian County	64069	16.8	95991	71207
怀来县	Huailai County	107464	27.8	152871	91707
涿鹿县	Zhuolu County	98462	24.1	134989	96782
赤城县	Chicheng County	115108	25.5	117768	86344
秦皇岛市	**Qinhuangdao**				
海港区	Haigang District	70646	19.6	98856	44149
山海关区	Shanhaiguan District	18985	5.7	30491	21340
北戴河区	Beidaihe District	25166	6.3	35228	12159
抚宁区	Funing District	102106	29.1	155415	100393
青龙满族自治县	Qinglong Man Autonomous County	154497	50.0	272894	178845
昌黎县	Changli County	182629	45.6	263843	162182
卢龙县	Lulong County	130311	37.8	212065	139944
唐山市	**Tangshan**				
路南区	Lunan District	20430	6.4	32449	9610
路北区	Lubei District	32814	11.8	64795	25976
古冶区	Guye District	38207	12.1	60063	25533
开平区	Kaiping District	58099	17.9	82050	20694
丰南区	Fengnan District	122619	45.8	245357	94502
丰润区	Fengrun District	177795	62.4	331463	170408
曹妃甸区	Caofeidian District	44937	14.5	81683	37381
滦南县	Luannan County	152493	51.6	289756	189707
乐亭县	Laoting County	122082	37.8	224304	100881
迁西县	Qianxi County	96668	34.9	194810	82670
玉田县	Yutian County	167288	60.8	334926	95501
遵化市	Zunhua City	194160	68.3	335772	110748
迁安市	Qianan City	161031	55.9	295234	53935
滦州市	Luanzhou City	147422	51.5	289043	112074
廊坊市	**Langfang**				
安次区	Anci District	74509	28.0	151719	80894
广阳区	Guangyang District	36230	15.7	75169	34703
固安县	Guan County	103669	39.6	175298	129011
永清县	Yongqing County	87063	33.4	179836	96361
香河县	Xianghe County	82404	29.0	147112	45105
大城县	Dacheng County	127730	46.4	255946	83876
文安县	Wenan County	134986	48.3	244097	79786
大厂回族自治县	Dachang Hui Autonomous County	40775	10.3	44422	9205
霸州市	Bazhou City	131290	53.4	267750	52477
三河市	Sanhe City	109494	37.1	189174	61684
保定市	**Baoding**				
竞秀区	Jingxiu District	30376	12.1	61269	20596
莲池区	Lianchi District	47115	17.8	92189	31719
满城区	Mancheng District	91202	34.1	183929	111161
清苑区	Qingyuan District	168666	63.9	350400	185512

continued

农林牧渔业增加值（万元）Added Value of Farming, Forestry, Animal Husbandry & Fishery (10000 yuan)	一般公共预算收入（万元）General Public Budget Revenue (10000 yuan)	税收收入 Tax Revenue	非税收入 Non-tax Revenue	一般公共预算支出（万元）General Public Budget Expenditure (10000 yuan)	#教育支出 Education Expenditure	#科学技术支出 Science and Technology Expenditure	#社会保障和就业支出 Social Security and Employment Expenditure	#卫生健康支出 Hygiene and Health Expenditure
166292	25268	10928	14340	318880	29238	81	32161	24691
151629	56005	33505	22500	375776	72219	179	31727	42816
131033	40009	15804	24205	335225	38138	123	32242	25919
103379	89982	23570	66412	258541	38468	2954	28180	24273
146021	165550	123690	41860	403614	89205	1409	44278	28736
120446	46167	35199	10968	299538	50963	127	39450	42318
268690	68027	21837	46190	273268	24326	957	37609	30228
75107	477474	433432	44042	439264	139948	30392	47542	40824
88399	60228	48291	11937	105764	25121	548	18688	10223
19235	61359	49878	11481	146726	21886	459	22449	12992
392735	47561	35907	11654	219271	63385	1300	30908	25610
466021	45647	31410	14237	318451	80064	988	47197	44929
695288	164311	141294	23017	385007	79050	492	43239	51498
377333	58413	36118	22295	264421	60210	466	34877	30884
16445	234280	209772	24508	203563	51988	285	51983	15132
35680	456002	411022	44980	335134	70526	367	70755	28349
93290	150579	112012	38567	224807	46595	1247	52258	14019
47327	125455	105092	20363	166608	54440	1130	21608	13722
471584	472005	280159	191846	673364	130158	66530	60598	57957
381541	302333	237293	65040	549678	132275	1153	88722	60918
331125	712482	445426	110441	776017	86991	38262	51193	45450
854480	140018	99914	40104	421103	91537	2800	74549	52360
805104	171254	123419	47835	385774	59268	739	83238	52065
232349	153352	127573	25779	302265	61006	3150	55371	40218
650088	122187	86926	35261	397421	106447	7275	49583	61308
489338	160588	119153	41435	469170	115308	353	80614	66146
335108	630100	468208	161892	823069	173683	5148	70898	89600
469732	221400	184136	37264	420399	82398	658	52398	57981
124252	200020	134933	65087	409631	87200	18670	57503	32119
82165	242116	212926	29190	280577	91155	952	29487	27294
452429	498675	368088	130587	813619	122147	1691	78461	57968
637788	179711	89117	90594	410871	77255	2557	47253	31887
198253	383728	270412	113316	631479	109478	21964	54246	42758
183955	120997	67408	53589	360115	84344	947	38314	34968
132490	131393	82986	48407	398328	91756	1416	46137	43659
48420	306015	262124	43891	397750	43487	998	43246	19717
119824	284053	208625	75428	620859	147286	563	75543	56420
190114	612588	474145	138443	971971	221151	631	79748	79864
14863	212690	189771	22919	236468	55698	589	34216	29623
24718	375289	338995	36294	278089	72178	49422	51882	42735
225772	83675	48795	34880	281980	62110	1931	37089	32416
321946	77806	51245	26561	365011	94125	295	52293	50039

24-2 续表 6

县(市、区)	County (City or District)	乡村总户数 (户) Total Rural Households (household)	乡村人口 (万人) Rural Population (10000 persons)	年末乡村从业人员 (人) Number of Rural Laborers (year-end) (person)	#农林牧渔业从业人员 Number of Farming, Forestry, Animal Husbandry & Fishery Laborers
徐水区	Xushui District	188324	58.1	309715	148959
涞水县	Laishui County	101641	32.0	177688	110949
阜平县	Fuping County	69430	20.1	77404	42231
定兴县	Dingxing County	170507	57.2	322876	137498
唐　县	Tang County	146025	54.1	268944	125236
高阳县	Gaoyang County	84982	28.2	159341	57485
容城县	Rongcheng County	76076	23.9	127414	37078
涞源县	Laiyuan County	88011	24.6	117767	77644
望都县	Wangdu County	63517	23.3	126035	74582
安新县	Anxin County	168059	49.4	231551	110902
易　县	Yi County	153733	51.8	235374	126715
曲阳县	Quyang County	177181	59.7	262348	139580
蠡　县	Li County	130385	51.7	282891	143750
顺平县	Shunping County	90554	29.8	159177	103962
博野县	Boye County	90182	25.4	127243	68714
雄　县	Xiong County	151064	45.9	191117	76966
涿州市	Zhuozhou City	126512	47.7	261952	141766
安国市	Anguo City	93796	34.5	203405	111791
高碑店市	Gaobeidian City	111563	45.6	250837	119777
沧州市	**Cangzhou**				
新华区	Xinhua District	11369	3.9	15518	5701
运河区	Yunhe District	21949	8.5	38152	21003
沧　县	Cang County	182493	69.9	381642	78157
青　县	Qing County	101956	37.1	212289	52731
东光县	Dongguang County	93853	34.0	168381	63665
海兴县	Haixing County	62544	20.2	113782	70342
盐山县	Yanshan County	120124	44.1	214240	130046
肃宁县	Suning County	95031	33.4	204113	54771
南皮县	Nanpi County	92622	35.1	192774	97032
吴桥县	Wuqiao County	74702	24.2	142991	49975
献　县	Xian County	146425	56.1	283311	131796
孟村回族自治县	Mengcun Hui Autonomous County	49865	19.1	96509	37190
泊头市	Botou City	152630	49.1	266245	63083
任丘市	Renqiu City	154265	56.2	275987	63370
黄骅市	Huanghua City	107967	41.6	210322	30452
河间市	Hejian City	205247	73.9	431689	80481
衡水市	**Hengshui**				
桃城区	Taocheng District	52714	16.8	80010	18744
冀州区	Jizhou District	97915	28.9	144059	71447
枣强县	Zaoqiang County	110318	34.7	175083	88247
武邑县	Wuyi County	71277	27.2	141681	77171
武强县	Wuqiang County	58915	19.8	102836	53863
饶阳县	Raoyang County	77414	26.3	149291	53400
安平县	Anping County	90324	30.5	150816	46087
故城县	Gucheng County	130446	44.0	215773	107583
景　县	Jing County	134161	49.0	251034	124542
阜城县	Fucheng County	110687	33.2	167736	67111
深州市	Shenzhou City	191123	52.9	274461	120306

continued

农林牧渔业增加值（万元）Added Value of Farming, Forestry, Animal Husbandry & Fishery (10000 yuan)	一般公共预算收入（万元）General Public Budget Revenue (10000 yuan)	税收收入 Tax Revenue	非税收入 Non-tax Revenue	一般公共预算支出（万元）General Public Budget Expenditure (10000 yuan)	#教育支出 Education Expenditure	#科学技术支出 Science and Technology Expenditure	#社会保障和就业支出 Social Security and Employment Expenditure	#卫生健康支出 Hygiene and Health Expenditure
236384	210370	164767	45603	445014	103918	1007	59414	46892
172866	68171	45623	22548	248210	60384	1255	26621	27688
126974	47876	15802	32074	309040	53560	669	29320	27184
312456	82094	59387	22707	351086	68454	206	42273	39268
304688	64951	35238	29713	317359	89797	925	40788	41230
67631	76599	39175	37424	195564	47118	510	26499	21924
66910	23562	17076	6486	234917	48827	1013	23090	24527
73163	111254	26932	84322	341548	50184	64	41329	28470
159305	40173	25786	14387	184636	43312	532	23018	21184
90312	28929	18259	10670	336536	68752	815	40610	36981
283471	83900	42486	41414	368367	103496	1114	41818	44337
166190	57496	39579	17917	357217	94692	154	45902	45807
171986	60011	28374	31637	263222	53463	15829	38916	31558
226452	50088	27003	23085	216690	38586	466	35519	26153
138748	28797	18449	10348	142251	31007	267	18005	18438
87309	26626	21754	4872	315322	86301	351	51715	32746
241688	311941	217039	94902	500644	107919	3684	65307	47409
207045	82304	55973	26331	259701	64123	616	39458	30128
164016	145128	119436	25692	353535	96515	375	56364	32526
1966	94823	91869	2954	106845	21071	31044	14143	13198
5490	151466	144479	6987	160818	45983	467	24206	22328
270129	124146	80141	44005	628251	131640	1320	88625	74858
453569	96912	75030	21882	302418	70142	4066	42446	30398
290059	63115	48052	15063	314566	69654	1488	43418	29999
117911	48876	22733	26143	192628	40143	597	24406	21088
111801	62034	42991	19043	308354	57811	1989	44080	43704
245379	112581	91777	20804	361467	70716	910	39175	32902
245159	53636	44311	9325	264732	64384	1119	28320	29275
313753	40090	23105	16985	232102	56416	451	31103	23799
350191	72870	55249	17621	368652	92049	712	55129	39780
78600	40566	25102	15464	160656	36424	342	28209	19548
192561	105239	80277	24962	324149	92022	3933	51376	40754
143810	401618	298469	103149	492779	114504	1298	81545	70919
341549	206811	100046	106765	484390	91457	1050	34964	45144
227468	128257	91311	36946	513910	130618	600	47054	54993
89284	150150	119823	30327	269550	73342		30900	30191
122186	67342	46806	20536	280073	65218	6089	37810	32962
145183	84436	62785	21651	338180	63799	472	37103	38115
269442	50781	27255	23526	241524	46833	3857	29024	22577
108705	40859	18990	21869	181547	24349	1004	22348	17057
331236	37462	23561	13901	235033	27078	2394	37644	21916
147382	89302	59275	30027	288045	43991	6141	31787	23013
261839	77302	52701	24601	325051	59108	557	42683	36054
200055	93154	63163	29991	364792	62092	10183	53900	40901
204611	51523	32197	19326	257307	32923		33270	25340
391219	99109	51919	47190	396917	69294	727	60335	40159

24−2 续表 7

县(市、区)	County (City or District)	乡村总户数 (户) Total Rural Households (household)	乡村人口 (万人) Rural Population (10000 persons)	年末乡村从业人员 (人) Number of Rural Laborers (year-end) (person)	#农林牧渔业从业人员 Number of Farming, Forestry, Animal Husbandry & Fishery Laborers
邢台市	**Xingtai**				
桥东区	Qiaodong District	23804	7.7	37618	8222
桥西区	Qiaoxi District	20750	7.2	35035	9462
邢台县	Xingtai County	116550	34.3	171766	66957
临城县	Lincheng County	56569	19.5	83809	46961
内丘县	Neiqiu County	66254	25.1	133235	54771
柏乡县	Baixiang County	47357	18.9	92097	36433
隆尧县	Longyao County	125490	52.1	263693	111256
任　县	Ren County	58234	24.3	125225	48429
南和县	Nanhe County	87576	35.8	176452	79945
宁晋县	Ningjin County	204462	74.0	348052	187048
巨鹿县	Julu County	105817	35.4	186643	124238
新河县	Xinhe County	46078	15.9	71965	42960
广宗县	Guangzong County	75232	28.5	148557	54659
平乡县	Pingxiang County	63595	27.0	135303	34286
威　县	Wei County	163017	60.3	308554	157103
清河县	Qinghe County	89469	36.7	166453	31157
临西县	Linxi County	96312	34.8	173692	72982
南宫市	Nangong City	113672	43.3	204769	88253
沙河市	Shahe City	96575	39.6	171660	71062
邯郸市	**Handan**				
邯山区	Hanshan District	43857	18.6	93274	31068
丛台区	Congtai District	35002	15.1	54021	18514
复兴区	Fuxing District	13627	6.1	30097	12507
峰峰矿区	Fengfeng Mining District	54039	21.6	90990	29921
肥乡区	Feixiang District	79942	35.9	195704	56432
永年区	Yongnian District	179968	73.3	383373	149478
临漳县	Linzhang County	147083	64.4	400943	271820
成安县	Chengan County	85225	34.6	192309	67270
大名县	Daming County	162313	70.2	357339	178268
涉　县	She County	124330	39.2	197946	77289
磁　县	Ci County	90187	35.6	167278	42339
邱　县	Qiu County	54352	21.5	113440	68033
鸡泽县	Jize County	70650	30.8	144214	23939
广平县	Guangping County	60775	26.0	140405	61240
馆陶县	Guantao County	72370	28.8	145698	79084
魏　县	Wei County	230316	95.9	369496	188312
曲周县	Quzhou County	102053	48.0	259084	115346
武安市	Wuan City	196976	73.9	380998	154179
定州市	**Dingzhou**	**301854**	**112.1**	**648126**	**200114**
辛集市	**Xinji**	**173832**	**55.2**	**295283**	**94453**

continued

农林牧渔业增加值（万元）Added Value of Farming, Forestry, Animal Husbandry & Fishery (10000 yuan)	一般公共预算收入（万元）General Public Budget Revenue (10000 yuan)	税收收入 Tax Revenue	非税收入 Non-tax Revenue	一般公共预算支出（万元）General Public Budget Expenditure (10000 yuan)	#教育支出 Education Expenditure	#科学技术支出 Science and Technology Expenditure	#社会保障和就业支出 Social Security and Employment Expenditure	#卫生健康支出 Hygiene and Health Expenditure
8876	124900	93953	30947	167778	50963	74277	23753	18493
8669	181889	157827	24062	203983	88397	2556	18334	18033
125029	125700	86126	39574	335919	62146	287	30799	28991
87653	32788	17843	14945	184251	28597	431	24122	20363
141993	72500	44133	28367	194836	31824	1305	27330	28623
97981	22801	14078	8723	123468	22466	1422	19027	15053
247715	53134	41291	11843	225552	60586	1085	33522	38049
128512	39778	28475	11303	219103	33817	4410	25998	26058
219559	50657	29558	21099	264753	43961	2259	20606	27354
315979	120369	87402	32967	430034	90831	155	66663	57240
302980	50405	26326	24079	265678	35008	356	34384	36023
136009	21753	15891	5862	130747	20190	2191	19514	14529
132065	29966	20824	9142	189131	30869	1039	26848	22661
162365	45606	30143	15463	247005	40188	4266	26536	25855
294435	62933	46697	16236	313564	64840	2183	38778	40702
99343	93713	74075	19638	311978	50647	142	24014	32236
164872	48162	31778	16384	212272	49829	260	24825	24665
199198	46020	35489	10531	242155	40634	1236	41685	33982
74590	127081	90052	37029	341500	74397	389	28410	37959
23124	133091	119250	13841	260384	51008	2754	42689	27104
10145	285269	263133	22136	227200	41538	1194	42282	28946
5841	119228	113998	5230	161961	27924	23308	16822	14751
48060	170739	124307	46432	374790	71896	1477	63017	30036
293452	80229	66485	13744	281431	59200	4378	30584	31761
381933	153446	84955	68491	372363	97840	2718	46247	53809
253677	58825	44597	14228	329791	75180	7186	42932	45935
289807	107862	81561	26301	287596	44508	1271	34771	27795
286856	54023	40773	13250	427212	74477	6353	68829	50198
109017	134731	75152	59579	285465	63090	534	33768	47832
115414	77970	49547	28423	258643	52216	339	28203	30855
172387	51666	39685	11981	176191	36645	1104	18883	16711
152524	51883	40415	11468	202581	37075	3860	20683	21388
107545	69000	46739	22261	225631	39588	4335	18985	25398
222398	60009	41027	18982	265887	40971	322	25297	28241
389601	95395	77845	17550	516973	100630	6385	74411	75764
252286	61523	45093	16430	252282	44183	710	30144	33281
278591	483271	329436	153835	718744	134551	3766	88497	63545
710589	**243967**	**143401**	**100566**	**721109**	**126645**	**111**	**87647**	**94177**
530218	**240087**	**160153**	**79934**	**670690**	**124521**	**4989**	**74017**	**60858**

24-2 续表 8

县(市、区)	County (City or District)	农用机械总动力(千瓦) Total Power of Agricultural Machinery (kW)	机耕面积(公顷) Machine Farming Area (hectare)	机播面积(公顷) Machine Sowing Area (hectare)	机收面积(公顷) Machine Collection Area (hectare)
石家庄市	**Shijiazhuang**				
长安区	Changan District	19321	2376	4344	4328
桥西区	Qiaoxi District	3889	27	54	54
新华区	Xinhua District	1976	733	733	733
井陉矿区	Jingxing Mining District	6488	209	119	119
裕华区	Yuhua District	1441	59	114	113
藁城区	Gaocheng District	1566443	49815	74403	71357
鹿泉区	Luquan District	461357	17937	25702	24079
栾城区	Luancheng District	656356	21166	33017	33017
井陉县	Jingxing County	362214	16756	12889	10656
正定县	Zhengding County	804813	32978	45661	44948
行唐县	Xingtang County	896828	32019	50204	50354
灵寿县	Lingshou County	495629	15246	27636	26982
高邑县	Gaoyi County	491914	25403	28800	23800
深泽县	Shenze County	247671	16137	31752	30711
赞皇县	Zanhuang County	713798	13000	19500	13870
无极县	Wuji County	673636	32000	53815	53815
平山县	Pingshan County	691660	20410	22149	20569
元氏县	Yuanshi County	738013	29275	60986	60911
赵　县	Zhao County	689857	75977	75711	72900
晋州市	Jinzhou City	440015	36753	47882	47882
新乐市	Xinle City	1766354	38440	55636	54190
承德市	**Chengde**				
双桥区	Shuangqiao District	21774	1100	1035	
双滦区	Shuangluan District	62822	2223	1979	
鹰手营子矿区	Yingshouyingzi Mining District	34459	293	283	
承德县	Chengde County	166297	25000	19520	953
兴隆县	Xinglong County	74990	6700	4500	
滦平县	Luanping County	313494	18355	14515	1761
隆化县	Longhua County	315585	34800	21350	5238
丰宁满族自治县	Fengning Man Autonomous County	498129	65865	60012	28540
宽城满族自治县	Kuancheng Man Autonomous County	92528	7907	6000	
围场满族蒙古族自治县	Weichang Man and Mongolian Autonomous County	717650	75805	66800	65700
平泉市	Pingquan City	338152	19240	33977	6161
张家口市	**Zhangjiakou**				
桥东区	Qiaodong District	11244	5260	1500	1620
桥西区	Qiaoxi District	18343	201		
宣化区	Xuanhua District	111977	24400	22370	4140
下花园区	Xiahuayuan District	10648	1667		
万全区	Wanquan District	124023	14396	13333	2467
崇礼区	Chongli District	73378	6334	787	834
张北县	Zhangbei County	364507	84053	78067	49000
康保县	Kangbao County	279821	88636	86060	79200
沽源县	Guyuan County	469487	79200	77100	72560

continued

化肥施用量（折纯）（吨）Consumption of Chemical Fertilizers (Calculated by Discount Method) (ton)	农药使用量（吨）Pesticide Usage (ton)	农村用电量（万千瓦时）Rural Electricity Consumption (10000 kWh)	农作物总播种面积（公顷）Total Sown Area (hectare)	粮食播种面积（公顷）Grain Sown Area (hectare)	油料播种面积（公顷）Sowing Area of Oil-bearing Crops (hectare)	棉花播种面积（公顷）Sowing Area of Cotton (hectare)	糖料播种面积（公顷）Sowing Area of Sugar Crops (hectare)	蔬菜播种面积（公顷）Sowing Area of Vegetables (hectare)
641	114	1170	4344	4289	22	2		18
54	1	1720	160	54				103
137	5	3014	1274	812	62			337
165	10	4099	242	119				99
2		788	145	116	3			26
23254	289	23372	80176	71169	992	2		7663
12985	501	41157	31038	24593	828	23		5457
14346	234	16199	35998	31666	29	4		965
9378	113	11104	17942	14642	1212	84		1695
38316	356	24537	54880	41352	2683	3		6710
17819	247	12506	69045	52316	4198	15		4049
18985	85	11246	34834	30444	1605	32		2122
8987	183	9525	29355	23630	528	3		4880
16685	210	29021	34832	29964	978			2823
11008	349	68316	23129	16895	4507	10		1650
30200	577	51698	65131	54105	3115			7295
16987	143	15562	28858	22514	2843	72		2365
10195	255	11544	62844	59278	1576	81		1890
42612	1070	34007	75977	74522	97			1237
36045	976	200326	60085	53552	1697			4833
23424	472	35792	64560	51732	4700			5151
430	1	3281	1600	997	260			247
771	4	3053	3609	3003	4			455
107	5	1007	920	439	29			377
9735	124	44096	39411	33547	144			4675
6582	156	13810	6775	5466	36			1145
8372	153	39106	32696	16486	341			7529
17105	57	12255	60658	33542	1596			16430
10058	74	11233	76972	57683	4514			9865
5480	56	82028	14472	11242	487			1997
21770	396	14115	100212	76333	4239		14	13610
19476	80	16235	46047	39289	191		10	5685
1635	26	3936	5888	5642	45			197
27		930	302	286				16
9382	156	9715	30455	26911	795		11	1966
461	35	2006	2261	1680	80			387
5035	82	28748	17047	14609	236			1699
1728	26	1896	10461	5109	928		7	4100
9170	146	3209	97313	53443	14595		4861	12274
8256	89	3370	103291	70450	20053		3133	7761
12885	81	4043	97144	63724	7527		1161	21292

24-2 续表 9

县(市、区)	County (City or District)	农用机械总动力（千瓦） Total Power of Agricultural Machinery (kW)	机耕面积（公顷） Machine Farming Area (hectare)	机播面积（公顷） Machine Sowing Area (hectare)	机收面积（公顷） Machine Collection Area (hectare)
尚义县	Shangyi County	160517	35133	21133	21000
蔚　县	Yu County	273238	54835	51665	20000
阳原县	Yangyuan County	126209	32000	11333	11335
怀安县	Huaian County	84647	32200	18966	5300
怀来县	Huailai County	177072	17900	15400	8660
涿鹿县	Zhuolu County	218220	20100	9990	4662
赤城县	Chicheng County	116344	25333	10333	2373
秦皇岛市	**Qinhuangdao**				
海港区	Haigang District	50044	6732	2166	1034
山海关区	Shanhaiguan District	43705	3150	2043	226
北戴河区	Beidaihe District	16038	1667	1056	737
抚宁区	Funing District	217580	26415	6014	2986
青龙满族自治县	Qinglong Man Autonomous County	123104	24850	8590	
昌黎县	Changli County	690247	65299	52055	51217
卢龙县	Lulong County	634655	42200	18500	22610
唐山市	**Tangshan**				
路南区	Lunan District	77372	3357	3315	2459
路北区	Lubei District	42659	4320	3208	3100
古冶区	Guye District	75723	5480	5733	4862
开平区	Kaiping District	89076	6529	7073	6968
丰南区	Fengnan District	574139	45286	52176	40887
丰润区	Fengrun District	812989	48630	66213	50176
曹妃甸区	Caofeidian District	574496	23419	23322	24225
滦南县	Luannan County	969162	84800	80324	72300
乐亭县	Laoting County	756140	66000	41360	29999
迁西县	Qianxi County	203960	14207	5152	414
玉田县	Yutian County	687300	52600	81500	79290
遵化市	Zunhua City	1010037	45389	49425	27320
迁安市	Qianan City	1118890	24418	38263	13005
滦州市	Luanzhou City	593955	46180	52984	42980
廊坊市	**Langfang**				
安次区	Anci District	141689	23511	24560	15667
广阳区	Guangyang District	117735	18100	17000	10800
固安县	Guan County	497728	50500	50000	37600
永清县	Yongqing County	452812	46166	59606	31719
香河县	Xianghe County	221454	6580	12778	12342
大城县	Dacheng County	483800	66700	49980	47100
文安县	Wenan County	673142	41865	46097	53461
大厂回族自治县	Dachang Hui Autonomous County	148516	2185	2715	2754
霸州市	Bazhou City	761708	34170	29021	23580
三河市	Sanhe City	407816	23198	19312	18896
保定市	**Baoding**				
竞秀区	Jingxiu District	48362	2681	4563	4563
莲池区	Lianchi District	63574	2865	5438	5085
满城区	Mancheng District	307480	13633	22533	21180
清苑区	Qingyuan District	560867	52123	69591	68488

continued

化肥施用量(折纯)(吨) Consumption of Chemical Fertilizers (Calculated by Discount Method) (ton)	农药使用量 (吨) Pesticide Usage (ton)	农村用电量 (万千瓦时) Rural Electricity Consumption (10000 kWh)	农作物总播种面积 (公顷) Total Sown Area (hectare)	粮食播种面积 (公顷) Grain Sown Area (hectare)	油料播种面积 (公顷) Sowing Area of Oil-bearing Crops (hectare)	棉花播种面积 (公顷) Sowing Area of Cotton (hectare)	糖料播种面积 (公顷) Sowing Area of Sugar Crops (hectare)	蔬菜播种面积 (公顷) Sowing Area of Vegetables (hectare)
7570	194	3782	40958	15794	9599		2678	9842
12597	158	13733	64070	56763	786			3951
9714	220	6489	42019	38656	2066			812
14074	197	18089	35058	25049	3841		20	5783
16079	695	14007	22169	19623	517			1841
21362	749	11197	26506	24911	548			1034
3704	64	6919	42943	30895	810		15	9844
4998	67	8144	7762	5235	1451			1003
1434	24	688	3910	576	688			2548
1583	49	12903	1700	799	164			641
20042	832	8926	27887	13737	3677			7384
8389	533	17977	32286	21952	1199			5330
50535	1610	18336	73807	49551	9679	11		13276
27894	542	11854	43489	32382	7346	13		3380
2937	58	8142	3717	2638	400	0		635
2378	22	2487	5132	2948	268			1798
3462	81	7925	8228	4123	1700			2297
2540	9	19329	7942	5492	1641			788
27856	466	29034	70098	36520	8607	8483		16205
37802	480	50273	74556	59787	6924	38		7209
11017	473	31329	24293	23322	71			812
39191	497	21182	115958	66917	15202	14		20696
69776	927	15599	67643	41546	2153	2		17921
15022	75	14352	18835	12328	2350	122		1256
47760	365	152428	116455	85549	718	76		26749
27220	237	59531	56421	40737	11101	16		4493
14279	93	50069	51579	34059	9993	6		7202
41761	408	22407	66823	39926	15305	109		9904
6321	94	13236	31641	25363	1440	100		3571
5794	98	18037	12187	7671	644	118		2974
25001	960	27958	67616	40302	1224	4		23009
25588	245	18243	60476	29738	3299	740		24443
19600	168	22890	22188	12573	8			9433
16532	202	87789	63003	52703	1828	1330		5063
17189	144	107169	62248	58098	178	112		1776
505	37	12850	2823	1891				890
9180	183	287588	36116	30020	1702	719		2801
10056	171	97392	28106	21478	13	6		6229
2791	156	13333	4977	4565	17	0		356
1899	134	9942	5876	5085	121			648
12286	548	25553	29727	24031	433	12		3159
44659	1121	38023	89208	69585	1611	6		7966

24–2 续表 10

县(市、区)	County (City or District)	农用机械总动力(千瓦) Total Power of Agricultural Machinery (kW)	机耕面积(公顷) Machine Farming Area (hectare)	机播面积(公顷) Machine Sowing Area (hectare)	机收面积(公顷) Machine Collection Area (hectare)
徐水区	Xushui District	516386	39952	59379	59139
涞水县	Laishui County	184773	16696	17550	15000
阜平县	Fuping County	87209	2000	300	280
定兴县	Dingxing County	491098	49731	66510	65899
唐　县	Tang County	295507	21300	29166	26000
高阳县	Gaoyang County	184418	15259	31912	30907
容城县	Rongcheng County	279831	9353	20730	24000
涞源县	Laiyuan County	85605	18000	15364	14964
望都县	Wangdu County	326213	37638	37617	37284
安新县	Anxin County	406292	30395	48142	47330
易　县	Yi County	245028	25294	27073	24514
曲阳县	Quyang County	477933	22210	19920	23161
蠡　县	Li County	504889	24499	48537	43641
顺平县	Shunping County	280537	16000	19712	19765
博野县	Boye County	288488	14400	27373	25312
雄　县	Xiong County	266258	30764	29954	29954
涿州市	Zhuozhou City	294974	24851	50851	50851
安国市	Anguo City	563595	36850	38806	38806
高碑店市	Gaobeidian City	291269	28032	50716	50256
沧州市	**Cangzhou**				
新华区	Xinhua District	44136	260	533	626
运河区	Yunhe District	79866	1005	2505	2431
沧　县	Cang County	1122236	35564	96334	99390
青　县	Qing County	575995	58955	63382	60200
东光县	Dongguang County	533882	67643	67643	59716
海兴县	Haixing County	376503	28061	41135	40693
盐山县	Yanshan County	473507	29746	66947	69820
肃宁县	Suning County	729688	19809	43942	43853
南皮县	Nanpi County	981580	33000	67500	62580
吴桥县	Wuqiao County	519428	28927	56800	52800
献　县	Xian County	914691	47939	80446	76436
孟村回族自治县	Mengcun Hui Autonomous County	282578	16129	32042	30321
泊头市	Botou City	1185140	31316	68531	64772
任丘市	Renqiu City	556526	38098	54156	52590
黄骅市	Huanghua City	876802	45559	78534	77920
河间市	Hejian City	1003200	56377	87376	82833
衡水市	**Hengshui**				
桃城区	Taocheng District	346366	25698	26356	24661
冀州区	Jizhou District	751075	77696	69332	59189
枣强县	Zaoqiang County	500246	79616	73500	71200
武邑县	Wuyi County	591978	62811	65573	54818
武强县	Wuqiang County	596485	39209	43280	44000
饶阳县	Raoyang County	526255	47881	63816	44513
安平县	Anping County	397093	41741	40066	36400
故城县	Gucheng County	1171716	75994	78384	65887
景　县	Jing County	1121744	124588	124935	119824
阜城县	Fucheng County	669790	72420	72420	59189
深州市	Shenzhou City	1658500	112961	113091	114170

continued

化肥施用量(折纯)(吨) Consumption of Chemical Fertilizers (Calculated by Discount Method) (ton)	农药使用量(吨) Pesticide Usage (ton)	农村用电量(万千瓦时) Rural Electricity Consumption (10000 kWh)	农作物总播种面积(公顷) Total Sown Area (hectare)	粮食播种面积(公顷) Grain Sown Area (hectare)	油料播种面积(公顷) Sowing Area of Oil-bearing Crops (hectare)	棉花播种面积(公顷) Sowing Area of Cotton (hectare)	糖料播种面积(公顷) Sowing Area of Sugar Crops (hectare)	蔬菜播种面积(公顷) Sowing Area of Vegetables (hectare)
27562	375	45837	61420	56113	576	1		4031
7664	156	20952	29967	23424	2772	20		2908
1650	91	5498	17093	8661	1256			1435
29317	468	38671	81173	68031	3686	45		8867
17317	186	20534	29221	26182	1008	11		1559
9880	304	59618	33241	31103	812	153		1080
7439	50	20061	33028	30522	285	1		1877
4081	28	7853	18423	16890	29			471
18302	285	10745	41912	37638	422	0		2413
10694	302	71920	56597	54332	79	108		1453
13465	779	18715	38942	33668	2227	5		2775
11850	541	14556	36095	31270	3005	53		1536
15306	222	43993	59501	48867	2334	221		7228
13247	537	34728	30020	21573	672	4		5924
11061	556	20144	27379	23856	532	15		1716
6030	243	73559	34828	33052	518			837
22531	389	56451	57185	47326	2379			6475
24020	259	7835	57752	38806	2975			3211
12139	153	30281	54206	50285	1827			1665
322	16	2238	731	731				
1278	34	2112	2567	2514	2			52
29655	986	97508	96334	94227	104	55		1584
19416	223	34341	70381	52503	431	16		12783
18976	888	31168	67643	60155	574	5378		1382
7236	167	14935	42422	41195	301	121		499
12545	210	14616	70811	70357	26	5		280
17177	563	39193	51016	43809	250	13		6782
17070	232	19594	82933	75559	468	2893		3586
22499	231	16260	61672	54543	433	3251		3169
22447	206	53782	91878	79246	2985	450		6285
6823	346	124571	32042	31412	339	58		225
34595	696	114016	69209	67845	135	99		1029
15752	150	81590	61153	56949	747	430		2679
13295	300	66293	83737	79175	841	740		1671
33415	431	146077	87392	80095	2880	426		2571
9296	269	38698	31486	26978	1086	276		2392
25625	860	34584	78910	60107	2579	13792		2158
23334	659	26572	90861	77964	1286	8403		2128
16126	409	14552	81175	58973	3407	7231		9525
7588	62	17695	43669	39294	789	46		1540
17585	91	20354	62376	37250	3213	72		20167
17345	234	28130	42703	38677	1486			1913
35168	775	22026	95085	68631	2730	9492		9542
48439	627	21647	127723	120870	871	3229		2213
22570	714	25294	72423	59453	344	2639		4325
84567	2063	71467	117561	107116	5756	37		3925

24−2 续表 11

县(市、区)	County (City or District)	农用机械总动力(千瓦) Total Power of Agricultural Machinery (kW)	机耕面积(公顷) Machine Farming Area (hectare)	机播面积(公顷) Machine Sowing Area (hectare)	机收面积(公顷) Machine Collection Area (hectare)
邢台市	**Xingtai**				
桥东区	Qiaodong District	17840	2340	4451	4432
桥西区	Qiaoxi District	72111	2422	4726	4633
邢台县	Xingtai County	361652	17450	28922	20650
临城县	Lincheng County	266516	19410	26533	23155
内丘县	Neiqiu County	278299	33604	44352	39039
柏乡县	Baixiang County	397769	17138	30105	30125
隆尧县	Longyao County	1035309	48487	85187	82822
任　县	Ren County	551549	25808	51178	50853
南和县	Nanhe County	508004	23082	56514	54000
宁晋县	Ningjin County	1200455	63487	127871	126042
巨鹿县	Julu County	476849	40507	40507	39558
新河县	Xinhe County	318900	21739	37300	30751
广宗县	Guangzong County	236817	32742	34377	28149
平乡县	Pingxiang County	314500	30410	47100	36980
威　县	Wei County	705120	65339	72497	28418
清河县	Qinghe County	425882	22990	43034	39526
临西县	Linxi County	576342	31500	56977	53273
南宫市	Nangong City	794642	66310	84917	38308
沙河市	Shahe City	330829	11201	25500	21500
邯郸市	**Handan**				
邯山区	Hanshan District	99951	7017	13667	12994
丛台区	Congtai District	111009	5874	9739	9680
复兴区	Fuxing District	114333	1853	3805	3329
峰峰矿区	Fengfeng Mining District	106076	5750	8197	7499
肥乡区	Feixiang District	626882	57175	56161	47559
永年区	Yongnian District	712685	38945	65399	66166
临漳县	Linzhang County	700721	40980	77130	69700
成安县	Chengan County	680172	32000	49999	38200
大名县	Daming County	764882	84930	118587	110867
涉　县	She County	380000	20030	10900	8400
磁　县	Ci County	702943	22123	28531	26258
邱　县	Qiu County	290043	35857	47277	26340
鸡泽县	Jize County	292661	28800	31755	30867
广平县	Guangping County	330504	20138	29840	31466
馆陶县	Guantao County	572477	29000	53000	45290
魏　县	Wei County	774795	54200	84000	79270
曲周县	Quzhou County	832936	40500	58853	56233
武安市	Wuan City	1811864	32200	37300	23639
定州市	**Dingzhou**	**991275**	**91305**	**130109**	**118990**
辛集市	**Xinji**	**1274610**	**48601**	**96388**	**89290**

continued

化肥施用量（折纯）（吨）Consumption of Chemical Fertilizers (Calculated by Discount Method) (ton)	农药使用量（吨）Pesticide Usage (ton)	农村用电量（万千瓦时）Rural Electricity Consumption (10000 kWh)	农作物总播种面积（公顷）Total Sown Area (hectare)	粮食播种面积（公顷）Grain Sown Area (hectare)	油料播种面积（公顷）Sowing Area of Oil-bearing Crops (hectare)	棉花播种面积（公顷）Sowing Area of Cotton (hectare)	糖料播种面积（公顷）Sowing Area of Sugar Crops (hectare)	蔬菜播种面积（公顷）Sowing Area of Vegetables (hectare)
1974	19	5500	4734	4458	34			242
583	15	3097	4952	4730	115	14		72
12131	494	21267	28515	21268	2852	148		1673
7798	145	6127	30655	27175	2223	7		1236
7612	181	12045	49835	38497	5472	6		1365
12097	102	7720	33308	29678	600	45		2932
38784	665	46441	92327	83230	1631	863		5554
15727	410	22239	55067	50299	568	5		3930
15975	516	23252	56928	48274	437	2		7400
41178	1352	37235	134499	126981	1142	252		6021
14177	440	13380	57502	40142	4056	479		3539
6218	449	9051	37739	32333	1149	3655		449
11103	616	10317	36906	18476	4512	8870		2488
17487	115	25116	51602	39665	5830	313		4263
31555	700	13638	72497	31028	706	36113		2071
14016	298	22473	43738	41019	473	1917		273
26382	279	12017	59447	54165	1469	2669		868
19127	1037	24056	84818	47876	3323	27344		5777
9270	112	19490	25810	23794	1359	63		566
8029	80	12115	14840	14293	165	55		326
823	9	5720	8601	8458	59	44		39
661	17	3018	3188	2971	176	40		
5025	66	11667	9214	8927	115	8		131
40963	389	17445	67238	48040	1204	3566		11752
40233	636	31139	84303	70040	674	275		13248
44282	538	15745	86291	79470	744	58		5811
41034	156	38596	60180	42118	1218	8844		6815
40740	678	23857	131888	99505	19221			12433
7270	241	11380	31369	14698	423			1166
13173	64	35500	35159	33401	351	28		1150
21598	297	5037	45291	26690	185	16263		1800
19720	166	30802	40169	31492	93	843		7664
13673	490	14372	38909	32008	986	1485		3531
21775	234	13448	51531	43760	861	813		5662
40409	452	15201	92438	81373	1993	856		7398
45910	361	36636	76136	57449	500	12018		4885
13560	130	72480	63190	55183	2332	1989		2463
83091	**1048**	**43197**	**159413**	**117116**	**5133**	**16**		**18169**
61583	**1859**	**30966**	**110855**	**93297**	**5380**	**314**		**10171**

24-2 续表 12

县(市、区)	County (City or District)	粮食总产量(吨) Total Grain Output (ton)	油料产量(吨) Output of Oil-bearing Crops (ton)	棉花产量(吨) Output of Cotton (ton)	蔬菜产量(吨) Output of Vegetables (ton)
石家庄市	**Shijiazhuang**				
长安区	Changan District	24464	79	3	697
桥西区	Qiaoxi District	313			5413
新华区	Xinhua District	4638	144		14934
井陉矿区	Jingxing Mining District	642			2754
裕华区	Yuhua District	722	8		1047
藁城区	Gaocheng District	483719	4512	2	577257
鹿泉区	Luquan District	137431	2538	21	433411
栾城区	Luancheng District	211894	79	2	78048
井陉县	Jingxing County	48675	2036	51	78221
正定县	Zhengding County	275097	11770	2	588480
行唐县	Xingtang County	332116	16320	11	263931
灵寿县	Lingshou County	153837	3377	17	373144
高邑县	Gaoyi County	158031	1244	4	364021
深泽县	Shenze County	206462	3674		209046
赞皇县	Zanhuang County	64817	9937	7	115103
无极县	Wuji County	333832	8226		525742
平山县	Pingshan County	117003	6900	59	133579
元氏县	Yuanshi County	354932	4302	81	115162
赵　县	Zhao County	563606	403		77569
晋州市	Jinzhou City	343231	5488		354861
新乐市	Xinle City	351163	13375		398901
承德市	**Chengde**				
双桥区	Shuangqiao District	4750	606		12454
双滦区	Shuangluan District	14642	10		52955
鹰手营子矿区	Yingshouyingzi Mining District	2321	89		18243
承德县	Chengde County	198622	445		438901
兴隆县	Xinglong County	22335	141		44444
滦平县	Luanping County	79345	602		549655
隆化县	Longhua County	202161	6184		733793
丰宁满族自治县	Fengning Man Autonomous County	178799	7702		519506
宽城满族自治县	Kuancheng Man Autonomous County	54353	1178		157525
围场满族蒙古族自治县	Weichang Man and Mongolian Autonomous County	455240	8456		858661
平泉市	Pingquan City	224765	359		633351
张家口市	**Zhangjiakou**				
桥东区	Qiaodong District	32968	46		7980
桥西区	Qiaoxi District	1096			798
宣化区	Xuanhua District	161461	1424		125248
下花园区	Xiahuayuan District	7922	132		18825
万全区	Wanquan District	96069	536		77188
崇礼区	Chongli District	14957	1482		213337
张北县	Zhangbei County	154287	17907		1051231
康保县	Kangbao County	134561	29597		541249
沽源县	Guyuan County	235845	7353		1382976

continued

园林水果产量（吨）Output of Garden Fruit (ton)	食用坚果产量（吨）Output of Edible Nut (ton)	肉类总产量（吨）Total Meat Production (ton)	#猪牛羊肉 Pork, Beef, Mutton	禽蛋产量（吨）Output of Egg (ton)	奶类产量（吨）Output of Milk (ton)	年内猪出栏（百头）Slaughtered Hogs in the Year (100 heads)	年末猪存栏（百头）Number of Hogs (year-end) (100 heads)	水产品产量（吨）Total Aquatic Products (ton)
2591	814	557	499	440	1629	46		
		0	0	1	1			
1156	193	10	10	8				
2729	39	993	969	238		123	96	12
	248	27	24	45	223	2		
219504	743	56038	37787	99007	40565	3444	2998	5
15442	1380	8271	5353	23338	46173	521	190	5115
3900	2810	15807	5609	71785	29450	473	188	
17710	2680	12862	10343	20049	2650	836	505	310
8279	176	59904	46147	86444	73644	4058	2012	
118768	2517	32819	26800	43875	219483	1644	604	687
5663	7306	37104	34463	16253	36122	3660	2120	5298
2657	138	6851	5099	11525	3588	592	117	
89386	557	15340	13374	18220	15221	1402	344	121
95760	23990	23413	20116	24171		1064	335	239
5833		38320	28749	70835	39894	2547	1051	1
6354	6957	17360	15921	11700	6555	1732	737	5460
7316	4590	36315	26063	36306	24708	2002	630	170
570995	25	13122	9725	21185	8260	1093	446	
676356	811	45924	41021	50871	14942	4621	2580	
9553	10	55456	45308	66625	116684	5545	2250	
572	49	748	713	378		85	58	60
1180		2023	1794	1169	256	223	360	460
1040	476	984	861	711		96	45	
238877	2781	80616	27609	21037	1173	2223	891	519
281845	111030	13866	12676	1080	126	1352	460	320
32850	1193	75986	35603	9787	6429	3987	1523	405
43396	202	68390	65531	8841	2188	3070	1394	490
5920	501	47806	42282	18318	62199	1817	1173	610
48600	43100	17789	14893	7597		1557	560	610
211640	11955	51010	41872	24390	23947	1476	1097	372
118923	1868	16734	14425	14672	448	789	414	182
1023	639	3053	2178	5564	5703	255	294	
		638	624	336	1341	72	32	
2595	1900	25414	22937	17377	32908	2318	1114	600
682	3896	5426	3211	8352	3500	385	151	
4664	41	20404	18597	7566	78445	1586	706	2
23		1841	1598	1069	2897	127	53	16
		31248	30858	1523	125716	2553	402	218
		41326	20552	1859	48581	1196	261	45
		12668	12484	706	16769	265	132	896

24-2 续表 13

县(市、区)	County (City or District)	粮食总产量(吨) Total Grain Output (ton)	油料产量(吨) Output of Oil-bearing Crops (ton)	棉花产量(吨) Output of Cotton (ton)	蔬菜产量(吨) Output of Vegetables (ton)
尚义县	Shangyi County	41493	19403		611698
蔚　县	Yu County	200003	1130		153273
阳原县	Yangyuan County	123627	2863		46693
怀安县	Huaian County	113124	7214		84681
怀来县	Huailai County	106697	1043		61684
涿鹿县	Zhuolu County	165860	933		32084
赤城县	Chicheng County	127170	1183		458763
秦皇岛市	**Qinhuangdao**				
海港区	Haigang District	23357	3904		40712
山海关区	Shanhaiguan District	2956	2314		171056
北戴河区	Beidaihe District	4705	747		39033
抚宁区	Funing District	75637	11256		475482
青龙满族自治县	Qinglong Man Autonomous County	108851	4432		307798
昌黎县	Changli County	295868	40964	12	1077344
卢龙县	Lulong County	200576	26117	17	260163
唐山市	**Tangshan**				
路南区	Lunan District	16385	1527	0	33466
路北区	Lubei District	17973	1246		108515
古冶区	Guye District	23083	5908		221106
开平区	Kaiping District	29435	6710		47027
丰南区	Fengnan District	218546	36677	10357	1102656
丰润区	Fengrun District	361837	30836	45	494298
曹妃甸区	Caofeidian District	170931	357		52028
滦南县	Luannan County	390690	63440	16	1550885
乐亭县	Laoting County	247437	10242	2	1400939
迁西县	Qianxi County	68150	8560	138	116366
玉田县	Yutian County	500538	2877	82	2137452
遵化市	Zunhua City	229084	47852	13	500615
迁安市	Qianan City	186344	34960	8	520354
滦州市	Luanzhou City	257567	64964	138	846040
廊坊市	**Langfang**				
安次区	Anci District	120871	2826	101	205349
广阳区	Guangyang District	40644	1866	106	138387
固安县	Guan County	219255	3677	4	1393561
永清县	Yongqing County	161354	8647	592	1843118
香河县	Xianghe County	73159	22		518829
大城县	Dacheng County	257588	5858	1648	274915
文安县	Wenan County	295059	468	121	104260
大厂回族自治县	Dachang Hui Autonomous County	11716			50766
霸州市	Bazhou City	167174	5709	688	147372
三河市	Sanhe City	129900	46	5	346382
保定市	**Baoding**				
竞秀区	Jingxiu District	29595	61	0	20106
莲池区	Lianchi District	32892	481		38018
满城区	Mancheng District	145563	1465	13	177578
清苑区	Qingyuan District	462633	6557	6	544754

continued

园林水果产量（吨）Output of Garden Fruit (ton)	食用坚果产量（吨）Output of Edible Nut (ton)	肉类总产量（吨）Total Meat Production (ton)	#猪牛羊肉 Pork, Beef, Mutton	禽蛋产量（吨）Output of Egg (ton)	奶类产量（吨）Output of Milk (ton)	年内猪出栏（百头）Slaughtered Hogs in the Year (100 heads)	年末猪存栏（百头）Number of Hogs (year-end) (100 heads)	水产品产量（吨）Total Aquatic Products (ton)
70		6824	6519	744	179	246	95	156
3164	5932	24252	21433	26016	19389	1641	416	420
5664	1721	22379	17136	46181	6358	1474	780	267
621	889	10842	10116	2004	13221	994	508	330
136218	5452	25504	11857	14600	34385	1182	846	4520
53499	10383	12584	8837	20899	10642	1049	858	325
1940	98	28585	27213	3798	3630	2701	760	832
12726	4397	8412	3716	5490	2421	372	201	4412
23397	34	6523	4010	4037	2016	460	230	3300
2709	2	1651	775	499		73	43	555
132476	12977	97080	71915	13765	8128	8291	3252	1011
213792	31556	47026	30112	11302	167	2990	733	1300
110981	92	57400	43920	23199	33404	3563	1581	70452
139168	4805	67817	54270	18111	20813	5250	2550	1613
54	3	3012	2796	682	5180	354	124	
2540		3223	971	580	2870	100	58	
8588	31	10921	8535	10303	46798	880	418	3947
1541	186	8123	6960	3138	13557	515	225	3652
13065	132	41814	32247	14392	69968	3624	2624	58967
33464	1598	57755	44640	44814	45570	4860	1710	4671
18906	11	21416	19490	5111	665	2545	936	150815
44245	88	115738	99690	35479	403056	12011	5100	73306
343366	117	26022	17223	8466	24804	1800	785	169316
36989	67460	20034	16467	8321	19480	1281	458	12875
41983	490	84180	75360	61071	128114	6366	3560	3978
132942	41754	77977	71755	24546	9274	7880	4550	1190
62667	6728	65938	56404	33229	79514	5274	2482	
36346	508	47947	39818	26344	174892	2947	1148	749
50361	22	9448	6459	11998	7561	722	352	950
6652		12876	4591	5819	18714	414	127	344
77333	0	11821	10277	8099	7253	1175	447	236
206130	25	40925	37400	10835	22613	3682	1439	531
3503	280	7378	4480	34120	6793	385	97	2086
31023	11	20798	14275	22148	281	1146	414	586
6104	16	12704	8150	9197	31939	628	273	4083
739		13025	12324	3688		424	91	836
8388	9	15103	11163	9801	1412	1141	449	4384
37840	392	29753	27246	10495	36261	2058	498	6743
9843	13	1453	1451			197	59	
806	27	2023	1010	8936	3809	28		
177922	39	18761	16146	30465	22700	1837	773	10
51110	25	25519	15573	31116	61584	1778	667	

24-2 续表 14

县(市、区)	County (City or District)	粮食总产量(吨) Total Grain Output (ton)	油料产量(吨) Output of Oil-bearing Crops (ton)	棉花产量(吨) Output of Cotton (ton)	蔬菜产量(吨) Output of Vegetables (ton)
徐水区	Xushui District	356599	2364	1	308345
涞水县	Laishui County	121087	10650	24	188473
阜平县	Fuping County	39251	3908		89193
定兴县	Dingxing County	440151	15892	58	614943
唐　县	Tang County	157125	3327	11	75353
高阳县	Gaoyang County	186310	3185	163	53312
容城县	Rongcheng County	199900	1175	1	132271
涞源县	Laiyuan County	54807	78		24088
望都县	Wangdu County	269047	1918	0	146579
安新县	Anxin County	310736	273	103	51224
易　县	Yi County	187438	8855	4	172718
曲阳县	Quyang County	149011	8835	50	81272
蠡　县	Li County	280200	7832	215	404409
顺平县	Shunping County	121552	2458	4	308308
博野县	Boye County	149240	2485	15	98850
雄　县	Xiong County	199797	2064		43177
涿州市	Zhuozhou City	274014	8335		373766
安国市	Anguo City	258475	14256		184528
高碑店市	Gaobeidian City	328490	7807		87934
沧州市	**Cangzhou**				
新华区	Xinhua District	3086			
运河区	Yunhe District	9162	4		3829
沧　县	Cang County	427269	260	48	91297
青　县	Qing County	219477	1181	20	1076042
东光县	Dongguang County	355385	1593	5843	67850
海兴县	Haixing County	141689	849	137	22588
盐山县	Yanshan County	268396	92	4	13012
肃宁县	Suning County	253538	919	15	470926
南皮县	Nanpi County	423630	1821	3602	293974
吴桥县	Wuqiao County	388608	1661	3503	126264
献　县	Xian County	413853	12631	502	350956
孟村回族自治县	Mengcun Hui Autonomous County	135776	951	58	19948
泊头市	Botou City	377844	367	114	48548
任丘市	Renqiu City	335065	2083	436	155089
黄骅市	Huanghua City	268747	2404	616	71573
河间市	Hejian City	466048	11437	511	145397
衡水市	**Hengshui**				
桃城区	Taocheng District	183761	4082	275	177378
冀州区	Jizhou District	339214	9495	14067	48731
枣强县	Zaoqiang County	469811	5153	10111	95333
武邑县	Wuyi County	344214	11714	7090	605711
武强县	Wuqiang County	236501	2531	49	73676
饶阳县	Raoyang County	212750	10163	56	801832
安平县	Anping County	218920	4453		92031
故城县	Gucheng County	396616	10938	10589	375997
景　县	Jing County	760375	3085	3205	76313
阜城县	Fucheng County	325590	1068	2563	256555
深州市	Shenzhou City	663879	28814	48	155143

continued

园林水果产量(吨) Output of Garden Fruit (ton)	食用坚果产量(吨) Output of Edible Nut (ton)	肉类总产量(吨) Total Meat Production (ton)	#猪牛羊肉 Pork, Beef, Mutton	禽蛋产量(吨) Output of Egg (ton)	奶类产量(吨) Output of Milk (ton)	年内猪出栏(百头) Slaughtered Hogs in the Year (100 heads)	年末猪存栏(百头) Number of Hogs (year-end) (100 heads)	水产品产量(吨) Total Aquatic Products (ton)
22185	230	42218	33243	21979	130153	3378	1576	50
33318	2455	18314	16125	3198	4328	1638	527	207
64318	7876	6280	5573	2455	3855	476	218	5363
25955	45	40239	30705	28953	11719	3414	2960	80
37734	3510	61255	58458	14238	6206	3022	1150	2100
5031	60	5812	5365	3986	4730	616	342	29
1783	67	5850	5191	975	5981	588	3	
3138	4313	19610	8271	4001		680	467	423
14484	133	13531	8544	11604	29185	927	192	9
12972	23	6904	1500	4788		171		1976
98484	844	70537	67405	25388	4043	6660	2620	2708
131518	334	28149	23728	10917	19458	1420	319	2080
25419	15	6278	4752	10618	5360	485	182	
326731	286	8759	7866	3912	4599	789	197	13
31714	36	14321	10972	9553	3661	1432	645	
25674	592	9724	5165	3058	11	414		
20836	46	34099	23628	16528	16878	2559	1116	645
7848		13623	12396	14289	4363	1442	538	
15039	68	24105	20364	24442	11932	2200	877	79
55		448	347	401		38	32	15
1181		1150	617	3127	43	65	28	
186134	5	35788	24979	42541	6935	2480	1069	25
16579		17252	11018	16896	22105	1005	713	324
5340	80	16809	13052	20113		961	396	678
29153		27423	14669	11304	2335	1745	1580	7445
821		41983	38479	1439		4644	518	356
58995	12	26803	8785	33089	3661	970	560	
63911		15734	13310	9171		1046	625	508
18252	20	21202	16487	17969		1172	366	292
68524	70	55972	43297	56193	7465	3769	1343	2105
7708		43424	6705	7008		234	139	130
379556		21107	15675	38933	4547	1594	739	467
14091	7	17353	5812	6508	3797	559	431	2060
71931		44631	28682	14967	2485	3060	1492	56680
61203	24	25505	14246	27360	1586	1430	551	125
16128		11821	10069	6907	5979	785	289	568
48975	327	10117	8182	12499	5419	686	314	2032
35587	30	13933	12718	4269	7098	1154	287	275
37168	4	24033	19074	16742	8799	1109	662	158
2609	9	15783	7924	13253	160098	737	432	
191911	222	17569	14137	25501	13533	1572	691	
19691	32	48606	47071	12302	7741	6226	4069	120
8863		35411	24166	30068	38604	1825	351	1432
13224	26	27471	23864	21483	4317	2038	612	95
35707		16571	13808	22639	8464	1299	688	66
593882	12	47040	35067	61777	7157	3506	1459	213

24-2 续表 15

县(市、区)	County (City or District)	粮 食 总产量 (吨) Total Grain Output (ton)	油料产量 (吨) Output of Oil-bearing Crops (ton)	棉花产量 (吨) Output of Cotton (ton)	蔬菜产量 (吨) Output of Vegetables (ton)
邢台市	**Xingtai**				
桥东区	Qiaodong District	25871	83		11019
桥西区	Qiaoxi District	26524	339	16	2750
邢台县	Xingtai County	103300	7058	96	98031
临城县	Lincheng County	143878	5560	6	65338
内丘县	Neiqiu County	209519	16266	8	82807
柏乡县	Baixiang County	213779	2205	39	222648
隆尧县	Longyao County	564992	6992	1159	407631
任　县	Ren County	353131	2261	6	266546
南和县	Nanhe County	313770	1872	3	470946
宁晋县	Ningjin County	876946	3775	153	288964
巨鹿县	Julu County	211587	13508	605	181417
新河县	Xinhe County	170010	3681	3881	31358
广宗县	Guangzong County	99721	16380	10193	107366
平乡县	Pingxiang County	261803	22413	394	191219
威　县	Wei County	167665	3427	40428	86820
清河县	Qinghe County	265488	1688	2181	12420
临西县	Linxi County	339130	3531	2991	103938
南宫市	Nangong City	244315	14633	29090	252363
沙河市	Shahe City	104452	2577	32	23610
邯郸市	**Handan**				
邯山区	Hanshan District	87011	414	50	17691
丛台区	Congtai District	35634	200	60	968
复兴区	Fuxing District	12879	281	48	
峰峰矿区	Fengfeng Mining District	40450	224	8	4787
肥乡区	Feixiang District	343409	4449	4062	734219
永年区	Yongnian District	508230	2402	269	917125
临漳县	Linzhang County	602417	2346	68	290805
成安县	Chengan County	303532	5528	11121	437451
大名县	Daming County	692606	80816		518528
涉　县	She County	40864	621		67551
磁　县	Ci County	193521	834	33	56657
邱　县	Qiu County	173176	680	19026	68223
鸡泽县	Jize County	213876	335	937	395877
广平县	Guangping County	225471	4138	1690	189039
馆陶县	Guantao County	307907	3887	895	328501
魏　县	Wei County	560925	4725	812	467993
曲周县	Quzhou County	394976	1811	14719	238425
武安市	Wuan City	210226	4957	2180	122490
定州市	**Dingzhou**	**777775**	**21441**	**15**	**1234735**
辛集市	**Xinji**	**645290**	**24241**	**308**	**822902**

continued

园林水果产量（吨）Output of Garden Fruit (ton)	食用坚果产量（吨）Output of Edible Nut (ton)	肉类总产量（吨）Total Meat Production (ton)	#猪牛羊肉 Pork, Beef, Mutton	禽蛋产量（吨）Output of Egg (ton)	奶类产量（吨）Output of Milk (ton)	年内猪出栏（百头）Slaughtered Hogs in the Year (100 heads)	年末猪存栏（百头）Number of Hogs (year-end) (100 heads)	水产品产量（吨）Total Aquatic Products (ton)
1481	183	737	529	2170	581	56	24	
943	11	1343	795	1570	1298	91	35	40
121399	21175	10531	8370	10012	73	862	396	568
14731	7164	13801	9921	34620		842	393	2390
53532	9823	18870	16974	17033	680	2086	756	45
70911	217	11075	7576	31404	1516	917	295	
21395	1168	26436	15946	54784	5159	1710	476	
7720	127	10186	6785	27480		748	327	
3924	45	14412	10624	38902	7861	1271	1006	14
148731	5	27832	24651	28567	108283	2520	1163	7
92568		17046	9745	13820	4950	788	602	69
142673		20579	19246	9324	622	2319	1554	666
13156	29	16423	14009	7629		1436	693	
25227	2947	11932	7735	19143	1634	665	275	
185293	32	32473	14518	45957	115784	1333	438	235
24575	1	10617	5269	3682	3319	613	360	240
12581	6	14167	10245	24108	1184	664	345	154
26692	48	20437	18414	16073		1634	675	344
12144	6375	11313	6613	37696	4010	614	371	605
5436	44	2043	1893	4022	18123	196	116	
172	371	1400	617	1445		62	55	
84	176	519	446	612	302	46	23	
1937	72	20167	15641	8388	4741	1908	848	2180
56813	7	29583	24359	39348	10784	2233	816	30
23908	371	36773	24817	140515	23986	2420	961	5852
22732	44	34462	28369	32549	4608	2151	867	22
69095	585	26744	22288	44161	13032	1866	806	6
21466	74	51990	41084	76748	3499	4265	2540	138
15070	8692	12365	8733	30670		897	429	3080
2557	1458	22730	16107	50547	6824	1741	988	4920
34455	117	16137	10192	40090	131	613	316	88
35515	9	20604	14851	37466	5268	1318	432	62
15190	5	7989	6192	18651	669	674	335	25
16454		36808	22265	149995	4371	2492	682	21
245582	84	32576	27098	59466	563	3093	1401	60
21034	122	31838	23849	97489	6591	2108	697	3280
20849	13821	77645	73896	26420	1961	8860	4405	1255
24212	**716**	**79931**	**66708**	**71884**	**207184**	**6367**	**3524**	
352411	**15**	**84702**	**65893**	**158839**	**57833**	**6523**	**3470**	**39**

24-2 续表 16

县(市、区)	County (City or District)	农业产业化经营率 (%) Agricultural Industrialization Operating Rate (%)	农林牧渔业总产值 (万元) Total Output Value of Farming, Forestry, Animal Husbandry & Fishery (10000 yuan)	公路里程 (公里) Total Length of Highways (km)	固定电话用户 (户) Number of Fixed Telephone Subscribers (subscriber)
石家庄市	**Shijiazhuang**				
长安区	Changan District	25.9	14146		
桥西区	Qiaoxi District	99.7	1507		
新华区	Xinhua District	81.3	6488		
井陉矿区	Jingxing Mining District	11.2	5991	118	7188
裕华区	Yuhua District	98.4	1017		
藁城区	Gaocheng District	58.6	729650	1713	35998
鹿泉区	Luquan District	78.1	278886	1011	36258
栾城区	Luancheng District	59.1	297531	836	22589
井陉县	Jingxing County	27.9	158009	1524	12378
正定县	Zhengding County	71.1	625709	988	47595
行唐县	Xingtang County	42.1	578914	1494	13062
灵寿县	Lingshou County	36.1	399867	1252	13000
高邑县	Gaoyi County	37.1	189608	623	5004
深泽县	Shenze County	50.0	249497	526	7335
赞皇县	Zanhuang County	51.5	298954	924	10236
无极县	Wuji County	41.6	486331	849	22545
平山县	Pingshan County	57.1	276998	2806	28531
元氏县	Yuanshi County	51.5	319695	1050	18650
赵　县	Zhao County	62.2	367984	879	22312
晋州市	Jinzhou City	55.1	520254	1053	20839
新乐市	Xinle City	52.5	546266	962	19977
承德市	**Chengde**				
双桥区	Shuangqiao District	80.7	8784	641	63792
双滦区	Shuangluan District	65.9	44877	584	12004
鹰手营子矿区	Yingshouyingzi Mining District	63.0	11810	224	7748
承德县	Chengde County	75.0	652358	2935	18821
兴隆县	Xinglong County	59.9	345267	2766	13833
滦平县	Luanping County	65.2	494448	2220	11173
隆化县	Longhua County	73.9	777009	2915	14283
丰宁满族自治县	Fengning Man Autonomous County	62.4	508458	3722	14937
宽城满族自治县	Kuancheng Man Autonomous County	71.7	283581	1517	13241
围场满族蒙古族自治县	Weichang Man and Mongolian Autonomous County	66.5	865760	5882	22889
平泉市	Pingquan City	73.9	558824	2529	18948
张家口市	**Zhangjiakou**				
桥东区	Qiaodong District		27881		
桥西区	Qiaoxi District	73.5	4311		
宣化区	Xuanhua District	45.8	231823	1381	47858
下花园区	Xiahuayuan District	30.8	48418	295	5290
万全区	Wanquan District	46.5	205359	1102	8517
崇礼区	Chongli District	44.4	96331	1100	7934
张北县	Zhangbei County	36.2	610457	2763	10329
康保县	Kangbao County	62.0	392440	3108	4086
沽源县	Guyuan County	51.6	488579	2200	1881

continued

移动电话用户 (户) Number of Mobile Telephone Subscribers (subscriber)	互联网宽带接入用户 (户) Broadband Subscribers of Internet (subscriber)	普通中学专任教师 (人) Number of Full-time Teachers of Regular Secondary Schools (person)	普通中学在校学生 (人) Total Enrollment of Regular Secondary Schools (person)	小 学专任教师 (人) Number of Full-time Teachers of Regular Primary Schools (person)	小 学在校学生 (人) Total of Regular Primary Schools (person)	城镇居民人均可支配收入 (元) Per Capita Annual Disposable Income of Urban Households (yuan)	农村居民人均可支配收入 (元) Per Capita Annual Disposable Income of Rural Households (yuan)	城镇化率 (%) Urbanization Rate (%)
		2238	27952	2873	67688	43346		100.0
		2399	38518	3137	70361	44126		100.0
		2420	29328	2506	55611	43476		100.0
110000	36262	273	2881	415	4308	34863	20556	83.0
		1774	22283	2673	51042	44416		100.0
698333	185764	3040	33766	3961	69739	38412	20903	56.9
382550	98600	1985	19022	1856	39467	37150	20915	61.8
505258	153436	1276	15233	1780	31420	34470	19096	62.4
122700	63602	959	14960	1430	17320	32031	14506	44.9
587000	154873	1819	27074	2435	45510	34862	20310	60.3
303727	86820	1836	21995	2929	42081	32113	9667	41.1
316000	61000	1511	17463	1537	28493	31405	9313	41.1
205428	50933	853	10717	1298	20391	29895	15286	46.3
233113	69023	592	8869	1036	17083	30842	14714	39.8
219441	72000	763	11746	1684	30880	29300	8980	35.0
501521	121523	1475	23581	2201	43874	31697	16569	43.2
127860	77620	1922	29259	2706	41865	32771	10350	41.6
410532	41362	460	22446	2315	37102	30811	16214	41.1
519918	139316	1943	26869	2539	48783	32801	16787	42.0
401265	64360	1724	22070	2363	43625	36369	20815	46.8
489169	120542	2148	29325	2543	53365	30885	18514	50.3
813072	166030	676	8533	1118	25363	37153	14247	95.5
211294	62243	592	6851	809	14297	37698	14442	75.2
81825	23380	205	2676	228	2907	28947	11652	90.0
355002	73520	1648	23889	1511	25833	30338	12385	43.3
285434	73430	1182	14804	1675	19384	28887	13849	43.1
283532	81492	1231	17913	1733	21517	33082	11411	46.7
368333	79608	1504	20645	2419	31378	28610	10239	44.3
354529	85291	1555	20803	2213	28772	25765	9586	41.0
269152	61273	1057	13247	1959	23965	34801	14215	52.3
452098	100888	1881	33417	2437	41534	27001	10118	41.8
416091	94804	1460	28305	2107	29596	31327	14097	53.6
		662	8716	1104	21682	39972		84.4
		630	8361	855	16549	37541		95.5
739864	209484	2571	31530	2442	37096	35714	14936	71.8
69846	22829	243	2257	305	2364	37111	14567	76.3
232758	61079	676	10014	1085	14529	33494	11677	56.5
105835	28846	373	2593	606	4871	35636	12120	48.0
360648	81998	1414	24973	1344	22439	31508	12349	52.6
138109	29419	540	5373	715	5656	28843	11282	41.8
125808	48983	622	5811	763	10895	30253	11795	42.3

24-2 续表 17

县(市、区)	County (City or District)	农业产业化经营率 (%) Agricultural Industrialization Operating Rate (%)	农林牧渔业总产值 (万元) Total Output Value of Farming, Forestry, Animal Husbandry & Fishery (10000 yuan)	公路里程 (公里) Total Length of Highways (km)	固定电话用户 (户) Number of Fixed Telephone Subscribers (subscriber)
尚义县	Shangyi County	32.0	304440	1156	2500
蔚　县	Yu County	28.4	267201	2006	13350
阳原县	Yangyuan County	27.2	227464	1442	7744
怀安县	Huaian County	34.5	167559	1589	7112
怀来县	Huailai County	42.3	251780	3038	47063
涿鹿县	Zhuolu County	54.9	196513	1594	15466
赤城县	Chicheng County	10.7	442849	1794	5949
秦皇岛市	**Qinhuangdao**				
海港区	Haigang District	47.6	119781	732	177114
山海关区	Shanhaiguan District	78.0	134188	291	
北戴河区	Beidaihe District	27.0	30840	165	23468
抚宁区	Funing District	70.0	654587	1207	17500
青龙满族自治县	Qinglong Man Autonomous County	60.9	778682	2700	25160
昌黎县	Changli County	71.8	1163069	1989	38300
卢龙县	Lulong County	55.8	628252	1655	17563
唐山市	**Tangshan**				
路南区	Lunan District	42.0	26821		
路北区	Lubei District	8.7	51345		
古冶区	Guye District	46.9	147900	343	45065
开平区	Kaiping District	39.5	79499	380	33901
丰南区	Fengnan District	68.5	730125	1432	32900
丰润区	Fengrun District	55.7	641653	1995	75069
曹妃甸区	Caofeidian District	72.1	591504	955	69000
滦南县	Luannan County	71.1	1397268	1989	38707
乐亭县	Laoting County	70.5	1172414	2055	33028
迁西县	Qianxi County	70.7	339474	1511	33336
玉田县	Yutian County	73.1	1060313	1618	70636
遵化市	Zunhua City	73.0	720432	1846	51700
迁安市	Qianan City	69.7	554339	3314	55743
滦州市	Luanzhou City	68.9	764527	1634	49000
廊坊市	**Langfang**				
安次区	Anci District	61.7	195671	921	
广阳区	Guangyang District	62.7	133939	691	
固安县	Guan County	52.3	651588	1512	33251
永清县	Yongqing County	44.1	914868	1180	18300
香河县	Xianghe County	52.5	303522	1024	22361
大城县	Dacheng County	32.0	295596	1301	42298
文安县	Wenan County	27.9	212913	1663	28658
大厂回族自治县	Dachang Hui Autonomous County	46.2	78610	554	12203
霸州市	Bazhou City	49.8	190970	1274	61165
三河市	Sanhe City	71.5	307037	1358	43763
保定市	**Baoding**				
竞秀区	Jingxiu District	74.9	23074	52	
莲池区	Lianchi District	78.7	42638	27	5586
满城区	Mancheng District	69.0	375014	995	29021
清苑区	Qingyuan District	59.5	521718	1227	29401

continued

移动电话用户 (户) Number of Mobile Telephone Subscribers (subscriber)	互联网宽带接入用户 (户) Broadband Subscribers of Internet (subscriber)	普通中学专任教师 (人) Number of Full-time Teachers of Regular Secondary Schools (person)	普通中学在校学生 (人) Total Enrollment of Regular Secondary Schools (person)	小学专任教师 (人) Number of Full-time Teachers of Regular Primary Schools (person)	小学在校学生 (人) Total of Regular Primary Schools (person)	城镇居民人均可支配收入 (元) Per Capita Annual Disposable Income of Urban Households (yuan)	农村居民人均可支配收入 (元) Per Capita Annual Disposable Income of Rural Households (yuan)	城镇化率 (%) Urbanization Rate (%)
101000	28600	581	5265	752	5144	27541	10539	39.3
452831	90587	1720	22101	2470	41425	33870	11714	44.4
214100	57759	784	9512	1291	16450	26678	11010	44.5
192000	39450	563	9117	845	12341	30071	12336	45.2
310000	64138	1380	20721	1895	27082	34360	18940	56.4
304600	71945	1101	18325	1655	22941	35126	14435	49.4
190294	45879	666	7807	1011	15449	32261	11979	41.1
1375125	410045	2463	27205	3526	64355	41190	21332	87.8
		374	3497	671	8186	36070	21145	95.0
110693	48133	399	2637	653	5466	44506	21338	92.3
435000	110400	1583	14563	1831	18883	37904	16610	36.8
420000	99000	1495	18471	2654	39652	36615	11932	32.9
534412	146443	2041	26710	2372	30015	34469	17744	50.3
353702	68229	1834	17989	2153	22094	35306	15083	41.8
		799	11447	1021	18326	46132	19664	91.7
		1932	25114	2526	49237	46081	22310	96.2
421168	90126	1162	8352	1470	14655	40489	18680	88.1
147621	42530	1060	10156	1268	15958	39540	18486	67.2
663400	160200	2410	27204	2102	35098	43883	18821	60.6
1025886	251204	3240	38200	3389	60407	43395	18423	59.8
441000	92700	974	9957	1042	15810	42560	21212	73.5
577238	111333	2599	31331	2370	32107	40405	16733	52.0
596544	151311	2156	19540	1676	16629	40302	19416	55.0
411983	95047	1801	23424	2297	33238	42251	18949	51.4
680128	182653	2648	34810	3105	53640	38922	18636	53.2
735600	191791	3673	45264	3815	65086	41815	18508	59.3
814149	176211	3303	41249	3995	71825	43674	25418	59.0
631054	139613	2631	28592	2569	41166	43603	19136	56.1
		1269	16820	2206	37002	40769	18031	62.5
		750	10335	2042	37398	44122	17643	73.8
514825	190551	2096	27396	3373	54313	40274	17712	59.0
396400	89800	1407	16415	2058	36005	38597	17312	51.0
496191	143483	1788	21245	2873	37399	46685	19738	62.8
530700	143800	2248	22574	3620	60112	41100	16887	51.3
566127	159912	1861	25179	3241	62375	41528	18249	56.7
175307	58526	666	7964	758	14489	45044	18418	65.3
629820	146705	2580	37737	3538	78635	46579	18844	59.5
855396	365151	2826	43329	4590	78081	47911	20900	66.1
	15004	1143	14338	1823	31408	38761	23856	97.5
	20180	4910	34289	2640	56323	39268	22972	98.1
445780	158307	1735	24098	2013	36605	34233	18926	53.7
549159	219760	2606	33198	2828	55614	33955	19204	45.5

24-2 续表 18

县(市、区)	County (City or District)	农业产业化经营率 (%) Agricultural Industrialization Operating Rate (%)	农林牧渔业总产值 (万元) Total Output Value of Farming, Forestry, Animal Husbandry & Fishery (10000 yuan)	公路里程 (公里) Total Length of Highways (km)	固定电话用户 (户) Number of Fixed Telephone Subscribers (subscriber)
徐水区	Xushui District	56.6	400595	867	44793
涞水县	Laishui County	72.6	276722	1213	18982
阜平县	Fuping County	59.6	183305	1589	13083
定兴县	Dingxing County	76.8	521735	893	24876
唐　县	Tang County	70.8	466884	1116	29407
高阳县	Gaoyang County	62.2	108985	626	27630
容城县	Rongcheng County	13.5	106771	396	23911
涞源县	Laiyuan County	51.0	118124	1286	15393
望都县	Wangdu County	64.8	253179	615	16622
安新县	Anxin County	21.3	140386	653	30305
易　县	Yi County	54.3	463217	1796	31580
曲阳县	Quyang County	67.0	275264	1577	31425
蠡　县	Li County	66.3	319662	903	27586
顺平县	Shunping County	70.3	316608	971	19741
博野县	Boye County	36.0	207234	491	14521
雄　县	Xiong County	63.6	132022	908	32059
涿州市	Zhuozhou City	53.7	399710	1164	61685
安国市	Anguo City	71.9	352123	634	27279
高碑店市	Gaobeidian City	79.8	272410	1002	31524
沧州市	**Cangzhou**				
新华区	Xinhua District	94.7	3419		
运河区	Yunhe District	77.4	9621		
沧　县	Cang County	78.1	447012	1566	184580
青　县	Qing County	70.0	663973	1067	36806
东光县	Dongguang County	60.0	588599	1338	20759
海兴县	Haixing County	49.1	199296	790	21960
盐山县	Yanshan County	61.1	200319	971	32020
肃宁县	Suning County	75.3	395679	673	20721
南皮县	Nanpi County	50.5	432248	932	18056
吴桥县	Wuqiao County	23.8	592038	877	18000
献　县	Xian County	59.7	607386	1895	36488
孟村回族自治县	Mengcun Hui Autonomous County	44.3	142429	579	40144
泊头市	Botou City	73.3	309910	1050	36221
任丘市	Renqiu City	60.3	238104	1261	153804
黄骅市	Huanghua City	70.4	553150	1833	52365
河间市	Hejian City	81.9	393541	1449	34873
衡水市	**Hengshui**				
桃城区	Taocheng District	50.8	160953	844	118939
冀州区	Jizhou District	46.1	217537	1393	48009
枣强县	Zaoqiang County	80.3	262718	1794	37011
武邑县	Wuyi County	61.5	475559	1385	24206
武强县	Wuqiang County	66.2	209351	770	14932
饶阳县	Raoyang County	67.8	544175	682	9672
安平县	Anping County	73.3	283881	796	42591
故城县	Gucheng County	65.3	466227	1331	43569
景　县	Jing County	66.9	370082	1629	43987
阜城县	Fucheng County	48.4	357978	1465	14749
深州市	Shenzhou City	72.5	665723	1684	36518

continued

移动电话用户 (户) Number of Mobile Telephone Subscribers (subscriber)	互联网宽带接入用户 (户) Broadband Subscribers of Internet (subscriber)	普通中学专任教师 (人) Number of Full-time Teachers of Regular Secondary Schools (person)	普通中学在校学生 (人) Total Enrollment of Regular Secondary Schools (person)	小学专任教师 (人) Number of Full-time Teachers of Regular Primary Schools (person)	小学在校学生 (人) Total of Regular Primary Schools (person)	城镇居民人均可支配收入 (元) Per Capita Annual Disposable Income of Urban Households (yuan)	农村居民人均可支配收入 (元) Per Capita Annual Disposable Income of Rural Households (yuan)	城镇化率 (%) Urbanization Rate (%)
561164	232119	2412	39109	2681	50285	34709	18953	49.8
288978	98756	1509	18148	1665	22881	28399	11876	47.9
176828	61198	1382	13732	1328	19941	21900	9844	42.1
443912	195191	1822	35125	2758	39443	35008	17215	49.5
453367	160278	2565	37756	2812	51529	23304	9301	36.9
372803	171546	1549	20196	2023	31805	30134	20151	53.4
277380	73770	1040	13074	1346	22508	27998	18223	51.4
264181	125491	1057	18965	1506	24355	27783	9218	51.4
251759	110647	1003	12808	1216	19247	29399	15149	47.9
389652	105148	1500	23920	2542	46183	29722	14848	41.0
439655	180657	2325	34138	3017	38842	27323	10470	35.4
525607	219728	3136	49958	3633	73017	24645	9218	39.3
461629	165421	1854	28070	2516	51068	29085	17446	43.9
259369	100842	891	10411	1589	21769	29412	8961	38.5
234214	109293	873	13907	959	20685	25626	14401	50.5
450235	110385	2119	30486	2326	49294	33395	17609	46.5
673593	373803	2476	29530	2217	45752	38859	20109	59.8
384920	139442	1760	25724	1750	26899	29624	19877	50.6
536096	254833	2384	31387	2130	39050	34294	18515	58.3
		98	1389	718	17604	38013	15424	96.5
		454	7915	2127	44589	40755	17305	95.7
604368	149753	2349	35714	3395	71202	36892	16501	38.7
485000	125100	1292	17619	2313	40737	36643	17995	52.4
368600	89500	1183	13207	1900	31517	36418	13895	52.1
240096	59468	829	11843	1288	19960	31529	9758	47.4
343601	58265	1705	24513	2674	52694	32696	11835	45.6
354018	86964	1727	23859	1791	39841	36712	15281	50.0
370210	86251	1457	19568	1971	37063	36087	11704	45.2
220791	59744	906	12019	1334	17517	34061	14686	49.4
502025	122225	2852	45085	3651	74535	33601	12820	44.1
113718	9233	660	9658	1438	24012	35418	13378	49.7
620200	145616	2372	39513	3611	70631	36343	16108	57.6
895916	221566	3468	48113	4929	91547	38455	18107	67.3
575239	149136	1974	29571	2104	44764	37058	17882	59.6
838962	189016	1561	33116	2948	90382	36880	16183	44.7
1016038	294476	4175	60193	2728	48943	37919	17387	81.6
322531	63109	3781	43125	1093	25098	35440	16468	58.9
374969	74126	1748	26252	1521	34953	32109	13342	47.3
254925	50580	2952	36834	1164	22664	25057	10343	45.4
197828	55474	669	7175	1177	15336	26184	10025	42.8
247462	60347	866	9470	1518	20983	28832	10000	44.9
413507	107126	1571	21232	1934	28046	31145	17242	52.0
428789	78659	1971	32704	2338	44637	29347	13278	48.3
442516	75154	2113	32070	2302	44415	31316	16866	50.5
295801	61447	1658	20693	1542	26944	29797	10140	45.8
516973	132070	1834	23739	2176	34996	28547	16685	51.7

24-2 续表 19

县(市、区)	County (City or District)	农业产业化经营率 (%) Agricultural Industrialization Operating Rate (%)	农林牧渔业总产值 (万元) Total Output Value of Farming, Forestry, Animal Husbandry & Fishery (10000 yuan)	公路里程 (公里) Total Length of Highways (km)	固定电话用户 (户) Number of Fixed Telephone Subscribers (subscriber)
邢台市	**Xingtai**				
桥东区	Qiaodong District	22.6	15151		
桥西区	Qiaoxi District	4.1	15525		
邢台县	Xingtai County	58.6	198582	2496	22100
临城县	Lincheng County	68.8	156660	1013	10851
内丘县	Neiqiu County	69.4	241593	1210	21040
柏乡县	Baixiang County	67.0	165903	362	8296
隆尧县	Longyao County	64.6	419019	1018	63020
任　县	Ren County	70.8	217290	889	10261
南和县	Nanhe County	74.2	355449	873	16930
宁晋县	Ningjin County	64.8	546255	1797	31238
巨鹿县	Julu County	71.2	482919	1384	12710
新河县	Xinhe County	68.3	230378	651	10842
广宗县	Guangzong County	47.9	225425	1155	11937
平乡县	Pingxiang County	71.5	256059	1113	17693
威　县	Wei County	70.9	468385	1453	15245
清河县	Qinghe County	87.6	176680	961	36892
临西县	Linxi County	72.0	281363	906	11592
南宫市	Nangong City	68.9	328879	1278	27173
沙河市	Shahe City	78.6	133366	1612	39000
邯郸市	**Handan**				
邯山区	Hanshan District	72.1	42792		
丛台区	Congtai District	27.8	18023		
复兴区	Fuxing District	75.5	10247	130	
峰峰矿区	Fengfeng Mining District	50.6	91500	590	22556
肥乡区	Feixiang District	75.2	510977	1090	3520
永年区	Yongnian District	46.6	650426	1165	
临漳县	Linzhang County	54.1	439788	1235	16668
成安县	Chengan County	71.4	491863	1093	17122
大名县	Daming County	75.6	583181	1789	26320
涉　县	She County	75.0	177955	1513	22430
磁　县	Ci County	68.5	217863	974	28700
邱　县	Qiu County	76.3	289446	890	6271
鸡泽县	Jize County	61.6	258200	545	10000
广平县	Guangping County	75.0	176187	618	4500
馆陶县	Guantao County	68.6	440446	1012	9326
魏　县	Wei County	75.4	627513	1473	17388
曲周县	Quzhou County	74.1	467498	1388	12125
武安市	Wuan City	64.0	467295	1323	47000
定州市	**Dingzhou**	**53.8**	**1176702**	**1835**	**52150**
辛集市	**Xinji**	**65.1**	**884535**	**1275**	**20319**

continued

移动电话用户 (户) Number of Mobile Telephone Subscribers (subscriber)	互联网宽带接入用户 (户) Broadband Subscribers of Internet (subscriber)	普通中学专任教师 (人) Number of Full-time Teachers of Regular Secondary Schools (person)	普通中学在校学生 (人) Total Enrollment of Regular Secondary Schools (person)	小　学专任教师 (人) Number of Full-time Teachers of Regular Primary Schools (person)	小　学在校学生 (人) Total of Regular Primary Schools (person)	城镇居民人均可支配收入 (元) Per Capita Annual Disposable Income of Urban Households (yuan)	农村居民人均可支配收入 (元) Per Capita Annual Disposable Income of Rural Households (yuan)	城镇化率 (%) Urbanization Rate (%)
		1315	24170	1495	35102	34085		94.9
		2799	30263	2186	48150	39251		96.8
186700	39680	1328	15042	1747	23956	32762	15859	34.6
166647	53100	1271	18270	1192	20676	27808	10670	46.6
170123	39810	952	15556	1348	27908	30373	13986	46.3
159870	38876	614	9243	1007	17032	27716	14963	45.5
441000	130400	1423	18980	3020	46824	29342	14200	46.6
296313	74378	1155	13013	1973	34657	28849	14227	47.0
311413	83273	1970	21244	1569	33033	32249	16650	58.0
558276	162670	2753	37639	4226	76308	30158	16472	49.0
314764	78504	1274	22871	2360	35903	28342	9460	47.6
111669	39218	525	6138	656	9786	26907	9105	42.8
138655	18355	746	9916	1560	29625	28808	10323	41.5
317229	78919	1257	16126	1685	33881	28426	11468	58.0
404056	104620	2473	32069	3215	64077	27252	10239	46.5
311259	90121	1984	27411	3733	54774	32520	16864	59.3
298761	78165	1404	20231	1902	38287	30324	15851	48.1
244061	71534	2230	33530	2355	41134	28770	14545	49.3
507260	133594	2713	28919	2371	44512	34508	17478	56.9
		771	12536	2366	61085	41404	17991	87.3
		481	5049	1749	47768	42640	17479	87.2
		347	4095	1484	24652	42079	16029	90.3
508752	110632	1726	20677	2139	35475	29906	15352	75.9
298422	38965	1702	20046	2773	46434	29559	17050	50.7
		4311	60286	5616	91680	34344	18001	48.0
		2883	42474	4496	80658	32329	17179	47.5
316127	51452	1644	24719	2787	53946	37580	16910	52.7
556000	143249	3468	53650	4902	86120	32529	15170	49.6
438623	85417	1632	24512	1782	36470	25386	14705	63.3
721764	181754	2746	47820	2727	51636	32783	16423	55.0
194824	49721	1300	22150	1868	32129	23488	15624	52.0
250000	57000	1440	22941	2095	40182	30587	16661	45.8
157300	50000	1133	18494	2027	36938	27108	14686	49.9
258521	68270	1535	25314	2329	42215	28571	14652	50.4
582946	95033	3671	55277	5567	100229	32006	15528	52.7
183194	73432	2100	30682	3217	65058	31429	17202	47.0
904000	230000	3737	53160	5264	91042	40202	17211	54.8
1195280	**270230**	**5328**	**77698**	**4768**	**92572**	**36345**	**17828**	**54.6**
714952	**164383**	**2469**	**30583**	**2935**	**47147**	**37493**	**19019**	**54.0**

京津冀主要指标

Major Indicators of Jing-Jin-Ji Region

简 要 说 明

一、本篇资料为京津冀主要指标。

二、本篇资料由河北省统计局综合统计处整理提供。

三、资料整理：王何魁

Brief Introduction

I. The data in this chapter include major indicators of Jing-Jin-Ji region.

II. This data is compiled and provided by the Comprehensive Statistics Division of Hebei Province Statistics Bureau.

III.The data in this chapter are prepared: Wang Hekui.

附录1-1 京津冀基本情况(2019年)
Basic Conditions of Jing-Jin-Ji Region (2019)

指 标	Item	全 国 China	京津冀合计 Total of Jing-Jin-Ji Region	北 京 Beijing	天 津 Tianjin	河 北 Hebei
基本情况	**Basic Conditions**					
土地面积(万平方公里)	Total Land Area (10000 sq.km)	960	21.6	1.6	1.2	18.8
占京津冀的比重(%)	Share in Jing-Jin-Ji Region (%)			7.4	5.6	87.0
年末常住人口(万人)	Resident Population (year-end) (10000 persons)	140005	11307.4	2153.6	1561.8	7592.0
占京津冀的比重(%)	Share in Jing-Jin-Ji Region (%)			19.0	13.8	67.1
在全部常住人口中(%)	of Resident Population (%)					
0-14岁人口占比重	Percentage of Population Aged 0-14			10.5	10.3	19.0
15-59岁人口占比重	Percentage of Population Aged 15-59			72.3	71.2	61.0
60岁及以上人口占比重	Percentage of Population Aged 60 and Over	18.1		17.2	18.5	20.0
65岁及以上人口占比重	Percentage of Population Aged 65 and Over	12.6		11.4	11.6	13.4
常住人口密度(人/平方公里)	Resident Population Density (person/sq.km)	145.8		1312.3	1305.2	404.5
城镇化水平(%)	Urbanization Level (%)	60.6		86.6	83.5	57.6
经济水平(亿元)	**Economic Level (100 million yuan)**					
地区生产总值	Gross Domestic Product	990865.1	84580.1	35371.3	14104.3	35104.5
占京津冀的比重(%)	Share in Jing-Jin-Ji Region (%)			41.8	16.7	41.5
人均地区生产总值(元/人)	Per Capita GDP (yuan/person)	70892		164220	90327	46348
一般公共预算收入	General Public Budgetary Revenue	101080.6	11966.5	5817.1	2410.4	3739.0
占京津冀的比重(%)	Share in Jing-Jin-Ji Region (%)			48.6	20.1	31.2
农林牧渔业总产值	Gross Output Value of Agriculture, Forestry, Animal Husbandry and Fishery		6757.6	281.7	414.4	6061.5
占京津冀的比重(%)	Share in Jing-Jin-Ji Region (%)			4.2	6.1	89.7
规模以上工业增加值可比价增速(%)	Growth Rate at Constant Prices of Industry Enterprises above Designated Size (%)	5.7		3.1	3.4	5.6
固定资产投资(不含农户)增速(%)	Growth Rate of Investment in Fixed Assets (Excluding Rural Households) (%)	5.4		-2.5	13.1	6.1
社会消费品零售总额	Total Retail Sales of Consumer Goods	408017.2	32267.4	15063.7	4218.2	12985.5
占京津冀的比重(%)	Share in Jing-Jin-Ji Region (%)			46.7	13.1	40.2
就业	**Employment**					
城镇登记失业率(%)	Registration Unemployment Rate in Urban Areas (%)	3.6		1.3	3.5	3.1
公共服务	**Public Service**					
普通高等学校数(所)	Regular Institutions of Higher Education (unit)		271	93	56	122
占京津冀的比重(%)	Share in Jing-Jin-Ji Region (%)			34.3	20.7	45.0
医院数(个)	Number of Hospital (unit)	34354	3289	733	441	2115
占京津冀的比重(%)	Share in Jing-Jin-Ji Region (%)			22.3	13.4	64.3
医疗卫生机构诊疗人次(万人次)	Number of Visits in Medical Institutions (10000 person-times)	85.2亿	79605.3	24365.3	12260.2	42979.8

注：常住人口密度=年平均常住人口/土地面积。

a) Resident population density = annual average population/total land area.

附录1−2 京津冀人口情况
Population of Jing-Jin-Ji Region

指标 Indicator	全国 China	京津冀合计 Total of Jing-Jin-Ji Region	北京 Beijing	天津 Tianjin	河北 Hebei	河北占京津冀比重(%) Hebei's Share in Jing-Jin-Ji Region (%)
常住人口(万人) Resident Population (10000 persons)						
2005	130756	9431.8	1538.0	1043.0	6850.8	72.6
2010	134091	10454.8	1961.9	1299.3	7193.6	68.8
2011	134735	10613.7	2018.6	1354.6	7240.5	68.2
2012	135404	10770.0	2069.3	1413.2	7287.5	67.7
2013	136072	10919.6	2114.8	1472.2	7332.6	67.2
2014	136782	11052.2	2151.6	1516.8	7383.8	66.8
2015	137462	11142.4	2170.5	1547.0	7424.9	66.6
2016	138271	11205.1	2172.9	1562.1	7470.1	66.7
2017	139008	11247.2	2170.7	1557.0	7519.5	66.9
2018	139538	11270	2154	1560	7556	67.0
2019	140005	11307	2154	1562	7592	67.1
人口密度(人/平方公里) Population Density (person/sq.km)						
2005	136.2	436.6	937.2	886.9	365.0	
2010	139.7	484.0	1195.6	1104.8	383.3	
2011	140.3	491.3	1230.1	1151.8	385.8	
2012	141.0	498.6	1261.0	1201.6	388.3	
2013	141.7	505.5	1289.0	1251.8	390.7	
2014	142.1	512.0	1311.1	1289.8	393.4	
2015	143.2	515.8	1323.0	1315.0	395.6	
2016	144.0	518.7	1324.1	1328.5	398.0	
2017	144.4	519.7	1323.4	1308.6	399.3	
2018	145.4	521.7	1312.7	1303.3	401.9	
2019	145.8	523.4	1312.3	1305.2	404.5	
城镇人口(万人) Urban Population (10000 persons)						
2005	56212.0	4651.5	1286.1	783.4	2582.0	55.5
2010	66978.0	5921.1	1686.4	1033.6	3201.2	54.1
2011	69079.0	6132.8	1740.7	1090.4	3301.7	53.8
2012	71182.0	6346.7	1783.7	1152.5	3410.5	53.7
2013	73111.0	6561.0	1825.1	1207.4	3528.5	53.8
2014	74916.0	6749.4	1859.0	1248.0	3642.4	54.0
2015	77116.0	6967.3	1877.7	1278.4	3811.2	54.7
2016	79298.0	7158.1	1879.6	1295.5	3983.0	55.6
2017	81347.5	7305.4	1877.7	1291.2	4136.5	56.6
2018	83137.0	7424.2	1863.4	1296.8	4264.0	57.4
2019	84843.0	7543.3	1865.0	1303.8	4374.5	58.0
城镇人口比重(%) Proportion of Urban Population (%)						
2005	43.0	49.3	83.6	75.1	37.7	
2010	49.9	56.6	86.0	79.6	44.5	
2011	51.3	57.8	86.2	80.5	45.6	
2012	52.6	58.9	86.2	81.6	46.8	
2013	53.7	60.1	86.3	82.0	48.1	
2014	54.8	61.1	86.4	82.3	49.3	
2015	56.1	62.5	86.5	82.6	51.3	
2016	57.3	63.9	86.5	82.9	53.3	
2017	58.5	65.0	86.5	82.9	55.0	
2018	59.6	65.9	86.5	83.2	56.4	
2019	60.6	66.7	86.6	83.5	57.6	

附录1-3 京津冀地区生产总值
Gross Domestic Product of Jing-Jin-Ji Region

项　目	Item	2018	2019
地区生产总值(亿元)	**Gross Domestic Product (100 million yuan)**		
全　国	China	919281.1	990865.1
京津冀合计	Total of Jing-Jin-Ji Region	78963.5	84580.1
北京	Beijing	33106.0	35371.3
天津	Tianjin	13362.9	14104.3
河北	Hebei	32494.6	35104.5
河北占京津冀比重(%)	Hebei's Share in Jing-Jin-Ji Region (%)	41.2	41.5
第一产业增加值(亿元)	**Value-added of the Primary Industry (100 million yuan)**		
全　国	China	64745.2	70466.7
京津冀合计	Total of Jing-Jin-Ji Region	3634.5	3817.3
北京	Beijing	120.6	113.7
天津	Tianjin	175.3	185.2
河北	Hebei	3338.6	3518.4
河北占京津冀比重(%)	Hebei's Share in Jing-Jin-Ji Region (%)	91.9	92.2
第二产业增加值(亿元)	**Value-added of the Second Industry (100 million yuan)**		
全　国	China	364835.2	386165.3
京津冀合计	Total of Jing-Jin-Ji Region	23216.7	24281.6
北京	Beijing	5477.3	5715.1
天津	Tianjin	4835.3	4969.2
河北	Hebei	12904.1	13597.3
河北占京津冀比重(%)	Hebei's Share in Jing-Jin-Ji Region (%)	55.6	56.0
第三产业增加值(亿元)	**Value-added of the Tertiary Industry (100 million yuan)**		
全　国	China	489700.8	534233.1
京津冀合计	Total of Jing-Jin-Ji Region	52112.4	56481.2
北京	Beijing	27508.1	29542.5
天津	Tianjin	8352.3	8949.9
河北	Hebei	16252.0	17988.8
河北占京津冀比重(%)	Hebei's Share in Jing-Jin-Ji Region (%)	31.2	31.8
人均地区生产总值(元/人)	**Per Capita GDP (yuan/person)**		
全　国	China	66006	70892
北京	Beijing	153095	164220
天津	Tianjin	120711	90371
河北	Hebei	43108	46348

附录1-4　京津冀三次产业就业人员情况
Employed Persons by Type of Industry in Jing-Jin-Ji Region

单位：万人　　(10000 persons)

指　标 Indicator	全　国 China	京津冀合计 Total of Jing-Jin-Ji Region	北　京 Beijing	天　津 Tianjin	河　北 Hebei	河北占京津冀比重(%) Hebei's Share in Jing-Jin-Ji Region (%)
就业人员 Employment						
2005	74647	4989.5	878.0	542.5	3569.0	71.5
2010	76105	5625.4	1031.6	728.7	3865.1	68.7
2011	76420	5795.3	1069.7	763.2	3962.4	68.4
2012	76704	5996.2	1107.3	803.1	4085.7	68.1
2013	76977	6172.4	1141.0	847.5	4183.9	67.8
2014	77253	6236.6	1156.7	877.2	4202.7	67.4
2015	77451	6295.4	1186.1	896.8	4212.5	66.9
2016	77603	6346.4	1220.1	902.4	4223.9	66.6
2017	77640	6348.3	1246.8	894.8	4206.7	66.3
2018	77586	6330.5	1237.8	896.6	4196.1	66.3
2019	77471	6352.1	1273.0	896.6	4182.5	85.8
第一产业 Primary Industry						
2005	33441.9	1708.7	62.2	81.8	1564.7	91.6
2010	27930.5	1599.5	61.4	73.9	1464.2	91.5
2011	26594.2	1571.9	59.1	73.2	1439.6	91.6
2012	25773	1554.8	57.3	71.2	1426.3	91.7
2013	24171	1528.9	55.4	69.0	1404.5	91.9
2014	22790	1519.3	52.4	68.0	1398.9	92.1
2015	21919	1504.3	50.3	66.2	1387.8	92.3
2016	21496	1495.0	49.6	65.1	1380.3	92.3
2017	20944	1478.4	48.8	62.7	1366.9	92.5
2018	20258	1465.6	45.4	60.1	1360.1	92.8
2019	19645	1431.9	42.4	58.3	1331.2	93.0
第二产业 Secondary Industry						
2005	17766.0	1502.0	231.1	227.4	1043.6	69.5
2010	21842.1	1755.9	202.7	302.3	1250.9	71.2
2011	22543.9	1855.0	219.2	316.0	1319.8	71.1
2012	23241	1944.3	212.6	330.9	1400.8	72.0
2013	23170	2002.8	210.9	353.9	1438.1	71.8
2014	23099	1989.2	209.9	341.5	1437.8	72.3
2015	22693	1958.4	200.8	320.2	1437.4	73.4
2016	22350	1939.2	193.0	306.4	1439.7	74.2
2017	21824	1880.3	192.8	290.9	1396.6	74.3
2018	21390	1834.9	182.2	285.0	1367.7	74.5
2019	21305	1835.9	172.5	272.6	1390.8	75.8
第三产业 Tertiary Industry						
2005	23439.2	1778.7	584.7	233.4	960.7	54.0
2010	26332.3	2270.1	767.5	352.5	1150.1	50.7
2011	27281.9	2368.4	791.4	374.0	1203.0	50.8
2012	27690	2497.1	837.4	401.0	1258.7	50.4
2013	29696	2640.7	874.7	424.6	1341.4	50.8
2014	31364	2728.1	894.4	467.7	1366.0	50.1
2015	32839	2832.8	935.0	510.5	1387.2	49.0
2016	33757	2912.3	977.5	530.9	1403.9	48.2
2017	34872	2989.6	1005.2	541.2	1443.2	48.3
2018	35938	3030.1	1010.2	551.5	1468.4	48.5
2019	36721	3084.3	1058.1	565.7	1460.5	47.4

附录1-5　京津冀财政收支情况
General Public Budgetary Revenue and Expenditures of Jing-Jin-Ji Region

单位：亿元　　(100 million yuan)

指　标 Indicator	全　国 China	京津冀合计 Total of Jing-Jin-Ji Region	北　京 Beijing	天　津 Tianjin	河　北 Hebei	河北占京津冀比重(%) Hebei's Share in Jing-Jin-Ji Region (%)
一般公共预算收入 General Public Budgetary Revenue						
2005	15100.8	1766.8	919.2	331.9	515.7	29.2
2006	18303.6	2154.7	1117.2	417.1	620.5	28.8
2007	23572.6	2822.2	1492.6	540.4	789.1	28.0
2008	28649.8	3460.5	1837.3	675.6	947.6	27.4
2009	32602.6	3915.9	2026.8	822.0	1067.1	27.3
2010	40613.0	4754.6	2353.9	1068.8	1331.9	28.0
2011	52547.1	6199.2	3006.3	1455.1	1737.8	28.0
2012	61078.3	7159.2	3314.9	1760.0	2084.3	29.1
2013	69011.2	8035.8	3661.1	2079.1	2295.6	28.6
2014	75876.6	8864.2	4027.2	2390.4	2446.6	27.6
2015	83002.0	10040.2	4723.9	2667.1	2649.2	26.4
2016	87239.4	10654.6	5081.3	2723.5	2849.9	26.7
2017	91469.4	10975.0	5430.8	2310.4	3233.8	29.5
2018	97903.0	11405.8	5785.9	2106.2	3513.7	30.8
2019	101080.6	11966.5	5817.1	2410.4	3739.0	31.2
一般公共预算支出 General Public Budgetary Expentditure						
2005	25154.3	2479.6	1058.3	442.1	979.2	39.5
2006	30431.3	3020.3	1296.8	543.1	1180.4	39.1
2007	38339.3	3830.5	1649.5	674.3	1506.7	39.3
2008	49248.5	4708.7	1959.3	867.7	1881.7	40.0
2009	61044.1	5791.2	2319.4	1124.3	2347.6	40.5
2010	73884.4	6914.4	2717.3	1376.8	2820.2	40.8
2011	92733.7	8578.9	3245.2	1796.3	3537.4	41.2
2012	107188.3	9908.0	3685.3	2143.2	4079.4	41.2
2013	119740.3	11132.5	4173.7	2549.2	4409.6	39.6
2014	129091.6	12086.7	4524.7	2884.7	4677.3	38.7
2015	175768.0	14602.2	5737.7	3232.4	5632.2	38.6
2016	160351.4	16155.7	6406.8	3699.4	6049.5	37.4
2017	173228.3	16746.3	6824.5	3282.5	6639.2	39.6
2018	188196.0	18300.8	7471.4	3103.2	7726.2	42.2
2019	203743.2	19272.9	7408.2	3555.7	8309.0	43.1

注：表内全国财政收入和支出为31个省市地方公共财政预算收入和支出的合计数。
a) Total of China is composed by the data of China's 31 provincial regions.

附录1-6　京津冀居民收入支出和居住水平

项　目	Item	2005	2006	2007	2008
城镇单位在岗职工平均工资(元)	**Average Wage of Staff and Workers on-post in Urban Units (yuan)**				
全　国	China	18364	21001	24932	29229
北京	Beijing	34191	40117	46507	54913
天津	Tianjin	25271	28682	34938	41748
河北	Hebei	14707	16590	19911	24756
城镇居民人均可支配收入(元)	**Per Capita Annual Disposable Income of Urban Households (yuan)**				
全　国	China	10493	11760	13786	15781
北京	Beijing	17653	19978	21989	24725
天津	Tianjin	12639	14283	16357	19423
河北	Hebei	9107	10305	11690	13441
农村居民人均可支配收入(元)	**Per Capita Net Income of Rural Households (yuan)**				
全　国	China	3255	3587	4140	4761
北京	Beijing	7860	8620	9559	10747
天津	Tianjin	7202	7942	8752	9670
河北	Hebei	3482	3802	4293	4795
城镇居民人均消费支出(元)	**Per Capita Annual Living Expenditure of Urban Households (yuan)**				
全　国	China	7943	8697	9997	11243
北京	Beijing	13244	14825	15330	16460
天津	Tianjin	9653	10548	12029	13422
河北	Hebei	6700	7344	8235	9087
农村居民人均消费支出(元)	**Per Capita Consumption Expenditure of Rural Households (yuan)**				
全　国	China	2555	2829	3224	3661
北京	Beijing	5515	6061	6828	7656
天津	Tianjin	3590	3829	4118	4593
河北	Hebei	2166	2495	2787	3126

注：2013年、2014年天津城镇居民收支数据为城镇常住居民口径。

Income and Consumption Expenditure, Living Level of Households in Jing-Jin-Ji Region

2009	2010	2011	2012	2013	2014	2015	2016	2017	2018	2019
32736	37147	42452	47593	52379	57346	63241	68993	76121	84744	93383
58140	65683	75834	85307	93997	103400	113073	122749	134994	149843	173205
44992	52963	55636	62225	72535	73839	81486	87806	96965	103931	111602
28383	32306	36166	38658	42532	46239	52409	56987	65266	71633	75775
17175	19109	21810	24565	26467	28844	31195	33616	36396	39251	42359
26738	29073	32903	36469	40321	43910	52859	57275	62406	67990	73849
21402	24293	26921	29626	28980	31506	34101	37110	40278	42976	46119
14718	16263	18292	20543	22580	24141	26152	28249	30548	32977	35738
5153	5919	6977	7917	9430	10489	11422	12363	13432	14617	16021
11986	13262	14736	16476	18337	20226	20569	22310	24240	26490	28928
10675	11801	11891	13571	15405	17014	18482	20076	21754	23065	24804
5150	5958	7120	8081	9102	10186	11051	11919	12881	14031	15373
12265	13471	15161	16674	18488	19968	21392	23079	24445	26112	28063
17893	19934	21984	24046	26275	28009	36642	38256	40346	42926	46358
14801	16562	18424	20024	22306	24290	26230	28345	30284	32655	34811
9679	10318	11609	12531	13641	16204	17587	19106	20600	22127	23483
3993	4382	5221	5908	7485	8383	9223	10130	10955	12124	13328
9141	10109	11078	11879	13553	14529	15811	17329	18810	20195	21881
4926	5606	6725	8337	10155	13739	14739	15912	16386	16863	17843
3350	3845	4711	5364	6134	8248	9023	9798	10536	11383	12372

a) Income, Expenditure and Living Condition of impermanent resident are excluded from data of Tianjin for 2013 and 2014.

附录1-7 京津冀客运量情况
Passenger Traffic of Jing-Jin-Ji Region

指标 Indicator	全国 China	京津冀合计 Total of Jing-Jin-Ji Region	北京 Beijing	天津 Tianjin	河北 Hebei	河北占京津冀比重(%) Hebei's Share in Jing-Jin-Ji Region (%)
客运量(万人) Passenger Traffic (10000 persons)						
2005	1847018	146438	60841	4679	80918	55.3
2010	3269508	256383	140663	24873	90847	35.4
2011	3526319	270792	145773	25331	99688	36.8
2012	3804035	282835	149037	28462	105336	37.2
2013	2122992	203548	71056	29518	102974	50.6
2014	2032218	152377	71715	19599	61063	40.1
2015	1943271	143330	69924	19775	53631	37.4
2016	1900194	140398	69292	19930	51176	36.5
2017	1848620	137371	67490	19193	50688	36.9
2018	1793820	134926	67571	19250	48105	35.7
2019	1760436	137281	72149	19608	45524	33.2
公路客运量(万人) Passenger Traffic by Highways (10000 persons)						
2005	1697381	130288	51925	2961	75402	57.9
2010	3052738	231241	126130	21822	83289	36.0
2011	3286220	243828	129918	22053	91857	37.7
2012	3557010	254034	132333	24483	97218	38.3
2013	1853463	171372	52481	24980	93911	54.8
2014	1736270	118035	52354	14530	51151	43.3
2015	1619097	107712	49931	14218	43563	40.4
2016	1562510	101706	48040	13741	39925	39.3
2017	1456784	96042	45012	12538	38492	40.1
2018	1367170	91567	44175	12259	35133	38.4
2019	1301173	92076	48151	12206	31719	34.4

注：1.2013年起，公路客运量统计范围调整为省际客运、旅游客运和郊区客运，市郊公交不再纳入客运量统计。北京2006—2007年公路客运量为持有道路运输经营许可证的客运车辆发生的旅客运输量。2.从2014年1季度起，公路客货运量按照交通运输部新方案进行统计，所以2014年数据与2013年不可比。北京按照2013年口径对2014年数据进行了调整。

a) Since 2013, statistics of passenger traffic by highways covers of interprovincial transportation,tourist transportation and suburban transportation, except urban-suburb transportation. Beijing passenger traffic by highways for 2006-2007 means transportation by vehicles with highway-passenger -transportation licence. b) Except Beijing, data of passenger traffic by highways for 2014 are not comparable with years before, for the change of survey coverage.

附录1-8　京津冀货运量情况
Freight Traffic of Jing-Jin-Ji Region

指　标 Indicator	全　国 China	京津冀合计 Total of Jing-Jin-Ji Region	北　京 Beijing	天　津 Tianjin	河　北 Hebei	河北占京津冀比重(%) Hebei's Share in Jing-Jin-Ji Region (%)
货运量(万吨) Freight Traffic (10000 tons)						
2005	1862066	164102	32509	40263	91330	55.7
2010	3241807	242632	23712	41611	177308	73.1
2011	3696961	283830	26849	44651	212330	74.8
2012	4100436	319234	28650	47698	242886	76.1
2013	4098900	357737	28294	51603	277840	77.7
2014	4167296	291768	29518	50948	211302	72.4
2015	4175886	275607	23236	53179	199192	72.3
2016	4386763	286672	24099	51580	210994	73.6
2017	4804850	306082	23879	52992	229211	74.9
2018	5152732	328442	25244	53548	249650	76.0
2019	4713624	335192	20065	56941	258186	77.0
公路货运量(万吨) Freight Traffic by Highways (10000 tons)						
2005	1341778	118552	30050	19850	68652	57.9
2010	2448052	176977	20184	20855	135938	76.8
2011	2820100	213382	23276	23426	166680	78.1
2012	3188475	248683	24925	28228	195530	78.6
2013	3076648	280955	24651	31985	224319	79.8
2014	3113334	241832	25416	31130	185286	76.6
2015	3150019	228405	19044	33724	175637	76.9
2016	3341259	242635	19972	32841	189822	78.2
2017	3686858	261403	19374	34720	207309	79.3
2018	3956871	281323	20278	34711	226334	80.5
2019	3435480	282960	19441	36710	226809	80.2

附录1－9 京津冀国内贸易主要指标
Major Indicators of Domestic in Jing-Jin-Ji Region

单位：亿元 (100 million yuan)

指 标 Indicator	全 国 China	京津冀合计 Total of Jing-Jin-Ji Region	北 京 Beijing	天 津 Tianjin	河 北 Hebei	河北占京津冀比重(%) Hebei's Share in Jing-Jin-Ji Region (%)
社会消费品零售总额 Total Retail Sales of Consumer Goods						
2005	68352.6	7071.3	2911.7	1190.1	2969.5	42.0
2006	79145.2	8087.8	3295.3	1356.8	3435.7	42.5
2007	93571.6	9492.7	3835.2	1603.7	4053.8	42.7
2008	114830.1	11715.3	4645.5	2078.7	4991.1	42.6
2009	132678.4	13505.6	5309.9	2430.8	5764.9	42.7
2010	156998.4	15953.6	6229.3	2902.6	6821.8	42.8
2011	183918.6	18330.9	6900.3	3395.1	8035.5	43.8
2012	210307.0	20878.2	7702.8	3921.4	9254.0	44.3
2013	242842.8	23859.2	8872.1	4470.4	10516.7	44.1
2014	271896.1	26197.2	9638.0	4738.7	11820.5	45.1
2015	300930.8	28586.0	10338.0	5257.3	12990.7	45.4
2016	332316.0	31005.6	11005.1	5635.8	14364.7	46.3
2017	366261.6	33212.7	11575.4	5729.7	15907.6	47.9
2018	377783.1	30627.4	14422.3	4231.2	11973.9	39.1
2019	408017.2	32267.4	15063.7	4218.2	12985.5	40.2
限额以上批发零售业商品销售总额 Total Sales Value above Designated Size in Wholesale and Retail Sale Trade						
2005	93151.3	18961.0	13044.9	4316.0	1600.1	8.4
2006	110054.8	22807.2	15902.6	5109.0	1795.6	7.9
2007	132740.8	27656.2	19475.8	6061.7	2118.7	7.7
2008	208229.8	42378.5	28185.3	10216.7	3976.5	9.4
2009	201166.2	43008.8	29620.1	9718.2	3670.5	8.5
2010	276635.7	58707.6	39601.7	13642.5	5463.4	9.3
2011	360525.9	73550.1	46924.3	18618.7	8007.1	10.9
2012	410532.7	86123.1	53692.6	23284.4	9146.1	10.6
2013	496603.8	97906.9	57904.5	28747.9	11254.5	11.5
2014	541319.8	104246.4	60065.5	32601.8	11579.1	11.1
2015	515567.5	95830.4	51811.3	33156.3	10862.8	11.3
2016	558877.6	100174.2	54866.6	34420.9	10886.8	10.9
2017	630181.3	101629.8	61113.3	30203.3	10313.2	10.1
2018	691162.1	102368.9	64205.7	28185.1	9978.0	9.7
2019		105883.1	67894.5	27351.4	10637.2	10.0

注：根据第四次全国经济普查结果对2018、2019年社会消费品零售总额进行了修订。

a) Figures of total retail sales of consumer goods of 2018 and 2019 are revised according to the result of the fourth national economic census.

各省（区、市）主要指标

Main Indicators of all Provinces (Autonomous Regions, Cities)

简 要 说 明

一、本篇资料为全国各省（区、市）社会经济主要指标。

二、各省市社会经济主要指标来源于国家统计局编辑、中国统计出版社出版的《中国统计年鉴—2020》。

Brief Introduction

I. The data in this chapter include major indicators of the whole country by region.

II. Data in Appendices A1 come from China Statistical Yearbook and China Statistical Abstract compiled by National Bureau of Statistics and published by China Statistics Press.

附录2-1 各省（区、市）人口及地区生产总值(2019年)
Population and Gross Domestic Product (2019)

地 区	Region	年末常住人口(万人) Year-end Permanent Population (10000 persons)	年末城镇人口比重(%) Proportion of Urban Population (%)	地区生产总值(亿元) Gross Domestic Product (100 million yuan)	第一产业 Primary Industry	第二产业 Secondary Industry	第三产业 Tertiary Industry	地区生产总值比上年增长(%) Increase by (%)	人均地区生产总值(元) Per Capita GDP (yuan)	人均地区生产总值比上年增长(%) Increase by(%)
全 国	**National Total**	**140005**	**60.60**	**990865.1**	**70466.7**	**386165.3**	**534233.1**	**6.1**	**70892**	**5.7**
北 京	Beijing	2154	86.60	35371.3	113.7	5715.1	29542.5	6.1	164220	6.5
天 津	Tianjing	1562	83.48	14104.3	185.2	4969.2	8949.9	4.8	90371	4.6
河 北	**Hebei**	**7592**	**57.62**	**35104.5**	**3518.4**	**13597.3**	**17988.8**	**6.8**	**46348**	**6.2**
山 西	Shanxi	3729	59.55	17026.7	824.7	7453.1	8748.9	6.2	45724	5.8
内蒙古	Nei Monggol	2540	63.37	17212.5	1863.2	6818.9	8530.5	5.2	67852	5.0
辽 宁	Liaoning	4352	68.11	24909.5	2177.8	9531.2	13200.4	5.5	57191	5.7
吉 林	Jilin	2691	58.27	11726.8	1287.3	4134.8	6304.7	3.0	43475	3.5
黑龙江	Heilongjiang	3751	60.90	13612.7	3182.5	3615.2	6815.0	4.2	36183	4.7
上 海	ShangHai	2428	88.30	38155.3	103.9	10299.2	27752.3	6.0	157279	5.7
江 苏	Jiangsu	8070	70.61	99631.5	4296.3	44270.5	51064.7	6.1	123607	5.8
浙 江	Zhejiang	5850	70.00	62351.7	2097.4	26566.6	33687.8	6.8	107624	5.0
安 徽	Anhui	6366	55.81	37114.0	2915.7	15337.9	18860.4	7.5	58496	6.5
福 建	Fujian	3973	66.50	42395.0	2596.2	20581.7	19217.0	7.6	107139	6.7
江 西	Jiangxi	4666	57.42	24757.5	2057.6	10939.8	11760.1	8.0	53164	7.4
山 东	Shandong	10070	61.51	71067.5	5116.4	28310.9	37640.2	5.5	70653	5.2
河 南	Henan	9640	53.21	54259.2	4635.4	23605.8	26018.0	7.0	56388	6.5
湖 北	Hubei	5927	61.00	45828.3	3809.1	19098.6	22920.6	7.5	77387	7.2
湖 南	Hunan	6918	57.22	39752.1	3647.0	14947.0	21158.2	7.6	57540	7.1
广 东	Guangdong	11521	71.40	107671.1	4351.3	43546.4	59773.4	6.2	94172	4.5
广 西	Guangxi	4960	51.09	21237.1	3387.7	7077.4	10772.0	6.0	42964	5.1
海 南	Hainan	945	59.23	5308.9	1080.4	1099.0	3129.5	5.8	56507	4.7
重 庆	Chongqing	3124	66.80	23605.8	1551.4	9496.8	12557.5	6.3	75828	5.4
四 川	Sichuan	8375	53.79	46615.8	4807.2	17365.3	24443.3	7.5	55774	7.0
贵 州	Guizhou	3623	49.02	16769.3	2280.6	6058.5	8430.3	8.3	46433	7.6
云 南	Yunnan	4858	48.91	23223.8	3037.6	7961.6	12224.6	8.1	47944	7.4
西 藏	Tibet	351	31.54	1697.8	138.2	635.6	924.0	8.1	48902	6.0
陕 西	Shaanxi	3876	59.43	25793.2	1990.9	11980.8	11821.5	6.0	66649	5.4
甘 肃	Gansu	2647	48.49	8718.3	1050.5	2862.4	4805.4	6.2	32995	5.7
青 海	Qinghai	608	55.52	2966.0	301.9	1159.8	1504.3	6.3	48981	5.4
宁 夏	Ningxia	695	59.86	3748.5	279.9	1584.7	1883.8	6.5	54217	5.5
新 疆	Xinjiang	2523	51.87	13597.1	1781.8	4795.5	7019.9	6.2	54280	4.5

注：地区生产总值为初步核算数。

a) GDP is the preliminary calculated number.

附录2-2 各省（区、市）一般公共预算收支(2019年)
General Public Budget Revenue and Expenditure (2019)

单位：亿元 (100 million yuan)

地区 Region	地方一般公共预算收入 General Public Budget Revenue	税收收入 Tax Revenue	非税收入 Non-Tax Revenue	地方一般公共预算支出 General Public Budget Expenditure	#教育支出 Expenditure for Education	#社会保障和就业支出 Expenditure for Social Security and Employment	#卫生健康支出 Expenditure for Health Care	农林水支出 Expenditure for Agriculture, Forestry and Water Conservancy
地方合计 Total of All Regions	**101080.61**	**76980.13**	**24100.48**	**203743.22**	**32961.06**	**28147.55**	**16417.62**	**22330.46**
北京 Beijing	5817.10	4822.98	994.12	7408.19	1137.18	972.98	534.41	584.62
天津 Tianjin	2410.41	1634.35	776.06	3555.71	467.63	550.98	197.86	161.51
河北 Hebei	**3738.99**	**2630.73**	**1108.26**	**8309.04**	**1537.09**	**1227.95**	**695.07**	**978.27**
山西 Shanxi	2347.75	1783.66	564.09	4710.76	696.28	711.34	366.68	626.04
内蒙古 Inner Mongolia	2059.69	1539.69	520.01	5100.91	609.97	726.52	322.18	874.73
辽宁 Liaoning	2652.40	1929.52	722.89	5745.09	702.38	1441.30	364.54	502.57
吉林 Jilin	1116.95	797.98	318.97	3933.42	500.53	687.78	281.69	564.35
黑龙江 Heilongjiang	1262.76	924.40	338.35	5011.56	555.13	1113.27	314.42	881.99
上海 Shanghai	7165.10	6216.29	948.81	8179.28	995.70	999.77	493.44	523.10
江苏 Jiangsu	8802.36	7339.59	1462.77	12573.55	2213.84	1416.00	906.01	1032.37
浙江 Zhejiang	7048.58	5898.75	1149.83	10053.03	1764.69	1073.94	735.61	744.24
安徽 Anhui	3182.71	2209.73	972.98	7392.22	1222.21	1084.06	687.36	736.27
福建 Fujian	3052.93	2208.98	843.95	5077.93	968.54	507.89	467.76	442.06
江西 Jiangxi	2487.39	1747.63	739.76	6386.80	1148.50	817.76	630.99	619.80
山东 Shandong	6526.71	4849.29	1677.42	10739.76	2156.14	1444.63	912.07	1075.98
河南 Henan	4041.89	2841.34	1200.54	10163.93	1810.71	1457.14	986.78	1059.70
湖北 Hubei	3388.57	2530.82	857.75	7970.21	1147.10	1267.01	601.82	828.21
湖南 Hunan	3007.15	2061.96	945.19	8034.42	1270.02	1160.33	661.58	978.68
广东 Guangdong	12654.53	10063.95	2590.58	17297.85	3210.51	1703.48	1579.60	957.68
广西 Guangxi	1811.89	1146.78	665.11	5850.96	1014.52	816.76	565.29	747.21
海南 Hainan	814.14	653.25	160.90	1858.60	273.50	221.91	169.80	251.40
重庆 Chongqing	2134.93	1541.22	593.71	4847.68	728.26	880.03	383.26	389.53
四川 Sichuan	4070.83	2888.74	1182.08	10348.17	1578.88	1762.30	943.27	1288.42
贵州 Guizhou	1767.47	1204.02	563.45	5948.74	1067.62	589.03	534.78	998.90
云南 Yunnan	2073.56	1450.63	622.93	6770.09	1069.85	915.00	608.50	1117.20
西藏 Tibet	221.99	157.52	64.47	2187.75	263.26	155.78	123.05	445.01
陕西 Shaanxi	2287.90	1846.11	441.79	5718.52	951.23	853.54	466.29	684.18
甘肃 Gansu	850.49	577.92	272.56	3951.60	636.05	529.14	326.41	716.76
青海 Qinghai	282.25	198.70	83.55	1863.67	221.37	267.71	148.23	324.09
宁夏 Ningxia	423.58	267.50	156.08	1438.29	179.33	185.54	106.49	218.16
新疆 Xinjiang	1577.63	1016.09	561.53	5315.49	863.07	606.72	302.36	977.41

附录2-3 各省（区、市）居民消费价格指数(2019年)
Consumer Price Indices (2019)

上年=100 (preceding year=100)

地 区	Region	居民消费价格指数 Consumer Price Index	食品烟酒 Foods, Tobacco and Liquor	衣 着 Clothing	居 住 Residence	生活用品及服务 Daily Necessities and Services	交 通和通信 Transportation and Communication	教育文化和娱乐 Education, Culture and Recreation	医疗保健 Health Care	其他用品和服务 Other Articles and Services
全 国	**National Total**	**102.9**	**107.0**	**101.6**	**101.4**	**100.9**	**98.3**	**102.2**	**102.4**	**103.4**
北 京	Beijing	102.3	105.2	101.9	101.3	99.7	97.2	101.0	108.4	103.2
天 津	Tianjing	102.7	104.6	102.1	102.4	100.9	99.3	104.2	100.9	105.0
河 北	**Hebei**	**103.0**	**105.9**	**101.2**	**101.6**	**101.2**	**97.9**	**103.4**	**104.4**	**104.6**
山 西	Shanxi	102.7	106.3	101.1	101.7	100.4	98.7	102.9	101.8	102.5
内蒙古	Nei Monggol	102.4	105.4	101.8	101.8	100.8	98.8	101.2	101.7	102.5
辽 宁	Liaoning	102.4	106.1	101.8	100.7	100.7	98.2	101.7	101.6	102.8
吉 林	Jilin	103.0	107.5	102.1	102.3	101.5	96.6	102.1	101.7	103.6
黑龙江	Heilongjiang	102.8	107.4	100.9	99.6	100.3	99.3	103.5	102.0	102.9
上 海	ShangHai	102.5	105.0	103.2	101.9	100.9	97.8	101.2	103.3	103.3
江 苏	Jiangsu	103.1	107.1	102.8	101.9	102.3	98.9	102.6	101.0	104.2
浙 江	Zhejiang	102.9	106.2	101.8	100.6	101.8	99.0	103.7	104.8	103.2
安 徽	Anhui	102.7	107.1	102.1	100.8	101.3	97.5	102.2	101.5	103.0
福 建	Fujian	102.6	107.3	102.7	100.5	100.6	97.8	101.4	101.4	103.1
江 西	Jiangxi	102.9	107.8	100.9	101.0	100.3	97.8	102.4	101.0	102.9
山 东	Shandong	103.2	107.9	101.2	102.2	100.9	97.8	102.5	102.0	104.1
河 南	Henan	103.0	107.4	100.7	100.8	100.6	99.0	102.7	101.9	105.2
湖 北	Hubei	103.1	107.0	101.6	101.9	100.4	99.3	102.5	101.8	102.6
湖 南	Hunan	102.9	107.3	101.1	101.5	100.5	98.6	102.0	101.4	102.5
广 东	Guangdong	103.4	108.1	102.1	100.8	100.6	98.3	102.2	103.9	103.5
广 西	Guangxi	103.7	109.5	101.7	101.7	101.1	98.1	102.1	101.8	103.0
海 南	Hainan	103.4	108.1	102.1	101.1	101.0	99.1	101.4	101.5	104.1
重 庆	Chongqing	102.7	106.8	100.2	102.0	100.6	98.6	101.9	100.7	102.8
四 川	Sichuan	103.2	108.9	101.2	101.5	100.2	97.1	100.8	102.8	103.2
贵 州	Guizhou	102.4	106.4	100.2	101.1	100.1	98.5	100.6	102.9	101.9
云 南	Yunnan	102.5	106.6	99.9	101.5	100.6	98.2	101.9	102.0	102.3
西 藏	Tibet	102.3	103.3	104.0	101.9	103.7	98.7	100.2	103.0	102.7
陕 西	Shaanxi	102.9	105.6	102.1	102.4	101.3	98.8	102.8	101.4	104.0
甘 肃	Gansu	102.3	105.4	100.7	101.7	100.8	99.0	100.7	102.0	102.8
青 海	Qinghai	102.5	105.3	100.4	100.7	100.5	98.8	103.7	102.1	103.5
宁 夏	Ningxia	102.1	104.8	100.4	101.1	100.0	98.1	100.3	104.0	103.9
新 疆	Xinjiang	101.9	104.9	99.9	101.7	101.3	98.2	100.8	101.1	103.2

附录2-4 各省（区、市）居民人均收入与支出(2019年)
Per Capita Income and Expenditure (2019)

单位：元 (yuan)

地 区	Region	全体居民 All residents		城镇常住居民 Urban resident		农村常住居民 Rural resident	
		人均可支配收入 Per Capita Disposable Income	人均消费支出 Per Capita Consumption Expenditure	人均可支配收入 Per Capita Disposable Income	人均消费支出 Per Capita Consumption Expenditure	人均可支配收入 Per Capita Disposable Income	人均消费支出 Per Capita Consumption Expenditure
全 国	**National Total**	**30732.8**	**21558.9**	**42358.8**	**28063.4**	**16020.7**	**13327.7**
北 京	Beijing	67755.9	43038.3	73848.5	46358.2	28928.4	21881.0
天 津	Tianjing	42404.1	31853.6	46118.9	34810.7	24804.1	17843.3
河 北	**Hebei**	**25664.7**	**17987.2**	**35737.7**	**23483.1**	**15373.1**	**12372.0**
山 西	Shanxi	23828.5	15862.6	33262.4	21159.0	12902.4	9728.4
内蒙古	Nei Monggol	30555.0	20743.4	40782.5	25382.5	15282.8	13816.0
辽 宁	Liaoning	31819.7	22202.8	39777.2	27355.0	16108.3	12030.2
吉 林	Jilin	24562.9	18075.4	32299.2	23394.3	14936.0	11456.6
黑龙江	Heilongjiang	24253.6	18111.5	30944.6	22164.9	14982.1	12494.9
上 海	ShangHai	69441.6	45605.1	73615.3	48271.6	33195.2	22448.9
江 苏	Jiangsu	41399.7	26697.3	51056.1	31329.1	22675.4	17715.9
浙 江	Zhejiang	49898.8	32025.8	60182.3	37507.9	29875.8	21351.7
安 徽	Anhui	26415.1	19137.4	37540.0	23781.5	15416.0	14545.8
福 建	Fujian	35616.1	25314.3	45620.5	30945.5	19568.4	16281.4
江 西	Jiangxi	26262.4	17650.5	36545.9	22714.3	15796.3	12496.7
山 东	Shandong	31597.0	20427.5	42329.2	26731.5	17775.5	12308.9
河 南	Henan	23902.7	16331.8	34201.0	21971.6	15163.7	11546.0
湖 北	Hubei	28319.5	21567.0	37601.4	26421.8	16390.9	15328.0
湖 南	Hunan	27679.7	20478.9	39841.9	26924.0	15394.8	13968.8
广 东	Guangdong	39014.3	28994.7	48117.6	34424.1	18818.4	16949.4
广 西	Guangxi	23328.2	16418.3	34744.9	21590.9	13675.7	12045.0
海 南	Hainan	26679.5	19554.9	36016.7	25316.7	15113.1	12417.5
重 庆	Chongqing	28920.4	20773.9	37938.6	25785.5	15133.3	13112.1
四 川	Sichuan	24703.1	19338.3	36153.7	25367.4	14670.1	14055.6
贵 州	Guizhou	20397.4	14780.0	34404.2	21402.4	10756.3	10221.7
云 南	Yunnan	22082.4	15779.8	36237.7	23454.9	11902.4	10260.2
西 藏	Tibet	19501.3	13029.2	37410.0	25636.7	12951.0	8417.9
陕 西	Shaanxi	24666.3	17464.9	36098.2	23514.3	12325.7	10934.7
甘 肃	Gansu	19139.0	15879.1	32323.4	24453.9	9628.9	9694.0
青 海	Qinghai	22617.7	17544.8	33830.3	23799.2	11499.4	11343.1
宁 夏	Ningxia	24411.9	18296.8	34328.5	24161.0	12858.4	11464.6
新 疆	Xinjiang	23103.4	17396.6	34663.7	25594.2	13121.7	10318.4

附录2-5 各省（区、市）固定资产投资完成情况(2019年)

Investment in Fixed Assets (2019年)

地 区	Region	固定资产投资增速（不含农户）(%) Investment in Fixed Assets (excluding farmers) (%)	房地产开发投资额（亿元）Real Estate Development (100 million yuan)	商品房销售额（亿元）Total Sales of Commercial Housing (100 million yuan)	#住宅 Residential Builidings	房屋竣工面积（万平方米）Completion of Commercial Housing Area (10000 sq.m)	商品房销售面积（万平方米）Floor Sapce of Commercial Buildings Sold (10000 sq.m)
全 国	**National Total**	**5.4**	**132194.3**	**159725.1**	**139440.0**	**95942**	**171558**
北 京	Beijing	-2.5	3838.4	3371.0	3032.4	1343	939
天 津	Tianjing	13.1	2727.8	2274.1	2132.5	1656	1479
河 北	**Hebei**	**6.5**	**4347.1**	**4138.6**	**3714.6**	**2680**	**5283**
山 西	Shanxi	9.3	1656.5	1631.8	1452.4	2739	2366
内蒙古	Nei Monggol	6.7	1041.9	1243.9	1104.1	951	2008
辽 宁	Liaoning	0.3	2834.0	3049.1	2814.9	1818	3696
吉 林	Jilin	-16.2	1315.5	1581.5	1373.5	1222	2122
黑龙江	Heilongjiang	6.3	958.0	1268.2	1070.0	1204	1684
上 海	ShangHai	5.1	4231.4	5203.8	4457.2	2670	1696
江 苏	Jiangsu	5.1	12009.3	16259.6	14894.8	9369	13973
浙 江	Zhejiang	10.0	10683.0	14352.1	12723.1	5739	9378
安 徽	Anhui	9.2	6670.5	6823.5	6126.7	5674	9229
福 建	Fujian	5.9	5673.1	6938.8	5685.3	2882	6456
江 西	Jiangxi	9.2	2239.1	4710.4	4038.0	2231	6459
山 东	Shandong	-8.2	8614.9	10271.2	9287.1	10179	12727
河 南	Henan	8.0	7464.6	9010.0	8016.9	6571	14278
湖 北	Hubei	10.7	5111.7	7751.8	6903.7	2559	8602
湖 南	Hunan	10.1	4445.5	5578.0	4721.4	3975	9104
广 东	Guangdong	11.1	15852.2	19748.2	16758.0	9956	13847
广 西	Guangxi	9.6	3814.4	4366.2	3913.4	2038	6712
海 南	Hainan	-9.2	1336.2	1275.8	1090.6	1302	829
重 庆	Chongqing	5.6	4439.3	5129.4	4457.8	5069	6105
四 川	Sichuan	8.6	6573.2	9666.7	7869.0	4580	12979
贵 州	Guizhou	0.9	2990.8	3183.6	2527.4	955	5323
云 南	Yunnan	8.5	4151.4	3846.2	3255.8	1844	4835
西 藏	Tibet	-2.2	129.6	96.8	81.2	19	128
陕 西	Shanxi	2.5	3903.6	3960.2	3359.2	1782	4401
甘 肃	Gansu	6.6	1257.8	1019.3	907.1	674	1705
青 海	Qinghai	5.0	406.3	367.3	295.6	133	481
宁 夏	Ningxia	-10.3	403.1	573.9	498.5	1011	1010
新 疆	Xinjiang	2.5	1074.0	1034.3	877.9	1117	1724

附录2-6 各省（区、市）农林牧渔业总产值和增速(2019年)
Gross Output Value of Farming,Forestry,Animal Husbandry and Fishery and Growth Rate (2019)

地区	Region	农林牧渔业总产值(亿元) Gross Output Value of Farming, Forestry, Animal Husbandry and Fishery (100 million yuan)	#农业 Farming	#林业 Forestry	#畜牧业 Animal Husbandry	#渔业 Fishery	农林牧渔业总产值比上年增长(%) Growth Rate in Gross Output Value of Farming, Forestry, Animal Husbandry and Fishery (%)
全国	**National Total**	**123967.9**	**66066.5**	**5775.7**	**33064.3**	**12572.4**	**2.8**
北京	Beijing	281.7	102.3	115.6	49.3	5.3	-6.3
天津	Tianjin	414.4	202.9	24.9	100.4	71.4	0.6
河北	**Hebei**	**6061.5**	**3114.9**	**231.4**	**2035.4**	**212.5**	**1.9**
山西	Shanxi	1626.5	936.8	101.3	478.6	6.9	2.0
内蒙古	Inner Mongolia	3176.3	1606.3	100.9	1390.5	27.8	2.1
辽宁	Liaoning	4368.2	1912.0	117.4	1479.5	669.6	3.0
吉林	Jilin	2442.7	1014.1	68.1	1239.6	40.1	2.3
黑龙江	Heilongjiang	5930.0	3774.5	193.9	1671.8	123.1	2.5
上海	Shanghai	284.8	145.8	18.3	48.2	55.0	-7.3
江苏	Jiangsu	7503.2	3828.6	162.0	1213.0	1741.0	0.7
浙江	Zhejiang	3355.2	1595.0	185.5	395.2	1080.9	1.8
安徽	Anhui	5162.1	2365.4	351.3	1628.9	521.3	2.3
福建	Fujian	4636.6	1774.8	417.3	914.4	1361.7	3.6
江西	Jiangxi	3481.3	1624.3	342.8	888.9	476.5	3.0
山东	Shandong	9671.7	4914.4	197.7	2412.1	1397.4	0.8
河南	Henan	8541.8	5408.6	140.8	2316.5	118.2	3.0
湖北	Hubei	6681.9	3257.9	258.5	1521.5	1152.7	3.5
湖南	Hunan	6405.1	3052.1	430.7	2003.1	441.8	3.2
广东	Guangdong	7175.9	3530.2	408.5	1404.1	1524.8	3.5
广西	Guangxi	5498.8	3102.3	410.5	1189.7	538.9	4.8
海南	Hainan	1689.4	819.6	106.4	300.8	390.9	2.6
重庆	Chongqing	2337.8	1397.5	113.1	679.5	105.3	2.8
四川	Sichuan	7889.3	4395.0	372.2	2647.9	263.5	2.6
贵州	Guizhou	3889.0	2535.7	275.4	829.6	57.7	5.9
云南	Yunnan	4935.7	2680.2	395.5	1600.7	105.4	5.6
西藏	Tibet	212.8	94.9	3.5	108.4	0.4	7.7
陕西	Shaanxi	3536.8	2445.8	106.1	757.2	31.4	4.3
甘肃	Gansu	1887.6	1306.4	38.1	395.6	2.0	5.8
青海	Qinghai	454.4	181.3	11.3	250.8	3.9	4.6
宁夏	Ningxia	584.8	330.8	11.2	197.8	17.4	3.1
新疆	Xinjiang	3850.6	2616.3	65.6	915.3	27.5	3.5

注：本表绝对数按当年价格计算，增速按可比价格计算。

a) The figures in this table are calculated at current prices, the growth rate is calculated at comparable prices.

附录2-7 各省（区、市）主要农产品产量(2019年)
Output of Major Agricultural Products (2019)

单位：万吨 (10000 tons)

地 区	Region	粮 食 Grain	棉 花 Cotton	油 料 Oil-Crops	水 果 Fruits	蔬 菜 Vegetable	肉 类 Output of Meat	奶 类 Milk	水产品 Total Aquatic Products
全 国	**National Total**	**66384.3**	**588.9**	**3493.0**	**27400.8**	**72102.6**	**7758.8**	**3297.6**	**6480.4**
北 京	Beijing	28.8	0.0	0.3	59.9	111.5	5.1	26.4	21.4
天 津	Tianjin	223.3	1.8	0.4	57.4	242.8	30.4	47.4	26.2
河 北	**Hebei**	**3739.2**	**22.7**	**119.5**	**1391.5**	**5093.1**	**433.4**	**433.8**	**99.0**
山 西	Shanxi	1361.8	0.3	13.7	862.7	827.8	91.0	92.3	4.6
内蒙古	Inner Mongolia	3652.5	0.0	228.7	280.4	1090.8	264.6	582.9	12.6
辽 宁	Liaoning	2430.0	0.0	97.7	820.7	1885.4	367.9	134.7	455.0
吉 林	Jilin	3877.9		81.8	153.9	445.4	243.2	40.0	23.7
黑龙江	Heilongjiang	7503.0		11.5	165.0	655.4	237.1	467.0	64.8
上 海	Shanghai	95.9	0.0	0.8	48.1	268.1	10.8	29.7	28.0
江 苏	Jiangsu	3706.2	1.6	94.3	983.6	5643.7	274.5	62.4	484.1
浙 江	Zhejiang	592.1	0.8	31.9	744.1	1903.1	94.3	15.5	576.7
安 徽	Anhui	4054.0	5.6	161.4	706.3	2213.6	402.8	33.8	231.5
福 建	Fujian	493.9	0.0	22.0	727.2	1570.7	255.2	15.0	814.6
江 西	Jiangxi	2157.5	6.6	120.8	693.3	1581.8	299.8	7.3	258.8
山 东	Shandong	5357.0	19.6	289.0	2840.2	8181.1	704.0	234.5	823.3
河 南	Henan	6695.4	2.7	645.5	2589.7	7368.7	560.4	208.5	99.1
湖 北	Hubei	2725.0	14.4	313.9	1010.2	4086.7	349.2	13.4	469.5
湖 南	Hunan	2974.8	8.2	239.2	1062.0	3969.4	459.4	6.3	254.4
广 东	Guangdong	1240.8		110.2	1768.6	3528.0	412.1	13.9	866.4
广 西	Guangxi	1332.0	0.1	71.6	2472.1	3636.4	380.0	8.7	342.1
海 南	Hainan	145.0		8.7	456.1	572.0	67.1	0.2	172.2
重 庆	Chongqing	1075.2		65.2	476.4	2008.8	163.8	4.2	54.2
四 川	Sichuan	3498.5	0.3	367.4	1136.7	4639.1	559.5	66.8	157.7
贵 州	Guizhou	1051.2	0.0	103.0	442.0	2734.8	205.9	5.3	24.4
云 南	Yunnan	1870.0	0.0	62.5	860.3	2304.1	405.9	66.7	63.7
西 藏	Tibet	103.9		5.7	2.4		28.4	48.2	0.0
陕 西	Shaanxi	1231.1	0.8	60.1	2012.8	1897.4	109.5	159.7	16.6
甘 肃	Gansu	1162.6	3.3	63.2	710.1	1388.8	101.7	44.7	1.4
青 海	Qinghai	105.5		28.9	3.7	151.9	37.4	35.5	1.9
宁 夏	Ningxia	373.2		7.7	258.6	565.9	33.5	183.4	15.8
新 疆	Xinjiang	1527.1	500.2	66.4	1604.8	1458.8	170.7	209.4	16.7

注：2003年起水果产量包括瓜果类产量。

a) Data of output of fruits include melons since 2003.

附录2-8 各省（区、市）规模以上工业企业主要指标(2019年)
Main Indicators of Industrial Enterprises above Designated Size (2019)

单位：亿元 (100 million yuan)

地区	Region	资产总计 Total Assets	应收账款 Accounts Receivable	产成品 Finished Goods	营业收入 Business Revenue	营业成本 Business Cost	利润总额 Total Profits
全国	**National Total**	**1205868.9**	**156298.4**	**44060.2**	**1067397.2**	**891095.0**	**65799.0**
北京	Beijing	52222.0	4601.6	1014.7	23419.1	19364.2	1710.3
天津	Tianjin	21644.5	2835.7	769.3	18968.9	16070.6	1247.7
河北	**Hebei**	**47267.7**	**5399.8**	**1606.5**	**41095.1**	**35216.7**	**2140.1**
山西	Shanxi	41560.3	3312.8	831.5	21334.7	17349.5	1164.7
内蒙古	Inner Mongolia	32747.3	2181.9	666.6	16806.4	13426.6	1463.1
辽宁	Liaoning	41229.2	4816.2	1412.7	31506.0	26806.8	1354.0
吉林	Jilin	16801.2	1467.3	678.9	13963.8	11452.9	744.0
黑龙江	Heilongjiang	16396.8	1476.8	451.4	10057.1	8259.3	417.2
上海	Shanghai	45509.6	7367.9	1686.8	39937.4	32232.5	2927.1
江苏	Jiangsu	120451.8	22808.0	5684.8	118485.2	100084.1	6855.0
浙江	Zhejiang	85415.2	14721.5	3833.9	76020.2	63351.8	5003.0
安徽	Anhui	38346.5	6133.1	1476.9	37358.9	31687.5	2254.3
福建	Fujian	39551.8	5053.9	1855.7	57552.5	48988.3	4326.5
江西	Jiangxi	26082.3	3220.7	1065.0	35009.8	30074.6	2262.8
山东	Shandong	95643.3	11016.2	4242.1	83162.3	72035.6	3652.7
河南	Henan	52698.0	5910.3	1550.0	50076.6	42377.6	3547.9
湖北	Hubei	42530.9	5004.3	1592.9	45461.1	37730.7	3049.6
湖南	Hunan	29616.4	3917.4	1073.1	37919.6	30340.1	2227.3
广东	Guangdong	137738.3	24606.2	6417.6	146726.4	121707.1	9140.5
广西	Guangxi	18021.0	2027.7	767.8	17441.1	14931.2	923.8
海南	Hainan	3293.5	287.3	75.5	2312.5	1792.9	170.5
重庆	Chongqing	21384.7	3223.6	756.7	21442.2	18158.8	1210.3
四川	Sichuan	49024.5	5247.0	1497.0	44125.2	36335.9	3036.9
贵州	Guizhou	16346.9	1242.4	320.6	9764.3	7229.3	976.3
云南	Yunnan	21439.5	1456.3	575.2	14680.4	11407.0	950.8
西藏	Tibet	1726.3	59.9	11.1	296.0	237.7	6.9
陕西	Shaanxi	38238.7	3107.7	1069.2	26020.6	20691.3	2360.4
甘肃	Gansu	12349.1	950.8	305.4	7596.5	6389.5	304.9
青海	Qinghai	6796.1	463.0	123.1	2394.8	1942.6	-528.8
宁夏	Ningxia	10581.4	757.9	184.1	4937.9	4117.0	218.3
新疆	Xinjiang	23214.4	1623.5	464.0	11524.6	9305.6	681.0

附录2-9 各省（区、市）主要工业产品产量(2019年)
Output of Major Industrial Products (2019)

地区	Region	发电量（亿千瓦小时）Generating Capacity (100 million kWh)	生铁（万吨）Pig Iron (10000 tons)	钢材（万吨）Steels (10000 tons)	水泥（万吨）Cement (10000 tons)	平板玻璃（万重量箱）Plate Glass (10000 weight cases)	农用化肥（万吨）Agricultural Chemical Fertilizer (10000 tons)	汽车（万辆）Motor Vehicles (10000 vehicles)
全国	**National Total**	**75034.28**	**80849.38**	**120456.94**	**234430.62**	**94461.22**	**5731.18**	**2567.67**
北京	Beijing	464.09		170.71	318.77	56.96		164.02
天津	Tianjing	732.98	2073.06	5454.95	687.74	3324.81	16.44	104.15
河北	**Hebei**	**3297.66**	**21774.37**	**28409.63**	**10527.39**	**16357.29**	**186.68**	**105.08**
山西	Shanxi	3361.67	5557.06	5594.25	5257.59	1846.90	400.58	6.58
内蒙古	Nei Monggol	5495.08	2215.97	2565.03	3380.07	992.60	515.42	2.90
辽宁	Liaoning	2072.94	6855.61	7254.43	4677.41	5055.52	38.16	79.16
吉林	Jilin	946.38	1257.07	1544.24	1815.06	1176.23	29.01	289.12
黑龙江	Heilongjiang	1111.91	800.72	781.99	1989.61	402.71	46.56	18.89
上海	ShangHai	822.13	1490.07	1819.69	441.53		1.00	274.90
江苏	Jiangsu	5166.43	7347.59	14211.41	15767.36	1830.87	200.54	83.82
浙江	Zhejiang	3537.65	835.48	3468.25	13399.26	4494.68	50.42	99.19
安徽	Anhui	2886.67	2530.01	3158.37	14113.02	4227.81	271.27	77.62
福建	Fujian	2577.96	1038.08	3737.66	9475.07	5113.00	90.27	16.16
江西	Jiangxi	1375.90	2217.98	2795.71	9691.28	470.87	29.75	53.56
山东	Shandong	5897.22	5770.10	9289.44	14596.30	7096.10	425.54	77.70
河南	Henan	2888.31	2573.76	3837.97	10459.06	1912.59	416.52	61.86
湖北	Hubei	2957.50	2765.16	3769.26	11396.85	10282.99	569.57	223.96
湖南	Hunan	1559.42	1973.87	2432.16	11195.62	3303.90	59.49	57.91
广东	Guangdong	5051.02	2086.15	4510.45	16949.59	10092.24	15.84	311.97
广西	Guangxi	1846.27	1466.12	3346.74	12072.88	1190.18	34.78	183.03
海南	Hainan	345.68			2019.04	514.69	65.55	0.04
重庆	Chongqing	811.55	611.03	1136.45	6757.65	1278.01	83.64	137.46
四川	Sichuan	3923.88	2131.34	3308.24	14184.62	6011.56	451.89	64.23
贵州	Guizhou	2206.55	351.21	707.74	11061.07	1753.37	372.41	5.69
云南	Yunnan	3465.63	1788.03	2323.31	12907.45	1750.66	296.95	11.37
西藏	Tibet	85.51			1080.95			
陕西	Shaanxi	2193.20	1237.11	2037.51	6642.74	2039.77	127.62	54.70
甘肃	Gansu	1630.50	659.13	936.66	4450.09	556.51	22.65	0.07
青海	Qinghai	886.14	151.85	180.56	1348.81	126.73	560.71	
宁夏	Ningxia	1765.97	120.85	306.21	1889.67	422.01	45.40	
新疆	Xinjiang	3670.49	1170.61	1367.93	3877.06	779.67	306.54	2.53

附录2-10 各省（区、市）建筑业主要指标(2019年)
Indicators of Construction Industry (2019)

地 区	Region	企业个数（个） Number of Enterprises (unit)	建筑业企业从业人员（人） Number of Employed Persons of Construciton Enterprises (person)	建筑业总产值（亿元） Gross Output Value of Construction Enterprises (100 million yuan)	房屋建筑施工面积（万平方米） Construction Area of housing Construction (10000 sq.m)	房屋建筑面积竣工面积（万平方米） Completion Area of Housing Construction (10000 sq.m)	按建筑业总产值计算的劳动生产率（元/人） Labor Productivity Calculated by Gross Output Value of Construction Industry (yuan/person)
全 国	**National Total**	**103805**	**54270769.0**	**248443.3**	**1441504.7**	**402335.5**	**399674**
北 京	Beijing	2694	548488.0	11999.4	80556.8	10932.1	576000
天 津	Tianjing	1799	808747.0	4096.5	15616.9	2371.7	421878
河 北	**Hebei**	**2502**	**893987.0**	**5848.0**	**34994.7**	**8939.3**	**602872**
山 西	Shanxi	2999	808650.0	4653.3	16990.3	3836.4	411623
内蒙古	Nei Monggol	1026	205213.0	1086.1	5785.4	1459.9	406307
辽 宁	Liaoning	5322	665639.0	3554.4	15312.8	4335.0	405116
吉 林	Jilin	2388	382156.0	1863.1	7987.5	2935.2	440074
黑龙江	Heilongjiang	1850	270596.0	1181.3	3430.1	1301.4	303720
上 海	ShangHai	2437	860980.0	7812.5	50918.9	9232.0	618681
江 苏	Jiangsu	9345	8009709.0	33099.2	255156.7	77823.4	363015
浙 江	Zhejiang	7256	6022662.0	20390.2	182718.5	43545.6	328747
安 徽	Anhui	4446	1983357.0	8503.3	48611.4	15706.7	428005
福 建	Fujian	5829	4567086.0	13164.4	76606.3	17810.5	269393
江 西	Jiangxi	3095	1658816.0	7944.8	33897.5	14870.0	390920
山 东	Shandong	7299	3121836.0	14269.3	83686.1	21925.7	413499
河 南	Henan	6740	2966899.0	12701.7	64256.1	20736.2	404283
湖 北	Hubei	4566	2442336.0	16979.7	92042.2	33907.9	675791
湖 南	Hunan	2986	2773982.0	10800.6	65247.3	21041.9	366599
广 东	Guangdong	6643	3291955.0	16633.4	84392.3	22174.0	476056
广 西	Guangxi	1630	1419393.0	5407.3	29487.8	8685.7	378628
海 南	Hainan	213	76161.0	366.0	2309.5	485.0	441509
重 庆	Chongqing	2939	2161806.0	8223.0	36557.8	13618.3	348288
四 川	Sichuan	5826	3513602.0	14668.2	61743.0	20341.0	352004
贵 州	Guizhou	1449	800038.0	3714.9	15929.5	4131.0	408857
云 南	Yunnan	3156	1415442.0	6122.1	19766.7	6805.4	337460
西 藏	Tibet	278	47520.0	220.3	348.2	242.7	328179
陕 西	Shaanxi	3067	1452119.0	7883.9	35276.7	6769.8	460839
甘 肃	Gansu	1654	508456.0	1916.4	10689.9	2686.7	353876
青 海	Qinghai	389	81035.0	460.7	904.6	396.3	439073
宁 夏	Ningxia	662	112480.0	601.4	2251.8	679.1	293896
新 疆	Xinjiang	1320	399623.0	2278.2	8031.4	2609.7	364620

附录2-11　各省（区、市）客运量和旅客周转量(2019年)
Passenger Traffic and Passenger-kilometers (2019)

地　区	Region	客运量（万人）Passenger Traffic (10000 persons)	#铁路 Railways	#公路 Highways	#水运 Waterways	旅客周转量（亿人公里）Passenger-kilometers (100 million person-km)	#铁路 Railways	#公路 Highways	#水运 Waterways
全　国	**National Total**	**1760435.7**	**366002.3**	**1301172.9**	**27267.1**	**35349.2**	**14706.6**	**8857.1**	**80.2**
北　京	Beijing	62976.6	14825.2	48151.4		263.7	158.9	104.8	
天　津	Tianjing	17678.9	5332.3	12205.9	140.7	287.4	208.5	78.7	0.2
河　北	**Hebei**	**44733.3**	**13013.4**	**31718.7**	**1.2**	**1311.1**	**1089.5**	**221.5**	**0.1**
山　西	Shanxi	22305.4	8153.0	14010.0	142.4	395.6	236.7	158.8	0.1
内蒙古	Nei Monggol	12157.9	5639.5	6518.4		313.2	211.6	101.6	
辽　宁	Liaoning	70266.0	15137.1	54599.0	530.0	945.2	656.9	282.4	6.0
吉　林	Jilin	31598.9	8623.5	22881.0	94.4	424.9	276.2	148.6	0.1
黑龙江	Heilongjiang	29751.1	11222.5	18212.0	316.6	429.0	289.4	139.3	0.4
上　海	ShangHai	16442.4	12833.8	3168.0	440.5	226.9	117.7	108.5	0.8
江　苏	Jiangsu	120298.1	23739.3	94475.0	2083.8	1565.8	863.9	698.2	3.7
浙　江	Zhejiang	101893.0	24308.9	72799.0	4785.1	1128.6	743.3	378.4	6.9
安　徽	Anhui	59274.8	13409.6	45643.2	222.1	1164.8	824.3	340.2	0.3
福　建	Fujian	45761.0	12741.1	31199.3	1820.6	588.9	396.2	190.0	2.7
江　西	Jiangxi	58068.8	11938.1	45933.0	197.7	984.2	739.7	244.2	0.3
山　东	Shandong	68920.3	17325.3	49581.0	2014.0	1338.0	831.0	492.6	14.4
河　南	Henan	109297.2	17709.3	91281.0	306.9	1798.7	1099.0	699.0	0.7
湖　北	Hubei	87432.1	17216.1	69584.4	631.6	1200.4	803.5	392.1	4.8
湖　南	Hunan	101428.4	15625.9	84162.0	1640.6	1443.0	1006.0	433.5	3.5
广　东	Guangdong	142326.0	38699.4	101012.1	2614.4	2125.7	1023.0	1093.0	9.7
广　西	Guangxi	47085.5	11776.9	34539.0	769.6	817.5	481.3	332.7	3.5
海　南	Hainan	14186.5	3084.8	9365.8	1735.9	130.4	52.6	73.7	4.1
重　庆	Chongqing	60153.2	8406.9	50990.0	756.3	487.9	239.2	243.0	5.7
四　川	Sichuan	91668.4	17351.6	72387.0	1929.8	872.7	433.2	437.7	1.8
贵　州	Guizhou	93756.1	7195.9	84255.0	2305.2	832.9	354.0	471.5	7.5
云　南	Yunnan	38380.5	6552.7	30681.0	1146.9	441.5	187.9	251.3	2.3
西　藏	Tibet	1364.8	345.2	1019.6		45.3	18.1	27.2	
陕　西	Shaanxi	70760.7	11460.7	59015.0	285.0	803.8	523.6	279.7	0.5
甘　肃	Gansu	42133.3	5968.9	36084.6	79.7	647.1	419.1	227.8	0.1
青　海	Qinghai	6312.8	1148.4	5070.6	93.8	128.2	78.1	50.0	0.1
宁　夏	Ningxia	5753.9	666.4	4905.0	182.5	87.0	40.9	46.0	0.1
新　疆	Xinjiang	20276.4	4550.4	15726.0		414.5	303.1	111.4	
不分地区	Not Classified by Region	65993.4				11705.3			

注：不分地区合计为民航完成数。

a) The total passenger-kilometers not classified by rigion refers to that completed by civil aviation.

附录2-12 各省（区、市）货运量和货物周转量(2019年)
Freight Traffic and Freight Ton-Kilometers (2019)

地 区	Region	货运量（万吨）Freight Volume (10000 tons)	#铁路 Railways	#公路 Highways	#水运 Waterways	货物周转量（亿吨公里）Turnover of Goods (100 million ton-km)	#铁路 Railways	#公路 Highways	#水运 Waterways
全 国	**National Total**	**4713624.4**	**438904.4**	**3435480.0**	**747225.5**	**199394.3**	**30182.0**	**59636.4**	**103963.0**
北 京	Beijing	22808.4	483.6	22324.8		1089.4	813.7	275.7	
天 津	Tianjing	50093.3	9888.2	31250.2	8954.9	2662.4	517.1	599.4	1546.0
河 北	**Hebei**	**242444.5**	**26823.2**	**211461.3**	**4160.0**	**13563.4**	**4937.2**	**8027.2**	**599.0**
山 西	Shanxi	192191.7	91321.2	100846.7	23.8	5466.5	2774.7	2691.6	0.1
内蒙古	Nei Monggol	188449.5	77575.5	110874.0		4689.5	2735.0	1954.5	
辽 宁	Liaoning	178252.9	21198.6	144556.4	12498.0	8921.4	1231.6	2662.5	5027.3
吉 林	Jilin	43193.0	5962.0	37216.6	14.4	1802.7	539.9	1262.8	0.1
黑龙江	Heilongjiang	50475.2	12072.8	37622.6	779.8	1615.1	814.4	795.1	5.6
上 海	ShangHai	121124.0	487.3	50655.8	69981.0	30324.9	14.6	839.2	29471.1
江 苏	Jiangsu	262749.4	7501.5	164577.9	90670.0	9947.7	333.4	3234.8	6379.5
浙 江	Zhejiang	289011.1	4450.2	177683.0	106877.9	12391.9	236.1	2082.1	10073.7
安 徽	Anhui	368248.3	7997.2	235269.3	124981.8	10245.8	753.5	3267.6	6224.7
福 建	Fujian	134418.8	4839.6	87316.6	42262.6	8292.1	194.1	962.5	7135.6
江 西	Jiangxi	150949.8	5064.9	135554.3	10330.6	3860.3	564.6	3040.3	255.4
山 东	Shandong	309532.7	25650.3	266124.2	17758.3	10166.4	1524.7	6746.2	1895.5
河 南	Henan	219023.6	10905.0	190883.1	17235.4	8658.5	2146.4	5299.8	1212.3
湖 北	Hubei	188133.2	5479.9	143548.6	39104.7	6132.4	938.7	2268.1	2925.6
湖 南	Hunan	189740.3	4554.1	165095.7	20090.4	2593.6	855.4	1316.7	421.5
广 东	Guangdong	358397.5	10282.4	239743.7	108371.3	27373.7	301.4	2564.0	24508.3
广 西	Guangxi	183036.3	8405.0	142750.6	31880.7	3989.2	752.8	1470.9	1765.5
海 南	Hainan	18455.6	1132.8	6770.5	10552.2	1648.0	16.8	40.8	1590.5
重 庆	Chongqing	112970.4	1911.4	89965.3	21093.8	3614.2	208.2	952.6	2453.4
四 川	Sichuan	177283.2	7718.3	162668.5	6896.5	2710.8	877.7	1527.5	305.6
贵 州	Guizhou	83402.3	5522.8	76205.4	1674.0	1235.3	641.6	548.5	45.2
云 南	Yunnan	122726.9	4885.8	117145.3	695.8	1552.0	519.4	1015.2	17.4
西 藏	Tibet	4024.7	55.4	3969.2		154.4	39.9	114.5	
陕 西	Shanxi	154749.0	44750.6	109801.4	197.0	3482.2	1750.1	1731.4	0.6
甘 肃	Gansu	63609.6	5365.7	58227.7	16.2	2496.3	1516.7	979.6	0.0
青 海	Qinghai	15057.0	3335.3	11721.6		398.4	272.1	126.3	
宁 夏	Ningxia	42510.6	8150.6	34359.9		651.0	213.6	437.4	
新 疆	Xinjiang	84422.8	15133.1	69289.7		1948.2	1146.4	801.8	
不分地区	Not Classified by Region	92138.9			124.4	5716.6			103.7

注：不分地区合计数中包括民航、管道等完成数。

a) The freight ton-kilometers not classified by region refers to that completed by civil aviation & pipelines,etc. The same applies to the following table.

附录2–13 各省（区、市）国内外贸易(2019年)
Retail Trades and Foreign Trades (2019)

地 区	Region	社会消费品零售总额（亿元）Total Retail Sales of Social Consumer Goods (100 million yuan)	进出口总额（亿美元）Total Import and Export Volume (100 million USD)	出口 Export	进口 Import	进出口总额（亿元）Total Import and Export Volume (100 million yuan)	出口 Export	进口 Import
全 国	**National Total**	**408017.2**	**45778.9**	**24994.8**	**20784.1**	**315627.3**	**172373.6**	**143253.7**
北 京	Beijing	15063.7	4164.6	750.5	3414.1	28689.7	5172.5	23517.2
天 津	Tianjing	4218.2	1066.5	437.9	628.5	7346.1	3017.7	4328.4
河 北	**Hebei**	**12985.5**	**580.4**	**343.8**	**236.6**	**4002.1**	**2370.5**	**1631.5**
山 西	Shanxi	7030.5	209.8	116.9	92.9	1447.9	806.8	641.1
内蒙古	Nei Monggol	5051.1	159.4	54.7	104.7	1097.5	376.8	720.7
辽 宁	Liaoning	9670.6	1053.2	454.4	598.8	7259.2	3129.7	4129.5
吉 林	Jilin	4212.9	189.0	47.0	142.0	1302.8	324.2	978.5
黑龙江	Heilongjiang	5603.9	271.1	50.7	220.4	1866.9	349.6	1517.3
上 海	ShangHai	15847.6	4939.1	1989.9	2949.1	34054.0	13724.9	20329.2
江 苏	Jiangsu	37672.5	6295.2	3948.3	2346.9	43383.1	27211.8	16171.3
浙 江	Zhejiang	27343.8	4472.2	3346.0	1126.2	30838.2	23076.3	7761.9
安 徽	Anhui	17862.1	687.3	404.1	283.2	4737.2	2785.4	1951.8
福 建	Fujian	18896.8	1931.1	1202.0	729.1	13309.3	8282.9	5026.4
江 西	Jiangxi	10068.1	508.9	361.9	147.0	3510.0	2496.1	1013.9
山 东	Shandong	29251.2	2970.0	1614.4	1355.6	20471.0	11130.4	9340.7
河 南	Henan	23476.1	825.0	542.1	282.9	5715.5	3756.1	1959.4
湖 北	Hubei	22722.3	571.6	360.0	211.7	3945.9	2486.0	1459.9
湖 南	Hunan	16683.9	628.5	445.4	183.1	4340.0	3076.6	1263.4
广 东	Guangdong	42951.8	10366.3	6294.5	4071.7	71487.7	43415.4	28072.3
广 西	Guangxi	8200.9	682.2	377.5	304.8	4696.0	2597.6	2098.4
海 南	Hainan	1951.1	131.5	49.9	81.7	905.8	343.7	562.1
重 庆	Chongqing	11631.7	839.5	538.0	301.5	5791.8	3713.2	2078.5
四 川	Sichuan	21343.0	984.0	565.5	418.6	6789.8	3903.6	2886.2
贵 州	Guizhou	7468.2	65.7	47.4	18.3	453.2	327.1	126.1
云 南	Yunnan	10158.2	336.9	150.2	186.7	2323.7	1037.3	1286.4
西 藏	Tibet	773.4	7.0	5.4	1.6	48.8	37.5	11.3
陕 西	Shaanxi	10213.0	510.3	272.2	238.1	3514.9	1873.3	1641.6
甘 肃	Gansu	3700.3	55.2	19.1	36.1	380.4	131.4	249.1
青 海	Qinghai	948.5	5.4	2.9	2.5	37.6	20.2	17.3
宁 夏	Ningxia	1399.4	34.9	21.6	13.3	240.7	148.9	91.9
新 疆	Xinjiang	3617.0	237.1	180.4	56.6	1640.8	1250.3	390.5

附录2-14 各省（区、市）每十万人口各级学校平均在校生数
Average School Enrolment per 100 000 Population by Level

单位：人 (person)

地区	Region	学前教育 Pre-school Education	小学 Primary Education	初中阶段 Junior Secondary Education	高中阶段 Senior Secondary Education	高等教育 Higher Education
全国	**National Total**	**3378**	**7569**	**3459**	**2850**	**2857**
北京	Beijing	2171	4371	1433	1078	5320
天津	Tianjin	1768	4500	1945	1673	4214
河北	**Hebei**	**3164**	**8988**	**3935**	**3053**	**2596**
山西	Shanxi	2681	6168	3071	2815	2515
内蒙古	Inner Mongolia	2395	5379	2618	2330	2053
辽宁	Liaoning	2099	4475	2328	2135	3136
吉林	Jilin	1522	4385	2421	2134	3373
黑龙江	Heilongjiang	1351	3389	2422	2054	2531
上海	Shanghai	2357	3409	1860	1070	3582
江苏	Jiangsu	3154	7113	3012	2410	3311
浙江	Zhejiang	3377	6399	2853	2626	2509
安徽	Anhui	3343	7307	3460	3109	2447
福建	Fujian	4303	8485	3462	2677	2577
江西	Jiangxi	3567	8852	4735	3400	3010
山东	Shandong	3365	7351	3592	2720	2855
河南	Henan	4486	10541	4877	3685	2913
湖北	Hubei	3005	6363	2795	2239	3248
湖南	Hunan	3299	7664	3598	2930	2873
广东	Guangdong	4094	9108	3429	2855	2751
广西	Guangxi	4401	10049	4476	3843	2887
海南	Hainan	4017	9134	3951	3361	2497
重庆	Chongqing	3167	6650	3597	3298	3258
四川	Sichuan	3170	6663	3282	2776	2546
贵州	Guizhou	4292	10786	4980	4170	2453
云南	Yunnan	3103	7973	3821	3244	2401
西藏	Tibet	4118	9911	4064	2643	1588
陕西	Shaanxi	3596	7184	2908	2868	3812
甘肃	Gansu	3537	7362	3344	2831	2396
青海	Qinghai	3564	8267	3736	3490	1486
宁夏	Ningxia	3602	8491	4343	3422	2581
新疆	Xinjiang	6110	10482	3929	3496	2106

注：1.高等教育包括普通高等学校和成人高等学校。
2.高中阶段包括普通高中、成人高中、普通中专、职业高中、技工学校和成人中专。
3.初中阶段包括普通初中和职业初中。

a) Higher education includes regular higher education institutions and adult higher education institutions.

b) Senior secondary education includes regular senior secondary schools, adult high schools, regular specialized secondary schools, senior vocational schools, skilled workers school, adult specialized secondary schools.

c) Junior secondary education includes regular junior secondary schools and junior secondary vocational schools.

附录2-15 各省（区、市）规模以上文化及相关产业法人单位数(2019年)

Number of Corporate Units of Cultural and Related Industries above Designated Size by Region (2019)

单位：个 (unit)

地 区	Region	法人单位数 Corporate Units	文化制造业 Culture-Related Manufacturing	文化批发和零售业 Culture-Related Wholesale and Retail	文化服务业 Culture-Related Services
全 国	**National Total**	**61232**	**19284**	**10462**	**31486**
北 京	Beijing	4831	152	591	4088
天 津	Tianjin	883	157	143	583
河 北	**Hebei**	**1432**	**544**	**271**	**617**
山 西	Shanxi	314	45	91	178
内蒙古	Inner Mongolia	171	10	41	120
辽 宁	Liaoning	724	119	127	478
吉 林	Jilin	256	37	80	139
黑龙江	Heilongjiang	248	43	85	120
上 海	Shanghai	3120	372	469	2279
江 苏	Jiangsu	7315	2392	1180	3743
浙 江	Zhejiang	5134	2348	963	1823
安 徽	Anhui	2353	963	444	946
福 建	Fujian	3538	1459	546	1533
江 西	Jiangxi	1727	850	138	739
山 东	Shandong	2660	1139	613	908
河 南	Henan	2866	883	607	1376
湖 北	Hubei	2845	848	580	1417
湖 南	Hunan	3701	1355	529	1817
广 东	Guangdong	9709	4089	1571	4049
广 西	Guangxi	680	181	192	307
海 南	Hainan	168	7	31	130
重 庆	Chongqing	1045	227	193	625
四 川	Sichuan	1867	503	304	1060
贵 州	Guizhou	625	131	104	390
云 南	Yunnan	731	153	160	418
西 藏	Tibet	34	5	5	24
陕 西	Shaanxi	1682	211	289	1182
甘 肃	Gansu	198	19	37	142
青 海	Qinghai	52	8	11	33
宁 夏	Ningxia	72	14	19	39
新 疆	Xinjiang	251	20	48	183

注：规模以上文化及相关产业法人单位包括规模以上文化制造业企业、限额以上文化批发和零售业企业以及规模以上文化服务业企业。

a) Corporate units of culture and related industries above designated size include culture-related manufacturing enterprises above designated size, culture-related wholesale and retail enterprises above designated size, and culture-related service enterprises above designated size.

附录2-16 各省（区、市）每千人口卫生技术人员
Health Technical Personnel in Health Care Institutions per 1000 Persons

单位：人 (person)

地区	Region	卫生技术人员 Health Technical Personnel			执业(助理)医师 Licensed Physicians & Physician Assistants			注册护士 Registered Nurses		
		合计 Total	城市 Urban	农村 Rural	合计 Total	城市 Urban	农村 Rural	合计 Total	城市 Urban	农村 Rural
全　国	**National Total**	**7.26**	**11.10**	**4.96**	**2.77**	**4.10**	**1.96**	**3.18**	**5.22**	**1.99**
北　京	Beijing	12.59	18.46		4.92	7.18		5.33	7.84	
天　津	Tianjin	7.03	9.53		2.97	3.95		2.65	3.69	
河　北	**Hebei**	**6.46**	**8.45**	**5.02**	**3.01**	**3.49**	**2.56**	**2.44**	**3.78**	**1.61**
山　西	Shanxi	6.91	14.44	4.47	2.84	5.46	2.02	2.92	6.83	1.60
内蒙古	Inner Mongolia	7.73	14.45	5.57	3.08	5.38	2.36	3.17	6.65	1.99
辽　宁	Liaoning	7.10	11.05	4.05	2.85	4.29	1.75	3.20	5.23	1.58
吉　林	Jilin	7.01	11.44	5.32	2.94	4.69	2.28	2.95	5.17	2.06
黑龙江	Heilongjiang	6.34	10.75	4.49	2.49	4.02	1.89	2.60	5.02	1.49
上　海	Shanghai	8.42	14.50		3.08	5.27		3.82	6.61	
江　苏	Jiangsu	7.85	10.34	6.16	3.16	3.85	2.71	3.47	4.88	2.48
浙　江	Zhejiang	8.89	13.19	7.91	3.51	5.05	3.24	3.76	5.84	3.15
安　徽	Anhui	5.67	8.26	3.61	2.17	2.94	1.48	2.57	4.11	1.47
福　建	Fujian	6.63	10.84	4.58	2.50	4.11	1.72	2.93	5.02	1.91
江　西	Jiangxi	5.74	8.92	3.97	2.07	3.02	1.50	2.58	4.43	1.64
山　东	Shandong	7.77	11.11	5.63	3.13	4.32	2.36	3.39	5.21	2.25
河　南	Henan	6.78	12.70	3.99	2.61	4.52	1.62	2.89	6.21	1.52
湖　北	Hubei	7.02	10.24	4.97	2.59	3.63	1.91	3.28	5.14	2.14
湖　南	Hunan	7.26	12.97	5.29	2.75	4.63	2.08	3.48	6.56	2.45
广　东	Guangdong	6.88	11.34	4.36	2.53	4.13	1.64	3.09	5.23	1.82
广　西	Guangxi	6.88	9.36	4.35	2.32	3.23	1.43	3.07	4.52	1.78
海　南	Hainan	7.17	14.63	4.53	2.53	5.11	1.63	3.39	7.29	2.01
重　庆	Chongqing	7.19	9.31	3.65	2.67	3.30	1.51	3.30	4.56	1.37
四　川	Sichuan	7.19	9.52	5.05	2.65	3.42	1.90	3.23	4.65	2.07
贵　州	Guizhou	7.39	9.38	4.65	2.48	3.31	1.51	3.35	4.64	2.00
云　南	Yunnan	6.99	13.82	5.60	2.35	4.87	1.83	3.26	6.82	2.53
西　藏	Tibet	5.97	5.78	4.49	2.66	2.57	2.00	1.71	2.08	0.93
陕　西	Shaanxi	9.13	11.04	6.94	2.80	3.59	1.99	3.88	5.22	2.58
甘　肃	Gansu	6.76	10.17	4.76	2.37	3.38	1.76	3.00	5.04	1.89
青　海	Qinghai	7.79	13.29	5.45	2.86	4.55	2.15	3.11	6.31	1.74
宁　夏	Ningxia	7.98	11.14	5.21	2.99	4.10	2.03	3.50	5.16	2.04
新　疆	Xinjiang	7.37	13.75	6.84	2.69	5.34	2.43	3.06	6.15	2.76

注：1.城市包括直辖市区和地级市辖区，农村包括县及县级市。
2.合计项分母系常住人口数，分城乡项分母系推算户籍人口数。

a) Urban area includes districts of municipalities and prefecture-level cities, rural area includes counties and cities at county level.

b) Population for totals refers to permanent population, while population for urban and rural areas refers to the estimated population by household registration.

附录2-17 各省（区、市）城镇职工基本养老保险情况(2019年)
Statistics on Basic Endowment Insurance for Urban Workers by Region (2019)

地 区	Region	年末参加城镇职工基本养老保险人数（万人） Participants of Basic Endowment Insurance for Urban Workers at Year-end (10000 persons)	职 工 Number of Workers	离退休人员 Number of Retirees	基金收支情况(亿元) Revenue and Expenses(100 million yuan) 基金收入 Revenue	基金支出 Expenses	累计结余 Balance at Year-end
全 国	**National Total**	**43487.9**	**31177.5**	**12310.4**	**52918.8**	**49228.0**	**54623.3**
中央机关	Central Organs	59.2	33.1	26.1	262.8	224.4	81.7
北 京	Beijing	1748.2	1445.6	302.6	2760.6	1698.3	6018.5
天 津	Tianjin	695.6	469.3	226.3	1021.2	1000.5	556.5
河 北	**Hebei**	**1654.5**	**1187.8**	**466.7**	**2437.4**	**2425.7**	**910.0**
山 西	Shanxi	871.5	597.9	273.6	1232.5	1168.8	1639.8
内蒙古	Inner Mongolia	763.4	464.7	298.8	1060.9	1201.4	595.9
辽 宁	Liaoning	2026.2	1210.3	816.0	2486.4	2950.0	303.7
吉 林	Jilin	882.1	506.2	375.9	1142.8	1263.6	501.9
黑龙江	Heilongjiang	1364.9	765.1	599.8	1785.4	2094.8	-433.7
上 海	Shanghai	1589.6	1077.6	511.9	2933.7	2779.7	2290.3
江 苏	Jiangsu	3417.4	2499.3	918.1	3759.2	3382.3	4932.4
浙 江	Zhejiang	3031.7	2174.9	856.9	3040.0	3138.5	3585.4
安 徽	Anhui	1217.0	860.3	356.7	1514.6	1298.9	1909.7
福 建	Fujian	1137.3	938.2	199.1	931.8	782.2	976.2
江 西	Jiangxi	1096.9	748.5	348.4	1047.2	1083.9	824.6
山 东	Shandong	2868.0	2156.8	711.2	2784.7	2872.7	2217.2
河 南	Henan	2133.8	1628.2	505.6	2053.0	1931.0	1326.3
湖 北	Hubei	1684.8	1100.5	584.3	2418.0	2264.5	1017.1
湖 南	Hunan	1557.8	1071.8	486.0	1767.5	1620.2	1836.7
广 东	Guangdong	4633.4	3962.2	671.2	5593.2	3761.5	12343.6
广 西	Guangxi	869.5	601.2	268.4	1128.7	1079.7	755.2
海 南	Hainan	281.0	208.3	72.7	324.5	280.1	281.4
重 庆	Chongqing	1127.7	721.1	406.6	1238.3	1192.5	1090.1
四 川	Sichuan	2700.3	1784.6	915.7	2754.9	2764.2	3759.5
贵 州	Guizhou	677.5	521.7	155.8	725.6	613.5	894.0
云 南	Yunnan	649.9	468.4	181.5	951.3	764.5	1325.2
西 藏	Tibet	48.2	38.2	10.0	139.1	107.4	171.2
陕 西	Shaanxi	1080.7	816.7	264.1	1254.1	1187.5	804.2
甘 肃	Gansu	469.4	309.8	159.6	598.5	599.3	467.0
青 海	Qinghai	152.8	106.1	46.7	300.5	323.3	37.0
宁 夏	Ningxia	226.6	160.6	66.0	269.1	266.8	261.5
新 疆	Xinjiang	744.2	525.2	219.0	1137.1	1040.9	1307.0
不分地区	Not Classified	26.5	17.2	9.3	62.9	65.8	34.6
中央调剂金账户	Central Allocation System Account				1.0		1.5

注：1.不分地区合计中，包括中国人民银行、中国农业发展银行数。
2.中央调剂金账户金额为调剂基金利息收入。

a) Data in the category of "Not Classified by Region" include data from the People's Bank of China and Agricultural Development Bank of China.
b) The amount in the Central Allocation System account is the interest income of the allocation fund.

附录2-18　各省（区、市）城乡居民基本养老保险情况(2019年)
Statistics on Basic Endowment Insurance for Urban and Rural Residents (2019)

地区	Region	参保人数(万人) Participants at Year-end (10000 persons)	#实际领取待遇人数 Number of People Actual Received Pension	基金收支情况(亿元) Revenue and Expenses(100 million yuan) 基金收入 Revenue	基金支出 Expenses	累计结余 Balance at Year-end
全　国	**National Total**	**53266.0**	**16031.9**	**4107.0**	**3114.3**	**8249.2**
北　京	Beijing	204.7	90.8	68.1	58.5	165.5
天　津	Tianjin	164.5	82.2	60.7	45.3	279.4
河　北	**Hebei**	**3524.1**	**1052.1**	**222.6**	**153.3**	**408.7**
山　西	Shanxi	1627.8	422.5	95.7	64.0	234.0
内蒙古	Inner Mongolia	768.2	233.9	63.7	56.3	101.3
辽　宁	Liaoning	1057.7	414.7	77.7	71.4	80.1
吉　林	Jilin	702.1	264.4	47.3	37.1	72.5
黑龙江	Heilongjiang	916.7	296.3	65.1	46.3	99.7
上　海	Shanghai	77.1	51.6	75.9	76.9	80.5
江　苏	Jiangsu	2336.9	1098.2	357.3	305.5	689.8
浙　江	Zhejiang	1199.4	531.7	176.4	178.9	154.5
安　徽	Anhui	3501.7	922.5	224.9	141.1	481.8
福　建	Fujian	1554.1	478.1	120.1	90.2	195.5
江　西	Jiangxi	1888.9	492.6	107.8	73.9	253.3
山　东	Shandong	4560.3	1532.6	435.8	296.1	1125.5
河　南	Henan	5196.6	1406.7	283.7	203.6	555.6
湖　北	Hubei	2345.4	723.3	198.0	129.7	373.8
湖　南	Hunan	3413.6	872.1	188.1	135.8	363.8
广　东	Guangdong	2646.2	870.9	284.3	250.1	457.1
广　西	Guangxi	1983.7	588.7	123.8	92.5	190.4
海　南	Hainan	305.0	75.9	38.2	19.1	101.6
重　庆	Chongqing	1162.7	358.5	83.2	62.1	153.9
四　川	Sichuan	3368.7	1119.5	246.7	204.0	531.1
贵　州	Guizhou	1855.8	462.2	71.2	59.7	135.6
云　南	Yunnan	2410.0	538.7	107.6	75.9	293.7
西　藏	Tibet	166.0	25.2	9.3	5.8	28.9
陕　西	Shaanxi	1765.6	514.6	122.2	87.8	257.0
甘　肃	Gansu	1372.6	312.1	75.0	47.9	193.9
青　海	Qinghai	261.1	45.9	19.4	11.7	46.9
宁　夏	Ningxia	194.7	40.9	15.3	10.6	37.1
新　疆	Xinjiang	734.1	112.7	41.8	23.3	106.9

注：2012年8月起，新型农村社会养老保险和城镇居民社会养老保险制度全覆盖工作全面启动，合并为城乡居民社会养老保险。

a) Since August, 2012, the new rural endowment insurance and the basic endowment insurance of urban residents were merged and renamed as basic endowment insurance of urban and rural residents.

附录2-19 各省（区、市）城市设施水平(2019年)
Level of Public Facilities in Cities (2019)

地 区	Region	城市用水普及率(%) Coverage of Urban Population with Access to Tap Water (%)	城市燃气普及率(%) Coverage of Urban Population with Access to Gas (%)	每万人拥有公共汽电车辆(标台) Public Buses and Trolley Buses per 10000 Population (unit)	人均城市道路面积(平方米) Per Capita Area of Paved Roads (sq.m)	人均公园绿地面积(平方米) Per Capita Public Green Area (sq.m)	每万人拥有公共厕所(座) Number of Public Lavatories per 10000 Population (unit)
全部地级及以上城市	**Total Cities at Prefecture Level and Above**	**98.78**	**97.29**	**13.13**	**17.36**	**14.36**	**2.93**
北 京	Beijing	99.06	100.00	17.41	7.68	16.40	3.24
天 津	Tianjin	100.00	100.00	10.93	12.98	9.21	1.16
河 北	**Hebei**	**99.98**	**99.46**	**13.18**	**19.95**	**14.29**	**3.04**
山 西	Shanxi	99.28	96.43	11.30	17.22	12.63	2.19
内蒙古	Inner Mongolia	99.27	95.80	11.53	23.32	18.71	7.82
辽 宁	Liaoning	99.16	97.95	12.14	15.06	11.97	2.02
吉 林	Jilin	94.70	91.80	10.22	14.13	12.54	3.62
黑龙江	Heilongjiang	98.79	91.09	14.81	15.22	12.43	4.29
上 海	Shanghai	100.00	100.00	9.29	4.72	8.73	2.56
江 苏	Jiangsu	100.00	99.77	15.52	25.41	14.98	4.14
浙 江	Zhejiang	100.00	100.00	16.42	19.02	14.03	3.02
安 徽	Anhui	99.36	98.70	13.23	23.69	14.80	2.60
福 建	Fujian	99.86	98.42	14.85	21.37	15.03	4.18
江 西	Jiangxi	98.45	97.87	9.63	19.93	14.53	3.02
山 东	Shandong	99.73	99.14	16.08	25.28	17.57	1.93
河 南	Henan	97.38	97.05	12.29	15.19	13.59	4.10
湖 北	Hubei	99.16	97.92	10.82	17.45	11.96	2.50
湖 南	Hunan	97.71	96.65	17.94	17.69	11.81	2.41
广 东	Guangdong	99.06	97.94	11.93	13.60	18.13	1.85
广 西	Guangxi	98.88	98.84	10.10	21.92	13.52	1.46
海 南	Hainan	98.47	97.73	13.38	18.24	10.57	3.01
重 庆	Chongqing	97.89	97.36	10.10	14.38	16.61	2.99
四 川	Sichuan	95.89	94.95	13.25	16.38	14.03	2.53
贵 州	Guizhou	98.33	91.80	11.16	14.53	16.38	2.80
云 南	Yunnan	97.08	77.92	12.97	15.00	11.88	4.59
西 藏	Tibet	95.03	60.11	7.62	15.75	9.80	6.34
陕 西	Shaanxi	96.84	97.80	14.73	16.84	11.62	4.90
甘 肃	Gansu	98.04	92.66	13.29	19.31	14.28	3.05
青 海	Qinghai	99.24	93.83	14.09	18.44	11.93	3.65
宁 夏	Ningxia	98.39	96.65	12.85	26.20	21.05	2.99
新 疆	Xinjiang	98.55	98.52	13.39	23.67	14.88	2.74

注：人均和普及率指标按城区人口与暂住人口之和计算，以公安部门的户籍统计和暂住人口统计为准。

a) Per capita data and coverage rate are calculated on the basis of the sum of urban population and temporarily residing population from the registration of the Ministry of Public Security.

附录2-20 各省（区、市）城市基本情况(2019年)

地区	Region	全部地级及以上城市数（个）Number of Cities at Prefecture Level and Above (unit)	城区面积（平方公里）Urban Area (sq.km)	建成区面积（平方公里）Area of Built Districts (sq.km)	城市人口密度（人/平方公里）Population Density of Urban Area (person/sq.km)	年末供水综合生产能力（万立方米/日）Production Capacity of Tap Water Supply (year-end) (10000 cu.m/day)	年末供水管道长度（公里）Length of Water Supply Pipelines (year-end) (km)
全部地级及以上城市	**Total Cities at Prefecture Level and Above**	**297**	**200569.5**	**60312.5**	**2613**	**30897.8**	**920082**
北京	Beijing	1	16410.0	1469.1	1137	1942.6	20384
天津	Tianjin	1	2639.8	1151.1	4939	476.9	20294
河北	**Hebei**	**11**	**6309.3**	**2182.1**	**3063**	**889.1**	**20399**
山西	Shanxi	11	3164.3	1222.8	3804	411.7	12133
内蒙古	Inner Mongolia	9	5082.0	1269.7	1820	410.8	12051
辽宁	Liaoning	14	12894.6	2720.1	1807	1286.6	36769
吉林	Jilin	8	6482.8	1555.1	1885	627.9	13580
黑龙江	Heilongjiang	12	2528.1	1770.9	5498	683.3	17895
上海	Shanghai	1	6340.5	1237.9	3830	1250.0	38869
江苏	Jiangsu	13	15536.4	4648.3	2221	3472.5	109316
浙江	Zhejiang	11	12421.8	3021.9	2064	1902.4	76115
安徽	Anhui	16	6355.3	2241.5	2663	997.7	32601
福建	Fujian	9	4138.2	1620.7	3193	831.0	28853
江西	Jiangxi	11	2940.9	1607.8	4226	594.3	23541
山东	Shandong	16	23206.3	5412.7	1665	1925.0	57028
河南	Henan	17	5364.4	2944.3	4850	1281.5	27811
湖北	Hubei	12	8186.2	2661.0	2846	1497.3	43066
湖南	Hunan	13	5102.9	1855.9	3265	1081.7	34851
广东	Guangdong	21	16079.3	6397.7	3859	3584.1	124879
广西	Guangxi	14	5814.4	1542.8	2097	661.9	22001
海南	Hainan	4	1478.8	382.9	2352	201.6	9522
重庆	Chongqing	1	7659.8	1515.4	2012	627.8	20159
四川	Sichuan	18	8609.5	3054.3	3045	1390.6	48423
贵州	Guizhou	6	3650.9	1085.5	2222	423.8	17094
云南	Yunnan	8	3203.6	1217.6	3133	444.0	15527
西藏	Tibet	6	632.2	164.4	1671	67.0	1885
陕西	Shaanxi	10	2431.3	1357.5	5140	566.7	10469
甘肃	Gansu	12	1977.8	875.7	3260	375.4	6539
青海	Qinghai	2	696.0	215.2	2958	136.0	2976
宁夏	Ningxia	5	951.5	489.1	3059	251.7	2993
新疆	Xinjiang	4	2280.9	1421.6	3667	605.1	12060

注：1.本表为公安部的户籍人口数。
2.公园绿地面积包括综合公园、社区公园、专类公园、带状公园和街旁绿地。

Basic Conditions of City (2019)

用水人口 (万人) Population with Access to Tap Water (10000 persons)	年末实有道路长度 (公里) Length of Paved Roads (year-end) (km)	城市排水管道长度 (公里) Length of City Sewage Pipes (km)	城市污水日处理能力 (万立方米) Daily Disposal Capacity of City Sewage (10000 cu.m)	公共汽电车运营车数 (辆) Number of Buses and Trolley Buses in Operation (unit)	出租汽车 (辆) Number of Taxis (unit)	城市绿地面积 (公顷) Area of Green Land (hectare)	建成区绿化覆盖率 (%) Green Covered Area as % of Completed Area (%)	生活垃圾清运量 (万吨) Volume of Garbage Disposal (10000 tons)	市容环卫专用车辆设备总数 (台) Number of Special Vehicles for Environmental Sanitation (unit)
51778.0	**459245**	**743982**	**19171.0**	**584026**	**1102470**	**3152889**	**41.5**	**24206.2**	**281558**
1847.5	8307	17992	703.6	23685	71517	88704	48.5	1011.2	12526
1303.8	8927	22069	318.9	12746	31775	42921	37.5	300.2	5276
1932.0	**17771**	**19586**	**663.9**	**22355**	**54095**	**93701**	**42.3**	**802.2**	**11885**
1195.2	9188	11023	301.3	11350	31410	51446	42.3	500.4	6551
918.3	10094	13827	243.9	8862	38662	69069	40.5	394.5	6471
2310.1	19461	22745	941.3	23080	81589	128137	40.8	985.4	11033
1157.2	9467	12378	419.6	11391	56028	90003	39.2	483.1	7639
1373.1	13422	12422	427.5	17479	62249	68732	36.4	523.6	8747
2428.1	5494	21754	834.3	17903	39962	157785	36.8	750.6	9252
3450.6	49056	83943	1942.1	44976	51098	298531	43.4	1809.6	19049
2564.4	25307	51185	1185.1	36794	39341	172280	41.5	1530.2	9083
1681.3	16329	33302	704.7	18156	39131	114267	42.7	646.1	9248
1319.6	13859	18112	440.3	17444	20382	73903	44.5	967.1	5845
1223.5	11909	17590	332.8	10390	13970	71933	45.5	542.6	9458
3852.6	48149	67710	1279.9	54961	62340	252338	41.8	1786.8	19270
2533.4	15767	27933	849.3	27537	46742	115269	41.0	1134.6	18258
2310.1	21802	30751	809.4	21307	37253	96910	38.9	980.0	12917
1628.0	13076	19601	691.8	24488	26479	74359	41.2	775.4	6792
6146.9	49269	98633	2453.1	64953	61437	502353	43.3	3347.3	24327
1205.6	12823	17571	723.2	10530	17343	72409	40.8	497.7	10318
342.5	4571	5660	117.3	4187	6184	17661	41.7	256.5	10346
1508.4	10105	20839	394.1	13226	22385	67694	41.8	601.8	4504
2514.1	20402	38276	755.8	29337	34499	124158	41.8	1168.6	11188
797.8	5347	10035	280.1	7583	25679	54433	39.4	364.6	5686
974.2	7793	15357	299.0	11856	20001	48586	39.7	455.9	4509
100.4	827	831	29.9	674	2365	6049	37.6	64.7	790
1210.1	9114	11017	397.2	15018	27939	59616	39.3	634.0	4642
632.2	5585	7280	160.4	7314	24582	29186	36.0	279.7	5489
204.3	1485	3269	60.7	2410	8641	7309	35.2	109.4	915
286.4	2663	2207	108.6	3085	12845	26216	41.3	130.5	2083
826.3	11873	9084	302.1	8949	34547	76931	39.9	371.9	7461

a) Population at year-end refer to population by household registration from the Ministry of Public Security.

b) Area of park green areas includes comprehensive park, community park, theme park, belt-shaped park and green area nearby street.

旅游景区信息
Tourist Attractions Information

简 要 说 明

一、本篇资料包括河北省4A级以上景区信息。

二、本篇资料由河北省文化厅整理提供。

三、资料整理：杜析

Brief Introduction

I. The data in this chapter include Information of Scenic Spot above 4A level in Hebei Province.

II. The data in this chapter are prepared and compiled by the Provincial Department of Culture and Tourism.

III.The data in this chapter are prepared: Du Xi.

附录3-1 旅游景区信息

Tourist Attractions Information

市 City	景区名称 Name of Scenic Spot	景区级别 Scenic Spot Level	景区简介 Introduction of Scenic Spot
秦皇岛市	山海关景区	5	山海关古城是明万里长城东部起点的第一座重要关隘，始建于明洪武十四年(1381年)，依山襟海，雄关锁隘，素有两京锁钥无双地，万里长城第一关之称。山海关古城主要指山海关关城和东罗城，总占地面积150万平方米。在明长城沿线上千座大大小小的险关要隘中，山海、居庸、嘉峪三关名冠古今，而这三大名关之中，山海关又雄踞其首，因此称之为天下第一关，它的军事重镇之地位，在长城各关口中绝无仅有。
秦皇岛市	渔岛·菲奢尔海景温泉	4	渔岛位于中国最美八大海岸之一，北戴河新区黄金海岸中部，拥有天然优质的原生态海滩浴场，水清滩缓、沙软潮平。距避暑胜地北戴河仅三十公里，因其盛产鱼、虾、参、贝，以鱼为主，故名渔岛。景区划分为五大区域：多彩观光区、激情表演区、动感娱乐区、海滨浴场区、温泉度假区，乘船入岛，沙雕观赏，滑沙滑草、滑草冲浪(渔岛的滑草冲浪没有大海的涨潮落潮限制，随时都可以滑)。
秦皇岛市	集发农业梦想王国	4	集发农业梦想王国在集发景区总占地面积约1500亩，整体区域分为入口服务区、亲子游乐区、自然休闲区、农科体验区、主题乐园区、绿色餐饮区六大主题区域。改造提升后的新集发将为游客带来愉悦甜蜜的亲子时光和多样化的互动体验，已成为农业科技展示、农业科普教育、娱乐体验互动等多功能于一体综合性旅游AAAA级景区。并先后获得全国首批农业旅游示范点、全国休闲农业与乡村旅游五星级企业、中国农业公园等百余项荣誉称号。
秦皇岛市	老龙头景区	4	老龙头景区自身形成半岛伸入渤海之中，是长城入海处，也是长城的尾点。明万历年间，戚继光在这里修筑了高3丈的入海石城，后来石城坍塌，但人们还可以看到浸泡在海水里的巨大花岗岩基石。优越的地理形势，加上精心建造的军事防御工程，构成了老龙头这座名副其实的海陆军事要塞。是明代长城的东部起点，万里长城从这里入海。也是从这里开始逶迤西去，跨越崇山峻岭、河川沙漠，直奔大西北。老龙头位于山海关城南约5公里处，是明万里长城军事防御体系的重要组成部分，也是山海关景区的重要景点。
秦皇岛市	角山景区	4	角山的主要景点有角山长城、旱门关、栖贤寺等。角山长城包括了角山主峰大平顶，登临角山长城，远山近海尽收眼底，长城内外的美景可一览无遗。旱门关是角山南部的一座关隘，由城楼、城台两部分组成，地理位置非常险要，是山海关十大关隘之一。栖贤寺在角山长城内侧，是一座砖木结构的建筑，寺中有一大奇景，名为山寺雨晴，是角山夏季特有的景观，登上角山敌台，近邻断崖峭壁，远望群峰起伏，大海如在脚下，长城倒挂山间。角山不但是形势要地，而且名胜很多。坐落在山腰的栖贤寺，始建于明初，是明清时期肖显、詹荣等文人雅士读书隐居之所。角山后峰名围春山，肖显从福建辞官归田后，在这里建起草堂，名围春山庄。角山风景秀丽，环境清幽，实为探幽访古之佳境。
秦皇岛市	长寿山景区	4	长寿山景区是1987年在原悬阳洞景点的基础上开发和建设起来的，现已发现历史人文景观18处，当代人文景观20处，自然景观30处，著名景观有悬阳洞，神医石窟、三道关、长城倒挂、寿字碑林、石门胜迹等，景区山峻石奇，洞古窟新，水秀天清，林碧草芳，雕塑石刻，巧夺天工，淙淙溪水，蜿蜒川流。现景区由悬阳洞穴、寿字碑林、世外桃源、神医石窟、石门胜景五大景点组成。长寿山摩崖石刻三个字，全高17米，其中寿字高6.2米，笔力苍劲，气势夺人，神态如生，仙意似动，又饱墨浓意，力透石碑。系当代最老书法家108岁的孙墨佛老先生之绝笔。

附录3-1　续表 1　continued

市 City	景区名称 Name of Scenic Spot	景区级别 Scenic Spot Level	景区简介 Introduction of Scenic Spot
秦皇岛市	乐岛海洋王国	4	山海关欢乐海洋公园于2006年改名为山海关乐岛海洋公园是一座以蓝天、碧海、金沙为依托；集观赏、娱乐、休闲、动态刺激、运动参与及科普教育于一体；以海底观光、水上娱乐和大型海洋哺乳动物展示和文化演出等为主题的高档次、环保生态型城市海滨公园。游客不仅可以在园内观赏到成群的海豚、海狮、白鲸、海豹、海象、北极熊、海狗和企鹅，还能看到海狮、海豚、白鲸的精彩表演；可以乘坐潜艇观光或潜水与鱼儿嬉戏，体会漫游海底，探索大自然无穷奥秘的乐趣，观赏特色文化表演和高档次的大型文艺演出。
秦皇岛市	新澳海底世界	4	从新澳海底世界海洋动植物展板步入新澳海底世界，科普展区还陈列着多种珍奇海洋生物标本：有被称为游泳冠军的旗鱼，被冠以魔鬼鱼的蝠鲼。在新澳海底世界触摸池，您可以亲手触摸可爱的海洋小命，体验一下与她们交流的那种奇妙的感觉。新澳海底世界的老寿星海龟，海龟属于海洋中的爬行动物。据记载，海龟的寿命最长可达数百年，是动物界中当之无愧的老寿星。百年巨龟每天吸引着大量游客来目睹它的风采，使它们成为海底世界一颗颗夺目的明星。
秦皇岛市	秦皇求仙入海处	4	在秦皇求仙入海处，可看到规模宏大的秦皇岛港，秦皇岛港位于渤海辽东湾西测，是国家级主枢纽港，也是国家唯一直接管理的港口，世界上最大的煤炭输出港之一。秦皇岛港拥有全国最大的自动化煤炭装卸码头和设备先进的原油、杂货与集装箱码头，生产性码头总长度为6694米。港区陆域面积10平方公里，水域面积115平方公里，锚地面积765平方公里。航道水深16.5米，最大靠泊能力10万吨级。中转货类以能源和其他散货货类为主。港口货物吞吐量多年位居全国沿海港口前列。 秦皇岛港年吞吐能力1.24亿吨，为世界大港，这里门吊林立，巨轮如梭，尤其是入夜后，港湾的灯火，令人迷离，锚地上静卧的艘艘巨轮、海面上的光柱，空际间的星月，交相辉映，装点得整个港湾宛如一个童话世界。
秦皇岛市	鸽子窝公园	4	鸽子窝公园，位于北戴河海滨东北角。在那由于地层断裂所形成的20余米的临海悬崖上，有一块嶙峋巨石，恰似雄鹰屹立在海边，因这里曾是野鸽的栖息地，所以留下了鸽子窝的名字。与这块巨石比肩而立的崖顶上，建有一座具有民族特色的亭子--鹰角亭。该亭始建于1937年，几经翻修，亭上挂有全国人大常委会副委员长胡厥文1983年的题匾。亭南的大理石卧碑上，镌刻着毛泽东1954年秋在这里构思赋就的《浪淘沙北戴河》，在鸽子窝的南面还有一座望海长廊，长廊的南北两头分别由四角亭和敞亭组成。
秦皇岛市	秦皇岛野生动物园	4	秦皇岛野生动物园充分利用林海、绿地为各类野生动物提供休养生息的乐园，模仿各种动物的原生环境，在充分保护和利用现有资源的条件下，将动物分区隔离散放，营造返璞归真、回归自然的氛围，形成人与自然相融的旅游特色。
秦皇岛市	联峰山景区	4	联峰山景区，又名莲蓬山公园。位于北戴河海滨中心区的东联峰山上，联峰山峰峦隽秀，状似莲蓬，故又名莲蓬山。联峰傍海东西横列十多里，恰似大海的锦绣屏风。公园内，景点丰富，星罗棋布。2019年1月，秦皇岛联峰山景区被授予4A级旅游景区资质。
秦皇岛市	碧螺塔酒吧公园	4	碧螺塔酒吧公园被北戴河区旅游局指定为海上垂钓基地、沙滩篝火基地。并组建了潜水游艇俱乐部，独具特色的海上海鲜排档、海上迪厅、空中酒吧街、沙滩篝火等休闲娱乐项目，可举行各类主题篝火晚会、酒吧沙龙、沙滩排球、沙滩足球、拔河对抗赛，以及各类夏令营活动。
秦皇岛市	华夏庄园	4	华夏庄园工业园区始建于1988年，占地面积近千亩, 是全国最大优质酿酒葡萄基地。拥有被誉为美酒天堂的亚洲第一大酒窖、0.5亿千克的全自动灌装生产线和国内顶级酿酒工艺技术。窖中有2万余只庞大的进口橡木桶群，酿出了国内顶级干红。享誉国内外的品牌形象和独步同行的旅游资源交相辉映，吸引着大量国内外游客前来游览观光。主要参观景点有国际酿酒葡萄名种示范区、亚洲第一大酒窖、0.5亿千克全自动灌装生产线、现代化贮酒车间、长城葡萄酒学院研究中心、评酒调研厅等。

附录3-1 续表 2 continued

市 City	景区名称 Name of Scenic Spot	景区级别 Scenic Spot Level	景区简介 Introduction of Scenic Spot
秦皇岛市	旅游滑沙活动中心	4	黄金海岸国际滑沙中心位于昌黎县城东南海岸，距北戴河海滨约15公里。这里，水清、潮平、沙细、滩缓，有二十六公里海岸的广阔浴场。岸上，有沙山和八万亩苍翠的林地，是进行海水浴、阳光浴、森林浴、空气浴和稀有的沙浴等综合旅游、休养的胜地。 滑沙活动中心坐落在保护区内，这里首创了滑沙运动。目前本中心以滑沙为龙头，相继推出了观光索道、卡丁赛车、高空速降、沙山滑道、跑马场、沙滩越野车、海上快艇、拖曳伞、鸟艺表演等多种刺激好玩、富于参与性的游乐项目。
秦皇岛市	新南戴河国际娱乐中心	4	南戴河国际娱乐中心包含金龙山、欢乐大世界、碧海金沙、槐花湖四大区域。这里远离污染，环境清幽，空气清新，植被葱郁，完全具备了当今国际海岸旅游的五大要素：海洋、沙滩、阳光、空气、绿色。现已形成了集参与性、刺激性、趣味性、文化性于一体的大型娱乐场所。特色项目有：国内首创的滑草场、滑沙场，惊险刺激；雄狮观海为景区标志性雕塑，悬挂式过山车、木星、极速风车、空中飞人等近百种惊险刺激的娱乐参与项目。这些项目惊险奇特，各具特色；还有海滨浴场、鸟艺表演、水中泛舟、豪华游艇、假山瀑布、广场喷泉等众多景观，是我国北方海岸休闲旅游度假的最佳去处，国家级4A景区。
秦皇岛市	沙雕海洋乐园	4	沙雕海洋乐园是秦皇岛地区具有鲜明主题特色的高品质旅游度假区和黄金海岸旅游线上的重要聚客锚地。景区设计强调主题性、独特性、艺术性、体验性和兼容性，室内外相结合，全天项目安排，实现全天候游览。景区设置了沙雕观赏区、生态海滩、30多项水上项目以及十多项特色体验项目，可以满足不同人群的喜好。
秦皇岛市	祖山景区	4	祖山位于秦皇岛青龙县境内，由于渤海以北、燕山以东诸峰都是由它的分支绵延而成，故以群山之祖命名。其最高峰天女峰，海拔1428米，略逊于泰山。登上天女峰，东观日出，南追帆影，西望长城，北俯群山，美景尽收眼底，这些却是泰山所没有的。游人回来说祖山有奇险的山景和明秀的水景，当代诗人臧克家老先生以画境诗天赞之。著名景点有：乌龙谷、云海佛光、仙女云床、飞瀑谷。2020年2月，祖山风景区决定自恢复运营之日起至2020年运营期结束(2020年10月31日)，将对全国医护工作者和警察实行免费开放。
石家庄市	西柏坡景区	5	西柏坡纪念馆，位于石家庄市平山县西柏坡镇西柏坡村西柏坡景区内，是解放战争时期中央工委、中共中央和解放军总部的所在地，国家一级博物馆。1978年5月26日开始对外开放，占地面积13400平方米，建筑面积3344平方米。西柏坡纪念馆基本陈列包括西柏坡中共中央旧址、西柏坡陈列展览馆、廉政教育馆、西柏坡国家安全教育馆、西柏坡丰碑林等五处。西柏坡纪念馆于1995年被评为全国优秀社会教育基地；1996年被评为百个全国中小学爱国主义教育基地；1997年被评为全国百个爱国主义教育示范基地；2008年5月，被国家文物局评为国家一级博物馆；2009年12月被评为首批国防教育示范基地；2010年5月被评为第一批全国廉政教育基地；2011年9月被正式授予中国国家AAAAA级旅游景区。
石家庄市	石家庄抱犊寨景区	4	抱犊山，旧名萆山。位于石家庄鹿泉区境内，是一处集自然景观与人文景观于一地的旅游景区。抱犊寨属于国家4A级景区，是一处集历史人文和自然风光为一体的名山古寨。海拔580米，四周悬崖绝壁，顶部平旷坦夷，有肥沃良田660亩，土层深达66米。曾是汉淮阴侯韩信背水一战的古战场，亦是著名道人张三丰成道涉足之福地，其风光奇异独特，景色宜人，被誉为天堂之幻觉，人间之福地，兵家之战场，世外之桃花源的天下奇寨。抱犊寨山势巍然，仅南北坡各有一条羊肠小道可通。登至山巅，豁然开朗，修建有全国最大山顶门坊南天门，全国第一座山顶地下石雕五百罗汉堂，全国最大的金漆壁画装饰的韩信祠以及长城寨墙等。
石家庄市	赵州桥景区	4	赵州桥位于石家庄市赵县城南洨河之上的石拱桥，因赵县古称赵州而得名。当地人称之为大石桥，以区别于城西门外的永通桥(小石桥)。赵州桥始建于隋代，由匠师李春设计建造，后由宋哲宗赵煦赐名安济桥，并以之为正名。赵州桥是世界上现存年代久远、跨度最大、保存最完整的单孔坦弧敞肩石拱桥，其建造工艺独特，在世界桥梁史上首创敞肩拱结构形式，具有较高的科学研究价值；雕作刀法苍劲有力，艺术风格新颖豪放，显示了隋代浑厚、严整、俊逸的石雕风貌，桥体饰纹雕刻精细，具有较高的艺术价值。赵州桥在中国造桥史上占有重要地位，对全世界后代桥梁建筑有着深远的影响。1961年3月4日，安济桥(大石桥)被中华人民共和国国务院公布为第一批全国重点文物保护单位。2010年，赵州桥景区被评为国家AAAA级旅游景区。

附录3-1 续表 3 continued

市 City	景区名称 Name of Scenic Spot	景区级别 Scenic Spot Level	景区简介 Introduction of Scenic Spot
石家庄市	正定隆兴寺景区	4	隆兴寺，别名大佛寺，位于河北省石家庄市正定县城东门里街。原是东晋十六国时期后燕慕容熙的龙腾苑，公元586年(隋文帝开皇六年)在苑内改建寺院，时称龙藏寺，唐朝改为龙兴寺，清朝改为隆兴寺；是中国国内保存时代较早、规模较大而又保存完整的佛教寺院之一。寺院占地面积82500平方米，大小殿宇十余座，分布在南北中轴线及其两侧，高低错落，主次分明，是研究宋代佛教寺院建筑布局的重要实例。正定隆兴寺被中国古建专家梁思成誉为世界古建筑孤例的宋代建筑摩尼殿、被鲁迅誉为东方美神的倒座观音、中国最高的铜铸大佛千手观音。隆兴寺作为河朔名寺，历经千年，见证了唐宋至民国时期中国北方佛教文化的发展变化。隆兴寺是中国国内现存宋代建筑、塑像及石刻最多的寺院建筑之一。
石家庄市	正定荣国府景区	4	荣国府，位于河北省石家庄市正定县，是以明末清初文化为背景的仿古建筑群。1986年，由正定县人民政府投资350多万元兴建而成。荣国府主要景点有荣国府景区、宁荣街景区、曹雪芹纪念馆等景观组成。占地面积22000平方米，建筑面积4700平方米。是根据中国古典名著《红楼梦》中所描绘的荣国府设计和建造的。荣国府被评为国家AAAA级旅游景区、基本建设先进工程、河北省定点旅游单位、正定县级重点文物保护单位。荣国府分为中、东、西三路，各路均为五进四合院，共有23个场景。
石家庄市	东方巨龟苑	4	东方巨龟苑位于河北省平山县冶河东岸，濒临革命圣地西柏坡，东距石家庄35公里，景区总面积2600余亩。它是由全国劳模，农民企业家范海庭利用当地独特的自然资源投巨资1.5亿元所建，景区浓缩了两个世界之最，六个中国第一。红、绿、古、新景点81处，被中外友好人士称为山中海世界，石上万卷书。东方巨龟苑景区就坐落在太行山东麓，光禄山脚下，冶河之畔，距河北省会石家庄35公里，景区陆地面积2600亩，水上面积800余亩，景区包含了万吨巨龟和跨世纪献礼牌楼两个世界之最，千米画廊、华夏历史生态园林等六个中国第一，自1997年开业以来，先后被评为石家庄市爱国主义教育基地、石家庄市科普教育基地、河北省国防教育基地、国家AAAA级旅游区，首批全国农业旅游示范点2010首届河北省十佳工农业旅游景区。
石家庄市	国御温泉度假小镇	4	国御温泉度假小镇位于河北省石家庄，是国家AAAA级旅游景区，金叶级绿色旅游饭店，打造集温泉沐浴、养生保健、膳宿会务、休闲娱乐于一体的温泉度假景区。拥有露天半露天特色养生汤池50余个，各类度假客房近300套，32间高档包房、独具特色的大型自助餐厅，可供1000人同时就餐，大中小会议厅6个，大型宴会厅可承接500人的国际会议。国御温泉是距离省会最近的温泉度假景区，在石家庄市区(博物馆)以东22公里处，紧邻和平路延长线307国道，交通便利。另临近滹沱河生态休闲带，附近可远望村庄农舍，一派祥和的田园之景。
石家庄市	华北军区烈士陵园	4	华北军区烈士陵园是河北省退役军人事务厅直属正处级事业单位，位于河北省省会石家庄市中山西路343号，是我国兴建早、规模大、建筑规格高的著名烈士陵园之一。1948年秋，经朱德总司令提议，为了纪念抗日战争、解放战争时期牺牲在华北大地的革命烈士而修建，1954年建成并对外开放，是我国兴建较早、建筑造型艺术较高的烈士陵园之一。 园内安葬着马本斋、周建屏、常德善、包森、周文彬等历次革命历史时期牺牲在华北地区的318位团职以上的革命烈士，安放着650多位烈士和老红军的骨灰，国际主义战士诺尔曼.白求恩和柯棣华大夫均安葬于此。
石家庄市	棋盘山景区	4	棋盘山是以生态森林景观为主的山岳景区，位于赞皇县城西段里沟，属太行山中段东麓，总面积，主景区20平方公里。距赞皇县城27公里，距省会石家庄市区77公里，西南距嶂石岩景区25公里。 景区因主沟段里沟沟掌有棋盘山突兀拔地故名。最高峰卧驼峰，是一组山峰，其主峰为四相公寨，海拔1342.3米。棋盘山不仅风光秀丽，而且气候宜人，最热月平均气温22.3℃，是4A级国家旅游景区，实为消夏避暑之胜地。

附录3-1 续表 4 continued

市 City	景区名称 Name of Scenic Spot	景区级别 Scenic Spot Level	景区简介 Introduction of Scenic Spot
石家庄市	石家庄天山海世界	4	石家庄天山海世界坐落在河北省石家庄高新技术开发区，是国内较大的室内恒温水上戏水项目，是按国家AAAAA级标准全力打造的全民健身乐园。建筑面积约5万平方米，总投资达10亿人民币，室内净高30多米。它占地130余亩，与后边的钻石公园及800亩生态湿地公园遥相呼应，形成了一片独特的旅游胜地。该项目以水为主体，处处体现了水的存在。整个建筑似一条巨龙，建筑风格中 西结合，给人以庄重、典雅、新奇的享受。 天山海世界自1999年开业以来，以其幽雅天山海世界的环境、温馨的服务，赢得了全国各地及美国、日本、瑞典等外国游客的高度赞誉。海世界为石家庄旅游行业注入了新鲜的活力，成为了广大群众健身的一道靓丽的风景线！正如游人所赞誉的真是瑶池仙境降人间！
石家庄市	石家庄苍岩山景区	4	苍岩山位于河北省石家庄市西南50公里的井陉县境内，总面积63平方公里，高1039.6米，为中国历史文化名山、国家重点风景名胜区、国家4A级旅游区，苍岩山福庆寺作为核心景区被列为中国重点文物保护单位。千百年来苍岩山以雄、奇、秀、险、幽众美为一体的独特风格吸引了无数海内外游客前来旅游观光，咏诗作画，拍摄影视外景。
石家庄市	嶂石岩风景名胜区	4	国家级风景名胜区嶂石岩，位于石家庄西南的赞皇县境内，距河北省省会石家庄市区约110公里，是太行山森林公园精华所在。其特色景点为大型天然回音壁。嶂石岩全旅游区的地貌经由国家旅游、地质部门鉴定为嶂石岩地貌。以嶂石岩命名的嶂石岩地貌，和丹霞地貌、张家界地貌并称为中国三大旅游砂岩地貌。 嶂石岩是国家级风景名胜区，有三层陡崖，其景观大致可概括为三栈牵九套，四屏藏八景。嶂石岩景观主要为丹崖、碧岭、奇峰、幽谷。其景观特色大致可概括为三栈牵九套，四屏藏八景。三栈即三条古道；九套即连接三条古道的九条山谷。
石家庄市	驼梁景区	4	驼梁位于河北省平山县西北端冀晋两省交界处，距石家庄市138公里，与佛教圣地五台山遥遥相望，因山顶恰似驼峰而得名。主峰海拔 2281米系河北省五大峰之一。 驼梁景区(驼梁自然风景区)位于山西省五台县东部，距五台山中心区30余公里，属于山西省五台县和河北省阜平、平山县共同管辖。驼梁景区总面积74.5平方公里，沿太行山跨省交界线长20多公里，其主峰海拔2281米，为晋冀两省四县(山西省五台县、河北省阜平、灵寿、平山县)交汇处，驼峰山峦蜿蜒、此起彼伏，犹如静卧巨驼而取名驼梁。与世界文化景观遗产五台山风景名胜区东北相望、遥相呼应，有其独特魅力。
石家庄市	天桂山风景名胜区	4	天桂山位于河北省平山县西南部北冶乡境内，处于太行山中段深山，东距省会石家庄市80公里，北距革命圣地西柏坡35公里，距离华北著名的温泉度假区30公里。景区总面积132.5平方公里。 天桂山是我国北方著名的山岳古刹型风景名胜区，2001年荣膺国家AAAA级旅游区，2002年被国务院审定为国家重点风景名胜区，2003年被国家旅游局和共青团中央授予全国青年文明号单位。境内奇峰突起，怪石林立，洞泉遍布，林繁花茂，云环雾绕，古刹重重，既有雄秀交融的天然风光，又有皇家园林的高贵气韵和道家仙山的庄严气势及神秘色彩，俗有皇家道院之称，北方桂林之誉，为我国名山大川中一朵瑰丽的奇苑。
石家庄市	佛光山景区	4	佛光山旅游风景区位于河北省平山县北冶乡柏树庄村，距石家庄80公里，距西柏坡20公里，就在G207国道旁边，交通非常便利。佛光山其实就是天桂山的后山，因经常出现佛光而得名，古有佛光寺，现已损毁，仍存旧址。现在的佛光寺为新建。 佛光山因佛光时显而得名，是佛教的祥源沃土，历史悠久，香火繁盛，其中以觉山寺、佛光寺、佛爷栈、五方佛、菩萨洞、慈悲阁景区为中心的佛门圣地更为海内外信士仰望。主峰海拔1177米，以沉雄、险奇、灵秀而著称，荣膺国家AAAA级风景区、国家级风景名胜区佛光山省级森林公园河北休闲农业与乡村旅游示范点等称号。

附录3-1 续表 5 continued

市 City	景区名称 Name of Scenic Spot	景区级别 Scenic Spot Level	景区简介 Introduction of Scenic Spot
石家庄市	平山县黑山大峡谷景区	4	黑山大峡谷景区是国家AAAA级景区，河北省省级名胜风景区。黑山大峡谷风景名胜区地处平山县西北部太行山东麓，西与山西盂县、五台县接壤，距佛教圣地五台山45公里，东距革命圣地西柏坡50公里，距石家庄市120公里。 景区地处平山县西北部太行山东麓，距佛教圣地五台山45公里。景区由服务区、人文景观区、龙潭飞瀑区，自然原始森林区，主峰户外探险区、福圣寺、穆柯寨、玉女峰、拆柴托尖等60余个景点组成，面积约17平方公里。景区总面积17平方公里，由大牌楼、天河瀑、水帘洞等60多个景点组成，集野、幽、静、奇、险、秀为一体，人称世外桃源。
石家庄市	平山县沕沕水生态风景区	4	沕沕水生态风景区位于革命老区河北省平山县西南边缘，旅游面积11.5平方公里，海拔高度800--1100米，距河北省省会石家庄95公里。现为国家4A景区、国家水利风景区、国家风景名胜区和中国最佳生态旅游景区。该景区集自然风光、人文景观和红色旅游于一体，早在明清时代，即为平山八大胜景之一，素享沕水瀑布天上降的盛誉。 沕沕水生态风景区内的瀑布是典型的喀斯特岩溶泉，常年涌流，四季不竭，水质洁净甘冽，沿绝壁飞落，形成落差93米、45米等多级瀑布，实属北方珍宝。
石家庄市	河北平山藤龙山风景区	4	藤龙山风景名胜区位于河北省平山县王坡乡北部，西接天台山，北临横山湖，南连仙女湖，距县城 25公里，东距省会石家庄50公里，交通便捷。藤龙山原生态自然风景区是一处集地质景观、森林生态、人文历史景观于一体的高品位原生态自然风景区，是全球罕见的地表陆核景观区之一，面积8平方公里，山险、石奇、水清、树美、林绿、野幽，尤以红色峡谷地貌、绿色空中草原、华北藤海森林、四季云海、二战堡垒战壕称奇。峡谷两岸翠峰耸立，溪谷中间流水潺潺，鸟音泉语，深幽秀丽。千亩藤林起伏如海，林下形成千万座藤宫绿帐。不是热带雨林，胜似热带雨林，享有温带雨林美誉。
石家庄市	平山县紫云山景区	4	紫云山石鼓寨休闲度假区，距平山县城50公里、西柏坡45公里、省会石家庄90公里，面积16平方公里，海拔800-1200米，是集自然生态风景、天热溶洞、原始农家石院、古代民族文化、红色教育基地于一体的休闲度假区。 景区植被颇为茂盛，桃杏柿枣，松柏椿藤，山花野菊，遍布山峦。原始次生林，阵阵松涛让人浮想联翩，实为休闲娱乐避暑度假之佳地。 平山紫云山风景区以溶洞风光和山峦地貌为主，是一处集自然生态风景、天然溶洞、原始农家石院、古代民族文化、红色教育基地于一体的休闲度假区。
石家庄市	西苑温泉度假村	4	西苑温泉度假村景区位于河北省平山县温塘镇，是一家集AAAA景区与四星酒店于一体的综合性旅游目的地。景区分为大型室内动感戏水乐园、特色温泉理疗、纳米SPA 土耳其鱼浴、室外温泉主题园区等，是居家旅行的首选之地。西苑温泉度假村位于省会石家庄西50公里的平山县温塘镇，距离石家庄市区0.5小时，北京4小时车程。 西苑温泉度假村占地三百亩，宾馆菜品多采用当地原料，以山珍、河鲜为主，并辅以百姓家常饭。保证让您做一次地地道道的山里人。度假村拥有十五个不同规格的会议室，最大的会议室可容纳六百余人。
石家庄市	白鹿温泉旅游度假股份有限公司	4	河北白鹿温泉位于石家庄市平山县温塘镇，是国家AAAA景区。白鹿温泉已建成营业的一二三四期项目占地750余亩，总投资近10亿元，是中国少有、华北唯一的集高端接待、商务会议、温泉沐浴、水上乐园、文化演出、休闲保健、生态旅游以及完善的住、餐、娱、购、会务配套于一体的新型、综合性的温泉旅游度假景区。白鹿温泉采用温塘镇历史悠久的地下温泉水，泉水富含二十多种有益于人体健康的矿物质微量元素，属于保健型高温氡泉，水质滑润、养生美颜、理疗身心，对风湿病、关节炎等多种疾病具有良好的辅助疗效。

附录3-1 续表 6 continued

市 City	景区名称 Name of Scenic Spot	景区级别 Scenic Spot Level	景区简介 Introduction of Scenic Spot
石家庄市	双凤山旅游区	4	双凤山景区开发于1974年，是国家AAAA级旅游景区，省级爱国主义教育基地，省级国防教育基地，省直机关廉政文化示范单位。景区位于省会石家庄市区西部，占地面积20余万平方米，由英烈纪念区、社会纪念区、山地景观区、水系景观区、停车场区、办公区六大部分组成。园区规划布局合理，自然景色宜人，纪念建筑庄严雄伟，亭台楼宇错落有致，是集休闲、教育为一体的大型综合性纪念园区。 双凤山景区担负着褒扬烈士、教育群众重要职能，是河北省乃至全国进行爱国主义、革命传统教育的重要场所，对河北革命烈士与革命英烈的光辉业绩进行研究和宣传的著名革命纪念地。
石家庄市	君乐宝乳业工业旅游区	4	君乐宝文化景区成立于2012年，位于河北石家庄，依托君乐宝乳业集团二十余年的乳品研发、生产及品牌资源建立，2015年被评为国家AAAA级旅游景区。 景区主体以优致牧场、酸奶工厂、奶粉工厂构成，是河北省工业旅游示范点、河北省中小学质量教育社会实践基地、石家庄市中小学生研学实践教育基地及石家庄中小学生科普教育实践基地。景区以文化传承为主要脉络、以乳业加工为龙头，建立起种养结合、乳品加工、观光旅游三产融合的特色园区，年接待游客达到百万人次。
石家庄市	灵寿县水泉溪自然风景区	4	水泉溪自然风景区位于河北省石家庄市灵寿县的南营乡。南距省会石家庄100公里，北与佛教圣地五台山隔牛山相望，是集旅游观光、寻奇探幽、消暑纳凉、健身休疗为一体的多功能旅游景区。 水泉溪自然风景区总面积30平方公里，最高峰杨林尖海拔近2000米，危崖含黛，群峰叠翠，森林覆盖率达90%以上。水泉溪自然风景区原为神仙洞旅游区，名字的由来缘于景区内的三条溪流，分别是神泉溪、杏花溪和槐花溪。景区内水资源极其丰富，山山有泉，沟沟有水，瀑布分布广泛，最大的瀑布落差100余米。杨林尖峰的半山腰有华北地区罕见的大理石岩洞，洞中巨石吊悬，曾发掘出古代刀剑及炼丹炉等。当地人称其为神仙洞。
石家庄市	灵寿县秋山景区	4	秋山原生态自然风景区位于河北省灵寿县境内。东临燕川水库，西临藤龙山景区，北连横山湖旅游度假区，南望下观水库，距省会石家庄60公里，距灵寿县城30公里，南距平山县城30公里，西距革命圣地西柏坡35公里。是一处集地质景观、森林生态、人文历史景观于一体的高品位原生态自然风景区，面积达8平方公里。秋山风景区资源优势鲜明，山青、林绿、石奇、水碧、夏凉、秋花、冬雪、冰瀑，以森林生态和地址形态为依托，呈现奇、险、凉、野、幽的原始生态环境。 秋山风景区属暖温带半湿润大陆性气候，由于这里三面环水且相对高差较大，山地气候十分明显，具有平均气温低、降水多、积温少等特点。景区山场植被覆盖率95%以上，二分之一范围内森林郁闭度达98%。
石家庄市	灵寿县五岳寨景区	4	五岳寨风景区，国家森林公园、AAAA级旅游区，地处太行山东麓，位于河北省灵寿县西北部深山区，因五座山峰并列耸立，且有五岳之特点而得名。公园属河北省漫山自然保护区的一部分，总面积24平方公里。 2000年12月被国家林业局批准为国家森林公园，并多年来保持河北省旅游景区(点)综合治理达标单位、石家庄十佳旅游景点等称号。景区于2004年被国家旅游局评定为AAAA级旅游区，2006年评定为河北省地质公园。景区内山高林密、空气清新，动植物及水资源极为丰富，大小瀑布数百个。五岳寨风景区，植被覆盖率达98%以上，且种类繁多，使景区成为集旅游观光、健身疗养、避暑度假、寻奇涉幽、登山探险、科学考察为一体的高品位、多功能自然风景区。
雄安新区	安新白洋淀景区	5	白洋淀景区以物产丰富、风景秀丽闻名于世。借得一江春水，赢得十里风光。传说，嫦娥把随身宝镜跌落人间，摔成大大小小143块，化作了白洋淀143个淀泊。安新白洋淀是河北第一大内陆湖，在绵延无尽的芦苇荡中徜徉，与渐欲迷人眼的千亩荷塘擦身而过，到鸳鸯岛来一场美丽的邂逅，或者去寻常农家捕鱼吃藕，与鱼米之乡的约定一次归园田居式的悠闲生活。
雄安新区	白洋淀温泉城	4	白洋淀温泉城是华北地区新兴的集旅游、度假、休闲、疗养、康乐、会议于一体的旅游胜地，现为是河北省旅游度假区、省级经济技术开发区，享有河北省政府赋予的八项优惠政策，其总面积为9.53平方公里。白洋淀温泉城有北方小江南之称。一年四季，气候湿润。城内已开采出天然含硒优质矿泉水，被誉为神泉秀水;储量达100亿吨，温度达80℃以上。

附录3-1 续表 7 continued

市 City	景区名称 Name of Scenic Spot	景区级别 Scenic Spot Level	景区简介 Introduction of Scenic Spot
承德市	承德避暑山庄及周围寺庙景区	5	承德避暑山庄及周围寺庙景区位于河北省承德市，曾是中国清朝皇帝的夏宫，也是现存最大的古典皇家园林 。承德避暑山庄始建于1703年，历经康熙、雍正、乾隆三代皇帝，耗时89年建成，内部由皇帝宫室、园林所组成。整个园区分为宫殿区、湖区，山区、平原区四大区域，其中宫殿区和湖区是避暑山庄的精华所在。园中有不同规格的28座蒙古包，皇家藏书阁文津阁，永佑寺、春好轩、宿云檐等建筑，非常值得游览。
承德市	普陀宗乘之庙	5	普陀宗乘之庙，又叫小布达拉宫，是清代乾隆皇帝为了庆祝他本人60寿辰和崇庆皇太后80寿辰而下旨仿西藏布达拉宫建设的佛教庙宇。位于河北省承德市避暑山庄北，狮子沟南侧，为承德外八庙中规模最大建筑群，建成于清乾隆三十六年(1771年)。普陀宗乘之庙占地22万平方米，其主体建筑大红台位于山巅，通高43米，台中央万法归一殿是主殿，殿顶部高出群楼，殿顶都用鎏金鱼鳞铜瓦覆盖。60余座(现存40余座)平顶碉房式白台和梵塔白台随山势呈纵深式自由布局，无明显轴线。1994年12月，包括普陀宗乘之庙在内的承德避暑山庄及其周围寺庙被联合国教科文组织登录为世界遗产。
承德市	须弥福寿之庙	5	须弥福寿之庙，又称班禅行宫，是清代乾隆皇帝为迎接西藏六世班禅入觐朝贺乾隆帝七旬庆典而仿照班禅居所扎什伦布寺形制兴建。位于河北承德避暑山庄北面狮子沟的南坡上，普陀宗乘之庙的东面。建于清朝乾隆四十五年(1780年)。 须弥福寿之庙是外八庙中最后修建的一座，也是唯一一座将立体建筑位于寺的中部，合理利用地形，既保持了扎什伦布的基本特征，又使得寺庙的立体轮廓与相邻的普宁寺、普陀宗乘之庙有明显的区别。其次，碑亭内的御碑是外八庙中唯一一块设置赑屃的石碑，显示此庙的与众不同，可见乾隆对六世班禅的重视。这样处理就使得这座寺庙的性格更为强烈，也使整个外八庙格外丰富多彩。
承德市	普宁寺	5	须弥福寿之庙，又称班禅行宫，是清代乾隆皇帝为迎接西藏六世班禅入觐朝贺乾隆帝七旬庆典而仿照班禅居所扎什伦布寺形制兴建。位于河北承德避暑山庄北面狮子沟的南坡上，普陀宗乘之庙的东面。建于清朝乾隆四十五年(1780年)。须弥福寿之庙其布局的最大特色是主体建筑的大红台并未如普陀宗乘庙的因势利导随山自由布局，而是居于全寺正中位置，所以通过山门、碑亭、琉璃牌坊之后，直接逼入眼帘的就是巨大的红台。大红台之后是呈口字形平面的金贺堂及万法宗源殿，最后在陡起的山巅竖起八角形的七层黄绿琉璃宝塔为全寺画下完美句点。大红台内的妙高庄严殿楼高三层，重檐攒尖金顶整个浮于台面，匕檐每脊各置仰望及俯视之金色双龙，龙身藉四爪有力地攀附于殿脊，撑起弯曲有劲的身躯，造型勇猛为他处罕见，也更凸显了大红台的华丽庄严气势。殿宇为正方形平面，宽七开间，室内格局如回字形，中央一至三楼挑高成空筒状，三层各置佛尊，周围为回廊，外观封闭，内庭开敞，其对比颇具戏剧效果。
承德市	普乐寺	5	普乐寺俗称圆亭子，位于承德市街东的武烈河东岸，面临武烈河，背倚锤峰。建于乾隆三十一年(1766年)，寺门西向。由于当时西北各民族与清朝政府关系日益密切，生活在巴尔喀什四周的哈萨克族和生活在葱岭以北的布鲁特族，不断派代表进就朝觐，因此建寺。寺院面对避暑山庄，呈众星拱月态势 ，象征多民族国家的统一。普乐寺山门为单檐歇山顶，山门内有钟鼓楼、天王殿、宗印殿等建筑。天王殿，单檐歇山顶。布瓦绿剪边，内有四天王、大肚弥勒和韦驮像。宗印殿是正殿，重檐歇山顶，殿脊用彩色琉璃瓦拼合成云龙图案. 脊正中有大型琉璃宝塔. 殿侧有琉璃八宝浮雕。殿内供释迦尼佛、药师佛、阿弥陀佛。三尊佛后各蹲着护法神：一只大鹏金翅鸟。两侧有八大菩萨塑像。普乐寺后半部藏式主体建筑称经坛，是集会讲道祭奠之所。
承德市	安远庙	5	安远庙，又名伊犁庙、金顶寺，因主殿普度殿为方形，俗称方亭子。位于河北省承德市避暑山庄东北方向，武烈河东岸的冈阜之上，是一座藏传佛教格鲁派寺院，为外八庙之一。建于清朝乾隆二十九年(1764年)。1988年1月13日，安远庙被中华人民共和国国务院公布为第三批全国重点文物保护单位。安远庙平面布局呈长方形，前部较开阔，后部布局紧凑。占地面积2.6万平方米，寺内分三进院落。第一进山门内是一片广阔的场地，南北各有五间配殿，正面及两侧原有三座棂星门。第二进院落以汉、藏结合的平台门与一进院落分开。第三进院落是由70间廊房组成，正中为主体建筑普度殿，平面呈回字形，是蒙古族寺庙中常见的都纲法式。

附录3-1　续表 8　continued

市 City	景区名称 Name of Scenic Spot	景区级别 Scenic Spot Level	景区简介 Introduction of Scenic Spot
承德市	塞罕坝国家森林公园	4	塞罕坝国家森林公园是中国北方最大的森林公园，位于河北省承德市坝上地区，在清朝属著名的皇家猎苑之一木兰围场的一部分。森林公园总面积142万亩，其中森林景观106万亩，草原景观20万亩，森林覆盖率75.2%。全园规划6大类型景观，被誉为水的源头，云的故乡，花的世界，林的海洋，休闲度假的天堂，具有草原、森林景观。属国家一级旅游资源，国家AAAA级旅游景区。 塞罕坝国家森林公园位于内蒙古高原与冀北山地的交汇地带，地形结构和植被复杂。海拔高度在1500米-2067米之间。山地高原交相呼应；丘陵曼甸连绵起伏。塞罕坝按地形分坝上、坝下两部分：坝上是内蒙古高原南缘，以丘陵、曼甸为主，海拔1939.6米；坝下是阴山山脉与大兴安岭余脉交汇处，典型的山地地形，平均海拔1700米。
承德市	丰宁京北第一草原旅游景区	4	京北第一草原区域辽阔，位于承德市丰宁满族自治县境内，平均海拔1800米，位于坝上高原，属内蒙古高原的一部分。京北第一草原区域辽阔，平均海拔1800米，属内蒙古高原南端边缘部分。一望无际的大草原以优美的自然风光见长，野趣盎然。典型的温带草原季象变化显著，既是优质的天然牧场，又是理想的草原旅游环境。 京北第一草原素有花海、植物药库、野菜圃和动物园之美称，动植物种类繁多，仅植物达73科、315种。京北第一草原的秋天则是满眼金黄。在天苍苍、野茫茫的大草原上骑马、骑骆驼，观赏大草原的风光，体验草原牧民的生活，实在是风情万种，富有生趣。
承德市	金山岭长城旅游区	4	金山岭长城旅游区，地势险要、视野开阔、设防严谨、建筑雄伟，是我国万里长城的精华地段。1988年1月被国务院公布为第三批全国重点文物保护单位，1991年被国家定为一级旅游景点，国家级风景区。 在约20公里长的金山岭长城上，设有大小关隘5处，2座烽火台，还可观赏到67座形态各异的敌楼，敌楼均为两层：下层有纵横六条拱道，可容六、七十人；上层有一间供士卒站岗放哨、遮风避雨的小房。这里的长城构筑复杂，敌楼密布，一般50-100米一座，墙体以巨石为基，高5-8米，形式多样，各具特色。登上金山岭长城倾心感受古长城的壮美与雄浑，便可体会一个民族的伟大与豪迈。
承德市	御道口草原森林风景区	4	御道口牧场草原森林风景区位于承德市围场满族蒙古族自治县的内蒙古高原。景区内有原始草原70万亩，湿地20万亩，天然淡水湖21个，泉水47处(多为矿泉)，河流13条，是滦河发源地之一。有植物50科659种，野生动物100多种，山野珍品几十种，具有典型的生物多样性，真正是水的源头，云的故乡，花的世界，林的海洋，珍禽异兽的天堂。成为人们草原观光、休闲度假、会议等生态旅游的绝佳去处。这里交通方便，距北京400公里，距承德220公里，距围场100公里，客源和区位优势明显。御道口草原森林风景区的一切都充满着神奇的魅力。来此旅游将圆您回归自然之梦，忘却世间烦恼，陶冶您的情操，领悟生命的真谛，增强您生命的活力。
承德市	双滦区双塔山景区	4	双塔山风景区位于承德市双滦区境内，在举世闻名的承德避暑山庄西南十公里处，总面积3000公顷，是承德市区最大的自然风景游览区。双塔山风景区塔山为承德名山之一，附近风光秀丽，山峦奇秀，怪石峥嵘，现已辟为游览点。1300多年以前契丹人在双塔峰顶建造的两座古塔更给整个景区增添了神秘色彩。景区内林壑优美，溪水奔流,怪石嶙峋，鸟语花香。清朝的康熙、乾隆、嘉庆皇帝以及文武名臣就曾多次登临，且遗迹成篇。双塔山观光索道以双塔山公署进门广场为起点，途经双塔山脚下，直上景区的又一著名景观猿人石，全线长度800米，上下高差88米。索道贯穿景区的重要景点，能让您的游览更轻松、舒适、全面。
承德市	董存瑞纪念馆	4	董存瑞烈士陵园坐落在河北省隆化县城苔山脚下伊逊河畔，1954年始建，并先后被评为全国爱国主义教育示范基地、国家百个重点建设发展的红色旅游经典景区。陵园多年秉承培育爱国之情，激发报国之志的理念，是塞外一颗璀璨的红星。 董存瑞烈士纪念馆新馆占地14亩，馆区分为接待区、瞻仰烈士纪念广场、展览区和碑林区四部分。1996年，中央军委批准，将董存瑞烈士列为全军六大英模之一，画像在连级以上单位悬挂。1997年，中宣部指定董存瑞烈士陵园为全国爱国教育示范基地。2003年8月1日，由中央军委主席江泽民同志亲笔题写的董存瑞纪念馆在延吉市落成。2005年董存瑞的事迹又被列入永远的丰碑。

附录3-1 续表 9 continued

市 City	景区名称 Name of Scenic Spot	景区级别 Scenic Spot Level	景区简介 Introduction of Scenic Spot
承德市	兴隆溶洞景区	4	兴隆溶洞位于兴隆县北水泉乡陶家台村，距县城6公里，兴隆溶洞已发现的溶洞面积5000多平方米，旅游开发面积为2700平方米，同时还发现有支洞5处。此洞是偶然发现，当地的三个村民在2003年打猎的时候追赶猎物误入。 兴隆溶洞为一大型石灰岩溶洞，发育年龄达10亿至14亿年，而且目前仍在生长发育，属典型的渗流带洞穴和典型的缓慢扩散流碳酸钙沉积，洞内的碳酸钙沉积物，类型齐全，景观形态美，体量大。是我国最古老的溶洞之一。因其洞内景观以原色原貌、晶莹剔透、精致荟萃、罕世珍藏为特色的次生洞穴化学沉积景观，如花似玉，因此名为燕山水晶宫。
承德市	大汗行宫旅游景区	4	大汗指成吉思汗，行宫是指行进中的宫殿。成吉思汗征战的宫殿和指挥部就是搭建在勒勒车上的大型蒙古包，大汗行宫据此特色建造，故此得名。大汗行宫生态旅游景区位于蒙、陕、宁交接处的鄂尔多斯大草原。背靠巍巍的贺兰山，面对浑厚的黄土高原，西邻银川盆地，东依古老的鄂尔多斯高原，地处几大地理单元的结合部，地形、地貌丰富多彩. 十分有利于开展旅游活动. 大汗行宫由五个圆形蒙古包、八个方形军帐组成，形成了蒙古民族吉祥数字13，并一字排开，宛如展翅的雄鹰一般。占地约4900平方米，内设有装饰充满民族特色的餐厅、客房以及现代化的会议室。
承德市	中国马镇旅游度假区	4	中国马镇景区位于丰宁满族自治县大滩镇北部，地处坝上草原。以自然生态为依托，打造具有马文化风情的马文化商业街、马文化主题公园等。中国马镇旅游度假区，隶属于马镇文旅集团有限公司。北倚内蒙古草原、西接冬奥会赛区崇礼、东临承德避暑山庄，距丰宁县城86公里、北京市区260公里，张家口市区160公里。项目占地1150公顷，总建筑面积65万平方米，以草原丝绸之路为项目整体规划创意。中国马镇主要以弘扬草原文化，打造草原特色旅游小镇，以高端、生态、可持续发展的主题，创建生态友好型旅游度假区。
承德市	平泉市山庄老酒文化产业园景区	4	山庄老酒文化产业园景区从2009年开始兴建，总投资3.4亿元，是平泉市近年来打造的四个产业园之一，也是河北省的重点建设项目。 山庄老酒集团已初步形成了一心两轴三区的景观分布，一心是山庄集团综合服务中心；两轴分别是康熙御道景观轴和康庄大道景观轴；三区是中国皇家酒文化展示区、科研观光体验区、山庄1950工业遗迹保护区。山庄老酒文化产业园景区从2015年陆续接待前来参观的客人，厂区内以其独特的天圆地方造型吸引了众多游人的目光，成为平泉市标志性建筑。2019年山庄老酒文化产业园项目通过了4A级旅游景区景观质量评审。此次正式获批4A级景区为山庄老酒集团开启了工业旅游新模式。
张家口市	万龙滑雪场景区	4	万龙度假天堂是山地文化与探险精神的发源地，以滑雪运动为核心蜚声海外，是国内首家以滑雪为特色的国家级4A景区，被誉为中国的粉雪天堂。作为世界级滑雪胜地，万龙滑雪场坐拥得天独厚的天然降雪，超过32条高品质雪道，最高垂直落差达1740尺，吸引着全球各地的滑雪爱好者。万龙度假天堂坐落于素有中国雪都美称、2022北京冬奥会举办地的张家口崇礼区中心，距离北京以西249公里，乘坐京张高铁仅需45分钟即可抵达。万龙度假天堂在夏季也是舒适宜人的生态避暑胜地，让游客能够在自然中释放自己，为生活注入活力。
张家口市	张北中都原始草原度假村景区	4	张北中都原始草原度假村，位于河北省张北县，于1993年建成营业，建筑占地8万多平方米。景区草原总面积3万亩，度假村占地面积2500亩。中都草原海拔1400米，属大陆季风性高原气候，特点是春秋短，冬季长，夏季无风无暑，清凉舒爽。草原上生态系统完整，可供观赏、采摘、捕捉和食用的野生动植物资源相当丰富。
张家口市	黄龙山庄景区	4	怀来黄龙山庄旅游区，作为一处原始的自然景区，位于河北省怀来县新保安镇境内的于洪寺村，东临北京，西接晋蒙。是怀来县唯一一家AAAA级国家景区。黄龙山庄坐落于巍巍的燕山山脉。这里山势奇伟，连绵起伏，犹如九条巨龙横卧于此，其中二龙聚首处，水流淙淙，长年不涸，积水成潭，名曰黄龙潭。其独特的局域气候，奇丽的自然景观令人叹为观止。自山顶南下，依次有马鞍桥、象石山、险路天梯、卧佛石等八处自然景观。此地山民纯朴热情，人文景观独特，流传着神奇的民间故事，内容幽默风趣，惊险刺激，让人耳目一新。在这里还可仰观著名的新保安战役战场，令游人忘返。

附录3-1 续表 10 continued

市 City	景区名称 Name of Scenic Spot	景区级别 Scenic Spot Level	景区简介 Introduction of Scenic Spot
张家口市	安家沟生态旅游区	4	安家沟，又有小桂林的美名。安家沟生态区位于张家口市区西北部，与素有北方丝绸之路之称的张库古商道和雄险的大隘大境门相连，全沟由西向东延伸，沟长4625米，总面积4.25平方公里，共有大小12条支沟，26个景点。 安家沟风景秀丽、气候宜人，葱林群鸟争鸣、瀑水倾泻奔流。山野风情独具、乡土特色浓郁，植物动物共存、自然人文共融；进入安家沟，穿过敬安门，五神龟威然盘踞沟中。相传，神龟日日夜夜镇守着山门，历经数万年，他们共同护卫着安家沟，就是五龟石，不愧为安家沟三大奇观之首。一个个优美的传说，把每一个游客的心弦拨响，安家沟生态区令人流连忘返，回味无穷。
张家口市	大境门景区	4	大境门，位于张家口市区北端，建于崇祯十七年(公元1644年)具有350多年历史。大境门是中国万里长城中四大关口之一，在历史上曾有重要地位。 张家口市区长城是明成化二十一年(公元1485年)修建的，全长450公里。其中属于桥西境内长城全长3700米，皆沿山势修建，就地取材，以石垒筑，灰浆勾缝而成。大境门外东、西太平山巍然对峙，地势十分险要，历史上这一带是兵家的必争之地，是扼守京都的北大门，连接边塞与内地的交通要道。同时，大境门也是蒙、汉、回、藏等多元文化友好交流的场所，在清代(公元1644－1911)，是北方十分重要的商业都市，被称为路陆商埠、皮都。
张家口市	小五台·金河景区	4	小五台山金河景区坐落于蔚县境内的华北第一高峰小五台山脚下，东临京津，西依山西大同，南接保定，北枕塞外张家口。景区景点共计三十一个，小五台还是一座佛教名山，随着历代帝王的重建，高僧懿行，形成了小五台山灿烂的佛教文化，遗留了大量的古遗址、古寺庙、古摩崖、古石窟、古塔、古碑等。河北小五台山国家级自然保护区森林覆盖率高，水资源非常丰富，降水充沛，小五台保护区分布有国家重点保护野生动物22种：其中褐马鸡是世界珍禽，中国特有，国家一级保护野生动物，在国际上，褐马鸡被誉为东方宝石，和国宝大熊猫齐名。
张家口市	赤城温泉度假村景区	4	赤城温泉位于县城西南7.5公里的苍山幽谷之中，海拔942米，最高气温20.1℃，最低气温-12.6℃，是首都北京的绿色屏障，峦青岭翠、泉水淙淙、风景秀丽。温泉属高疗效矿泉，形成于距地表25千米的稳定岩层中，平均水温在50℃-68℃之间。区内有总泉、胃泉、眼泉、气管炎泉、冷泉和平泉，其中总泉水量最大(30立方米/小时)、温度最高。泉水含有20多种化学物质和微量元素，具有疗疾健身、益寿驻颜的功效，特别是对关节炎、皮肤病有显著疗效。
张家口市	沽水福源度假村景区	4	沽水福源度假村地处塞北大草原东北部，张家口市沽源县城东5公里处，与内蒙古 沽水福源度假村大草原接壤。景区交通便利，花草丛生，湖水浩渺，崎岖蜿蜒的炭山山脉，一望无际的原始草原，正是这些天然独特的无限美好风光吸引了前来避暑、消夏、狩猎、观光的历代帝王将相，景区内现有遗存完整肖银宗的梳妆楼(肖后凉殿)及大量辽、金、元三代帝王宫宛遗址，古文化积淀甚厚，被中央电视台大型纪录片《中华文明上下五千年》摄制组选定为拍摄基地。度假村坚持不求最大、但求最好的经营理念。秉承团结、拼搏、务实、创新的精神。恪守服务至上，信誉第一的经营宗旨。
张家口市	天鹅湖旅游度假村景区	4	天鹅湖旅游度假村位于河北省最北端，尖沽源县城北两公里囫囵淖湖畔处，这里是内蒙古大草原的腹地，天然淡水湖面，四周青山环绕，湖中碧波荡漾，生态环境良好，吸引上万只天鹅、灰鹤、野鸭和各类水鸟在此栖息，故拟名天鹅湖度假村。度假村占地面积25.8平方公里，其中湖面9.5平方公里，蓄水量为3800万立方米，湖周边是垦为农田的低岗梁和广袤的绿色草原，登高眺望，正如一幅双龙戏珠图，翻飞彩舞，龙腾珠滚之意。度假村就坐落在湖畔南岸的林荫之中，环境幽静，空气清新，吸引了历代帝王将相、文人墨客前来消夏，观光旅游，周边众多古遗址及国家级文物单位梳妆楼。
张家口市	鸡鸣山风景旅游区	4	鸡鸣山风景旅游区位于下花园区东2公里处，距张家口市50公里。海拔1128.9米，面积17.5平方公里。山势突兀，草木繁茂,孤峰插云，秀丽壮观，有参天一柱之称。《怀来县志》载：唐贞观年间，东突厥犯中原，边民不得安宁，太宗李世民亲征，驻跸此山，夜闻山上有鸡鸣声，故称鸡鸣山。北魏、唐、辽、元、明、清历代，都在鸡鸣山上兴寺建观。最大的寺院为坐落于半山腰的永宁寺，该寺建于辽圣宗太平四年。鸡鸣山自古即为名山，传说北魏文成帝、唐太宗、辽圣宗、萧太后、元顺帝、明英宗等都曾登临此山，观赏北国风光。清康熙皇帝从1696年到1706年曾四次驾临下花园，两次登鸡鸣山，他休息过的卧龙石至今完好无损。

附录3-1　续表 11　continued

市 City	景区名称 Name of Scenic Spot	景区级别 Scenic Spot Level	景区简介 Introduction of Scenic Spot
张家口市	黄帝城遗址文化旅游区	4	涿鹿是一个非常古老的地方，历史悠久. 源远流长，是中华民族的发祥地。根据《中国上古史演义》里说，千古文明开涿鹿。一部记载中华民族上下几千年的文明史，就是从发生在这块土地上的黄帝战蚩尤开篇写起的。向前追溯5000年，中华民族的始祖轩辕黄帝，就在今涿鹿一带开始了他的政治、军事、文化活动。 黄帝城又名涿鹿故城，位于张家口市涿鹿县矾山镇三堡村。黄帝城遗址呈不规则方形，南北长510-540米，东西宽450-500米。城墙保存较好，夯土筑成，夯层厚0.10-0.14米，残高2.5-5米，上宽2-3米，下宽约10米。黄帝城遗址内，文化遗迹众多，文化遗物丰富。黄帝城遗址，位于涿鹿县矾山镇西2公里处。黄帝城遗址呈不规则正方形，长宽各500米，城墙系夯土筑成。现存城墙高3至5米，南、西、北城墙尚在，东城墙浸于轩辕湖中。
唐山市	清东陵	5	清东陵位于河北省唐山市遵化市西北30公里处，西距北京市区125公里，占地80平方公里。是中国现存规模最宏大、体系最完整、布局最得体的帝王陵墓建筑群。清东陵于1661年(顺治十八年)开始修建，历时247年，陆续建成217座宫殿牌楼，组成大小15座陵园。陵区南北长12.5公里、宽20公里，埋葬着5位皇帝、15位皇后、136位妃嫔、3位阿哥、2位公主共161人。 清东陵各座陵寝的序列组织都严格地遵照陵制与山水相称的原则，既要遵照典礼之规制，又要配合山川之胜势。清东陵的经营跨越了两个半世纪的时空，几乎与清王朝相始终，葬有许多对清代历史有着重要影响的、声名显赫的人物，蕴含着丰富的历史信息，不仅是研究清代陵寝规制、丧葬制度、祭祀礼仪、建筑技术与工艺的不可多得的实物资料，而且也是研究清代政治、经济、军事、文化、科学、艺术的典型例证。
唐山市	青山关	5	青山关长城古堡旅游区位于河北省迁西县境内，是一处以长城文化为大背景，集餐饮住宿、休闲度假、商务会议、观光游览于一体的综合性旅游景区，为国家4A级景区、河北省乡村旅游示范点。青山关有长城沿线保存最完整、最精致的长城古堡。古堡始建于明万历年间，距今已有400多年的历史。关城内成边文化和民族风情浓郁，其中把总衙门、钱庄当铺、茶楼酒肆、兵营驿站、古建庙宇，历经岁月依旧古韵犹存。走进青山关古堡，给人一种厚重沧桑的古典美和回归自然的田园美，加之与古堡外的自然、人文景观相呼应，使人不由得体会到一种历史与现实的穿梭美。
唐山市	丰南运河唐人街景区	4	唐人街不夜城位于唐山市丰南区惠丰湖南侧、唐津运河两岸，全长近1000米。建筑外形仿明清古建筑，结合现代功能，将唐山传统的戏曲文化、茶文化和饮食文化融入其中，是休闲娱乐、购物为主的大型原始复古商业街，吸引着全国各地的人流，聚集人气，以景繁商。
唐山市	月岛景区	4	因该岛形似弯月状而得名，由月坨、腰坨、西坨等7个岛屿断续组成，四周环海，生态原始，景色以幽、野、奇、闲、异闻名。是天然的海滨浴场和生态旅游度假区。它和金沙岛、菩提岛相互呼应，形成了东起山海关，南起北戴河、黄金海岸，西至曹妃甸一条漫长的沿海旅游观光链。2008年月岛被评为4A级景区，为了更好地提升景区服务品质和景区形象。景区与2014年开始进行新项目建设，新建了客运码头、游客服务中心、温泉度假酒店、餐饮中心、情侣木屋、联排木屋、水上木屋及景观绿化和服务配套设施等。
唐山市	滦州古城	4	滦州古城深研滦州千百年悠久历史，2000余亩占地，兴北方盛世之风，载千古圣贤至高品格。以和文化为理念规划古城，整体规划布局纵向为和，横为时间轴，截取三千年历史烟云中最鼎盛时代的精华，采撷极具民族融合特色的建筑艺术，盛世景象，水绕古城，繁华街市宛如积淀千年的历史长河。滦州古城复原千载历史古迹：古城门、钟鼓楼、接官亭、等盛世建筑，展现遥不可及、难以清晰领会的历史印象，取其神韵，结合现实。一座集文化、旅游、商业、会务、居住、休闲为一体的北方人文古城，一处绵延千年的国家级4A景区，耀世而出。

附录3-1 续表 12 continued

市 City	景区名称 Name of Scenic Spot	景区级别 Scenic Spot Level	景区简介 Introduction of Scenic Spot
唐山市	曹妃甸湿地	4	曹妃甸湿地位于唐山市曹妃甸区，是具有国际意义的北方最大滨海湿地。湿地内野生动植物资源达1200余种，是澳大利亚至西伯利亚鸟类迁徙的重要驿站和栖息场所。湿地探索区设置了休闲区域，以木栈道、木质平台等设施为主，步行进入，让您既与湿地生物亲密接触，又保护湿地原生态平衡。垂钓中心设置在迷宫的西南角和东南角，这里可充分享受自然垂钓的乐趣。曹妃甸湿地是环京津休闲旅游产业带上的一个黄金节点，是曹妃甸论坛的永久会址所在地，拥有华北地区最大的湿地温泉中心，是集鸟类保护、湿地体验为一体的高端旅游休闲度假社区。
唐山市	南湖公园	4	南湖公园作为2016年唐山世界园艺博览会的核心会址，拥抱来自55个国家和地区的友人。 唐山南湖公园全称唐山南湖城市中央生态公园，国家4A级景区，位于市中心的南部，距市中心仅1公里，是唐山四大主体功能区之一南湖生态城的核心区，总体规划面积30平方公里，是融自然生态、历史文化和现代文化为一体的大型城市中央生态公园。
唐山市	李大钊纪念馆	4	李大钊纪念馆，坐落在河北省唐山市乐亭县新城区大钊路，始建于清光绪七年(1881年)，是由李大钊的大祖父李茹珍监造的。故居坐北朝南，呈长方形。高阶台，黑大车门，分为三进的宅院，是一座典型的冀东农村庄户的格局，南北长55.5米，东西宽18.2米，占地面积为1010.1平方米。李大钊纪念馆，1997年8月16日建成。占地100亩，建筑面积4680平方米。李大钊纪念馆，由江泽民总书记题写馆名。李大钊纪念馆是李大钊同志生平业绩的展览中心、研究中心、爱国主义教育基地和旅游胜地。被中宣部确定为全国百个爱国主义教育基地之一。2016年12月30日，国家发改委发布了《全国红色旅游经典景区名录》，李大钊故居纪念馆入选。
唐山市	山叶口景区	4	国家地质公园山叶口景区坐落在河北省迁安市大五里乡山叶口村，总面积14平方公里，经地质专家考证，这里遍地的五彩石是38.5亿年前远古海底的鹅卵石、泥沙经过高温高压，又经地壳运动形成的，有海底五彩琥珀的美称。这里丰富完整的太古地貌，被地质学家誉为全息海底地质档案馆，是迁安国家地质公园的重要组成部分。 山叶口景区始建于2007年，先后投入3400万元完善景区基础设施。景区定位为集休闲、体验、观光、娱乐为一体的生态旅游区。2013年，迁安市国家地质公园山叶口景区正式被国家旅游局评定为国家4A级旅游区。这也是迁安市创建的首个国家4A级旅游景区。
唐山市	青龙山景区	4	青龙山位于河北省唐山市滦县，是与碣石山、盘山齐名的三大名山之一，古称清凉山，又名截龙岭，青龙山群峰布列，曲径通幽。1959年辟为国营林场，遍植柏松等树木，有林面积达80%以上。青龙山位于唐山滦县新城西北约25公里，距唐山40公里，与唐山古冶区、丰润区毗邻。景区交通便捷，四通八达，南距205国道15公里，北靠102国道，距京沈高速公路榛子镇出口仅两公里。京山铁路、京秦铁路穿境而过。青龙山主峰娘娘顶海拔439米，属燕山余脉，其山南北走向，南北长15公里，东西宽20公里，总面积300平方公里。景区内的1700余亩、30余种植物药材是这里的一大特色。
唐山市	景忠山	4	景忠山旅游区位于河北省迁西县境内，省道三抚、邦宽交叉口南2公里处，距京沈高速迁西直线、唐承高速均只有15公里，距唐山75公里，北京190公里，天津185公里，承德130公里，秦皇岛140公里，交通便捷。景忠山现为国家AAAA级景区、省级文物保护单位、省级森林公园、省级风景名胜区、河北最美30景、唐山八景。景忠山以其秀美旖旎的自然景观；以其源远流长的宗教文化；以其美轮美奂的人文古建而被清康熙大帝皇封为天下名山，并御题名山初步、灵山秀色匾。
唐山市	开滦国家矿山公园	4	开滦国家矿山公园开始兴建于2005年8月，总规划占地面积近70万平方米，分两大园区进行建设。开滦国家矿山公园是由国土资源部于2005年批准建设的全国首批28家国家级矿山公园之一，是一项政府主导，企业筹建，依托开滦丰厚的矿业文化底蕴，集旅游、休闲、历史文化与科普展示、旅游地产开发于一体的新型工业旅游景区。2016年12月12日，在全国旅游系统先进集体、劳动模范和先进工作者表彰大会上，开滦国家矿山公园被授予全国旅游系统先进集体荣誉称号。这是开滦国家矿山公园2016年获得的又一国家级荣誉称号。

附录3-1　续表 13　continued

市 City	景区名称 Name of Scenic Spot	景区级别 Scenic Spot Level	景区简介 Introduction of Scenic Spot
唐山市	万佛园	4	万佛园，即燕山塔陵，是中国唯一坐落在世界文化遗产保护区清东陵风水墙之内的花园式林园，其风水与清东陵一脉相承。因该建筑位于燕山脚下，具有陵墓性质，得名燕山塔陵。景区是以展现佛教文化为主的大型仿古观光园林，因园林内供奉了万尊形态各异的佛像，故而得名万佛园.这里结合了中华民族五千年传统文化及佛学、道学、儒学与现代园林艺术，是集人文景观、旅游、参学为一体的胜地。
廊坊市	金丰农科园	4	金丰农科园是国家4A级旅游景区、全国青少年农业科普示范基地、国家农业科技创新与集成示范基地、全国农业与乡村旅游示范四星级园区。园区由农业科技观光园、种植基地、养殖基地组成，集农业科研、牧业养殖、农业高新技术展示、高效农业典型示范、现代农业观光旅游和农业生产经营为一体。金丰农科园科技园区拥有南果北种的江南果园馆，无土栽培、空中结薯等现代农业展示区，农业与文化相结合的农耕文化观赏区。这里既是京津冀都市农业的示范窗口，也是游览田园风光、体验现代农业、放松疲惫身心的理想休闲场所。
廊坊市	梦东方未来世界	4	梦东方未来世界位于廊坊市，是燕郊天洋航天现代服务产业发展区中的航天文化旅游项目之一，被文化部列为2015年中国重点文化产业项目。内设30项科教娱乐体验项目，集航天科技展览展示、课外科普教育、科技娱乐于一体，营造了一个完美的未来世界.梦东方未来世界是梦东方文化投资公司旗下的主题公园项目，是集团在累积了12年的行业研究基础上开发出的智慧和创新的结晶。
廊坊市	中信国安第一城	4	中信国安第一城是由中信国安集团公司投资兴建、中信国安第一城国际会议展览有限公司经营管理的一座集会议展览、旅游观光、休闲度假等多种功能于一体的大型综合性会展中心，坐落于京、津、冀交界的黄金地带-河北香河经济技术开发区，距北京市中心52公里，天津市中心70公里，总占地3320亩，总投资超过60亿人民币。周边5公里的空腹城墙、22座错落有致的城楼、具有浓郁中国传统文化风格的建筑群和独具匠心的皇家园林组成的景园内。特别是每年6-8月间，第一城芙蓉满园、荷香四溢，形成了荷在湖中、湖在景中、景在城中、人在画中的靓丽风景，成为京津冀地区著名的赏荷基地之一。
廊坊市	金钥匙国际家具会展中心	4	金钥匙国际家具(香河)汇展中心是从事商品流通的大型家具连锁企业。主要经营中高档家具商品并为家具供应商提供商品展示、分销、物流配送及信息服务，是北方规模最大、配套最齐全、行业最集中、功能最强大的超前商业中心。 金钥匙国际家具(香河)汇展中心位于北方最大的家具集散地和贸易区香河。坐拥家具零售业的龙脉风水宝地。香河地近京畿，交通非常便利。金钥匙的经营种类包括品牌家私、家庭用品、时尚布艺等系列，充分满足消费者一站式购物的消费需求，适应了现代消费发展的趋势。
保定市	野三坡景区	5	野三坡风景名胜区位于河北省涞水县，太行山脉和燕山山脉交汇处，它以雄、险、奇、幽的自然景观和古老的历史文物，享有世外桃源之美誉，以其独特的魅力，深受海内外游人的喜爱。景区总面积498平方公里，主要景点包括百里峡景区、拒马河景区、龙门天关景区、白草畔森林游览区、鱼谷洞、印象野三坡等，是中国北方极为罕见的融雄山碧水、奇峡怪泉、文物古迹、名树古禅于一身的风景名胜区。
保定市	白石山景区	5	白石山景区雄踞太行山最北端，因山多白色大理石而得名。景区总面积54平方公里，主山脊线长7000余米，有三顶、六台、九谷、八十一峰。崖耸云天、峰石彩林、佛光云海集于一身。白石山景区位于河北省保定市涞源县城南15公里处，交通便利，距离保定、北京、天津、山西、石家庄等地仅需2-3个小时左右的车程；由于特殊的地质结构和优美的自然风景，2017年2月被国家旅游局批准为国家5A级景区。

附录3-1　续表 14　continued

市 City	景区名称 Name of Scenic Spot	景区级别 Scenic Spot Level	景区简介 Introduction of Scenic Spot
保定市	清西陵景区	5	清西陵位于河北省保定市易县梁各庄西15公里处的永宁山下，离北京98多公里。清西陵是清代自雍正时起四位皇帝的陵寝之地，始建于雍正八年(1730年)，完工于民国四年(1915年)，其间185年。是现存规模宏大，保存最完整，陵寝建筑类型最齐全的古代皇室陵墓群。 清西陵共有14座陵墓，包括雍正的泰陵、嘉庆的昌陵、道光的慕陵和光绪的崇陵，还有3座后陵。清西陵面积达800余平方公里，建筑面积达5万余平方米，有宫殿1000余间，石雕刻和石建筑100余座。清西陵建筑基本上是相沿明代帝后妃陵寝建筑样式修筑而成，它依据清官式作法，在严格遵守森严等级制度的同时，又不拘泥于典制，具有很强的创造性。
保定市	狼牙山景区	4	狼牙山主峰莲花瓣海拔1105米，西北两面峭壁千仞，东南两面略为低缓，各有一条羊肠小道通往主峰，阎王鼻子、小鬼脸等险要之处仍需贴壁而过。抗战期间，日军扫荡狼牙山，为掩护主力部队撤退，八路军战士马宝玉、葛振林、宋学义等五人，激战5小时，打完最后一颗子弹，英勇跳崖。1942年为纪念五壮士壮举，在狼牙山主峰棋盘陀建有五壮士纪念塔，1958年重建，聂荣臻元帅亲笔书写狼牙山五勇士纪念塔。狼牙竞秀为古燕都古景之一，素有北方小黄山之称。狼牙山为国家级爱国主义教育基地、国家级森林公园、全国百家经典红色旅游景点之一。
保定市	易水湖景区	4	易水湖位于易县城西南25公里处，距北京150公里，距雄安新区80公里,上连拒马奔涛，下启易水寒流，南望郎山竞秀，北界云蒙叠翠。水域面积约27平方公里，容量为3.9亿立方米，最深处达48.5米。易水湖，山势雄奇险峻，空气洁净无尘，林木繁盛茂密。易水湖度假区现为国家4A级景区，国家级水利风景区，保定十佳景区，总规划占地约108平方公里，依托绝佳的山水自然资源，已经建设有易水文化休闲度假小镇、养生岛康养小镇、老子峰3100米临水栈道、高端度假湖景酒店、水上运动等业态项目。
保定市	曲阳县虎山风景区	4	虎山是一座生态金山，虎山主峰三尖梁，海拔1100多米，与古代帝王确定祭祀的中华五岳古北岳恒山连成一线。景区面积30余平方公里，是国家命名的4A级旅游景区。保定虎山风景区位于曲阳县城北45公里处，山区面积20多平方公里，因其山顶的一块巨石颇似蓄势待发的猛虎而得名。与著名的古北岳恒山相连，主峰尖嘴梁，海拔为1100多米，北靠唐县大茂山，西邻阜平神仙山。由于与唐县、阜平县接壤，形成了一脚踩三县的山岳旅游景观，景区面积达20多平方公里。 一直深藏于太行山群山之中的虎山，多年来人迹罕见，自然生态保持了原汁原味风貌，植被茂盛，林草覆盖率近100%。黄羊、松鼠、鸟类等野生动物不时出没。这里夏季平均气温比石家庄、保定市区低5度以上，清凉爽快。
保定市	满城汉墓景区	4	满城汉墓，位于保定市满城区陵山之上，是西汉中山靖王刘胜及其妻窦绾之墓。刘胜墓全长约52米，最宽处约38米，最高处约7米，由墓道、车马房、库房、前堂和后室组成；窦绾墓的形制与刘胜墓大体相同。两墓的墓室庞大，随葬品丰盛富且豪华奢侈，其中包括金缕玉衣、长信宫灯、错金博山炉等著名文物。满城汉墓的发掘，充分体现了古代中国劳动人民的勤劳和智慧。满城西汉中山靖王墓是全国重点文物保护单位，国家4A级景区，于1991年5月对外开放。
保定市	奥润顺达节能门窗工业旅游景区	4	奥润顺达节能门窗工业旅游景区经过三年的不断提升和完善，工业旅游项目丰富多彩、亮点多，展示项目有中国门窗博物馆、世界规模的中德节能门窗工业园、国家绿色智慧建筑科技示范中心等，这些项目不仅是对门窗历史的回顾和展望，也是对现代化先进工业水平的展示，对未来被动式超低能耗建筑的展示和推动。中国门窗博物馆位于高碑店市中国国际门窗城内。是以门窗为主题的专业博物馆。博物馆展区面积7000平方米，馆藏展品3000多件，目前整理展出的展品共1100多件。汇集世界顶尖门窗设计理念，展示世界上达到任何节能标准的门窗、不同降噪级别的门窗。

附录3-1 续表 15 continued

市 City	景区名称 Name of Scenic Spot	景区级别 Scenic Spot Level	景区简介 Introduction of Scenic Spot
保定市	和道国际箱包城景区	4	和道国际箱包城景区，地处京、津、保三角腹地，位于中国商贸名城、日游客量达25万人次的中国白沟，是全国最大的箱包单体购物景区，集天下箱包之大成。景区总投资30亿元，总占地500亩，素有旅游购物天堂，世界箱包海洋的美誉。白沟自古为重要商镇，始于汉朝，盛于明清。早在1800多年前便有了强大的水上运输能力，形成了商业重镇的雏形。清末时，冠有燕南大都会的美誉。改革开放以来，白沟成为中国改革开放三十年历程的缩影，和道国际箱包城景区作为白沟箱包产业发展的精华，蕴含了深厚的箱包文化。
保定市	晋察冀边区革命纪念馆	4	1937年，聂荣臻同志以阜平为起点创建了晋察冀抗日根据地，是我党我军创建的第一块敌后抗日根据地。整个纪念馆由展览馆、雕塑广场、晋察冀军区司令部旧址和后山防空洞等组成，展览馆展厅面积1700平方米，展线长度260米，展出文物259件，照片222张。旧址区有两重院落，占地面积为1752平方米，包括3排21间土坯房。1948年毛泽东、周恩来率领中央机关从延安来到城南庄，在此居住35天。这是晋察冀军区司令部在河北唯一完整保留的机关旧址，以及毛泽东主席进京之前唯一完整保留的居住旧址。后山脚下有一长约128米的防空洞，是由晋察冀军区工兵连的战士人工挖凿而成的，依旧保存完好。
保定市	刘伶醉	4	中国巨力集团刘伶醉酿酒有限公司始创于公元1126年金元时期的刘伶醉烧锅，至今已连续酿酒近千年，是中国最早的蒸馏酒发源地之一，为全国重点文物保护单位，并入选联合国教科文组织《中国世界文化遗产预备单》。刘伶醉酒严格采用传统老五甑工艺，经泥池老窖、固态、低温、长期发酵，缓火蒸馏、量质摘酒、分级贮存、精心酿造而成。深受广大消费者青睐，先后荣获首批中国食品文化遗产、首批中华老字号和中国驰名商标。
保定市	天生桥	4	阜平天生桥风景区，是国家地质公园、国家森林公园。位于河北省保定市阜平县东下关乡朱家营村。距保定市170公里。自1999年开发以来，经过几年的基础设施建设，2001年12月由国土资源部命名为国家地质公园，2004年9月顺利揭碑开园。公园总面积56平方公里，森林覆盖率95%以上，主峰百草坨海拔2144米，由朱家营天生桥瀑布景区和龙泉关景区构成。早在28亿年前，阜平地区曾是一片海洋，在海水中沉积了厚达10000米的泥质、铁质砂和灰泥等沉积物，形成了中国最大的变质岩天生桥和北方最大的瀑布群两大地质奇观。
保定市	北岳庙	4	北岳庙，汉称北岳祠，唐称北岳安天王庙，宋称北岳安天元圣帝庙，元称北岳安天大贞元圣帝庙，到明时去掉历代所加封号，改称为北岳庙，坐落在河北省保定市曲阳县城西部恒州镇北岳路2号，始建于南北朝时期北魏景明、正始年间，清顺治十七年(1660年)以前，北岳庙一直是历代封建帝王祭祀北岳恒山之神的场所，总占地面积为173982平方米。 北岳庙建筑格局呈坐北朝南的田字形，采用的是以中轴线为主，两厢对称的传统建筑形式。庙内主体建筑德宁之殿在中轴线北端，往南依次建有飞石殿、三山门、凌霄门、御香亭、朝岳门、牌坊、石桥等。北岳庙是一座内涵丰厚的文化艺术殿堂，集古建、绘画、书法、石雕、定瓷等艺术于一身。北岳庙碑刻对研究所处时代的政治、经济、文化以及书法艺术的演变，提供了珍贵的实物资料。
沧州市	吴桥杂技大世界	4	吴桥杂技大世界位于世界闻名的杂技之乡吴桥县，是一处以表现杂技艺术为主的主题公园。杂技大世界靠近吴桥县城西北侧的吴桥县汽车站，从县城内步行即可到达。杂技大世界的长大约有近1公里，宽三四百米左右，进入后步行游玩即可。景区的大门位于南侧，以中心处的江湖文化城为坐标，基本可以分为城南一条街、江湖文化城和城北区域，可以按顺序一一游玩。在城内的各个区域，都有很多杂技艺人表演，顶盘子、硬气功、猴戏等古典的杂耍杂技均可以在这里看到。表演有些是按照古时撂地式的露天演出，有些是在专门的区域和房屋内，全都可以免费参观。
沧州市	东光铁佛寺	4	东光铁佛寺，是著名的名胜古迹，素以沧州狮子景州塔，东光县的铁菩萨闻名遐迩。据《东光县志》记载，铁佛寺原名普照寺，始建于北宋开宝五年(公元973年)至今已有一千多年的历史。因寺内释迦牟尼佛体态硕大而闻名，民国25年(公元1936年)直系军阀吴佩孚曾亲笔题匾为铁佛寺。

附录3-1　续表 16　continued

市 City	景区名称 Name of Scenic Spot	景区级别 Scenic Spot Level	景区简介 Introduction of Scenic Spot
衡水市	衡水湖景区	4	河北衡水湖国家级自然保护区坐落在河北省衡水市桃城区、冀州两县区境内，是国家AAAA级旅游景区，也是华北平原唯一保持沼泽、水域、滩涂、草甸和森林等完整湿地生态系统的自然保护区，占地面积163.65平方公里，现湖泊面积75平方公里。河北衡水湖国家级自然保护区其生物多样性十分丰富，以内陆淡水湿地生态系统和国家一、二级鸟类为主要保护对象，属淡水湿地生态系统类型自然保护区。
衡水市	闾里古镇景区	4	闾里古镇位于衡水市滨湖新区魏屯镇106国道东侧，总占地面积为4150亩，总投入为25亿元。闾里古镇依托衡水湖的湿地风光，传承九州之首古冀州崇德尚礼、自强不息的民族精神，以闾里为代表的汉元素为文化符号，以弘扬华夏民族传统文化为核心内容，打造一个集文化产业、旅游产业、美丽乡村建设等于一体的全国汉文化旅游小镇。
邢台市	云梦山景区	4	云梦山位于邢台市西部，距离邢台市区车程约70公里，距离石家庄市政府车程约180公里，是一处以山水、地貌为主的自然风景区。山上有石崖、岩壁、峡谷等，山势陡峭壮观，还有瀑布小溪穿行其间，环境优美。传说这里是春秋时百家之一的鬼谷子修行地，山间有鬼谷子修行洞等可以观看。云梦山的登山路多为自然的土路，山的相对高度大约300米左右，爬山到景区深处约需2-3小时左右。从山下到山上沿途可以看到众多陡峭的大岩壁、石山等，还有幽深的峡谷，非常壮观，适合拍照。在山上有传说中的鬼谷子讲经洞，内有鬼谷子及其著名弟子苏秦、张仪、孙膑、庞涓等人的塑像，可以观赏一下。
邢台市	天河山景区	4	天河山位于邢台市西侧，距离市区车程约70公里，是一处山清水秀的自然风景区。这里传说是牛郎织女故事的发源地，山间可以参观很多以牛郎织女的爱情故事为主题的景点，因此也被称为中国爱情山。游客来此可以在树林溪水之间登山漫步，观赏反映爱情文化的特色景点，还可以体验景区内的拓展娱乐和刺激的漂流活动。两人隔空对望，场面动人，很多情侣都会在这里留影纪念。月老峰地势较高，在这里可以俯瞰景区下面的湖泊、山崖，还能从高处拍摄相望的牛郎织女雕像，视野非常开阔。
邢台市	大峡谷景区	4	邢台峡谷群又称邢台大峡谷、太行奇峡群，位于邢台市西侧，距离邢台市区车程约70公里，是太行山间的一处非常壮观的大峡谷群。这里一共有24条峡谷，都是垂直陡峭的横截形状，非常陡峭幽深，峡谷两侧的石壁呈赤红色，奇幻壮观，适合摄影观光。另外，在峡谷中还有瀑布、溪流和黄巢农民军的城郭旧址、八路军兵工厂遗址等，内容丰富，是摄影观光、登山游玩的好去处。峡谷群景区内现在可以参观的主要有长嘴峡、老人峡、竹会峡、黄巢峡和流水峡五处，每处峡谷都长2-4公里左右，大约需要步行8小时左右，需要一定体力。
邢台市	天梯山景区	4	天梯山景区位于邢台市西郊，是邢台周边郊游登山的好去处。天梯山地貌险峻，石壁陡峭，有一条陡峭的石阶沿山而上，因此得名，这条石阶现在就是景区内的爬山步道。天梯山景区的大门位于东侧，从山门进入后很快便可以来到金水洞的入口，选择入洞的游客便是从此处进入。金水洞的前半段是水路，大约400米，需要乘船，后半段则是旱路，大约700米，需要下船在洞内步行游览，整个探洞大约需要1小时。金水洞里面有很多的地下洞厅，最大的厅有200多平方米，行走在其中有种别有洞天的感觉，洞内以钟乳石为主，可以看到典型的溶洞风光，彩色灯光照映下奇幻瑰丽，可以一一欣赏。
邢台市	紫金山景区	4	紫金山风景旅游区位于太行山东麓邢台县境内，距邢台市区66公里。紫金山海拔平均在1300米以上，最高峰摩天岭海拔1747.5米。景区面积达28平方公里，区内森林覆盖率达90%以上，植被覆盖率接近百分之百。山雀、山鸡、岩鸽、喜鹊、红嘴鸦等野生动物常年活跃其间。紫金山从八百里太行山脊中段拔地而起，透射出超凡脱俗的灵气。山体呈东西走向，山石多呈紫色，属太行山中段长城系红色石英砂岩发育到青年期的嶂石岩地貌类型。集秀峰、丽岭、幽谷、涌泉、飞瀑、奇峡、怪峙、坑盆、谭坝于一体的紫金山承载着独特厚重的历史文化、红色文化和民俗文化。

附录3-1　续表 17　continued

市 City	景区名称 Name of Scenic Spot	景区级别 Scenic Spot Level	景区简介 Introduction of Scenic Spot
邢台市	前南峪景区	4	前南峪生态观光旅游区位于邢台市西侧，距离市区车程约70公里，是一处风光秀美的自然风景区，也是邢台市居民周末出游的好去处。景区内大致分为三个可以游玩的区域，山脚下的抗大纪念馆区域、山前的生态观光区和后面的山峰区域，游玩整个景区大概需要4-6小时左右。前南峪曾是革命老区，曾经的抗大(中国军民抗日军政大学)就建在这里，所以如今这里有抗大纪念馆，在纪念馆周围是一处有湖泊、仿古建筑的园林，景色优美。后山区域则主要是爬山游玩，这里位于太行山脉，山体都陡峭壮观，山间景色优美，可以游玩、拍照，如果体力不足，山间还有缆车可以称作，到达海拔1200米的山顶后视野非常开阔，山下美景尽收眼底。
邢台市	九龙峡景区	4	九龙峡景区位于河北省邢台市邢台县西侧，距离市区车程约80公里，是一处以峡谷风光和奇特地貌为主的自然风景区。山间还有一些历史古迹，在游玩时可以参观访古，是邢台周边地区周末爬山游玩的好去处。九龙峡景区的面积很大，有下龙门、上龙门和卧龙山庄三处出入口，但大部分游客还是以下龙门为起点和终点游玩。步行游玩整个景区的时间大约5小时。景区内还有观光车，每人10元，可以节省大约半小时的登山路，如果体力不足可以选择乘坐(观光车冬季人少时可能会停运)。另外，从龙门关返回景区大门时，还可以选择乘滑道，滑道20元每人，乘坐可以直达山下，趣味十足。
邢台市	扁鹊庙风景区	4	扁鹊庙又名鹊山庙，鹊王庙，位于内丘县城西侧约20公里处，距离邢台市区车程约50公里。庙宇始建于汉朝，是历史最为悠久、规模最为宏大的纪念神医扁鹊的庙宇。春秋时，扁鹊曾为晋大夫赵简治好其儿子的病，大夫为表感谢将这一块土地赐给扁鹊。所以这里是扁鹊真实生活过的地方，是其第二故乡。扁鹊庙的规模很大，除了纪念扁鹊外，这里也是当地著名的道教庙宇，每年节庆时都会有人来此参拜祈福。庙宇的南北纵深约有300多米，宽约120米，在其中游览大约需要2-3小时左右。
邢台市	崆山白云洞	4	崆山白云洞风景名胜区，位于邢台市临城县中部，是以天然溶洞白云洞为主体修建的地质景区，喜欢观赏溶洞风光的游客可以前来游玩。景区内最主要的景观便是白云洞，位于景区的核心位置。溶洞开发的部分游览长度约有4公里，一共分为人间、天堂、地府、龙宫、迷乐五大区域。白云洞内现有免费导游，可以跟着导游的讲解想象每一个石笋的造型。在白云洞的出口处还可以登上崆山山顶，观看周围风光和山上的古石笋基群，游玩内容丰富。
邢台市	天台山景区	4	天台山景区距邢台市临城县崆山溶洞景区西北8公里，是国家4A级旅游景区，包括大平台、五谷仓、石柱峰、天眼山、九尖山等诸峰，总面积约23平方公里，主峰海拔599米。天台山在古时就有天台八景之说。2018年8月18日，邢台临城县天台山景区通过了创建4A级景区景观质量评价。王母观古称房山、铁山、西山、也称天台山，自古便是文化名山，是全世界最著名的王母娘娘到道场。天台山风景名胜区位于平山县王坡乡北部，在华北地区拥有最多的道教、佛教建筑群；是华北地区最大的道教圣地，在汉朝时就佛道并存，因以自然大道作为其最高信仰而得名。
邯郸市	娲皇宫	5	娲皇宫位于河北省涉县中皇山上，是全国五大祭祖圣地之一，是全国规模最大、肇建时间最早、影响地域最广的奉祀女娲的历史文化遗存，被誉为华夏祖庙。始建于北齐，也就是公元550年到公元577年，至今已有1400多年的历史，是神话传说中女娲氏炼石补天，抟土造人的地方。娲皇宫俗称奶奶顶，位于涉县西北唐王峧山腰。娲皇宫依山就势，巧借天然，人称之为天造地设之境。2006年，涉县被中国文联、中国民协命名为中国女娲文化之乡，并挂牌成立了中国女娲文化研究中心，女娲祭典被列入首批国家级民俗类非物质文化遗产。
邯郸市	广府古城旅游景区	5	永年广府城，也称永年城、广府古城、古城、广府城、水城、太极城、水中城，位于河北省东南部、邯郸市东北45华里滏阳河畔的永年洼里，距离县政府驻地临洺关25公里。因历史上曾为广平府治所，故称广府。现为河北省重点文物保护单位。广府城有二千六百多年的历史。现存城墙为明代时重修，高12米、宽8米，城内面积1.5平方公里。城墙保存基本完整，总周长有九里十三步之说。广府古城还是一座水城，周围是万亩洼地和一望无际的芦苇，四面环水，具有北方罕见的秀美水乡风光。

附录3-1　续表 18　continued

市 City	景区名称 Name of Scenic Spot	景区级别 Scenic Spot Level	景区简介 Introduction of Scenic Spot
邯郸市	一二九师纪念馆景区	4	涉县八路军一二九师纪念馆由司令部旧址、将军岭、陈列馆、赤水湾及相关红色产业园区组成，占地面积5.6平方公里。是国内唯一一处全面、详实记录抗战时期八路军一二九师历史的纪念馆。一二九师纪念馆属全国重点文物保护单位、全国先进爱国主义教育示范基地、国家4A级旅游景区、全国红色旅游经典景区、国家国防教育示范基地、国家级风景名胜区、国家二级博物馆。将军岭1986年建设至今安葬有刘伯承、徐向前、李达、黄镇等17位129师革命先辈的灵骨，这块红色热土因此被誉为中国第二代领导的发祥地。
邯郸市	太行五指山景区	4	太行五指山又名五行山，位于太行山东麓，河北省涉县境内，距涉县城区仅5公里，北邻309国道，青兰高速从山前而过，交通便利。太行五指山主峰海拔1283米，占地面积28平方公里，因五座奇峰形似如来佛祖五个手指而得名五指山，相传孙悟空就是被压在五指山下参禅悟道。五指山周围群山环抱，山势巍峨峻秀，植被郁郁葱葱，以雄、奇、险、秀著称。太行五指山景区是国家级风景名胜区、国家4A级旅游景区，已荣获河北省休闲农业和乡村旅游示范点、十佳林业重点企业、邯郸最佳旅游投资机构、河北影视基地等荣誉称号。
邯郸市	丛台公园	4	丛台公园位于河北省邯郸市，占地369.6亩，正中为丛台湖，湖面42余亩。丛台亦名武灵丛台，相传建于赵国武灵王时期，已有2000多年的历史。赵武灵王建筑丛台的目的是为了观看歌舞和军事操演。史载，丛台有天桥、雪洞、妆阁、花苑诸景，结构奇特，装饰美妙，在当时扬名于列国。从东门步入丛台公园，迎面是雄伟的工农兵塑像，苍翠挺拔的雪松，茂盛的生长在主路两旁。漫步北游，举目西望，是繁花似锦的花圃地。登上丛台极目远眺，西边的巍巍太行山层峦起伏，西南赵国都城遗址赵王城蜿蜒的城墙隐约可见，西北便是赵国的铸箭炉、梳妆楼和插箭岭的遗址。俯视台下，碧水清波，荷花飘香，垂柳倒影。
邯郸市	粮画小镇	4	粮画小镇位于馆陶县城西3公里，是民族英雄范筑先和八路军一二九筑先纵队司令员张维翰的故乡。2014年3月，馆陶县委、县政府坚持以美丽乡村为突破口、助推脱贫攻坚，谋划建设了一批特色小镇。粮画小镇是兼具乡村风情与城市品质的河北省首个中国十大美丽乡村，集生态观光、休闲度假、养生艾浴、餐饮住宿于一体的综合性旅游度假景区，开创了以美丽乡村为载体建设省级特色小镇的全新模式。馆陶是位于黄河故道、黑龙港流域的省级平原农业贫困县，远离中心城市，无山缺水少绿薄古，更没有民族风情。粮画小镇通过建设美丽乡村(特色小镇)大力发展乡村旅游产业，形成了美丽乡村+旅游的新模式。
邯郸市	京娘湖	4	京娘湖位于河北省邯郸市武安市西北部，亦称口上水库，距邯郸约60公里，京娘湖有太行三峡之称。距武安城30公里，距邯郸约60公里，位居太行山腹地。湖面呈倒人字形，分东西两支，长短各3公里。现已凭借其中山川水色开辟成为旅游风景区和避暑胜地。据史料记载，赵匡胤千里送京娘的故事便发生在这里。京娘湖因宋太祖送京娘的故事发生在这一带，故得此名。京娘湖原称口上水库，位于武安市西北部山区的口上村北，距武安城30公里，现凭借故其中山川水色开辟成为旅游风景区和避暑胜地。
邯郸市	武安朝阳沟旅游景区	4	河北朝阳沟景区是国家4A级景区、国家地质森林公园、全国乡村游示范点、河北最美30景之一，地处邯郸市武安管陶乡朝阳沟村，距邯郸市80公里，是著名戏剧作家及导演杨兰春老先生的故乡，是万人空巷的戏剧《朝阳沟》故事创作原型地。景区内建有自然生态观光园、游客采摘园、农业观光园、果木嫁接园及航天育种绿色蔬菜种植基地。建有华北第一漂流、综合游乐场和最新5D立体影院。进入朝阳沟景区可以感受不同的文化背景、不同的历史条件、不同的民俗风格、多剧种的文艺表演，在景区可以感受到小山村的淳朴和自然风光的秀丽，与喧嚣的城市相比有一种回归大自然的清新感觉。
邯郸市	赵苑公园	4	邯郸赵苑旅游区，位于河北省邯郸市西北部，总占地1158.5亩，是国家4A级景区及邯郸市内最大的公园，大约在2300年以前，赵国第四代国君赵武灵王实行胡服骑射改革，曾在这里带领将士苦练骑马射箭。邯郸赵苑旅游区，苑内保留了插箭岭、南北梳妆楼、铸箭炉、皇姑庵、汉墓、照眉池等遗址，地势起伏，文化丰厚，是一座融历史与生态、人工景观与自然风貌于一体的综合性公园。赵王的宫人们就是在梳妆楼上梳洗完毕，再来到池边画眉理妆。邯郸自古出美女，而这片湖水，不知曾照过多少邯郸美女的倩影。

附录3-1　续表 19　continued

市 City	景区名称 Name of Scenic Spot	景区级别 Scenic Spot Level	景区简介 Introduction of Scenic Spot
邯郸市	武安市长寿村旅游景区	4	武安长寿村旅游风景区地处太行山南麓河北省武安市境内，距武安市区56公里，西与山西省左权县毗邻，北与邢台市邢台县相望。景区以空气好，水好而闻名遐迩。拥有南太行最高峰青崖寨(海拔1898米)和南太行第二高峰摩天岭(海拔1747.5米)，自然古村落长寿村位于摩天岭脚下，有鸡鸣三省之地利，四水源头(清漳河、沙河、南洺河、北洺河)之泉壑，米寿人仁之气和。峻极峰险，山高水美，绿树荫荫。是武安国家地质公园、武安国家森林公园和青崖寨国家自然保护区，两园一区的中心区域。这里以山称奇，以水增寿，以寿闻名。
邯郸市	东山文化博艺园	4	武安市东大门，有一处湖光山色交相辉映，亭台楼阁错落有致的秀美园林东山文化公园。总占地500多亩，是一所集文化旅游、度假休闲、餐饮娱乐为一体的高品位的文化园，凸现了全园的文化主题和建园宗旨。碑廊由70块高2米，宽0.7米的青石雕砌而成，上书《武安史事纪 略》，记载了发生在武安历史上较重大的历史事件。秀峰山，山名源自对原晋冀鲁豫边区政府主席杨秀峰的怀念。公园的中心展馆区，设文史馆，革命历史陈列馆和群贤居。武安文史馆是一处仿武安传统民居式建筑，突出展示武安深厚的人文历史、优秀的艺术、传统的宗教文化以及丰富的民间文化艺术等。
邯郸市	七步沟旅游景区	4	七步沟景区，位于河北省邯郸市武安活水乡境内，河北武安国家地质公园、国家森林公园腹地，总面积20平方公里，由门景区、休闲度假区、百瀑峡、罗汉峡、三棱山、马武寨六个景区组成，集绿色、古色、红色旅游资源和独特地质资源之大成。七步沟景区，于2009年5月重新规划建设，总投资12亿元。设有冀南首家滑雪场、高空索道、CS真人射击、拓展训练、游客中心和四星级天门湖酒店。七步沟景区，是国家4A级旅游景区、河北省重点旅游建设项目。
邯郸市	响堂山	4	响堂山，位于河北省邯郸市峰峰矿区境内，分南响堂山、北响堂山两处，是国家重点文物保护单位。两山均属太行山支脉，南响堂山原名滏山，北响堂山原名鼓山。东魏、北齐时期，皇家贵族分别在山上建凿了南北两座寺院，初名为滏山石窟和鼓山石窟寺。明代以后统称为响堂寺，近代则均称为响堂山石窟，现为国家重点文物保护单位。响堂山风景区以奇峻秀美的自然山景为依托，以悠久的佛教文化、生态文化、农耕文化为底蕴，融合现代自然观光、生态体验、农业休闲、自驾娱乐等多种旅游形式，打造京津冀文化旅游目的地。
邯郸市	韩王九寨景区	4	韩王九寨景区，位于河北省邯郸市，占地面积30平方公里，主峰海拔1200米，因汉将韩信曾屯兵于此而得名。山顶常有云雾笼罩，素有韩山戴雨之美称，是涉县古九景之一。涉县县委、县政府在多方考察、广泛征求意见的基础上，决定投资10亿元，打造全新的韩王九寨风景区，开发建设韩王九寨，使韩王山成为一座文化大山。2019年12月13日，邯郸市涉县韩王九寨旅游景区被河北省文化和旅游厅正式授予国家4A级旅游景区资质。
邯郸市	晋冀鲁豫烈士陵园	4	晋冀鲁豫烈士陵园，位于晋冀鲁豫四省的交界城市河北省邯郸市邯山区陵园路，是新中国成立后第一座大型烈士陵园。1946年3月奠基，1950年10月落成。陵园占地320亩，分南北两院，是我国建筑最早、规模最大、老一辈无产阶级革命家的题词和碑文最多的烈士陵园。国务院批准为第一批全国重点烈士纪念建筑物保护单位。晋冀鲁豫边区政府从1937年冬开始创建，到1948年8月与晋察冀边区合并，有着11年光辉战斗的历史。2016年12月，国家发改委发布了《全国红色旅游经典景区名录》，晋冀鲁豫烈士陵园入选中国红色旅游经典景区名录。
邯郸市	东太行景区	4	早在28亿年前，太行山地区被海水淹没，沉积了巨厚的碎屑岩、含铁硅质岩及碳酸盐地层，区内古老的地层普遍遭受褶皱、变质，并伴随有断裂和石英岩脉的侵入。东太行景区，至距今18亿年，形成了混合岩化的结晶基底岩层。六亿年以前，太行山地区仍是一片汪洋大海，后来经过了频繁的地壳活动，使太行山脉逐渐隆起。后又与东西的华北大平原断裂，形成太行东部陡峭，西部徐缓的地貌形态。东太行因地处太行山脉东麓而得名，东西两侧山坡相对平缓，南北陡峭，山脊由南向北因势而起，北侧僧山峰为高峰，海拔1428.2米，东西两侧溪水依山而下，呈环抱之势，汇集至京娘湖区。
辛集市	国际皮革城	4	国际皮革城，位于久负盛名的中国皮都辛集东部，占地380亩，建筑面积达50万平方米,是一个以皮革制品销售为主，集购物、休闲、游览、信息发布、商务、服装表演，皮革博物馆等于一体的商业综合体。作为历史悠久的皮革之都，辛集皮毛业源远流长，始于明，盛于清，素有辛集皮革甲天下之美称，是中国历史上最大的皮毛集散地和商埠重镇，民国年间即为全国著名的皮毛集散中心，河北一集由此得名。辛集市区西距河北省会石家庄65公里，北距北京、天津约为250公里，距石家庄机场70公里，到北京或天津港仅需3小时，到黄骅港仅需1.5小时，市区内宽敞明亮的主干道呈网状分布，各种商业网点星罗棋布，配套设施齐全、气势雄伟、规模空前。

统计大事记

Chronicle of Events of Statistical

简 要 说 明

一、本篇资料包括河北省统计工作大事记、河北省统计调查大事记。

二、本篇资料的河北省统计工作大事记由河北省统计局办公室整理提供。河北统计调查大事记由国家统计局河北调查总队办公室整理提供。

三、资料整理：李浩　周亚飞　刘刚强

Brief Introduction

I. The data in this chapter include chronicle of events of Hebei Provincial Statistics Bureau, chronicle of events of Survey Office of the National Bureau of Statistics in Hebei.

II. Chronicle of events of Hebei Provincial Statistics Bureau are compiled and provided by the Office of Hebei Province Statistics Bureau. Chronicle of events of Survey Office of the National Bureau of Statistics in Hebei are compiled and provided by the Office of Survey Office of the National Bureau of Statistics in Hebei.

III.The data in this chapter are prepared: Li Hao, Zhou Yafei, Liu Gangqiang.

2019年河北统计大事记

1月1日，第四次全国经济普查正式开展普查登记工作。1月9日上午11时，河北省委常委、常务副省长、省第四次全国经济普查领导小组组长袁桐利亲临普查登记第一线，分别到石家庄北大中电科技园管理有限公司、石家庄智慧产业有限公司、怀特飞临花店现场调研指导经济普查入户登记工作。

1月6日，中共河北省委办公厅、河北省人民政府办公厅正式印发《河北省防范和惩治统计造假、弄虚作假督察工作实施办法》（冀办字〔2019〕2号），并公开向社会发布。

3月7日，省统计局会同雄安新区在北京组织召开专家论证会。论证会由省人民政府副秘书长王素文主持，邀请中央财经领导小组办公室五局副局长赵鹏、中国宏观经济研究院常务副院长王昌林、中国社科院亚太与全球战略研究院党委书记、副院长王灵桂、中国城市规划设计研究院规划研究中心主任殷会良、中共中央党校（国家行政学院）经济学部副主任、教授曹立、中国人民大学统计学院教授高敏雪、国家统计局统计设计管理司副司长王全众、国家统计局统计科学研究所副所长吕庆喆8位全国知名专家，对指标体系进行了论证。

3月27日，河北省第十三届人民代表大会常务委员会第九次会议审议通过了《河北省统计条例（修订草案）》（简称《条例》）。新修订的《条例》将于2019年5月1日起正式施行。

4月8日，河北日报、河北新闻网等省内主要新闻媒体刊发《河北省统计条例》。《河北省统计条例》经2004年11月27日河北省第十届人民代表大会常务委员会第十二次会议通过，2019年3月27日河北省第十三届人民代表大会常务委员会第九次会议修订，全文共七章四十八条。

4月12日，省委编办正式批复同意省统计局成立政策法规和执法监督局。

5月18日，省政府与国家统计局在雄安新区签署关于推进河北雄安新区统计改革发展创新战略合作框架协议。省委书记、省人大常委会主任王东峰，省委副书记、省长许勤与国家发展改革委副主任兼国家统计局局长、党组书记宁吉喆出席签约仪式。6月28日，省统计局召开雄安新区统计工作动员部署会议，明确工作要求，提出工作举措，并对新区统计组人员进行集中培训，确保实现新区上半年独立统计、数据单列。

7月23日，省委常委、省纪委书记、省监察委员会主任刘爽就统计造假专项整治到省统计局进行专题调研。调研实地察看了社情民意调查中心电话访问室。

9月19日，全省统计科研工作会议于在石家庄召开。全省部分高等院校、科研机构和国家统计局河北调查总队的专家学者，省、市统计局相关人员参加了会议。

9月25日-26日，柬埔寨统计局经普代表团和国家统计局陪同人员一行9人来我省考察了解河北省第四次经济普查具体实施情况，为其即将在2021年开展的经济普查做好技术准备。26日上午，省经普办召开经济普查座谈交流会。

10月30日，河北省完善和落实高质量发展统计指标体系部门联席会议召开第一次全体会议。联席会议召集人、省统计局党组书记、局长杨景祥出席会议并做重要讲话。

12月10日至12日，全省领导干部提升依法统计能力培训班在省委党校举办，省委常委、常务副省长袁桐利出席培训班并讲话。此次培训邀请了国家统计局总经济师邢志宏、国家统计局统计执法监督局局长徐晓海、河北省统计局局长杨景祥以及省委党校的名师学者授课。

12月15日，河北省政府印发了《河北省人民政府关于做好河北省第七次全国人口普查的通知》（冀政字〔2019〕67号），对人口普查工作作出部署。

2019年统计调查大事记

1月24-25日，河北调查总队与河北省住房和城乡建设厅联合举办扩大房价统计调查城市范围工作培训班，总队党组成员、副总队长范仲实出席并讲话。

2月22日，河北调查总队印发《关于加强统计调查分析研究工作的意见》。

2月26日，国家统计局党组成员、副局长李晓超带队来河北总队调研统计调查基层基础工作。

6月19日-21日，国家统计局党组成员、副局长李晓超一行赴邯郸开展“不忘初心、牢记使命”主题教育调研，河北调查总队党组书记、总队长翟善清参加调研。

7月25日，国家统计局沙河调查队成立会议暨揭牌仪式在沙河市政府举行，河北调查总队党组书记、总队长翟善清与沙河市市委副书记、市长王文玉共同为沙河调查队揭牌。

8月2日，国家统计局统计执法监督局局长徐晓海一行赴廊坊调查队开展“不忘初心，牢记使命”主题教育调研。

9月5日，省委副书记、省长许勤到河北调查总队调研。

9月9日，省农业农村厅副巡视员顾传学一行到河北调查总队，就加强畜禽领域合作等事宜同总队进行工作座谈，总队党组成员、副总队长许春伟出席座谈会并讲话。

11月18日，河北调查总队与河北省统计局联合印发《河北省粮食畜牧业统计调查数据归口管理实施方案》，部署河北省粮食畜牧业统计调查数据归口管理工作。